地域・在宅看護の特徴　看護過程の基本　看護過程のステップ	**総論**
がん慢性期　慢性閉塞性肺疾患(COPD)　慢性腎不全　慢性心不全　糖尿病　脳梗塞　頸髄損傷 統合失調症　重症心身障害児　パーキンソン病　筋萎縮性側索硬化症　多発性硬化症 筋ジストロフィー　フレイル　大腿骨頸部/転子部骨折(大腿骨近位部骨折)　関節拘縮　認知症 尿失禁　摂食・嚥下障害　生活不活発病(廃用症候群)　老衰　神経難病　がん　小児がん	**健康障害**
家族の介護疲れ　療育困難　家族による高齢者虐待　生活困窮　社会的孤立 不衛生な住環境(ごみ屋敷)　意欲低下　自己放任　意思決定不全　服薬管理不全	**心理・社会**

第2版

強みと弱みからみた

地域・在宅看護過程

✚ 総合的機能関連図

編集
河野あゆみ
大阪公立大学大学院看護学研究科教授・地域包括ケア科学

編集協力
草場鉄周
北海道家庭医療学センター理事長

医学書院

ご注意

　本書に記載されている治療法や看護ケアに関しては，出版時点における最新の情報に基づき，正確を期するよう，著者，編集者ならびに出版社は，それぞれ最善の努力を払っています．しかしながら，医学，医療の進歩から見て，記載された内容があらゆる点において正確かつ完全であると保証するものではありません．

　したがって，看護実践への活用にあたっては，常に最新のデータに当たり，本書に記載された内容が正確であるか，読者御自身で細心の注意を払われることを要望いたします．本書記載の治療法・医薬品がその後の医学研究ならびに医療の進歩により本書発行後に変更された場合，その治療法・医薬品による不測の事故に対して，著者，編集者，ならびに出版社は，その責を負いかねます．

株式会社　医学書院

強みと弱みからみた　地域・在宅看護過程＋総合的機能関連図

発　行	2018年12月15日　第1版第1刷
	2022年 1月15日　第1版第4刷
	2023年 1月15日　第2版第1刷Ⓒ

編　集　　河野あゆみ
　　　　　こうの

発行者　　株式会社　医学書院
　　　　　代表取締役　金原　俊
　　　　　〒113-8719　東京都文京区本郷1-28-23
　　　　　電話　03-3817-5600（社内案内）

印刷・製本　山口北州印刷

本書の複製権・翻訳権・上映権・譲渡権・貸与権・公衆送信権（送信可能化権を含む）は株式会社医学書院が保有します．

ISBN978-4-260-05082-1

本書を無断で複製する行為（複写，スキャン，デジタルデータ化など）は，「私的使用のための複製」など著作権法上の限られた例外を除き禁じられています．大学，病院，診療所，企業などにおいて，業務上使用する目的（診療，研究活動を含む）で上記の行為を行うことは，その使用範囲が内部的であっても，私的使用には該当せず，違法です．また私的使用に該当する場合であっても，代行業者等の第三者に依頼して上記の行為を行うことは違法となります．

JCOPY　〈出版者著作権管理機構　委託出版物〉
本書の無断複製は著作権法上での例外を除き禁じられています．複製される場合は，そのつど事前に，出版者著作権管理機構（電話 03-5244-5088，FAX 03-5244-5089，info@jcopy.or.jp）の許諾を得てください．

はじめに

　暮らし(生活)の場において療養する人々を支援する看護への社会の期待は大きく膨らんできています．未来の看護を担う学生の皆さんが生活の場における看護過程の基本的な考え方を修得することは大切です．それは将来にわたる看護観の礎につながると思うからです．本書は，特に，訪問看護実習や演習で活用することを想定した学習書として，2018年11月に初版が刊行され，それ以来，看護学生のためのサブテキストとして，また，訪問看護を始めたばかりの看護職への参考資料として好評を得てきました．そこで第2版でもコンセプトは大きく変えていませんが，内容の一部を改めて見直し，読者にわかりやすいように改訂に努めました．

　本書の看護過程では，総合的機能をみる視点と，強みと弱みをみる視点を第一の特長として取り入れました．

　生活という言葉はケアの世界ではよく使われますが，生活とは何か，どのように生活をとらえればよいのか，教育現場で学生の皆さんに伝えることが難しく思うときがあります．そこで本書では，生活を①疾患・医療ケア，②活動，③環境，④理解・意向の4領域(総合的機能)に区分してとらえることにしました．

　また，疾患の治療に伴う看護では弱みを解決する視点，生活に寄り添う看護では強みを活かす視点が重視されやすいですが，本書では，敢えて両者の視点が必要という立場をとっています．訪問看護師は弱みを解決する援助と強みを活かす援助をうまく併用しており，そこに熟達した看護実践があるためです．

　総合的機能関連図は，この2つの視点を意識した構図にしてあり，総合的機能の4領域にどう情報を振り分けるか，強みまたは弱みと読む解釈・判断をどう配置するかなど決まりをつくっています．決まりがあることで書きづらいと悩むかもしれませんが，これを学習のための決まりと理解して頂ければと思います．関連図を書くことで対象者の情報が整理され，看護課題を導き出した論理が明確になり，他者に説明しやすくなるでしょう．編者自身もこの関連図を実習に使用していますが，指導側と学生が看護課題を導く筋道を一緒に確認できるため，教育ツールとして使いやすいと感じています．なお，本書では第1章でこれらの訪問看護における看護過程の基本的な考え方を説明しています．

　ほかに，本書の目次構成には次の特長をもたせました．在宅療養者には様々な年代の人が含まれ，その疾患は多種多様であり，その看護過程を一冊の本ですべて説明することには限界があります．本書では，読者が訪問看護を知ることを目的とし，訪問看護利用者によくみられる健康障害を取り上げました．慢性疾患，難病，老年症候群，エンドオブライフの在宅医療に必要な医学的知識とそれに伴う看護過程を第2章にて説明しています．

また，訪問看護は，健康障害とともに生活を続けるための看護ですから，時として在宅療養者の心理・社会的課題に対応することが求められます．本書では，例えば，家族の介護疲れ，生活困窮，意思決定不全，社会的孤立など，在宅療養者によくみられる心理・社会的課題について，第3章にて取り上げ，その看護過程を系統的に説明しています．これは疾患・症状ごとに看護過程を説明してきたこれまでの類書とは全く異なる試みでもあります．

　さらに，本書では34もの豊富な事例を用いて訪問看護における看護過程を説明しています．ただし，実際の在宅療養者には，本書で示しているようなシンプルな事例は少ないでしょう．例えば，認知症がありながら慢性腎不全に罹患しており，同時に生活困窮や劣悪な住環境による問題のある在宅療養者など，ほとんどのケースでは複数の健康障害と心理・社会的課題をあわせ持っています．そこで，本書では，それぞれの健康障害と心理・社会的課題に典型的な看護課題を表現するように努めました．実習で対象者に看護過程を展開する際には，本書の該当する項目をうまく組み合わせて，その療養者の個別性に応じた看護目標や看護計画の立案方法を学んで頂ければと思います．実際の対象者を一つの例を参考に考えることより，複数の例を参考に統合した合理的なモデルを自分でつくる思考を修得することもまた大切な学習内容だからです．なお，書名については，2022年度からの指定規則改正による科目名の変更に伴い，出版社の方針により『在宅看護過程』から『地域・在宅看護過程』としました．

　本書の趣旨にご賛同いただき，ご尽力いただいた執筆者の方々にはこの場を借りてお礼を申し上げます．また，制作の全工程にわたって，ご支援くださった医学書院の皆様にも心より感謝申し上げます．

　本書のコンセプトに何か通じるものを感じて頂き，学んで頂ければ，これほど嬉しいことはありません．そのために本書では，実習でそのまま使って頂けるよう，情報整理シート・関連図等の様式をウェブサイトからダウンロードできるようにしています．また，事前学習や学内演習等に活用できる動画教材についても初版に引き続き，ご活用頂ければ幸いです．皆様から忌憚のないご意見を頂きながら，内容を深めていき，これからもさらに発展的に変わり続ける地域・在宅看護の人材育成に寄与したいと望んでいます．

　　2022年11月

著者を代表して　河野あゆみ

編集

河野あゆみ　大阪公立大学大学院看護学研究科教授・地域包括ケア科学

編集協力

草場　鉄周　北海道家庭医療学センター理事長

執筆

医学解説　　　　　　　　　　　　　　　　　　　　　　　　　（五十音順）

浅井	真嗣	医療法人胡蝶会 サンエイクリニック院長
飯島	勝矢	東京大学未来ビジョン研究センター教授
石垣	泰則	医療法人社団仁生会 大村病院院長
今村	弥生	杏林大学医学部精神神経科学教室助教
榎原	剛	えのきはらクリニック副院長
太田	秀樹	医療法人アスムス理事長
小倉	和也	医療法人はちのへファミリークリニック理事長・院長
小野沢	滋	みその生活支援クリニック院長
加藤	光樹	まどかファミリークリニック院長
木下	朋雄	和光ホームケアクリニック院長
木村	琢磨	埼玉医科大学総合診療内科教授
佐藤	健一	Nippon Medical Care medical doctor
千田	一嘉	金城学院大学薬学部薬学科教授
遠矢純一郎		医療法人社団プラタナス 桜新町アーバンクリニック院長
土倉潤一郎		土倉内科循環器クリニック院長
土畠	智幸	医療法人稲生会理事長
難波	雄亮	難波メディカルクリニック院長
難波	玲子	神経内科クリニックなんば院長
藤﨑	万裕	東京大学高齢社会総合研究機構客員研究員
松坂	英樹	みんなのクリニック院長
和田	忠志	医療法人社団実幸会いらはら診療所在宅医療部

看護解説　　　　　　　　　　　　　　　　　　　　　　　　　（五十音順）

池田	直隆	大阪公立大学大学院看護学研究科講師・在宅看護学
岡本双美子		大阪公立大学大学院看護学研究科准教授・地域包括ケア科学
片倉	直子	神戸市看護大学教授・療養生活看護学領域在宅看護学分野
加茂ふみ子		前ファミリー・ホスピス平野ハウスホーム長
草部	眞美	有限会社クサベ在宅サービス クサベ在宅サービス訪問看護ステーション取締役

河野あゆみ	大阪公立大学大学院看護学研究科教授・地域包括ケア科学
小林　　愛	ケアプロ在宅医療株式会社 ケアプロ訪問看護ステーション東京
武　ユカリ	森ノ宮医療大学大学院保健医療学研究科看護学専攻准教授・在宅看護学
立石　容子	株式会社コメディカ ハピネス訪問看護ステーション統括責任者
田中　陽子	畿央大学健康科学部看護医療学科准教授・公衆衛生看護学
濱吉　美穂	佛教大学保健医療技術学部看護学科准教授・老年看護学
平谷　優子	大阪公立大学大学院看護学研究科教授・子ども・家族ケア科学
深山　華織	大阪公立大学大学院看護学研究科講師・在宅看護学
福島奈緒美	和泉市役所福祉部障がい福祉課課長補佐
藤田　倶子	千里金蘭大学大学院看護学研究科教授
丸尾　智実	神戸市看護大学准教授・療養生活看護学領域在宅看護学分野
丸山加寿子	大阪市立大学大学院看護学研究科後期博士課程・在宅看護学
吉行　紀子	大阪公立大学大学院看護学研究科研究員・地域包括ケア科学

動画解説 （五十音順）

河野あゆみ	大阪公立大学大学院看護学研究科教授・地域包括ケア科学
丸山加寿子	大阪市立大学大学院看護学研究科後期博士課程・在宅看護学

撮影協力（五十音順）
犬石理恵子（ケアステーションいぶき）
丸山加寿子（大阪市立大学大学院看護学研究科後期博士課程・在宅看護学）

写真・動画撮影
亀井宏昭

本書の構成と使い方

■第1章「総論」の使い方

「地域・在宅看護の特徴」「看護過程の基本」を一から解説．さらに「看護過程のステップ」では，総合的機能の4領域（疾患・医療ケア，活動，環境，理解・意向）に則ったアセスメントから評価までを詳細に説明しました．まず，本書の基本的な考え方を理解しましょう．

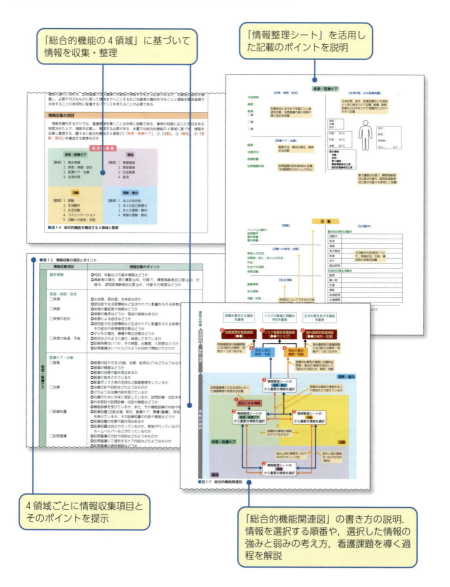

「総合的機能の4領域」に基づいて情報を収集・整理

「情報整理シート」を活用した記載のポイントを説明

4領域ごとに情報収集項目とそのポイントを提示

「総合的機能関連図」の書き方の説明．情報を選択する順番や，選択した情報の強みと弱みの考え方，看護課題を導く過程を解説

本書の構成と使い方

■第2章「健康障害別看護過程」・第3章「心理・社会的課題別看護過程」の使い方

各項目について，在宅医療の基礎知識，関連する社会資源を概説．第3章では，多様な在宅療養者に活用できるように，要因や療養者・家族の特徴からみた援助・対策を説明．

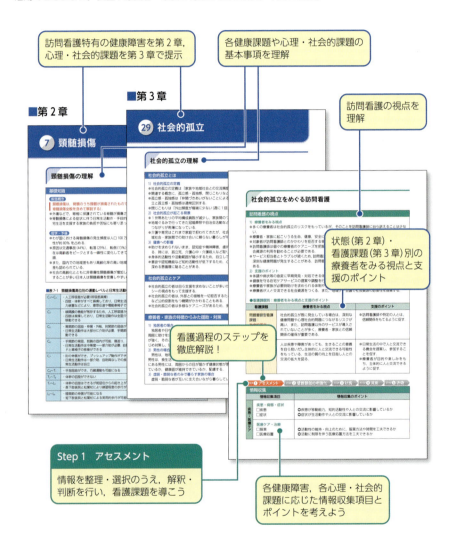

- 訪問看護特有の健康障害を第2章，心理・社会的課題を第3章で提示
- 各健康課題や心理・社会的課題の基本事項を理解
- 訪問看護の視点を理解
- 状態（第2章）・看護課題（第3章）別の療養者をみる視点と支援のポイント
- 看護過程のステップを徹底解説！
- Step 1 アセスメント 情報を整理・選択のうえ，解釈・判断を行い，看護課題を導こう
- 各健康障害，各心理・社会的課題に応じた情報収集項目とポイントを考えよう

本書の構成と使い方

各健康障害や心理・社会的課題を学習できる典型的事例を1例紹介し、「情報整理シート」と「総合的機能関連図」を活用した一連の看護過程を解説しました.

■情報整理シート

領域ごとに、情報整理シートに情報をまとめよう

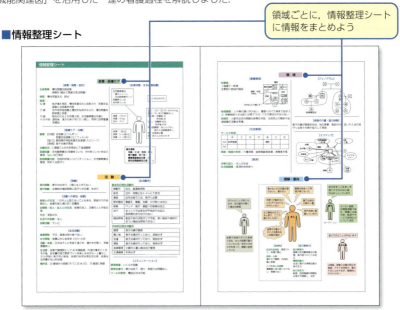

■総合的機能関連図と看護課題

療養者の全体像を明らかにしよう

看護課題を導く論理を明確にしよう

活かせる強みは何か？
→ 強みを示す矢印
　 強みと読む解釈・判断

問題やリスクは何か？
→ 弱みを示す矢印
　 弱みと読む解釈・判断

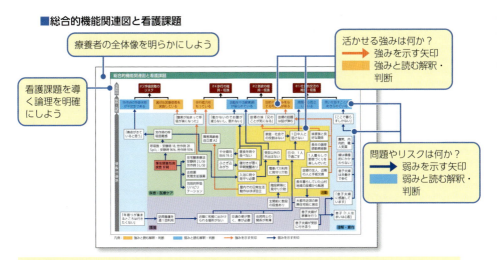

- 処方例・事例に出てくる薬剤は商品名での記載を基本としていますが、療養者によっては有効成分（一般名）が同一でも商品名の異なる薬剤を使用しています．「**薬剤一覧**」(574頁) で一般名を参照できます．
- 「**事例一覧**」が xv 頁に，各事例の Keywords から検索できる「**事例キーワード索引**」が581頁にあります．
- 各事例で挙げられた看護課題（コード型）は，「**看護課題索引**」(578頁) から検索できます．

ix

本書の構成と使い方

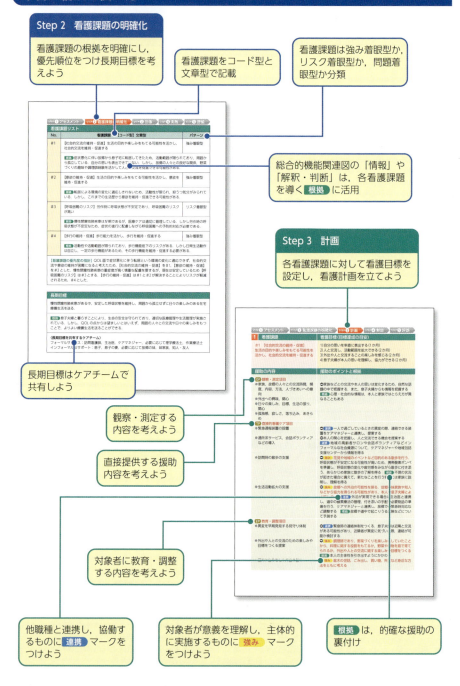

本書の構成と使い方・動画の閲覧方法

Step 4　実施
実施する援助は強みに着目しているのか，弱みに着目しているのか，考えよう

Step 5　評価
看護目標にしたがって，援助内容を評価し，看護計画を見直そう

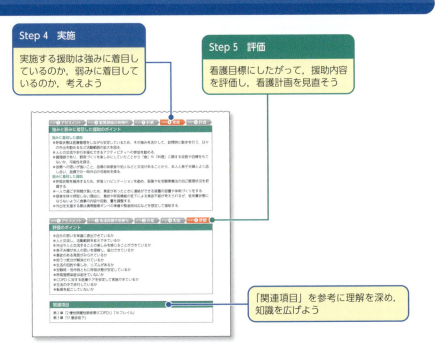

「関連項目」を参考に理解を深め，知識を広げよう

動画の閲覧方法

本書の動画の見かた

本書の付録動画をご覧いただけます．右記 QR コードまたは URL の Web サイトにアクセスし，ID と PASS（下のスクラッチを削ると記載されています）を入力してください．

QR

URL
https://www.igaku-shoin.co.jp/book/detail/112179/appendix

本 Web サイトの利用ライセンスは，本書 1 冊につき 1 つ，個人所有者 1 名に対して与えられるものです．第三者への ID・PASS の提供・開示は固く禁じます．また図書館・図書施設など複数人の利用を前提とする場合には，本 Web サイトを利用することはできません．不正利用が確認された場合は，閲覧できなくなる可能性があります．

＊動画の閲覧は Web 配信サービスとなります．PC，スマートフォン，タブレットなどで視聴可能です．

- 編集者による解説動画
- 事例動画

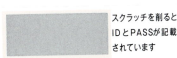

スクラッチを削ると ID と PASS が記載されています

xi

目次 強みと弱みからみた 地域・在宅看護過程＋総合的機能関連図

はじめに……………………………………………………………河野あゆみ　iii
本書の構成と使い方………………………………………………河野あゆみ　vii
動画の閲覧方法……………………………………………………………………xi

第1章　総論

① 地域・在宅看護の特徴　　　　　　　　　　　　　　　　　河野あゆみ

1 地域・在宅看護とは……………………………………………………… 2
　　地域・在宅看護の定義／地域・在宅看護の考え方

2 地域・在宅看護と訪問看護……………………………………………… 2
　　地域・在宅看護の中心的実践である訪問看護／訪問看護とケアの関係

② 看護過程の基本　　　　　　　　　　　　　　　　　　　　河野あゆみ

1 訪問看護において看護過程を学ぶ意義………………………………… 4

2 訪問看護の看護過程で使う用語………………………………………… 4

3 看護過程の目的…………………………………………………………… 4
　　看護過程の目的と対象／看護過程の意義

4 看護過程の特徴…………………………………………………………… 5
　　総合的機能をみる視点／強みと弱みをみる視点

5 看護過程の概要…………………………………………………………… 6

③ 看護過程のステップ　　　　　　　　　　　　　　　　　　河野あゆみ

1 アセスメント……………………………………………………………… 7
　　情報収集の方法／情報収集の項目／情報整理：情報整理シートの活用／情報選択，解釈・判断，看護課題の提示：総合的機能関連図の活用

2 看護課題の明確化………………………………………………………… 19
　　看護課題の明確化の考え方／看護課題の明確化の具体例／看護課題の優先度の指針／長期目標の明確化

3 看護計画…………………………………………………………………… 24
　　看護目標／援助内容の計画

4 実施………………………………………………………………………… 26
　　行動手順／的確な援助の提供／正確な記録

5 評価………………………………………………………………………… 28
　　評価の方法／評価の側面と指針／計画の見直し・修正

付録1〜6：訪問看護指示書／訪問看護計画書／訪問看護報告書／居宅サービス計画書／週間サービス計画表／サービス提供票／サービス提供票別表……………………… 丸山加寿子　31

付録7〜9：要介護度の目安／日常生活自立度（障害高齢者）の基準／日常生活自立度（認知機能）の基準…………………………………………………………………… 河野あゆみ　40

第2章　健康障害別看護過程

1 慢性疾患

1　がん慢性期……………………………………………… 加藤光樹／池田直隆　44
2　慢性閉塞性肺疾患（COPD）…………………………… 千田一嘉／加茂ふみ子　60
3　慢性腎不全……………………………………………… 浅井真嗣／池田直隆　77
4　慢性心不全……………………………………………… 土倉潤一郎／草部眞美　94
5　糖尿病…………………………………………………… 和田忠志／藤田俱子　110
6　脳梗塞…………………………………………………… 小倉和也／小林　愛　125
7　頸髄損傷………………………………………………… 榎原　剛／武ユカリ　142
8　統合失調症……………………………………………… 今村弥生／片倉直子　159
9　重症心身障害児………………………………………… 土畠智幸／平谷優子　173

2 難病

10　パーキンソン病………………………………………… 難波雄亮／岡本双美子　189
11　筋萎縮性側索硬化症…………………………………… 難波玲子／加茂ふみ子　205
12　多発性硬化症…………………………………………… 木村琢磨／立石容子　222
13　筋ジストロフィー……………………………………… 石垣泰則／田中陽子　237

3 老年症候群

14　フレイル………………………………………… 藤﨑万裕・飯島勝矢／吉行紀子　253
15　大腿骨頸部／転子部骨折（大腿骨近位部骨折）……… 太田秀樹／丸山加寿子　270
16　関節拘縮………………………………………………… 木下朋雄／深山華織　287
17　認知症…………………………………………………… 遠矢純一郎／草部眞美　304
18　尿失禁…………………………………………………… 松坂英樹／小林　愛　320
19　摂食・嚥下障害………………………………………… 小野沢滋／丸尾智実　337
20　生活不活発病（廃用症候群）…………………………… 佐藤健一／河野あゆみ　353

4 エンドオブライフ

21　老衰……………………………………………………………………… 濱吉美穂　368
22　神経難病………………………………………………………………… 吉行紀子　382
23　がん…………………………………………………………………… 岡本双美子　396
24　小児がん………………………………………………………………… 平谷優子　412

第3章　心理・社会的課題別看護過程

1 環境
- 25　家族の介護疲れ……丸尾智実　428
- 26　療育困難……田中陽子　443
- 27　家族による高齢者虐待……福島奈緒美　458
- 28　生活困窮……藤田倶子　473
- 29　社会的孤立……河野あゆみ　488
- 30　不衛生な住環境（ごみ屋敷）……河野あゆみ　502

2 理解・意向
- 31　意欲低下……武ユカリ　517
- 32　自己放任……片倉直子　531
- 33　意思決定不全……濱吉美穂　544
- 34　服薬管理不全……池田直隆　559

薬剤一覧……574
看護課題索引……578
事例キーワード索引……581
索引……585

NOTE
- 在宅酸素療法……千田一嘉　73
- 間欠的自己導尿……榎原　剛　155
- 人工呼吸器……石垣泰則　213
- CVポート……加藤光樹　411

イラスト：吉行紀子

事例一覧

1 がん慢性期 ··· 51
化学療法の副作用による脱水状態のがん慢性期の療養者の例
男性，68歳／妻，長女夫婦，孫の二世帯住宅
Keywords がん慢性期，大腸がん，化学療法，悪心・嘔吐，脱水，ストーマ管理，高齢男性

2 慢性閉塞性肺疾患（COPD） ··· 67
包括的呼吸リハビリテーションが開始されたCOPDの療養者の例
男性，68歳／妻との二人暮らし
Keywords 慢性閉塞性肺疾患，在宅酸素療法，禁煙，呼吸リハビリテーション，高齢男性

3 慢性腎不全 ··· 84
血液透析を行っている慢性腎不全の療養者の例
男性，74歳／妻との二人暮らし
Keywords 慢性腎不全，うっ血性心不全，血液透析，飲水制限，低栄養，家族介護，高齢男性

4 慢性心不全 ··· 101
住宅型有料老人ホームで療養生活を送っている慢性心不全の療養者の例
女性，72歳／住宅型老人ホームに1人で入所．夫は既に他界し子どもはいない
Keywords 慢性心不全，心拍出量減少，健康管理行動，緩和ケア，アドバンスケアプランニング，高齢女性

5 糖尿病 ··· 116
健康管理行動に意欲がなく，血糖コントロールが不良の糖尿病の療養者の例
男性，45歳／一人暮らし
Keywords 糖尿病，インスリン自己注射，血糖コントロール，医療扶助，独居，生活保護，壮年男性

6 脳梗塞 ··· 132
脳梗塞後遺症のある退院後の療養者の例
女性，56歳／夫，長男との三人暮らし．隣町に長女夫婦が在住
Keywords 脳梗塞，高血圧，福祉用具の活用，リハビリテーション，壮年女性

7 頸髄損傷 ·· 149
頸髄損傷により重度障害を負った状態で在宅療養を始めた療養者の例
男性，20歳／両親，妹との四人暮らし
Keywords 頸髄損傷，自尊心，残存機能，青年男性

8 統合失調症 ··· 165
グループホームで暮らす精神症状が悪化している統合失調症の療養者の例
女性，36歳／実家に独身の姉がいる
Keywords 統合失調症，服薬管理，精神症状，認知機能障害，対人交流，グループホーム，壮年女性

9 重症心身障害児 ··· 180
特別支援学校に通うひとり親家庭の重症心身障害児の例
男児，10歳／母親と同居（ひとり親家庭）
Keywords 重症心身障害児，脳性麻痺，てんかん，ひとり親家庭，特別支援学校，学童（男児）

10 パーキンソン病 ·· 196
日常生活動作の低下がみられるパーキンソン病の療養者の例
女性，68歳／夫と娘家族（娘，婿，孫）との五人暮らし
Keywords 服薬管理，パーキンソン病，ホーン-ヤール分類Ⅳ，wearing-off現象，高齢女性

11 筋萎縮性側索硬化症 ·· 212
人工呼吸器管理を受けながら残存機能を活かした生活を送るALSの療養者の例
男性，55歳／妻と高校3年生の娘との三人暮らし
Keywords 残存機能，自尊心，筋萎縮性側索硬化症（ALS），尿路感染，呼吸器感染，人工呼吸器管理，胃瘻，壮年男性

12 多発性硬化症 ... 228
家族の支援を受けながら生活を送る多発性硬化症の療養者の例
女性，43歳／高齢の父母と同居
Keywords 多発性硬化症，免疫抑制薬，ウートフ現象，壮年女性

13 筋ジストロフィー ... 243
デュシェンヌ型筋ジストロフィーの小児の例
女児，3歳／核家族，現在第2子妊娠中
Keywords 筋ジストロフィー，低栄養，発達支援，家族支援，出生前診断，意思決定，幼児（女児）

14 フレイル ... 260
肺炎による入退院を経て，フレイル状態にある独居高齢者の例
女性，78歳／一人暮らし．隣市に長男夫婦が在住
Keywords フレイル，老年期うつ，腰部脊柱管狭窄症，軽度認知障害，低栄養，歩行機能低下，独居，高齢女性

15 大腿骨頸部／転子部骨折（大腿骨近位部骨折）... 277
大腿骨頸部骨折後の基本的日常生活動作が回復していない高齢者の例
女性，82歳／娘（未婚）と二人暮らし．近隣に息子家族が在住
Keywords 大腿骨頸部骨折，人工骨頭置換術後，リハビリテーション，家族介護，高齢女性

16 関節拘縮 ... 294
脳梗塞に伴う障害により，関節拘縮が進行している高齢者の例
男性，82歳／妻との二人暮らし
Keywords 関節拘縮，脳梗塞後遺症，褥瘡，家族の介護疲れ，意欲，家族支援，高齢男性

17 認知症 ... 311
配偶者との死別と転居をきっかけにアルツハイマー型認知症が進行した高齢者の例
男性，78歳／長男夫婦と同居
Keywords 糖尿病，高血圧，アルツハイマー型認知症，リロケーションダメージ，家族の介護疲れ，BPSD（行動・心理症状），高齢男性

18 尿失禁 ... 327
日常生活動作低下と尿意切迫感により，失禁が増加している超高齢者の例
女性，92歳／夫・長男とは死別し独居．妹家族が隣市，弟夫婦が隣県に在住
Keywords 尿失禁，尿意切迫感，頻尿，独居，高齢女性

19 摂食・嚥下障害 ... 344
摂食・嚥下障害があり誤嚥性肺炎を繰り返している高齢者の例
男性，76歳／10年前に妻が他界し，現在はサービス付き高齢者向け住宅で独居．1人娘がいるが結婚し遠方に在住
Keywords 摂食・嚥下障害，誤嚥性肺炎，低栄養，意欲低下，サービス付き高齢者向け住宅，高齢男性

20 生活不活発病（廃用症候群）... 359
生活不活発病が進行し，寝たきり状態の高齢者の例
男性，89歳／娘家族と同居
Keywords 生活不活発病，認知症，寝たきり，褥瘡，便秘，せん妄，高齢男性

21 老衰 ... 372
老衰により心身機能が低下してきている終末期の超高齢者の例
女性，95歳／75歳の長女と同居
Keywords 老衰，関節拘縮，食事量減少，エンドオブライフケア，家族支援，褥瘡，疼痛，高齢女性

22 神経難病 ... 387
多系統萎縮症の症状が進行してきている終末期の療養者の例
男性，64歳／長女夫婦とその子ども1人と同居
Keywords 神経難病，多系統萎縮症，エンドオブライフケア，意思決定支援，家族介護，壮年男性

23 がん ... 402
骨転移のある末期の肺がんで，予後1か月の療養者の例
男性，52歳／妻と長女・長男との四人暮らし
Keywords 肺がん，骨転移，末期がん，症状コントロール，スピリチュアルペイン，家族支援，エンドオブライフケア，壮年男性

事例一覧

24　小児がん　……417
積極的治療からエンドオブライフケアに切り替えた小児がんの子どもの例
女児，5歳／父親，母親，姉（8歳）と同居
Keywords　エンドオブライフケア，小児緩和ケア，在宅酸素療法，疼痛コントロール，家族支援，急性骨髄性白血病，幼児（女児）

25　家族の介護疲れ　……434
日常生活に全介助が必要な超高齢者への介護疲れがみられる家族の例
女性，98歳／息子夫婦（子どもは独立）と同居
Keywords　家族の介護疲れ，大腿骨転子部骨折後，生活不活発病（廃用症候群），認知症，一人介護，超高齢女性

26　療育困難　……448
医療的ケアを抱えた超低出生体重児と療育困難のある母親の例
男児，11か月／母親，兄との三人暮らし
Keywords　療育困難，ネグレクト，愛着形成，運動発達遅滞，在宅酸素療法，乳児（男児）

27　家族による高齢者虐待　……463
引きこもりの息子から虐待を受けている，認知症の高齢者の例
女性，82歳／無職の長男との二人暮らし
Keywords　高齢者虐待，認知症，引きこもり，年金，男性介護者，未婚の子ども，成年後見制度，ネグレクト，経済的虐待，高齢女性

28　生活困窮　……479
年金，介護保険料未払いのため不適切な介護がみられている生活困窮家族の例
女性，62歳／夫との二人暮らし
Keywords　生活困窮，介護保険料未払い，難病法（難病の患者に対する医療等に関する法律），医療費助成制度，多系統萎縮症，神経因性膀胱，壮年女性

29　社会的孤立　……493
呼吸症状悪化に伴い，子ども宅に転居した日中独居の高齢者の例
男性，80歳／長男夫婦（子どもなし）と同居
Keywords　社会的孤立，日中独居，転居，虚弱，慢性閉塞性肺疾患，高齢男性

30　不衛生な住環境（ごみ屋敷）　……508
肺炎を繰り返す，ごみ屋敷に暮らす高齢者の例
女性，70歳／一人暮らし（未婚），1年前に同居していた姉と死別
Keywords　ごみ屋敷，不衛生，呼吸器感染，ため込み症疑い，糖尿病，認知症，高齢女性

31　意欲低下　……522
姉との死別と役割の喪失を経験したことにより意欲低下をきたした高齢者の例
女性，70歳／娘夫婦，孫と同居
Keywords　意欲低下，社会的役割，変形性膝関節症，腰痛症，日中独居，介護経験，死別，高齢女性

32　自己放任　……536
疾病管理のために必要なサービスを受け入れられない療養者の例
男性，63歳／一人暮らし．近隣に弟夫婦が在住
Keywords　糖尿病，統合失調症，独居，自己放任，壮年男性

33　意思決定不全　……549
筋萎縮性側索硬化症の急激な進行により，療養方針が決定できない療養者と家族の例
女性，77歳／夫，長女との三人暮らし
Keywords　筋萎縮性側索硬化症（ALS），呼吸機能悪化，意思決定不全，人工呼吸器，家族介護，高齢女性

34　服薬管理不全　……564
認知機能低下により，適切な服薬管理を行えない多剤併用状態の高齢者の例
男性，85歳／独居，長男夫婦との交流は少ない
Keywords　服薬管理，多剤併用（ポリファーマシー），認知症，高血圧，独居，降圧薬，高齢男性

第1章
総論

地域・在宅看護の特徴

1 地域・在宅看護とは

地域・在宅看護の定義

　すべての人々は疾病や健康障害があっても，自らの意思で望ましい暮らしとケアを選ぶことで，納得のいくよい人生を送ることができる．**地域・在宅看護**とは「あらゆる年代の，疾病・健康障害のある人々やそのリスクの高い人々とそれを取り巻く家族，地域の人々に対して，生活の場で提供する看護」である[1]．また，地域・在宅看護では，それぞれの人の望みをかなえ，対象となる人々がもつ力を最大限に引き出し，主体性と満足感をもたらすアプローチを行う．この地域・在宅看護に特徴的なアプローチは，看護の本質といえる．

　地域・在宅看護の考え方は，決して新しいものではない．なぜならば，ナイチンゲールが既に「病院というものはあくまでも文明の途中のひとつの段階を示しているにすぎない．（中略）究極の目的はすべての病人を家庭で看護することである」と地域・在宅看護の重要性を明確に述べているからである[2]．19世紀終わり，近代看護の原点が確立されようとしていたその時代に，地域・在宅看護の理念が息づいていたと解釈できる．

地域・在宅看護の考え方

　少子高齢化・人口の減少と医療の進歩が著しいわが国においては，健康と生活に対する国民のニーズは常に多様化・複雑化しつづけている．例えば，これまで長期間入院をしなければ受けられなかったがん化学療法を外来で受けることができるようになり，ときに就労しながら，自宅で闘病生活を送ることは，ごく当たり前のことになってきている．また，病気や障害があっても，様々な社会資源を活用しながら自分らしく自宅で最期まで暮らしたいという人々の価値観が社会に広く浸透しつつある．このように，近年，病気や障害のある人々が，医療や介護を受けながら地域で暮らすことに対する価値観と，それに関わる医療体制が大きく変化してきている．

　これらの社会状況に対応して，看護に求められる役割もめまぐるしく変わってきており，医療機関内にとどまらず，地域・在宅で提供する看護をさらに進化させることが重要である．現代の看護職には，多様で専門的な知識やスキルが必要であるほかに，自立してアセスメントができ，多職種から構成されるケアチームにおいてリーダーシップをとれる実践力をもつことが今まで以上に求められている．

　このような専門的な実践力を培うために，臨床看護領域をはじめ，あらゆる看護学分野において看護過程を展開するという思考方法が確立されている．しかし，地域・在宅看護では，医療機関等で提供される疾病の治癒や症状の緩和を基軸においた看護過程をそのまま適用することはできない．生活の場における看護の特徴を踏まえた看護過程を展開する必要がある．

2 地域・在宅看護と訪問看護

地域・在宅看護の中心的実践である訪問看護

　地域・在宅看護実践を提供する機関としては，訪問看護事業所，病院・診療所の地域連携部門や外来，地域包括支援センター，通所系・訪問系介護サービス事業所，保健所や自治体の保健医療福祉部門，福祉施設や高齢者用の住まいなどが挙げられる．また，これらの提供機関では，直接的な看護援助，教育・調整的な看護援助，ケアマネジメント，相談，ケアシステムづくりなど様々な看護実践が提供されている．

　しかし，中でも訪問看護ステーションや医療機関などの訪問看護事業所から提供される訪問看護は，地域・在宅看護の中心的な看護実践である．**訪問看護**とは，「看護職が在宅療養者の生活の場に出向き，療養者と家族に提供する看護」と定義される．また，法的には医師の指示のもと，医療保険や介護保険，そのほかの公費医療負担などを裏付けとして，生活の場で提供される看護である．

訪問看護とケアの関係

ケアとは，狭義では「看護」や「介護」，中間的には「世話」，広義では「配慮」「心遣い」など[3]元来，幅広い意味をもつ言葉である．地域・在宅におけるケアには，生活の場で提供される医療介護福祉サービス，社会的サービス，住民相互の助け合いによる世話や配慮などが含まれ，看護職が提供する援助のみでなく，あらゆる職種や家族・ボランティアなどが提供する援助を意味する．なぜならば，在宅療養者や家族が，地域・在宅にて療養生活を送るためには多様なケアが必要だからである．

在宅療養者とその家族に対するケアの具体的な内容としては，図 1-1 に示すように，訪問看護，在宅診療，在宅リハビリテーションなどの在宅医療のほか，在宅介護や在宅福祉，就労や教育を含む社会関係の支援，住環境支援，財産管理などを含む法的支援，家族やボランティアなどによるインフォーマルなサポートなど様々なケアが挙げられる．また，これらの多様なケアを導入し，療養者や家族が活用できるよう調整することをケアマネジメントという．以上より，訪問看護は看護職が提供するケアの1つと位置づけられる．

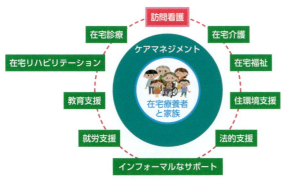

■図 1-1　在宅療養者と家族に対するケア

●引用文献
1) 河野あゆみ：地域・在宅看護の定義と位置づけ，河野あゆみ編：地域・在宅看護論．pp22-23, メヂカルフレンド社，2021
2) 薄井坦子ほか編訳：貧しい病人のための看護，湯槇ます監：ナイチンゲール著作集．第2巻．p65, 現代社，1974
3) 広井良典：ケアを問い直す．pp7-20, ちくま新書，1997

2 看護過程の基本

1 訪問看護において看護過程を学ぶ意義

　地域・在宅看護実践は，将来に向けて，多様な実践形態をもって拡大・発展していくと予測され，訪問看護以外の場（例：病院・診療所の地域連携部門や外来，地域包括支援センターなど）においても看護過程が展開される可能性がある．しかし，今の時点においては，地域・在宅看護実践のなかで看護過程の思考を特に必要とされる場は訪問看護である．

　訪問看護で展開される看護過程は，在宅療養者のニーズとその看護を理解する上で土台となり，初学者が地域・在宅看護を学ぶ上で基本となる看護過程といえる．また，訪問看護では，療養者と家族に数か月から数年単位で継続的に看護を提供することから，看護過程の一連のステップを学習しやすい．そのため，本書では，訪問看護師が在宅療養者と家族を対象に展開する看護過程を紹介する．

2 訪問看護の看護過程で使う用語

　訪問看護では，病棟では使われない特有の用語を用いるため，ここで説明をする．通常，訪問看護のみで在宅療養者の生活を支えることは非常に難しく，ケアに関する様々な社会資源・制度を活用する必要がある．そのため，訪問看護師は関連する社会資源・制度の内容を熟知した上で，対象者に関わる他職種や関連する人々の役割を理解し，その連携と協働の方法を援助内容に含めるようにする．訪問看護師は必要に応じて社会資源の活用方法を提案し，活用できるよう調整すること，つまりケアマネジメントの役割をとることもある．

　特に，ケアマネジメントが仕組みとして制度化されていない医療保険適用の訪問看護利用者では，看護師のケアマネジメントに関する役割は大きい．一方，介護保険制度では，ケアマネジメントは介護支援専門員（ケアマネジャー）の役割と位置づけられているが，訪問看護師は療養者に身近な存在でありそのニーズを鋭敏に把握しやすいため，ケアマネジャーと協働しながら社会資源の活用を促すこともある．

　介護保険制度における社会資源の活用計画を含めたサービス利用計画をケアプランとよんでおり，ケアプランは一般的にケアマネジャーが作成する．一方で，看護過程の中で看護師が立案する療養者への援助計画を看護計画とよぶ．多職種や関係者とともに療養者や家族にケアを提供するため，看護計画についてもケアプランと同様，訪問看護がどのような役割をとるのか，療養者・家族のほか，多職種や関係者で構成されるケアチームで共有する．

3 看護過程の目的

看護過程の目的と対象

　看護過程とは「対象の健康上の問題や課題を見極め，その解決方法を計画した上で看護を提供し，その結果を評価し，問題や課題の解決を図る一連の意図的な看護実践方法」であり，看護職の思考の道筋である．看護過程は医療機関・施設・在宅・地域などの場を問わず，すべての看護職に必要不可欠な思考過程である．

　訪問看護では，問題だけでなく，対象者のもつ強みや予防できるリスクに着眼する必要があるため，看護問題というより看護課題とするのが適切である．また，訪問看護は，主に家庭で生活している人々に対する看護実践であることから，その看護過程の対象者は在宅療養者本人と療養者をとりまく家族である．

　以上より，訪問看護における看護過程の目的は，看護職が療養者の生活の場における健康上の問題と課題を解決するとともに，療養者とその家族の生活の質（quality of life；QOL）を維持・向上させることである．

看護過程の意義

訪問看護における看護過程の意義として，次の4点が挙げられる．

1) 看護行為の意味づけ
第1に，専門職としての判断や意味づけが看護行為に付与される．例えば，「療養者のおむつを交換する」行為一つにしても，清潔を保つこと以外に，皮膚の発赤や損傷を確認する，便の性状の観察により消化機能を推察するなど，看護としての意味づけができる．

2) 看護の質の保証
第2に，看護の質を一定に保ち，保証する意義がある．例えば，訪問看護では複数の看護師が1人の療養者を訪問していることがほとんどである．したがって，看護計画を立てることで，どの看護師がケアを提供しても同様のケアを提供できる目安となる．

3) 個別性の高い看護の提供
第3に，療養者や家族の理解・意向や生活環境を尊重した個別性の高い看護を提供できる．訪問看護では，医療機関のように標準化された治療やケアをそのまま提供できず，これらの治療やケアが対象の理解・意向，生活環境に沿わない場合，そのQOLが著しく損なわれる．訪問看護では，看護過程を用いることで療養者や家族の個別性に対応でき，生活に即した看護を提供することができる．

4) 第三者（療養者・家族・他職種など）に対する説明
第4に，第三者，中でも療養者や家族，他の在宅ケアチームの他職種等に看護の意義を明確に説明できる利点がある．訪問看護では，看護そのものを利用することに対象者は代価を支払うため，何のために訪問看護が導入され，どのような援助を訪問看護師が提供するのか，看護師はその意義や目的を対象者に説明し，対象者はその援助内容を了承することが求められる．また，多職種でケアを展開するという在宅ケアの特徴から，訪問看護師がどのような役割をとっているのか，他の職種に言語化して伝える必要があるため，看護過程を展開することの意義は大きい．

4 看護過程の特徴

総合的機能をみる視点

訪問看護では，対象者の健康面とともに，生活に影響する対象者の機能を広くアセスメントすることが重要である．生活に影響する機能の範囲は広いが，本書では生活に影響を与える機能全体を**総合的機能**とよぶ．本書における総合的機能は，①「**疾患・医療ケア**」，②「**活動**」，③「**環境**」，④「**理解・意向**」の4つの領域から構成されるものとする．

1) 家族をみる視点
療養者の家族は別居，同居を問わず，療養生活を支援する上で欠かせない存在である．家族は療養者の在宅療養を支える人的資源であると同時に看護を必要とする対象である．したがって，家族がどのように療養者に関わっているのか，家族にケアニーズはないのかなど，家族に対するアセスメントを，総合的機能をみる視点に含めることは必要不可欠である．

2) 理解・意向をみる視点
訪問看護では，看護師が家庭に入り，看護を提供する．いうまでもなく，家庭の主体は医療者ではなく，そこで暮らす療養者と家族である．つまり，療養者や家族に訪問看護を受ける意向がなければ，看護を提供することさえ成立しない．人には，自分の生き方や暮らし方は自分で選択し，可能な限り自立・自律して生活したいという基本的欲求があり，療養者には自分の意思で生き方や暮らしを決める（**主体的意思決定**）権利がある．訪問看護では，この考え方を尊重し，対象者が療養生活の方針やサービスの利用を含めて，日々の選択を決定できるように促す．

その一方で，療養者の中には，疾患や障害のために，自分で自分の権利を行使できなかったり意向を伝えられない，さらには自分のことを自分でできない弱い立場の人々が含まれることも忘れてはならない．例えば，子どもや精神障害・認知症などのある療養者の場合，自分の健康を守ることについて周囲に訴えることができず，生命の危険にさらされることもある．訪問看護では，このような社会的弱者に代わって権利を擁護する（**アドボカシー**または**権利擁護**），対象者が人間として尊厳のある生活が送れるように，対象者の理解・意向を解釈することが求められる．

以上の点から，総合的機能の中でも「理解・意向」の領域の情報は他の領域の情報と位置づけが異なり，療養者と家族の理解・意向を尊重する視点をもつことが必要である．

強みと弱みをみる視点

訪問看護では，エンパワメントを重視した看護を展開することが基本である．エンパワメントとは，「人々への能力の付与」といわれ，対象者に自信を与え，その意思決定力を強化して自己実現ができる援助を行うことである．治療をしなければ生命の危機が及ぶ状況での看護では，今，目の前で起こっている問題を解決する問題解決型の援助をまず優先しなければならないが，QOL の維持・向上をめざす慢性期や終末期の状況での看護では，対象者のもっている力を引き出すエンパワメントによる援助が重視される．

訪問看護では，対象者の生命や健康を守るために問題や弱みを補完する面と，QOL を維持し，向上させるために強みを活かす面の双方の側面をもつという特徴がある．つまり，1 人の対象者であっても，問題解決型の援助，エンパワメントによる援助など，その課題によって使い分ける必要がある．したがって，療養者や家族の「できないこと」，すなわち弱みに着目して「弱みを補う援助」を行うとともに，「できること」，すなわち，強みに着目して「強みを活かす援助」を行う．このように，訪問看護では，強みと弱みをみる双方の視点をもつことが重要である．

5　看護過程の概要

訪問看護における看護過程では，全過程を通して「総合的機能をみる視点」と「強みと弱みをみる視点」を常にもちながら，①アセスメント→②看護課題の明確化→③看護計画の立案→④看護計画の実施→⑤評価の段階を経る（図 1-2）．

評価の後に続いて，他の看護分野の看護過程と同様に，アセスメントに戻り，計画修正，再実施，再評価を経て，看護過程が循環する．

本書では，アセスメントの段階には，情報収集，情報整理，情報選択，解釈・判断の段階を含むものとする．また，情報の収集と整理の段階について，理解を深めるための学習ツールとして「情報整理シート」，情報を選択し解釈・判断をした上で看護課題を導くための学習ツールとして「総合的機能関連図」を活用する．

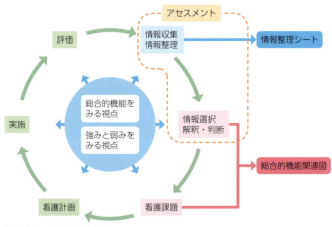

■図 1-2　看護過程の概要

3 看護過程のステップ

1 アセスメント

情報収集の方法

1）情報源と情報手段

　訪問看護にて活用される情報については，記録物の参照，療養者や家族，環境などの観察，訪問，面接，電話でのコミュニケーション，フィジカルアセスメントなどを通して多様な情報源と手段を用いて，収集することが基本である（**図1-3**）．なお，記録物のうち，訪問看護業務において活用される医療保険や介護保険にて活用される主な書式については，**表1-1**のとおりである．

記　録	●経過の要約を知る（サマリー，フェイスシート，カンファレンス記録など） ●訪問看護の経過を知る（訪問看護指示書，訪問看護計画書，訪問看護報告書，記録など） ●ケア体制を知る（居宅サービス計画書，サービス利用票・提供票，担当者会議録など）
観　察	●療養者や家族の状況を観察する（表情，対応，生活動作，生活活動など） ●療養環境を観察する（住環境，地域環境など） ●人的関係を観察する（家族関係，インフォーマルなサポートなど）
コミュニケーション	●訪問看護や相談，電話対応の場面で療養者・家族と話をする ●共感や受容する姿勢をもつ ●会話の方法を工夫する（何気ない会話，意図的な質問や会話，目的や意図の伝達など）
フィジカルアセスメント	●視診，聴診，触診，打診，計測による身体情報を知る ●バイタルサイン，検尿，血液検査やその他の検査所見による身体情報を知る ●全身の系統的アセスメントと症状等の関連部位のアセスメントによる身体情報を知る

■図1-3　情報源と情報の手段

■表1-1　訪問看護業務において活用される書式

書式	作成者	保険	説明
訪問看護指示書 （付録1）	主治医	医療保険 介護保険	主治医から訪問看護ステーションに交付される指示書．訪問看護指示期間（有効期限は1か月から最大6か月），主傷病名，薬剤，医療機器，留意・指示事項などを記載
訪問看護計画書 （付録2）	訪問看護師	医療保険 介護保険	訪問看護師が看護計画について目標，問題点，解決策を記載し，主治医に提出する計画書（原則毎月）
訪問看護報告書 （付録3）	訪問看護師	医療保険 介護保険	訪問看護師が計画に基づいて実施した看護と評価を記載し，主治医に提出する報告書（原則毎月）．訪問日時，病状の経過，看護等の状況，療養等の状況を記載．訪問看護計画書とともに，月1回程度は作成
居宅サービス計画書 （付録4-1，4-2） 週間サービス計画表 （付録5）	介護支援専門員	介護保険	介護保険利用者の場合，介護支援専門員が作成する居宅サービス計画・介護予防サービス計画書．ケア全般の援助方針，課題，目標，援助内容，サービス提供計画を記載
サービス提供票（付録6-1） サービス提供票別表 （付録6-2）	介護支援専門員	介護保険	介護保険利用者の場合，介護支援専門員が作成する給付管理のための書類．月ごとに利用サービスの介護報酬，支給限度額の管理や利用者負担額の概算などを記載

2）段階的な情報収集

訪問看護で活用される対象者の情報量は多く，また，その内容は豊富で多岐にわたるため，情報の重要度と優先順位を判断し，意図的に情報を収集する．看護計画を立案するために必要な情報は一度にすべて把握しようとせずに，情報を整理しながら不足情報を段階的に収集する．

3）訪問看護導入時の情報収集

訪問看護では，訪問看護導入時に収集した情報内容や質は，その後に続く看護過程の展開に影響する．訪問看護導入時は，退院前の病院訪問，退院時カンファレンス，初回訪問などが想定される．いずれの場合であっても訪問看護導入時の面接や訪問は，療養者・家族と信頼関係を築き，看護の方向性を決める大事な機会であり，訪問看護ステーションの管理者等と一緒に療養者・家族に面接することが多い．訪問看護導入時の面接では，サマリーなど既に得ている情報をあらかじめ整理しておくようにする．特に，氏名，年齢，疾患名，治療内容，家族構成，介護者の有無，住所，電話番号などの必要最低限の情報は整理しておくことが必要である．

4）情報の更新

在宅療養の経過は長期間にわたることが多く，対象者に関連する情報はその経過の間に変化し続けるため，最新の情報を把握し，情報を更新する．健康状態やケアや治療に対する意向は，その時の状況に応じて変化するものであるが，家族形態やサービス利用状況なども長い経過の中で訪問看護導入時と変わることが多い．記録物から情報を得る場合は，発行・更新年月日を確認し，新しい情報と経過を常に把握するよう注意を払う．

5）個人情報の保護

情報の大部分は，個人情報であるため，情報を取り扱う際には，対象者のプライバシーの保護と守秘義務の遵守に努める．訪問看護では多職種で対象者の情報を共有する必要があるが，対象者の意思を尊重し，必要不可欠なものに限って情報をやりとりするなど対象者の権利を守ることと情報を関係者間で共有することの有用性に配慮するバランスを考えることが必要である．

情報収集の項目

情報を羅列するだけでは，看護課題を導くことは非常に困難である．事例の特徴に応じた項目をある程度決めた上で，情報を収集し，整理する必要がある．本書では総合的機能の4領域に基づき，情報を収集し整理する．図1-4 に総合的機能の4領域（①「疾患・医療ケア」，②「活動」，③「環境」，④「理解・意向」）を構成する要素を示す．

■図1-4 総合的機能を構成する4領域と要素

それぞれの領域ならびに各要素について，情報収集の項目とそのポイントを**表 1-2** に示す．なお，本書の第 2 章や第 3 章では，取り上げているそれぞれの健康障害や心理・社会的課題の特徴に応じた情報収集の項目とそのポイントについて説明している．

■表 1-2　情報収集の項目とポイント

	情報収集項目	情報収集のポイント
疾患・医療ケア	基本情報	●性別，年齢などの基本情報はどうか ●高齢者の場合，要介護度（p40，付録 7），障害高齢者自立度（p40，付録 8），認知症高齢者自立度（p41，付録 9）の程度はどうか
	疾患・病態・症状 □疾患 □病態 □疾患の症状 □疾患の経過，予後	●主疾患，既往歴，合併症は何か ●認知症や生活習慣病など生活やケアに影響を与える疾患はあるか ●疾患の重症度や病期はどうか ●病態の機序はどうか，感染の徴候はあるか ●疾患による症状はどうか ●認知症や生活習慣病など生活やケアに影響を与える疾患がある場合，その症状や疾患管理状態はどうか ●子どもの場合，機嫌や啼泣状態はどうか ●症状はどのように進行・経過してきているか ●診断時期はいつか，その病歴，治療歴，入院歴はどうか ●訪問看護はいつからどのような目的で開始されたのか
	医療ケア・治療 □服薬 □治療 □医療処置 □訪問看護	●服薬内容や方法（内服，坐薬，貼用など）はどのようなものか ●服薬の頻度はどうか ●服薬の効果や副作用はあるか ●服薬介助をされているか ●配薬ボックス等の活用など服薬管理をしているか ●治療方針や目的はどのようなものか ●どのような治療内容を受けているか ●治療のために外来に受診しているか，訪問診療・往診を受けているか ●外来受診や訪問診療・往診の頻度はどうか ●機能訓練を受けているか，また，その機能訓練の内容や頻度はどうか ●医療処置〔注射点滴，吸引，創傷ケア，胃瘻（腸瘻），呼吸器管理など〕を受けているか，その医療処置の内容や頻度はどうか ●医療処置の効果や副作用はあるか ●医療処置は自分で行っているのか，家族が行っているのか，看護師やホームヘルパーなどが行っているのか ●訪問看護の方針や目的はどのようなものか ●訪問看護にて提供するケア内容はどのようなものか ●訪問看護の提供頻度はどうか
	全身状態 □成長・発達段階 □呼吸・循環状態	●身長，体重，肥満度はどうか ●子どもの場合，体型・体格の評価状況（カウプ指数・ローレル指数），発達評価状況（デンバー発達判定法），知能指数，発達指数はどうか ●呼吸回数，呼吸音の減弱，呼吸リズム，呼吸困難感，SpO_2，起坐呼吸の有無，副雑音，咳嗽の有無とその程度，喀痰の量と性状，チアノー

情報収集項目		情報収集のポイント
疾患・医療ケア	□摂食・嚥下・消化状態	ぜなど呼吸機能はどうか ➡喀血, 脈拍, 脈圧, 左右差, リズム, 血圧の増減, 体温の増減, 発汗, 動悸, 胸部不快, 胸痛, 冷感, 四肢冷感, 倦怠感, めまい, 体液貯留, 血管内脱水, 口渇, 口腔内の乾燥, 浮腫, 腹水, 胸水など循環機能を示す状態はどうか ➡食事形態 (経口摂取, 経管栄養等) はどうか ➡1日の食事摂取回数は何回か ➡子どもの場合, 離乳食・母乳・人工乳など摂取内容はどうか ➡唾液分泌機能, 咀嚼・嚥下機能や消化機能, 義歯咬合不全, 神経麻痺, 窒息など摂食・嚥下機能はどうか ➡腸蠕動運動, 腹部膨満感, 腹痛, 便秘, 下痢など消化機能はどうか ➡排便量や排便回数はどうか ➡子どもの場合, 哺乳や吸啜状態はどうか
	□栄養・代謝・内分泌状態	➡低栄養や過栄養などの栄養状態はどうか ➡食欲不振, 体重の増減, 空腹感, 倦怠感, 脱力感はあるか ➡基礎代謝率や体温はどうか, ホルモンバランスはどうか ➡脱水の徴候はあるか
	□排泄状態	➡残尿, 排尿困難, 頻尿, 尿閉はあるか ➡尿失禁や便失禁はあるか ➡排尿量や排尿回数はどうか
	□筋骨格系の状態	➡筋力, 骨量, 関節可動域はどうか ➡筋萎縮, 関節拘縮, 痙攣, 骨折などはあるか, その程度はどうか ➡転倒・転落の経験はあるか
	□感覚器の状態 □皮膚の状態	➡視覚, 聴覚, 味覚, 嗅覚, 運動調節機能はどうか ➡皮膚の緊張度, 湿潤・乾燥状態, 脆弱性, 弾力性はどうか ➡褥瘡, 創傷, 湿疹, 瘙痒感はあるか
	□認知機能	➡見当識, 記憶力, 判断力, 計算力, 理解力など認知機能を示す状態はどうか ➡認知症による中核症状や行動・心理症状 (暴力, 幻覚, 徘徊, 興奮, 妄想) はあるか, また, その程度はどうか
	□意識	➡意識レベルはどうか ➡意識はもうろう状態であるか, または清明であるか
	□精神状態	➡せん妄, 錯乱, 混乱, 不安, 緊張, うつ症状などの精神症状はみられているか
	□免疫機能	➡感染のしやすさ (免疫機能) はどうか ➡免疫抑制薬の内服や抗がん剤の治療歴はあるか ➡子どもの場合, 各種ワクチンの接種状況はどうか
活動	移動 □ベッド上の動き	➡ベッド上で寝返り, 起き上がり, 仰臥位での腰の挙上は自分でできるか, または, 見守りや介助をされているか ➡背もたれなしで座位の保持ができるか
	□起居動作	➡椅子やトイレへの移乗, 立ち上がりは自分でできるか, または, 見守りや介助をされているか ➡つかまらずに立位の保持ができるか, または, 立位の保持に見守りをされているか
	□屋内移動	➡屋内での生活動線はどうか ➡屋内ではどのように移動しているか ➡屋内では手すり, 車椅子, 杖などをどのように使用しているか
	□屋外移動	➡普段の行動範囲はどうか

情報収集項目	情報収集のポイント
	● 屋外ではどのように移動しているか ● 車椅子，杖，歩行車などをどのように使用しているか
生活動作 □ 基本的日常生活動作	● 食事動作，排泄，清潔，更衣，整容動作，移乗，歩行，階段昇降などの動作を自分でできるか，見守りや介助をされているか，または，普段それらをどのように実施しているか
□ 手段的日常生活動作	● 調理，買い物，洗濯，掃除，金銭管理，交通機関利用などの動作を自分でできるか，見守りや介助をされているか，または，普段それらをどのように実施しているか
生活活動 □ 食事摂取	● 食事の内容，形態（普通食，刻み食，とろみ食等），量，回数，時間帯はどうか ● 食事は自宅で調理しているか，または，外食，市販の惣菜，弁当，配食などを活用しているか ● 間食の内容，量，回数，時間帯はどうか
□ 水分摂取 □ 活動・休息	● 水分摂取の内容，回数，1回摂取量，摂取時間帯はどうか ● 睡眠時間，睡眠パターンなど睡眠状態はどうか ● 生活リズムは規則的か ● 日中の離床時間はどの程度か ● 1日の過ごし方はどうか ● 昼夜逆転しているか ● 子どもの場合，遊びの内容や昼寝の実施状況，排泄や食事などの生活行動の自立状況はどうか
□ 生活歴	● 出生地や過去の居住地はどこか ● 職歴，生活習慣はどうか ● 転居・死別・離別などのライフイベントや被災などはあったか，また，それはいつ頃か ● 薬物乱用，暴力，性の逸脱行動などの反社会的行動や逸脱行動はあったか，また，それは現在も続いているのか
□ 嗜好品	● 飲酒，喫煙，コーヒー・茶・菓子などの嗜好品はあるか，また，その内容，量，期間はどうか
コミュニケーション □ 意思疎通 □ 意思伝達力	● 理解力はどうか ● 意思を伝達するための視力，聴力，発語・言語能力は十分であるか，十分でない場合，どのように意思を伝達しているか ● 補聴器，眼鏡，スピーチカニューレ，文字盤，意思伝達装置を使用しているか，またどのようにそれらを使用しているか
□ ツールの使用	● 電話，スマートフォン，タブレット，パソコンなどを使い，メールやSNS，テレビ会議システムなどのツールを使用しているか，どのようにそれらを使用しているか
活動への参加・役割 □ 家族との交流	● 同居家族との会話やかかわりはどうか ● 別居家族との電話・訪問の頻度，かかわりはどうか ● 家庭内で親，子，配偶者としてどのような役割があるか ● 家族の中で家事や仕事などの役割があるか，それはどのようなものか
□ 近隣者・知人・友人	● 近隣者・知人・友人との交流をしているか，またその交流の目的，内

（活動）

情報収集項目		情報収集のポイント
活動	との交流 □外出	容，頻度はどうか ➡外出をしているか，またその外出の目的，内容，頻度，場所はどうか ➡外出の際に誰かと一緒に外出しているか，外出先で他者と交流することはあるか
	□社会での役割	➡就労状況(仕事内容，場所，常勤・非常勤，就労年数など)はどうか ➡地域活動(自治会，民生委員，住民ボランティアなどでの活動)，宗教関連活動(寺社，教会，新興宗教などでの活動)，患者会，介護者会に参加しているか，その参加状況や役割はどのようなものか
	□余暇活動	➡趣味などはあるか，またその内容や実施頻度はどうか ➡運動をしているか，またその内容や実施頻度はどうか ➡趣味や運動に関する集まり，サロンに参加しているか，またその内容や実施頻度はどうか
	□養育(子ども)	➡学校，特別支援学校，保育園，幼稚園などに通っているか，そこで受けている教育内容はどのようなものか，通学方法，通学頻度，教育体制はどのようなものか
環境	療養環境 □住環境	➡浴室，トイレ，台所，寝室，居間，玄関，段差や階段の状況はどうか ➡福祉用具(リフト，手すり等)の設置・使用状況はどうか ➡住宅改修(バリアフリー，スロープなど)は行われているか ➡住宅の照明，家屋形態，間取りはどうか ➡ごみや物が散乱していないか ➡衛生状態は良好であるか
	□地域環境	➡療養者が生活している地域の歩行環境，自転車・車椅子・歩行補助具の使用可能性，公共交通の利便性はどのようなものか，小売店，商業施設など買い物に関する施設へのアクセスはどうか ➡病院，主治医，専門医など受診に関するアクセスはどうか ➡娯楽文化施設へのアクセスはどうか ➡治安はどうか ➡災害時の環境は整っているか ➡子どもの場合，学校，保育園，遊び場，公園等へのアクセスはどうか
	□地域性	➡住宅地，商業地域，郊外，都市部，農山漁村地域など，地域特性はどのようなものか ➡療養者が生活している地域の住民同士の交流・関心の程度，地域への愛着・一体感はどうか ➡その地域の慣習(冠婚葬祭など)はどのようなものか ➡その地域の地域組織(自治会など)の活発度はどうか
	家族環境 □家族構成	➡家族はどのような構成になっているか，家族と同居しているか，別居している家族の居住地域はどこか，家族の年齢や死亡状況はどうか
	□家族機能	➡家族関係や意思疎通は良好か，敵対関係か，親しみやすい関係か ➡家族内の意思決定方法，家族の問題解決能力はどうか ➡家族の健康状態はどうか ➡子どもの場合，親の養育行動・態度，就労状況はどうか
	□家族の介護・協力体制	➡介護者・キーパーソン・副介護者・協力者はいるか，その状況はどうか ➡家族の医療処置実施内容，介護内容・協力内容はどうか ➡家族の介護力や介護負担感はどうか ➡介護者の生活行動・休息状況・社会活動の状況はどうか

	情報収集項目	情報収集のポイント
環境	**社会資源** □保険・制度の利用	●利用している医療保険は何か（例：被用者保険，国民健康保険，後期高齢者医療保険，保険なし） ●介護保険，障害者支援制度，公費負担制度，生活保護の医療扶助を利用しているか
	□保健医療福祉サービスの利用	●介護保険法，障害者総合支援法，社会福祉法などのほか，自治体などのサービス・事業の利用状況（種類，内容，頻度，時間）はどうか ●訪問系・通所系・一時入所系サービス，福祉用具，住宅改修などの利用状況（種類，内容，頻度，時間，かかわり方）はどうか
	□インフォーマルなサポート	●インフォーマルなサポートを提供する知人・友人などはいるか，またその療養者との関係，サポート内容・頻度はどうか
	経済 □世帯の収入 □生活困窮度	●就労による収入や年金はあるか，それはどの程度か ●公費による助成などを受けているか，それはどの程度か ●生活保護を受給しているか ●経済的余裕はあると感じているのか，生活困窮の感覚はどうか
理解・意向	**志向性（本人）** □生活の志向性	●療養者本人に価値観，生きがい，生活の目標・楽しみはあるか，それはどのようなものか ●療養者本人の信仰心や宗教観はどうか ●外国人等の場合，民族性・国民性の特徴による生活の志向性は療養者本人にあるか
	□性格・人柄 □人づきあいの姿勢	●療養者本人に社交性があるか，療養者本人の内向性，情動性，論理性，几帳面さ，おおらかさなどはどうか ●療養者本人の訪問看護師，サービス担当者とかかわる姿勢はどうか ●療養者本人の元来の人づきあいの姿勢はどうか
	自己管理力（本人） □自己管理力 □情報収集力 □自己決定力	●服薬，医療処置，保健行動，身の回りの整えを療養者本人が自分で管理しているのか，それらをどのように管理しているのか ●生活，療養，医療，サービスに関する情報を療養者本人が自分で収集しているか，それらをどのように収集しているのか ●生活，療養，医療，サービス利用に関して，療養者本人が自分で決定しているか，それらをどのように決定しているのか
	理解・意向（本人） □意向・希望 □感情 □終末期への意向 □疾患への理解	●療養者本人の生活，療養，医療，サービス利用に関する意向や希望はどのようなものか ●療養者本人は，何に対してどのような感情（不安，諦め，怒り，罪悪感，絶望，寂しさ，疎外感，安心感，感謝，期待，愛着，喜びなど）をもっているか ●療養者本人は，終末期や急変時の延命処置をしてほしいと思っているのか，またどのような内容を希望しているか ● ACP（advance care planning）を行っているか．また，その内容を家族や関係者と共有しているか ●事前指示やリビングウィルはあるか，それらはどのような内容か，それらは書面に残っているのか ●疾患，病態，予後，治療・服薬内容に対して，療養者本人はどのよう

情報収集項目		情報収集のポイント
理解・意向	□療養生活への理解 □受けとめ	に理解しているのか ➲予後に対する療養者本人の見通しはどうか ➲療養方法に対して，療養者本人はどのように理解しているのか ➲疾患，療養生活を療養者本人はどのように受けとめているのか
	理解・意向（家族） □意向・希望	➲介護者や家族がもつ，療養者本人の生活，療養，医療，サービス利用に関する意向や希望はどのようなものか
	□感情	➲介護者や家族は，何に対してどのような感情（不安，諦め，怒り，罪悪感，絶望，寂しさ，疎外感，嫌悪感，安心感，感謝，期待，愛着，喜びなど）をもっているか
	□疾患への理解	➲療養者の疾患，病態，予後，治療・服薬内容に対して，介護者や家族はどのように理解しているのか ➲療養者の予後に対する介護者や家族の見通しはどうか ➲療養者の終末期や急変時の延命処置について，家族や介護者はどのような希望をもっているか
	□療養生活への理解	➲療養方法や介護方法に対して，介護者や家族はどのように理解しているのか
	□生活の志向性	➲介護者や家族の価値観，生活背景，就労・育児・家事実施状況，家庭・社会での役割はどのようなものか

情報整理：情報整理シートの活用

情報整理シート（p15 の**図 1-5**，p16 の**図 1-6**）では，領域ごとに，情報を一見して理解できるような枠組みにしている．このシートにしたがって，情報を整理する作業を通して，思考が整理され，看護課題の分析のために重要な情報を選択しやすくなる．

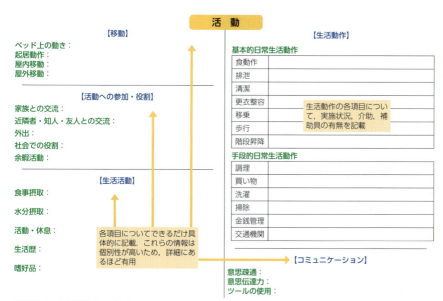

■図 1-5　情報整理シート-1

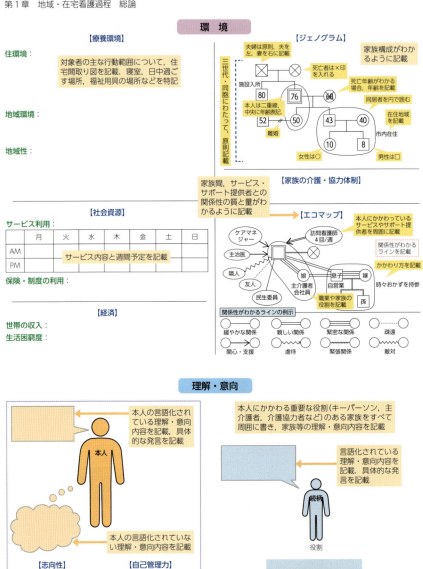

図1-6　情報整理シート-2

情報選択，解釈・判断，看護課題の提示：総合的機能関連図の活用

情報を選択し，解釈・判断のうえで看護課題を導く際に，総合的機能関連図を活用する．総合的機能関連図の考え方を図1-7に示す．

1) 情報選択

情報は，情報整理シートに記載している情報から選択する．最初に「疾患・医療ケア」領域，2番目に「活動」領域，次に「環境」領域の順に，重要な情報を選択して，総合的機能関連図の各領域に配置する．

①「疾患・医療ケア」「活動」「環境」領域の情報

訪問看護は医療ケアの1つであるため，看護師が着目する「疾患・医療ケア」領域の情報は豊富になることが多い．また，「疾患・医療ケア」領域の情報の中でも起点となる情報を識別し，その情報から関連情報を選択する．起点となる情報（図1-7のピンク色のボックス）には，訪問看護を導入することになった主な目的である疾患や健康障害などを挙げるとよい．

「疾患・医療ケア」領域の情報は，「活動」領域の情報とつながりやすい．特に，整形外科疾患や神経難病，脳血管疾患などは病態が直接生活動作に関連することが多く，「活動」領域の中で着目すべき情報が多くなる．

次に，これらの「疾患・医療ケア」領域や「活動」領域の情報と関連のある「環境」領域の情報を配置する．訪問看護では「環境」領域の情報が「疾患・医療ケア」領域と「活動」領域の情報に及ぼす影響が大きいため，入院患者に対する看護過程よりも「環境」領域の情報は重視される．

これら3領域については，客観的な事実のみを記載し，看護師の解釈や判断による内容は記載しない．さらには，客観的な事実の情報はどうつながるのか，強みにつながるのか，弱みにつながるのか，考えながら矢印で結ぶ．矢印は原因から結果につなげるのが原則である．その際に総合的機能関連図では，強みと読む情報を起点とする矢印（図1-7：オレンジ色の矢印）と弱みと読む情報を起点とする矢印（図1-7：青色の矢印）を識別することによって，思考を整理することができる．

②「理解・意向」領域の情報

次に，客観的な事実の情報について，療養者本人や家族はどうとらえているかという観点で，「理解・意向」領域から重要な情報を選択し，他の3領域の情報から「理解・意向」領域の情報に矢印をつなげる．なお，「理解・意向」領域の情報が客観的な事実に影響を及ぼしている場合もあるが，その場合「理解・意向」領域の情報から3領域の情報に向けて矢印をつなげる．ここで考慮しなければいけないことは，「理解・意向」領域の情報は，極めて個別性が高く主観的なものであるということである．例えば，同じ症状であっても，療養者が不安に思うのか，気に留めていないのか，その理解や意向は人によって全く異なるものであり，そのことが援助内容に影響する．訪問看護における看護過程では，「理解・意向」領域の情報を鋭敏に把握することで，療養者・家族のニーズに合った適切な援助を提供できる．

2) 解釈・判断と看護課題の提示

客観的な事実の情報に主観的な理解・意向の情報を統合し，それらの情報を強みと読むか，弱みと読むか，看護の立場から解釈と判断を行う．その際に総合的機能関連図では「強みと読む解釈・判断」（図1-7：オレンジ色のボックス）と「弱みと読む解釈・判断」（図1-7：青色のボックス）を識別する．

さらに，これらの解釈・判断を根拠に看護課題を挙げることで，論理が明確になり，看護課題を言語化しやすくなる．本書では看護課題について，①強み着眼型，②リスク着眼型，③問題着眼型の3つのパターンに分類した．また，そのコード型（p19「2 看護課題の明確化」で詳述）の言葉の表現については，強み着眼型の看護課題は【○○の維持・促進】（例：歩行の維持・促進，家族の介護の維持・促進など），リスク着眼型の看護課題は【○○のリスク】（例：脱水のリスク，虐待のリスクなど），問題着眼型の看護課題は【○○】（例：褥瘡，社会的孤立など）と表示している．

どのパターンの看護課題においても，強みと読む解釈・判断，弱みと読む解釈・判断の双方がつながる可能性がある．しかし，強み着眼型の看護課題には，強みと読む解釈・判断が少なくとも1つはつながり，弱み着眼型の看護課題には，弱みと読む解釈・判断が少なくとも1つはつながることによって，看護課題に至る論理が明瞭になる．看護課題のパターンからみた援助の特徴は，強み着眼型の看護課題の場合は，生活の質を上げる援助，リスク着眼型の看護課題の場合は，リスクの軽減と問題の予防，問題着眼型の看護課題の場合は，問題を解決する援助が重視される．

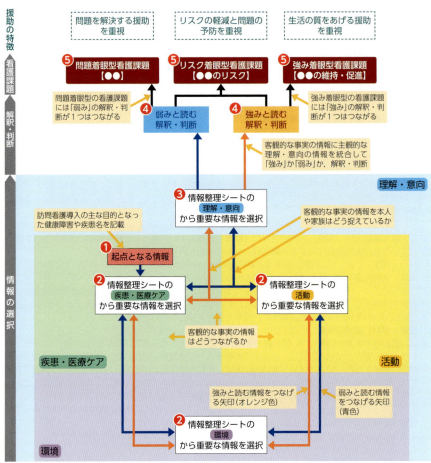

■図1-7 総合的機能関連図

3) 論理の確認と点検

作成した総合的機能関連図より，情報の整理，解釈・判断から看護課題を導いた過程について，整合性や合理性があるか，その論理を点検する．総合的機能関連図の点検ポイントについて，総合的機能をみる視点と強みと弱みをみる視点に分けて，図1-8に示している．

総合的機能関連図をみる視点として，最も重要な点は「対象者の全体像が理解しやすい関連図になっているか」ということである．そのためには，情報が適切に4領域に振り分けられているか，情報同士や情報と解釈・判断が適切につながっているか，関連図の情報構成を見直し，整合性があるかを点検する．

また，総合的機能関連図では，それぞれの情報をつなぐ矢印や解釈・判断について，強みとするか，弱みとするか，識別する．したがって，これらの強みと弱みの識別内容が間違っていないか，合理性があるかを点検することによって，明確な論理に基づいて看護課題を導くことができる．

> **総合的機能をみる視点**
> - 対象者の全体像がわかる関連図になっているか
> - 各領域に適切な情報が入っているか
> - すべての情報が矢印で結ばれているか
> - 必要な情報が解釈・判断につながっているか
> - 原因から結果に矢印がつながっているか

> **強みと弱みをみる視点**
> - 強みと読む情報から強みを示す矢印(オレンジ色)が出ているか
> - 弱みと読む情報から弱みを示す矢印(青色)が出ているか
>
> - 強みと読む解釈・判断には強みを示す矢印(オレンジ色)が入っているか
> - 弱みと読む解釈・判断には弱みを示す矢印(青色)が入っているか
>
> - 強み着眼型の看護課題には強みと読む解釈・判断が1つはつながっているか
> - 問題着眼型の看護課題には弱みと読む解釈・判断が1つはつながっているか

■図 1-8 総合的機能関連図の点検ポイント

2 看護課題の明確化

看護課題の明確化の考え方

　総合的機能関連図を作成した過程をよく踏まえた上で，療養者にとって望ましい生活を実現するための看護課題は何か，明確にする．看護課題を明確にするときには，複数存在する解釈・判断のうち，どの解釈・判断を重視すべきか，見極めることが大切である．

　本書では，看護課題の表現の仕方として，コード型と文章型のものを提案している．コード型の看護課題は，前述のとおり，【〇〇の維持・促進】(強み着眼型)，【〇〇のリスク】(リスク着眼型)，【〇〇】(問題着眼型)など，一般的な表現にとどめた簡潔なものである．一方，文章型の看護課題では，どのような解釈・判断をもとに看護課題を設定しているかという情報を文章に含めて表現する．文章型で看護課題を作成することによって，対象者の個別性や特有の背景が理解しやすくなる．文章型の看護課題の作成の際には，強み着眼型では強みの解釈・判断，リスク着眼型と問題着眼型では弱みの解釈・判断を用いると，論理をたどりやすい看護課題が設定できる．

　さらには，看護課題を明確にするに至った思考過程を整理しながら，なぜその看護課題を設定したのか，その根拠を明確にする．このように看護課題を明確にすることにより，第三者に伝えやすい，説得力のある看護課題を提示できる．

看護課題の明確化の具体例

　看護課題を明確にする思考過程，文章型とコード型の看護課題，ならびに看護課題の根拠に関する具体例について，**図 1-9**(強み着眼型)，**図 1-10**(リスク着眼型)，**図 1-11**(問題着眼型)に示す．なお，ここでは看護課題に至る前の過程をわかりやすく理解するために，1つの看護課題について解説する．

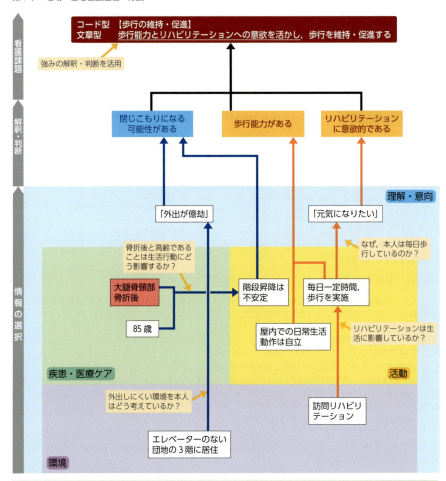

図1-9 看護課題の明確化の例:強み着眼型

この例は,大腿骨頸部骨折後を情報の起点とし,85歳の高齢者であることから,階段昇降動作は不安定である.また,エレベーターのない団地の3階に居住しているため,「外出が億劫」と感じており,閉じこもりになる可能性が高い.一方,屋内での日常生活動作は自立しており,訪問リハビリテーションで歩行訓練を毎日実施し,歩行能力がある.加えて,「元気になりたい」とリハビリテーションへの意欲が高いという強みがある.

以上より,「歩行能力とリハビリテーションへの意欲を活かし,歩行を維持・促進する」ことを看護課題(文章型)とする.

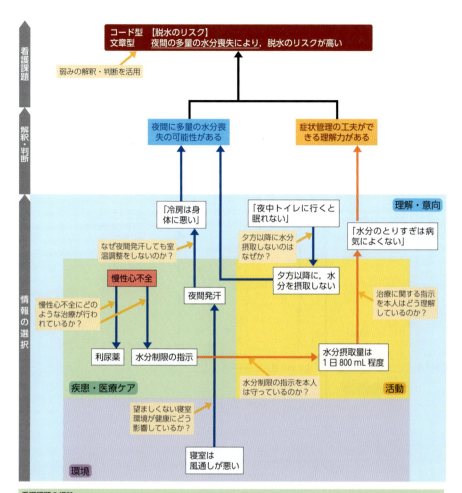

看護課題の根拠
夜間の排泄を避けるため、夕方以降の水分摂取を控えている。寝室の室温が高く、夜間に発汗しているため、多量の水分喪失の可能性があり脱水のリスクが高い。

■ 図1-10 看護課題の明確化の例：リスク着眼型

　この例は慢性心不全を情報の起点としており、それに対しては、利尿薬の服薬と水分制限が指示されている。医師の指示どおり1日800 mLの水分を摂取しており、「水分のとりすぎは病気によくない」と症状管理の理解力がある。しかし、夜中の排泄を避けるために夕方以降に水分を摂取しないこと、寝室は風通しが悪く、「冷房は身体に悪い」と発言しており、夜間に発汗がみられている。
　以上より、「夜間の多量の水分喪失により、脱水のリスクが高い」ことを看護課題（文章型）とする。

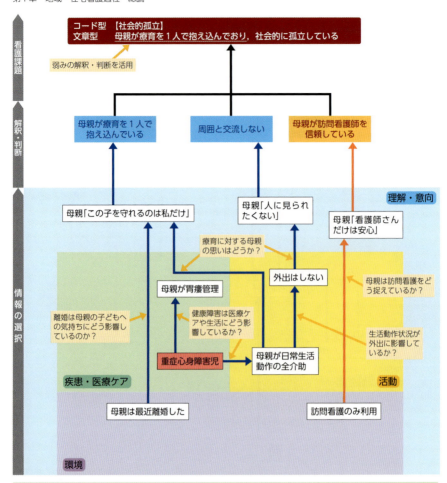

■図1-11　看護課題の明確化の例：問題着眼型

　この例は，重症心身障害児であることを情報の起点としており，母親が胃瘻管理と日常生活動作をすべて介助している．そのため外出はせず，母親には「人に見られたくない」という発言がみられ，周囲と交流しようとしていない．しかし，訪問看護のみは利用しており，「看護師さんだけは安心」と母親は訪問看護師を信頼している．母親は最近離婚し，「この子を守れるのは私だけ」と発言している．

　以上より，「母親が療育を1人で抱え込んでおり，社会的に孤立している」ことを看護課題（文章型）とする．

看護課題の優先度の指針

在宅療養者に対する看護課題は，複数挙げられることが多い．特に介護の必要度が高い重度な療養者ほど，看護課題の数は多くなる．挙げる看護課題の数に制限はないが，訪問看護師が限られた時間内で提供できる援助内容を考慮して，端的に看護課題を挙げるという視点をもつことも重要である．

看護課題を挙げた後には，複数ある看護課題のうち，療養者の問題を解決し，QOLを向上させるために何が最も急がれるのか，何が最も重要なのか判断し，優先度を決めて#1から番号をうつ．#1はナンバー1と読む．

一般的には，健康や生命の危機をもたらす可能性が高い看護課題は優先度が高く，問題を予防する看護課題やQOLを改善するための看護課題はやや優先度が低くなる傾向がある．また，慢性期で健康状態が安定しており，その看護課題を解決することが生活に大きく影響すると考えられる場合は，健康や生命の危機と関連が少ない看護課題であっても優先度が高くなることがある．いずれにしても，なぜその優先度で看護課題を挙げているのか，その根拠を看護師が説明できることが重要である．

長期目標の明確化

長期目標は，療養者への看護計画を遂行することによって，達成される最終的な目標であり，原則として1つ設定する．訪問看護では，長期目標の達成期間は6か月～1年を目安とする．また，長期目標の主語は対象者とし，対象者に説明する際にもわかりやすいものとすることが基本である．

長期目標の設定にあたっては，療養者や家族の合意が重要であるほか，ケアチーム内の多職種と話し合い，共有する必要がある．その際，看護師は，長期目標を挙げた根拠をわかりやすい言葉で説明する．例えば，看護師が療養者・家族や他の職種に説明するときには，看護・医療に関する専門用語をむやみに使わないこと，専門用語を使うときには相手にわかる言葉で説明することが基本である．

長期目標として「安心して在宅療養生活を継続する」などがよくみられるが，このような長期目標は望ましくない．この表現内容では，ほぼすべての在宅療養者にあてはまり，その個別性を理解しにくいためである．望ましくない長期目標をどのように改善すればよいのか，図1-12に例を示す．

望ましくない例
【例1】安心して在宅療養生活を継続する
→理由：誰にでもあてはまる内容であり，対象者の個別性を理解できない
【例2】生活指導を提供しながら，心不全と脱水を起こさせない
→理由：看護師が主語であるため，対象者に寄り添った視点をもてない
【例3】健康管理に対する自己効力感を維持し，心不全の悪化と脱水を予防する
→理由：自己効力感という専門用語は理解しにくく，ケアチームで共有しにくい

望ましい例
【例】適切な健康管理により，心不全と脱水の悪化が起きず，在宅療養生活を継続する
→改善点：心不全をもつ療養者の疾患管理に主眼をおいた目標であるように変更
　　　　　目標の主語を療養者本人になるように表現を変更
　　　　　ケアチームで共有できるわかりやすい言葉に変更

■図1-12　長期目標の明確化：望ましくない例の改善方法

3 看護計画

看護目標

　看護課題ごとに援助内容によって達成される具体的な目標を示すが，これを**看護目標**とよぶ．**期待される成果**または**短期目標**ともよばれる．看護目標の設定のしかたは，対象者の総合的機能を踏まえたものであること，抽象的な内容は避け，評価の目安になる具体的な内容や指標を示すことが望ましい．さらには，数値化できる看護目標の場合は，数字を示す方が後に評価しやすい．訪問看護では，看護目標の達成期間は，訪問での援助内容がおおむね定着してくる1か月～3か月を目安とする．

　また，長期目標と同様に，目標の主語は対象者であり，対象者に説明する際にもわかりやすい表現を用い，療養者・家族，多職種からなるケアチームで看護目標を共有するようにする．看護課題に対応した看護目標の例を図1-13に示す．

援助内容の計画

　各看護課題と看護目標に合わせて援助の内容を計画するときには，援助内容を**観察・測定計画**(observation plan；OP)，**直接的看護ケア計画**(treatment plan；TP)，**教育・調整計画**(education plan；EP)と，そのアプローチから分類して考える．援助内容の計画についても，長期目標や看護目標と同様に，療養者・家族に合意を得た上でケアチームで共有する必要がある．訪問看護において，よくみられる援助内容の例を図1-14に示す．

1) 観察・測定計画(OP)

　観察・測定計画では，各看護課題に関連して把握する必要のある観察・測定項目を計画する．訪問看護では，症状や病態に関する観察・測定にとどまらず，総合的機能の4領域の各項目を把握することが重要である．例えば，病態・症状以外に，生活動作・生活行動・意思疎通の状況，住環境・家族関係・サービスなどの利用状況，本人や家族の疾患・療養・生活に関する理解や意向の内容などが含まれる．

　限られた時間内での訪問では，観察・測定する項目をあらかじめ計画することで効率よく訪問看護を提供できる．また，訪問看護では数年単位など長期間にわたって看護を提供するため，療養者・家族を取り巻く心理・社会的状況も変化しやすい．また，訪問看護期間が長期間になると，かかわる訪問看護師も1人とは限らず，複数の訪問看護師が1人の対象者にかかわることも多い．そのため，定期的に何をいつ観察・測定するのか，観察・測定項目と観察・測定時期を定めることによって，正しい情報を把握することができる．

看護課題	看護目標(目標達成の目安)
#1 【脱水のリスク】 夜間に多量の水分喪失の可能性により脱水のリスクが高い	1) 夜間に過度に発汗しない(1週間) 2) 夜間の室温が25～28℃に保たれる(1週間) 3) 水分制限の範囲で1日の中でバランスよく飲水できる(2週間) 4) 口渇や粘膜の乾燥など脱水の徴候がみられない(1か月)
#2 【健康管理行動の維持・促進】 理解力が高いことを活かし，水分制限や食事に関する健康管理行動を維持・促進する	1) 1日800 mL程度の水分制限を守れる(2週間) 2) 1日食塩7 g以下の塩分制限を守れる(2週間) 3) バランスのとれた食事をとることができる(1か月) 4) 浮腫や体重増加がみられない(1か月) 5) 過度の心理的負担なく，健康管理ができる(3か月)

- 評価しやすいようにできるだけ具体的に項目を挙げる
- 各看護課題に対応して看護目標をたてる
- 目標達成時期は評価時期でもある
- 数値化できるものは数値を示し，明確な目安にする

■図1-13　看護目標の例

観察・測定計画

- **疾患・医療ケア**：疾患の経過，病態，症状，検査値，訴え，医療処置，治療内容など
- **活動**：移動・生活動作の動作状況・介助の有無，食事・水分摂取や睡眠状況，意思疎通の程度，外出，家族・近隣者・知人との交流，社会での役割，余暇活動の内容や頻度など
- **環境**：住環境，福祉用具の活用，家族構成・関係・介護協力体制，保険・制度・保健医療福祉サービスの利用の内容や頻度，サポート体制，経済的状況など
- **理解・意向**：本人・家族の疾患・療養・生活に関する理解・意向・志向性・希望など

直接的看護ケア計画

- **医療ケア**：褥瘡処置を含むスキンケア，カテーテル交換，パウチ交換，吸引，投薬（吸入，注射，点滴など），経管栄養管理，輸液管理，疼痛管理，人工呼吸器管理，在宅酸素療法管理，服薬管理支援，排痰ケア，エンゼルケアなど
- **清潔ケア**：清拭，洗髪，入浴介助など
- **排泄ケア**：摘便，浣腸，腹部マッサージなど
- **機能維持向上のケア**：生活リハビリテーション，四肢の機能訓練，関節の他動運動，呼吸リハビリテーション，嚥下訓練，食事介助，認知機能訓練，散歩の支援，アクティビティ，遊び（子どもの場合）など
- **サービス導入**：通所系・訪問系・一時入所サービス，福祉用具などの在宅ケアサービスの導入など

教育・調整計画

- **教育**：医療処置の方法，介護方法，食事管理方法，運動・安静の方法，体位・姿勢のとり方，緊急時の対応方法など
- **提案・調整**：生活動作拡大，療養環境づくり，ケア・治療・サービス導入に関する意思決定支援・調整，ACPなど
- **心理的サポート**：声かけ，レスパイトケア，励まし，傾聴，グリーフケアなど

連携：他職種と連携・協働する内容
強み：対象者が理解・主体的に実施する内容

マークをつけて明示

■図1-14　訪問看護における援助内容の具体例

2）直接的看護ケア計画（TP）

　直接的看護ケア計画では，訪問看護師が療養者や家族に主として訪問時に直接提供する看護ケア項目を計画する．ここでは，医療ケア，清潔ケア，排泄ケアなどのほか，機能維持・向上のためのケアなどが含まれる．訪問看護を提供するプロセスのなかで対象者のケアニーズを把握し，訪問看護以外のケアサービスをケアマネジャーなど他の職種と連携して導入することがある．このようなケアマネジメントに関する計画については，本書では，直接的看護ケアに分類する．

　直接的看護ケア計画の内容は，療養者や家族に訪問看護のサービス内容として比較的わかりやすいものといえる．例えば，訪問看護を導入する際の契約時には，直接的看護ケア計画の援助内容を療養者・家族に明確に伝えることによって，訪問看護の意義が療養者・家族に理解されやすく，協力も得やすい．

① 強み マークの入れ方

　訪問看護では，療養者・家族ができないことを一方的に補完していくアプローチだけでは，療養者・家族が自立・自律したいというニーズを満たすことはできない．援助内容には，訪問看護師が実施することを記載すると同時に，療養者・家族が理解し，実施することを区別して記載するとよい．その際には，療養者・家族ができることを強みととらえ，療養者・家族が看護ケアにどの程度，どのように参加するのか，協力できるのか，看護師はよく話し合い，合意を得ることが必要である．

　例えば，おむつ交換の際に，療養者に声をかけて腰を挙上してもらうことによって，もっている身体機能を生活に活かすことができる．このような療養者・家族がケアの意義を理解し，主体的に実施する援助内容は，本書では マークを使って明示する．

② 連携 マークの入れ方

　直接的看護ケア計画の援助内容には，訪問看護師のみでは実施できないことも多く，医師，ホームヘルパー，薬剤師，栄養士，理学療法士，作業療法士，言語聴覚士，居宅介護支援事業所や地域包括支援センターなどのケアマネジャー，行政保健師など他の職種と連携・協働して看護ケアを提供する必要がある．特に，新たに在宅ケアサービスの導入を提案する際には，他の職種と連携しなければ援助として

成り立たない．このように他の職種と連携し，協働する援助内容には，本書では 連携 マークを使って明示する．

なお，他の職種と連携を行う具体的な方法としては，電話やメール連絡などのほか，療養者宅に1冊のノートを置き，訪問する職種間で(場合によっては療養者・家族を含めて)情報交換を行う「多職種連携ノート」の活用，担当者会議や地域ケア会議などによる対面による連携などが挙げられる．また，最近ではモバイル通信によるアプリケーションの活用によって，情報交換や意見交換を行うことも増えてきている．

3) 教育・調整計画（EP）

教育・調整計画では，訪問看護師が療養者や家族に教育する，話し合いながら解決方法を提案・調整する，心理的サポートを行うなどの教育・調整項目を計画する．ここでは，医療処置や介護方法，健康管理方法，緊急時の対応方法，生活・療養環境の調整，意思決定支援，声かけ，励まし，傾聴，レスパイトケアなどが含まれる．

訪問看護は週に数回，限られた時間内で間欠的に提供される．そのため，看護師がいない時間帯に療養者や家族が安全，安心に過ごすことができるよう，予防・予測的な援助が必要になる．その場合，療養者や家族が自ら対処方法を理解することが重要であり，訪問看護では療養方法や介護方法について対象者に教育することは重視される．

① 強み マークの入れ方

訪問看護では対象者の主体的意思決定を尊重することを重視するため，教育・調整計画の果たす役割は大きい．人は疾患や障害があっても，できる限り自分のことは自分で決めたいと思っており，自身が一定の意義を感じたり，自分なりに納得しなければ行動に移さない．特に訪問看護では，療養者や家族が理解したり，行動したりすることによって，訪問看護師のかかわりが援助として初めて成り立つことも多い．

したがって，看護師は，医療者側の価値観や立場のみに立った一方的な，指示的なコミュニケーションをとることは避けなければならない．訪問看護師は，一人ひとりの対象者がもっている多様な価値観や考え方，理解の仕方を強みととらえて，療養者・家族とともに解決方法を考える．対象者が理解し，実施する内容については，直接的看護ケア計画と同様に 強み マークで示す．

② 連携 マークの入れ方

教育・調整計画においても，他の職種との連携や協働が必要不可欠なものがある．例えば，主治医からの説明を十分に理解できずに急変時の治療方法の選択に関する意思決定ができない場合などは，主治医にコンタクトをとって再度説明の場を設けるなど，他の職種などとの連携や協働が必要になる．そのような援助内容については，直接的看護ケア計画と同様に 連携 マークで示す．

4 実施

行動手順

1) 行動手順の組み立て

実施の段階では，看護課題別に計画した援助内容にしたがって，療養者と家族に看護活動を展開する．訪問看護では限られた時間内に援助を提供する必要があるため，それぞれ看護課題の優先順位を踏まえた上で，手際よく援助を提供できるように実際の**行動手順**を組み立てることがポイントである．しかし，訪問した際の療養者・家族の状況や反応によっては，その場でアセスメントをしなおし計画を修正する，手順を入れ替えるなど，臨機応変に対応することが必要である．特に，療養者や家族との会話から情報を把握する場合は，自然の会話の流れを認識し，タイミングよく話題をもちだすなど柔軟な対応をするとよい．

2) 行動予定表の作成方法

行動手順は，**行動予定表**として書き留めておくとよい．

具体的には，看護師はその日に何人の療養者宅に訪問するのか，看護師自身の1日の行動予定を把握した上で，その療養者と契約している訪問時間は何分か，療養者の自宅までの道順やかかる時間はどのようなものか，訪問時間内にどのような看護ケアをどのような順番で何分程度かけて提供するのか，そ

れぞれの援助に必要な物品は何か，それらの物品は看護師が持参する訪問バッグに準備しているものか，または療養者宅にあるものなのか，訪問時に療養者・家族に確認したり，説明したりすることはあるのか，あるとすればそれはどのようなことか，療養者・家族に渡すものはないか，具体的な行動計画を考える．

このような行動手順は，慣れや経験によって自然に進められようになるため，些細なことのように思われる．しかし，看護師自身の予定をあらかじめ緻密にイメージすることで，漏れなく，細やかな配慮がなされた援助を効率よく提供することができ，療養者や家族に満足感をもたらすことができる．また，基本的な行動計画を前もって想定しておくことによって，急な状況変化に対応できる応用性がもてる．

3）行動予定表の例

1人の療養者に対する訪問看護の行動予定表の例を図1-15に示す．この行動予定表から，90分の決められた訪問看護時間内に，浣腸や摘便などの排便コントロール，褥瘡処置，全身清拭や足浴などの清潔ケアを提供するとともに，介護者支援を行うことを効率よく展開する必要があり，援助を提供する順番，時間配分や使用物品をあらかじめ計画していることがよく理解できる．浣腸などを最初に行い，次に清拭を行うなど，順番を計画することで何度も身体を拭く必要性がなくなり，療養者の負担を最低限に抑えられる．また，療養者・家族にショートステイでの状況や排便状況を確認すること，衛生材料などの残数を確認することなどを前もって想定しておくことで，訪問先での行動を円滑に進めることができる．

的確な援助の提供

訪問看護では，看護師が単独で療養者宅を訪問し，援助を提供するため，療養者に実施する看護技術は確実に習得しておく必要がある．

行動予定表			
[住所] ○○市○○町 1-2-3	[訪問予定日時]（訪問先までの道順や時間を確認） 訪問日時：20○○年5月15日　月曜日　13時30分～15時00分（90分） 出発時間：13時15分		
[療養者氏名] ○○　○男様	[訪問の目的] 排便コントロール，褥瘡処置，清潔ケア，介護者の支援		
[援助の手順]			
援助内容	時間	使用物品（訪問バッグに持参）	使用物品（療養者宅で準備）
物品の準備・片付け	15分		
バイタルサイン測定・吸引	10分	血圧計，聴診器，体温計，パルスオキシメータ，記録用紙など	吸引器一式，多職種連携ノート
浣腸，腹部温罨法	10分	使い捨て手袋，潤滑剤	温めたタオル，温めたグリセリン浣腸，ビニールシート
摘便，陰部洗浄	15分	使い捨て手袋，潤滑剤	新聞紙，微温湯，陰部洗浄用ボトル
褥瘡処置	10分	褥瘡評価スケール，定規	創傷被覆材，微温湯，褥瘡洗浄用ボトル
全身清拭，足浴，更衣	15分	爪切り	タオル，石けん，洗面器，やかん，湯，着替え，おむつ
介護者との会話	15分		

[療養者・家族への確認・説明事項]
・療養者は2日前にショートステイから戻ってきたところであるため，ショートステイ時の状況を介護者（療養者の妻）から把握すること．
・排便の有無と時期を介護者から把握すること．
・グリセリン浣腸，吸引チューブ，創傷被覆材の残数を確認すること．
・前月の訪問看護利用料の請求書を介護者に渡すこと．

■図1-15　訪問看護の行動予定表の例

図1-15 の例であれば，バイタルサインの測定はもちろんのこと，吸引，腹部温罨法，浣腸，摘便，陰部洗浄，全身清拭，足浴，更衣・おむつ交換，褥瘡処置などの基本的技術を提供できることが必要である．しかし，療養者ごとに手順や使用物品が異なるため，その方法が医療機関などで提供されているものと異なったとしても，大きな問題をすぐに起こさない範囲であればその家庭のやり方を尊重することが望ましい．必要に応じて，複数の看護師の訪問や緊急対応への準備として，他の看護師の訪問時に同行し，実施方法や手技について引き継ぎを行う．もしくはその手順を記載した上で看護計画に添付し，どの看護師が訪問しても同様の手技を提供できるようにする．

また，看護技術だけでなく，援助に関する判断やアセスメントについても，単独で的確に行うことが基本である．しかし，1人ですぐに判断やアセスメントをできないこともある．そのような場合は，無理に判断せずに，その場で訪問看護管理者や主治医などに電話やモバイル通信などを使って相談するか，あるいは訪問から戻ってきた後に自分で調べたり，相談したりするなどして，後から補完した対応をすることもある．確信のない判断を無理に行ったり，判断をしないまま曖昧に対応したりすることは避ける．

正確な記録

援助を提供した後には，どのような援助が提供されたのか，その援助に対する療養者・家族の反応はどのようなものであったのか，さらにはその援助内容の評価や今後の計画はどのようなものか，その判断内容について，他者が読んでわかるように正確に記録として残すことが必要である．

看護の記録は，援助内容を継続させるために訪問看護師間の情報共有に活用するほか，看護計画の評価や計画修正に活用する．また，他の職種に情報を正確に提供しやすくなる．

記録は，求めに応じて開示し，対象者への説明責任を果たすためにも活用できる．また，医療事故や対象者とのトラブルが起こった際にはその経緯を示す根拠になり，証拠書類としての役割を果たすこともある．

さらには，記録の情報を丹念に分析することによって，よりよい看護を行うための事例検討や研究データとしても活用できる．

前述の図1-15 の行動予定に基づいて行った訪問看護の記録例を図1-16 に示す．いつ，何時から何時まで誰が訪問したのかという基本情報以外に，援助内容や療養者・家族の反応を含む訪問時の状況を具体的に記載する．また，これらの援助内容に対して，看護師がどのように評価しているのか，援助内容の評価と今後の計画を記載している．

多くの訪問看護での援助内容は，対象者の疾患の大部分が慢性疾患であることもあり，毎回の訪問内容が急激に変化することは少ない．しかし，例えば老衰などにより，少しずつ終末期に移行する場合など，日々の変化が積み重なり，大きな変化につながることもある．訪問看護師が繊細で豊かな感性をもちながら，記録などにより日々の援助内容を振り返ることでよりよい援助を提供できる．なお，記録については，紙媒体に記載し，ファイリングをして保管しているほか，最近ではタブレットに専用のアプリケーションをインストールし，電子入力するシステムを導入している場合もある．

5 評価

評価の方法

療養者や家族に実施した援助内容について，訪問看護内容の記録，主治医に報告する訪問看護報告書，カンファレンス，事例検討会などを通して定期的に評価を行う．訪問看護の提供期間は長期間に及ぶことが多いため，看護計画の立案から評価までのプロセスを1人の訪問看護師が担当するとは限らない．

そのため，担当看護師のみで評価するよりも，事業所内の他の看護師とともに評価するとよい．また，多角的な視点をもって評価を行うことで，評価内容がより深まることから，複数の看護師で評価を行うことが望ましい．

評価の側面と指針

評価の側面としては，療養者や家族にどのように効果があったのか，そのアウトカムをみる側面と，

基本情報

[療養者名]
　　○○　○男様

[訪問者名]
　　看護師　△△　△子

[訪問日時]
　訪問日：20○○年5月15日　月曜日
　訪問時間：13時30分～15時00分（計90分）

訪問時の状況

[援助内容]
- バイタルサインの測定
  BP＝130/85　P＝68　R＝14　SpO_2＝98％
  口腔からの吸引にて軟らかい白色痰が中等量ひける．
- 排便コントロール
  排便が2日間なく，腸蠕動音微弱なため，腹部温罨法と腹部マッサージ，グリセリン浣腸を実施．浣腸後少量の硬便がみられるのみであったため，摘便にて中等量の硬～軟便あり．
- 褥瘡処置
  仙骨部褥瘡に貼用中のハイドロコロイドの端が外れかかっていたので微温湯で洗浄後交換．滲出液はなし．DESIGN-Rによる評価結果は D3-e3 s8 i0 g1 n0 p0．右坐骨部に新たな発赤（d1-e0 s3 i0 g0 n0 p0）がみられたため，以前に処方され自宅にもあったポリウレタンフィルムを貼用．
- 清潔ケア
  陰部洗浄と全身清拭，足浴，更衣，爪切りを実施．皮膚状態は良好であり，左膝関節の可動域はやや狭いものの，ショートステイ前と違いはない．関節他動運動を実施．

[療養者・家族の反応]
- 療養者本人の反応
  訪問時には，うとうとと傾眠傾向であった．看護師が声をかけると目が合うが，訪問中発語はほとんどなし．吸引時に顔をしかめ，嫌がる．腹部温罨法を実施すると，目をやや細めて気持ちよさそうな表情をしていた．
- 介護者（妻）の発言
  「（ショートステイ中に）孫の顔を見に娘の家に1日行きました」と話す．5日間のショートステイの間に気分転換ができた様子．表情もいつもより，明るかった．
  ショートステイ中の療養者本人の様子は，入所日の夜は眠らず，独語が続いていたが，2日目以降の生活リズムは落ち着いていたという．食欲も変わらず良好．ショートステイ中，日中車椅子に座り，施設のホールで過ごしていたとのこと．

訪問の評価

[援助内容の評価]
　バイタルサインの測定，排便コントロール，清潔ケアなどの援助内容の状況や仙骨部の褥瘡の状態は以前と変わらず，療養者の状態に大きな変化はないと評価する．
　今回初めてのショートステイ利用であったが，療養者本人に大きな混乱がなく，また介護者の妻も気分転換ができレスパイトできたと考える．
　しかし，療養者の右坐骨部に発赤がみられており，ショートステイ中に座位で過ごすことが多かったことが原因の可能性がある．療養者の身体が大きいため，自宅で妻1人では車椅子に移すことは難しく，ショートステイ時に座位をとれたことは望ましいが，皮膚の状態には注意を要すると考える．次回，ショートステイを利用する際にはこれらのアセスメント内容について，施設担当者に伝える必要がある．

[今後の計画]
　立案している看護計画にしたがって，排便コントロール，褥瘡処置，清潔ケアを継続する．
　仙骨部の褥瘡には，ハイドロコロイド，右坐骨部の発赤にはポリウレタンフィルムを貼用し，治癒または解消することを目標とする．さらには，関節可動域の狭小化などに配慮し，機能低下予防を目標に訪問看護を継続することが必要である．
　また，介護者の妻が安定して介護を継続できるよう，今回試みたショートステイは適宜導入してもよいと考えられ，必要に応じて妻に提案する．
　褥瘡の状態やショートステイでの状況については，主治医やケアマネジャーと情報を共有し，今後の援助に活かす．

■図 1-16　訪問看護の記録の例

アウトカムは達成されたか
- 長期目標は達成されたか
- 各看護課題の看護目標は達成されたか
- 療養者や家族は援助内容に満足しているか

プロセスは適切だったか
- 看護計画の内容は適切だったか
- 看護計画に沿って援助が実施されたか
- 訪問看護師に援助の達成感はあるか

■図 1-17　評価の指針

提供された援助は適切だったのか，そのプロセスをみる側面がある．

評価の指針を**図 1-17** に示す．**アウトカム**をみる側面としては，全体として長期目標は達成されたか，各看護課題の看護目標は達成されたかを看護計画にしたがって評価するほか，療養者や家族は援助内容に満足しているか，サービスを受ける消費者としての評価内容にも着目することが重要である．療養者・家族が訪問看護に満足していない場合，訪問看護を中止したり，他の訪問看護事業所に変更したりすることもあるからである．

プロセスをみる側面としては，看護計画の内容は適切だったのか，看護計画に沿って援助が実施されたか，看護計画の適切性を評価するほか，サービスを提供する訪問看護師側の達成感にも着目するとよい．

計画の見直し・修正

これらの評価結果に基づき，必要に応じて看護目標や看護計画の**見直し・修正**を行う．期待される成果が得られなかった場合は，なぜ成果を得られなかったのか，看護過程のすべての段階を分析し，原因を明らかにし，見直しを行う．期待される成果が得られた場合は，なぜ成果があがったのか分析を行い，さらによりよい援助を提供できることに役立てる．

以上の評価内容や看護目標・看護計画の見直し内容においても，看護計画立案時と同様に，療養者や家族を含め，他の職種とともに共有することが重要である．

付録1

(別紙様式16)

訪問看護指示書
在宅患者訪問点滴注射指示書

※該当する指示書を○で囲むこと

訪問看護指示期間 (令和4年5月1日～令和4年5月31日)
点滴注射指示期間 (令和　年　月　日～令和　年　月　日)

患者氏名	医学花子様	生年月日	明・大・㊎・平 15 年 ○月 ○日 （ 82 歳）
患者住所	○○県○○市○○町○丁目○○		電話（●●●）●●●●-●●●●

主たる傷病名	(1) 慢性心不全　(2) 心房細動　(3) 高血圧　(4) 便秘症

現在の状況 (該当項目に○等)

病状・治療状態	内服治療にて現在、症状は安定している。1日の水分量の制限はなし。塩分は6g未満/日になるように指導している。労作時（1人で入浴、階段を上る、急いで歩く）の呼吸苦が時折あるが、安静にしていると消失するようです。
投与中の薬剤の用量・用法	1. トラセミド錠4mg　1錠　朝食後　　　2. アムロジン錠2.5mg　1錠　朝食後 3. メインテート錠0.625mg　2錠　朝食後　4. タケキャブ錠10mg　1錠　朝食後 5. ラキソベロン液　10滴から15滴　便秘時　寝る前
日常生活自立度	寝たきり度　J1　J2　㊂　A2　B1　B2　C1　C2 認知症の状況　I　㊂　Ⅱb　Ⅲa　Ⅲb　Ⅳ　M
要介護認定の状況	要支援（ 1　2 ）　　要介護（ 1　② 3　4　5 ）
褥瘡の深さ	DESIGN分類　D3　D4　D5　　NPUAP分類　Ⅲ度　Ⅳ度
装着・使用医療機器等	1. 自動腹膜灌流装置　2. 透析液供給装置　3. 酸素療法（　　L／分） 4. 吸引器　　　　　5. 中心静脈栄養　　6. 輸液ポンプ 7. 経管栄養 (経鼻・胃瘻：サイズ　　,　日に1回交換) 8. 留置カテーテル (部位：　　サイズ　　,　日に1回交換) 9. 人工呼吸器 (陽圧式・陰圧式：設定　　　　　　　　) 10. 気管カニューレ (サイズ　　　　) 11. 人工肛門　　12. 人工膀胱　　13. その他（　　　　　　）

留意事項および指示事項

I　療養生活指導上の留意事項
・体重を毎日定期的に測るようにしてください。体重が1日で1.5kg以上増える、または、54kgを超える、呼吸苦が悪化することがあったときにはすぐに、診療所に連絡してください。
・水分を控える傾向があるため、1日の水分量を800～1000mL/日飲むよう指導してください。
・入浴介助をお願いします。必ず、入浴前後での水分摂取を促してください。

Ⅱ　1. リハビリテーション
　　2. 褥瘡の処置等
　　3. 装着・使用医療機器等の操作援助・管理
　　4. その他

在宅患者訪問点滴注射に関する指示 (投与薬剤・投与量・投与方法等)

緊急時の連絡先：○○診療所　　緊急電話　111-2222-3333
不在時の対応　：○○病院　　　救急外来　44-5555-6666
特記すべき留意事項：薬の相互作用・副作用についての留意点、薬物アレルギーの既往、定期巡回・随時対応型訪問介護看護及び複合型サービス利用時の留意事項等があれば記載してください。)

他の訪問看護ステーションへの指示
（㊇　有　：指定訪問看護ステーション名　　　　　　　　　　　　）
痰の吸引等実施のための訪問介護事業所への指示
（㊇　有　：訪問介護事業所名　　　　　　　　　　　　　　　　　）

上記のとおり指示いたします。　　　　　　　　　　　令和4年5月1日

　　　　　　　　　　　医療機関名　○○診療所
　　　　　　　　　　　住　　　所　○○県○○市○○町△丁目△△
　　　　　　　　　　　電　　　話　○○-○○○○-○○○○
　　　　　　　　　　　（FAX）
　　　　　　　　　　　医師氏名　　○○○○　　　　　　　　印

事業所　○○訪問看護ステーション　殿

看護過程のステップ　3

付録 2

別紙様式 1

訪問看護計画書

利用者氏名	医学花子様	生年月日	昭和 15 年　○月　○日　（ 82 ）歳
要介護認定の状況	要支援（　1　　2　）		要介護（　1　　②　　3　　4　　5　）
住所	○○県○○市○○町○丁目○○		

看護・リハビリテーションの目標
長期目標 #1　心不全が急性増悪しない #2　健康管理行動（運動・確実な内服・食事管理）を継続する 短期目標 #1　心機能に負荷のない方法で，安全に日常生活活動（排泄・入浴・調理）ができる #2　現在行っている散歩，減塩食，定期的な内服，心不全ノートの記載が継続できる

年月日	問題点・解決策	評価
令和 4 年 5 月 1 日	#1：心拍出量減少のリスク 労作時に呼吸困難があり，心拍出量減少のリスクが高い 〈観察項目〉 1) バイタルサイン・全身状態の観察 　・体温・血圧・脈拍・不整脈・酸素飽和度の測定 　・全身倦怠感・易疲労感の有無 　・呼吸状態の観察：喘鳴・呼吸困難感の有無（安静時・労作時） 　・尿量・飲水量・浮腫の有無・体重増加の有無 2) 食事摂取状況・排泄状況の確認 　・食事の量・内容（特に塩分摂取の状況），排便の有無・性状・回数 3) 服薬状況の確認 　・定期的に確実な服薬の有無と，受診直後には服薬変更の有無 4) 受診時の採血データの確認 〈ケア項目〉 1) 入浴介助 　・訪問時に入浴介助を行い（洗髪，下肢の洗身は看護師が必ず行う），心臓への負担を軽減する 2) 安楽な体位の工夫 　・呼吸困難が出現した際には本人の楽な姿勢をとる 3) 服薬カレンダーに 1 週間分をご本人と一緒にセットする 〈教育項目〉 1) 心不全増悪時の症状（呼吸困難の増強, 体重の増加），危険因子（塩分・水分の摂取過剰，過剰な運動）を説明し，増悪時の対処法を説明する	#1 脈拍の不整は認めるが，バイタルサインは安定している．体重の増加はないが，入浴後に呼吸困難感があり，口すぼめ呼吸を行うことがある．その際は椅子に座り安楽な姿勢にして過ごすとすぐに消失はする．しかし，今後も心拍出量減少のリスクは存在するため，#1 は継続する．

| | #2 健康管理行動の維持
疾患に対する理解力があり，疾患悪化予防に対する意欲も高い
〈観察項目〉
1) 食事内容，水分摂取量を観察し，主治医の指示内容と相違の有無
2) 散歩の時間や家事の内容を確認し，過度に行っていないか確認する
3) 疾患管理について発言内容 (否定的な発言の有無)，睡眠状況
〈ケア項目〉
1) 天候等で散歩に行けない際の運動の実施
2) 疾患管理 (食事制限，確実な内服，運動) について，努力していることやできていることの承認
〈教育項目〉
1) 水分を控えすぎることで起こる合併症 (脱水症による脳梗塞，心筋梗塞) について説明し，主治医より指示のある水分量 (800〜1000 mL) 摂取を促す
2) 疾患管理について苦痛に思うことや難しいと感じていることがあればつねに相談にのることを伝える | #2
確実な内服や毎朝 15 分程度の散歩の実施，減塩食の継続は行えている．現在の身体状況を維持するためには，現在の健康管理行動の継続が必要であることから#2を継続する． |

衛生材料等が必要な処置の有無		有 ・ ⓘ無
処置の内容	衛生材料 (種類・サイズ) 等	必要量

備考 (特別な管理を要する内容，その他留意すべき事項等)

作成者①	氏名：○○○○	職種： 看護師 ・ 保健師
作成者②	氏名：	職種： 理学療法士・作業療法士・言語聴覚士

上記の訪問看護計画書に基づき指定訪問看護または看護サービスの提供を実施いたします．

令和 4 年 5 月 1 日

事業所名　○○訪問看護ステーション
管理者氏名　△△△△

○○診療所
○○○○殿

付録 3

別紙様式 2

訪問看護報告書

利用者氏名	医学花子	生年月日	昭和 15 年 ○月 ○日 （ 82 ）歳		
要介護認定の状況	要支援（ 1　2 ）		要介護（ 1　②　3　4　5 ）		
住所	○○県○○市○○町○丁目○○				
訪問日	2022 年 5 月 1　②　3　4　5　6　7 8　⑨　10　11　12　13　14 15　⑯　17　18　19　20　21 22　㉓　24　25　26　27　28 29　㉚　31 訪問日を○で囲むこと．理学療法士，作業療法士または言語聴覚士による訪問看護を実施した場合は◇，特別訪問看護指示書に基づく訪問看護を実施した日は△で囲むこと．緊急時訪問を行った場合は×印とすること．なお，右表は訪問日が 2 月にわたる場合使用すること．		年　月 1　2　3　4　5 8　9　10　11　12　13　14 15　16　17　18　19　20　21 22　23　24　25　26　27　28 29　30　31		
症状の経過	体温 35.8～36.2℃　血圧 100～110/60～70 mmHg　脈拍 60～78 回/分　不整はあるが，胸部症状の訴えはない．体動時 SpO_2=96～98％　安静時 SpO_2=98％　肺雑音なし　体重 52～53kg，尿回数は 7～9 回/日あり，先月と変化はない．浮腫はない．入浴は看護師，家族の介助のもと実施している．入浴後は時折，呼吸苦の訴えはあるが，SpO_2=96％ より低下することはなく，椅子に座り 5 分程度安静にしていると呼吸苦は消失し，SpO_2=98％ と回復する．入浴前後には約 100 mL の水分を摂取している．水分を 800 mL/日は必ず飲み，減塩調味料を利用した食事を摂取している．内服は服薬カレンダーを利用し，確実に内服できている．2 日間排便がなければ，ラキソベロン液を 10～15 滴服用し努責することなくスムーズに排便がある．天候が良ければ，家族と 15 分程度，シルバーカーを使用し散歩を行っているが，散歩中に体調不良が起きることはない．ホームセキュリティサービスへの連絡は行っていない．				
看護の内容	バイタルサイン測定，全身状態の観察，入浴介助，服薬管理				
家庭での介護の状況	近隣に住む長女，次女が交代で実家を訪問し，家事，入浴などの介護を行っている．本人が得意としている料理や希望する散歩などは，一緒に行い協力的に介護されている．				
衛生材料等の使用量および使用状況	衛生材料等の名称：（　　　　　　　　　　　　　　　　　　　　　　　）				
	使用および交換頻度：（　　　　　　　　　　　　　　　　　　　　　　）				
	使用量：（　　　　　　　　　　　　　　　　　　　　　　　　　　　　）				
衛生材料等の種類・量の変更	衛生材料等（種類・サイズ・必要量等）の変更の必要性：　有　・　㊎				
	変更内容				
特記すべき事項					
作成者①	氏名：○○○○		職種：㊙護師・保健師		
作成者②	氏名：○○○○		職種：理学療法士・作業療法士・言語聴覚士		

上記のとおり，指定訪問看護または看護サービスの提供の実施について報告いたします．

　　　令和 4 年 5 月 31 日

　　　　　　　　　　　　　事業所名　○○訪問看護ステーション
　　　　　　　　　　　　　管理者氏名　△△△△

○○診療所　○○○○殿

付録4-1

第1表

居宅サービス計画書(1)

作成日 令和4年2月18日

初回・紹介・**継続**　**認定済**・申請中

利用者名	医学 花子 様
生年月日	昭和15年〇月〇日
住所	〇〇県〇〇市〇〇町〇丁目〇〇

居宅サービス計画作成者氏名　〇〇〇〇

居宅介護支援事業者・事業所名および所在地　_____

居宅サービス計画作成(変更)日　令和4年2月18日

初回居宅サービス計画作成日　令和4年2月18日

認定日　令和4年2月1日　認定の有効期間　令和4年2月1日 ～ 令和5年1月31日

要介護状態区分　要支援1・要支援2・要介護1・**要介護2**・要介護3・要介護4・要介護5

利用者および家族の生活に対する意向を踏まえた課題分析の結果	本人：動くと息が苦しくなることが増えたが調理をするのは楽しい。できるだけ自分のことは自分でしたい。 家族：現在のからだの状態であれば、姉妹で協力して介護し、自宅療養を続けたい。病気のことはあまりわからないので、専門家にみてほしい 以上の利用者、家族の意向を踏まえ、疾患の悪化にともなう身体機能の低下による体動時の呼吸困難の悪化、転倒のリスクがあることから福祉用具貸与が必要である。また、独居であり家族不在時の緊急連絡方法については検討する必要がある
介護認定審査会の意見及びサービスの種類	なし
総合的な援助の方針	ご本人、ご家族の意向に沿って、自宅での在宅療養を継続するために、在宅診療、訪問看護での医療的なケアサービスにより、健康管理に努め病状の安定を図ります。また、福祉用具をレンタルすることで、転倒予防など、安全に生活できるよう支援します。緊急時にはお一人でもできる限り対応ができるよう、体制を整えておきます 緊急時の連絡先として、1. 〇〇診療所　2. 〇〇訪問看護ステーション　3. 長女様といたします また、ホームセキュリティサービスの緊急通報装置(ペンダント・据え置き)をご利用する方向といたします
生活援助中心型の算定理由	1. **一人暮らし**　2. 家族等が障害、疾病等　3. その他（　　）

居宅サービス計画書について説明を受け、内容に同意し、交付を受けました。

説明・同意日　令和4年2月18日　氏名　医学 花子　印

3 看護過程のステップ

付録 4-2

居宅サービス計画書 (2)

作成年月日　令和4年　2月　18日

第2表

利用者名　医学 花子 様

生活全般の解決すべき課題(ニーズ)	援助目標			援助内容					
	長期目標	短期目標	期間	サービス内容	※1	サービス種別	※2	頻度	期間
入院せずに自宅で心不全が悪化しないけたいの現在の生活を続	定期的に服薬管理ができる	確実な服薬ができる	R04.02.01〜R05.01.31	医学的管理・療養に関する助言指導 処方せん指示 24時間緊急時対応 訪問診療	〇	居宅療養管理指導	〇〇診療所	2回/月	R04.02.01〜R04.07.31
				全身状態の観察 体調管理 服薬管理 生活指導 医師への報告・連絡 24時間緊急時対応	〇	訪問看護	〇〇訪問看護ステーション	1回/週	R04.02.01〜R04.07.31
				体調の変化を医師や看護師に伝える			本人	適時	
				訪問診療は同席し、病状に関して質疑応答をする			家族	適時	
				24時間緊急時対応			ホーム・セキュリティサービス	〇〇警備株式会社	適時	
自宅で安全に入浴したい	定期的に清潔ケアができる	介助を受けながら安全に入浴できる	R04.02.01〜R05.01.31	入浴介助 入浴前後の体調管理 入浴前後水分摂取	〇	訪問看護	〇〇訪問看護ステーション	1回/週	R04.02.01〜R04.07.31
				入浴・水分摂取			本人	2回/週	
				入浴介助 入浴前後水分摂取			家族	家族訪問時	
転倒せずに現在の歩行能力を維持していきたい	安全に起居動作、歩行ができる	福祉用具を使用して安全な歩行が維持できる	R04.02.01〜R05.01.31	特殊寝台、付属品、手すりを使用し安全に寝返り、起居動作ができる 歩行器を使用して安全に歩行できる	〇	福祉用具貸与	〇〇株式会社	適時	R04.02.01〜R04.07.31
				散歩・下肢の運動			本人	毎日	
				一緒に散歩を行う			家族	家族訪問時	

※1 「保険給付対象かどうかの区分」について、保険給付対象内サービスについては〇印を付す.
※2 「当該サービス提供を行う事業所」について記入する.

付録 5

第 3 表 週間サービス計画表

利用者名 医学 花子 様　　　　　　作成年月日 令和 4 年 2 月 18 日

時間帯	時刻	月	火	水	木	金	土	日	主な日常生活上の活動
深夜	0:00								
	2:00								
	4:00								
早朝	6:00								起床
	8:00								朝食（軽食）服薬
午前	10:00	訪問看護							
	12:00								昼食
午後	14:00								散歩 週 1 昼寝
	16:00								
夜間	18:00								夕食
	20:00								
深夜	22:00								就寝
	24:00								

週単位以外のサービス：【訪問診療】○○診療所 2 回/月 金曜日 【特殊寝台貸与・特殊寝台付属品貸与・歩行器貸与】○○株式会社
【ホームセキュリティサービス】○○警備株式会社

3 看護過程のステップ

付録 6-1

第 6 表

2022 年 6 月分サービス提供票

認定済

保険者番号			居宅介護支援事業者⇒利用者	
被保険者番号			作成年月日	令和 4 年 5 月 15 日
			届出年月日	令和 3 年 2 月 1 日
保険者名	○○市			
フリガナ 被保険者氏名	イガク ハナコ 医学 花子		居宅介護支援事業所担当者名	○○ケアステーション TEL ○○○-○○○○
要介護状態区分	要介護 2		保険者確認印	
変更後 要介護状態区分			区分支給限度基準額	19705 単位/月
変更日	年 月 日		限度額適用期間	令和 4 年 2 月から 令和 5 年 1 月まで
生年月日	(年号) 昭和 15 年 ○月 ○日	性別 女	前月までの短期入所利用日数	0

月間サービス計画及び実績の記録

提供時間帯	サービス内容	サービス事業者事業所名	予定/実績	日付	1	2	3	4	5	6	7	8	9	10	11	12	13	14	15	16	17	18	19	20	21	22	23	24	25	26	27	28	29	30	31	合計
				曜日	水	木	金	土	日	月	火	水	木	金	土	日	月	火	水	木	金	土	日	月	火	水	木	金	土	日	月	火	水	木	金	
10:00〜11:00	訪問看護 I 3	○○訪問看護ステーション	予定							1						1						1						1							1		4
			実績																																		
	訪問看護サービス提供加算II 1	○○訪問看護ステーション	予定							1						1						1						1									4
			実績																																		
	緊急時訪問看護加算	○○訪問看護ステーション	予定							1																											1
			実績																																		
13:00〜13:30	医師居宅療養管理指導	○○診療所	予定															1									1									2
			実績																																		
	特殊寝台貸与	○○株式会社	予定																																	1
			実績																																		
	特殊寝台附属品貸与	○○株式会社	予定																																	1
			実績																																		
	特殊寝台附属品貸与	○○株式会社	予定																																	1
			実績																																		
	歩行器	○○株式会社	予定																																	1
			実績																																		

付録6-2

第7表 サービス提供票別表

作成年月日　令和4年　5月　15日（6月分）
利用者氏名：医学　花子
被保険者番号：

区分支給限度管理・利用者負担計算

事業所名	事業所番号	サービス内容/種類	サービスコード	単位数	回数	サービス単位/金額	種類支給限度基準を超える単位数	区分支給限度基準を超える単位数	区分支給限度基準内単位数	単位数単価	費用総額（保険対象分）	給付率（%）	保険給付額	利用者負担（保険対象分）	利用者負担（全額負担分）
○○訪問看護ステーション		訪看I3		821	4	3,284			3,284	11.12	36,518	90	32,866	3,652	
○○訪問看護ステーション		訪問看護サービス提供加算II1		3	4	(12)			(12)	11.12	133	90	119	14	
○○訪問看護ステーション		緊急時訪問看護加算		574	1	(574)			(574)	11.12	6,383	90	5,744	639	
他事業所				1,370	1	1,370			1,370	11.12	15,234	90	13,710	1,524	
			割引後率%	単位数	合計	19,705	区分支給限度基準額（単位）	0	4,654		51,752		52,439	5,829	0

種類別支給限度額管理

サービス種類	種類支給限度基準額（単位）	合計単位数	種類支給限度基準を超える単位数	サービス種類	種類支給限度基準額（単位）	合計単位数	種類支給限度基準を超える単位数
訪問介護				福祉用具貸与			
訪問入浴介護				短期入所生活介護			
訪問看護				短期入所療養介護			
訪問リハビリテーション				夜間対応型訪問介護			
通所介護				小規模多機能型居宅介護			
認知症対応型通所介護				定期巡回・随時対応型訪問介護看護			
通所リハビリテーション				複合型サービス			
				合計			

要介護認定期間中の短期入所利用日数

前月までの利用日数	当月の計画利用日数	累積利用日数
0	0	0

付録7　要介護度の目安

区分	状態像のめやす	要介護認定等基準時間
要支援1	基本的日常生活動作（食事，排泄，入浴，掃除）は1人で行うことができるが，立ち上がり動作能力が低下している	25分以上32分未満
要支援2	起き上がりや片足での立位などの動作能力の低下がみられ，買い物に何らかの支援が必要な状態である	32分以上50分未満
要介護1	要支援2の状態に加え，心身の状態が不安定であることが見込まれる，もしくは軽度の認知機能低下がみられる	
要介護2	歩行，洗身，爪切り，薬の内服，金銭の管理，簡単な調理などに何らかの介助が必要な状態である．認知症の症状のため，日常生活に支障がある可能性がある場合も含まれる	50分以上70分未満
要介護3	排尿，排便，歯磨き等の口腔内の清潔保持，着替えなどに何らかの介助が必要な状態である．自立歩行が困難であり，杖や歩行器，車椅子を利用している場合がある．認知症の場合，食事や排泄などがうまくできない	70分以上90分未満
要介護4	寝返り，両足での立位，移乗，移動，洗顔，整髪などに介助が必要であり，常時介護なしでは日常生活を送れない状態である．認知症の場合，BPSD（行動・心理症状）や理解力の低下のため，介護が常に必要である	90分以上110分未満
要介護5	座位保持，食事摂取をはじめ，身の回りのことがほとんどできない．寝たきりで意思の伝達が困難な場合が多い．認知症の場合，BPSDや理解力の低下のため，対応が難しい	110分以上

付録8　日常生活自立度（障害高齢者）の基準

区分		状態像のめやす
生活自立	ランクJ	何らかの障害等を有するが，日常生活はほぼ自立しており独力で外出する 1. 交通機関等を利用して外出する 2. 隣近所へなら外出する
準寝たきり	ランクA	屋内での生活はおおむね自立しているが，介助なしには外出しない 1. 介助により外出し，日中はほとんどベッドから離れて生活する 2. 外出の頻度が少なく，日中も寝たり起きたりの生活をしている
寝たきり	ランクB	屋内での生活は何らかの介助を要し，日中もベッド上での生活が主体であるが，座位を保つ 1. 車椅子に移乗し，食事，排泄はベッドから離れて行う 2. 介助により車椅子に移乗する
	ランクC	一日中ベッド上で過ごし，排泄，食事，着替えにおいて介助を要する 1. 自力で寝返りをうつ 2. 自力では寝返りもうたない

注）判定にあたっては，補装具や自助具等の器具を使用した状態であっても差し支えない．
平成3年11月18日　老健第102-2号　厚生省大臣官房老人保健福祉部長通知．「障害老人の日常生活自立度（寝たきり度）判定基準」

付録 9　日常生活自立度（認知機能）の基準

ランク		判断基準	みられる症状・行動の例
Ⅰ		何らかの認知症を有するが，日常生活は家庭内および社会的にほぼ自立している	
Ⅱ		日常生活に支障をきたすような症状・行動や意思疎通の困難さが多少みられても，誰かが注意していれば自立できる	
	Ⅱa	家庭外で上記Ⅱの状態がみられる	たびたび道に迷うとか，買い物や事務，金銭管理など，それまでできたことにミスが目立つ等
	Ⅱb	家庭内でも上記Ⅱの状態がみられる	服薬管理ができない，電話の応対や訪問者との対応など1人で留守番ができない等
Ⅲ		日常生活に支障をきたすような症状・行動や意思疎通の困難さがみられ，介護を必要とする	
	Ⅲa	日中を中心として上記Ⅲの状態がみられる	着替え，食事，排便，排尿が上手にできない，時間がかかる．やたらに物を口に入れる，物を拾い集める，徘徊，失禁，大声・奇声をあげる，火の不始末，不潔行為，性的異常行為等
	Ⅲb	夜間を中心として上記Ⅲの状態がみられる	ランクⅢaに同じ
Ⅳ		日常生活に支障をきたすような症状・行動や意思疎通の困難さが頻繁にみられ，常に介護を必要とする	ランクⅢに同じ
M		著しい精神症状や周辺症状あるいは重篤な身体疾患がみられ，専門医療を必要とする	せん妄，妄想，興奮，自傷・他害などの精神症状や精神症状に起因する問題行動が継続する状態等

平成5年10月26日　老健第135号　厚生省老人保健福祉局長通知（平成18年3月改正）「認知症高齢者の日常生活自立度判定基準」

第2章
健康障害別看護過程

1 がん慢性期

がん慢性期の理解

基礎知識

疾患概念
- **がんの発症に伴って生じる様々な状態を指す．**
- がんそのものによる症状（疼痛など）のみならず，日常生活動作の低下，本人や家族の不安，介護負担への対応などが必要となる．

疫学・予後
- 国立がん研究センターのがん統計によると，2020年のがんによる年間死亡者数は37万8,385人にのぼる．部位別では肺，大腸，胃，膵臓，肝臓の順に多い．生涯でがんで死亡する確率は，男性は4人に1人，女性は6人に1人となっている．

症状
- 疼痛，悪心，便秘，呼吸苦，倦怠感，食思不振，日常生活動作低下，せん妄などが生じやすい．

診断・検査値
- 診断は症状や所見をもとに，各がん種への画像検査や生検などによって確定される．
- フォローアップの際は，腫瘍からの出血や消耗に伴う貧血，骨転移による高カルシウム血症，肝転移による肝機能障害，脱水による腎機能障害などが生じやすい．これらはせん妄の原因となることがあるが，原因に対応すればせん妄も改善することがある．

合併症
- 各がん種に応じた合併症があり，多岐にわたる．詳細は成書を参照のこと．

治療法
- **治療方針**
- がんに伴う様々な症状を抑えるための治療を適時行う．
- 日常生活動作の低下に合わせて，必要なサービスを導入する．
- 適時病状について説明を行いつつ，本人や家族のがんに伴う様々な不安に対応する．

- **薬物療法**
〈疼痛〉
- オピオイドで鎮痛を行う．WHOの三段階除痛ラダーに従い，非オピオイドから始め，弱オピオイドないしは強オピオイドを追加して対応する．
- 呼吸苦がある場合はモルヒネ硫酸塩水和物（商品名：MSコンチンなど）が第1選択になるが，特に制限がなければより消化器症状が少ないオキシコドン塩酸塩水和物（商品名：オキシコンチンなど）などを用いることも多い．腎機能障害がある場合，モルヒネは避けるべきである．活性代謝物が蓄積され傾眠やせん妄を起こしやすい．内服が難しい場合や他のオピオイドによる便秘が難治の場合などにフェンタニル貼付剤（商品名：デュロテップ，フェントス）を用いることがある．
- がん性疼痛には，常に存在する持続痛と，強い痛みの波として訪れる突発痛がある．持続痛を定期薬の鎮痛薬で抑え，突発痛にはレスキューといわれる速攻型オピオイドで対応する．目安として，1日に6回以上レスキューを使っているようであれば，定期の鎮痛薬の増量・調整が必要な状態と考えるべきである．

- 内服が難しく，かつ急激にオピオイドの使用量が増えてきている状態では，オピオイドの持続皮下注を行う．疼痛を感じた際に療養者が自分でレスキュードーズを追加できる PCA (patient controlled analgesia) ポンプには，ディスポーザブルのものもある．

〈悪心〉
- オピオイド開始時に多く，この期間は制吐薬を併用する．保険適用外であるがプロクロルペラジンマレイン酸塩（商品名：ノバミン）が用いられることが多い．通常2週間後の使用で悪心はおさまる．
- 消化管のがんの場合，閉塞機転に由来する悪心も生じる．減圧チューブで対応することもあるが，オクトレオチド酢酸塩（商品名：サンドスタチン）の持続注射で減圧チューブから離脱できる事例もある．

〈便秘〉
- オピオイドの使用で便秘は必発であるため，この際下剤（酸化マグネシウム，センノシドなど）を併用すべきである．
- 下剤を使用しても対応困難な便秘には，オピオイドの種類を変更するオピオイドスイッチングの効果があることがある．

Px 処方例 内服可能な場合

以下を併用する．
- アセトアミノフェン　1回1g　1日3回　朝昼夕食後　←非オピオイド鎮痛薬
- オキシコンチン錠5mg　1回1錠　1日2回　12時間おき　←強オピオイド鎮痛薬
- ノバミン錠5mg　1回1錠　1日3回　朝昼夕食後　←制吐薬　［保険適用外］
- 酸化マグネシウム　1回0.5g　1日3回　朝昼夕食後　←下剤

Px 処方例 痛みが強く，内服できない場合
- モルヒネ塩酸塩水和物注射液　30mg　←強オピオイド鎮痛薬
  生理食塩液で計10mLに調整し，0.4mL/時で小型シリンジポンプで持続皮下注

〈呼吸苦〉
- 肺水腫，肺転移，がん性リンパ管症などによって発症する．酸素化能の低下に対しては在宅酸素療法で対応する．がん性リンパ管症や腫瘍圧迫によって酸素化能が低下している場合は，ステロイドの使用が部分的に効果がある場合がある．これらによっても呼吸困難感が残る場合は，使用していなければモルヒネの使用を検討する．呼吸困難に伴う不安の軽減にはベンゾジアゼピン系薬が奏功することがある．

Px 処方例
- MSコンチン錠10mg　1回1錠　1日2回　12時間おき　←強オピオイド鎮痛薬
- ソラナックス錠0.4mg　1回1錠　1日1回　就寝前　←抗不安薬

〈食思不振・倦怠感〉
- 食事がとれない理由が口腔内カンジダによる疼痛であることもあるため，必ず口腔内の評価を行う．それ以外の食思不振や倦怠感にはステロイドの効果があることがある．

Px 処方例
- リンデロン錠0.5mg　1回4錠　1日1回　朝食後　←副腎皮質ホルモン製剤

〈せん妄〉
- 「診断・検査値」で前述したとおり，せん妄に至る原因がある場合はその治療に努める．不穏が始まりかけたら抗精神病薬の使用を検討する．

Px 処方例
- リスパダール内用液1mg/mL　1回0.5mL　1日1回　夕食後　←抗精神病薬　［保険適用外］
あるいは
- セロクエル錠25mg　1回1錠　1日1回　夕食後　←抗精神病薬　［保険適用外］

〈高カルシウム血症〉
- 悪心，傾眠，食思不振などの症状が急激に進行した場合は採血も行い，治療につなげる．

Px 処方例
- ゾメタ注　1回4mg　←骨粗鬆症治療薬
  生理食塩液100mLに希釈，15分以上かけて点滴静注

〈苦痛〉
- あらゆる手段を尽くしても療養者の苦痛を軽減できない場合，療養者や家族の同意を得たうえで，医療看護チームでの協議を経て，鎮静を行うことも検討の余地がある．この際，できるだけ浅い鎮静や

間欠的鎮静を用いるようにし，これらによっても耐えがたい苦痛がある場合においてのみ深い鎮静，持続的な鎮静を考慮する．

Px 処方例
- ドルミカム 50 mg　←鎮静薬
  0.1 mL/時で小型シリンジポンプで持続皮下注．鎮静度合いを確認しながら適宜増減

家族へのサポート
- 療養者の苦痛を見続けることがつらくなってくるため，療養者が喜ぶような支援を検討する．
- 日常生活動作を評価しながら，家族の介護負担が過大になりすぎないように，早めにサービスの調整を行う．
- 医療者は療養者がどれくらい悪いか理解していても，本人や家族は理解していないことが少なくない．節目節目で現在の状態について伝え，今後どういうことが起きうるか，その際どうしていくかについて話し合い，心の準備ができるよう配慮する．このとき，一度に多くのことを話しすぎると必要以上に不安が高まってしまうため，適切なタイミングに，適切な分量の情報提供を行うべきである．
- 家で最期を迎えることも，病院で最期を迎えることも，人それぞれでありどちらも正しいことを伝える．

在宅における特徴

- 「食事がとれなくなる」ことが家族の悩みの種の1つになってくる．末期状態ではステロイドの使用が食欲改善に寄与することもあるが，それでも食事がとれない場合は，家族や本人の希望に応じて点滴を行うこともある．がん末期の状態で大量の輸液を行うと，全身浮腫，胸水や肺うっ血に伴う呼吸機能低下につながりうる．1日 500 mL 程度までの輸液は一般に許容されると考えられている．浮腫が進行して末梢ルートがとれなくなることがあるが，この場合は皮下点滴で対応する．

在宅診療の実際

病診連携
- 患者の症状は進行性に増悪していく．また，日常生活動作は低下し，食事もとれなくなっていく．最期を家で迎えるのか，病院で迎えるのかなどについて，事前に患者や家族と話し合っておくべきである．緩和ケア病床を予約しておき，経過によって在宅看取りか病院看取りを決めるというケースも少なくない．最後の療養場所の希望については，本人に病名の告知がされていないと患者自身の意向をうまく聞き出せないことがある．
- がんを有していても，積極的な加療で予後が改善する病態もある．例えば，膵頭部がん患者に急性閉塞性化膿性胆管炎が発症した場合は，入院のうえで抗菌薬治療とステント留置を行えば，さらに予後の延長が期待できる場合もある．原疾患の自然経過で弱っていっているのか，入院加療で改善する病態なのかに応じて，病院への紹介や転送も検討する．

がん慢性期に関連する社会資源・制度

1) 医療費の支援
- 身体障害者福祉法による，身体障害者手帳交付に伴う医療費助成
- 身体障害者福祉法による，日常生活用具(特殊寝台，電気式痰吸引器，人工喉頭，ストーマ装具など)の給付
- 高額療養費制度による，毎月の自己負担額が一定以上になった場合の医療費の払い戻し

2) 外来受診
- 入院を必要としない外来での化学療法，放射線療法
- 皮膚・排泄ケア認定看護師が担当するストーマ外来
- がん診療連携拠点病院などのがん相談支援センター
- 緩和ケアチームにおける緩和ケア外来
- 在宅療養支援診療所，在宅療養支援病院

3）退院後の交流
- 同じ疾患や障害，症状など，何らかの共通する患者体験をもつ人たちが集まる患者会

がん慢性期をめぐる訪問看護

訪問看護の視点

1）療養者をみる視点
- 近年のがん治療は，入院期間の短縮化と化学療法や放射線治療を通院で行えるようになっていることから，入院加療から通院在宅療養への移行が増えている．
- 通院在宅療養では，療養者が自宅で生活しながら治療を受けることができる一方で，体調の変化や症状悪化の早期発見と対処が重要である．

2）支援のポイント
- がんによって引き起こされる全人的苦痛をアセスメントし，適切な緩和と治療の支援を行う．
- 療養者の意思や苦痛を多職種で共有し，連携して療養生活を支援する．
- 同居家族やキーパーソンの介護が必要になってくる場合があるため，その負担に配慮する．
- 症状の増悪や終末期に向けて，本人・家族の療養生活に対する意向を尊重し支援する．
- がんの再発や転移に伴う，身体的苦痛（がん性疼痛，呼吸困難，疲労感）を早期に把握し緩和する．
- がん告知，余命や予後，治療計画に関する本人・家族の精神的苦痛（悲嘆，予期悲嘆，あきらめ，抑うつなど）を早期に把握する．
- 学業の中断，仕事の退職，家族関係の変化など，本人・家族の社会的苦痛（役割喪失，収入の低下など）を早期に把握し緩和する．
- 死生観や信仰する宗教などを把握し，本人とその家族のスピリチュアルペイン（死の恐怖，人生の意味など）を緩和する．
- 鎮痛薬の使用，医療用麻薬の管理について，本人・家族に説明する．
- ストーマ管理，点滴管理，酸素療法などについて，本人・家族に指導する．
- 急激な症状悪化や変化を予測して，サービス導入の準備を行っておく．

● 状態別：療養者をみる視点と支援のポイント

状態	療養者をみる視点	支援のポイント
疼痛コントロールが良好な状態	疼痛コントロールが良好な状態では，療養者は身体的にも精神的にも安定した療養生活を送れていることが多い．訪問看護師は今後生じるがん性疼痛や不安を想定し，療養者の状態変化を早期に把握する．	● 新たな身体症状の出現はないか把握する． ● 楽しみや生きがいになる活動を行えているか，日常生活動作の変化はないか把握する． ● 疼痛やその他の症状の出現に必要以上の不安がないか把握する．
疼痛コントロールが不良な状態	疼痛コントロールが不良な状態では，療養者は痛みの緩和が療養生活上の目的となり，生きがいや楽しみをもてなくなる．身体的苦痛は本人と見守る家族の精神的苦痛（悲嘆，予期悲嘆，あきらめ，抑うつなど）に繋がることを意識する．	● 療養者が抱えている疼痛を的確に評価するために，表情や言動に加えてペインスケール（フェイススケール，視覚的アナログスケールなど）を用いて疼痛のアセスメントを行う．

状態	療養者をみる視点	支援のポイント
		● 離床はできているか，夜間は入眠できているか，外出はできているか，疼痛によって日常生活にどれだけ支障があるかを把握する． ● 処方されている鎮痛薬の種類（非ステロイド性消炎鎮痛薬，医療用麻薬），剤形（経口薬，坐薬，貼付薬），使用状況を把握し，主治医・薬剤師と共有し鎮痛薬の調整を行う． ● 疼痛の閾値を低下させる不安・ストレスの有無，療養生活について話し合える家族はいるか把握する．

訪問看護導入時の視点

- 苦痛な身体症状（がん性疼痛，悪心・嘔吐，呼吸困難など）や身体機能低下は何か，生活を困難にする要因（ストーマ管理，点滴管理など）は何か把握し，支援内容を明確にする．
- 転倒や病状の悪化など，急激な身体状態の悪化に備えて，急変時の対応を本人・家族と話し合い準備する．
- 終末期に向けて療養生活をどのように送っていくのか，本人・家族の意向を確認する．

STEP① アセスメント ▶ STEP② 看護課題の明確化 ▶ STEP③ 計画 ▶ STEP④ 実施 ▶ STEP⑤ 評価

情報収集

情報収集項目		情報収集のポイント
疾患・医療ケア	**疾患・病態・症状** □疾患 □病態 □疾患の症状 □疾患の経過，予後	⊃ がんの転移はあるか，生活習慣病などの合併症はあるか ⊃ がんのステージはどうか（TNM分類） ⊃ 疼痛，体重減少，疲労感，息切れ，リンパ節の腫れ，血便，血尿，めまいなどの症状はあるか ⊃ 診断後の治療計画・経過期間はどのくらいか ⊃ 予後について本人・家族に説明はされているか
	医療ケア・治療 □服薬 □治療 □医療処置 □訪問看護	⊃ 治療目的の抗がん剤や分子標的薬，がん性疼痛緩和目的の鎮痛薬，悪心・嘔吐の軽減目的の制吐薬などは服薬しているか ⊃ 手術（外科治療），薬物療法（抗がん剤治療），放射線治療などの治療選択・状況はどうか ⊃ 在宅中心静脈栄養法（ポート管理），在宅末梢静脈点滴，各種ドレーン・ストーマ管理，在宅酸素療法，医療用麻薬の使用状況はどうか ⊃ 疼痛管理，緩和ケアは適切に行われているか
	全身状態 □呼吸・循環状態	⊃ 肺がんや肺転移，胸水の貯留などによって，呼吸回数の増大，副雑音，起座呼吸，咳嗽，血痰，呼吸困難感，酸素濃度の低下など呼吸状態の

	情報収集項目	情報収集のポイント
疾患・医療ケア	□摂食・嚥下・消化状態 □栄養・代謝・内分泌状態 □排泄状態 □筋骨格系の状態 □感覚器の状態 □皮膚の状態 □認知機能 □意識 □精神状態 □免疫機能	悪化はないか ●腹水・胸水などによって，血管内脱水，低血圧はないか ●食欲不振，嚥下機能障害，腸蠕動の低下，腸閉塞，便秘はないか ●手術によって消化管ストーマや腸瘻の造設はないか ●悪心・嘔吐などによって脱水，電解質バランスの異常はないか ●消化管手術によって短腸症候群やダンピング症状はないか ●前立腺がんなどによって，排尿困難，尿閉，頻尿はないか ●腎盂尿管がんなどによって尿管ストーマや腎瘻の造設はないか ●骨転移などによって，骨密度の低下，骨折などはないか ●脳転移などによって，視覚，聴覚，味覚，嗅覚などの感覚器の異常はないか ●皮膚転移などによって，腫瘍の出現はないか ●脳転移などによって，見当識障害や記憶障害はないか ●意識レベルの低下はないか ●脳転移などによって，せん妄，錯乱，混乱などはないか ●余命や予後に対する不安，抑うつ症状はないか ●抗がん剤，放射線治療の副作用で白血球の減少はないか
活動	移動 □ベッド上の動き □起居動作 □屋内移動 □屋外移動	●がん性疼痛がベッド上での寝返りや腰上げを妨げていないか ●がん性疼痛が立ち上がりや歩行動作を妨げていないか ●屋内移動には，手すりや杖を使用しているか ●屋外移動には，杖や歩行器を使用しているか，車の運転をしているか
	生活動作 □基本的日常生活動作 □手段的日常生活動作	●消化管・尿管ストーマ，腸瘻・腎瘻の管理はできているか，誰が主体的に行っているか ●がん性疼痛が手段的日常生活動作を妨げていないか
	生活活動 □食事摂取 □水分摂取 □活動・休息 □嗜好品	●必要な経口摂取は行えているか，腸瘻からの経管栄養を適切に行えているか ●必要な水分摂取は行えているか ●抗がん剤や放射線治療による疲労感はどうか，休息はとれているか ●喫煙や飲酒をしているか，その程度はどうか
	コミュニケーション □意思伝達力 □ツールの使用	●治療に関する意思を周囲の人間に伝えることができるか ●口腔咽頭がんの場合，電気発声法など機器を用いてコミュニケーションできるか
	活動への参加・役割 □家族との交流 □近隣者・知人・友人との交流 □外出 □社会での役割 □余暇活動	●治療やがんについて相談できる家族・親戚との交流はあるか ●治療やがんについて相談できる近隣者・知人・友人との交流はあるか ●通院の程度はどのくらいか，受診以外を目的に外出しているか ●社会での役割(就業，地域活動，患者会)はあるか ●生活上の楽しみや生きがいはあるか

1 がん慢性期

	情報収集項目	情報収集のポイント
環境	**療養環境** □住環境 □地域環境 □地域性	➡移動能力に応じた室内環境が整備されているか ➡通院する病院のアクセスはどうか ➡抗がん剤や放射線治療などを選択できる病院はあるか ➡がん患者会など，がん患者同士で交流できる場はあるか
	家族環境 □家族構成 □家族機能 □家族の介護・協力体制	➡同居家族はいるか ➡家族関係は良好か，家族で余命や予後，がん治療の継続などについて相談できるか ➡病院の付き添いやストーマ管理などを協力してくれる家族はいるか
	社会資源 □保険・制度の利用 □保健医療福祉サービスの利用 □インフォーマルなサポート	➡消化管・尿管ストーマによって交付される身体障害者手帳は受け取っているか ➡身体障害者手帳による特殊寝台，電気式痰吸引器，人工咽頭，ストーマ装具などの給付は受け取っているか ➡近隣に信頼関係があって，治療や疾患に関する相談や体調の変化に気づいてもらえる友人・知人はいるか
	経済 □生活困窮度	➡ストーマ装具を購入できる経済的余裕はあるか
理解・意向	**志向性(本人)** □生活の志向性 □性格・人柄 □人づきあいの姿勢	➡療養生活の中で楽しみや生きがいはあるか ➡神経質な性格か ➡依存的な姿勢はないか
	自己管理力(本人) □自己管理力 □情報収集力 □自己決定力	➡服薬管理やストーマ管理は自己で行えるか ➡治療に関する情報を把握しているか ➡治療に関する選択を自己で行えるか
	理解・意向(本人) □意向・希望 □感情 □終末期への意向 □疾患への理解 □療養生活への理解 □受けとめ	➡今後の治療計画や療養生活に対して意向や希望はあるか ➡抑うつ症状やあきらめ，感情失禁はないか ➡余命や予後に対してどのように考えているか ➡がんの告知を受けているか ➡在宅がん医療に対する理解はあるか(メリット，デメリット) ➡自らの病態をどのように受けとめているか
	理解・意向(家族) □意向・希望 □感情 □疾患への理解 □療養生活への理解 □生活の志向性	➡今後の治療計画や療養生活に対して本人と同じ意向や希望か ➡抑うつ症状やあきらめ，感情失禁はないか ➡本人の余命や予後に対してどのように考えているか ➡在宅がん医療に対する理解はあるか(メリット，デメリット) ➡家族の就労・就学状況や役割はどうか

事例紹介

化学療法の副作用による脱水状態のがん慢性期の療養者の例

Keywords がん慢性期,大腸がん,化学療法,悪心・嘔吐,脱水,ストーマ管理,高齢男性

〔基本的属性〕男性,68歳
〔家族構成〕妻,長女夫婦,孫の二世帯住宅
〔主疾患等〕大腸がん
〔状況〕5年前に大腸がんにて大腸全摘術,ストーマ造設術を受けたが,半年前に転移を指摘され,外来での化学療法を開始した.化学療法の副作用で脱水状態にあるため,特別訪問看護指示書の末梢静脈点滴にて訪問看護の開始となった.二世帯住宅で家族仲は良好,孫の成長をみるのが生きがいである.化学療法による副作用症状(悪心・嘔吐,疲労感,口内炎)によって身体的・精神的に強い負担を感じており,治療継続に迷いがある.

第2章 健康障害別看護過程　1. 慢性疾患

情報整理シート

疾患・医療ケア

【疾患・病態・症状】

主疾患等：大腸がん(63歳～)
病歴：高血圧
経過：
- 63歳　便に出血と残便感を自覚したため，近医を受診．大腸内視鏡検査にて，大腸がんの診断を受け，ストーマ造設術を受けた．その後，近医にて定期的に大腸がんの受診を継続．
- 68歳　腫瘍マーカーの上昇を認め，肺とリンパ節への転移を認めたため，外来化学療法を開始．化学療法の副作用による悪心・嘔吐が強く，脱水・低栄養状態にあるため，特別訪問看護指示書の末梢静脈点滴にて訪問看護が開始となった．化学療法による副作用症状に強い負担を感じており，治療継続に迷いがある．

【医療ケア・治療】

服薬：【内服】降圧薬(ニバジール)
　　　　　　頓用鎮痛薬(ロキソニン)
　　　　　　副腎皮質ステロイド薬(デカドロン)
　　　　　　ドパミン受容体拮抗薬(ナウゼリン)
　　　【坐薬】ドパミン受容体拮抗薬(ナウゼリン)
治療状況：外来化学療法を毎週1回，6週間
医療処置：末梢点滴注射，ストーマ管理
訪問看護内容：末梢点滴注射，ストーマ管理，疼痛コントロール

【全身状態・主な医療処置】

身長：168 cm
体重：56 kg
BMI：19.8
排便：ストーマ
排尿：7回/日
食事：悪心が強くほぼ摂取できず

血圧：90～100/50～60 mmHg
脈拍：70～80回/分(不整なし)
呼吸回数：18～20回/分

両上肢より末梢点滴注射を行う．抜針は妻が行う

化学療法による副作用症状(悪心・嘔吐，疲労感，口内炎)の出現

ストーマ管理は自己で行い，皮膚トラブルがあったときは看護師に相談する

基本情報
年齢：68歳　性別：男性
要介護度：要介護2
障害高齢者自立度：A1
認知症高齢者自立度：自立

活　動

【移動】

屋内移動：自宅内の移動はゆっくりだが自立している．
屋外移動：外出時は妻か長女の付き添い歩行または車椅子を使用する．

【活動への参加・役割】

家族との交流：二世帯住宅で妻，長女夫婦と孫の5人で生活している．家族仲は良好であり，妻と長女は本人の日常生活を支援する．長女の夫は仕事が忙しく交流は少ないが，不仲ではない．
近隣者・知人・友人との交流：5年前にストーマの手術を受けてから，家族以外の他者との交流は控えている．
外出：現在は悪心・嘔吐が強く，通院時のみ外出する．週1回の通院は妻と長女が付き添う．
社会での役割：現在はなし
余暇活動：孫との交流，成長をみるのが楽しみ

【生活活動】

食事摂取：特に好き嫌いはなく，妻が3食調理したものを摂取していたが，現在は悪心・嘔吐と口内炎のためほぼ摂取できない．口あたりのよいゼリーやアイスクリームを摂取することが多い．
水分摂取：食事と同様に悪心・嘔吐と口内炎のため，ほぼ飲水できていない．
活動・休息：化学療法の副作用による疲労感のためベッド上で過ごす時間が長い．孫との交流の際は，ベッド上座位またはベッドから離れてかかわるようにしている．夜間は入眠できているが，悪心・嘔吐のため中途覚醒が増えてきている．
生活歴：家族のために働き，仕事を定年まで勤め上げたことを誇りに思っている．60歳の退職後を第二の人生として楽しんでいたため，大腸がんの発症，治療の経過にショックを受けている．

【生活動作】

基本的日常生活動作

食動作	自立．現在はほぼ何も摂取できていない
排泄	排便はストーマだが，自己で管理している．排尿も自立
清潔	月，水，金でシャワー浴をしており，その際にストーマ装具を交換する
更衣整容	着替えは一部介助，洗顔，髭剃りは見守り
移乗	室内の椅子へは自立
歩行	室内の移動はゆっくりだが自立
階段昇降	付き添いで数段なら行える

手段的日常生活動作

調理	妻か長女が行うため，調理はしない
買い物	妻が近隣のスーパーに買い物に行っている
洗濯	妻が自宅内の洗濯機を使用して自立
掃除	妻が行う
金銭管理	妻が行うが，大きな買い物の際は本人が決断する
交通機関	長女が自家用車を運転しており，電車やバスは利用しない

【コミュニケーション】

意思疎通：問題なし
意思伝達力：問題なし
ツールの使用：携帯電話所持

1 がん慢性期

環 境

【療養環境】

住環境：
3階建ての二世帯住宅．本人と妻は1階で生活し，長女夫婦は2,3階で生活している．
入浴時にストーマ装具を交換するため，浴室は広く手すりがある．洗面台も同じく広いスペースがあり，曇りどめ付きの鏡を設置している．

地域環境：都市部の商店街に面している．商店街はあまり栄えていないが，近隣にスーパーマーケットあり．

地域性：都市部のため地域住民の結びつきは弱いが，商店街の住民の結びつきは比較的強い．

【社会資源】

サービス利用：

	月	火	水	木	金	土	日
AM	訪問看護	訪問看護	訪問看護	訪問看護	訪問看護	訪問看護	訪問看護
PM		化学療法					

保険・制度の利用：医療保険，特別訪問看護指示書

【経済】

世帯の収入：年金
生活困窮度：経済的に余裕がある．

【ジェノグラム】

二世帯住宅

【家族の介護・協力体制】

二世帯住宅であり娘夫婦，孫との家族仲は良好．日常的な介護者は妻であるが，病院受診時は専業主婦の長女が送迎を行う

【エコマップ】

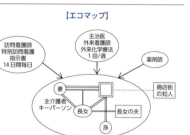

訪問看護師 特別訪問看護指示書 14日間毎日
主治医 外来看護師 外来化学療法 1回/週
薬剤師
妻 主介護者 キーパーソン
長女
長女の夫
孫
商店街の知人

理解・意向

妻
主介護者 キーパーソン
専業主婦．現在も家事を一手に行っている

せっかく仕事を勤め上げたのに，もっと長生きしてもらわないと

長女
専業主婦．二世帯住宅の2,3階に住んでおり，母親と本人の支援を行っている

私にできることなら何でも手伝いますよ

本人

妻も娘もたくさん支えてくれますね
孫の成長をみるのが楽しみなんです
固形物を食べるとすぐにもどしますし，口内炎で痛いから，水も飲めません．点滴してもらって助かってます
いつまで治療を頑張ろうか
化学療法をするとしばらくは寝たきりです．この治療をいつまで頑張ればよいのか迷います
身体が重くてすぐに疲れます
抗がん剤をしてもらうと2〜3日で下痢になりますね
ストーマの管理は自分でやっていきたいです
ストーマの周りの皮膚が薄くなってきました

【志向性】
生活の志向性：家族のために働いてきた．家族が喜ぶ旅行が好き
性格・人柄：まじめで穏やかだが，意志は強い
人づきあいの姿勢：自分からは積極的にかかわることは少ないが，誠実な姿勢

【自己管理力】
自己管理力：家事は妻に全面的に任せているが，自立心はあり，ストーマの装具交換はすべて自己で行う
情報収集力：インターネットを利用して大腸がんのことを調べている
自己決定力：家族に相談するが，最終的には自分で決断する

長女の夫
会社員．家族のために働いていた義父を尊敬している

お義父さんを尊敬しています

孫
小学生．学校帰りに1階の祖父に会いに来るのが日課

おじいちゃんはたくさん遊んでくれるから好き

53

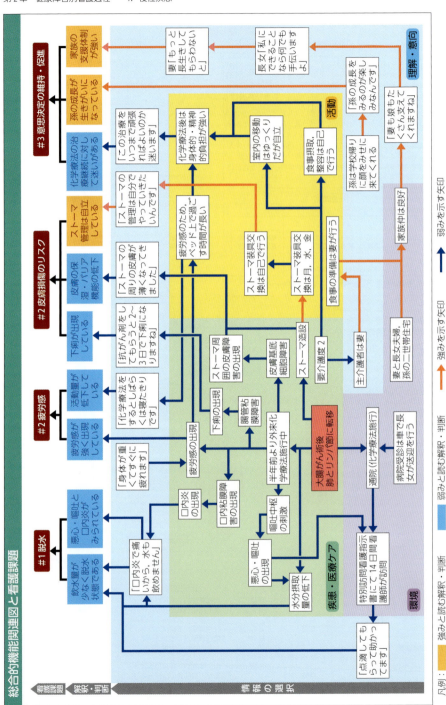

STEP ❶ アセスメント　STEP ❷ 看護課題の明確化　STEP ❸ 計画　STEP ❹ 実施　STEP ❺ 評価

看護課題リスト

No.	看護課題　【コード型】文章型	パターン
#1	【脱水】悪心・嘔吐，口内炎による脱水の状態にある	問題着眼型
	根拠　外来通院での化学療法中であり，抗がん剤を施注後は悪心・嘔吐の副作用と口内炎が出現するため，食事摂取量，飲水量が低下する．また，ストーマ造設術後であることから，水分の吸収量が少なく副作用が強く出現する期間は，脱水の状態である．	
#2	【疲労感】疲労感が強い	問題着眼型
	根拠　外来通院での化学療法中であり，抗がん剤を施注後は全身倦怠感・疲労感が強く出現する．そのため，日常生活でもベッド上での時間が長くなり，活動量が低下している．	
#3	【皮膚損傷のリスク】ストーマ周囲に皮膚損傷のリスクがある	リスク着眼型
	根拠　現在，日常生活動作は自立しており，ストーマ管理も自己で行っている．しかし，ストーマ造設術後であることから排泄物が水様であること，化学療法の副作用で下痢の出現，皮膚の保湿・バリア機能の低下によって，皮膚障害（色素沈着，皮疹，乾燥）が起こるリスクがある．	
#4	【意思決定の維持・促進】家族の支援体制を活かし，生きがいを大切にして，治療に取り組むための満足する意思決定を維持・促進する	強み着眼型
	根拠　化学療法施行に伴う副作用の出現が強く，身体的・精神的に負担を感じ，治療継続を迷うという発言もあるが，孫の成長を見るために治療を続けたい思いもある．本人の認知機能には問題なく，家族仲も良好であることから，思いの表出を促し，満足する意思決定を促進させる必要がある．	

【看護課題の優先度の指針】大腸全摘術後で水分の吸収量が少ないことに加えて，副作用の悪心・嘔吐と口内炎の出現によって，食事量・飲水量が低下していることから，【脱水】を#1とした．また，副作用の疲労感によって，ベッド上で過ごす時間が長くなり，活動量が低下しているため，【疲労感】を#2とした．大腸全摘術後で排泄物が水様であることに加え，化学療法施行に伴う【皮膚損傷のリスク】があることから#3とした．化学療法の副作用によって負担を強く感じており治療継続に迷いがあることから【意思決定の維持・促進】を#4とした．

長期目標

がん化学療法に伴う副作用症状を軽減・予防し，本人の望む在宅療養生活を送ることができる．

根拠　化学療法に伴う副作用症状（悪心・嘔吐と疲労感，口内炎）によって，身体的・精神的に強い負担を感じているが，孫の成長をみるのが生きがいであることから，治療継続に迷いがある．二世帯住宅で家族仲は良好であり，家族の協力を得られやすいことから，本人・家族の望む療養生活を支援する．

〈長期目標を共有するケアチーム〉
フォーマルサービス：訪問看護師，病院主治医，外来看護師，薬剤師
インフォーマルなサポート：妻，長女，長女の夫，孫

1　がん慢性期

| STEP❶ アセスメント | STEP❷ 看護課題の明確化 | **STEP❸ 計画** | STEP❹ 実施 | STEP❺ 評価 |

1 看護課題	看護目標（目標達成の目安）
#1 【脱水】 悪心・嘔吐，口内炎による脱水の状態にある	1) 脱水状態が改善する（1 か月） 2) 悪心・嘔吐が軽減する（1 か月） 3) 悪心・嘔吐が起こりにくいような食事方法ができる（2 週間）

援助の内容	援助のポイントと根拠
OP 観察・測定項目 ● バイタルサイン	⊃体温，血圧，脈拍，呼吸数を確認する　根拠 化学療法によって易感染状態であること，脱水状態が悪化すると循環動態が不良となり，低血圧，頻脈，頻呼吸が生じる
● 悪心の有無と程度	⊃悪心の出現する時期や要因から，悪心・嘔吐の機序と種類をアセスメントする　根拠 投与後 24 時間以内に出現する急性，24 時間後から約 1 週間程度持続する遅発性，さらに突発的に症状が出現する突出性と抗がん剤のことを考えただけで誘発される予期性がある
● 飲水量と食事摂取量	⊃悪心・嘔吐によって飲水量や食事摂取が妨げられていることから，水分・栄養摂取量の把握が必要である
● 嘔吐の回数と量・性状	⊃嘔吐の回数と 1 回量から脱水状態をアセスメントする．吐物に出血がないか確認する　根拠 頻回な嘔吐によって，食道を裂傷し出血するマロリー–ワイス症候群に注意する
● 苦痛の訴え	⊃悪心・嘔吐は身体的・精神的に強い負担となり，化学療法継続の意向に影響する　連携 本人の苦痛状況を病院主治医または看護師に報告し，化学療法の継続・減量・中断についてアセスメントする
TP 直接的看護ケア項目 ● 末梢点滴注射の施行	⊃点滴施行時は体動が制限されるため，本人が安楽な姿勢で行い，吐物を受け止める洗面器を手の届く範囲に準備する．点滴刺入部に異常（腫脹や持続的な疼痛）がある時は，訪問看護師に伝えるように説明する　強み 点滴終了時の抜針は妻が行う
● 食事環境の整備	⊃においの強いものは悪心を誘発するため周辺に置かないようにし，適宜換気を行う
● 食事形態の工夫	⊃乾燥物や汁物など本人が食べやすい食事形態で食べたいと思えるものを食べてもらう．また 1 回の食事量を減らし，食べやすいものを少量ずつ食べてもらうようにする
● 口腔内の保清維持の支援	⊃悪心によって歯磨きが難しいときは，爽快感が得られるようなうがい薬を使う　連携 主治医や薬剤師に口腔内の状態を報告し，鎮痛薬を溶かしたうがい液を処方してもらう　根拠 嘔吐や脱水による唾液の減少によって，口腔内が不潔になると口内炎を起こしやすくなる
EP 教育・調整項目 ● 悪心・嘔吐を緩和する方法の説明	⊃飲水・食事は無理に摂取しなくてもよいことを説明する ⊃効果的な制吐薬の使用について説明する ⊃摂取した物を嘔吐することで，より食欲が減退してしまう ⊃連携 急性・遅発性など悪心の種類によって，効果的な制吐薬が違う．主治医や薬剤師と情報を共有し，制吐薬の種類・剤形・頓用するタイミングを本人に説明する
● 不安や思いの傾聴	⊃日々の思いや化学療法の継続について傾聴し，本人の意向

を確認する　根拠　精神的苦痛は悪心をより助長させる

2 看護課題

#2 【疲労感】
疲労感が強い

看護目標（目標達成の目安）

1) 疲労感が改善している（1か月）
2) 散歩など通院以外の目的で外出することができる（1か月）
3) 室内でトイレ以外の立位・歩行する時間をつくることができる（2週間）

援助の内容 | 援助のポイントと根拠

OP 観察・測定項目

- 疲労感の有無と程度
  - ➡ 化学療法後にどのくらいの期間で疲労感を生じるか，また疲労感の日内変動はないかなど，疲労感のパターンを把握する　根拠　化学療法の副作用で疲労感が出現するが，疲労感は本人以外の人に理解されにくい症状である

- 日常生活動作の状況
  - ➡ 1日の中で立位・歩行した時間や歯磨き・洗面などの活動状況を把握する

- 睡眠状況
  - ➡ 活動と休息のバランスを把握する　連携　熟睡感が得られていない時は，主治医に報告し睡眠導入薬の処方を検討する

- 排便状況
  - ➡ ストーマからの排便量や性状，腹部膨満感の有無，排ガス状況は本人が把握できているのか確認する　根拠　疲労感があるため活動量が低下することで，腸蠕動運動が低下し便秘になりやすくなる

- 歩行状況
  - ➡ 根拠　活動量が低下すると下肢筋力が低下し転倒のリスクが高くなる　連携　必要時は理学療法士の訪問リハビリテーションサービスの導入を検討する

TP 直接的看護ケア項目

- 立位・歩行時間の確保
  - ➡ 疲労感の状況に合わせて，トイレ歩行以外にベッドから離れる時間を確保するように促す

- 散歩の支援
  - ➡ 訪問時間内で看護師付き添いの散歩を促し，外来通院以外の外出の機会をつくるようにする

EP 教育・調整項目

- 日常生活動作拡大の提案
  - ➡ 疲労感の和らぐ時間帯を把握し，ベッドから離れて孫と話をするなど気分転換を促す

- 休息時間の確保の勧め
  - ➡ 疲労感が強いときは短時間の昼寝をするなど，こまめに休息をとるように説明する

3 看護課題

#3 【皮膚損傷のリスク】
ストーマ周囲に皮膚損傷のリスクがある

看護目標（目標達成の目安）

1) ストーマ周囲の皮膚損傷が起きない（1か月）
2) 排泄物の性状が改善する（1か月）
3) ストーマの装具交換を継続して自分で行う（1か月）

援助の内容 | 援助のポイントと根拠

OP 観察・測定項目

- 排便状況
  - ➡ ストーマからの排便量や性状，腹部膨満感の有無，排ガス状況を確認する　根拠　抗がん剤の副作用によって便の性状が軟便～下痢になりやすい

●ストーマ周囲の皮膚状況	⮕ストーマ周囲に発赤，瘙痒感，発疹が出現していないか確認する　根拠 有形便と比較し水様化した便は皮膚の刺激になりやすい。また，化学療法の副作用で皮膚の保湿・バリア機能が低下する
TP 直接的看護ケア項目 ●ストーマ装具交換の支援	⮕疲労感や悪心などの身体症状が出現し，ストーマ装具の交換を自己で行うことが難しい時は，訪問看護師が行う　根拠 化学療法の副作用によって疲労感や悪心が出現する ⮕ 強み ストーマ装具の交換は自己で行えていることを尊重し，必要以上の介入は行わないように支援する
EP 教育・調整項目 ●スキントラブルについての説明	⮕化学療法の副作用によって，普段よりもスキントラブルのリスクが高いことを説明する ⮕ 強み 皮膚状況のアセスメントは自己で行えていることを尊重し，発赤や瘙痒感など皮膚に変化が生じた時は看護師に伝えてもらうように説明する

4 看護課題	看護目標（目標達成の目安）
#4【意思決定の維持・促進】 家族の支援体制を活かし，生きがいを大切にして，治療に取り組むための満足する意思決定を維持・促進する	1）化学療法に関する思いを言語化できる（1か月） 2）家族と治療や予後について話し合いの場がもてる（1か月） 3）療養生活において主体的な意思決定ができる（1か月）

援助の内容	援助のポイントと根拠
OP 観察・測定項目 ●表情（硬い，こわばる，悲しげ，苦悶），感情（抑うつ，孤独感，あきらめ，悲嘆，予期悲嘆） ●言動	⮕訪問開始時や訪問中の会話内容などによって，表情や感情の変化はないか観察する ⮕突発的な感情失禁や抑うつ的な言動がないか観察する ⮕化学療法の副作用や予後についてどのような発言があるか確認する
TP 直接的看護ケア項目 ●苦痛の緩和	⮕医師の指示のもと，化学療法の副作用に対して，苦痛が緩和されるよう適切に薬物を投与する　根拠 副作用による身体的苦痛は，不安な思いを増強し，主体的な意思決定を阻害する
EP 教育・調整項目 ●家族間の信頼関係の保持 ●訪問時の声かけ，タッチング ●多職種連携会議の提案 ●同じ疾患を持つ人たちとの交流	⮕化学療法や予後など本人・家族が不安に感じていることをいつでも話してもらってよいことを説明し，信頼関係の保持に努める　 強み 本人は妻と長女を信頼し頼りにしている ⮕いつでも不安な思いを傾聴できる受容的な態度でかかわる ⮕ 連携 治療継続・予後などについて往診医や薬剤師，訪問看護師で話し合う場を設けることができることを本人・家族に説明する ⮕がん患者の患者会への参加やSNSの活用など，同じ疾患をもつ人たちとの交流の場を提案する

> STEP ① アセスメント STEP ② 看護課題の明確化 STEP ③ 計画 **STEP ④ 実施** STEP ⑤ 評価

強みと弱みに着目した援助のポイント

強みに着目した援助
- ストーマの装具交換は自己で行っているため,皮膚損傷のリスクを説明し,必要時に看護師が介入するようにする.
- 二世帯住宅で妻・長女と信頼関係があり,本人も頼りにしていることから,家族とともに療養生活の精神的な支援を行う.
- 日常生活動作の拡大の際は,本人の生きがいである孫とのかかわりを交えて行う.

弱みに着目した援助
- 化学療法の副作用である悪心・嘔吐によって生じている脱水状態が持続する場合は,全身状態をアセスメントし,適切な判断を行う(化学療法の減量や中心静脈栄養の提案).
- 化学療法の副作用である下痢,皮膚のバリア機能低下によって皮膚損傷のリスクがあるため,早期に異常発見ができるように観察・確認していく.
- 化学療法の副作用が療養生活における身体的・精神的負担となっているため,今後の治療計画や予後に関する意思決定を支援する.

> STEP ① アセスメント STEP ② 看護課題の明確化 STEP ③ 計画 STEP ④ 実施 **STEP ⑤ 評価**

評価のポイント

- 脱水状態が改善しているか
- 悪心・嘔吐が軽減しているか
- 悪心・嘔吐が起こりにくいような食事方法ができているか
- 疲労感が改善しているか
- 散歩など通院以外の目的で外出することができるようになっているか
- 室内でトイレ以外の立位・歩行する時間をつくれるようになっているか
- ストーマ周囲の皮膚損傷が起きていないか
- 排泄物の性状が改善しているか
- ストーマの装具交換を継続して自分で行っているか
- 化学療法に関する思いを言語化できているか
- 家族と治療や予後について話し合いの場をもてているか
- 療養生活において主体的な意思決定ができているか

関連項目

第2章「20 生活不活発病(廃用症候群)」「23 がん」「24 小児がん」
第3章「31 意欲低下」「33 意思決定不全」

1 がん慢性期

2 慢性閉塞性肺疾患（COPD）

慢性閉塞性肺疾患（COPD）の理解

基礎知識

疾患概念
- **タバコ煙の長期吸入曝露による，呼吸機能検査で気流閉塞を示す肺疾患である**[1]．
- 末梢気道病変と気腫性病変が気流閉塞をきたし，多くは進行性で，増悪と寛解を繰り返し，呼吸不全から人生の最終段階（エンドオブライフ）に至る慢性の経過を示す．

疫学・予後
- 2019年の厚生労働省の統計で，慢性閉塞性肺疾患（chronic obstructive pulmonary disease；COPD）による死亡は男性17,836人で，女性3,014人であった．診断率の向上によりCOPDによる死亡の順位は繰り上がっていくといわれる．2001年の大規模疫学調査で日本人40歳以上のCOPD有病率は8.6％で患者数は530万人と推定された．2017年の厚生労働省調査のCOPD患者数は22万人で，多数の未診断・未治療患者がいるものと予想される．
- 予後は年齢，性差，喫煙指数，呼吸機能（気流閉塞）の低下，気道過敏性（喘息とCOPDのオーバーラップ：asthma-COPD overlap, ACO），動脈血酸素分圧低下，高二酸化炭素血症やそれに伴う肺高血圧症，運動耐容能（最大酸素摂取量や6分間歩行距離）低下，身体活動性低下，CTでみる肺気腫病変，増悪頻度，全身併存症・肺合併症，栄養状態，患者報告型の呼吸困難や健康関連QOL（生活の質）低下が関連する[1]．
- COPDの進行は予後を悪化させるが，禁煙，インフルエンザワクチン，長時間作用性抗コリン薬と長時間作用性β_2刺激薬／吸入ステロイド配合薬，在宅酸素療法（HOT），非侵襲的陽圧換気療法（NPPV），肺容積減少術（外科手術）などの治療は，予後に対する改善効果が示された．

症状
- 徐々に生じる労作時の呼吸困難（息切れ）と慢性の咳，痰が主症状だが，症状に乏しい場合もある．

診断・検査値
- 喫煙歴のある患者が慢性の咳，喀痰，労作時呼吸困難を訴える際にはCOPDを疑う．
- 診断には，気管支拡張薬吸入後のスパイロメトリーで1秒間の呼気量（FEV_1）と努力性肺活量（FVC）の比である1秒率（FEV_1/FVC）が用いられ，70％未満を閉塞性換気障害の判断基準とする．
- 病期分類には，予測1秒量に対する比率である対標準1秒量（％FEV_1）が用いられる[1]．

合併症（併存症）
- COPDの障害は呼吸器系にとどまらず，慢性全身性炎症性疾患といわれ，サルコペニア（骨格筋障害）やカヘキシア（悪液質），虚血性心疾患，心血管疾患，骨粗鬆症，糖尿病，栄養障害，代謝性疾患，消化器疾患，睡眠呼吸障害，貧血，不安・抑うつなどの全身併存症をきたす．
- 肺合併症には気管支喘息，肺がん，気腫合併肺線維症が挙げられる．
- 併存症は重症度，QOLや予後に影響し，予防と治療が重要である．死亡原因としては心血管疾患と肺がんが特に重要である．

治療法
- **治療方針**
- COPDの管理目標は，①症状とQOLの改善，②運動耐容能と身体活動性の向上・維持，③増悪の予防，④進行抑制と健康寿命の延長である．さらに，併存症と肺合併症の診断・評価・治療・発症抑

制を並行する[1]）．
- 禁煙とワクチン接種によって危険因子を回避し，薬物療法と呼吸リハビリテーション（以下，呼吸リハビリ）を中心として包括的に管理する．重症度に応じて禁煙・ワクチンによる感染予防・併存症管理に始まり，呼吸リハビリに薬物療法が上乗せされ，さらにエンドオブライフにおける緩和ケアが積み上げられる．

●安定期非薬物療法
- 呼吸リハビリは多職種協働（多専門職が学際的に実践）のチーム医療・ケアにより全人的復権を支援するもので，詳細な患者評価により個別化され，下肢筋力トレーニングを主とした運動療法，栄養療法，呼吸法習得を含む疾患教育，薬剤指導や口腔ケアからなる．
- COPDでは病初期から身体活動性と大腿四頭筋力の低下が報告され，COPDの初期より呼吸リハビリが適用される根拠となる．呼吸リハビリは薬物療法に上乗せ効果があり，不安定な併存症がなく，治療意欲と十分なインフォームドコンセントがあれば，病初期から適応がある（現行保険制度では気流閉塞が軽度なI期患者には適応外）．呼吸リハビリは，①症状を最小化，②運動能力を最大化，③自立を促進，④日常生活動作を促進，⑤QOLを増大，⑥健康増進のための行動変容を可能にし，⑦入院期間を短縮し医療費を軽減する．
- 栄養管理は運動療法との併用で，抗炎症作用に加えて身体組成の改善強化も見込まれ，COPDの重要な治療戦略の1つとされる．
- 患者教育は呼吸リハビリに不可欠な要素で，疾患理解を深め，患者と医療者の相互的なセルフマネジメントを可能にする．増悪の予防・治療の情報提供（個別のアクションプラン策定）が必須であり，適切に目標設定し，自己効力感を強化し，健康を維持・増進する行動変容に導く．

●安定期薬物療法
- 安定期の薬物療法の中心は吸入気管支拡張薬で，重症度に応じて気管支拡張薬が併用される．ACOと頻回に増悪を繰り返す患者，末梢好酸球増多を伴う症状コントロールが不良な患者には，吸入ステロイド薬（ICS）の追加も検討される．

Px 処方例 軽症（坂道で息切れ）
下記を用いる．
- サルタノールインヘラー 100 μg　1回2吸入（必要時）　1日4回まで　←短時間作用性β₂刺激薬（SABA）

Px 処方例 中等症（平地で息切れ）以上
下記1) 2)のいずれかを用い，改善しない場合，3)を用いる．
1) スピリーバ吸入用カプセル 18 μg　1回1吸入　1日1回　←長時間作用性抗コリン薬（LAMA）
2) オンブレス吸入用カプセル 150 μg　1回1吸入　1日1回　←長時間作用性β₂刺激薬（LABA）
3) ウルティブロ吸入用カプセル　1回1吸入　1日1回　← LAMA+LABA 配合剤

Px 処方例 喘息合併例（ACO）や頻回の増悪例
トリプル製剤が処方できるようになった．
- テリルジー 100 エリプタ　1回1吸入　1日1回　← LAMA+LABA+ICS 配合剤

●増悪のケア（予防）
- 増悪は症状の出現・増強を認め，安定期の治療の変更・追加を要するもので，入院につながりやすく，QOLと呼吸機能を低下させ，生命予後を悪化させる．
- 増悪予防には禁煙，ワクチンによる感染予防，呼吸リハビリテーション，LAMA・LABA・それらの配合剤が有効で，安定期の増悪予防教育が重要である．増悪の自覚とその際の対処法（アクションプラン；療養日誌などによる安定期の症状把握に基づく有症状時の気管支拡張薬と抗菌薬の使用や医療機関受診の時期の指導）を事前に教育する必要がある（相互的セルフマネジメント）．

Px 処方例 増悪時
下記1) 2)を適宜併用する．感染合併時には3)を追加する．
1) メプチンスイングヘラー 10 μg　1回2呼吸　吸入の増加・追加　←短時間作用性β₂刺激薬（SABA）
2) プレドニン錠 5 mg　1回4～6錠　1日1回　朝食後　5日間　←ステロイド薬
3) クラビット錠 500 mg　1回1錠　1日1回　朝食後　5日間　←抗菌薬

家族へのサポート

- 在宅で呼吸リハビリテーションプログラムを継続し，日常生活動作を維持・向上させ，増悪の予防と早期診断・ケアを行うためには，患者を支える家族とのコミュニケーションが重要である．
- 家族が必要な情報を受け止められるか見極めた後，家族の理解度に応じた情報を共感的な態度で双方向的に（情報を一方的に伝えるのではなく，質問に答えつつ）提供する．姿勢や視線，雰囲気といった非言語的なアプローチも重視し，患者・家族の信頼感を得て，励まし，治療への積極性を引き出す．

在宅における特徴

- 在宅医療は日常生活の自立を支援し，患者と家族のQOLを向上させるものであり，地域医療ネットワークを構築し，自宅の環境を整備し，入院医療の必要性を軽減させることが主眼となる．
- 在宅医療ではCOPD専門医療機関と協働して薬物療法と呼吸リハビリが継続される．重症例には患者，家族，訪問看護，医療機器業者などと連携してHOTやNPPVを行い，エンドオブライフの緩和ケアも担う．

在宅診療の実際

病診連携（地域医療連携ネットワーク）

- わが国では，潜在的なCOPD患者が数多くかかりつけ医を受診している．かかりつけ医は患者の日常生活や習慣，健康状態を総合的に把握できる立場にあり，COPDをスクリーニングする役割も担う．
- 患者の意思や希望を尊重し，日常生活の自立を促し，増悪時の入院を回避し，患者やその家族のQOLの維持・向上を図るため，専門病院・回復期病院・かかりつけ医・訪問看護などで構成される地域医療連携ネットワークに基づく在宅医療体制の構築が必要である．
- COPD専門施設で，診断・治療方針の決定，教育，緊急を要する増悪時の対応がなされる．在宅医療ではセルフマネジメント教育の有効性が示されており，患者が日常生活の中で主体的に呼吸リハビリを継続することが重要である．

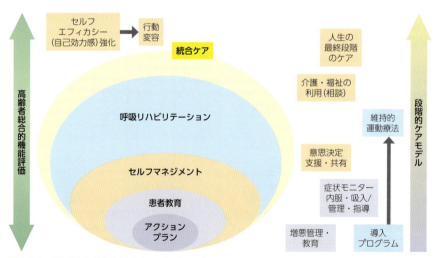

■図2-1　COPDの統合ケア(integrated care)
COPDの統合ケアには慢性疾患の段階的ケアモデルが採用されている．COPDの病勢の進行に応じ，単純な増悪時のアクションプランに始まるセルフマネジメントを基礎とし，監督下の維持的運動療法を含む包括的呼吸リハビリテーションが中心となる．自己効力感（セルフエフィカシー）を強化して長期間健康を維持・増進する行動変容に導く．
Wagg K : Chron Respir Dis 9(1) : 5-7, 2012[2] より改変

- 個別に全人的復権を支えるために福祉制度，介護保険，医療保険，年金などの公的社会資源やホームヘルプ事業，福祉機器・介護用品のレンタルなどの民間サービスを駆使する。
- COPD 管理の理想モデルは，予防的介入を含むとともに，単純な増悪時のアクションプランに始まるセルフマネジメントを基礎とし，呼吸リハビリを中心に段階的に提供される統合ケア(図 2-1)[3]である。統合ケアは患者中心の多職種協働のチーム医療で，全人的な評価に基づいて個別化されて提供される。

COPD に関連する社会資源・制度

1) 機能訓練，日常生活動作訓練
- 介護保険法によるデイケア，デイサービス，訪問リハビリテーション
- 医療機関での機能訓練

2) 日常生活を支援する福祉用具貸与および購入
- 介護保険法による福祉用具貸与(特殊寝台，特殊寝台付属品，工事が不要な手すり，車椅子，歩行器，スロープ)
- 介護保険法による福祉用具購入(ポータブルトイレ，補高便座，工事が必要な手すり，シャワー椅子)

3) 包括的呼吸リハビリテーション
- 薬剤師による服薬・吸入指導，栄養士による栄養指導，理学療法士による呼吸法，排痰法，生活動作指導
- 医療機関での療養生活指導，感染予防指導

4) 在宅酸素療法に関する社会資源・制度
- 身体障害者福祉法による重度心身障害者医療費の助成，障害年金，所得税，住民税の控除，自動車税の減免，鉄道・バス・航空運賃等の割引，タクシー料金の割引，NHK 受信料の減免，日常生活給付用具(ネブライザー等)の給付，公営住宅の優先入居
- 福祉用具貸与(ベッド，歩行器等)，福祉用具購入(排泄，入浴に関連する用具)，住宅改修(工事が必要な手すり，スロープ，トイレ，風呂等)
- 医療保険による往診，医療機器業者の機器管理

COPD をめぐる訪問看護

訪問看護の視点

1) 療養者をみる視点
- COPD は全身性に影響を及ぼし，重症度や QOL に大きく影響するため包括的な視点をもつ。
- 日常生活動作は呼吸困難に影響を及ぼすため，包括的呼吸リハビリテーションの視点をもつ。
- 在宅では療養者の意思や希望を尊重し，生活者として捉える。
- COPD は，自己管理のための教育が重要である。

2) 支援のポイント
- 全身性の影響として，全身性炎症，栄養障害，筋骨格機能障害，心血管疾患(高血圧症，心筋梗塞，狭心症，脳血管障害)，骨粗鬆症，抑うつ等多岐にわたる。医師と連携し適切な医療が受けられるようにする。
- 包括的呼吸リハビリテーションとして，禁煙，薬物療法，栄養指導，酸素療法，運動療法等で多職種が連携する。
- 在宅では療養者の意思や希望を尊重しながら，住み慣れた自宅，地域で，自立した生活が継続できるように自己管理のための教育，環境調整を行う。
- COPD における患者教育として，疾患の自己管理，禁煙，薬物療法，予防接種，急性増悪の予防・対応，理学療法，食事療法，在宅酸素療法，環境調整を行う。

●状態別：療養者をみる視点と支援のポイント

状態	療養者をみる視点	支援のポイント
安定期	症状の軽減が図られるように服薬・吸入療法が適切に行え，呼吸困難により日常生活に支障をきたすことがないように，適切な活動を行い，運動耐容能の維持・改善，QOLの改善につなげる．そして，安定期が維持されるように感染増悪の予防が重要である．	●治療を適切に受けられ，症状がコントロールでき，日常生活（排泄・清潔，整容，睡眠，睡眠，活動，食事）が支障なく送られているか確認する． ●手洗い，含嗽，予防接種等感染予防に努め増悪を予防する．
増悪期	急性増悪時における異常を早期に発見して，早期治療が受けられる対応が重要である．	●増悪時（肺炎，心不全，気胸，胸水等）には早期に適切な医療が受けられるように医師に報告し対処する．
終末期	終末期に至るまでの過程で話し合ったACPに基づき，薬物療法や療養場所の選択についての適切な意思決定支援を行うことが重要である．	●症状を緩和し精神面の支援を行う． ●薬物療法として，モルヒネ，鎮痛薬，抗不安薬，ステロイド，気管支拡張薬の投与が考えられるが，医師と本人・家族が十分に話し合えるように調整する．

訪問看護導入時の視点

- 呼吸困難等の症状コントロールができ，自宅でのセルフケアが可能であるか，呼吸困難を増悪させないよう環境が整備されているか，機器の使用方法を理解しているかを把握し，十分でない場合は，社会資源の導入や改善方法を提案する．
- 増悪期の緊急対応方法について検討されているか確認し，十分でない場合は療養者・家族が安心して自宅での療養を継続できるように教育や調整を行う．

STEP❶ アセスメント ▶ STEP❷ 看護課題の明確化 ▶ STEP❸ 計画 ▶ STEP❹ 実施 ▶ STEP❺ 評価

情報収集

情報収集項目	情報収集のポイント
疾患・医療ケア **疾患・病態・症状** □疾患 □病態 □疾患の症状 □疾患の経過，予後	⮕主疾患が全身性に及ぼしている影響（筋骨格機能障害，心血管疾患，抑うつ等）はないか，既往歴，合併症はないか ⮕COPD病期分類はどうか ⮕疾患による症状の程度，治療後の症状の変化，症状が日常生活にどのように影響しているか ⮕症状出現と経過，治療歴，入院歴，症状の進行状況はどうか
医療ケア・治療 □服薬 □治療 □医療処置	⮕服薬，吸入薬，貼付剤の内容，副作用，服薬管理状況はどうか ⮕治療方針，治療内容，受診状況，呼吸リハビリテーション内容はどうか ⮕在宅酸素療法やNPPVを使っているか，その酸素流量はどの程度か，

	情報収集項目	情報収集のポイント
疾患・医療ケア		自分で管理しているか
	全身状態 □成長・発達段階 □呼吸・循環状態 □摂食・嚥下・消化状態 □栄養・代謝・内分泌状態 □筋骨格系の状態 □皮膚の状態 □認知機能 □意識 □精神状態 □免疫機能	●身長，体重，体格，胸郭の状態（胸郭の前後径の増大，胸郭の左右非対称等）はどうか ●呼吸回数，呼吸リズム，呼吸音の減弱，副雑音の有無，咳嗽の有無と程度，喀痰の量と性状，呼吸困難の有無と程度，チアノーゼ，胸郭の動き・柔軟性・拡張性，呼吸補助筋の活動性，起座呼吸，浮腫，頻脈，不整脈，頸静脈怒張，酸素飽和度はどうか ●鼻翼呼吸，□呼吸，□すぼめ呼吸はないか ●食事の摂取状況や嚥下状況はどうか．腹部膨満や便秘はないか．排便コントロールの状況はどうか ●食事内容，量，回数はどうか．食欲不振はないか．食事摂取時の呼吸困難はないか．体重の増減，上腕三頭筋皮下脂肪厚，上腕周囲長，血清アルブミンはどうか ●生活動作に伴う酸素飽和度の低下はないか．運動耐容能，姿勢，体格はどうか ●酸素カニューレ使用に伴う皮膚トラブルはないか ●認知症はないか ●意識障害（傾眠，不穏等）はないか ●睡眠状態はどうか．うつ症状はないか ●肺炎球菌ワクチン，インフルエンザ予防接種の接種状況はどうか
活動	**移動** □ベッド上の動き □起居動作 □屋内移動 □屋外移動	●ベッド上の寝返り，起き上がり，背もたれなしでの座位保持が可能か ●椅子，トイレへの移乗，立ち上がり，それに伴う呼吸困難症状への影響はないか ●酸素を使用しながら屋内の移動が生活に支障をきたすことなく行えているか．居室，寝室，トイレの配置はどのようになっているか ●酸素を携帯して徒歩，歩行車，交通機関を利用して移動できているか
	生活動作 □基本的日常生活動作 □手段的日常生活動作	●呼吸困難などなく食事，清潔，更衣，整容，移動等の動作が行えているか ●呼吸困難などなく買い物，調理，洗濯，掃除，金銭管理が行えているか
	生活活動 □食事摂取 □水分摂取 □活動・休息 □嗜好品	●食事内容，形態，量はどうか．分割食か，栄養補助食品は利用しているか ●水分摂取量はどうか．心不全症状がある場合は水分制限ができているか ●夜間呼吸困難等の症状で覚醒することはないか．日中の活動状況，活動に支障をきたしている症状はないか ●喫煙，飲酒，菓子類等の嗜好はないか．喫煙者の場合は1日の本数や喫煙期間はどれくらいか
	コミュニケーション □意思疎通 □意思伝達力	●人に考えていることを伝え，人の説明に対して理解する力があるか ●意思を伝達するために必要な能力をもっているか（聴力，言語能力等）

	情報収集項目	情報収集のポイント
活動	**活動への参加・役割** □家族との交流 □近隣者・知人・友人との交流 □外出 □社会での役割 □余暇活動	➡家族関係はどうか, 家族の役割はどうなっているか, 同居しているか, かかわりの内容と頻度はどのようなものか ➡近隣者, 知人, 友人との交流はあるか, 頻度はどの程度か ➡外出しているか, 外出に際しての手段, 目的, 頻度はどうか ➡就労状況, 地域活動, 家族内での役割はどうか ➡趣味活動, 運動など活動状況はどうか
環境	**療養環境** □住環境 □地域環境	➡階段, エレベーターの有無はどうか. 移動能力に応じて福祉用具(手すり, ベッド, 排泄・入浴用具)の設置や住宅改修(スロープ等)はされているか ➡買い物や受診のアクセスはどうか
環境	**家族環境** □家族構成 □家族機能 □家族の介護・協力体制	➡家族構成, 家族の居住地, 家族の年齢はどうか ➡家族内の意思決定能力, 問題解決能力はどうか. 家族の健康状態はどうか. 家族内の役割分担はどうなっているか ➡介護者, 副介護者, 協力者はいるか. 家族が行う医療処置, 介護内容はどうか
環境	**社会資源** □保険・制度の利用 □保健医療福祉サービスの利用 □インフォーマルなサポート	➡医療保険, 介護保険, 障害者自立支援法, 公費負担制度の利用状況, 負担の割合はどうか ➡自治体等のサービス利用状況(種類, 内容, 頻度, 時間)や介護サービス利用状況はどうか ➡家族, 知人, 友人等のサポート状況, 内容, 頻度はどうか
環境	**経済** □世帯の収入 □生活困窮度	➡収入状況(年金, 就労, 財産, 預貯金)はどうか. 公費による助成を受けているか ➡経済的な余裕はあるか. 生活に困窮していないか
理解・意向	**志向性(本人)** □生活の志向性 □性格・人柄 □人づきあいの姿勢	➡価値観, 生きがい, 生活の目標, 楽しみ, 信仰はどうか ➡几帳面, 温厚, 内向的, 社交的, 短気などの性格, 人柄はどうか ➡もともとの人づきあい, 家族, サービス提供者との関係はどうか
理解・意向	**自己管理力(本人)** □自己管理力 □情報収集力 □自己決定力	➡在宅酸素機器, 服薬, リハビリテーションは自身でできているか. 体調の変化と対応, 生活上の自己管理が行えているか ➡医療, 療養生活に関する情報を誰からどのように情報収集しているか ➡医療, 療養生活・サービス利用に関して誰に相談し決定しているか
理解・意向	**理解・意向(本人)** □意向・希望 □感情	➡医療, 療養生活に対する意向, 希望はどのようなものか ➡医療・療養生活・サービス利用等に対して, どのよう感情(不安, 諦め, 怒り, 安心, 絶望, 疎外感, 期待等)をもっているか

情報収集項目	情報収集のポイント
理解・意向	□終末期への意向	◯終末期や急変時の医療(人工呼吸器装着,心肺蘇生等)に対してどのような希望があるのか,アドバンスケアプランニング等の意思表示が行われているか
	□疾患への理解	◯疾患の進行,症状,予後,治療内容についてどのように医師から説明を受けて理解できているか,どのように受けとめているか
	□療養生活への理解	◯誰からどのような生活上の注意を受けて理解し,受けとめているか
	理解・意向(家族) □意向・希望 □感情 □疾患への理解 □療養生活への理解	◯家族の医療・療養生活に対する意向,希望はどのようなものか ◯家族は医療・療養生活・サービス利用等に対して,どのような感情(不安,諦め,怒り,安心,絶望,疎外感,期待等)をもっているか ◯家族は疾患,病状の進行,予後,治療内容についてどのように医師・本人から説明を受けて理解し,受けとめているか

事例紹介

包括的呼吸リハビリテーションが開始されたCOPDの療養者の例

Keywords 慢性閉塞性肺疾患,在宅酸素療法,禁煙,呼吸リハビリテーション,高齢男性

〔基本的属性〕男性,68歳
〔家族構成〕妻との二人暮らし
〔主疾患等〕COPD Ⅱ期(中等度の気流閉塞)
〔状況〕ここ数か月,息切れが強く日常生活に支障をきたすようになり近医を受診した.A病院呼吸器内科を紹介されて受診しCOPDと診断を受ける.在宅酸素療法が開始されるとともに禁煙が開始される.労作時呼吸困難に対しては週2回通所リハビリテーションを開始し,在宅酸素,服薬・吸入管理目的で訪問看護が導入された.最近,初孫が生まれたことが健康管理行動に好影響を与え,頑張ろうという意欲につながっている.

情報整理シート

疾患・医療ケア

【疾患・病態・症状】
主疾患等：COPD Ⅱ期（中等度の気流閉塞）（発症年齢 68 歳）
病歴：特記事項なし
経過：喫煙歴 20 歳から 1 日 60 本．ここ数か月前より労作時呼吸困難が強く，A 病院呼吸器内科を受診し COPD と診断．在宅酸素療法開始とともに訪問看護を導入し，禁煙治療，通所リハビリテーションを受けているが，それ以外は臥床していることが多い．

【医療ケア・治療】
服薬：【内服】気管支拡張薬（ユニフィル LA 錠 200 mg 1 日 2 回）
　　　　去痰薬（クリアナール錠 200 mg 1 日 3 回）
　　　　下剤（酸化マグネシウム 1 日 3 回）
　　　【吸入】ステロイド薬（アドエア 125 エアゾール 1 日 2 回）
　　　【貼付】禁煙補助薬（ニコチネル TTS 1 日 1 枚）
治療状況：月 1～2 回 A 病院に通院して禁煙治療や在宅酸素療法を受け，週 2 回通所リハビリテーションで運動療法を受けているが治療に対して前向きではない．
医療処置：在宅酸素療法（安静時 1 L/分，動作時 1.5 L/分），禁煙補助薬
訪問看護内容：在宅酸素療法管理，包括的呼吸リハビリテーション

【全身状態・主な医療処置】
血圧：130～140/60～80 mmHg
脈拍：80～90 回/分，不整脈なし
体温：36.5℃ 前後
酸素飽和度：98～99％（安静時）
　　　　　　89～94％（労作時）
呼吸：14～18 回/分
痰：白色痰，硬い

身長：165 cm
体重：50 kg
BMI：18.3

排便：1 日 1 回
排尿：1 日 6 回
食事：3 食/日

基本情報
年齢：68 歳　性別：男性
要介護度：要介護 2
障害高齢者自立度：A2
認知症高齢者自立度：自立

動くとしんどいので日中臥床していることが多く，夜間不眠傾向

在宅酸素療法：安静時酸素流量 1 L/分，労作時酸素流量 1.5 L/分
内服薬：気管支拡張薬，去痰薬，下剤
吸入薬：ステロイド薬
禁煙補助薬
呼吸リハビリテーション

呼吸困難で食欲不振
便秘は下剤でコントロール可能
入浴は通所サービス利用

活 動

【移動】
起居動作：布団からの立ち上がりが困難
屋内移動：自宅内ではつたい歩き．トイレ移動では息切れが強く，呼吸法や途中安静を取り入れてマイペースで可能
屋外移動：外出には 4 段程度の階段を休み休みに昇降．歩行車に酸素ボンベを携帯して，歩行車の椅子に座って休憩しながら，月 1～2 回の通院を継続している．

【活動への参加・役割】
家族との交流：妻と二人暮らし．近隣に長女家族が住んでおり，生まれたばかりの孫を連れて週 1 回程度遊びに来る．長男は他県で年に 1 回程度帰郷する程度．
近隣者・知人・友人との交流：印刷業をしていた時の交流は，廃業してからはなくなり，近隣とのつきあいは挨拶程度である．
外出：月 1～2 回の通院と週 2 回の通所リハビリテーション以外は，酸素ボンベをつけている姿をみっともないので人に見られたくないので外出を避けている．
社会での役割：今は生まれたばかりの孫に祖父としての役割を果たしたいと思っているが身体が思うようにならない．
余暇活動：週 2 回通所リハビリテーションを利用しており，利用中は真面目に取り組んでいるが，自宅では 1 人ではリハビリテーションを継続できない．

【生活活動】
食事摂取：家族と同じ食事を摂取している．食欲がなく，摂取量も減少している．A 病院の栄養士から，分割食で食事回数を増やしたり栄養価の高い食品で栄養補給すること，塩分を控えるように指導を受けている．
水分摂取：水分摂取の必要性を説明されて，1 日 1 L を目標に摂取している．
活動・休息：就寝 23 時，起床 6 時であるが，通院，通所リハビリテーション以外は日中臥床しているため夜間不眠傾向である．
生活歴：A 県農家の 7 人兄弟の末子として生まれる．中学を卒業して印刷会社に就職．28 歳で独立して結婚．長男，長女が生まれ仕事一筋で真面目に働いてきた．62 歳で廃業して国民年金で生活．喫煙を 20 歳から続けている．
嗜好品：タバコ（禁煙治療中），アルコールは飲まない．お茶・コーヒーは飲む．

【生活動作】

基本的日常生活動作
食動作	休みながら自力で摂取可能
排泄	かがむ動作がつらくて息苦しくなるため，和式トイレから洋式トイレに変更して自立している
清潔	自宅の浴槽が深いので通所サービスにて入浴．洗髪，背部，足など一部の洗身介助
更衣整容	上肢挙上が必要な動作で呼吸困難が出現するが，歯磨き，電動カミソリでの髭剃りは行える．整髪がしんどいときは妻に手伝ってもらう
歩行	屋内：つたい歩きで休みながら移動可能 屋外：歩行車を使用して長距離歩行する際は，歩行車の椅子に座り休憩を取り入れて移動可能
階段昇降	呼吸法を使用して手すりを持ち，休みながら昇降可能

手段的日常生活動作
調理	妻が行っている
買い物	妻が行っている
洗濯	妻が行っている
掃除	妻が行っている
金銭管理	妻が管理している
交通機関	公共交通機関を利用しての外出は困難．タクシーを利用している

【コミュニケーション】
意思疎通：可能だが，息切れで会話が途切れることがある
意思伝達力：問題ない
ツールの使用：使用なし

環　境

【療養環境】

住環境：自宅は団地1階にあるが、外出するのに4段の階段がある。自宅内に小さな段差はあるが日常生活に大きな支障はない。浴室は寒く、浴槽も深いため自宅での入浴は困難である。トイレは和式トイレであったが呼吸困難や下肢筋力不足で負担が大きいため、洋式トイレに変更している。布団からの立ち上がりが困難であるため、ベッドとL字柵をレンタルした。

地域環境：町工場が多い住宅街で、近隣に中規模の病院や診療所が数軒あり、徒歩5分の場所にA病院がある。平坦な土地で数分のところに公園があり、子ども連れが遊んだり、高齢者が散歩できる場所がある。

地域性：町工場を営んでいた人たちが廃業して高齢化し、地域のつながりは薄い。

【ジェノグラム】

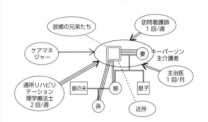

【家族の介護・協力体制】
妻が日常生活動作の一部を支援している。週1回程度、近隣に住む長女が両親のことを心配し訪問している。

【エコマップ】

【社会資源】

サービス利用：

	月	火	水	木	金	土	日
AM							
PM	通所リハ		訪問看護		通所リハ		

保険・制度の利用：医療保険、介護保険、福祉用具貸与（ベッド）、住宅改修（和式トイレ→洋式トイレ変更）

【経済】

世帯の収入：夫婦の国民年金と預貯金でほそぼそと生活をしている。

生活困窮度：生活をするのがやっとで在宅酸素療法や禁煙治療を受けるようになり困窮している。

理解・意向

「食べないといけないと栄養士さんや先生に言われたが、息苦しくてそんなに食べられない」

「息が苦しいので、生活するのが大変」

「動くとしんどいので、動かないでいると動かなくなる」

「酸素はみっともないが、孫の七五三に一緒に行けるように禁煙、リハビリも頑張ってみる」

「痰が出にくいのでしんどい…」

本人

「私ができることは助けてあげたいが、あの人は頑固なので、私の言うことを聞かないと思っている」

妻
キーパーソン
主介護者

結婚40年。日常生活動作の一部を介助している。自営業の夫をこれまで支えてきた。これからも支えていきたいと思っている。

「両親が心配です。父はあれでも弱いところがあるから私が励ましてあげないと…」

娘

結婚して3年目で、最近子どもが生まれた。実家から20分程度のところに住んでおり、週1回程度、両親のことが気になり訪問している

孫

生後3か月。初孫。もう少し生きて孫の成長を見届けたいと、療養者の支えになっている

【志向性】

生活の志向性：仕事一筋で生きてきたので今は楽しみがない。病気になり不自由になり長生きしても仕方ないと思っていたが、初孫が生まれたことで、もう少し長生きしてみたいと思うようになった

性格・人柄：まじめ、頑固

人づきあいの姿勢：自分から積極的に人とかかわるのは苦手である

【自己管理力】

自己管理力：服薬、吸入は自己管理可能。在宅酸素は近所の目が気になる。禁煙治療の必要性は理解している

情報収集力：入院中は主治医、看護師、MSWから退院後はケアマネジャーから社会資源や介護保険サービス等情報提供を受けている

自己決定力：自分で判断、選択している

2　慢性閉塞性肺疾患（COPD）

第2章 健康障害別看護過程　1. 慢性疾患

総合的機能関連図と看護課題

看護課題

- #1 呼吸困難
- #2 身体可動性の低下
- #3 健康管理行動の維持・促進
- #4 呼吸器感染のリスク

#1 呼吸困難
- 運動耐容能の低下
- 労作時に呼吸困難が強い
  - 「息苦しいので、生活するのが大変」

#2 身体可動性の低下
- 消費エネルギーの増加
- 摂取エネルギー不足
  - 「動くとしんどいので、動かないでいると動けなくなる」
  - 「息苦しくてそんなに食べられない…」

#4 呼吸器感染のリスク
- 免疫力低下
- 排痰困難
  - 「痰が出にくいのでしんどい…」

疾患・医療ケア

- 喫煙歴 20歳から1日60本
- 加齢
- 慢性閉塞性肺疾患
- 肺理学療法
- 吸入（ステロイド薬）
- 内服（去痰薬、気管支拡張薬）
- 禁煙補助薬
- 在宅酸素療法
- 労作時呼吸困難　酸素飽和度 89～94%
- 低酸素血症
- 呼吸筋萎縮
- るいそう
- 呼吸仕事量増加
- 食事摂取量減少
- 日常生活動作低下
- 排痰困難

活動

- 会話が途切れることがある
- 食事は自立。呼吸困難で食欲がない
- 呼吸困難で日中の活動が減り夜間不眠傾向
- 通所リハや通院以外はテレビを見て臥床していることが多い
- 整髪は介助必要
- 洗顔、洗身、更衣など介助が必要
- 布団からの立ち上がりが困難
- 排泄は自立
- 妻が日常生活動作、整髪など援助

環境

- 国民年金で生活
- 生活に余裕はないがなんとか生活できている
- 医療保険、介護保険
- 訪問看護
- 通所リハ
- 洋式トイレに変更
- ベッドと手すりをレンタル
- 週1回長女は孫を連れて来る
- 団地の1階に住んでいるが4段程度の階段あり

理解・意向

- 初孫が生まれたことによる生きる意欲
- 禁煙とリハビリに前向きである
- 「孫の七五三に一緒に行けるように禁煙、リハビリも頑張る」
- 「初孫が生まれたので、もう少し長生きしたいと思う」

凡例：
- → 強みと読む解釈・判断
- → 弱みと読む解釈・判断
- → 強みを示す矢印
- → 弱みを示す矢印

情報の選択 → 解釈・判断 → 看護課題

70

| STEP❶ アセスメント | STEP❷ 看護課題の明確化 | STEP❸ 計画 | STEP❹ 実施 | STEP❺ 評価 |

看護課題リスト

No.	看護課題　【コード型】文章型	パターン
#1	【呼吸困難】労作時に呼吸困難がみられている	問題着眼型
	根拠　労作時呼吸困難に伴う苦痛軽減のために，薬物療法，在宅酸素療法，運動療法等を適切に受けることができ，自己で症状コントロールが可能となり日常生活が支障なく過ごせるように改善する必要がある．	
#2	【身体可動性の低下】運動耐容能の低下やエネルギー不足による身体可動性の低下がある	問題着眼型
	根拠　呼吸困難のため身体を動かさなくなることによって運動耐容能が低下し，食事摂取量の減少によるエネルギー不足から身体可動性の低下をまねく．さらに身体可動性の低下が進行しないように，薬物療法，在宅酸素療法，運動療法，呼吸法，栄養指導，環境調整等を受け改善する必要がある．	
#3	【健康管理行動の維持・促進】生きる意欲と禁煙・リハビリテーションへの前向きな姿勢を活かし，健康管理行動を維持・促進する	強み着眼型
	根拠　これまで健康管理行動に積極的ではなかったが，孫が生まれたことが生きる意欲となり前向きな姿勢になっているため，健康管理行動を維持・促進する．	
#4	【呼吸器感染のリスク】免疫力低下，排痰困難により呼吸器感染のリスクが高い	リスク着眼型
	根拠　食事摂取量の減少による免疫力低下，喫煙の影響による排痰困難等の呼吸器感染のリスクがあり，予後に関与するため感染予防，栄養指導，薬物療法等が必要である．	

【看護課題の優先度の指針】COPD がありながら生活する療養者にとって，呼吸困難を軽減し可能な範囲で自立した生活を送ることができるように【呼吸困難】を#1とし，呼吸困難から身体を動かさなくなっているので，【身体可動性の低下】を#2とする．そして，【健康管理行動の維持・促進】を図ることで安定した生活の継続や QOL の向上につながることから#3とし，その状態を維持するためには【呼吸器感染のリスク】を予防することが重要と考え#4とした．

長期目標

COPD による呼吸困難と身体可動性の低下が緩和され，適切な健康管理行動をとりながら在宅療養生活を送る．

根拠　療養者はこれまで自営業を営み仕事一筋で働いてきたが，廃業後は人とのつながりもなく生きがいを失い，さらに労作時呼吸困難があるため身体を動かすのが辛いため，日中もベッドに臥床している状態である．症状の軽減を図り日常生活動作を拡大し，さらに初孫の存在が生きがいになり，療養生活を再構築できる．

〈長期目標を共有するケアチーム〉
フォーマルサービス：主治医，訪問看護師，通所リハビリテーションの理学療法士，ケアマネジャー
インフォーマルなサポート：妻，長女，孫

2　慢性閉塞性肺疾患（COPD）

| STEP① アセスメント | STEP② 看護課題の明確化 | **STEP③ 計画** | STEP④ 実施 | STEP⑤ 評価 |

1 看護課題

看護課題	看護目標（目標達成の目安）
#1 【呼吸困難】 労作時に呼吸困難がみられている	1) 労作時呼吸困難感が軽減する（1週間） 2) 呼吸困難時にパニックにならずに症状を管理できる（1か月） 3) 呼吸困難によって日常生活に支障をきたさない（1か月） 4) 禁煙を続けることができる（1週間） 5) 日常生活の中で呼吸法，運動療法を継続できる（1か月）

援助の内容	援助のポイントと根拠
OP 観察・測定項目	
●呼吸状態	➡バイタルサイン，咳，痰の有無，性状，量，呼吸音（副雑音，減弱の有無），呼吸困難の程度，チアノーゼ，フーバー徴候，樽状胸郭，るいそう，体重減少，呼吸補助筋の肥大・活動性亢進，頸静脈怒張，ばち指の有無，酸素流量（安静時，労作時），酸素飽和度（安静時，労作後の変化），パニック状態の有無を把握する
●医療ケアの自己管理状況	➡在宅酸素や内服薬，吸入薬の自己管理方法，排痰法や呼吸法と夜間休息内容，禁煙状況を把握する　**根拠** 呼吸状態悪化の徴候を早期発見し，自己管理を促進する
●呼吸困難による日常生活の支障	➡呼吸困難を起こしやすい日常生活動作と対処方法（呼吸法，安静，指示範囲内での酸素流量増量，吸入等）を把握する　**連携** どのような日常生活動作で呼吸困難を起こしているのか把握し，理学療法士，ケアマネジャーと連携し，動作指導，環境調整を行う必要がある
TP 直接的看護ケア項目	
●呼吸法と生活動作の訓練，運動療法	➡呼吸補助筋の疲労軽減のためのストレッチ，胸郭の動きを高める体操を行う ➡入浴やかがみこむ動作，上肢を挙上する動作など，負荷のかかる動作時の呼吸の仕方を訓練する
●パニックコントロール	➡呼吸困難時にパニックを起こさず適切に対処できるように訓練する　**連携** どのような日常生活動作で呼吸困難を起こしているのか把握し，理学療法士，ケアマネジャーと連携し，動作指導，環境調整を行う必要がある
EP 教育・調整項目	
●禁煙継続の必要性の説明	➡喫煙により線毛運動が低下することで排痰が困難になり，呼吸困難をきたすので禁煙を継続するように説明する
●服薬管理の教育	➡内服薬，吸入薬，禁煙補助薬（ニコチネル TTS）の自己管理が行えているか，適切に管理できていなければ配薬・吸入方法を説明する　**連携** 内服薬，吸入薬等の自己管理が行えない場合は，主治医，薬剤師と連携し，内服薬の一包化，服薬カレンダー使用，吸入方法の指導を行う必要がある
●在宅酸素管理の教育	➡酸素濃縮器，酸素ボンベ交換，呼吸同調器の使用方法，トラブル時の対処について自己管理できるよう説明する　**根拠** 日常生活の中で在宅酸素療法を受け，生活を改善・維持する必要があるため自己管理を促進する必要がある　**根拠** CO_2 ナルコーシスを起こさないように指示範囲内での酸素吸入を行うように指導する　**連携** 療養者の呼吸状態に応じて，安静時，労作時の酸素流量について主治医と連携

	し調整する必要がある　**連携** 在宅酸素業者と連携しトラブル時の対処方法について調整する
●急性増悪時の対処の説明	➡急性増悪時に発熱，呼吸困難増悪，膿性痰，酸素飽和度の低下，食欲不振等の症状があれば早期に受診し治療を受けられるように調整する．家族には急性増悪時の対処法を指導する　**根拠** 急性増悪時においては早期発見，早期治療が原則であるため，本人・家族が対処できるよう教育する必要がある

2 看護課題	看護目標（目標達成の目安）
#2 【身体可動性の低下】 運動耐容能の低下やエネルギー不足による身体可動性の低下がある	1）通院を継続できる（1か月） 2）通所リハビリテーションが継続できる（1週間） 3）呼吸法を日常生活に活用し活動量が維持・促進する（1か月）

援助の内容	援助のポイントと根拠
OP 観察・測定項目 ●運動耐容能	➡呼吸困難を生じる動作，自覚症状の強さ，ボルグスケール，酸素飽和度の変化，脈拍の変化を把握する　**根拠** 呼吸状態に応じた運動量，負荷量を検討する必要がある

NOTE

在宅酸素療法

　在宅酸素療法（home oxygen therapy；HOT）とは，慢性呼吸不全などにより酸素を体内に取り込めない患者が，自宅など病院の外で酸素を吸入しながら生活することを支える治療法である．多くの慢性呼吸不全患者の在宅ケアを可能にし，職場復帰や海外旅行を可能にした例もある．

　HOTは息切れなど自覚症状を改善し，日常生活の範囲を拡大し，心臓など諸臓器の低酸素状態を改善するなど，寿命延長効果も実証されている．2010年の基礎疾患の調査ではHOTの対象疾患として，COPD（45％），肺線維症・間質性肺炎など（18％），その他が挙げられた．肺機能の低下により低酸素血症だけでなく二酸化炭素が蓄積する場合には，呼吸を補助する人工呼吸器が必要な例もある．

■酸素供給装置

　現在わが国ではHOTの酸素供給装置として，酸素濃度を90％以上に濃縮する吸着型酸素濃縮器が普及している．外出や停電時には携帯用酸素ボンベが用いられる．自宅の大型液体酸素タンクから直接配管して酸素を吸入し，外出時には少量の酸素容器（子機）に移し替えて吸入する液体酸素システムもある．

■酸素吸入器具

　在宅では酸素供給装置からチューブを通し，その先に接続された鼻の下で固定する鼻カニューレ（酸素マスクの場合もある）から酸素を吸入する．詳しくは在宅酸素療法支援団体などのホームページを参照．

■HOTの注意点

①酸素には燃焼を促進する性質があり，火気厳禁である．タバコやストーブなど火気は決して近づけない．周囲も必ず禁煙する．

②酸素流量・時間の変更は危険を伴うことがあり，処方された流量・時間を遵守する．特に酸素流量の増量はCO_2ナルコーシスによる意識障害をきたすことがある．

③HOTは安定した呼吸不全患者に処方されるが，風邪や疲労を契機に病状が悪化する場合もある（増悪）．息切れの悪化，発熱，むくみや体重増加がみられるときは，増悪を疑い，速やかに医療機関を受診する．

④HOT患者では肉体的・精神的のみならず，経済負担も大きい．種々の医療・介護（ケア）費用の助成制度が利用できる．

●日常生活の状況	⮕清潔，整容，排泄，食事，睡眠，活動状態を観察し，日常生活に支障(呼吸機能，動作上，環境上の問題があるか)をきたしている場合は，どのように対処しているか把握する
●栄養状態	⮕食事摂取状況(内容，量，回数)，体重，BMI，上腕三頭筋皮下脂肪厚，上腕周囲長，血清蛋白質・アルブミン，貧血の有無を把握する　**根拠** 栄養状態は免疫，活動，予後に影響を及ぼすため上記指標を基準に評価する必要がある
TP 直接的看護ケア項目 ●日常生活動作の訓練	⮕在宅酸素療法を受けながら，呼吸法，動作の工夫を行い日常生活動作がスムーズに行えるように訓練する　**根拠** 日常生活の中で呼吸困難を起こしやすい動作を行う際に，呼吸法や動作の工夫が行えているか評価し，できていない場合は訓練を繰り返し行う必要がある ⮕携帯用酸素ボンベを使用して歩行訓練を行う
EP 教育・調整項目 ●環境調整の提案	⮕呼吸困難を起こしやすい上肢挙上，かがむ動作，連続した動作を説明し，物の置き場所や動線を見直すよう提案する **連携** 福祉用具，住宅改修の必要性を療養者・家族，多職種を交えて検討し調整する

3　看護課題／看護目標(目標達成の目安)

看護課題	看護目標(目標達成の目安)
#3【健康管理行動の維持・促進】生きる意欲と禁煙・リハビリテーションへの前向きな姿勢を活かし，健康管理行動を維持・促進する	1) 内服管理が行える(1週間) 2) 吸入を正しく行える(1週間) 3) 禁煙を続けることができる(1週間) 4) 酸素療法を正しく行える(1週間) 5) 携帯用酸素ボンベを使用して孫に会いに行くことができる(3か月)

援助の内容	援助のポイントと根拠
OP 観察・測定項目 ●健康管理行動の状況	⮕内服，吸入，酸素療法の自己管理状況，受診状況，リハビリテーション内容，自己トレーニングや生活への活用状況を把握する
●健康管理行動を支える動機	⮕性格，理解力，教育，社会性，運動機能，心身の状況，意欲，対処能力，家族の理解・協力，就業状況，健康状態，人間関係，生きる支えになるもの，目的，医療，介護サポート体制を把握する
TP 直接的看護ケア項目 ●携帯用酸素ボンベを活用した散歩の支援	⮕**強み** 生きがいである孫に会いに行くことを目標にして，訪問時，携帯用酸素ボンベを活用した散歩を行う
EP 教育・調整項目 ●健康管理行動の教育	⮕内服薬，吸入，禁煙，在宅酸素療法，リハビリテーションに関する説明をパンフレットやDVDを用いて説明する **連携** 療養者が自分に合った指導方法を見つけて継続できるように主治医，薬剤師，理学療法士等が調整する ⮕日常生活動作，体調管理，予防接種，定期受診などの自己管理状況を確認し，自己管理が行えていない場合は自己管理の重要性を療養者・家族に説明する　**根拠** 慢性疾患におい

ては，長期的に治療を継続する必要があるため自己管理の状況を評価する必要がある

➡️ **強み** 禁煙・リハビリテーションに対して前向きな姿勢であることを認め，適切な健康管理行動を促す身近な目標を療養者・家族とともに探る

4

看護課題	看護目標（目標達成の目安）
#4 【呼吸器感染のリスク】 免疫力低下，排痰困難により呼吸器感染のリスクが高い	1) 呼吸器感染を予防できる（1か月） 2) 呼吸器感染が疑われる場合に早期受診ができる（1か月） 3) 必要な栄養を摂取できる（1か月）

援助の内容	援助のポイントと根拠
OP 観察・測定項目 ● 呼吸器感染症状 ● 呼吸器感染予防対策	➡️ 発熱，湿性咳嗽，膿性痰，痰の増量，副雑音，呼吸音減弱，胸痛，呼吸困難，喘鳴，食欲不振，チアノーゼはないか，血液検査データ（白血球数，CRP）はどうか把握する ➡️ 外出時マスク着用，含嗽，手洗いを励行する．肺炎球菌ワクチン・インフルエンザ予防接種状況を確認する．食事摂取状況（内容，量，回数），体重，BMI，上腕三頭筋皮下脂肪厚，上腕周囲長，血清蛋白質・アルブミン，禁煙状況を把握する
TP 直接的看護ケア項目 ● 排痰ケア ● 口腔ケア ● 栄養状態の維持	➡️ ハッフィング，体位ドレナージ，呼吸介助等の排痰ケアを行い，自己排痰を促進する ➡️ 口腔ケアが適切に行われているか確認する **根拠** 口腔ケアが不適切であると呼吸器感染につながりやすい ➡️ 高エネルギー，高蛋白を基本に呼吸筋の機能維持に必要なP，K，Ca，Mg等が含まれるメニューを導入し，必要に応じて栄養補助食品の試供品などを持参する **根拠** 免疫力の低下，呼吸筋萎縮が起こらないように栄養管理を行う ➡️ 心不全を悪化させないように塩分制限を行う必要がある ➡️ 腹部膨満に伴う横隔膜圧迫で呼吸困難をきたさないように，消化管でガスを発生しやすい食品を避ける
EP 教育・調整項目 ● 環境の調整 ● 感染症罹患者との接触の回避 ● 感染予防方法の教育 ● 感染症罹患時の対応の説明	➡️ 室温，湿度はどうか把握する **根拠** 空気が乾燥していると気道の防御機能が低下するため，換気や加湿器の使用によって環境調整を行う必要がある ➡️ 家族をはじめとする感染症の罹患者と接触しないように指導する **根拠** COPDをもつ療養者がインフルエンザ，感冒に感染すると状態が悪化し生命予後に影響する ➡️ 感染予防方法や排痰法について説明する．免疫力の維持・促進に必要な栄養摂取の必要性を説明する ➡️ 呼吸器感染の症状があれば早期に受診するように説明する **連携** 呼吸器感染が疑われる場合は主治医と連携し，早期に治療を受けられるように調整する

強みと弱みに着目した援助のポイント

強みに着目した援助
- 禁煙やリハビリテーションに対する前向きな姿勢を活かし，健康管理行動を維持・促進する．
- 妻のサポートがあるため，療養指導を一緒に受けて協力してもらい，安定した療養生活を継続できるように促進する．
- 初孫が生まれたことが生きる意欲や祖父としての役割につながる．

弱みに着目した援助
- 呼吸困難症状やそれに伴う身体可動性の低下が悪循環とならないように，薬物療法，運動療法，在宅酸素療法，栄養療法等を行い，症状コントロール，運動耐容能を維持・促進させる．
- 呼吸器感染を予防するために，含嗽，手洗い，禁煙，排痰，口腔ケア，インフルエンザ予防接種，肺炎球菌ワクチン予防接種を受ける．免疫力が低下しないように栄養状態を良好にする必要がある．

評価のポイント

- 呼吸困難が軽減しているか
- 呼吸困難時にパニックにならずに症状を管理できているか
- 呼吸困難によって日常生活に支障をきたしていないか
- 禁煙を続けられているか
- 日常生活の中で呼吸法，運動療法を継続しているか
- 通院，通所リハビリテーションが継続できているか
- 呼吸法を日常生活に取り入れ，活動量が維持・促進しているか
- 内服管理，吸入，禁煙，酸素療法を正しく行えているか
- 呼吸器感染を予防できているか
- 呼吸器感染が疑われる場合に早期受診ができているか
- 必要な栄養を摂取できているか

関連項目

第2章「20 生活不活発病（廃用症候群）」
第3章「29 社会的孤立」「31 意欲低下」「34 服薬管理不全」

●参考文献
1) 日本呼吸器学会編：COPD 診断と治療のためのガイドライン 第6版．メディカルレビュー社，2022
2) Wagg K：Unravelling self-management for COPD：what next? Chron Respir Dis 9(1)：5-7, 2012

3 慢性腎不全

慢性腎不全の理解

基礎知識

疾患概念
- 様々な原因により慢性腎臓病（CKD）となり，徐々に腎機能が低下すると慢性腎不全となる．
- 慢性腎不全は腎機能が進行性に低下していく不可逆的な疾患で，さらに機能が低下すると末期腎不全となり体液の量や質が維持できなくなる．

疫学・予後
- 厚生労働省の統計では，腎不全は死因の第8位と報告されている．また日本透析医学会の報告では全透析患者数は約35万人，年間新規導入数は約4万人弱で，ここ数年はほぼ横ばいである．さらに維持透析および新規導入患者とも年々高齢化している．なお，透析患者の死亡は心不全と感染症がともに全体の20%以上と多い．

症状
- 末期となるまでほとんど症状は現れない．末期の症状として倦怠感，呼吸困難，かゆみ，食欲不振・悪心，眠気，痛み，せん妄など様々なものが出現する．

診断・検査値
- CKDは，以下の①，②のいずれか，または両方が3か月以上持続することにより診断される．
  ① 腎障害を示唆する所見（検尿異常，画像異常，血液異常，病理所見など）の存在
  ② 糸球体濾過量（GFR）が 60 mL/分/1.73 m^2 未満
- 腎機能が低下し腎不全の状態になると尿素窒素，クレアチニン，尿酸などの上昇，低カルシウム血症，高カリウム・リン血症を呈するようになる．

合併症
- 腎機能低下による貧血，高血圧，浮腫，心不全など多彩な合併症が出現する．

治療法

● 治療方針
- 初期～中期は進行を遅らせることを主眼とし，食事療法や薬物療法を行う．
- 腎機能低下に伴う症状に対しては，適宜対応する．
- 末期に至った場合，腎代替療法（透析，腎移植）の適応となる患者に対しては最適な時期に移行する．
- 透析療法が困難な患者に対しては，患者・家族との十分な話し合いのもと緩和医療を行っていく．
- 一般に低蛋白食，塩分・カリウム制限が推奨されているが，透析困難な患者の場合は食事摂取量が低下していることも多いため，厳格な制限よりは生活維持の視点から，適宜対応していく必要がある．

● 薬物療法
- 一般に腎機能が低下している患者に対しては，薬剤の添付文書上では，禁忌や慎重投与となるものが多い．これを厳守していては苦痛緩和が不可能になることも多いため，患者・家族と話し合いのもとで投与を開始し，継続していく．

〈高血圧〉
- 血圧のコントロールは腎機能保持に有効なエビデンスがあるので，腎不全患者には末期に至るまで可能な限り対応する．血圧の数値目標などは成書を参照されたい．

> **Px 処方例**
> - プロプレス錠 2 mg　1回1錠　1日1回　朝食後　←アンジオテンシンⅡ受容体拮抗薬（ARB）

〈高カリウム血症〉
高カリウム血症では致死的不整脈が起こることがある．数値が少々高くてもすぐに投与する必要はないが，状況に応じて投与する．

> **Px 処方例**
> - ポリスチレンスルホン酸カルシウムゼリー（製剤量として 25 g/個）　1回1個　1日1〜3回　←血清カリウム抑制薬

〈腎性貧血〉
腎機能低下に伴いほとんどの患者に貧血が生じる．腎機能低下，貧血，心不全が相互に悪影響を及ぼすため貧血の改善が望まれる．Hb（血色素量）10 g/dL 以下なら投与を考慮したい．ただし投与しても改善しない場合は，鉄欠乏など他の要因が関与している場合もあるので併せて治療を行う．

> **Px 処方例**
> - ダーブロック 4 mg　1回1錠　1日1回　Hb（血色素量）値にて容量調整　←赤血球造血刺激因子製剤

〈疼痛〉
- 末期腎不全には何らかの痛みを経験することは多いが，がん末期ほどの激しい疼痛は少ない．ただし長期透析患者には筋肉痛や関節痛，神経障害を伴う様々な疼痛を経験することがある．
- 疼痛コントロールとしてまずアセトアミノフェンで対処する．添付文書では投与禁忌になっているが，経験上ほぼ安全に使用可能である．非ステロイド性抗炎症薬（NSAIDs）の投与も禁忌となっており，あまり薦められないが，少量投与で効果が得られるのであれば短期間使用も可能と考える．
- コントロール困難な場合にはオピオイド少量からの使用もありうる．ただし，わが国ではがん性疼痛と異なり，非がん性疾患による疼痛に対して処方できるオピオイドは制限されている．しびれなどの神経障害の痛みは非透析末期腎不全患者では頻度は高くはないが，長期透析例ではよく経験する．プレガバリン（リリカ）やガバペンチン（ガバペン）（保険適用外）などを少量から始めて調整していく．

> **Px 処方例**
> - カロナール錠 200 mg　1回2錠　1日2回　朝夕食後　←アセトアミノフェン
> - ロキソニン錠 60 mg　1回1錠　1日1回　適宜　←非ステロイド性抗炎症薬
> - モルヒネ塩酸塩 10 mg　1回1錠　1日1回　適宜　←オピオイド
> - リリカ OD 錠 25 mg　1回1錠　1日1回　朝食後　←神経障害性疼痛治療薬

〈倦怠感〉
- 貧血の関与が考えられる場合は前記の腎性貧血の項目に準じた対応をする．
- 緩和医療に使用される薬剤には倦怠感を生じるものが多数ある．オピオイド，抗てんかん薬，抗不安薬，抗精神病薬，制吐薬などであるが，可能な限り減量中止を試みる．
- なお，副腎皮質ホルモン製剤や抗不安薬，さらに抗うつ薬で効果が期待できることもある．

> **Px 処方例**
> - デカドロン錠 0.5 mg　1回2錠　1日2回　朝夕食後　←副腎皮質ホルモン製剤
> - リーゼ錠 5 mg　1回1錠　1日1回　夕食後　←抗不安薬

〈呼吸困難，咳嗽〉
低酸素血症がある場合は酸素投与を考慮する．補液が原因の場合は中止か最小限度にとどめる．改善がなければオピオイドや抗不安薬，場合により副腎皮質ホルモン製剤を投与することもある．

> **Px 処方例**
> - コデインリン酸塩散 1%　1回2 g　1日1回　夕食後　←オピオイド

〈悪心・嘔吐〉
複雑に要因がからむことがあり時として難渋する．尿毒症症状が主誘因と考えられる場合は抗精神病薬を使用する．

> **Px 処方例**
> 以下のものを単独または併用する．抗不安薬を投与する場合もある．
> - トラベルミン配合錠　1回1錠　1日2〜3回　食後（動作が誘因）　←抗めまい薬
> - ナウゼリン錠 10 mg　1回1錠　1日2〜3回　食前（食事が誘因）　←胃腸機能調整薬
> - リスパダール OD 錠 0.5 mg　1回1錠　1日1回　夕食後　←抗精神病薬　［保険適用外］

> **家族へのサポート**
- 透析導入時期と判断されても高齢，認知症，がん疾患を有するなどの理由で導入を見合わせる場合が今後増えてくるものと推察される．予想されうる症状や実際に出現した症状に対し丁寧に説明し，さらに対応策をしっかり説明していくことが望まれる．
- ある程度までは食事療法(蛋白質やカリウム制限など)が必要であるが，進行に伴い透析導入を断念した場合にはこれに固執せず，本人の希望を入れつつ満足のいく食生活が送れることに主眼をおく．
- 透析導入を一度は断念しても，再度話し合いがもてることを説明する．
- 在宅か病院かといった終末を迎える場所については，本人の希望を踏まえつつ，なるべく早い段階から家族とも話し合っておくことが望ましい．
- 維持透析中で透析を断念した方の家族に対しても同様の姿勢で臨む．

在宅における特徴

- 腎疾患の末期に関しての緩和医療は，腎機能低下ゆえに薬物の投与量を調整しなくてはならないことはたびたびあるものの，他の疾患と比較して基本的なアプローチに大差はない．腎不全では使用できない薬物が多いことも事実であるが，緩和に関しては必要があれば腎不全だからといって投薬を躊躇してはならない．ただし，作用・副作用の点については，患者や家族と十分な話し合いをもつことが大切である．

在宅診療の実際

> **病診連携**
- 透析を実施しているか否かで対応が分かれる．

〈透析を実施していない場合〉
- わが国では諸外国に比べ透析療法が普及しているため，そもそも導入がしやすい環境にある．それゆえ，透析が困難と判断され透析導入を見合わせて緩和医療に移行する場合は患者・家族は戸惑いを生じるものと思われる．
- 一度は導入を見送った場合でも，導入が適切と判断されれば，当然ながら再度，腎臓専門医や相談員などと協議する必要がある．

〈透析を実施している場合〉
- どのような状況になったら透析を中断するか，終了したほうがよいかなどの意見交換を綿密に透析実施機関と行う必要がある．もちろん患者や家族の意向は十分反映する必要がある．

慢性腎不全に関連する社会資源・制度

1) 医療費の支援，費用に関する支援
- 身体障害者福祉法による身体障害者手帳交付に伴う医療費助成
- 腹膜透析療養者は日常生活用具給付事業によって透析加温器が給付

2) 外来受診，透析のための移動の支援
- 介護保険制度における有償移送サービス
- 血液透析病院における無償送迎サービス

3) 食事に関する資源
- 民間企業，医療法人による腎臓病食，透析食の有償配食サービス

4) 腹膜透析療法に関連する生活支援
- 腹膜透析に必要な物品(透析液，加温器，キャップなど)の提供・アフターケアを行う民間企業

慢性腎不全をめぐる訪問看護

訪問看護の視点

1) 療養者をみる視点
- 慢性腎不全は不可逆的な腎機能の低下をたどり，末期腎不全状態になると腎代替療法(血液透析，腹膜透析，腎移植)を導入せざるをえない．そのため，腎機能低下を早期に発見・治療し，腎代替療法の導入を少しでも遅らせていくことが重要である．
- 選択した腎代替療法によって，身体的・精神的負担，時間の制限，治療状況，合併症，予後が大きく変化する．
- 慢性腎不全のいずれの時期(保存期腎不全，透析療法導入後，末期腎不全状態)においても，療養者の適切なセルフマネジメントの確立(食事療法，飲水制限，服薬管理，体重管理，シャント・腹膜カテーテル管理)が必要である．
- 病状進行に伴う，喪失感，不安感，挫折感，抑うつ傾向などによって，自己効力感と意欲が低下し，適切なセルフマネジメントができなくなることがある．療養者自身で行えていること・家族の支援で行えていることを強みと捉える．
- 慢性腎不全の進行に伴う尿毒症状が及ぼす不快感と苦痛を予防・緩和する．
- 末期腎不全の訪問看護利用者は，透析療法を導入することが多い．療養者とその家族の透析導入に伴う心理的負担が緩和され，「透析とともに生きる」といった前向きな考え方に移行できるかどうかが重要である．

2) 支援のポイント
- 療養者の腎機能障害(CKD重症度分類)の程度と生活状況に応じた，適切なセルフマネジメントの支援(食事療法，飲水制限，服薬管理，通院)を行う．
- 腎機能を低下させる原疾患(糖尿病腎症，慢性糸球体腎炎，腎硬化症)と腎機能低下に影響する合併症(高血圧，糖尿病，脂質異常症)の増悪を予防する．
- 末期腎不全在宅療養者が選択した腎代替療法に沿った管理方法(血液透析：シャント部の管理，通院，腹膜透析：腹膜カテーテル管理，腹膜透析方法)を教育する．
- 透析療法に伴う多様な全身症状(不均衡症候群，溢水，易感染状態，便秘，低栄養状態，呼吸困難感，起座呼吸，血圧の変動，体重の増加，めまい，ふらつき，抑うつ)を予防・緩和する．

●状態別：療養者をみる視点と支援のポイント

状態	療養者をみる視点	支援のポイント
保存期腎不全の状態	腎機能の障害が軽度の段階から，療養者とその家族が疾患と身体状況(臨床症状)を理解し治療を受け入れ，腎機能の低下と透析療法の導入を少しでも遅らせるための適切なセルフマネジメントが行えているかが重要である．	● 既往歴，合併症の有無，腎疾患の状態と腎障害の程度を把握する． ● 残存腎機能の程度に応じた食事療法(塩分・蛋白制限)と生活活動の制限を支援する． ● 腎機能低下を遅らせ，心血管系疾患の発症を予防するために，適切な服薬管理(血圧管理，血糖管理，脂質異常症，腎性貧血，利尿薬，尿毒症)を支援する．
末期腎不全により，透析療法を導入する状態	透析療法導入期は，尿毒症性精神障害(イライラや不眠)や透析時の不均衡症候群による不快症状を伴う．また，末期腎不全状態が不可逆的であるという喪失感と透析療法を生涯に通じて	● 尿毒症症状と不均衡症候群の有無とその程度を把握し，苦痛の緩和に努める． ● 透析療法導入による療養者の

状態	療養者をみる視点	支援のポイント
	継続しなければならないという絶望感を抱きやすい．療養者とその家族が透析療養生活に関する不安や疑問を医療者に表出できているか，前向きに透析療養生活を過ごせているかが重要である．	負担と不安の軽減を図る． ● 透析療法導入に伴い変化する食事療法（塩分・蛋白・K制限）と尿量に応じた飲水制限を支援する． ● シャント造設に伴う管理方法（スリル・シャント音の確認，感染徴候の確認）を支援する． ● 適切な腹膜透析手技（清潔操作，カテーテルの閉塞，感染徴候，注入と排液，排液性状の観察：混濁，フィブリン，出血）を支援する．
安定した透析療法が行えている状態	透析療法安定期は，療養者とその家族の意向に沿った適切なセルフマネジメントが行えているかに着目する．また，長期間に及ぶ透析療法に伴う合併症の出現に注意し，身体症状を早期に発見・共有できる支援体制の構築が重要である．	● 長期に安定した透析療養生活を過ごすために必要で適切なセルフマネジメント〔食事療法（塩分・蛋白・K・P制限），飲水制限，服薬管理，シャント管理，腹膜透析手技〕を支援する． ● 病状の急変時や災害時など緊急時に早期に対処できる支援体制を構築する．

訪問看護導入時の視点

1) 保存期腎不全にある療養者の場合
- 保存期腎不全の場合は，他の主疾患や褥瘡発生，要介護度の悪化などにより訪問看護が導入となっていることが多い．そのため，訪問看護導入の目的を考慮しつつ，腎機能障害（CKD重症度分類）の程度を把握する．
- 保存期腎不全状態となった原疾患・合併症は何か，治療の必要性を理解しているかを把握する．
- 慢性腎不全に関する情報を専門外来と共有し，療養者とその家族から受診状況や指導内容の理解の程度を把握し，保存期腎不全療養者に必要なセルフマネジメント（食事療法，服薬管理）を評価する．

2) 血液透析療法を導入している療養者の場合
- 血液透析療法は，末期腎不全在宅療養者が最も多く選択する腎代替療法である．シャント造設後に訪問看護が導入されるケースがある．血液透析療法の実施状況（実施日，透析時間，除水量）と身体症状（尿毒症，不均衡症候群，めまい，血圧低下，悪心・嘔吐，倦怠感）の有無を把握する．
- 血液透析病院の主治医・看護師・管理栄養士と情報共有し，血液透析療養生活に必要なセルフマネジメント（シャント管理，塩分・飲水制限，食事療法，服薬管理）を評価する．

3) 腹膜透析療法を導入している療養者の場合
- 腹膜透析療法は，自己管理行動の適切な実施が必要であるため，比較的若く自立した在宅療養者であることが多い．そのため，療養者の家族役割や就業による社会役割を考慮した支援を行う．
- 腹膜透析療養者は血液透析療養者と比較し，腎機能が保たれていることが多い．導入時の腎機能の程度（尿量，尿回数，尿の性状）を把握する．
- 腹膜カテーテル造設後に訪問看護が導入された場合は，腹膜透析の手技が適切に習得できているか評価する．
- 腹膜透析を受ける病院の主治医・看護師と情報を共有し，腹膜透析療養生活に必要なセルフマネジメント（腹膜カテーテルの管理，腹膜透析回数・時間，食事療法，服薬管理）を評価する．
- 腹膜透析に必要な物品（透析液，キャップ，コネクトキットなど）管理・補充を腹膜透析業者を通じて

適切に行えているか評価する.

| STEP❶ アセスメント | STEP❷ 看護課題の明確化 | STEP❸ 計画 | STEP❹ 実施 | STEP❺ 評価 |

情報収集

情報収集項目	情報収集のポイント
疾患・医療ケア	
疾患・病態・症状	
□疾患(透析導入時)	●原疾患(糖尿病腎症,慢性糸球体腎炎,腎硬化症),合併症(高血圧,糖尿病,脂質異常症)はあるか,腎障害の程度はどうか(CKD重症度分類)
医療ケア・治療	
□服薬	●服薬の必要性を理解し,適切な服薬管理を行えているか(認知機能,飲み忘れの有無,巧緻運動障害,服薬ボックスの利用)
□治療(透析療法)	●腎代替療法は何を選択しているか(血液透析,腹膜透析,腎移植)
□医療処置(透析導入後の)	●透析療法の日程,時間,回数はどうか
	●透析療法の身体的負担はないか(不均衡症候群,疲労感,めまい,悪心・嘔吐,腹部膨満感)
	●シャント音の異常はないか(スリル,感染徴候)
	●腹膜透析の手技は適切か(カテーテル管理,清潔操作,排液バッグの管理)
全身状態	
□呼吸・循環状態	●体液貯留(溢水状態)によって,高血圧,全身性浮腫,頻脈,徐脈,呼吸困難感・起座呼吸は出現していないか
□摂食・嚥下・消化状態	●便秘や腹膜透析液の注入によって,腹部膨満感がないか
□栄養・代謝・内分泌状態	●味覚の変化や食事摂取量の低下はないか
	●適切な飲水制限を行えているか
□排泄状態	●透析実施例:腹膜透析液の注入量に応じた排液量があるか
	●飲水制限,血液透析によって,便秘が出現していないか
	●腎機能に応じた排尿量があるか
□筋骨格系の状態	●透析実施例:低栄養に伴う筋萎縮,慢性腎不全に伴う骨密度の低下はないか
□感覚器系の状態	●手指のしびれ,感覚・知覚の鈍麻による巧緻運動障害はないか
□皮膚の状態	●皮膚の乾燥や尿毒症による瘙痒感は出現していないか
	●透析実施例:シャント部,腹膜カテーテル挿入部の感染徴候はないか
□認知機能	●透析実施例:血液透析療法,腹膜透析療法に対する理解はあるか
	●自己管理行動への理解はあるか
□精神状態	●治療や疾患に伴う抑うつ症状はないか
活動	
移動	
□屋外移動	●透析実施例:透析を受ける病院までの外出はどのように行っているか(自家用車,タクシー,電車,バス,送迎バス)
生活動作	
□基本的日常生活動作	●尿毒症や透析療法による疲労感がなく実施できているか
□手段的日常生活動作	●尿毒症や透析療法による疲労感がなく実施できているか

情報収集項目	情報収集のポイント
活動	
生活活動 □食事摂取 □水分摂取 □活動・休息 □生活歴	● 腎機能に応じた必要な食事量を摂取できているか ● 腎機能に応じた適切な飲水量を摂取できているか ● 透析実施例：血液透析・腹膜透析後の身体的負担はどうか ● 腎機能に応じた健康管理を行っているか
活動への参加・役割 □家族との交流 □近隣・知人・友人との交流 □外出 □社会での役割 □楽しみや交流のための活動	● 腎機能悪化による家族役割の変化はあるか ● 近隣・知人・友人とのかかわりはどうか（身体症状出現時などに助けを求められるか） ● 透析実施例：血液透析を受ける病院以外の外出の機会はあるか ● 腎機能悪化による社会役割の変化はあるか ● 楽しみをもって活動しているか（趣味，運動，患者会など）
環境	
療養環境 □住環境 □地域環境	● 透析実施例：腹膜透析療法を清潔に実施するために，ほこりや汚れが少ない清潔な個室またはスペースはあるか ● 透析実施例：週3回，血液透析を受ける病院へのアクセスはどうか ● 透析実施例：腹膜透析液の配送サービスはあるか
家族環境 □家族機能 □家族の介護・協力体制	● 感染，呼吸困難，意識消失など緊急の症状が出現した際に支援を得られる家族はいるか ● 療養生活における介護者の介護力・介護負担感はどうか
社会資源 □保健医療福祉サービスの利用 □インフォーマルなサポート	● 透析実施例：透析を受ける病院の受診に送迎サービス，ホームヘルパーやボランティアなど外出支援サービスを利用しているか ● 外出の付き添いをする知人・友人・近隣の人々はいるか
経済 □世帯の収入	● 療養生活を続けられる世帯の収入はあるか ● 該当する医療費の公的助成制度を申請しているか
理解・意向	
志向性（本人） □生活の志向性 □性格・人柄 □人づきあいの姿勢	● 療養生活の中で目標や楽しみがあるか ● 自立心，自己管理の意欲はあるか ● 訪問看護師，透析で通う病院の医師・看護師，他のサービス担当者を信頼し自分の思いを話すことができるか
自己管理力（本人） □自己管理力	● 適切な食事療法を行うことができるか ● 適切な服薬管理を行うことができるか ● 適切な飲水制限を行うことができるか ● サービス利用を決定する判断力があるか ● 諸症状出現時，家族，医療者に支援を求めることができるか ● 透析実施例：腹膜透析療法の手技は適切に行えているか

3 慢性腎不全

情報収集項目		情報収集のポイント
理解・意向	□情報収集力	●透析実施例：腹膜透析機材の故障時に，レンタル業者に連絡ができるか ●適切な情報収集を行うことができるか
	理解・意向(本人) □意向・希望 □受けとめ □療養生活への理解	●意欲・希望，支援についての意向を表出できるか ●疾患・治療に対する受け入れはできているか ●健康管理行動を主体的に考え選択できるか
	理解・意向(家族) □療養生活への理解・見通し	●療養生活の支援内容を理解しているか

事例紹介

血液透析を行っている慢性腎不全の療養者の例

Keywords 慢性腎不全，うっ血性心不全，血液透析，飲水制限，低栄養，家族介護，高齢男性

〔基本的属性〕男性，74歳
〔家族構成〕妻との二人暮らし
〔主疾患等〕末期腎不全，うっ血性心不全
〔状況〕腎硬化症により慢性腎不全となり，66歳に左上腕に内シャントを造設し，血液透析導入となる．飲水制限の必要性は理解できているが，口渇感が強く，しばしば過剰飲水である．また，味覚の変化，便秘によって腹部膨満感があり，食事摂取量が減少している．70歳で溢水によるうっ血性心不全にて緊急入院．退院後の自宅療養目的にて訪問看護導入となった．

情報整理シート

3 慢性腎不全

疾患・医療ケア

【疾患・病態・症状】
主疾患等：慢性腎不全(66歳～)
　　　　　　重症度ステージ G5(末期腎不全)
病歴：高血圧(40歳～)
経過：
- 40歳　健康診断にて高血圧(140/88 mmHg)を指摘され，内服加療開始するも，仕事が繁忙で徐々に自己休薬，定期受診も行かなくなる．
- 55歳　徐々に腎機能(eGFR:42 mL/分/1.73 m²)が低下し，定期通院を再開
- 66歳　腎硬化症による末期腎不全にて左上腕にシャント造設し，血液透析導入となる．
- 70歳　溢水によるうっ血性心不全にて緊急入院．退院後の自宅療養目的にて訪問看護導入となった．

【医療ケア・治療】
服薬：高リン血症薬，高カリウム血症治療薬，活性型ビタミンD3製剤，選択的β1アンタゴニスト，下剤，消化性潰瘍治療薬，末梢性神経障害性疼痛治療薬，抗アレルギー薬，降圧薬，皮膚軟化薬
実施：巧緻機能，嚥下機能に問題なし，服薬カレンダー使用し，服薬管理行動は良好
治療状況：3回/週(火・木・土)で近医にて血液透析実施
医療処置：理学療法士：立位・歩行訓練
　　　　　　薬剤師：服薬カレンダーのセット，内服一包化，服薬相談
訪問看護内容：溢水・感染徴候の確認，飲水・服薬状況の確認，保清介助(シャワー浴介助または全身清拭)

【全身状態・主な医療処置】
- 塩分制限 6 g/日
- 飲水制限 500 mL/日
- 口渇感が強く，しばしば 1,000 mL/日程度の過剰飲水状態
- 認知機能障害なし
- 身長：165 cm
- 体重(DW)：50 kg
- BMI：18.4
- Alb：3.8 g/dL
- 食事摂取量減少に伴い体重減少中
- 血圧：130～150/80～90 mmHg
- 透析後は 70～80/40～50 mmHg
- 脈拍：70～80(不整脈なし)
- 透析後は 100(軽度不整脈あり)
- 呼吸数：安静時 15，労作時 24
- SpO₂：安静時 96％，労作後 93％
- 呼吸困難感：なし
- 心胸郭比(CTR)：59％
- BNP：400 pg/mL
- 透析後に倦怠感が強い
- 左前腕に内シャント　低音微弱　スリル弱い
- 排便：1回/3～4日
- 排尿：0回/日
- 食事：3回/日
- 非透析日に下肢浮腫，体重増加あり

基本情報
- 年齢：74歳　性別：男性
- 要介護度：要介護3
- 障害高齢者自立度：B2
- 認知症高齢者自立度：自立

活動

【移動】
屋内移動：自宅内はつたい歩きで移動．立位・歩行時にめまいとふらつきあり．
屋外移動：外出は週3回の透析時のみ

【活動への参加・役割】
家族との交流：妻と二人暮らし．夫婦仲は良好．息子夫婦との関係も良好であるが，仕事が忙しく往来はほとんどない．
近隣者知人・友人との交流：ほぼなし．
外出：ほぼなし．外出も週3回の透析のみに留まっている．
社会での役割：定年退職後はなし．
余暇：日中はベッド上でテレビをみて過ごしていることが多い．

【生活活動】
食事摂取：妻がつくった食事を3食摂取．慢性腎不全による味覚の変化によって食事の楽しみが減退，便秘による腹部膨満感から食事摂取量が減少し，体重減少中である．
水分摂取：飲水は 500 mL 以上飲水している．飲水制限の必要性は理解しており，日々の飲水量は飲水管理ノートに本人が飲水量を記載している．また，氷片を口に含むことで，口渇の緩和を試みている．
活動・休息：非透析日の日中はベッド上でテレビをみて過ごすことが多い．透析日は起床時より不機嫌で，透析後は全身倦怠感のため寝たままで過ごす．
生活歴：高血圧，腎機能低下を指摘されていたが，自己判断で休薬し，定期受診に行かなくなる．60歳で定年退職，徐々に腎機能が低下し，66歳のときに透析導入となった．
嗜好品：20歳頃から66歳まで喫煙(タバコ 20本/日)

【生活動作】

基本的日常生活動作

食動作	ベッド上端座位にて，サイドテーブル使用して摂取．食事動作は自立
排泄	排尿なし．排便時は，つたい歩きにて室内トイレに移動．移動を見守り，ズボンの上げ下げなど一部介助を要する
清潔	非透析日の月・金曜日に訪問看護師が入浴介助または全身清拭実施
更衣整容	着替え，整髪，洗顔，ひげ剃りはベッド上で行う．一部介助
歩行	室内はつたい歩きにて見守り一部介助
階段昇降	疲労感が強く昇降できない

手段的日常生活動作

調理	妻が実施
買い物	妻が実施
洗濯	妻が実施
掃除	妻が実施
金銭管理	妻が管理し，確認している
交通機関	近医の送迎車にて移動．車への移乗は車椅子を使用

【コミュニケーション】
意思疎通：可能
意思伝達力：聴力は年相応に低下，視力・発語力は問題なし．
ツールの使用：電話応対は可能

環境

【療養環境】

住環境：
平屋の一軒家
夫婦二人暮らし
玄関前に数段の段差
本人はベッド上で生活
妻は和室で就寝
車椅子は玄関にあり．

地域環境：玄関を出てすぐに駐車スペースがあり，透析を受ける病院からの送迎サービスの乗り入れは行いやすい．透析を受ける病院までは車で片道10分程度で，妻の付き添いはない．徒歩10分圏内に商業施設あり，買い物は妻とヘルパーが行っている．

地域性：中核都市内の住宅街であり，比較的都市部である．地域組織活動は活発ではない．

【ジェノグラム】

隣県在住
車で30分程度の距離

【家族の介護・協力体制】

妻が家事全般を一手に担い，本人の服薬管理や体調にも注意を払っている．長男夫婦は隣県在住で車で30分程度の距離だが，仕事が繁忙で，協力は得られない．

【社会資源】

サービス利用：

	月	火	水	木	金	土	日
AM	訪問看護 訪問介護		訪問リハ		訪問看護		
PM	訪問薬剤師	透析		透析		透析	

保険・制度の利用：身体障害者手帳1級

【エコマップ】

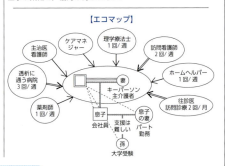

【経済】

世帯の収入：本人の年金
生活困窮度：経済的余裕あり．

理解・意向

妻
キーパーソン
主介護者

夫婦二人暮らし，亭主関白で自立心の強い夫の介護を行うことが幸せであり，夫婦仲は良好
夫とともに病識あり，透析療法に伴う生活習慣や内服についての理解はある
飲水制限によって口渇感が強い夫を見るのが心苦しく思っている

息子も忙しいので2人でやっていきたい

味の好みがあるので食事は私がつくってあげたい

なるべく長生きして夫と一緒にいたいですね

【本人】

自分でできることは自分でやりたい

なるべく自宅で生活したいな

ご飯の味が変わって，お腹が張ってるから食欲が出ないな

透析した後はぐったりになる

500mLのペットボトル1本までってわかってるけど，つい2本飲んでしまうときがある

薬は大事だからカレンダーを使って間違いなく飲めてるよ

水の飲みすぎで胸に水が溜まって入院になりましたので，水を飲み過ぎたらいけないのはわかっています

飲水制限に伴う口渇に対して，強い困難感がある

【志向性】
性格・人柄：自立心が強く，人に迷惑をかけたくないと思っている．病識が高く，健康管理行動にも理解あり．なるべく自宅での療養生活を継続したいと考えている

人づきあいの姿勢：自宅への友人知人の訪問はないが，医療従事者に対しても礼節を保って対応している

【自己管理力】
自己管理力：認知機能障害なく，病識あり，服薬の必要性も理解している．日常生活に関する介助は妻が行っている．飲水管理ノートを活用できており，自己で飲水量を記載する

情報収集力：生活・疾患に関する情報収集は，本人が医療者に質問する

自己決定力：妻との相談のもと，生活に関するサービス利用や服薬管理方法などについて決めている

息子

父が透析を始めたことから体調面が気になっている
二人暮らしであることが気になっているが，仕事が忙しくてなかなか会いに行けない

隣県に在住．直接介助は難しいが，相談や意思決定の支援は行いたい

息子の妻

お義母さんが大変だとは思うので，協力したいが，仕事と家事でなかなかお手伝いできない

5回/週のパート勤務，長女が大学受験の時期であり，仕事と受験のサポートに追われている

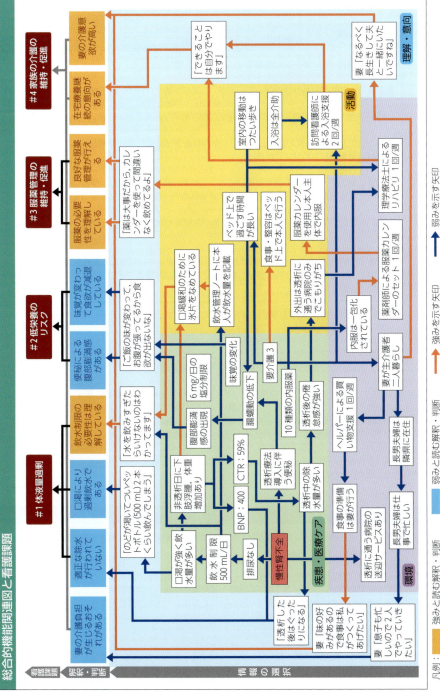

第 2 章 健康障害別看護過程　1. 慢性疾患

STEP ① アセスメント　STEP ❷ 看護課題の明確化　STEP ❸ 計画　STEP ❹ 実施　STEP ❺ 評価

看護課題リスト

No.	看護課題　　【コード型】文章型	パターン
#1	【体液量過剰】強い口渇に伴う過剰飲水によって溢水状態である	問題着眼型
	根拠 飲水制限の必要性は理解しているが，口渇感が強く，しばしば過剰に飲水（約 1,000 mL/日）している．透析日が中 2 日となる日に高血圧，浮腫を認め，溢水状態となっている．うっ血性心不全，肺水腫のリスクが高く，適切な飲水制限が必要である．	
#2	【低栄養のリスク】味覚の変化と便秘による腹部膨満感により食欲が減退しており，低栄養になるリスクが高い	リスク着眼型
	根拠 味覚の変化と薄味の透析療養食によって食事の楽しみが減退し，便秘に伴う腹部膨満感によって食事摂取量が低下している．体重減少も認め，低栄養のリスクがある．	
#3	【服薬管理の維持・促進】現在行えている良好な服薬管理行動を維持・促進する	強み着眼型
	根拠 10 種類に及ぶ多剤併用状態であるが，本人・妻ともに服薬の必要性を理解している．訪問看護師・薬剤師による服薬支援，療養者とその家族が実施できている良好な服薬管理行動を維持・促進する．	
#4	【家族の介護の維持・促進】妻の介護意欲が高いことを活かし，介護意欲を維持・促進する	強み着眼型
	根拠 妻の介護意欲は高いが，高齢であること，二人暮らしで息子夫婦の支援が少ないことから，介護負担の増大を防ぎ，介護意欲を維持・促進する．	

【看護課題の優先度の指針】血液透析患者における死亡原因は心血管系疾患が最も多く，強い口渇によって溢水傾向であるため，うっ血性心不全，肺水腫のリスクが高いことから，#1【体液量過剰】とした．次に，食事の楽しみの減退，便秘による腹部膨満感によって食事摂取量が低下し，体重が減少してきていることから，#2【低栄養のリスク】とした．そして，訪問看護師・薬剤師による服薬支援と服薬カレンダーの使用によって，良好な服薬管理行動が実施できていることから，#3【服薬管理の維持・促進】とし，妻の介護負担を増大させずに，現在の介護意欲を維持していく必要があることから#4【家族の介護の維持・促進】とした．

長期目標

末期慢性腎不全，血液透析療法に伴う諸症状を軽減・予防し，妻とともに在宅で安定した透析療養生活を送ることができる．

根拠 飲水制限の必要性は理解できているが，口渇感による過剰飲水で溢水傾向である．また，食事摂取量が低下し低栄養のリスクがある．訪問看護師・薬剤師の支援の下で適切な服薬管理行動を行えていることから，本人の自立心と在宅療養生活継続の意向を尊重し，妻の介護負担を増大させずに介護意欲を維持できるよう透析療養生活を支援する．

〈長期目標を共有するケアチーム〉
フォーマルサービス：訪問看護師，往診医，透析を受けている病院の医師・看護師，ケアマネジャー，理学療法士，薬剤師，ホームヘルパー

インフォーマルなサポート：妻，息子，息子の妻

STEP❶ アセスメント　STEP❷ 看護課題の明確化　STEP❸ 計画　STEP❹ 実施　STEP❺ 評価

3 慢性腎不全

1 看護課題	看護目標（目標達成の目安）
#1【体液量過剰】強い口渇に伴う過剰飲水によって溢水状態である	1) 水分摂取の工夫によって，強い口渇感を緩和することができる（2週間） 2) 透析前の体重増加を中1日の時は3%以内（1.5 kg），中2日の時は5%以内（2.5 kg）とする（1か月） 3) 適切な飲水制限（ペットボトル1本：500 mL/日）を守ることができる（1か月） 4) 溢水状態にならず，安定した循環動態を維持できる（1か月）

援助の内容	援助のポイントと根拠
OP 観察・測定項目	
●循環動態	➡血圧，短期間での体重増加，浮腫，呼吸困難感・起座呼吸，シャント音・スリルなどの症状出現と増悪していないか観察する　根拠 これらの症状の出現・増悪は溢水状態が疑われる．透析療養者における溢水状態は，うっ血性心不全，肺水腫など心血管系の重篤な合併症のリスクを高める ➡根拠 透析患者における高血圧は，動脈硬化を誘因し脳血管障害のリスクを高める
●飲水量と体重増加	➡飲水量は500 mL/日までとし，次回透析日までの体重増加は，中1日の時は3%以内（1.5 kg），中2日の時は5%以内（2.5 kg）とする　根拠 体重増加は過剰飲水に伴う溢水状態が疑われる
●検査データ	➡透析に通う病院で定期的に行われている検査データ（採血データ：CRP，hANP，BNPなど，体重測定：ドライウエイトと除水量，X線：CTR）を把握し，循環動態や炎症反応をアセスメントする
TP 直接的看護ケア項目	
●異常の早期発見と報告	➡連携 溢水状態に伴う症状出現や増悪がみられれば，主治医に往診または診察の必要性があるか確認する
●入浴介助	➡溢水・感染徴候の有無を確認し，異常がなければ訪問時に入浴介助を行う．熱い湯や入浴後の乾燥は瘙痒感を増強するため，保湿クリームを塗布する
EP 教育・調整項目	
●飲水・食事内容の把握	➡溢水傾向の誘因を特定するために，飲水量，食事内容（塩分）を本人・妻から聞き取り把握する　強み 本人も飲水制限の必要性を理解しており，妻の協力も得られるため，過剰摂取している場合は減らすように指導する．一方的な指導にならないように，本人と妻の認識・理解を確認しながら行う
●薄味の透析療養食の工夫	➡強み 透析療養食の理解がある妻に香辛料の使用や酸味（レモン，すだち）を加えるなど食事の薄味を工夫する方法を説明する　根拠 塩分のとりすぎは，口渇を誘因し，水分摂取量が増加する
●飲水量の確認	➡強み 本人が記載している飲水管理ノートを確認し，日々の飲水量を把握する

●飲水制限に対するねぎらい	●口渇緩和のために行っている氷片の摂取や飲水管理ノートの記載など，本人が努力していることを認め，意欲の低下をきたさないようにねぎらいの声かけを行う

2 看護課題 / 看護目標（目標達成の目安）

看護課題	看護目標（目標達成の目安）
#2【低栄養のリスク】 味覚の変化と便秘による腹部膨満感により食欲が減退しており，低栄養になるリスクが高い	1) 透析療養食を工夫し，食事の楽しみがもてる（2週間） 2) 排便コントロールを行い，腹部膨満感を改善できる（2週間） 3) 妻の協力，社会資源の活用によって，透析療養食で必要な栄養摂取が行える（1か月）

援助の内容	援助のポイントと根拠
OP 観察・測定項目	
●栄養状態	●食事摂取量，Na摂取量，体重の変化がないか観察する 根拠 透析療養者の低栄養状態は，易感染状態を助長し，重篤な感染症のリスクとなる
●消化器症状	●排便状況，腹部膨満感，腹痛などの症状の出現や増悪していないか観察する 根拠 便秘による腹部膨満感は食事摂取量を減退させる
●検査データ	●透析に通う病院で定期的に行われている検査データ（採血データ：Alb・TP，体重測定：ドライウエイトの低下とBMI）を把握し，栄養状態をアセスメントする
TP 直接的看護ケア項目	
●管理栄養士との連絡・相談	●連携 透析療養食の疑問があれば，訪問看護師だけでなく，透析病院の管理栄養士に相談指導を受けられるように提案する
●適切な排便コントロール	●強み 良好な服薬管理行動がとれているため，本人の体調に合わせて頓用薬（Mg含有下剤を避ける）を就寝前に内服するように促す 根拠 慢性腎不全患者はMgを排泄できないため，血清Mg高値を引き起こす ●根拠 腸蠕動を亢進する下剤は深夜から早朝に薬効が現れないように就寝前に内服する ●連携 訪問時に排便状況と腹部膨満感の有無を確認し，必要に応じて摘便，グリセリン浣腸，腹部マッサージ，温罨法を行う 根拠 腹部膨満感の出現によって食欲が低下する ●連携 便秘が持続し腹部膨満感が強いときは，主治医・往診医に報告し内服調整（下剤）を相談する 根拠 血液透析療養者は，カリウム制限のため野菜摂取量が少なく食物繊維不足，飲水制限，運動不足によって硬便になりやすい
EP 教育・調整項目	
●食事状態の改善	●療養者の嗜好を把握し，食べやすい食品を選択できるように本人と妻に情報提供を行う 根拠 慢性腎不全の症状で味覚が変化する ●野菜は水にさらす，茹でこぼすことでカリウム量を減らす 根拠 高カリウムは致死性不整脈，心不全を発症させる
●排便の習慣化の提案	●強み トイレ移動を行える日常生活動作であるため，療養生活の中で本人の動きやすい時間を確認し，同じ時間に便座に座るように提案する 根拠 毎日定時に排便を誘導することで，排便の習慣化を図る

●食事指導と提案	⇒ 連携 強み 妻は透析療養食への理解があり意欲的であるため，食事に関する疑問や質問があるときは，訪問看護師だけでなく，透析病院の栄養士より栄養指導を受けられるように相談する ⇒ 主食(炭水化物)と脂質をしっかり摂取し，低カロリーにならないようにする 根拠 低栄養状態では，エネルギー確保のために蛋白質を分解するため，尿毒症を引き起こす ⇒ 水分の多い食事(雑炊，シチュー，麺類)の摂取に注意する 根拠 水分摂取過剰になりやすい ⇒ 野菜は水にさらす，茹でこぼすことでカリウム量を減らす 根拠 高カリウムは致死性不整脈，心不全を発症させる

3 慢性腎不全

3 看護課題	看護目標(目標達成の目安)
#3 【服薬管理の維持・促進】 現在行えている良好な服薬管理行動を維持・促進する	1) 服薬管理に関する疑問があれば質問することができる(1週間) 2) 服薬管理行動の意欲を維持することができる(1か月) 3) 服薬カレンダーを利用して適切に服薬管理ができる(1か月)

援助の内容	援助のポイントと根拠
OP 観察・測定項目 ●服薬管理状況 ●副作用の確認	⇒ 連携 訪問時，服薬カレンダーの残薬確認を行う ⇒ 咳嗽，便秘，食欲不振，悪心・嘔吐，下痢，発疹，低血圧，ショックなどの副作用症状の出現がないか確認する
TP 直接的看護ケア項目 ●適切な服薬管理支援	⇒ 連携 強み 本人・妻は服薬の必要性を理解しているため，内服変更時は薬剤師と連携し本人・家族が管理しやすい服薬形態の選択(一包化)や服薬方法(配薬ボックス・服薬カレンダー)の提案を行う ⇒ 本人と妻が確認しやすいように，服薬カレンダーはベッド上の本人の視界に入る位置にセットする 根拠 本人と妻だけでなく，訪問した多職種(ホームヘルパー，看護師，薬剤師)も確認しやすく服薬に関する声かけを行いやすくする ⇒ 服薬管理に関する本人・妻が努力して行えていることを認めねぎらい，服薬管理を前向きに捉えられるように促す
EP 教育・調整項目 ●服薬管理に関する疑問や不安の把握	⇒ 強み 本人・妻ともに服薬管理の意欲があり実施できているため，訪問時に，できていることを認めねぎらい，疑問や不安がないか確認する

4 看護課題	看護目標(目標達成の目安)
#4 【家族の介護の維持・促進】 妻の介護意欲が高いことを活かし，介護意欲を維持・促進する	1) 在宅療養生活における疑問や不安を表出できる(2週間) 2) 妻の介護負担が増大しない(1か月)

援助の内容	援助のポイントと根拠
OP 観察・測定項目 ● 妻の言動，表情，ストレス状況 ● 住宅環境	● 訪問時の妻の表情，行動，言動を注意深く観察し，体調不良やストレスに感じていることはないか確認する ● 訪問時に自宅環境（掃除状況，整理整頓）に変化がないか確認する
TP 直接的看護ケア項目 ● ショートステイの導入	● 連携 病状悪化や長期化などによる介護負担増大時はショートステイを提案する．また，ショートステイ利用の抵抗感を和らげるために，介護意欲の維持のために家族がケアを休む必要性があることを説明する
EP 教育・調整項目 ● 妻への声かけ，ねぎらい ● 妻の休息の提案 ● 妻の在宅療養継続の意向の確認	● 強み 訪問時，在宅療養生活が継続できていることは妻の介護意欲と協力あってのことであることを伝え，妻が行っていることを認めねぎらう声かけを行う ● 連携 病状悪化や妻の体調不良など，療養生活に変化があった時は，担当者会議の開催を提案し，妻の介護負担を予防し意欲を維持できるようにケアプランを修正しサービス調整（訪問看護・介護の日数調整など）を行う ● 訪問時，妻の在宅療養生活に関する意向を確認する 根拠 妻が療養に関する悩みを1人で抱えて孤立しないよう支援する

> STEP ❶ アセスメント 〉 STEP ❷ 看護課題の明確化 〉 STEP ❸ 計画 〉 **STEP ❹ 実施** 〉 STEP ❺ 評価

強みと弱みに着目した援助のポイント

強みに着目した援助
- 本人・妻が在宅療養生活を継続する意向があり，妻の介護意欲が高いことから，家族の安定した介護状況を維持・促進する．
- 本人・妻ともに服薬の必要性を理解しており，薬剤師の服薬カレンダーのセットと訪問看護師による服薬確認によって，実施できている良好な服薬管理行動を維持・促進する．
- 週3回の透析療法を継続しながら，趣味の交流や外出など生きがいや楽しみをもって生活できるように支援していく．
- 妻が理解し準備している透析療養食を，香辛料や酸味（レモン，すだち）を加えた食事の工夫によって，薄味でも療養者の嗜好に合うように改善する．
- 透析療養に伴う健康管理行動を療養者が主体的に選択し，行動できるように支援する．

弱みに着目した援助
- 口渇による過剰飲水によって溢水傾向であることから，氷片をなめる，頻回の含嗽，熱い飲み物を少量飲むなどの工夫によって口渇感を緩和する．
- 便秘による腹部膨満感によって，食事摂取量が減少しているため，適切な排便コントロールを行う．
- 透析療法に伴う精神的苦痛が緩和されるように，疑問や質問には往診医，透析を受けている病院の医師・看護師・栄養士など多職種も含めて支援していくことを伝える．

> STEP ❶ アセスメント 〉 STEP ❷ 看護課題の明確化 〉 STEP ❸ 計画 〉 STEP ❹ 実施 〉 **STEP ❺ 評価**

評価のポイント

- 水分摂取の工夫によって，強い口渇感を緩和することができているか
- 透析前の体重増加を中1日の時は3％以内（1.5 kg），中2日の時は5％以内（2.5 kg）にできているか
- 適切な飲水制限（ペットボトル1本：500 mL/日）を守ることができているか

- 溢水状態にならず，安定した循環動態を維持できているか
- 透析療養食を工夫し，食事の楽しみがもてているか
- 排便コントロールを行い，腹部膨満感を改善できているか
- 妻の協力，社会資源の活用によって，透析療養食で必要な栄養摂取が行えているか
- 服薬管理に関する疑問があれば，質問することができているか
- 服薬管理行動の意欲を維持できているか
- 服薬カレンダーを利用して適切に服薬管理ができているか
- 在宅療養生活における疑問や不安を表出できているか
- 妻の介護負担が増加していないか

関連項目

第2章「4 慢性心不全」「5 糖尿病」
第3章「25 家族の介護疲れ」「34 服薬管理不全」

4 慢性心不全

慢性心不全の理解

基礎知識

疾患概念
- 急性・慢性心不全診療ガイドラインでは、「なんらかの心臓機能障害、すなわち、心臓に器質的および/あるいは機能的異常が生じて心ポンプ機能の代償機転が破綻した結果、呼吸困難・倦怠感や浮腫が出現し、それに伴い運動耐容能が低下する臨床症候群」[1] と定義されている。
- 大事なことは "心不全の増悪を治療した後、一見改善しているようにみえるが心臓自体は徐々に悪化している" ことを患者側・医療側が認識することである。その認識によって「これからどのように過ごしていくか」などを皆で考えることにつながる。
- ➲ 心不全は徐々に悪化する疾患であることを認識する。

疫学・予後
- 高齢化のため、わが国の心不全患者は増加の一途をたどっており、2030年には130万人へ達すると予想されている[2]。また、死亡数もがんに次いで第2位であり、5年生存率は約50%と前立腺がんや乳がんよりも予後不良で、大腸がんとほぼ同等である[2]。
- ➲ 心不全は予後不良の疾患で、高齢化に伴い増加傾向である。

自覚症状と身体所見
- 心不全は心臓のポンプ機能が低下している状態であり、大きく2つの病態に分かれる。
- ①うっ血(水分が肺静脈や体静脈に貯留する)
- 自覚症状:息切れ(呼吸回数の増加)、起座呼吸(臥位よりも座位のほうが呼吸しやすい)、動悸、浮腫(圧痕がすぐに戻らない)
- 身体所見:副雑音、喘鳴、ピンク色泡沫状痰、頸静脈怒張
- ②心拍出量低下(心臓から血液をうまく送り出せない)
- 自覚症状:易疲労感、脱力感、意識障害
- 身体所見:四肢冷感、チアノーゼ、低血圧、尿量低下
- ➲ 心不全の病態を2つに分けて考える。

診断・検査値
- 自覚症状(上記)、身体所見(上記)、検査所見(体重、SpO_2、血圧、脈拍、呼吸回数、BNP≧100 pg/mL または NT-proBNP≧400 pg/mL、心エコーで下大静脈怒張など、胸部X線写真)などを総合的に判断し診断する。
- 体重測定の重要性:体重は体液状態を鋭敏に反映し、心不全増悪の初期段階を捉えることができる。目安として、1週間以内に体重1~2 kg以上の増加は心不全の増悪徴候である可能性が高い。また、体重測定は同じ条件(時間帯、服装など)で行い、前回より大幅に異なれば再検する必要がある。
- ➲ 心不全の状態は総合的に判断するが、特に体重が重要。

合併症・併存症
- 心房細動、冠動脈疾患、弁膜症、慢性腎臓病、貧血、睡眠時無呼吸症候群、感染症、サルコペニア、うつなどがある。また心不全の高齢化に伴い高齢者特有の疾患も多い。
- ➲ 高齢化する心不全の合併症・併存症は多岐にわたる。

治療法
● **治療方針**
- ①症状緩和(目に見える治療)と②予後改善/再発予防(目に見えない治療)があり,どちらも必要[3].
- がんとは異なり最期まで心不全に対する治療が緩和ケア(症状緩和)につながるため,終末期においても治療を継続することが多い(特に①の治療).

● **薬物療法**
① 症状緩和(目に見える治療):うっ血の改善
- 利尿薬:フロセミド(商品名:ラシックス),アゾセミド(ダイアート),サイアザイド系〔トリクロルメチアジド(フルイトラン)〕,トルバプタン(サムスカ)
- 血管拡張薬:硝酸薬〔硝酸イソソルビド(ニトロール)〕,ニコランジル(シグマート)
- 強心薬:ピモベンダン(アカルディ)
- 塩酸モルヒネ:モルヒネ塩酸塩 〔保険適用外〕

Px 処方例
下記を併用する.
- ラシックス錠 40 mg　1回1錠　1日1回　朝食後　←利尿薬
- ミリステープ 5 mg　1回1枚　1日1回　朝食後　←血管拡張薬(硝酸薬)

② 予後改善/再発予防(目に見えない治療):神経体液性因子の抑制
- β遮断薬:カルベジロール(アーチスト),ビソプロロールフマル酸塩(メインテート)
- ACE阻害薬/ARB:エナラプリルマレイン酸塩(レニベース),カンデサルタン シレキセチル(ブロプレス)
- ミネラルコルチコイド受容体(MR)拮抗薬:スピロノラクトン(アルダクトンA),エプレレノン(セララ)

Px 処方例
下記を併用する.
- アルダクトンA錠 25 mg　1回2錠　1日1回　朝食後　← MR拮抗薬
- アーチスト錠 2.5 mg　1回1錠　1日2回　朝夕食後　← β遮断薬
- レニベース錠 2.5 mg　1回1錠　1日1回　朝食後　← ACE阻害薬

※高血圧がなくても,予後改善(②)のために,降圧薬であるβ遮断薬やACE阻害薬を内服していることもある.

➡ 心不全治療には,①症状緩和(目に見える治療)と②予後改善/再発予防(目に見えない治療)があることを理解する.

家族へのサポート
- 一般に介護者が何かしらの原因で患者をサポートできない状況になれば,患者が自宅で生活することは難しくなる.よって患者が少しでも長く自宅で過ごすためには介護者の負担軽減がポイントになる.

〈介護負担の要因〉
- 患者側:心不全の悪化,合併症,せん妄,日常生活動作低下
- 介護側:介護者の疲労,不安感,不眠,介護者自身の病気,高齢
- 社会的:老老介護,介護度の過小評価による経済的負担
- 後述する「長期にわたる」「予後予測がわかりづらい」といった心不全の特徴も身体的・精神的な介護負担を助長させる.

〈対策〉
- 心不全のコントロール,病状説明*,介護者の体調管理,介護者への精神的なサポート(傾聴など),訪問看護・介護サービスの導入(病状観察,食事・排泄・入浴介助,デイサービス,ショートステイ),レスパイト入院など.

*病みの軌跡(図4-1)などを用いて,普段から現在の状態を繰り返し説明し,患者・家族へ病状の認識,予期不安の軽減を図る.

➡ 介護負担を常に意識する(例:「(介護者に)体調はいかがですか? 気になることはありませんか?」)

在宅における特徴

- 心不全の増悪因子：服薬アドヒアランス低下，塩分・水分過多，過労，感染症，血圧上昇，身体的・精神的ストレス，心筋虚血，不整脈などが挙げられるが，医学的な要因は比較的少ない[4]．
- また，心不全は病院ではなく「生活の場」で悪化することが多い．患者の生活をしっかりと診ることで心不全の急性増悪を減少させることができる可能性がある．

①患者の生活を見ることができる
- 生活の質には個別性があり，一般的な指導では十分でないことが多い．実際，生活の場を見ることで，水分・塩分摂取を含めた飲食の内容，服薬状況，活動内容などを把握でき，適切なアプローチができる．

②高齢者が多い
- 高齢者心不全の特徴として，「正確に症状を聞き取りにくい」「活動性が低く息切れなどの症状が生じにくい」「心不全症状が非典型的な場合もある」「老いによる全身的な機能低下や多彩な合併症を認めるため，総合的な判断が必要となる」「意思決定能力が低下するため，患者の思いを尊重しづらい」などがある．

③介護者の負担を意識する
- 患者自身でセルフケアが難しい場合には介護者の協力が必要になる．患者の自立度低下に伴い，介護負担が増えるため，介護者への配慮も必要になる．

⮕ 心不全コントロールのコツは生活からアプローチすることである．

在宅診療の実際

病診連携

- 心不全は長期間かけて入退院を繰り返す場合が多いため病診連携が非常に重要となる．入院時は電話や書類，退院時は退院前カンファレンスなどにより，切れ目のない情報共有を行う．また，外来診療における情報共有の手段として，心不全手帳（例：日本心不全学会）は簡便で有用である．
- 特に重要な情報としては，日常生活動作，食事摂取量，至適体重，薬剤，心不全の増悪因子，患者や家族の思い・方針，急変時の対応，介護力などがある．

⮕ 切れ目のない情報共有を行う．

〈心不全における特徴〉
- 長期にわたり増悪・緩解を繰り返しながら弱っていく

がんと異なり，心不全は長期にわたり増悪・緩解を繰り返しながら弱っていく（図4-1）．心不全の増悪を治療した後，一見元の状態に戻っているように見えるが，心臓自体は悪化しているため予後の見直しが必要になる．また，経過が長いため，その間に合併症や日常生活動作の低下をきたしやすい．

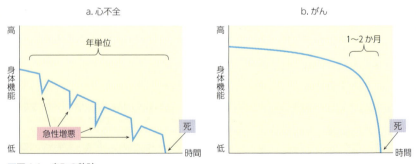

■図4-1 病みの軌跡
Lunney JR, Lynn J, Foly DJ, et al: Patterns of functional decline at the end of life. JAMA 289(18): 2387-2392, 2003 を参考に作成

- 予後予測が難しい
  図4-1のように，がんは1～2か月前から身体機能が低下し最期を迎えるが，心不全は増悪しても改善することが多く，終末期が判断しづらい．そして最期は比較的急な経過をたどることが多い．そのため，現状や今後についてよく話し合う必要がある．
  例：「最近は食事の量が減って横になる時間も増えてきました．もし次に心不全が悪化した場合は最期になる可能性もありますが，その際は入院でよいですか？　最期までご自宅で過ごされますか？」
- 最期まで心不全に対する治療が緩和ケア（症状緩和）につながる
  がんでは一定の時期から"治す治療"から"症状緩和"へ移行していくのに対し，心不全においては"治す治療"が"症状緩和"につながるため，いつまで"治す治療"を行うかの判断が難しい．
  ⮕現状や今後についてよく話し合う（例：「これからどのように過ごしていきたいですか？」）

慢性心不全に関連する社会資源・制度

1）日常生活の支援
- 介護保険法による訪問介護，訪問看護，訪問リハビリテーション，訪問入浴介護，福祉用具貸与（特殊寝台，特殊寝台付属品，車椅子，杖），福祉用具購入（腰掛便座，入浴補助用具等）
- 身体障害者福祉法による身体障害者手帳取得
- 障害者総合支援法による訪問介護
- 患者会・家族会によるピアサポート
- 日常生活自立支援事業

2）療養環境の調整
- 介護保険法による住宅改修（手すりの設置，浴槽交換，段差解消など），居宅療養指導管理（医師，薬剤師，歯科医師，管理栄養士）
- 医療保険法による，訪問診療，在宅酸素濃縮装置・携帯用酸素ボンベなどの設置

3）住まいの提供
- 介護保険法による特定施設（有料老人ホーム，サービス付き高齢者向け住宅）

4）終末期の医療
- 医療保険法による，訪問診療

慢性心不全をめぐる訪問看護

訪問看護の視点

1）療養者をみる視点
- 慢性心不全は，心臓の機能低下により増悪と寛解を繰り返しながら長期にわたり療養生活を送ることが多い．療養者の身体的症状だけではなく，在宅生活上の課題や精神的苦痛，不安などに着目する．
- 心不全の症状が軽度な時から早期に訪問看護が介入することで，心不全の急性増悪の早期発見や予防，対応につながる．
- 慢性心不全の終末期においては，療養者・家族，支援チームとともに緩和ケアやアドバンスケアプランニングなどについて話し合える関係性をもつことが重要である．

2）支援のポイント
- バイタルサインや症状の経過，生活状況を把握し，治療や症状緩和に有効な情報を支援チームで共有する．
- 疾患によって制限されている生活機能を理解し支援する．
- 活動制限だけではなく，療養者自身で取り組めることは積極的に実施してもらう．
- 疾患の進行に伴う精神的不安，特に死に対する不安や心情を，療養者自ら話し相談できるように促す．

●状態別:療養者をみる視点と支援のポイント

状態	療養者をみる視点	支援のポイント
安定期	心不全症状が安定し,穏やかに日常生活を過ごせ,急性増悪を起こさない範囲で自身の生活を楽しめる時期である.療養者が治癒したと思い,健康管理について油断を生じやすい.	●日常生活の食事,服薬,運動,通院,生活リズム等,自己管理を促す. ●正しい疾患の理解を促す.
下降期	加齢やほかの疾患の合併症のために,心不全の治療を行っても元の状態までには回復できず,徐々に低下していく時期である.在宅生活に対し療養者・家族の不安が増強しやすいため予後の過ごし方について療養者・家族の意向を把握する.	●症状の緩和に努める. ●療養者・家族の不安が増大するため,主治医や支援チームで連携して支える.
終末期	余命が週単位で見込まれる時期である.臨終に向けて療養者・家族をチームで支援することが重要である.	●日常生活動作が低下しベッド上での生活が主となるため,合併症の予防に努める. ●さらなる症状悪化に伴う苦痛の緩和に努める. ●近づいてくる死を目前に,療養者・家族の精神的サポートに重点をおく.

訪問看護導入時の視点

- 心不全症状が安定期にあるうちから,訪問看護を開始することが望ましい.
- 療養者・家族が,疾患や症状,増悪因子についてどのように理解して日常生活を過ごしているのかを把握する.
- 心不全症状によっては食事や水分,運動などを制限されることが多いため,生活指導のみに着眼せず,生活管理に伴う療養者・家族の精神的負担を理解する.
- 訪問看護開始時から予後を見すえて,療養者・家族とこれからの望む生活について,段階を追って話し合う機会をもつ.

STEP 1 アセスメント → STEP 2 看護課題の明確化 → STEP 3 計画 → STEP 4 実施 → STEP 5 評価

情報収集

情報収集項目		情報収集のポイント
疾患・医療ケア	**疾患・病態・症状** □疾患 □病態 □疾患の経過,予後	● 狭心症や不整脈などの心疾患をもっているか ● 心不全の原因疾患以外にも,他の疾患をもっているか ● 心不全の原因疾患は何か,重症度や病期はどうか(AHA 分類,NYHA 分類) ● 心不全の急性増悪,寛解をどの程度繰り返しているか(入退院を繰り返しているか)
	医療ケア・治療 □服薬 □治療	● どのような治療薬が処方されているか ● 原因疾患の治療状況はどうか ● 処方薬が覚醒レベルや活動性に影響を与えていないか

情報収集項目	情報収集のポイント
疾患・医療ケア	
□医療処置	◯薬の効果や副作用について，療養者・家族は理解しているか ◯非薬物療法(食事療法，運動療法など)は行われているか ◯心不全の原因疾患や併存する疾患に対する薬は処方されているか ◯複数の医療機関から処方されていないか ◯1人でも処方通りに服薬できる方法になっているか(薬の量，服薬時間，服薬方法) ◯在宅酸素療法は利用しているか．適切に使用できているか
全身状態 □呼吸・循環状態	◯バイタルサイン，酸素飽和度，不整脈，呼吸状態(呼吸数，副雑音の有無，呼吸様式，呼吸困難，喘鳴)はどうか．水分出納バランス(尿量，飲水量)，体重増加はどうか．胸痛の有無や程度，労作時呼吸困難・息切れの有無，全身倦怠感，易疲労感，浮腫・肝腫の有無はどうか
□摂食・嚥下・消化状態	◯食欲，食欲不振の有無，食事摂取状況，BMIはどうか
□栄養・代謝・内分泌状態	◯飲水制限，減塩をしているか
□排泄状態	◯排尿の量・回数，排便の量・回数・性状，便秘の有無，排便コントロールの状況はどうか
□筋骨格系の状態 □皮膚の状態 □認知機能	◯骨・関節の疼痛，麻痺や関節の拘縮，筋力低下はあるか ◯皮膚湿潤，冷感の有無はどうか ◯治療内容，服薬内容，活動制限の必要性などについて理解できているか
□意識 □精神状態	◯意識レベルはどうか ◯不安の有無や程度(表情，言動，行動)，疾患の受けとめ方はどうか
活動	
移動 □ベッド上の動き	◯寝返りができるか，おむつ交換時などに腰の挙上ができるか，ベッド上で座位保持ができるか
□起居動作 □屋内移動	◯起き上がりができるか，椅子などへの乗り移りができるか ◯屋内ではどのように移動しているか(伝い歩き，杖や車椅子の利用の有無)
□屋外移動	◯屋外ではどのように移動しているか(杖や車椅子の利用の有無)
生活動作 □基本的日常生活動作	◯食事，排泄，入浴，更衣，整容動作を行っているか，活動制限の有無や程度はどうか
□手段的日常生活動作	◯調理，買い物，洗濯，掃除，金銭管理を行っているか，活動制限の有無や程度はどうか
生活活動 □食事摂取 □水分摂取 □活動・休息	◯食事制限の有無や程度，食事摂取量，経口摂取の可否はどうか ◯飲水制限の有無や程度，水分摂取量，経口摂取の可否はどうか ◯生活リズムはどうか．活動制限の有無や程度，活動時の呼吸困難の有無や程度，休息時間の有無や程度．睡眠時間は十分か
□生活歴 □嗜好品	◯生育歴，職業，生活習慣，生活史はどうか ◯飲酒，喫煙はどうか
コミュニケーション □意思疎通	◯意思疎通能力はあるか，他者とのコミュニケーション状況はどうか

4 慢性心不全

	情報収集項目	情報収集のポイント
活動	□意思伝達力 □ツールの使用	○他者との意思疎通に必要な基本的な視覚，聴力，言語力はあるか ○眼鏡・補聴器の使用，電話，携帯電話，スマートフォン，メールなどの使用はどうか
	活動への参加・役割 □家族との交流 □近隣者・知人・友人との交流 □外出 □社会での役割 □余暇活動	○同居・別居家族とのかかわりはどうか(内容，頻度，方法)，家庭内での役割はどうか ○近隣・知人・友人とのかかわりはどうか(内容，頻度，方法) ○外出しているか，外出が制限されているか ○社会活動に参加しているか，役割はあるか ○楽しみや趣味をもっているか，携わることができているか
環境	**療養環境** □住環境 □地域環境 □地域性	○住み慣れた環境か，移動がスムーズに行えるか ○買い物や通院，金融機関，役所などへのアクセスはどうか ○公共交通機関は整っているか，住民同士のつながりはあるか
	家族環境 □家族構成 □家族機能 □家族の介護・協力体制	○家族構成，家族の年齢はどうか ○家族の健康状態，家族の就労状況はどうか．家族関係は良好か ○家族に主介護者・副介護者はいるか，家族の介護力や介護負担感はどうか
	社会資源 □保険・制度の利用 □インフォーマルなサポート	○医療保険，介護保険，障害者総合支援法などの利用状況はどうか ○近隣，友人，知人からサポートは得られるか，ボランティアは利用できるか
	経済 □世帯の収入 □生活困窮度	○就労や年金による収入はあるか ○生活困窮に陥ってないか
理解・意向	**志向性(本人)** □生活の志向性 □性格・人柄 □人づきあいの姿勢	○生活の中での楽しみや生きがいはあるか ○社交的，外交的な性格か，罹患後，性格の変容はないか ○他者とのかかわりはどうか
	自己管理力(本人) □自己管理力 □情報収集力 □自己決定力	○心不全の急性増悪の因子となる生活習慣・食習慣を改善する能力・意欲はあるか ○健康管理や服薬管理の能力・意欲はあるか ○健康管理や生活改善に有効な情報に関心はあるか ○生活，医療，サービス利用に関して自己決定する能力はあるか，支援が必要か ○予後(終末期)に向けてどう過ごしたいか自己決定する能力はあるか，支援が必要か
	理解・意向(本人) □意向・希望	○生活やサービス利用についてどのような意向や希望があるか

情報収集項目		情報収集のポイント
理解・意向	□感情	◯何に対してどのような感情をもっているか
	□終末期への意向	◯終末期や急変時の延命処置にどのような希望をもっているか，事前指示書はあるか，その内容はどのようなものか
	□疾患への理解	◯疾患や治療について理解しているか
	□療養生活への理解	◯療養生活についてどのように理解しているか
	□受けとめ	◯疾患についてどのように受けとめているか
	理解・意向（家族）	
	□意向・希望	◯介護者や家族の生活やサービス利用についてどのような意向や希望があるか
	□感情	◯介護者や家族は何に対してどのような感情をもっているか
	□疾患への理解	◯介護者や家族の疾患への理解はどうか，終末期や急変時の延命処置にどのような希望をもっているか
	□療養生活への理解	◯介護者や家族の療養生活への理解はどうか

事例紹介

住宅型有料老人ホームで療養生活を送っている慢性心不全の療養者の例

Keywords 慢性心不全，心拍出量減少，健康管理行動，緩和ケア，アドバンスケアプランニング，高齢女性

〔属性〕女性，72歳

〔家族構成〕住宅型有料老人ホームに1人で入所．夫は既に他界し子どもはいない

〔主疾患等〕慢性心不全

〔状況〕夫は40年前に他界．1人でスナックを経営し生活を維持してきた．40歳代で高血圧症，動脈硬化症，50歳代で心筋梗塞を発症し，心臓バイパス手術を受ける．その後も喫煙や飲酒が多い生活習慣が続き，60歳のとき，慢性心不全を指摘され，以降入退院を繰り返す．自宅での一人暮らしが不安となり，1年前に住宅型有料老人ホームに入所した．心不全の重症度はAHA分類ステージC，NYHA分類Ⅲ度．日常生活の支援は介護職員が行っているが，入浴介助は訪問看護師が行っている．

第 2 章 健康障害別看護過程　1. 慢性疾患

情報整理シート

疾患・医療ケア

【疾患・病態・症状】

主疾患等：慢性心不全（60 歳～）
病歴：高血圧症，動脈硬化症（42 歳～），心筋梗塞（心臓バイパス術）（54 歳）
経過：
- 42 歳　頭痛と眩暈で受診し高血圧症，動脈硬化症と診断され，降圧薬と抗コレステロール薬を処方された．服薬は続けたが，仕事がら喫煙と飲酒の習慣を改善できずに経過
- 54 歳　仕事中に胸痛発作を起こし救急受診．心筋梗塞のため緊急手術（心臓バイパス術）
- 60 歳　その後も仕事を続けていたが，階段昇降時や買い物で自転車に乗ると呼吸困難や倦怠感が増強した．心不全を指摘され在宅酸素療法開始となり，仕事をやめた．その後 3 回入退院を繰り返した．
- 71 歳　夜間に息苦しさで目が覚めることが増え，一人暮らしに不安を感じ，住宅型有料老人ホームに入所．同時に訪問看護が開始となる．

【医療ケア・治療】

服薬：【内服】降圧薬（レニベース，メインテート，ラシックス，アルダクトン A）
　　　　　　脂質異常症治療薬（エパデール）
　　　　　　下剤（酸化マグネシウム）
　　　【実施】薬剤師が服薬カレンダーにセット．自分で取り出し服用している．飲み忘れはない．
治療状況：月に 2 回主治医が訪問診療にて経過観察
医療処置：在宅酸素療法（安静時 1.5 L/分，労作時 3.0 L/分）を自己管理．薬剤師による居宅療養管理指導
訪問看護内容：在宅酸素療法管理，シャワー浴介助，全身状態観察，精神的ケア，緊急時対応

【全身状態・主な医療処置】

在宅酸素療法
・経鼻カニューレ
・外出時携帯酸素ボンベ
・安静時 1.5 L/分
・労作時 3.0 L/分
水分制限 800 mL/日
塩分制限 6 g/日

歳相応の物忘れはあるが，日常生活に支障はない

血圧：140～160/80～100 mmHg
脈拍：80～102 回/分
呼吸数：安静時 18 回/分
　　　　労作時 30 回/分
SpO$_2$：安静時 96%
　　　　労作時 92%

身長：165 cm
体重：72 kg
BMI：26.4

主治医の指示で活動制限あり

排便：もともと便秘がち．1 回/2～3 日
排尿：10 回/日
食事：3 食/日

心不全のため労作時に呼吸困難，倦怠感，冷汗あり

下剤を服用しているが便秘傾向

基本情報
年齢：72 歳　性別：女性
要介護度：要介護 2
障害高齢者自立度：B2
認知症高齢者自立度：I

活動

【移動】

屋内移動：施設の中の自室内は歩行で移動できるが，室外は心不全のため車椅子使用．活動制限あり
屋外移動：車椅子使用

【活動への参加・役割】

家族との交流：夫は 40 年前に他界し子どもはいない．妹が他県に在住し，月に 1 回は会いにきてくれる．
近隣者・知人・友人との交流：近隣住民との交流はあまりないが，スナックを経営していた時の友人が時々会いにくる．
外出：ほぼなし
社会での役割：有料老人ホームに入所してからはなし．
余暇活動：有料老人ホームで毎日余暇活動の時間があるが，全く参加しない．

【生活活動】

食事摂取：施設より 1 日 3 食減塩食を提供され，食堂にて摂取．おいしくないと不満がある．
水分摂取：水分摂取量は 1 日 800 mL までと指導され守っている．
活動・休息：1 日ほぼベッド上で過ごす．トイレは自室にあるため自力歩行で行くが，部屋から出る時は車椅子を介助してもらう．
生活歴：高校卒業後事務の仕事に就く．30 歳で結婚するが 32 歳の時に夫が交通事故にて他界．子どもはいない．その後スナックで働き 40 歳で独立し，小さいながら自分の店を持つ．治療に専念するため 60 歳で店を閉めた．
嗜好品：仕事がら毎日喫煙（20 本/日），飲酒（ビール大瓶 2 本/日）していたが，心筋梗塞を発症してからは喫煙・飲酒ともに減らすようにしていた．

【生活動作】

基本的日常生活動作

食動作	施設の食堂で配膳してもらい自分で食べる
排泄	室内のトイレにて自立
清潔	週 2 回訪問看護師が介助してシャワー浴
更衣整容	洗面，更衣，整髪はゆっくりと自分で行う
移乗	自立
歩行	室内は歩行するが室外での移動は車椅子介助を要する
階段昇降	呼吸困難になるためしていない

手段的日常生活動作

調理	施設職員にて実施
買い物	訪問介護のホームヘルパーまたは妹に依頼
洗濯	施設職員にて実施
掃除	施設職員にて実施
金銭管理	金銭管理サービスを利用
交通機関	利用していない

【コミュニケーション】

意思疎通：問題ない
意思伝達力：問題ない
ツールの使用：なし

環 境

【療養環境】

住環境：住宅型有料老人ホーム1階に入所．室内にトイレと洗面台，簡易キッチンがある．施設の浴室を利用．段差なく車椅子移動可能

地域環境：中核都市内の住宅街にある．最寄駅まではバスで10分．近隣に大型スーパーがあり，買い物はホームヘルパーか妹が行く．

地域性：中核都市の交通の便のよい住宅街．自治会等の活動は活発ではない．

【社会資源】

サービス利用：

	月	火	水	木	金	土	日
AM	訪問看護			訪問看護			
PM		訪問介護					

保険・制度の利用：身体障害者手帳2級，介護保険

【経済】
世帯の収入：障害者年金
生活困窮度：経済的余裕なし．

【ジェノグラム】

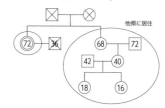

他県に居住

【家族の介護・協力体制】
子どもはいない．妹は他県に住んでおり，月1回程度であるが，買い物や一緒に外出する等の支援を受けている．

【エコマップ】

理解・意向

なるべく会いに行こうと思っている．小さい頃可愛がってもらった．

他県に住んでいる．仲のよい姉妹だった．

よく一緒に買い物や食事に行った．今は一緒にいけなくて残念．

スナックを経営していた時の友人．近隣に住んでいる

【志向性】
生活の志向性：夫を亡くしたあと必死で生活を維持してきた自負がある．人に指図されるのは好まない．病識はあまりなかったが重症化してから意識して気をつけるようになった
性格・人柄：元々は明るくて陽気．最近は落ち込むことが多い
人づきあいの姿勢：誰とでも仲よくなれる

【自己管理力】
自己管理力：病識あり．認知機能の低下はほぼないが，身体的要因から金銭管理は公的サービスを利用．水分制限，塩分制限もなんとか守ろうと努力している
情報収集力：室内で過ごすことが多く，興味・関心のあることは施設職員にたずねることが多い
自己決定力：サービス利用については自己決定できる

第2章 健康障害別看護過程　1. 慢性疾患

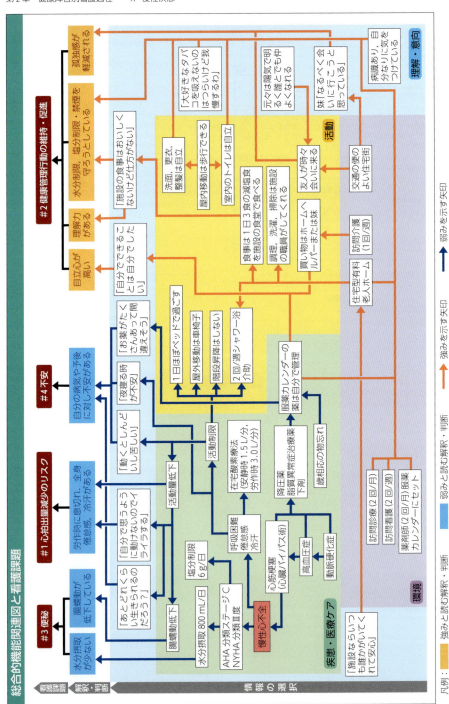

| STEP❶ アセスメント | STEP❷ 看護課題の明確化 | STEP❸ 計画 | STEP❹ 実施 | STEP❺ 評価 |

看護課題リスト

No.	看護課題　【コード型】文章型	パターン
#1	【心拍出量減少のリスク】労作時に息切れ，全身倦怠感の症状があり心拍出量減少のリスクが高い	リスク着眼型
	根拠 慢性心不全の重症度は AHA 分類ステージ C，NYHA 分類Ⅲ度と中等度で，労作時に息切れや全身倦怠感，冷汗などが出現し，心拍出量減少のリスクが高い．	
#2	【健康管理行動の維持・促進】水分・塩分制限や禁煙の必要性を理解していることを活かし，健康管理行動を維持・促進する	強み着眼型
	根拠 食習慣や生活習慣は心不全の治療や症状の進行に密接に関与する．療養者は食事制限や喫煙・飲酒を制限することの必要性を理解しており，自身の健康管理について維持・促進することが重要である．	
#3	【便秘】活動量低下により，便秘がみられる	問題着眼型
	根拠 もともと便秘がちであったが，水分摂取量が制限され，活動量が少ないことでさらに排便困難を招いている．不用意な排便時の努責は心拍出量減少につながるおそれがある．	
#4	【不安】夜間に息苦しさを感じることがあり，自分の病気や予後に対して不安がある	問題着眼型
	根拠 夜間入眠後に息苦しさで覚醒することがあり，このまま心臓が止まるのではないかと考えている．	

【看護課題の優先度の指針】慢性心不全の重症度は高く，最も注視すべき看護課題のため【心拍出量減少のリスク】を#1とした．慢性心不全の増悪因子として不健康な生活様式や習慣があるため，日常の生活習慣を改善し維持することが重要であることから，【健康管理行動の維持・促進】を#2とした．【便秘】は身体的に不快な状態であり，さらに心拍出量減少のリスクを引き起こす可能性があるため#3とし，身体的なリスクではないが，療養期間が長く予後も不良であるため精神的課題の【不安】を#4とした．

長期目標

心不全の急性増悪を予防し，不安を最低限に抑えながら穏やかな在宅療養生活を送る．

根拠 慢性心不全の重症度は高く，活動制限が必要な状況である．住宅型有料老人ホームという環境の中で健康管理行動をとるには，療養者自身の理解と行動が大切である．心不全の増悪因子の軽減を図るとともに過度な生活制限を強いないよう留意しながら，安心安全な療養生活を送る．

〈長期目標を共有するケアチーム〉
フォーマルサービス：訪問看護師，主治医，薬剤師，ホームヘルパー，有料老人ホームスタッフ
インフォーマルなサポート：妹，友人

4 慢性心不全

STEP ① アセスメント　STEP ② 看護課題の明確化　STEP ❸ 計画　STEP ④ 実施　STEP ⑤ 評価

1 看護課題

#1 【心拍出量減少のリスク】
労作時に息切れ，全身倦怠感の症状があり心拍出量減少のリスクが高い

看護目標（目標達成の目安）
1) 労作時の息切れが軽減する（1か月）
2) 全身倦怠感が軽減する（1か月）
3) 冷感がみられず，血液の循環が良好に維持できる（1か月）

援助の内容

OP 観察・測定項目
- バイタルサイン，全身状態

- 食習慣や食事摂取状況，排泄状況
- 服薬状況の確認

TP 直接的看護ケア項目
- 在宅酸素療法の管理

- 安楽な体位の工夫

EP 教育・調整項目
- 心不全増悪時の症状，危険因子，対処方法の説明

援助のポイントと根拠

➡血圧，脈拍，不整脈，酸素飽和度，体温，呼吸状態，喘鳴，尿量，飲水量，体重増加の有無，労作時の呼吸困難・息切れの有無や程度，全身倦怠感，易疲労感，浮腫などを把握する
　根拠 心拍出量減少や心不全の急性増悪を早期発見する重要な観察項目であり，主訴を注意深く聞く必要がある
➡心不全の増悪因子につながっていないかを知る
➡確実に服薬できているか把握する　**根拠** 基礎疾患や心不全の増悪を予防するためには適切な服薬行動が重要である

➡**根拠** 心不全の重症度は中程度であり，悪化を予防するためには在宅酸素療法の適切な管理・使用が重要である
➡息切れや全身倦怠感が出現したときは起座位やファウラー位をとらせる　**根拠** 横隔膜が下がり呼吸がしやすくなる

➡**強み** 普段行う動作によってどう呼吸・循環状態が変化すると自覚しているのか，よく話を聞いたうえで必要な対処方法を説明する　**根拠** 適切な対処方法を理解することで不安が軽減できる

2 看護課題

#2 【健康管理行動の維持・促進】
水分・塩分制限や禁煙の必要性を理解していることを活かし，健康管理行動を維持・促進する

看護目標（目標達成の目安）
1) 食事制限や禁煙の重要性について理解する（1週間）
2) 心不全の原因や病態について理解する（1か月）
3) 健康管理行動を行う（1か月）

援助の内容

OP 観察・測定項目
- 食事制限や活動制限の指示内容と実際の状況
- 心不全の増悪因子についての理解の程度

TP 直接的看護ケア項目
- 食事の支援

EP 教育・調整項目
- 健康管理のための楽しみや目標をつくる提案

援助のポイントと根拠

➡主治医より指示されている食事療法や活動制限の内容と実際の状況に違いがあるのか確認する
➡**根拠** 心不全の増悪因子の理解状況により，健康管理行動を維持・促進するためのポイントが把握できる

➡**根拠** 塩分制限食に療養者は不満をもっている．食事制限が食欲の低下や食事量の低下につながらないよう，食事をおいしく食べる工夫，楽しく食べる工夫をする

➡**強み** 生活の中で楽しみや目標をみつけることで，健康管理行動に積極的に取り組めるようにする

●実践できている健康管理行動の支持	●療養者が努力・実践できていることを支持することで健康管理行動への意欲を維持・向上につなげる

3 看護課題 / 看護目標（目標達成の目安）

#3 【便秘】
活動量低下により，便秘がみられる

1) 心肺機能に負荷がなく排便できる（1か月）
2) 快適に排便できる（1か月）

援助の内容	援助のポイントと根拠
OP 観察・測定項目 ●排便状況 ●食事摂取，水分摂取，活動量の状況 ●服薬状況 **TP 直接的看護ケア項目** ●適度な運動の支援 ●温罨法，腹部マッサージの実施 ●食事内容の見直し **EP 教育・調整項目** ●排便コントロールの説明	●排便の回数，時間，性状，排泄量，怒責の有無，腹痛や不快症状の有無，排泄のタイミングを把握する ● 根拠 適切に食事や水分を摂取することや適度な活動により便秘の改善につながる ●下剤の服薬状況を把握する ● 連携 医師の指導を受け，適度な運動を実施する ●水分制限を超えない範囲での水分摂取を促し，腹部の温罨法やマッサージを行う 連携 医師に相談して下剤を調整する ● 連携 施設の栄養士に相談して腸内環境を改善できるよう食材を見直してもらう ●指示された範囲で下剤の使用を促す．排便習慣を整える ●心臓に負荷をかける排便行動（酸素を使用しない，無理な努責）を知ることで心不全の増悪を予防する

4 看護課題 / 看護目標（目標達成の目安）

#4 【不安】
夜間に息苦しさを感じることがあり，自分の病気や予後に対して不安がある

1) 心不全の悪化による不安を表出できる（3か月）
2) 不安に対する適切な対処行動をとれる（6か月）

援助の内容	援助のポイントと根拠
OP 観察・測定項目 ●療養者の疾患に対する理解や受けとめ方 ●療養者の家族背景，生活背景 **TP 直接的看護ケア項目** ●リラクセーションの実施	●療養者の表情，言動，行動，疾患に対する理解や受けとめ方，睡眠状態，生活やサービスについての意向や希望，家族とのかかわり方，友人とのかかわり方，不安が増強する時の身体状況やエピソードを把握する 根拠 療養者の疾患に対する理解や受けとめ方を知り不安の軽減につなげる ● 根拠 療養者の家族背景，生活背景を理解し不安の軽減につなげる ●マッサージやタッチングにより心身の緊張を緩和する 根拠 不安により心身が緊張状態にあると夜間不眠に陥りやすく，息苦しさで覚醒することにつながりやすいため，リラックスできる状態をつくる

EP 教育・調整項目	
●疾患や症状の説明	⇒疾患や症状について正しく理解することで不安の軽減につなげる
●疾患や病状，予後に対する不安や気持ちの傾聴	⇒不安に思っていることを療養者が1人で抱え込むことがないよう，思いを表出することで不安が軽減できることもある
●療養者が不安や気持ちを表出しやすい受容的かかわりや関係の構築	⇒療養者が気兼ねなく気持ちを表出できる関係や環境を整えることが重要である　根拠　人間関係が構築されていないと気持ちの表出をためらいやすい
●余暇活動や他者との交流等の楽しみをみつけるための支援	⇒施設内の居室で1人で過ごす時間が長く，自ら余暇活動を行うことは難しいが，気分転換を図れるよう，施設内での余暇活動に一緒に参加したり，本人が楽しめる余暇活動を施設スタッフとともに考えてもらうなどする　根拠　余暇活動を楽しみ，他の利用者と交流することで不安を軽減する
●友人や家族(妹)の協力を得るための説明	⇒外出の機会が乏しいが，友人に訪ねてもらったり，家族に外出支援してもらうことで精神的慰安を図ることができる
●アドバンスケアプランニング	⇒療養者自身の予後について，自己決定できる間に話し合ったり，考える機会をもつようにすることで，終末期について向き合う大切さを理解してもらう

STEP❶ アセスメント　STEP❷ 看護課題の明確化　STEP❸ 計画　STEP❹ 実施　STEP❺ 評価

強みと弱みに着目した援助のポイント

強みに着目した援助
- 理解力があり情報収集能力がある強みを活かし，心不全の病態，増悪因子，治療方法について理解を促す．
- 理解力があり情報収集能力がある強みを活かし，心不全に対する健康管理行動を維持・促進する．
- 常に見守りがある環境の強みを活かし，心不全に対する不安を軽減する．
- 陽気で誰とでも仲よくなれる性格を活かし，有料老人ホーム内での新たな友人関係を構築する．

弱みに着目した援助
- 心不全の重症度は中等度であるため，急性増悪の早期発見や症状悪化を予防する．
- 食事制限や活動制限があるため生活への意欲低下を予防する．
- 食事制限や活動制限から便秘がちであるため，排便コントロールを適切に行う．
- 心不全の症状に対し不安があるため精神的支援を行う．

STEP❶ アセスメント　STEP❷ 看護課題の明確化　STEP❸ 計画　STEP❹ 実施　STEP❺ 評価

評価のポイント

- 労作時の息切れが軽減しているか
- 全身倦怠感が軽減しているか
- 冷感がみられず，血液循環が良好に維持できているか
- 心不全の原因や病態について理解しているか
- 食事制限や禁煙の重要性を理解しているか
- 健康管理行動を行えているか
- 心肺機能に負荷がなく排便できているか
- 快適に排便できているか
- 心不全の悪化による不安を表出できているか
- 不安に対する適切な対処行動をとれているか

関連項目

第 2 章「3 慢性腎不全」「14 フレイル」「20 生活不活発病（廃用症候群）」
第 3 章「31 意欲低下」

●参考文献
1) 日本循環器学会/日本心不全学会合同ガイドライン：急性・慢性心不全診療 2021 年 JCS/JHFS ガイドラインフォーカスアップデート版．2021
2) Okura Y, Ramadan MM, Ohno Y, et al：Impending epidemic;future projection of heart failure in Japan to the year 2055. Circ J 72(3)：489-491, 2008
3) 猪又孝元：最強！　心不全チーム医療(佐藤幸人編)．pp30-35，メディカ出版，2015
4) Tsuchihashi, M, et al：Medical and socioenviromental predictors of hospital readmission in patients with congestive heart failure. Am Heart J 142(4)：E7, 2001

5 糖尿病

糖尿病の理解

基礎知識

疾患概念
■ **インスリンの作用不足により，血糖値が異常に高まる病態をいう．1型と2型に分類される．**
- 1型糖尿病は，膵臓β細胞が破壊され，通常は若年発症でインスリン依存性である．
- 2型糖尿病は，肥満などを背景にインスリン分泌量の低下またはインスリン抵抗性が亢進して生じる．
- インスリンが必要かどうかで，インスリン依存性，非依存性と分類することもある．妊娠やステロイド投与などによる二次性の糖尿病もある．二次性糖尿病に関しては，在宅医療現場では膵がんを想定することが重要である．

疫学・予後
- 令和元年の国民健康・栄養調査によれば，20歳以上の者のうち糖尿病が強く疑われる人は約1,196万人，糖尿病の可能性を否定できない人も約1,055万人と推計されている[1]．認知症の危険因子であることも示唆されている[2]．

症状
- 高血糖による症状としては，口渇，頻尿，昏睡などがある．高血糖が続くと，微小血管の損傷が進み，合併症を生じる．コントロール不良の糖尿病が経過した場合には，臨床像は主に合併症の症状となる．

診断・検査値
- 診断基準（日本糖尿病学会）による（**表5-1**）[3]．
- 急激に発症した場合，あるいは，既存の糖尿病が急激に増悪した場合は，膵腫瘍などの存在を疑う．

合併症
- 神経障害，腎障害，網膜障害が代表的である．在宅医療現場では日常生活動作が低下した障害者を診療するため，合併症の進行した患者をケアすることが多い（〈事例〉を参照）．

■表5-1 空腹時血糖値[注1]および75g OGTTによる判定区分と判定基準

	血糖測定時間			判定区分
	空腹時		負荷後2時間	
血糖値 (静脈血漿値)	126 mg/dL 以上	または	200 mg/dL 以上	糖尿病型
	糖尿病型にも正常型にも属さないもの			境界型
	110 mg/dL 未満	および	140 mg/dL 未満	正常型[注2]

注1) 血糖値は，とくに記載のない場合には静脈血漿値を示す．
注2) 正常型であっても1時間値が180 mg/dL以上の場合は180 mg/dL未満のものに比べて糖尿病に悪化する危険が高いので，境界型に準じた取り扱い（経過観察など）が必要である．また，空腹時血糖値が100〜109 mg/dLは正常域ではあるが，「正常高値」とする．この集団は糖尿病への移行やOGTT時の耐糖能障害の程度からみて多様な集団であるため，OGTTを行うことが勧められる．

日本糖尿病学会編・著：糖尿病治療ガイド 2022-2023．p24，文光堂，2022

〈事例〉
　76歳女性．2型糖尿病でインスリンを使用している．多発性脳梗塞のため寝たきりである．嚥下障害があり，食形態を工夫した食物を提供している．網膜症のため視力がほとんどない．腎不全を合併し，かつ，神経因性膀胱のため排尿困難で膀胱留置カテーテルを使用している．自律神経障害のため，血圧調整能力障害(高度の起立性低血圧)があり，ベッドをギャッチアップするだけでも意識を失うことがあり，慎重にアップする必要がある．膵臓からの消化液分泌能力が低下して不消化便が排泄され，かつ，大腸での水分吸収能力が低下しているため下痢便となっている．一方，蠕動能力も低下しているため便秘もきたしている．右下肢は壊疽のために下腿から切断している．左下肢に爪白癬・足白癬がある．褥瘡は過去何度か生じたが訪問看護師によるスキンケアにより，現在は治癒した状態が維持されている．傷ができると治りにくいため，エアマットが導入されている．気道感染や尿路感染を生じやすく，そのたびに発熱する．夫は高齢で，患者を持ち上げることができないため，リフトを用いて車椅子移乗している．

治療法
●治療方針
- 糖尿病の治療と合併症の治療がある．通常は，糖尿病治療は，食事療法や運動療法が基本だが，在宅患者ではそれらが困難なことが多い(後述)．

●薬物療法
- 経口投与される薬物では，在宅医療では，メトホルミン塩酸塩(商品名：メトグルコ，グリコラン)，DPP-4阻害薬が多用される．αグルコシダーゼ阻害薬，SGLT2阻害薬は，本来摂れる栄養を摂れなくする薬物であり，低栄養状態にあることが多い在宅患者には使用しにくいことがある．SU(スルホニルウレア)薬の使用頻度は減っているが，グリメピリド(商品名：アマリール)のみは使用されることがある．メトホルミン塩酸塩は後期高齢者には使用されない．インスリンは注射でのみ用いられる．

家族へのサポート
- 合併症が重い場合の介護は過酷で，家族の疲弊について医療従事者は敏感でありたい．家族サポートは介護保険利用が基本となる．そのほか，障害福祉制度などを含めて支援することは，他の在宅患者と同様である．
- 糖尿病神経障害，糖尿病腎症，糖尿病網膜症は，介護保険第二号被保険者における特定疾病である．すなわち45～64歳の人において介護保険認定を受けられる．
- 家族サポートは，特に医療系のサービスをうまく利用する．というのは，糖尿病は全身的な多彩な合併症をきたし，医学的管理の成否が継続して自宅にいられるかどうかを決定づけるからである．ケアマネジャーには，看護師あるいは医療に精通した人が当たることが望ましい．

在宅における特徴
- 在宅医療は，身体的障害あるいは認知症などにより通院できない人が対象である．したがって，在宅医療現場に存在するのは，合併症が進んだ状態の患者が多い(前掲の〈事例〉参照)．

在宅診療の実際

〈自宅および介護施設におけるインスリン投与〉
- 苦慮するのが，インスリン投与である．インスリンの投与をできるのは本人・家族，または医師および看護師だけだからである．いわゆる，老老介護，認認介護と呼ばれるような事例の場合，インスリン投与を家族が行うことは困難な場合がある．
- 高齢者グループホーム(認知症対応型共同生活介護事業所)，特定施設を取得していないサービス付き高齢者向け住宅などでは，看護師が勤務しないため基本的に投与できない．特定施設(特定施設入居者生活介護事業所)，特別養護老人ホーム(介護老人福祉施設)などでは，看護師が勤務しているが，その場合も，日勤帯の勤務が基本であり，インスリン投与回数には制約があると考えたほうがよい．

> **病診連携**

① **退院支援**：退院支援での一般的な留意点は他の在宅患者の場合と同じと考えてよい．ただし，インスリン投与には留意が必要で，退院時カンファレンスなどで病院スタッフと必要に応じて討論する必要がある．在宅医療現場でのインスリン継続使用は困難なことが珍しくない．したがって，インスリンを休止して退院することがベストである．それができない場合でも，「できるだけ少ない投与回数」にして，退院することが推奨される．インスリンを1日2回以上投与が必要な患者の場合，投与が自宅で本当に可能かを慎重に検討する．

② **定期的な検査**：在宅医療現場は自宅という快適な空間である代わりに，検査手段が制約される場である．例えば，眼科的な評価などは困難である．また，胸部X線検査は，結核スクリーニングの意味でも年に1回行うことに価値がある．可能であれば，年に1回程度，病院で眼科的評価，胸部X線を含めて検査を行うことが望ましい．

③ **急性期対応**：脳血管障害の再発，感染症，壊疽などでの入院の必要が多い．

糖尿病に関連する社会資源・制度

1) **受療・医療的ケア**
- 医師による診察，治療
- 医療保険制度

2) **日常生活行動(入浴，更衣，整容，食事，排泄)の介助**
- 介護保険法による訪問介護，通所介護
- 合併症により身体障害が発生した場合，障害者総合支援法による訪問介護
- 糖尿病食の宅配サービス

3) **生活保護**
- 医療扶助，介護扶助

4) **日常生活の移動，移乗を支援する福祉用具**
- 介護保険法による福祉用具(車椅子，杖)貸与
- 合併症により身体障害が発生した場合，障害者総合支援法による補装具(車椅子，杖)購入

5) **経済的支援**
- 合併症の有無や程度など総合的に考慮された障害基礎年金の支給
- 合併症により身体障害が発生した場合，心身障害者等福祉手当の支給
- 人工透析を必要とするなど指定された疾患に対する地方自治体による医療費助成
- 1か月医療費が基準額以上となった場合に対する医療費の払い戻し(高額療養費制度)

糖尿病をめぐる訪問看護

訪問看護の視点

1) **療養者をみる視点**
- 良好な血糖コントロール状態を保てるようにする．
- 運動療法，食事療法，薬物療法が適切でない場合は阻害する要因に，適切な場合はそれらを維持・促進する要因に着目する．
- 適切な食事の準備(献立，調理，買い物など)に関する環境や介護力を把握する．
- 合併症の有無とリスク要因に着目する．
- 血糖コントロールや，異常の早期発見・早期対処のためのセルフケア行動の状況と低下する可能性に着目する．

2) **支援のポイント**
- 運動療法，食事療法，薬物療法の必要性と適切な方法を療養者と家族が理解できるよう教育的にかかわる．

- ●運動療法, 食事療法, 薬物療法を適切に行うためのセルフケア行動を維持・促進する.
- ●適切で継続的な健康管理行動のための意欲を維持・促進する.
- ●低血糖症状と発生時の医療的対処, 緊急時の対応について説明し, 教育的にかかわる.
- ●合併症予防, 早期発見, 早期対処に努める.
- ●家族も含め, 合併症予防, 早期発見・早期対処の知識と技術を説明し, 教育的にかかわる.

●状態別：療養者をみる視点と支援のポイント

状態	療養者をみる視点	支援のポイント
血糖コントロールが不良の状態	血糖コントロール不良の場合は, 運動療法, 食事療法, 薬物療法が適切に行われていない可能性がある. 各療法が適切に行われていない場合は, 実施を阻害する要因を把握する. 適切な療法の実施を阻害する要因として, 療養者の要因の他, 家族, 環境要因にも着目する. 特に低血糖症状と発生時の対応の理解とセルフケア行動を把握する. 血糖コントロール不良の状態が継続した場合は, 合併症が出現する可能性がある. 合併症の早期発見・早期対処のため, 療養者と家族のセルフケア行動に着目する.	●個別性を重視し, 療養者にとって各療法を適切に行うことを阻害する要因を特定し, 解決を図る. ●合併症発生の有無, 合併症のリスクについて把握し, 解決を図る. ●問題解決のためのセルフケア行動の維持・促進を図り, 療養者と家族の糖尿病管理における自立を目指す. ●低血糖症状が出現した時に対応できるように教育する.
血糖コントロールが良好な状態	安定した血糖コントロールが継続できるように, 療養者, 家族の健康管理行動のセルフケア行動と意欲の状況に着目する. 潜在的な問題として, 適切な健康管理行動を継続できなくなる可能性に着目する. 安定した血糖コントロールが継続できるよう環境の変化に着目する.	●適切な健康管理行動の意欲の維持・促進を図る. ●適切な健康管理行動を阻害する要因発生の可能性について予測し, 対処する.

訪問看護導入時の視点

- ●糖尿病は, 運動療法, 食事療法, 薬物療法の適切な実施が重要である. 療養者と家族が適切な知識を得て各療法に取り組む意欲をもち, 適切な方法で各療法を実施できるよう, 療養者と家族の知識, 意欲, 行動するためのセルフケアの状況を把握する.
- ●環境面での適切な健康管理行動を阻害する要因を把握する.
- ●生活環境に合わせた健康管理方法を見出す.
- ●療養者が医師の治療方針を適切に理解し, 適切な受療が可能となるよう調整する.

STEP ❶ アセスメント ▸ STEP ❷ 看護課題の明確化 ▸ STEP ❸ 計画 ▸ STEP ❹ 実施 ▸ STEP ❺ 評価

情報収集

情報収集項目		情報収集のポイント
疾患・医療ケア	疾患・病態・症状 □疾患 □病態	➡細小血管合併症（網膜症, 腎症, 神経障害）, 大血管障害, その他の合併症（足病変, 歯周病, 昏睡）はないか ➡糖尿病の他に脂質異常症, 高血圧症はないか ➡ヘモグロビン A1c（HbA1c）, 血糖値はどの程度か, 低 GFR 値, 蛋白尿はないか

	情報収集項目	情報収集のポイント
疾患・医療ケア	□疾患の症状 □疾患の経過，予後	●感覚・運動神経障害症状（下肢末端からの知覚鈍麻，しびれ感など），視力低下はないか，低血糖症状はないか ●インスリン非依存状態か，インスリン依存状態か ●合併症は出現していないか，昏睡が生じていないか
	医療ケア・治療 □服薬 □治療 □医療処置	●服薬内容，服薬時間，頻度はどうか ●運動療法，食事療法の内容はどのようなものか，運動療法は可能か，薬物療法ではインスリンやGLP-1受容体作動薬を用いるか ●血糖自己測定は可能か．インスリンやGLP-1受容体作動薬等の自己注射を行うか，行う力はあるか
	全身状態 □呼吸・循環状態 □栄養・代謝・内分泌状態 □排泄状態 □感覚器の状態 □皮膚の状態 □認知機能 □意識 □精神状態 □免疫機能	●呼吸回数，呼吸音，副雑音，チアノーゼ，脈拍はどうか ●BMIの値，体重の増減の状態はどうか，倦怠感はないか ●排尿量または回数は多くないか ●視覚障害，視力低下はないか．知覚鈍麻，しびれ感はないか ●瘙痒感はないか ●理解力はあるか ●清明か，昏迷はないか ●意欲の低下，抑うつ状態はないか ●易感染性か，感染の徴候はないか
活動	移動 □屋内移動 □屋外移動	●屋内での生活動線はどうか，屋内ではどのように移動しているか ●普段の行動範囲はどの程度か，屋外での移動手段は何か，車椅子，杖などを歩行時に使用しているか
	生活動作 □基本的日常生活動作 □手段的日常生活動作	●食事動作，排泄，清潔，更衣，整容動作，移乗，歩行，階段昇降を自立して行えるか，普段はどのように行っているか ●調理，買い物，洗濯，掃除，金銭管理，交通機関利用を自立して行えるか，普段はどのように行っているか
	生活活動 □食事摂取 □水分摂取 □活動・休息 □生活歴 □嗜好品	●食事の内容，量，回数，時間帯はどうか，食事の準備はどのようにしているか，外食や惣菜，弁当，配食などを活用しているか，間食の状況はどうか ●水分摂取の方法，回数，1日の摂取量，摂取時間帯はどうか ●睡眠時間，睡眠パターン，生活リズム，日中の離床時間，1日の過ごし方はどうか ●出身地，過去の居住地，職歴，生活習慣はどうか ●飲酒，喫煙，コーヒー，菓子等の嗜好の内容，量，期間はどうか
	コミュニケーション □意思疎通 □意思伝達力	●理解力はどうか，実際と間違った内容で認識していないか ●意思を伝達するための視力，聴力，発語・言語能力はあるか，不十分な場合，それらを補う眼鏡，補聴器，文字盤，意思伝達装置を使用しているか

	情報収集項目	情報収集のポイント
活動	**活動への参加・役割** □家族との交流 □近隣者・知人・友人との交流 □外出 □社会での役割 □余暇活動	●同居家族との会話やかかわりはどうか，別居家族との電話，訪問の頻度，かかわりはどうか，家庭内での役割はあるか ●近隣者・知人・友人との交流はあるか，交流の目的，内容，頻度などはどのようなものか ●外出の目的，頻度，場所はどうか，外出は他者との交流を伴うか ●就労状況，地域活動，宗教関連活動，患者会，介護者会の参加状況や役割はどうか ●趣味や楽しみを感じる活動を行っているか
環境	**療養環境** □住環境 □地域環境 □地域性	●家族形態，照明，間取りはどうか，ごみや物が散乱していないか，衛生状態はどうか ●歩行や運動がしやすい地域環境か ●地域の特性（住宅地，商業地域，郊外，都市部，農山漁村地域等）はどうか．住民同士の交流，関心の程度，地域への愛着，一体感はどうか．地域の慣習（冠婚葬祭等）や地域組織（自治会など）の活発度はどうか
環境	**家族環境** □家族構成 □家族機能 □家族の介護・協力体制	●同居家族はいるか ●家族関係，家族内の意思決定方法，家族の健康状態，問題解決能力はどうか ●介護者・キーパーソン・協力者はいるか．家族の医療処置実施内容，介護内容，協力内容はどうか．食事に関する理解と協力状況はどうか．家族の介護力や介護負担感はどの程度か．調理や買い物は誰がしているか
環境	**社会資源** □保険・制度の利用 □保健医療福祉サービスの利用 □インフォーマルなサポート	●医療保険（被用者保険，国民健康保険，後期高齢者医療制度），介護保険の利用状況はどうか ●介護保険法，自治体等のサービス・事業の利用状況（種類，内容，頻度，時間）はどうか，訪問系，通所系，一時入所系サービス，福祉用具，住宅改修等の利用状況はどうか ●インフォーマルなサポートの提供者はいるか．療養者との関係はどうか．サポート内容・頻度はどうか．そのサポートによる影響はどのようなものか．患者会などのセルフヘルプグループを利用しているか
環境	**経済** □世帯の収入 □生活困窮度	●就労，年金による収入はあるか ●生活保護を受給しているか．経済的余裕，生活困窮の感覚はどうか
理解・意向	**志向性（本人）** □生活の志向性 □性格・人柄 □人づきあいの姿勢	●価値観，生きがい，生活の目標，楽しみはどのようなものか ●社交性，内向性，情動性，論理性，几帳面さ，おおらかさ等はどうか ●訪問看護師，サービス担当者とかかわる姿勢はどうか，元来の人づきあいの姿勢はどうか
理解・意向	**自己管理力（本人）** □自己管理力	●服薬管理，医療処置，保健行動，身の回りの整えを自分で管理しているか

情報収集項目		情報収集のポイント
理解・意向	□情報収集力 □自己決定力	○生活，療養，医療，サービスに関する情報を収集しているか ○生活，療養，医療，サービス利用に関して決定しているか
	理解・意向（本人） □意向・希望 □感情	○生活，療養，医療，サービス利用に関する意向や希望はどうか ○何に対して，どのような感情（不安，諦め，怒り，罪悪感，絶望，寂しさ，疎外感，安心感，感謝，期待，愛着，喜び等）をもっているか
	□疾患への理解	○血糖コントロールの重要性，そのための運動療法，食事療法，薬物療法の必要性，高血糖のまま経過することによる合併症発生リスク，低血糖症状と発生時の緊急対処の理解と見通しはどのようなものか
	□療養生活への理解	○運動療法，食事療法による生活習慣の改善，服薬や注射等を用いながらの療養生活への理解はどのようなものか
	□受けとめ	○疾患，療養生活をどのように受けとめているか
	理解・意向（家族） □意向・希望	○介護者や家族の生活，療養，医療，サービス利用に関する意向や希望はどうか
	□感情	○介護者や家族は何に対してどのような感情（不安，諦め，怒り，罪悪感，絶望，寂しさ，疎外感，安心感，感謝，期待，愛着，喜び等）をもっているか
	□疾患への理解	○血糖コントロールの重要性，そのための運動療法，食事療法，薬物療法の必要性，高血糖のまま経過することの問題，低血糖症状と発生時の緊急対処について理解と見通しはどのようなものか
	□療養生活への理解	○介護者や家族は，運動療法，食事療法による生活習慣の改善，服薬や注射等を用いながらの療養生活をどのように理解しているか
	□生活の志向性	○介護者や家族の価値観，生活背景，就労，育児・家事実施状況，家庭・社会での役割はどのようなものか

事例紹介

健康管理行動に意欲がなく，血糖コントロールが不良の糖尿病の療養者の例

Keywords 糖尿病，インスリン自己注射，血糖コントロール，医療扶助，独居，生活保護，壮年男性

〔基本的属性〕男性，45歳
〔家族構成〕一人暮らし
〔主疾患等〕2型糖尿病
〔状況〕毎日の自己血糖測定とインスリン自己注射にて糖尿病管理を行っている．インスリン自己注射をしているのだからと食事療法，運動療法に取り組む意欲がなく，生活の管理が困難である．うつ傾向で生活保護を受給している．血糖値測定とインスリン自己注射だけでは血糖値が安定せず，コントロールが不良である．血糖値測定時には高血糖を示す一方でたびたび低血糖症状を起こし，訪問看護ステーションに緊急のコールがある．

情報整理シート

5 糖尿病

疾患・医療ケア

【疾患・病態・症状】

主疾患等：2型糖尿病（40歳～）
病歴：特になし．
経過：
- 30歳　自治体の健診で肥満と高血糖を指摘されていたが，そのまま放置
- 40歳　風邪をきっかけに受診．長い間，健診を受けなかったため血液検査をされ，糖尿病と診断
食事療法と運動療法の指導を受けたが，医療費の支払いを渋り，その後受診せず放置
- 42歳　生活保護受給後，受診を再開し内服開始．継続して食事療法，運動療法の指導を受けるが内服のみ行い，食事療法，運動療法は放置
- 6か月前　インスリン自己注射を導入
血糖値測定と自己注射の手技の確認，状態観察，食事療法，運動療法などの健康管理指導のために訪問看護を開始

【医療ケア・治療】

服薬：【内服】経口血糖降下薬（アマリール）
　　　【注射】持効型溶解インスリンアナログ製剤
　　　　　　　（ランタス）
　　　【実施】自己にて朝食前に実施
治療状況：1か月に1回クリニックにて経過観察
訪問看護内容：自己注射と血糖値測定の自己管理状況の確認，状態観察，食事・運動などの健康管理指導

【全身状態・主な医療処置】

- 毎朝食前に自己血糖測定を行う
- 持効型インスリン自己注射を行う
- うつ傾向にあり，積極的に自己管理を行う意欲がわかない
- 視覚：異常なし
- 身長：168cm
- 体重：90kg
- BMI：31.9
- 朝食前血糖値：130～150mg/dL程度の値を示すことが多い．日中に眠ってしまい昼食の摂取時間が遅くなってしまうと低血糖となり動悸，発汗，脱力などが生じ，緊急のコールが月に2～3回ある
- 排便：1～2回/日
- 排尿：8～9回/日
- 食事：3回/日（不規則）
- 神経障害：知覚鈍麻
- 足病変：白癬あり
- クリニックの血液検査結果　空腹時血糖値：150mg/dL　HbA1c：8.6%　中性脂肪：200mg/dL

基本情報
年齢：45歳　性別：男性
障害高齢者自立度：自立
認知症高齢者自立度：自立

活動

【移動】
屋内移動：自立
室内移動：自立

【活動への参加・役割】
家族との交流：結婚歴はなく，一人暮らし．弟は時々，母とはごくたまに電話で自身の状況を話す程度で頻繁な交流はない．
近隣者・知人・友人との交流：スマートフォンでインターネット上の掲示板での人とのやり取りが多く，知人・友人や近隣者との交流はほとんどない．
外出：2日に1回銭湯に行く．時々近所のスーパーに買い物に出る．エアコンが必要な時期は近所のファミレスに出かけ，スマートフォンでインターネットをしながら長時間座って過ごすことが多い．
社会での役割：インターネット上で他の人の悩みに回答し，頼られることを生きがいにしている．

【生活活動】
食事摂取：好きな時に好きな物を食べたいと思っており，食事時間が一定しない．時間を決めた食事の用意をせず，食事量も安定しない．食事内容は野菜が少なく炭水化物が多い．
水分摂取：2Lのペットボトルのお茶を1日1本消費している．
活動・休息：日中はテレビをつけてインターネットをして過ごしている．日中いつの間にか眠っているときがある．夜更かしも多い．
生活歴：15年ほど前は自営業を営んでいたがうまくいかず閉業した．その後就職がうまくいかず，日雇い労働などしていたが喧嘩でけがをした後，うつ傾向となり3年前に生活保護を受給し始めた．

【生活動作】

基本的日常生活動作
食動作	自立
排泄	自立
清潔	自立．銭湯を利用している
更衣整容	自立
移乗	自立
歩行	自立
階段昇降	自立

手段的日常生活動作
調理	自立
買い物	自立
洗濯	自立．コインランドリーを利用している
掃除	自立
金銭管理	自立
交通機関	利用できるが遠出をしない

【コミュニケーション】
意思疎通：自立
意思伝達力：聴力，視力，発語に問題なし．
ツールの使用：可能

環　境

【療養環境】

住環境：階段で上るアパートの2階
1Kトイレ共同・風呂なし．エアコンなし．
折り畳みテーブルと書いた場所にテーブルを広げ，座位でテレビを見ながら過ごす．

地域環境：生活保護受給者が多い地域で似たようなアパートが集まっている．近くに炊き出しなどがされる公園があり，そこにホームレスの人が集まってくる．

地域性：大都市の中でホームレスや生活保護受給者が多く集まる地域で，日雇い労働者が多く住んでいる．炊き出しなどのボランティアが活動をしている．住民同士が大きい声で怒鳴り合う喧嘩も見かける．

【ジェノグラム】

他の地域で在住

【家族の介護・協力体制】

家族とは直接会うことがなく，協力も得られない．

【エコマップ】

【社会資源】

サービス利用：

	月	火	水	木	金	土	日
AM	訪問看護 2回/月						
PM							

保険・制度の利用：生活保護（住宅扶助，生活扶助，医療扶助）

【経済】

世帯の収入：生活保護
生活困窮度：余裕はない．

理解・意向

母

自分の生活をきちんとしてくれたら，弟がちゃんとしてくれるので，こちらのことは心配しなくていい

弟の転勤先に一緒についていって，父親とともに弟家族と同居している

- 弟に迷惑をかけないようにしたい
- このままの生活を継続したい
- インスリン自己注射はきちんとできる
- 注射するのだから食べたい時に食べたいものを食べたい
- 苦しいことはしたくない
- 自分の病気にインスリン注射は必要だと思う
- 仕事もできないし，生活保護を受給できてよかった

本人

全て投げ出したい時もある

弟

親は自分がみるから，兄を扶養できない
遠方だし，深くはかかわれないが何かあれば連絡してほしい

キーパーソン

他の地域で家族と暮らす

【志向性】

生活の志向性：苦しいことはしたくない．どうせ死ぬときは一人だし好きなように生きたいと思っている
性格・人柄：人見知り
人づきあいの姿勢：直接人とかかわるのを怖いと感じている

【自己管理力】

自己管理力：理解力はあるが行動が伴わない
情報収集力：テレビやインターネット上の情報はよく収集している
自己決定力：判断力，決定力ともにある

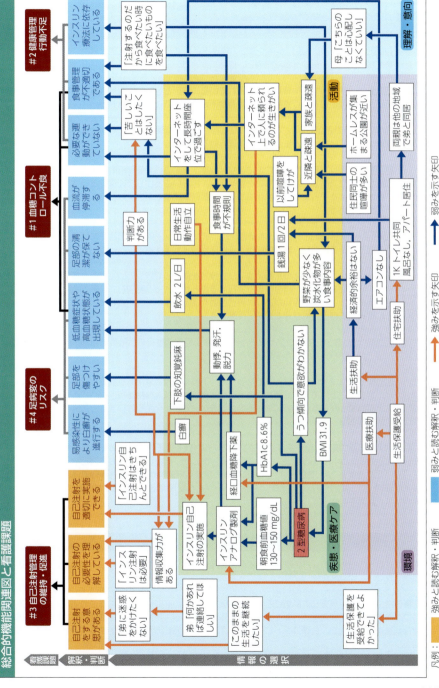

| STEP❶ アセスメント | **STEP❷ 看護課題の明確化** | STEP❸ 計画 | STEP❹ 実施 | STEP❺ 評価 |

看護課題リスト

No.	看護課題　【コード型】文章型	パターン
#1	【血糖コントロール不良】食事や運動の管理不足により，高血糖状態と低血糖症状が交互に1日のうちで出現し，血糖コントロールが不良である	問題着眼型
	根拠 低血糖症状や高血糖状態がみられている．要因として，不規則な食事時間，食事管理の不足，長時間座位で過ごす生活による運動不足であることが考えられる．	
#2	【健康管理行動不足】インスリン療法に依存し，食事管理が不適切で必要な運動ができていないことによる健康管理行動不足である	問題着眼型
	根拠 インスリン療法を行うことにより，食事や運動の健康管理行動による血糖コントロールを行う意欲が低下し，好きなものを食べたい，苦しいことはしたくないという思いがある．経済的余裕のなさから食事は炭水化物が多く，長時間座位で過ごすなどの状況から健康管理行動が不十分である．	
#3	【自己注射管理の維持・促進】血糖値測定，インスリン注射の自己管理を実行できていることから，継続的に行うことを維持・促進する	強み着眼型
	根拠 血糖コントロールのためインスリン療法を継続して行っていくことが重要である．自己注射の必要性を理解し，自分自身で実行することができると認識していること，このままの生活を継続したいという思いがあり，自己注射をする意欲がある．これらの強みを活かし，療養者に継続して自己注射管理を維持・促進する．	
#4	【足病変のリスク】血糖コントロール不良による糖尿病進行の危険性と足部白癬の発生から足病変悪化のリスクが高い	リスク着眼型
	根拠 血糖コントロールが不良であること，下肢の知覚鈍麻があり受傷しても気づきにくいこと，足部に白癬があるが経済的なこと，住居環境から清潔保持を毎日行うことができないことなど易感染性がある一方で，清潔保持ができない要因が発生していることにより足病変悪化の危険性がある．	

【看護課題の優先度の指針】糖尿病は血糖コントロールが最も重要な課題である．症状が出現し顕在化していることから，#1を【血糖コントロール不良】とした．そこから，その要因となっている【健康管理行動不足】を#2，#1を解決するために今後も継続していくための課題として【自己注射管理の維持・促進】を#3，#1が継続すると悪化するリスクがあり早期発見・早期対処が必要な課題として【足病変のリスク】を#4とした．

長期目標

血糖コントロールを良好に保ち，糖尿病の合併症の発生と悪化を予防して自立した在宅療養生活を送ることができる．

根拠 日常生活動作が自立していることから，健康管理行動の必要性，適切な方法の知識と理解，意欲をもつことで自立した健康管理行動を実践できる可能性がある．長期的には療養者自身が自立して健康管理行動を適切に実践し，血糖コントロールが行え，合併症発症と悪化を予防することができることを目指す．

〈長期目標を共有するケアチーム〉
フォーマルサービス：訪問看護師，主治医，ケースワーカー
インフォーマルなサポート：弟

STEP❶ アセスメント　STEP❷ 看護課題の明確化　STEP❸ 計画　STEP❹ 実施　STEP❺ 評価

5 糖尿病

1 看護課題	看護目標（目標達成の目安）
#1【血糖コントロール不良】食事や運動の管理不足により，高血糖状態と低血糖症状が交互に1日のうちで出現し，血糖コントロールが不良である	1) HbA1cの値が目標値になる（3か月） 2) 低血糖症状を起こさない（2か月） 3) 食事時間が安定する（1か月） 4) 血糖コントロールの必要性を理解できる（1か月）

援助の内容	援助のポイントと根拠
OP 観察・測定項目 ●朝食前血糖値	➡普段の測定値，受診時の血糖値と HbA1c を確認する　根拠 血糖コントロールの状態確認は空腹時血糖値を基準とする　連携 普段の血糖値の測定結果を医師と情報共有することでより適切な医療を提供する根拠となる
●受療状況	➡適切な診断結果に基づく看護の提供のため，受療状況を把握する
●自己注射実施状況，運動・食事内容	➡安定した血糖コントロールのために，インスリン自己注射の実施状況，運動・食事内容を把握する
●食事時間	➡低血糖を引き起こす可能性のある不規則な食事時間について把握する　根拠 血糖降下薬，インスリン製剤により食事や間食による糖分が長時間摂取できなかった場合，低血糖症状を引き起こす
●血糖コントロールに関する知識と意欲	➡血糖コントロールの必要性とその健康管理行動について必要な知識と意欲について把握する
●低血糖症状出現の状況と頻度	➡低血糖症状が出現した時の状況，実施した対処，頻度について把握し，緊急時の対応が可能かどうかを把握する
●バイタルサイン	➡血圧はどうか，発熱はないか　根拠 血糖コントロールが不良で糖尿病が進行した場合，高血圧や易感染性による感染を起こす
TP 直接的看護ケア項目 ●低血糖症状への対処	➡低血糖症状が発生し緊急コールがあった際にブドウ糖を補給する　根拠 低血糖症状が発生した場合は速やかな医療的対処が必要である　連携 症状の発生など状態悪化について医師に連絡し，方針を確認する
EP 教育・調整項目 ●血糖コントロールの必要性の説明	➡強み 理解力，判断力があるため血糖コントロールの必要性と，運動療法，食事療法，薬物療法を適切に行う方法について理解状況に合わせて説明する
●食事時間と生活リズムの調整の必要性の説明	➡強み 理解力，判断力があるため，低血糖症状の危険性と低血糖予防として食事時間の調整する必要性，そのための生活リズム調整の必要性について説明する　根拠 朝インスリンを注射しているにもかかわらず，生活リズムが整っていないため食事と食事の間の時間が長くなってしまうことで低血糖症状が生じる

2 看護課題	看護目標（目標達成の目安）
#2【健康管理行動不足】インスリン療法に依存し，食事管理が不適切で必要な運動ができていないことによる健康管理行動不足である	1) 指示された運動療法を行う（2か月） 2) 野菜を取り入れた食事を毎日摂取できる（2か月） 3) 健康管理行動に対する意欲がもてる（1か月） 4) 食事療法，運動療法の必要性を理解できる（2週間）

援助の内容	援助のポイントと根拠
OP 観察・測定項目 ● 運動実施の内容，食事摂取の内容と時間 ● 健康管理行動に対する心理的状態	➡健康管理行動の実際を把握する　根拠 運動療法，食事療法は優先して実践される療法である ➡健康管理行動の実行に対する意欲の状態を把握する　根拠 インスリン療法に依存し健康管理行動が不足していることから，健康管理行動を実施するための意欲の向上が重要となる
TP 直接的看護ケア項目 ● 健康管理行動カレンダーの作成	➡実施した健康管理行動を可視化して療養者自身で確認できるようにする　根拠 スモールステップの方法を用い，少しでも健康管理行動ができたと目標達成を実感できることで，健康管理行動を継続することができる
EP 教育・調整項目 ● 健康管理行動の目標設定 ● 運動，食事療法に関する教育 ● モニタリングの提案	➡ 強み 理解力，自己決定力があり，インターネットなどで本人が情報を収集できるため，療養者が選択し納得した目標を設定できるようにかかわる　根拠 行動変容のためには療養者本人が立案する目標が取り組みやすい ➡インスリン療法を行っていても食事療法，運動療法が必要であることを説明する　根拠 糖尿病治療では運動療法，食事療法による生活習慣の改善を基本とする．摂取カロリーの減少を目指し，血糖値の急激な上昇を避けるために野菜の摂取が必要である ➡ 強み 1日のうちで行った運動と毎食の食事内容・時間を記録して，療養者自身が健康管理行動の実際を理解できるように説明する　根拠 モニタリングすることで療養者自身が客観視することができ，問題点に気づきやすくなる

3 看護課題	看護目標（目標達成の目安）
#3【自己注射管理の維持・促進】血糖値測定，インスリン注射の自己管理を実行できていることから，継続的に行うことを維持・促進する	1) 自己注射を継続できる（2週間）

援助の内容	援助のポイントと根拠
OP 観察・測定項目 ● 自己注射の手技 ● 自己注射に対する意欲 ● 自己注射実施状況	➡適切な方法で自己注射を行っているか確認する ➡自己注射を実施する意欲を確認する ➡自己注射の単位数，実施回数，実施時間を確認する 連携 自己注射の実施状況を医師に報告し，治療方針を確認する

援助の内容	援助のポイントと根拠
●バイタルサイン	⇒感染の徴候はないか
TP 直接的看護ケア項目	
●自己注射の実施状況を記録するカレンダーの作成	⇒ **強み** 自己注射の継続に意欲があるため，療養者とともにカレンダーを作成する．自己注射の実施状況を確認し，実施できていることをカレンダーに示すことで療養者を励ますことができる **根拠** 療養者自身が作成したカレンダーを用い，自己注射管理を主体的に行うきっかけとする．自己注射の実施状況が示されることで意欲の継続につながる
EP 教育・調整項目	
●声かけ	⇒ **強み** 自己注射の継続に意欲があるため，血糖値を確認し，安定している場合はうまく自己注射ができ，コントロールできていることを説明する **根拠** うまくできていることを示されることで意欲の継続につながる
●自己注射の手技の指導	⇒ **強み** 理解力・判断力があり，日常生活動作が自立しているため自己注射の手技が適切でない場合，適切な方法を指導する **連携** 注射器材の工夫により問題が解決するような場合は医師に連絡し処方を替えてもらう
●インスリン注射と低血糖の関連に関する説明	⇒ **強み** 理解力・判断力があるので，インスリンの効能と低血糖の関連について説明する **連携** 理解状況を医師に報告し，治療方針を確認する

5 糖尿病

4 看護課題	看護目標（目標達成の目安）
#4 【足病変のリスク】 血糖コントロール不良による糖尿病進行の危険性と足部白癬の発生から足病変悪化のリスクが高い	1) 足病変を悪化させない (2か月) 2) 足部の清潔を保つことができる (2週間) 3) 足部を受傷しない (2週間)

援助の内容	援助のポイントと根拠
OP 観察・測定項目	
●皮膚状態	⇒白癬の状態を確認する ⇒知覚鈍麻により擦過傷など気づいていない傷の有無を確認する **連携** 状態によって医師に報告し，治療方針を確認する
●清潔保持状態	⇒清潔保持の状態を把握する
TP 直接的看護ケア項目	
●足浴	⇒足浴により白癬部分の清潔を保持する **根拠** 清潔保持により白癬の進行を防ぎ，足浴で血液の循環を促す効果が期待できる
EP 教育・調整項目	
●足浴の実施方法の教育	⇒ **強み** 理解力・判断力があり，日常生活動作が自立しているため看護師不在の時にも療養者自身で足浴が行えるように教育する
●白癬によるリスクの説明	⇒ **強み** 理解力・判断力があるので，糖尿病療養者が清潔を保持できず，白癬があることによって今後予測される足病変悪化のリスクについて指導する **根拠** 易感染性であること，白癬があることで足病変が進行しやすい
●知覚鈍麻によるリスクの説明	⇒ **強み** 理解力があるため下肢の知覚鈍麻による足部の状態の変化，打撲，創などの受傷しやすさのリスク，受傷回避の方法や注意点について説明する **根拠** 下肢の知覚鈍麻によ

●糖尿病進行のリスクの説明	り受傷しやすく，また受傷に気づきにくい．受傷して生じた傷から感染し壊疽に陥りやすい ➡ **強み** 理解力があるため糖尿病の進行によって足病変などの合併症が悪化するリスクについて説明する

> STEP ❶ アセスメント　STEP ❷ 看護課題の明確化　STEP ❸ 計画　**STEP ❹ 実施**　STEP ❺ 評価

強みと弱みに着目した援助のポイント

強みに着目した援助
- 理解力，判断力があり，新しい情報をインターネットなどで知ることに積極的であるため，適切な知識や行動について説明し，理解を促進する．
- 日常生活動作は自立しているため，セルフケア能力が維持されるよう，できるだけ療養者本人が行うよう健康管理行動を促進する．

弱みに着目した援助
- インスリン自己注射以外の健康管理行動には意欲が低いため，意欲の向上につながるようなかかわりを心がける．
- 療養者の意向で適切な食事療法や運動療法を行っていない．生活の質を向上させるため，意欲的な生活パターンを構築できるようかかわる．

> STEP ❶ アセスメント　STEP ❷ 看護課題の明確化　STEP ❸ 計画　STEP ❹ 実施　**STEP ❺ 評価**

評価のポイント

- HbA1cの値が目標値に近づいているか
- 低血糖症状が生じなくなっているか
- 食事時間が規則的か
- 血糖コントロールの必要性を理解しているか
- 指示された運動療法を行っているか
- 十分な野菜を含んだ食事を毎日摂取できているか
- 健康管理行動に対し意欲がもてているか
- 食事療法，運動療法の必要性を理解できているか
- 自己注射を継続できているか
- 足病変が悪化していないか
- 足部の清潔が保持できているか
- 足部の受傷を回避できているか

関連項目

第2章「6 脳梗塞」「20 生活不活発病（廃用症候群）」
第3章「28 生活困窮」「29 社会的孤立」「31 意欲低下」「32 自己放任」

●参考文献
1) 厚生労働省：令和元年国民健康・栄養調査報告．http://www.mhlw.go.jp/content/000710991.pdf（2022/8/4閲覧）
2) Plassman BL, et al：Systematic review：factors associated with risk for and possible prevention of cognitive decline in later life. Ann Intern Med 153：182-193, 2010
3) 日本糖尿病学会編・著：糖尿病治療ガイド 2018-2019．文光堂，2018

6 脳梗塞

脳梗塞の理解

基礎知識

疾患概念
- 血栓などにより脳血管の血流が阻害され，脳組織の一部が虚血から壊死に至り機能不全を起こすことにより，その部位がつかさどる身体機能の不全をきたす疾患である．
- 病型としては，脳血管の動脈硬化から来るアテローム血栓性脳梗塞，より細い血管で起こるラクナ梗塞，心房細動などによる心内血栓による心原性脳塞栓症などがある．

疫学・予後
- 厚生労働省「平成29年患者調査の概況」によると，脳梗塞の患者は全国で約150万6千人にのぼる．「令和2年人口動態統計（確定数）の概況」によると，同年の死因別死亡者数のうち脳血管疾患は約10万3千人と全体の4位であり，その内訳では脳梗塞が約5万7千人と最も多い．また，「2019年国民生活基礎調査の概況」によると，脳血管疾患は介護保険で「要介護」となったケースにおける介護が必要になる原因の第2位（第1位は認知症）となっている．

症状
- 虚血をきたす脳の部位がつかさどる機能が低下することにより症状が起こるため，梗塞部位により現れる症状は様々である．
- 一般的には，ろれつが回りにくくなる症状（構音障害）や，左右いずれかの半身に現れる麻痺や知覚低下が初期症状となることが多い．また，運動の調整を機能とする小脳で梗塞が起こると，麻痺がなくともめまいやふらつき，物をつかむことができないなどの症状が現れることがある．

診断・検査
- まず上記の症状で疑い，麻痺や筋力低下および神経所見の異常を確認した上で，MRIやCTなどの画像検査にて確定診断される．
- 発症早期ではCTでの検出が困難な場合があるが，MRIの拡散強調画像では発症後30分程度で高信号域として描出され，早期診断に役立っている．

合併症
- 脳梗塞では，梗塞部位の血管からの出血により脳出血を合併することがある．
- また，嚥下機能の低下による誤嚥から誤嚥性肺炎を合併することがあり，全身状態の低下や生命予後の低下をまねくことがある．

治療法
- **治療方針**
- 発症から4.5時間以内に治療が開始でき，適応を満たす場合は，rt-PA（遺伝子組換え組織プラスミノゲンアクチベーター，recombinant tissue plasminogen activator）による血栓溶解療法が行われる．
- 発症から時間が経っている場合や積極的治療が困難な場合，小脳梗塞など比較的影響が少ない場合などは在宅での輸液や嚥下評価と誤嚥防止などの対症治療を選択することがある．

- **薬物療法**
- 急性期の治療の後，在宅では病型に合わせて下記のような治療を行うことがある．

> **Px 処方例** アテローム血栓性梗塞

下記のいずれかを用いる.
- バイアスピリン錠 100 mg　1回2錠　1日1回(朝食後)を7日間　その後は1回1錠を1日1回
　←血小板凝集抑制薬
- プラビックス錠 75 mg　1回1錠　1日1回　朝食後　←血小板凝集抑制薬

> **Px 処方例** ラクナ梗塞

- バイアスピリン錠 100 mg　1回2錠　1日1回(朝食後)を7日間　その後は1回1錠を1日1回
　←血小板凝集抑制薬

> **Px 処方例** 心原性脳塞栓症

ヘパリンによる治療などの後,以下のいずれかを用いることがある.
- ワーファリン錠 1 mg　1回3錠　1日1回(朝食後)から開始し,PT-INR(プロトロンビン時間国際標準比)を測定しながら適宜増減　←抗凝固薬
- プラザキサカプセル 75 mg　1回2カプセル　1日2回　朝夕食後　←抗凝固薬
- イグザレルト錠 15 mg　1回1錠　1日1回　朝食後　←抗凝固薬
- エリキュース錠 5 mg　1回1錠　1日2回　朝夕食後　←抗凝固薬
- リクシアナ錠 60 mg　1回1錠　1日1回　朝食後　←抗凝固薬

●リハビリテーションと食支援

- 急性期においても嚥下機能の評価と食支援を含むリハビリテーションは重要であり,脳梗塞においても可能な限り発症当日から評価と介入を開始する.
- 脳梗塞の治療の目標は脳機能の維持・回復だけではなく,生活機能の維持・回復である.そのため身体疾患としての治療が順調であっても,臥床や絶食などにより栄養状態や筋力が低下し,歩行や経口摂取など日常生活の機能が低下してしまっては本末転倒である.発症時からこのような視点による評価・介入を行い,在宅移行に際しても,能力的に回復可能な範囲は改善することを目標とした療養環境を整える必要がある.
- 脳梗塞に限らず疾患の急性期には,一時的に嚥下機能が低下したり,全身状態の低下や意識の低下から適切な評価が困難な場合がある.その時期の評価により安易に経管栄養などが開始され,病状の回復に合わせた再評価がなされないまま退院となることがしばしば見受けられる.
- 在宅移行時にはそれまでの評価と介入を確認し,再評価と適切な目標設定のもと,食形態および食事の際の姿勢も含め,在宅で可能な食支援の方法を決定し継続する.その際には,医師,歯科医師,歯科衛生士,栄養士,介護士など多職種による評価と協力が不可欠である.
- 食の評価とともに栄養状態の評価を早期から行い,リハビリテーションと並行して筋力および生活機能の維持・改善を図る.これにあたっても入院中の評価・介入を確認した後,あらためて在宅移行時の状態評価と自宅での生活を想定した目標設定を行い必要なリハビリテーションを継続する.
- 寝たきりのケースでは時に褥瘡が問題になるが,その背景にも低栄養と不十分なリハビリテーションによる必要以上の安静臥床が背景にあることが多い.看護や介護の視点から生活に即した評価と改善を医師に進言することも有効である.

家族へのサポート

- それまで元気で生活していた人が脳梗塞を発症し介護が必要となった場合,早急に介護保険の認定と医療・介護のサービス導入が必要となる.
- 慢性疾患から要介護状態となる場合と異なり,脳梗塞では思いがけず急な発症から困難な事態に直面し,家族が動揺し大きな不安を抱えていることが多い.これからどのような生活が可能なのか,どんなサービスが利用可能でどのように準備すればよいかなど,短時間に理解し判断すべきことはあまりにも多い.しっかりと本人・家族の気持ちや想いに耳を傾けることが大切である.まずは,介護保険の認定からサービス導入への手順などを順を追って説明し,その上で,個別の問題に関しては他職種と協力しながらともに考え,寝たきりなどで在宅医療への移行が必要になった場合には,退院前に多職種連携によるチームづくりと環境整備が整うよう進めていくことが,家族に対する最大のサポートといえる.
- また,その際忘れられがちなのが状態に応じた制度利用である.介護保険の利用だけでなく,障害の程度により身体障害者手帳の取得が可能となることがあり,また就労を希望する場合は地域障害者職

業センターやハローワークなどでの就労支援の対象となるかについても検討すべきである．社会福祉士と連携することで，経済的な不安を軽減する意味でも適切な制度利用に結びつけることが大きな助けとなる．

在宅における特徴

- 脳梗塞を発症して在宅療養となった場合，長期的な療養が必要となることやそれまでの本人・家族の生活が一変することなどから，家族や介護者の負担軽減とケアが重要となる．発症から急性期治療，リハビリテーションと在宅移行のいずれの段階においても，本人・家族が不安なく，必要な治療とケアおよびサポートが得られる環境を，病診連携と多職種連携で支援する．
- 在宅移行時はデイサービスやリハビリテーションの方法を確保することはもちろんであるが，レスパイトのための入院やショートステイをどこでどのように行うかも確認しておきたい．
- また，在宅移行後は脳梗塞の原因となった糖尿病や高血圧，脂質異常症など生活習慣病や心房細動などの治療も重要となる．服薬やインスリン注射などが本人だけでは難しい場合は，家族や介護者への指導も必要となる．

在宅診療の実際

- 脳梗塞で在宅診療の対象となった場合，普段の病状に変化がみられないことが多く，定期的な訪問診療を行いながら，突発的な事柄には訪問看護との連携と往診を組み合わせて対応する．
- 「生活の主治医」としてのケアマネジャーと連携し，医療と介護サービスをバランスよく組み合わせて，本人・家族の生活をサポートすることがポイントである．

> **病診連携**
- 脳梗塞発症後の病診連携は，発症時，在宅移行期，急変時やレスパイト入院などの際に特に重要となるが，それらの連携が単発的で一方向の連携の繰り返しと考えるのではなく，在宅療養時も常に必要に応じて連携できるような関係づくりが求められる．そのためには連絡・連携のルールづくりや，情報共有ツールを用いた連携など地域の体制づくりも欠かせない．

脳梗塞に関連する社会資源・制度

1) 介護保険制度と障害者総合支援制度
- 40歳以上で，脳梗塞により介護や支援を要する状態であれば，介護保険制度のサービスを利用できる．
- 脳梗塞の後遺症により障害者手帳を申請し交付された場合，年齢に関係なく障害者総合支援法が定めるサービスを利用できる．

2) 継続医療を支援する資源
- 医療保険法による訪問診療，薬剤師による居宅療養管理指導

3) 機能回復(機能訓練，日常生活動作訓練，アクティビティケア)を支援する資源
- 介護保険法によるデイケア，デイサービス，訪問リハビリテーション
- 障害者総合支援制度による訓練等給付(自立訓練，就労移行支援)

4) 日常生活動作(入浴，更衣，整容，食事)を支援する資源
- 介護保険法による支援：(居宅)訪問介護，訪問入浴介護，(泊り)ショートステイ
- 障害者総合支援制度による介護給付：(居宅)居宅介護，重度訪問介護，行動援護，(泊り)ショートステイ
- 市区町村による要介護者への家族介護用品支給サービス(紙おむつ等)

5) 日常生活動作に適した環境整備を支援する資源
- 介護保険法による福祉用具貸与(車椅子等)・特定福祉用具販売(ポータブルトイレ等)・住宅改修
- 障害者総合支援制度による日常生活用具給付等事業(車椅子，吸引器，紙おむつ，住宅改修費等の給付)

脳梗塞をめぐる訪問看護

訪問看護の視点

1) 療養者をみる視点
- 脳梗塞は突然発症し，脳組織の不可逆的な変化により様々な機能障害を引きおこす．そのため，再梗塞を予防する視点と，合併症を予防し，生活機能の維持・回復を目指す視点をもつ．
- 罹患前の日常生活，役割の遂行が困難となることが多く，自尊心の低下をもたらしやすい．精神的ケアの視点とともに，生活の再構築，家族機能の再調整を支援する視点をもつ．
- 長期的に介護が必要になることが多く，家族・介護者の身体・精神・社会面の支援が重要である．

2) 支援のポイント
- 再梗塞の予防として，服薬の継続，食事・運動などの生活習慣の見直し，異常の早期発見を支援する．
- 脳梗塞の機能障害に関連して生じやすい症状（嚥下機能低下による誤嚥性肺炎，脱水・低栄養，神経因性膀胱による尿路感染，便秘，褥瘡，痙攣，中枢性疼痛，意欲低下等）や事故（転倒・転落や窒息）を把握し，予防する．
- 療養者の残存機能をアセスメントし，必要に応じた福祉用具の導入や住宅改修を提案する．
- 療養者がもつ能力を積極的に活用できる生活行動や介護方法（生活リハビリテーション）を工夫する．
- 療養者の楽しみや励みになっていることに着目し，意欲向上や社会参加を支援する．
- 必要時，通所・短期入所系のサービスを導入し，介護者が健康を維持し，自分の時間を確保できるようにする．

●状態別：療養者をみる視点と支援のポイント

状態	療養者をみる視点	支援のポイント
運動障害がみられる状況	生活機能を維持・回復し，かつ，転倒・転落のリスクを減らして日常生活が送れるよう，理学療法士や作業療法士と連携し，住宅環境を整え，適切な装具や歩行補助具，福祉用具の利用を勧める．また生活リハビリテーションを支援し，心身機能の維持と介護負担の軽減を図る．	●少しでもできることは療養者に行ってもらう．負担が少ない介護方法を工夫する． ●転倒・転落がおこりにくい動作，介助方法，環境整備等を一緒に検討する． ●臥床状態の場合，肺炎，褥瘡，拘縮，便秘の予防に努める．
言語障害がみられる状況	思うように意思疎通が図れず，いら立ちや焦りを感じ，自尊心や意欲低下につながりやすい．また，リハビリテーションの妨げや介護負担感につながりやすいため，障害の病態に合わせたコミュニケーション方法を導入する．	●構音障害の場合は，普通に話しかけ，療養者には口を大きく動かし発声してもらう．必要時，筆談や五十音表を使う． ●失語症の場合は，質問の方法，ジェスチャー，描画などを工夫する．
高次脳機能障害がみられる状況	注意，記憶，判断といった認知機能に障害があるが，周囲に理解がされにくい．介護者や家族に障害への理解を促し，本人・家族が対処方法を身につけられるよう支援する．症状に応じたリハビリテーションと援助を行う．	●障害により生じていること，できることを家族に説明し，対応方法を提案する． ●否定せず，受容的な態度で接する． ●当事者会・家族会を紹介する． ●日常生活で困る場面の対処法を一緒に検討する．

状態	療養者をみる視点	支援のポイント
嚥下障害がみられる状況	低栄養や誤嚥性肺炎をおこす可能性がある．食の楽しみが制限されることによる精神的ストレスも大きい．適切な姿勢や摂取方法，食形態を指導するとともに，嚥下リハビリテーションによる機能回復に努め，安全を優先するあまり，安易に食べる喜びを奪ってしまわないように注意する．	●呼吸状態に注意し，異常の早期発見・早期対応に努める． ●口腔ケアと嚥下リハビリテーションを行う． ●適切な姿勢，摂取方法，食形態を指導する． ●歯科や言語聴覚士と連携し，安全に食べられる方法を模索する．

訪問看護導入時の視点

- 退院を契機に訪問看護を導入する場合は，療養者・家族が望む生活が送れるよう，適切な社会資源の情報，介護方法の情報を提供し，住環境と介護体制を整える．不安の内容を聴き，軽減を図り，連携体制を確立する．
- 慢性期の合併症による再入院や機能低下を契機に訪問看護を導入する場合は，既に療養者・家族なりの日常生活動作や介護方法が確立していることが多い．心身の状態に合った予防行動や介護方法を再獲得できるよう，療養者・家族の方法を尊重しつつ，改善点を提案する．

STEP❶ アセスメント　STEP❷ 看護課題の明確化　STEP❸ 計画　STEP❹ 実施　STEP❺ 評価

情報収集

	情報収集項目	情報収集のポイント
疾患・医療ケア	**疾患・病態・症状** □疾患 □病態 □疾患の経過，予後	●脳梗塞の危険因子である高血圧，糖尿病，脂質異常症などの生活習慣病や心房細動がないか ●脳梗塞の病型，障害部位，機能障害はどうか ●症状の経過，残存している機能障害，機能障害の回復見込み，再梗塞のリスクはどうか
	医療ケア・治療 □服薬 □治療 □医療処置	●処方内容と服薬経路はどうか，抗凝固薬・血小板凝集抑制薬を服用しているか ●今後の治療方針と受診頻度，機能訓練の内容はどうか ●必要な医療処置の内容と頻度はどうか
	全身状態 □呼吸・循環状態 □摂食・嚥下・消化状態 □栄養・代謝・内分泌状態 □排泄状態 □筋骨格系の状態 □感覚器の状態	●呼吸パターンの変調，呼吸不全，誤嚥性・沈下性肺炎はないか，循環不全，冷感，浮腫，脈や血圧の急な上昇や低下はないか ●摂食・嚥下機能の障害，腸蠕動運動低下，下痢，便秘はないか ●体重の変化，低栄養，過栄養，脱水の徴候はないか ●尿意・便意の有無，排泄障害の有無・種類・機序，排泄回数，排泄量はどうか ●運動障害(麻痺，拘縮，失調，痙性)の有無，部位と程度，筋力はどうか ●感覚障害(感覚鈍麻，しびれ)，協調運動の障害の有無，部位と程度はどうか

6 脳梗塞

	情報収集項目	情報収集のポイント
疾患・医療ケア	□皮膚の状態 □認知機能 □意識 □精神状態	● 外傷(特に麻痺側)や褥瘡はないか ● 高次脳機能障害(失語症,失行症,失認症,認知症,記憶障害,注意障害,社会的行動障害等)の有無と程度はどうか ● 意識レベルはどうか ● せん妄,不安,うつ症状はないか
活動	**移動** □ベッド上の動き □起居動作 □屋内移動 □屋外移動	● ベッド上で寝返り,起き上がり,座位保持ができるか,更衣時に腰を挙上できるか ● 椅子やトイレに移乗しているか,つかまらずに立位の保持ができるか ● 介助や補助具(車椅子,手すり,歩行器,杖)が必要か,どの程度移動しているか ● 介助や補助具(車椅子,歩行器,杖,シルバーカー等)が必要か,外出頻度はどうか
	生活動作 □基本的日常生活動作 □手段的日常生活動作	● 食事,排泄,清潔,更衣,整容動作の遂行能力はどうか,遂行できない生活動作はどのように対応しているか ● 調理,買い物,洗濯,掃除,金銭管理,交通機関の利用の遂行能力はどうか,遂行できない生活動作はどのように対応しているか
	生活活動 □食事摂取 □水分摂取 □活動・休息 □嗜好品	● 摂取経路(経口・胃瘻・中心静脈栄養など),食事内容,形態(普通食・きざみ食・とろみ食等),むせの有無と程度,摂取量,口腔内の状態,弁当や配食の活用状況はどうか ● 1日の摂取量,水分の形態(とろみの程度),むせの有無と程度はどうか ● 夜間・日中の睡眠時間,睡眠パターン,日中の活動の程度と内容はどうか ● 喫煙・飲酒の期間と量はどうか
	コミュニケーション □意思疎通 □意思伝達力 □ツールの使用	● 周囲の状況を理解し,人と意思疎通できるか,高次脳機能障害による影響はどうか ● 言語障害(失語・構音障害等)の有無と程度はどうか,補聴器や眼鏡を使用しているか ● 電話,携帯電話,スマートフォン,メールなどを使用して他者と意思疎通ができるか
	活動への参加・役割 □家族との交流 □近隣者・知人・友人との交流 □外出 □社会での役割 □余暇活動	● 同居・別居家族とのかかわりはどうか,配偶者・親・子としての役割はどうか,家庭での役割(経済的支柱,家事,育児など)の有無と遂行状況はどうか ● 近隣,知人,友人との関係,交流頻度・方法はどうか ● 普段の外出の頻度,場所,目的,内容はどうか,外出先で他者との交流はあるか ● 社会での役割(就労・地域活動等)があるか,発症後の役割の変化はどうか ● 趣味はあるか,通所系サービスや患者会などへの参加状況はどうか

情報収集項目	情報収集のポイント
療養環境 □住環境 □地域環境 □地域性	⮕移動能力に応じて，手すりやスロープの設置がされているか，照明や室温は適当か ⮕買い物や受診時のアクセスはどうか．住環境周辺の段差や坂の有無，自転車や車の往来はどうか ⮕地域の住民同士の交流や助け合いの文化があるか
家族環境 □家族構成 □家族機能 □家族の介護・協力体制	⮕家族構成，同居・別居の状況はどうか ⮕家族関係はどうか，療養者について家族の意思決定方法や問題解決能力はどうか，家族の健康状態はどうか ⮕家族に主介護者・副介護者はいるか，キーパーソンは誰か．家族の介護力や介護負担感はどうか
社会資源 □保険・制度の利用 □保健医療福祉サービスの利用 □インフォーマルなサポート	⮕介護保険，障害者総合支援法による給付の適用と利用状況はどうか ⮕機能訓練，デイケア，訪問リハビリテーション，訪問介護，訪問入浴介護，住宅改修，福祉用具等の利用状況はどうか ⮕療養者や介護者を支える知人，友人，近隣の人々はいるか
経済 □世帯の収入，生活困窮度	⮕療養生活中の世帯の収入は十分か．就労による収入を得ている場合，療養休暇中の支給期間と割合，傷病手当の支給期間等はどうか，仕事復帰の見込みがあるか．退職者の場合，障害年金の受給の有無など
志向性(本人) □生活の志向性 □性格・人柄 □人づきあいの姿勢	⮕生活の中で目標や楽しみがあるか，健康感や死生観どのようなものか ⮕社交的・楽観的な性格か，ストレスへの対応はどうか，自立心はあるか ⮕元来の人づきあいの姿勢はどうか，他者とかかわろうとする姿勢があるか
自己管理力(本人) □自己管理力 □情報収集力 □自己決定力	⮕適切な服薬や医療処置，食事や運動療法を実施・継続できるか ⮕機能訓練，日常生活支援等，利用できる社会資源の情報を把握しているか ⮕治療方針や療養生活，サービス利用に関して自分で決定できるか
理解・意向(本人) □意向・希望 □感情 □終末期への意向 □疾患への理解 □療養生活への理解 □受けとめ	⮕療養生活，社会資源やサービスの活用等に対する意向や希望はどうか ⮕気分の落ち込み，回復への諦め，不安，介護者への罪悪感はないか ⮕再梗塞や合併症悪化時の胃瘻造設，呼吸器装着，蘇生等にどのような意向をもっているか ⮕抗凝固薬，血小板凝集抑制薬内服の必要性と注意点を理解しているか ⮕再梗塞の予防のための生活習慣や，生活不活発病を予防し生活機能を維持する行動方法を理解しているか ⮕障害の受容の状況はどうか

左端の縦書き区分: 環境 / 理解・意向

情報収集項目	情報収集のポイント
理解・意向 理解・意向（家族） □意向・希望 □感情 □疾患への理解 □療養生活への理解 □生活の志向性	➡社会資源やサービスの活用等に対する意向や希望はどうか ➡気分の落ち込み，介護負担感，疲労感，療養者への罪悪感はないか ➡抗凝固薬，血小板凝集抑制薬内服の必要性と注意点を理解しているか ➡再梗塞の予防のための生活習慣や，生活不活発病を予防し生活機能を維持する行動方法を理解しているか ➡就労・育児・家事の実施状況，家庭・社会での役割の遂行状況はどうか

事例紹介

脳梗塞後遺症のある退院後の療養者の例

Keywords 脳梗塞，高血圧，福祉用具の活用，リハビリテーション，壮年女性

〔基本的属性〕女性，56歳

〔家族構成〕夫，長男との三人暮らし．隣町に長女夫婦が在住

〔主疾患等〕脳梗塞（心原性脳塞栓症），高血圧

〔状況〕5か月前に心原性脳塞栓症（右中大脳動脈閉塞）を発症し，左半身麻痺と高次脳機能障害（半側空間無視，左半側身体失認）の後遺症あり．回復期リハビリテーション病院に転院後，自宅退院が決定したため，訪問看護を導入し10日前に退院．夫（59歳）は早期退職，長女（29歳）も介護に協力的である．

情報整理シート

疾患・医療ケア

【疾患・病態・症状】
主疾患等：脳梗塞(心原性脳塞栓症)(56歳〜)，高血圧(53歳〜)，心房細動
病歴：なし
経過：
53歳　健康診断で高血圧の指摘を受けるが，受診せず．
56歳(5か月前)　パート勤務中に突然倒れ，救急搬送．心原性脳塞栓症と診断．急性期病院で2か月入院加療．
3か月前　回復期リハビリテーション病院に転院．左半身麻痺と高次脳機能障害(半側空間無視，身体失認)，神経因性膀胱の後遺症がある．
3週間前　夫が自宅療養を希望．訪問看護を導入し退院した．

【医療ケア・治療】
服薬：【内服】抗凝固薬(ワーファリン)
　　　　　　　ACE阻害薬(レニベース)
　　　　　　　抗不安薬(デパス)
　　　　　　　緩下剤(ミルマグ)
　　　　　　　刺激性下剤(アジャストA)
　　　　【実施】夫の介助により服用
治療状況：2週間ごとの訪問診療
医療処置：必要時，グリセリン浣腸60 mL，麻痺側の自動・他動運動，立位訓練
訪問看護内容：全身状態の観察，排便コントロール，陰部洗浄

【全身状態・主な医療処置】
血圧：110〜130/70〜90 mmHg
脈：70〜80回/分
SpO₂：97〜98%
痰：声をかけると自己喀出できる．灰白色

簡単な問いかけに対しては，答え，意思表示もはっきりできる

身長：157 cm
体重：60 kg
BMI：24.3

排便：1回/3日
排尿：6〜7回/日
食事：3回/日

嚥下機能の軽度低下があり，軟食を摂取

左半身麻痺あり
左の握力は右の1/3程度
右利き
左側の半側空間無視・身体失認あり

尿意・便意あり．事前に伝えられる時もあるが，神経因性膀胱があり，失禁することが多い　便秘あり，下剤使用

基本情報
年齢：56歳　性別：女性
要介護度：要介護3
障害高齢者自立度：B2
認知症高齢者自立度：Ⅲa

活動

【移動】
ベッド上の動き：柵につかまって左側臥位になることは可能．右側臥位は介助が必要．右腰の挙上は少しできる．左半側身体失認あり，左側臥位では左上肢の圧迫あり．
起居動作：長座位・端座位時は左側へ姿勢が崩れやすいが，枕などで支えたり，右手で柵を保持していると座位姿勢を維持できる．
屋内・屋外移動：車椅子利用

【活動への参加・役割】
家族との交流：家族関係は良好．隣町の娘は2日に1回のペースで訪問
近隣者・知人・友人との交流：年に1回旧友と旅行していた．近隣との付き合いは挨拶程度
外出：発症後は外出していない
社会での役割：入院前は妻・母親，スーパーの従業員としての役割を担っていた．
余暇活動：入院前は週1回絵画教室に通っていた．孫の成長をみることが生きがい

【生活活動】
食事摂取：食欲あり．明らかな嚥下障害はないが，軽度嚥下機能低下あり，機会誤嚥の予防のために軟食にし，むせなく摂取している．半側空間無視があるため，左に置いてあるものは残す．発症前は濃い味付けを好んでいたが，現在は娘がつくる薄味の軟らかい料理を食べている．
水分摂取：むせなく水分摂取できている．飲水はコップ6杯/日．
活動・休息：週3回デイケアと訪問リハビリにて，リハビリテーションを実施．自宅では，食事の1時間はベッド上長座位，それ以外は臥位で過ごす．日中傾眠してしまうことあり，たまに入眠困難がある．
生活歴：25歳で職場結婚．27歳で長女，30歳で長男を出産し，専業主婦として子育てをする．子育てが一段落し，45歳からスーパーでのパート勤務を始める．
嗜好品：以前はビール250〜500 mL/日，脳梗塞発症後は禁酒

【生活動作】

基本的日常生活動作

食動作	セットアップと声かけが必要
排泄	排尿はほぼおむつ使用，排便はポータブルトイレ使用
清潔	デイケアにて入浴，訪問介護と看護にて陰部洗浄実施
更衣整容	整容と歯磨きはセットアップし左半身へ注意を促す声かけで可能．更衣は介助が必要
移乗	右手での手すり把持と左側の軽補助での短時間立位保持は可能．移乗動作は全介助
歩行	不可．デイケアの理学療法では，自立座位と左下肢に装具を装着し，平行棒内での立位保持を練習中
階段昇降	不可

手段的日常生活動作

調理	夫が実施．長女が2日に1回調理したものを差し入れしている．
買い物	夫が実施．インターネットを活用
洗濯	夫が実施
掃除	長男が実施
金銭管理	夫が管理
交通機関	介助タクシー利用

【コミュニケーション】
意思疎通：簡単な会話は理解できる．
意思伝達力：簡単な発語あり．意思の伝達ができる．
ツールの使用：なし

6　脳梗塞

環境

【療養環境】

住環境：2階建ての一軒家．1階のリビングに介護用ベッドを設置．2階に息子の部屋がある．玄関と車庫の間に15 cmの段差あり

地域環境：町内は比較的平坦だが，町の外に出ると坂道が多い．交通量は少なく，閑静な住宅街．町内に大型スーパーが1軒ある．
地域性：30年前に山間部を切り開き開発された都市部近郊のベッドタウン．都市部中心地まで電車で40分．地域組織活動は希薄

【ジェノグラム】

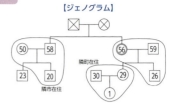

【家族の介護・協力体制】

夫が主介護者でキーパーソン．おむつ交換やポジショニングについては退院前に指導され理解しているが，車椅子の移乗や移送の介助は不慣れである．長女が料理を差し入れし，食事面をサポート．長男は週末に家の掃除をしている．

【社会資源】

サービス利用：

	月	火	水	木	金	土	日
AM	訪問介護 通所リハ	訪問看護	訪問介護のみ		訪問介護 通所リハ	訪問看護	訪問介護
PM				訪問リハ			

保険・制度の利用：介護保険，医療保険，福祉用具貸与で介護用ベッド・車椅子をレンタル．福祉用具購入費支給でポータブルトイレを購入

【エコマップ】

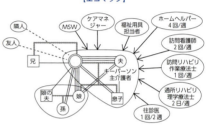

【経済】

世帯の収入：夫の退職金
生活困窮度：経済的な困窮はない．

理解・意向

【娘】
母のために何でもしてあげたい．でも子どもが小さくて手がかかるから父に任せきりで申し訳ない．料理などできるかぎりのサポートはしたい．孫の顔を見て元気になってほしい

29歳．3年前に結婚し，隣町に在住．1歳の娘がおり育児休暇中

【本人】
・自分の体が自分のものじゃないみたい．早く1人で動けるようにならないと
・健康には自信があったのに，何でこんな病気になったんだろう．家族に迷惑をかけて申し訳ない
・孫の七五三や入学式，息子の結婚式には元気な姿で参加したい

【志向性】
生活の志向性：無理して長生きしたくない．孫の成長をみるのが生きがい
性格・人柄：おおらか
人づきあいの姿勢：面倒見がよく，気さくに付き合う

【自己管理力】
自己管理力：介助
情報収集力：介助
自己決定力：過去や未来を熟考した決定は難しいことがあるが，その時々の意思決定はできる

【夫】
施設は高齢者が多く，妻はまだ若いから合わないと思う．今まで妻が支えてくれたので，これから様々な人や物の助けを借りながら自分が恩返ししたい．リハビリを頑張って何とか歩けるようになってほしい．外にも連れていってやりたいが車椅子の移送や移乗介助が難しい

59歳．同居．一流電気機器メーカーの営業部長をしていたが介護のため早期退職
キーパーソン 主介護者

【息子】
今まで仕事ばかりだった父が介護できるのか心配．仕事が忙しく，平日の帰宅は深夜になってしまい，あまり手伝えないけど，家族で協力していかないと

26歳．同居．大学院を卒業し，就職2年目．システムエンジニアとして勤務

総合的機能関連図と看護課題

看護課題
- #1 再梗塞のリスク
- #2 家族の介護の維持・促進
- #3 半側の認識困難
- #4 座位の維持・促進

解釈・判断

#1 再梗塞のリスク
- 高血圧、心房細動により再梗塞の危険因子である

#2 家族の介護の維持・促進
- 家族の介護能力が高い
- 環境調整や介護方法の指導が必要である
- 回復意欲と残存機能がある

#3 半側の認識困難
- ボディイメージの混乱がある
- 左半身を意識した行動が困難である
- 転倒や受傷のリスクがある
- 臥床による拘縮や筋力低下のリスクがある

情報の選択

疾患・医療ケア：
- 脳梗塞（心原性脳塞栓症）
- 高血圧
- 心房細動
- 抗凝固薬内服
- 高次脳機能障害
- 半側空間無視・身体失認
- 左半身麻痺
- 神経因性膀胱
- 左上下肢の運動障害、感覚障害
- 尿意切迫
- 軽度の嚥下機能低下
- 便秘
- 下痢、浣腸
- 排泄できる
- 訪問看護
- 訪問介護
- 通所リハビリ

活動：
- 左側臥位時に左上肢の圧迫あり
- 左側の食べ残しなど左側の行動を忘れる
- 移乗・起居動作は全介助
- おむつ使用
- 失禁
- 機会誤嚥
- 軟食をむせなく摂取
- セットアップと声かけで整容・歯磨き、食事摂取ができる
- 右座挙上と把持による端座位ができる
- 利き手が右手（健側）
- 在宅時は主にベッド上臥位で過ごす
- 排便：ポータブルトイレ使用
- 車椅子使用
- 夫：移乗・移送介助に不慣れ
- 夫：おむつ交換は指導済み
- 娘が1日おきに訪問、滷味の歌らかいおかずを差し入れ
- 玄関先に段差あり
- 家の掃除は息子が担当
- 経済的な困窮はない

環境：
- 社会資源導入に抵抗がない

理解・意向
- 夫「これからは自分が要に思返ししたい」
- 夫「何とか歩けるようになってほしい」
- 孫の成長をみるのが生きがい
- 「1人で動けるようにならないと」
- 娘「父に任せきりで申し訳ない」
- 息子「今まで仕事ばかりだったが父が介護できるのか心配」
- 夫「外にも連れていってやりたいが車椅子の移送や移乗が難しい」

6 脳梗塞

凡例：
- → 強みと読む解釈・判断
- → 弱みと読む解釈・判断
- → 強みを示す矢印
- → 弱みを示す矢印

STEP❶ アセスメント　STEP❷ 看護課題の明確化　STEP❸ 計画　STEP❹ 実施　STEP❺ 評価

看護課題リスト

No.	看護課題　【コード型】文章型	パターン
#1	【再梗塞のリスク】高血圧，心房細動のため再梗塞のリスクが高い	リスク着眼型
	根拠 高血圧，心房細動は脳梗塞発症の危険因子である．再梗塞の徴候を理解し，内服を継続し副作用の有無を把握し，異常があれば早期発見・早期受診する必要がある．	
#2	【家族の介護の維持・促進】家族の介護力を活かし，家族の介護を維持・促進する	強み着眼型
	根拠 家族は適切な介護技術をまだ獲得していないが，家族の介護意欲は高い．本人も回復の意欲と残存機能があり，家族の介護を維持・促進することで，生活機能の維持・回復が期待できる．	
#3	【半側の認識困難】左半側の身体・空間の認識が困難である	問題着眼型
	根拠 脳梗塞の後遺症により，左側の身体失認と半側空間無視がある．左空間・左半身を意識した行動が難しいため，転倒や受傷のおそれがあり，抗凝固薬内服により受傷時に重症化するリスクがある．また自分の身体が自分のものでないというボディイメージの混乱をきたしている．	
#4	【座位の維持・促進】本人の残存機能と回復意欲を活かし，自立座位を維持・促進する	強み着眼型
	根拠 つかまって端座位がとれるなどの残存機能があり，本人の回復への意欲が高い．将来的に軽介助で移乗動作ができることを目指し，まず自立座位を維持・促進する．	

【看護課題の優先度の指針】再梗塞は生命の維持，QOLの維持に直接かかわる問題であるため，【再梗塞のリスク】の優先度が最も高い．本事例では，退院直後のため，家族が介護に不慣れであり，【家族の介護の維持・促進】を優先して#2とした．さらに安全上の問題が生じている【半側の認識困難】を#3，【座位の維持・促進】を#4とした．

長期目標

家族の介護体制を整え，再梗塞を予防し，在宅で生活機能の維持・回復をめざす．

根拠 脳梗塞の後遺症による左半身麻痺や高次脳機能障害があり，再梗塞と怪我のリスクが予測される．しかし，本人・家族の在宅療養の意向と回復への意欲が強く，右半身の機能が保たれていることから，社会資源の活用と適切な支援により，生活機能の維持・回復が期待できる．

〈長期目標を共有するケアチーム〉
フォーマルサービス：訪問看護師，往診医，ケアマネジャー，理学療法士，作業療法士，MSW，ホームヘルパー，デイケア担当者，福祉用具担当者
インフォーマルなサポート：夫，息子，娘

| STEP❶ アセスメント | STEP❷ 看護課題の明確化 | **STEP❸ 計画** | STEP❹ 実施 | STEP❺ 評価 |

1 看護課題

#1【再梗塞のリスク】
高血圧，心房細動のため再梗塞のリスクが高い

看護目標（目標達成の目安）

1) 飲み忘れなく服薬できる（3か月）
2) 抗凝固薬による出血傾向の徴候を観察できる（1か月）
3) 脳梗塞の徴候を説明できる（1か月）
4) 塩分を節制した食事を継続できる（6か月）

6 脳梗塞

援助の内容

OP 観察・測定項目
- バイタルサイン
- 神経症状の有無，変化の有無

- 食事内容，塩分摂取量（状況）

- 水分摂取量

- 処方内容，抗凝固薬の量
- 禁忌の食品（納豆，クロレラ，青汁）の摂取有無
- 出血傾向の有無

- 再梗塞の予防と内服薬に関する発言内容（知識の程度）

TP 直接的看護ケア項目
- 排便コントロール

- 服薬支援

EP 教育・調整項目
- ワルファリンカリウムの継続内服の必要性と出血傾向についての説明

- 再梗塞の徴候に関する説明
- 食事に関する説明

援助のポイントと根拠

- 血圧や脈の変動がないか，呼吸の変調はないかを把握する
- 手足のしびれや脱力感，構音障害，顔のゆがみ，意識障害などの症状がないかを把握する **根拠** 再梗塞の徴候の場合がある
- 娘のつくる薄味の食事を摂取できているか **根拠** 高血圧があり，塩分過多に注意する必要がある
- **根拠** 脱水が起こると血栓を形成しやすくなる．脱水は脳梗塞の誘発因子である
- 抗凝固薬の増量時は，副作用に注意する
- **根拠** ビタミンKが豊富に含まれる食品は，抗凝固薬の効果が減少する
- 皮膚に点状出血や皮下出血が生じていないかや，血尿を生じていないか把握する **根拠** 抗凝固薬の副作用として出血傾向が生じやすい **連携** ホームヘルパーや通所系サービスのスタッフとも情報共有し，観察を依頼する．症状が生じている場合は医師に報告する
- 脳梗塞の危険因子となる生活習慣病に関する知識や予防行動，内服薬に関する知識や服薬行動を把握する

- 排便時にいきまないよう，下剤と浣腸で調整する **根拠** いきみは血圧上昇をもたらすため，脳梗塞予防のためにも排便コントロールが大切である
- 内服が正しく継続できているか，定期的に確認する

- 転倒等により頭部を受傷した場合は，主治医・訪問看護師に連絡すること，皮下出血が生じた場合は拡大しないか観察するよう説明する **連携** ホームヘルパーにも教育内容を共有し，異常の早期発見に努める
- **根拠** 徴候を知ることで異常へ早期に対処できる
- 抗凝固薬内服中に納豆・クロレラ・青汁の摂取は避けるよう説明する．また，抗血小板薬シロスタゾール（商品名：プレタール）が処方された場合は，グレープフルーツジュースを摂取しないよう説明する **根拠** 薬の作用を増強する
- 減塩ができる食品の選び方や調理の工夫について説明する

2 看護課題

#2【家族の介護の維持・促進】
家族の介護力を活かし，家族の介護を維持・促進する

看護目標（目標達成の目安）

1) 介護負担を軽減するためのサービスを導入できる（2週間）
2) 介護者がボディメカニクスを意識した起居・移乗介助動作を身につけられる（1か月）

3) 介護者が療養者の生活機能を意識した日常生活支援ができる (3か月)
4) 介護者が心身のつらさをため込まず表現できる (3か月)

援助の内容	援助のポイントと根拠
OP 観察・測定項目 ● 療養者の起居動作・移乗動作 ● 家族の移乗移送・排泄・更衣等の介助方法・頻度 ● 家族の役割の変化，介護の分担の状況，主介護者の介護量 ● 主介護者の表情，心身の状態 ● 家族の介護に対しての言動・感情の表出 ● 療養者・家族のサービス利用に対する思い	⇨ 療養者が残存機能を活かしているかを把握する ⇨ 家族が療養者の残存機能を活かした方法や身体に負担がかからない方法で介護できているかを把握する ⇨ 家族機能の変化，主介護者のおかれている状況を理解する **根拠** 疾患の特徴から，療養者・家族は心理的にも経済的にも負担を感じやすい ⇨ 負担感や不安感の有無，十分な睡眠が確保できているか，社会との交流が確保できているか，腰痛や持病の悪化がないかなどを把握する ⇨ サービスに対する不満は介護の抱え込みにつながる．また，経済負担やサービス関係者への気疲れからサービス利用に否定的になる場合もある
TP 直接的看護ケア項目 ● 住宅改修の導入（玄関のたたき，玄関-車庫間の段差解消） ● 福祉用具（ベッド用L字型手すり，スライドボード）利用の導入 ● 必要時，ショートステイ利用の導入	⇨ 行動範囲の拡大と介助動作の負担軽減を目的に住宅改修と福祉用具貸与を提案する **連携** ケアマネジャー，福祉用具担当者と情報共有しスムーズな導入を図る ⇨ 主介護者の健康維持ができるよう，必要時，サービス利用を提案する
EP 教育・調整項目 ● 療養者本人ができる生活行動の促進 ● ボディメカニクスを意識した介助方法の教育 ● 家族の介護に対するポジティブフィードバック ● 家族間での話し合いの場の調整 ● 介護者の話の傾聴	⇨ **強み** 療養者ができることは自分で行うことで，介護者の負担を減らす．また，ともに頑張ろうという共通目標をもつことができ，介護意欲につながる ⇨ 起居や移乗動作の介助は介護者の身体に負担がかかり，腰痛発症の原因になることがある．ボディメカニクスを意識した負担を少なくできる方法を説明する ⇨ **強み** できることをポジティブフィードバックし，介護に対する意欲の維持を図る ⇨ 家族が新たな役割を獲得し，協力し合えるよう家族間での相互理解や役割分担の調整を助ける ⇨ 介護者の介護に対する否定的な感情に対しても，共感的に寄り添い，ねぎらう

3 看護課題	看護目標（目標達成の目安）
#3【半側の認識困難】 左半側の身体・空間の認識が困難である	1) 本人が運動障害・知覚障害を認識する (6か月) 2) 家族・介護者が本人の運動障害と知覚障害を理解し，声かけと生活環境を調整できる (1か月) 3) 動作時に麻痺側を保護した動作をすることができる (3か月)

援助の内容	援助のポイントと根拠
OP 観察・測定項目 ● 運動障害による身体機能の変化に対する認識 ● 身体失認・空間無視の程度、状況 ● 体位変換・移乗動作時の麻痺側の扱い ● 打撲痕や創傷の有無 ● ベッド周囲の環境 ● 機能の喪失に対しての言動・感情の表出 ● 家族やホームヘルパーの運動障害や高次脳機能障害に対する理解、介護方法、声かけの仕方	⇒ 根拠 半側空間無視の療養者は病識を欠くことが多い。また、半側身体失認では、失認している側への注意が低下する ⇒ 具体的に日常生活場面を観察し、問題となる動作や言動の状況を把握する ⇒ 動作時に健側で麻痺側を保護しているか確認する 根拠 麻痺側上肢を受傷したり、立位時に麻痺側にも健側同様に体重をかけてしまい転倒することがある ⇒ 根拠 麻痺側は、脱臼や圧迫による循環障害が起こりやすく、さらに感覚障害により、受傷しても気がつきにくいため重症化することがある ⇒ 受傷や転倒しやすい箇所がないか、空間無視と安全に配慮した環境になっているか確認する ⇒ 表情や言動などから機能の喪失に対しての受容の状況を共感的理解をもって把握する ⇒ 介護者の理解や介護方法を把握する 根拠 療養者が意図せずした行動への叱責は、療養者のボディイメージを混乱させ自尊心を傷つける。また、できることを介助することは、リハビリテーションの機会の喪失につながる
TP 直接的看護ケア項目 ● ベッドの位置の変更 ● 麻痺側のリハビリテーション	⇒ 右側から話しかけたのち、左側に移動すると、左側にも意識を向ける練習になるため、左側に介助者が入れるようベッドの位置を変更する ⇒ 左手足を右手でさするところを見てもらったり、目で認識させながら麻痺肢の使用を促す 根拠 体性感覚刺激の併用、生活動作の反復訓練が有効である
EP 教育・調整項目 ● 介護者への介助方法、声かけの仕方の説明 ● 左上下肢の位置に対する注意喚起 ● 動作時の麻痺側の確認と見渡し習慣をつけることの提案 ● セルフヘルプグループの情報提供	⇒ 強み 食事時に左側にテープを貼ったり、右側に食器を置くこと、整容時は鏡を置くこと、体位変換や移乗時に麻痺側が挟まれないよう声かけを行い、自分で注意して動いてもらう ⇒ 連携 安全で残存機能を活かす介助方法を家族とホームヘルパーに説明する ⇒ 強み 本人の目に入る場所に貼り紙(例:左下で寝る時は左手の位置を確認)などをし、左側に注意して移動してもらう ⇒ 動作の前には、身体と視線を左側に向けて全体を見渡すことと健側で麻痺側の上下肢の位置を確認するよう声に出しながら行うことを習慣づける ⇒ 同じ疾患の療養者の交流により、気持ちを分かち合うことができる

4 看護課題	看護目標(目標達成の目安)
#4 【座位の維持・促進】 本人の残存機能と回復意欲を活かし、自立座位を維持・促進する	1) 安定して長座位を保つことができる(1か月) 2) 見守りのもと、1日1回端座位をとることができる(1か月) 3) 日常生活動作を維持し、拡大できる(3か月)

援助の内容	援助のポイントと根拠
OP 観察・測定項目 ●バイタルサイン ●ベッド上の動き,起居動作 ●麻痺側の筋力と体幹のバランス ●マットレスの硬さ,ベッドの高さ ●日常生活動作の実施状況 ●機能訓練の内容 ●仙骨部・尾底部の皮膚の状態	⇒座位や立位時の変化の有無を把握する **根拠** さらに起立性低血圧をおこすと脳血流が減少する ⇒麻痺側の状態を把握する ⇒座位時は足底が床に着く高さとする **根拠** マットレスが柔らかすぎたり,ベッドが高すぎるとバランスを崩しやすい.低すぎると立ちあがりが困難となる ⇒残存機能を活かした日常生活動作の実施状況 ⇒ **連携** デイケアと情報共有し,機能訓練の状況を把握する ⇒ **根拠** 座位時間の延長やずれにより,褥瘡を生じるおそれがある
TP 直接的看護ケア項目 ●訪問時の起居動作・座位訓練 ●座位時間の確保 ●自分でできる生活行動の促進	⇒移乗動作が負担と感じている家族に配慮し,サービス関係者の訪問時に起居動作や座位時間を確保する **連携** ホームヘルパー介入時の車椅子やポータブルトイレへの移乗を促す ⇒手すりを把持した座位保持や座位での更衣・整容などの声かけを行う.また誘導して,身体失認がある左上下肢も積極的に動かせるようにする
EP 教育・調整項目 ●残存機能を活かす意義と方法の提案 ●座位時のポジショニング方法 ●生活の目標をつくる提案	⇒ **強み** 機能回復と関節拘縮,便秘の予防のために残存機能を活用することの重要性を伝え,声かけで自分で動いてもらう ⇒姿勢の崩れを予防する枕を使用したポジショニング方法を説明する ⇒オーバーテーブルを使用した座位での簡単な料理補助等,本人が楽しみながら行える座位での行動を提案する

STEP① アセスメント → **STEP② 看護課題の明確化** → **STEP③ 計画** → **STEP④ 実施** → **STEP⑤ 評価**

強みと弱みに着目した援助のポイント

強みに着目した援助
- 生活機能を維持・促進するため必要となる動作をアセスメントし,日常生活で実施できるよう働きかける.
- 適切な介護方法と必要な社会資源の導入を提案することで,介護の困難感を軽減し,座位の機会を増やしたり座位時間の延長につなげる.
- 療養者ができる生活行動を具体的に促進することで,介護者の負担を減らすとともに,療養者の生活不活発病(廃用症候群)の予防,新たなボディイメージの構築,自尊心の向上を図る.

弱みに着目した援助
- 運動・知覚障害,認知機能障害による麻痺側の受傷リスクを予防し,適切な介護方法を提案する.
- 臥位時間の延長や介護者が援助しすぎることによって,関節拘縮や便秘,意欲低下などを引きおこすリスクがあることを説明し,座位時間の延長や残存機能を活かした日常生活動作を促す.
- 療養者の混乱や介護者の戸惑いに対して共感的姿勢を示し,話を聴くことにより,抱え込みを予防する.

STEP❶ アセスメント　STEP❷ 看護課題の明確化　STEP❸ 計画　STEP❹ 実施　STEP❺ 評価

評価のポイント

- 飲み忘れなく服薬できているか
- 抗凝固薬による出血傾向の徴候を観察できているか
- 脳梗塞の徴候を説明できるか
- 塩分を節制した食事を継続できているか
- 介護負担を軽減するためのサービスを導入できているか
- 介護者がボディメカニクスを意識した起居・移乗介助動作を身につけているか
- 介護者が療養者の生活機能を意識した日常生活支援ができているか
- 介護者が心身のつらさをため込まず表現できているか
- 運動障害・知覚障害を認識しているか
- 家族・介護者が本人の運動障害と知覚障害を理解し，声かけと生活環境を調整しているか
- 動作時に麻痺側を保護した動作をとることができているか
- 安定して長座位を保つことができているか
- 見守りのもと，1日1回端座位をとることができているか
- 日常生活動作を維持し，拡大できているか

6 脳梗塞

関連項目

第2章「16 関節拘縮」「18 尿失禁」「19 摂食・嚥下障害」「20 生活不活発病(廃用症候群)」「21 老衰」
第3章「25 家族の介護疲れ」「27 家族による高齢者虐待」「31 意欲低下」

7 頸髄損傷

頸髄損傷の理解

基礎知識

疾患概念
> 頸髄損傷は，脊髄のうち頸髄が損傷されたもので，四肢麻痺をはじめ様々な症状を呈する（本稿では脊髄損傷全般を含めて解説する）．

- 外傷などで，脊椎に保護されている脊髄が損傷され，障害される部位により様々な状態となりうる．
- 脊髄損傷による症状に伴う日常生活動作・手段的日常生活動作の低下，患者本人の苦悩だけでなく在宅生活を支援する家族の負担や苦悩にも寄り添っていくことが必要となる．

疫学・予後
- わが国における脊髄損傷の発生頻度は人口 100 万人あたり 49 人[1]．年間約 6,000 人程度が発症し，男性が約 80% を占める．
- 原因は交通事故（44%），転落（29%），転倒（13%）の順で，年齢は 60 代と 20 代の二峰性であったが現在は高齢者をピークとする一峰性に変化してきている．損傷レベルは頸髄（75%），胸腰仙髄（25%）の順．
- また，国内での地域差もあり高齢化率の高い地域や生活環境，就労環境などの影響も推測される地域差も認められている．
- 社会の高齢化とともに非骨傷性頸髄損傷が増加しているが，脊柱管に発育性狭窄や後縦靱帯骨化を有することが多い日本人は頸髄損傷を受傷しやすい背景をもっている[1]．

■表 7-1 頸髄損傷高位別の運動レベルと日常生活動作

$C_1 \sim C_3$	・人工呼吸器が必要（呼吸筋麻痺） ・四肢・体幹がすべて麻痺しており，日常生活動作は全面介助を要する．頭部動作での利用に対応した入力装置などにより，意思伝達や電動車椅子での移動ができる
C_4	・横隔膜の機能が残存するため，人工呼吸器からの離脱が可能 ・四肢は麻痺しており，日常生活動作は全面介助を要する．会話が可能．頸での操作により電動車椅子で移動できる
C_5	・肩関節の屈曲・伸展・外転，肘関節の屈曲が可能 ・日常生活動作は大部分に介助が必要．手関節に固定した自助具により食事や筆記可能．電動車椅子で移動できる
C_6	・手関節の背屈，前腕の回内が可能．寝返り，起き上がりができる ・日常生活動作は中等度～一部介助が必要．自助具により食事や筆記可能．上半身の更衣，自己導尿，ベッドと車椅子の移乗ができる
C_7	・肘の伸展ができ，プッシュアップ動作ができる．手関節の掌屈が可能 ・日常生活動作は一部介助．自助具なしでの食事や筆記可能．洋式トイレでの排便や入浴，車椅子での日常生活動作は自立
$C_8 \sim T_1$	・手指屈曲ができ，巧緻運動も可能になる
$T_2 \sim T_6$	・体幹の回旋ができない
$T_7 \sim L_2$	・体幹の回旋はできるが前屈位からの起き上がりは困難 ・長下肢装具と松葉杖により練習程度の歩行が可能
$L_3 \sim L_4$	・膝関節の伸展が可能になる ・短下肢装具と松葉杖による実用的歩行が可能

症状
- 完全損傷の場合は，損傷される部位により様々な症状を生じる（**表 7-1**）．
- 不完全損傷の場合は運動や感覚の不完全消失が発生し，病因によって永久的な場合と一時的な場合がある．臨床像は脊髄の損傷部位に依存し，いくつかの異なる症候群がある．

診断・検査値
- 脊髄損傷には，神経学的検査，画像検査，筋電図，徒手筋力テスト，皮膚知覚テストなどの検査が実施される．
- 画像検査は X 線撮影，CT，MRI のほか，脊髄造影検査などを行う．
- 脊髄損傷の神経学的重症度分類にはフランケル分類と ASIA（American Spinal Injury Association）分類が用いられる．

合併症
- 脊髄損傷による麻痺以外に，様々な全身の合併症が発生する．
- **呼吸器合併症**（頸椎部脊髄損傷の場合）：上位頸髄損傷では呼吸筋麻痺により人工呼吸器管理が必要となる．また下位頸髄レベルの脊髄損傷でも，咳がうまくできず，痰づまりや肺炎を起こしやすくなるなど注意が必要となる．
- **泌尿器合併症**：排尿機能が障害されることにより，神経因性膀胱の状態となる．尿路感染症のリスクが増加し敗血症を発症することもある．
- **消化器合併症**：腸管の麻痺が生じ，麻痺性の腸閉塞や下痢，便秘などの障害が生じるため便通のコントロールが必要となる．
- **褥瘡**：脊髄損傷によって同じ姿勢でいることが増え，感覚鈍麻や自力での体動困難のために圧迫された部位が血行不良となって，褥瘡が発生しやすい状況となる．一般的な褥瘡と比べ，比較的悪化してから介入されることが多い．治療においてもこまめな体位変換が難しく自身の感覚鈍麻もあり増悪のリスクが高い．また，褥瘡があると細菌感染のリスクも高く褥瘡を防ぐためには，こまめな体位変換（自力でできない場合は介助が必要）や頻回の処置が大切で，介護者負担増にもつながるため，褥瘡を発生させないことが重要である．
- **自律神経機能障害**：自律神経過反射がみられることがある．自律神経の機能不全で，身体に負担が生じると突然異常な反応が生じるものである．血圧上昇や低下，頭痛や呼吸苦，痙性などを生じる場合がある．
- **体温調節機能障害**：損傷の部位によっては，発汗機能の低下や消失を認めることがある．その場合は体温調節機能が損なわれ，うつ熱状態や低体温状態になることがあるため，外気温と体温には注意が必要となる．
- **頻脈**：動悸感や呼吸苦，手足のしびれなどが生じることがある．他の原因との鑑別が必要．
- **末梢血管拡張/起立性調節障害**：起立性低血圧を含む低血圧，頭痛，めまい，動悸や顔面紅潮，下肢の浮腫などが生じることがある．
- **低血糖**：血糖調節メカニズムが影響を受け，低血糖症状（冷汗，振戦など）が突然生じることがある．
- **性機能障害**：障害の程度は損傷の程度などにより個別性が大きい．

治療法
治療方針
- 在宅では生じうる合併症の予防や合併症の治療がメインとなる．本稿では慢性期や長期的ケアについて述べる．
- 長期的な視点をもちながら，自宅で生活を維持していくために必要なサービス（訪問診療，訪問看護，ホームヘルパー，訪問入浴，デイサービス，ショートステイなど）や，コミュニケーション支援用具などを導入する．

合併症の治療
〈泌尿器合併症〉
- 神経因性膀胱に対しては，尿道カテーテルの膀胱留置や間欠的自己導尿などが必要となる．尿路感染症を防ぐために，陰部や排尿に使用する器具の清潔管理・操作が重要である．

〈消化器合併症〉
- 麻痺性イレウスや下痢，便秘など様々な症状が生じるため，緩下剤や発泡性坐剤（新レシカルボン坐剤），グリセリン浣腸などを利用しながら便通コントロールを行う．

〈自律神経機能障害〉
- 痙性は麻痺に伴う副作用で，筋緊張の増加，急激な筋収縮，深部腱反射亢進，筋肉の痙攣，鋏状脚（はさみじょうきゃく）（無意識な脚の交差），関節の固定などがある．患者によってはリハビリテーションや内服によって軽減・コントロールできる場合がある．

Px 処方例 下記のいずれかを用いる．
- ギャバロン錠 5 mg　1回 1錠　1日 3回　朝昼夕食後（24時間に最高 80 mg）　←痙縮・筋緊張治療薬
- テルネリン錠 1 mg　1回 1錠　1日 3回　朝昼夕食後（24時間に最高 9 mg）　←痙縮・筋緊張治療薬

〈体温調節機能障害〉
- 体温変化に対する事前の予防対策や身体状態の注意観察などが重要である．

〈末梢血管拡張/起立性調節障害〉
- 発症時は安静に保ち，頭部を低くするなどの体位をとることが大切であるが，この際に低血糖などの除外を行う．また日常的に残された能力を使いながら運動やリハビリテーションを行うこと，他動的に運動やマッサージなどを行うことも予防につながる．

● リハビリテーション
- 理学療法や作業療法，職業訓練など集約的にリハビリテーションを行っていく必要がある．
- 理学療法は，筋力強化運動，拘縮を予防するためのストレッチ運動，および装具，歩行器，車椅子などの補助器具の適切な使用訓練，また痙性，自律神経過反射などをコントロールする訓練など．作業療法は，微細運動能力の訓練や排尿・排便の技術を指導する．

● 心理的ケア
- 身体の機能を永久的に失った喪失感や今後の生活への不安など，患者・家族のスピリチュアルペインや抑うつ症状に対して行う．症状の深刻度によっては心理職やカウンセラーなどとの連携も必要である．

● 今後期待される治療
- 現在，iPS 細胞など再生医療による脊髄損傷の治療が研究されており，今後の成果が期待されている．

在宅における特徴

- 在宅で脊髄損傷の患者を診ていく場合，原疾患に対する治療がメインになることは少ない．生じうる合併症を多職種連携によって治療・予防していくことや，心理的ケアがメインとなることが多い．
- 患者・家族は大きな苦悩やスピリチュアルペインを抱えており，彼らに寄り添い継続的にかかわっていくことが重要である．

在宅診療の実際

病診連携
- 脊髄損傷患者が合併症を発症した場合，感覚障害や体温調節障害などにより自覚症状が乏しく，本人が訴えることが困難な場合もあり重症化してしまうことも少なくない．その場合，自宅での治療には家族の介護負担や経済的負担などもあり，病院での集約的な加療が望ましい場合もある．
- 患者とその家族は突然のアクシデントによって永久的に失われた機能と向き合いながら，今後も続く人生を生きていかなければならない．その長い経過の中で互いにとって休息が必要なこともあり，その場合はレスパイト入院も1つの選択肢となりうる．
- 入院加療により身体的症状の改善だけでなく患者・家族の精神面での休息につながることもあるなど，長期的な視点での病診連携が重要である．

頸髄損傷に関連する社会資源・制度

1) 医療的ケアへの支援
- 医療保険の利用による訪問リハビリテーションなどの居宅サービスの利用
- 障害者総合支援法の療養介護による,導尿やその他の医療的ケアのサービス利用

2) 在宅療養生活への援助
- 身体障害者手帳の申請
- 障害者地域支援事業,社会福祉協議会などによる住宅改修や福祉用具等の利用
- 障害者総合支援法の介護給付による居宅介護や生活介護など,家族以外の援助を受けられる体制づくり

3) 地域・社会生活への援助
- 障害者総合支援法の訓練等給付による自立訓練(機能訓練,生活訓練)の充実
- 患者団体の支援による地域・社会生活を送るための情報収集

4) 障害受容への援助
- 同じ経験をもつ者が集う会(全国頸髄損傷者連絡会など)や支援者との交流
- 障害者地域支援事業,社会福祉協議会などによる復学やサークル活動への復帰支援

頸髄損傷をめぐる訪問看護

訪問看護の視点

1) 療養者をみる視点
- 残存機能を最大限に生かし身体機能の維持,改善を図る.
- 身体機能障害による,生活上のリスクを予測し予防する.
- 療養者の障害受容の過程を支援する.
- 発達課題の達成や地域や社会で暮らすという視点に立ち,どんな支障があるのかを検討する.
- 療養者の障害,介護の必要性などが家族に与える影響を考慮する視点をもつ.

2) 支援のポイント
- 損傷部位による障害の範囲,程度など身体的な症状について把握し,日常生活動作の低下についてアセスメントする.
- 頸髄損傷による四肢の運動麻痺,感覚麻痺などによる関節拘縮や筋萎縮を予防する.
- 受傷後の経過期間,在宅療養生活開始からの期間を考慮し,障害受容の過程を支援する.
- 療養者の発達課題,社会的役割に着目し,地域や社会で生活することを見据えた支援を行う.
- 受傷前の生活状況について情報収集し,現在の状況とのギャップを療養者がどう感じているのかを捉える.
- 自宅や地域・社会で安全に,安心して生活・活動できるよう運動・感覚・排泄機能障害,麻痺によって生じるリスクをアセスメントする.

●状態別:療養者をみる視点と支援のポイント

状態	療養者をみる視点	支援のポイント
日常生活動作の低下がみられる状況	頸髄のどの部位に損傷を受けたかにより,障害の種類,部位,範囲,程度が異なる.四肢の運動機能障害がある場合は日常生活動作が低下している状態である.C_6(第6頸神経)以下の損傷ではリハビリテーションを行い,器具の利用や使用方法の工夫により移乗・移動の自立が可能である.	●上下肢の運動機能や筋力維持のため,リハビリテーションを生活の中で無理なく実施できる内容,方法の検討が必要である. ●趣味や楽しみ,社会的役割,友人・知人との交流などを通

状態	療養者をみる視点	支援のポイント
		して，目的や目標をもって取り組めるように援助する． ●排泄にかかわる障害がある場合は，生活や他者との交流に支障がないようにケアを行う． ●日常生活動作拡大の過程では転倒・転落，感覚麻痺によるケガ，熱傷，褥瘡などのリスクがあるため，意識づけや環境整備を行い予防する．
自尊心の低下がみられる状況	重度障害により他者からの援助を受けて生活しなければならなくなった状況は，療養者にとって受け入れ難く，自尊心の低下を招きやすい．日常生活動作の状況とともに地域・社会生活を含め，受傷前と現在の状況の違いをアセスメントし，自尊心の低下に至った療養者の思いを理解し，障害受容までの過程を支援する．	●療養者の発達課題，各家族員の社会生活や社会役割にも視点をおき，受傷前と現在の生活状況の変化についてアセスメントする． ●自宅内の日常生活動作の状況とともに，就業・就学，趣味や余暇活動にも視点をおき，地域・社会生活を安心，安定して送れるように援助する． ●自尊心の低下が起きることは，障害受容までに生じる重要な過程であると捉え，否定的な感情表現を回避したり，否定したりすることなくかかわることが大切である．

訪問看護導入時の視点

- 重度障害を負った状態での日常生活は，療養者は非常につらく，介護を担う家族にも様々な負担が生じる．家族間の混乱が生じやすいため，療養者と家族と相談をしながら，援助体制づくりを行う．
- 療養環境が整備されている場合でも，実際に在宅療養を始めてから気がつく不便さやリスクを検討し，利便性や安全性を高める．
- 療養者の障害受容や家族の認識の変化などに応じた，地域や社会での活動範囲拡大への援助を行う．

STEP ❶ アセスメント ▶ STEP ❷ 看護課題の明確化 ▶ STEP ❸ 計画 ▶ STEP ❹ 実施 ▶ STEP ❺ 評価

情報収集

	情報収集項目	情報収集のポイント
疾患・医療ケア	**疾患・病態・症状** □疾患 □疾患の症状 □疾患の経過，予後	➡損傷部位(髄節)はどこか．いつ損傷したか ➡呼吸機能，運動機能，感覚機能，排泄機能などの障害や麻痺の部位，程度はどうか ➡呼吸機能，運動機能，感覚機能，排泄機能の維持，改善の見込みはどの程度あるか

情報収集項目	情報収集のポイント
疾患・医療ケア	
医療ケア・治療 □服薬 □治療 □医療処置 □訪問看護	○自己管理できるか．服用や貼用に介助は必要か ○どのようなリハビリテーションをしているか．支援を受けているか．日常生活の中で行っているか ○注射，点滴，導尿，浣腸などを行っているか ○訪問目的は何か．頻度，時間はどれくらいか
全身状態 □成長・発達段階 □呼吸・循環状態 □排泄状態 □筋骨格系の状態 □感覚器の状態 □皮膚の状態 □精神状態	○年齢と発達課題，障害受容過程のどの段階にいるか，適応力があるか ○呼吸機能，循環機能などの障害はないか ○排尿，排便機能に障害がないか ○筋萎縮，関節の拘縮や痛みは生じていないか ○感覚麻痺の有無，どの部位に生じているか ○変色，発赤，褥瘡，切傷，擦過傷，熱傷がないか ○精神的ショック，うつ状態，意欲低下がないか
活動	
移動 □ベッド上の動き □起居動作 □屋内移動 □屋外移動	○寝返り，体位変換を自分でどの程度行えているか ○起き上がり，座位から車椅子への移動など，どの程度自立しているか ○車椅子の自走が可能か ○車椅子での移動は，自力であるいは介助で可能か．時間，距離はどの程度か
生活動作 □基本的日常生活動作 □手段的日常生活動作	○食事，排泄，入浴，更衣，整容がどの程度自立しているか ○買い物，洗濯，掃除等の家事全般，金銭管理，服薬管理，公共交通機関の利用，電話の応対など，どの程度行っているか
生活活動 □食事摂取 □水分摂取 □活動・休息 □生活歴	○体重，活動量に応じた食事ができているか．菓子類やジュースなど高カロリーのものを好んで摂取していないか ○体重，活動量に応じて摂取できているか ○睡眠はとれているか ○日中は何をして過ごしているか．受傷前はどのような生活を送ってきたか
コミュニケーション □意思疎通 □ツールの使用	○他者と意思疎通は図れているか ○電話，携帯電話，スマートフォン，メールなど用いたコミュニケーションができるか
活動への参加・役割 □家族との交流 □近隣者・知人・友人との交流 □外出 □余暇活動 □養育(子ども)	各項目とも，受傷前と現在の情報を得る ○家族との関係性は良好か．ともに過ごす時間があるか ○友人，知人との交流の機会があるか．直接会う他にメールやSNSなどの利用はどうか ○外出の機会はあるか．目的や頻度はどれくらいか ○趣味の活動やスポーツなどはあるか ○就業，就学状況はどうか

7 頸髄損傷

	情報収集項目	情報収集のポイント
環境	**療養環境** □住環境 □地域環境 □地域性	●居室移動がしやすいよう整備されているか ●道路事情や交通手段はどうか．車椅子で移動しやすいか ●買い物や通院先までの距離や移動方法は何か．公園や公共施設などはあるか ●近隣の人との交流はあるか．地域における支援者はいるか
	家族環境 □家族構成 □家族機能 □家族の介護・協力体制	●同居家族，別居家族の構成はどうか．年齢や就労状況はどうか ●家族関係は良好か．家族は情緒的な安定を図る存在であるか ●キーパーソンは誰か．どんな介護をどの程度行っているか．過度な負担がかかっていないか
	社会資源 □保険・制度の利用 □保健医療福祉サービスの利用 □インフォーマルなサポート	●医療保険の利用状況はどうか ●障害者総合支援法によるサービス（訓練給付，生活給付など）の利用状況はどうか ●友人，知人，患者会，地域住民のサポートはあるか
	経済 □世帯の収入 □生活困窮度	●家族内で主に収入を得ている者は誰か．本人の就業による収入はあるか，家族の収入，障害者年金はあるか ●主に収入を得ている者が療養者本人か．受傷後，極端な世帯収入減となっていないか ●介護費用，改修・改築に伴う費用負担などで困窮していないか
理解・意向	**志向性（本人）** □生活の志向性 □性格・人柄 □人づきあいの姿勢	●生活の中でこだわりをもっていることがあるか ●受傷前と現在の変化はあるか ●友人関係でも親しい間柄のみのつきあいを好むのか，広くいろいろな人とかかわりをもとうとしているか
	自己管理力（本人） □自己管理力 □情報収集力 □自己決定力	●内服管理，日常のスケジュール管理などを自分でできるか ●書籍やIT機器などを利用して，関心のあること，必要なサービス等について自分で調べ，情報を得ることができるか ●食べ物や衣服を選ぶなど日常生活の中での選択，サービス利用や補助具などの選択について，自分で決めることができているか
	理解・意向（本人） □意向・希望 □感情 □疾患への理解 □療養生活への理解 □受けとめ	●意向や希望を他者に明確に示しているか．今後したい生活スタイルに関することや余暇活動があるか ●情緒的な安定が図れ，素直な感情表現ができているか ●病状の今後の回復の可能性や悪化のリスクなどについて理解できているか ●これから長期的に家族やサービス提供者の支援を受けて生活する状況を理解しているか ●自尊感情の低下が生じていないか．障害受容過程のどの段階にいるか

情報収集項目		情報収集のポイント
理解・意向	理解・意向（家族） □意向・希望 □疾患への理解 □療養生活への理解 □生活の志向性	○療養者にどのようにしてほしい，なってほしいと考えているか ○療養者の回復の可能性やリハビリテーションの必要性などについて，理解しているか ○療養者の生活支援へ，どんなことにどれだけ協力したいと思っているか．またそれが可能かどうか ○家族員それぞれの生活スタイルはどのようなものか．就業，就学状況などはどうなっているか

事例紹介

頸髄損傷により重度障害を負った状態で在宅療養を始めた療養者の例

Keywords 頸髄損傷，自尊心，残存機能，青年男性

〔基本的属性〕男性，20歳
〔家族構成〕両親，妹との四人暮らし
〔主疾患等〕頸髄損傷（C_6）
〔状況〕1年前，大学へのバイク通学途中に転倒し頸髄損傷（C_6）を負った．治療入院，リハビリテーション入院を経て，2か月前に在宅療養を開始した．移乗には介助が必要であるが，移乗後はコントローラーで車椅子の自走が可能である．専業主婦の母親が主な介護者で日常生活の世話や，医療的ケアにも対応している．友人との交流はあるが，大学は休学中で所属しているサークルの活動にも参加していない．感情の起伏が激しく家族にあたることがある．

第2章 健康障害別看護過程　1. 慢性疾患

情報整理シート

疾患・医療ケア

【疾患・病態・症状】

主疾患等：頸髄損傷（C_6）によって、四肢機能障害、神経因性膀胱、肛門括約筋の弛緩、腸蠕動運動低下、自律神経障害の症状あり
病歴：特になし
経過：
19歳　大学へバイク通学中、転倒事故を起こして頸髄を損傷。救急搬送後、薬物療法、牽引療法、前方固定術を受けた。
8か月前　6か月間の入院を経て、リハビリテーション病院に転院。
2か月前　リハビリテーション病院から、自宅へ退院となる。退院と同時に訪問看護が導入された。

【医療ケア・治療】

服薬：【内服】痙縮・筋緊張治療薬（テルネリン，ダントリウム）
　　　　　　　　去痰薬（ムコダイン）
　　　　　　　　下剤（ラキソベロン，頓服にてプルゼニド）
　　　　【浣腸薬】グリセリン浣腸
治療状況：週に1回の訪問診療、3か月に1回の外来受診
医療処置：間欠的導尿、理学療法士による下肢他動運動、上肢機能訓練、車椅子移乗訓練、褥瘡防止マット
訪問看護内容：排便コントロール、清拭

【全身状態・主な医療処置】

血圧：100〜120/60〜80 mmHg
脈拍：60〜80回/分（不整脈なし）
呼吸数：12〜16回/分

身長：170 cm
体重：72 kg
BMI：24.9

排便：1回/2〜3日
排尿：間欠的導尿
食事：母親が準備

記憶障害などはなく、日常的な会話ができ、理解力もある。

基本情報
年齢：20歳　性別：男性
身体障害者手帳1級

車椅子に長時間座っているとめまいを生じることがある

両上肢機能障害：運動麻痺があり、手指が動かしにくい

排便コントロール：2〜3日に1回、プルゼニド2錠を眠前に頓用、摘便、浣腸を行う。自然排便なし。処置により硬便が両手一杯分ある。時折、泥状〜水様便あり

間欠的導尿：母親が3〜4回/日行う

両下肢機能障害：運動麻痺、感覚麻痺

活動

【移動】

ベッド上の動き：ベッド柵をつかみ、上半身を少しずらしたり、左右に傾けることは可能。電動ベッドでコントローラーを操作して、ギャッチアップも可能。
起居動作：車椅子移乗は介助にて可能。車椅子に移乗後は、コントローラーで操作可能。自宅1階は自由に移動できる。

【活動への参加・役割】

家族との交流：家族関係は良好。在宅療養開始後は母親が主介護者で密着性が高い。
近隣者・知人・友人との交流：事故後、入院中は友達が数日おきに見舞いに訪れていた。在宅療養開始後は、数人の親しい友人が週に一度程度、自宅を訪問し、1〜2時間一緒に過ごす。
外出：自宅療養開始後、一度、外来受診のため車椅子で外出したのみ。
社会での役割：大学2年生（工学部情報工学科）。事故後、休学中
余暇活動：中学、高校では水泳部に所属していた。大学生になってからは、大学内の水泳サークルに入り2〜3回/週、練習に参加していた。事故後は参加していない。

【生活動作】

基本的日常生活動作

食動作	普通食をセットアップにて1人で摂取
排泄	間欠的導尿、下剤、浣腸、摘便によって排便
清潔	訪問入浴、全身清拭
更衣整容	上半身の着替えは介助。髭剃り、歯磨きはセットアップにて1人で実施
移乗	ベッドから車椅子への移乗を介助で実施、電動車椅子をコントローラーで自走できる
歩行	不可
階段昇降	不可

手段的日常生活動作

調理	家族が実施
買い物	家族が実施
洗濯	家族が実施
掃除	家族が実施
金銭管理	家族が実施
交通機関	利用しない

【生活活動】

食事摂取：食事量は普通である。
水分摂取：茶、水、炭酸水などで1〜1.5L/日
活動・休息：ベッドで過ごしていることが多い。1人でいるときはスマートフォンやPCで動画視聴やゲームをしている。
生活歴：高校生の頃、将来はシステムエンジニアになりたいと希望し受験勉強に励み、現在の大学に入学した。事故後、友人たちは以前と変わりなく友人関係を保っている状況である。友人たちと過ごしているときには通常通りにしているが、友人たちが帰った後、落ち込んだり不機嫌になったりすることがあり、感情の起伏が激しい。家族との関係は良好で、母親が懸命に介護している。
嗜好品：特になし

【コミュニケーション】

意思疎通：全く支障なく、日常の会話ができる。
意思伝達力：全く支障なく、日常の会話で意思疎通が図れる。
ツールの使用：スマートフォン、タブレット

環境

【療養環境】

住環境：
2階建ての一軒家
両親と妹の4人家族
車椅子で移動が可能なようにバリアフリー仕様に退院前に改修をしている．

地域環境：
玄関を出てすぐに駐車スペースがある．最寄り駅までは徒歩10分程度で，商業施設もある．大学までは電車で30分程度の距離．

地域性：
閑静な住宅地で地域の自治会もあり，近隣者とのつながりもあるが，本人は親しい付き合いはない．

【ジェノグラム】

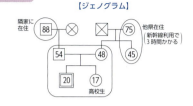

【家族の介護・協力体制】

主介護者は母親である．間欠的導尿も入院中に手技の指導を受け，母親が担っている．他者の介護協力は日常はほとんどないが，父親が休日，車で一緒に出かけることがある．

【社会資源】

サービス利用：

	月	火	水	木	金	土	日
AM	訪問看護	訪問入浴	訪問看護	訪問リハ	訪問看護		
PM	訪問リハ	訪問リハ	往診		訪問入浴		

保険・制度の利用：身体障害者手帳1級

【経済】

世帯の収入：父親の収入
生活困窮度：経済的余裕あり．

【エコマップ】

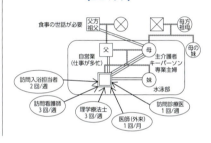

理解・意向

妹
- 動けなくても，以前の優しい兄に戻ってほしい
- 高校3年生．水泳部員．平日は通学と部活をして，活発に過ごす．兄とは仲がよく，勉強を教えてもらっている

祖父
- 母親（息子の妻）の負担になりたくない．孫（本人）には元気になってほしい
- 建築業をしていたが息子に譲り，現在無職．隣家に住む．身体が虚弱気味で，食事や掃除などの世話が必要

本人
- 普通に生活できる友人がうらやましい
- 大学に戻りたいが無理だと思う
- 自分で車椅子移乗ができるようになりたい
- 少しは慣れたが，浣腸されると情けない気持ちになる
- 母親に導尿されるのがつらい
- 自宅の改修をしてもらって，家族に感謝している
- 感情の起伏が激しく，家族にあたることがある
- プールで泳ぐ夢をみることがある

【志向性】
生活の志向性：少しでも自分でできることは自分でしたいと思っているが，生活の変化に戸惑っている
性格・人柄：とても明るく，温和である．友人にはつらい顔を見せない
人づきあいの姿勢：友人が多く，事故前はよく遊びにも出かけていた

【自己管理力】
自己管理力：可能であるが，母親が実施
情報収集力：スマートフォンやタブレットの操作が可能で，自分でできる
自己決定力：サービス利用について説明を受け，母親とも相談しながら決めている

母親
- 息子が不憫でならない．いつかは自立した生活をしてほしいが，今は何とか自宅で生活することで精一杯
- 専業主婦．排泄をはじめ，日常生活の介護全般をしている
- キーパーソン 主介護者

父親
- 息子の世話に一生懸命な妻のことが気がかり．息子の様子も心配．少しでも手伝いたいが，まだどうしていいかわからない
- 自営で建築業を営んでいる．仕事が忙しい

頸髄損傷

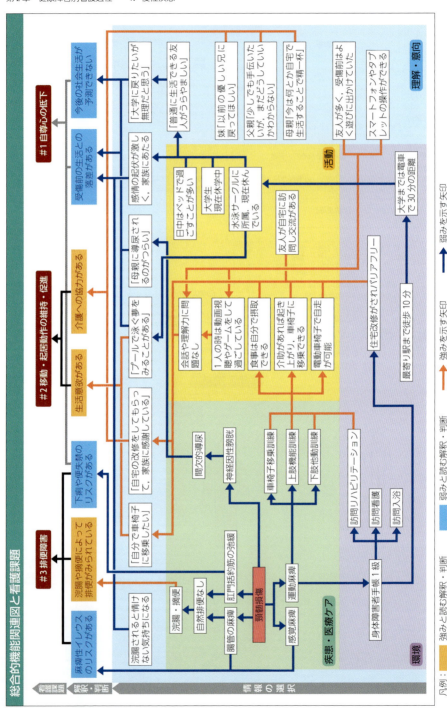

| STEP❶ アセスメント | STEP❷ 看護課題の明確化 | STEP❸ 計画 | STEP❹ 実施 | STEP❺ 評価 |

看護課題リスト

No.	看護課題　【コード型】文章型	パターン
#1	【自尊心の低下】受傷前の生活と落差が大きく，今後の社会生活を予測できないことから自尊心が低下している	問題着眼型
	根拠　青年期後期にあり，社会の中で自分の役割や位置づけについて自覚し，成人へと成長する過程にある．入院生活を経て在宅療養へと療養の場を移り，受傷前と同様の生活が送れなくなったことを実感する時期で，自身の現状に大きな葛藤を抱えていると考えられる．	
#2	【移動・起居動作の維持・促進】生活意欲があること，家族間で介護への協力があることを活かし，移動・起居動作を維持・促進する	強み着眼型
	根拠　重度障害が残った状態で在宅療養に移行した在宅療養導入期である．基本的な動作である移動や起居動作の維持・促進を図ることで，自宅での療養生活の安定と，新たな生活スタイルを構築する足がかりになる．	
#3	【排便障害】麻痺性イレウス，肛門括約筋の弛緩による下痢や便失禁を起こすリスクがある一方，自然排便がみられない	問題着眼型
	根拠　便秘や下痢，便失禁やイレウスの予防のため排便コントロールを行う必要がある．排泄の介助を受けること自体，青年期の男性にはつらいことであり，さらに自尊心を低下させ，社会的な生活を送ることが難しくなる可能性がある．	

【看護課題の優先度の指針】頸髄損傷により上下肢の感覚麻痺，運動麻痺を負った状態で在宅療養に移行して2か月目であり，受傷前との違いに苦悩している状況である．そのため【自尊心の低下】を#1とし，生活範囲の拡大が必要であるため【移動・起居動作の維持・促進】を#2とした．次にイレウスや便失禁を起こす可能性もあるため【排便障害】を#3とした．

7 頸髄損傷

長期目標

頸髄損傷による障害を受け止め，自尊心を回復して残存機能を活かした在宅療養生活を送ることができる．

根拠　1年前交通事故により頸髄損傷（C_6）となり，入院加療，リハビリテーションを経て，2か月前から在宅での療養が始まった．自宅では母親の介護協力があり，訪問看護や訪問リハビリテーションなどのサービスを受け，機能訓練を続けながら生活している．しかし，セルフケアや外出にも介助を要する状態で障害受容には至っていないため，これからの生活を再構築する必要がある．

〈長期目標を共有するケアチーム〉
フォーマルサービス：訪問看護師，理学療法士，訪問入浴担当者，状況に応じて障害者総合支援法による訪問介護，生活介護，自立訓練，移動支援
インフォーマルなサポート：両親，妹，友人，知人，状況に応じて地域住民の支援サービス，患者会

STEP ① アセスメント　STEP ❷ 看護課題の明確化　STEP ❸ 計画　STEP ❹ 実施　STEP ❺ 評価

1 看護課題

#1 【自尊心の低下】
受傷前の生活と落差が大きく、今後の社会生活を予測できないことから自尊心が低下している

看護目標（目標達成の目安）

1) 障害を受けたことに対する悲嘆を表出できる（6か月）
2) 関心のあることに目を向け、楽しみの時間をもつ（6か月）
3) 友人や知人と交流を継続する（3か月）
4) 周囲の人から大切な存在と思われていることを感じられる（6か月）

援助の内容

OP 観察・測定項目
- 話の内容
- 表情、しぐさ、口調
- 更衣、整容の状況
- 自室やベッドの整理、整頓の様子
- 写真、本、装飾品など
- 生活の中の楽しみ、張り合い
- 家族との交流
- 友人との交流

TP 直接的看護ケア項目
- 同じ障害をもつ人との交流
- 友人・知人との交流を促進するサービスの導入

EP 教育・調整項目
- 療養者の意向や心情への寄り添い
- 介護ケアの役割変更の調整
- 家族の心情への寄り添い

援助のポイントと根拠

- ➲ 自己を否定したり、悲観したりする言葉が使われていないか
- ➲ 感情表現がされているか。言葉の内容と表情のギャップはないか
- ➲ 感情の起伏が激しい場合には、どんな時やどんな状況のときに生じているか、誰に向けられているか
- ➲ 生活に応じて更衣、整髪、洗面などが行われているか
- ➲ 適度に整理、整頓されているか
- ➲ 何を大切にしているか、関心があるか
- ➲ 1日をどう過ごしているのか。生活の中で楽しめること、夢中になれることがあるか　**根拠** 自尊感情の低下は言葉の表現だけでなく、非言語的コミュニケーション、生活状況に表れる可能性がある
- ➲ 家族で過ごす時間（食事や余暇など）が確保されているか、コミュニケーションは図れているか
- ➲ 交流の機会や方法、頻度

- ➲ 同じ障害をもつ人たちの様々な経験や暮らしぶりについて知ることで、自身の現在とこれからの生活について考えるきっかけづくりをする
- ➲ 患者会への参加やSNSの利用など、交流が可能な具体的方法を提案する
- ➲ 友人・知人との関係性をみながら、ホームヘルプサービス、ガイドヘルパーの利用を検討し交流しやすい環境をつくる
- ➲ 療養者と年代・性別の同じサービス援助者を選ぶなどして、援助者がいても友人・知人との交流に自然に入っていけるよう配慮する

- ➲ 障害受容に至るには期間を要することを認識し、過度な期待を示したり、抑圧的になったりしないように努める
  根拠 ケア提供を受ける側になること自体が、自尊心を低下させる要因になる
- ➲ 導尿を母親に行われることに抵抗を感じている様子である。母親の介護状況や気持ちに配慮して、他のケア提供者が代行できるか、自分で実施することが可能かを検討、調整し、療養者の精神的負担を軽減する
- ➲ 療養者が感情の起伏が激しく、家族にあたる場合、家族それぞれがつらい思いをしていると考える。訪問時に必ず家族それぞれに声をかけ、そのつらさを話せるようにかかわる

2 看護課題	看護目標（目標達成の目安）
#2【移動・起居動作の維持・促進】 残存機能，良好な介護体制を活かし，移動・起居動作を維持・促進する	1) 移動・移乗の自立度を高める（3か月） 2) 今できることに視点を向けられる（6か月） 3) 転倒・転落をしない（2か月） 4) ケガ，熱傷などがみられない（2か月）

援助の内容	援助のポイントと根拠
OP 観察・測定項目 ● 食事，排泄，入浴，更衣，移動・移乗，起居動作などの日常生活動作 ● 自宅の居住環境 ● 地域の環境，駐車場，道路事情，交通アクセス	➡ 在宅療養開始後2か月が経過しているため日常生活動作について徐々に慣れてきたことも，不自由さを強く感じていることもある ➡ 特に移乗・移動の自立は，行動範囲の拡大につながる ➡ 家具の配置や物品の置き場所など，暮らしやすさ，外出のしやすさの視点から改善が必要なところがないか確認する ➡ 通学やサークル活動への参加などを想定し，車椅子での移動，介助有無での移動といった視点から，安全性や利便性について情報を得る
TP 直接的看護ケア項目 ● 日常生活動作向上のためのリハビリテーション	➡ 手指の動きの改善のためのリハビリテーションや，移乗方法の工夫を行う ➡ 手指の動きが改善すれば，IT機器の使用や食事摂取がしやすくなる．自分で行える機能訓練を生活の中に取り入れる ➡ **連携** 理学療法士と情報交換し，日常生活動作に合わせて実施できるように援助する

NOTE

間欠的自己導尿

　間欠的自己導尿は，一定時間ごとに尿道からカテーテルを入れ，膀胱に溜まった尿を排出する方法である．脊髄損傷患者などでは，感染や結石形成，尿道損傷などの合併症の面で，清潔間欠的導尿の方が膀胱留置カテーテルよりも優れているとされている．また留置カテーテルと比べると，常に留置しておくものではないということで患者のQOLの向上につながるとも考えられる．

　導尿については，患者自身で行う場合と家族が行う場合があり，家族が行う場合はより大きな介護負担を強いることになる．合併症の頻度低下やQOLの向上に寄与するが，生命や腎機能保全の長期予後についての優位性は不明であるため，在宅においては本人・家族の希望と介護環境を総合的に勘案した上で方法を選択すべきである．以下に間欠的自己導尿を扱う際に指導・注意する点について述べる．

■ **導尿指導の際は個別性に十分注意する**：排泄ケアは人の尊厳を保つ基本的なケアとなる．そのため，単に導尿の方法や清潔操作を指導するだけでなく，患者本人が自己導尿という方法を受け入れていく過程に寄り添う必要がある．指導の際には患者が自己導尿とともにどのように生活していきたいのか，患者の生活リズムや不安などを傾聴しながら，患者個人への指導が大切である．

■ **指導した後の継続的かかわり**：自己導尿の指導を行い，間欠的自己導尿手技が自立した場合でも，指導者はできるだけ継続的なかかわりをもつことが患者の安心感や合併症の予防につながり，患者との関係性にも寄与すると考えられる．

■ **多職種で連携することを意識する**：自己導尿は一度始まると長い間継続することになる．期間が長くなってくると，身体的な衰えや精神的負担など，患者・家族には大きな負荷となることが予想される．また身体的な衰えは，場合によっては間欠的導尿の継続を困難にし，尿道カテーテル膀胱留置になる可能性もある．家族と看護師だけでなく，リハビリテーションや介護サービスと連携し，間欠的自己導尿を継続することを目標としていく必要がある．

●転倒・転落の防止	⮕日常生活動作が拡大する中で転倒・転落のリスクが生じる可能性があるため，療養者・家族の意識づけを行い，自宅の環境を整える
●ケガ，熱傷，褥瘡防止	⮕傷，発赤，腫脹などの状態観察を行い，ケガや熱傷が発生しやすい自宅内の場所や身体部位を特定し対策する．また，褥瘡の好発部位には予防対策をとる 根拠 感覚麻痺があるため痛みを感じにくく，ケガや皮膚の異変にも気づきにくい
●生活範囲拡大に向けたサービスの導入	⮕自宅外での活動や生活範囲の拡大に向けて，訪問介護，生活介護，自立訓練，移動支援を利用する
EP 教育・調整項目	
●励ましと承認	⮕受傷前の生活とのギャップを実感し，できないことに意識が向きやすい 強み 在宅療養開始直後には全くできなかったが，少しできるようになったこと，あるいは時間がかかっていたが，スムーズに行えるようになったことに目を向けられるように，自然な会話の中で話題にし，ねぎらう 根拠 日常生活動作を工夫し，自力で行えるようになることが多くあると考えられる ⮕ 強み 数人の友人が訪ねてくるような友人関係があることに着目し，自分らしい生活を送ることができるという自信につながるようかかわる

3

看護課題	看護目標（目標達成の目安）
#3 [排便障害] 麻痺性イレウス，肛門括約筋の弛緩による下痢や便失禁を起こすリスクがある一方，自然排便がみられない	1）排便が2日に1回程度みられる（2か月） 2）下痢がみられない（2か月） 3）便失禁がみられない（2か月） 4）麻痺性イレウスを起こさない（1か月） 5）排便ケアの羞恥心が最小限にとどまる（1か月）

援助の内容	援助のポイントと根拠
OP 観察・測定項目	
●排便の日時，便の性状，量	⮕定期的な排便があるか，便の性状と量を把握する
●腹部膨満，腸蠕動音	⮕腹部を聴診し腸蠕動音が聞き取れるか確認し，触診で膨満がないか観察する 根拠 下半身の感覚麻痺があり，自覚症状が乏しい
●直腸内の便	⮕直腸に指を入れて，便が直腸内に下りてきているか確認する．潤滑剤や手袋を使用して直腸内膜を損傷しないよう注意する 根拠 療養者は感覚麻痺により便意や痛みも感じにくい
●悪心・嘔吐	⮕イレウスの症状の1つである．上部消化管の症状を認識しやすいため，有無を確認する
●食事内容や量，水分摂取量	⮕下痢が生じている場合，食事内容や水分量などが要因である可能性もあるため，過剰な摂取や不足した状況がないかを確認する
TP 直接的看護ケア項目	
●摘便	⮕直腸内に便がある場合は，摘便を行うことで排便を促す
●腹部マッサージ，温罨法	⮕直腸内に便が下りてきていない場合は，腹部マッサージや温罨法を行い，腸蠕動の促進を図る
●浣腸，坐薬，下剤の使用	⮕ 連携 主治医に状態を報告し，処方，使用の指示を受ける

EP 教育・調整項目 ● 自然排便を促進する食事・水分摂取の勧め ● 羞恥心に配慮した排便ケアの調整	⊃ 療養者と家族に対し，食物繊維の多い食品を使ったメニューを取り入れ，水分摂取を勧める ⊃ できるだけ短時間で行うための準備，協力体制を整える．排便周期に応じて，訪問看護前日に家族が下剤を投与する，訪問前に摘便や浣腸に必要な物品を家族に準備してもらうなど，家族と相談する **根拠** 摘便や浣腸は青年には苦痛を感じる処置である ⊃ 友人・知人の訪問予定や外出予定などに配慮する **根拠** 不安や羞恥心から友人との交流や外出の機会を遠ざける影響が考えられる

> 排便周期に応じて効果的に使用する **根拠** 排便周期は個人差がある．また排便介助や排便の処理は家族の大きな負担になることがあるため，訪問看護のタイミングに合わせて下剤等を活用する

STEP ① アセスメント ▶ **STEP ② 看護課題の明確化** ▶ **STEP ③ 計画** ▶ **STEP ④ 実施** ▶ **STEP ⑤ 評価**

強みと弱みに着目した援助のポイント

強みに着目した援助
- コントローラーを扱い車椅子での自走が可能な状態であり，今できることに目を向け日常生活動作の拡大を図る．
- 休学しているが大学生で水泳サークルにも所属しており，友人との交流もあるため，復学や復帰ができるように検討し，地域・社会生活の範囲の拡大を図る．
- 家族関係が良好で母親の介護も受けられる状況にあるため，今後も良好な関係性を維持できるように支援する．

弱みに着目した援助
- 在宅療養生活を開始し，自分でできなくなったことや他者の援助を必要な状況を実感し自尊心が低下した状態にあるため，できるようになったこと，スムーズに行えるようになったことに目を向けられるようにかかわる．
- 運動麻痺，感覚麻痺により転倒・転落のほか，ケガ，熱傷，褥瘡が生じる可能性があるため，生活上のリスクを検討して予防する．
- 腸蠕動運動の低下，肛門括約筋の弛緩などで麻痺性イレウスや下痢などが生じやすいため，状態に応じたケアを行うとともに食事内容や水分摂取方法を工夫する．

STEP ① アセスメント ▶ **STEP ② 看護課題の明確化** ▶ **STEP ③ 計画** ▶ **STEP ④ 実施** ▶ **STEP ⑤ 評価**

評価のポイント

- 障害を受けたことに対する悲嘆を素直に表出できているか
- 関心のあることに目を向け，楽しみの時間をもつことができているか
- 友人や知人との交流を継続しているか
- 周囲の人から大切な存在と思われていることを感じられているか
- 移動・移乗が自力で行えるようになっているか
- 今できることに視点を向けられているか
- 転倒・転落をしていないか
- ケガや熱傷などをしていないか
- 排便が2日に1回程度みられているか
- 下痢がみられていないか
- 便失禁がみられていないか

- 麻痺性イレウスを起こしていないか
- 排便ケアの羞恥心が最小限にとどまっているか

関連項目

第2章「11 筋萎縮性側索硬化症」「18 尿失禁」

●引用文献
1) 宮腰尚久, 工藤大輔：日本脊髄障害医学会による外傷性脊髄損傷の全国調査. 日本せきずい基金ニュース 87：2-3, 2020

8 統合失調症

統合失調症の理解

基礎知識

疾患概念
- **思春期・青年期に発症する，知覚・思考・感情・意欲などの多岐にわたる症状が起こる症候群．**
- 自分の考えや行動が，自分のものであるという意識が揺らぐ自我障害が症状の中心と考えられている．最近十数年で，治療法，疾患概念と，社会の患者への見方などが大きく変容した精神疾患ともいえる．

疫学・予後
- 発症率は0.8%，つまり120人に1人が罹患する．
- 発症年齢は15〜35歳で，発症率に男女差はみられないが，発病のピークには差があり，男性は15〜24歳，女性は25〜34歳である．
- 予後は治療の進歩とともに変化しており，約半数は完全・あるいは軽度の障害を残して回復する．
- 良好な予後に関する要因として，急性に発症したもの，発症に明らかな要因があるもの，錯乱や妄想・気分の変動などの目立つ症状であること，発症から治療開始までの期間（精神病未治療期間，duration of untreated psychosis；DUP）が短いもの，などが挙げられる．
- 予後不良の因子としては，若年発症であること，陰性症状主体の発症，病前の社会適応が悪かった場合，などが知られている．

症状
- **陽性症状**：幻覚や妄想，緊張病症状などを一括して陽性症状とよぶ．幻覚では幻聴が最も高頻度にみられる．ほかに「脳の中に機械が埋め込まれている」など，被害的な意味づけを含む体感幻覚も多くみられる．幻聴の内容をそのまま口にする「独語」となることもある．
- **緊張病症候群**：昏迷，興奮，拒絶，カタレプシー（外部から与えられた一定の姿勢を持ち続け，自ら変えようとせず，疲労も感じない状態）などの行動の異常．
- **陰性症状**：感情の鈍麻，平板化，思考や会話の貧困，自発性の減退，社会的引きこもりなどを含む．自発性の減退が重症の場合は，終日臥床して過ごす「無為」となる．
- **認知機能障害**：かつての統合失調症の定義では知能の低下はないとされていたが，軽度ながら認知機能の低下を認めることが近年指摘されている．仕事や学業の遂行機能に影響を及ぼす．
- **感情の障害**：発症初期や再発時には，不安，抑うつ，情動の不安定さが現れる一方で，慢性期には感情の鈍麻も起こる．「空笑」など，その場にそぐわない感情表現がみられることもある．
- これらの症状は，急性期と慢性期で症状の出方が異なる．陽性症状は発症初期には高頻度・明らかにみられるが，訪問看護が導入される維持治療期は，陰性症状，認知機能障害が主体で，陽性症状が持続することもあり，患者によって個人差が大きい．
- また陽性症状が軽快し，現実を直視する認知機能が戻った時に抑うつ状態に陥ることもある．これは精神病後抑うつ（postpsychotic depression）とよばれる．

診断・検査値
- 統合失調症は主に臨床症状と経過に基づいて診断される．
- かつて統合失調症の概念は国や地域によって異なり，診断の一致率が低かったため，アメリカ精神医学会による精神障害の診断と統計マニュアル（Diagnostic and Statistical Manual of Mental Disorders；DSM）がつくられた．また，これを参考にWHOが定める疾病分類であるICD（International Statistical Classification of Diseases and Related Health Problems）の精神疾患の項も作成され，統合失調症や他の精神疾患の概念について，国際的な共通認識がもたれるようになった．

現在，DSM-5，ICD-10（ICD-11 の訳も公開）による診断が広く行われている．
- DSM・ICD（操作的診断基準とよばれる）では，考想化声（自分の考えていることが声になって聞こえてくる），対話形式の幻聴，自分の行為を批判する幻聴，身体的被影響体験，思考奪取その他の思考への影響，考想伝播，妄想知覚，させられ体験をシュナイダー一級症状といい，特徴的で他の疾患ではみられにくい症状として，診断の際に重視される．また，症状が数日で消退せず，ある程度の期間持続し（DSM では 6 か月，ICD-10 では 1 か月と定義），それまで可能だった社会的・職業的活動ができなくなることも診断で重視される．
- 若年期の鑑別診断では双極性障害，統合失調症質パーソナリティ障害，自閉スペクトラム症，強迫性障害などを考慮する．少なくとも意識障害全般，脳炎などの器質性精神障害，覚醒剤中毒，身体疾患治療中ならばステロイドによる精神病は早期に除外しなくてはならない．

合併症
- 薬物療法の副作用による眠気（最も高頻度），肥満，耐糖能異常，振戦，流涎が日常的な合併症である．
- 陰性症状と薬物療法による傾眠があいまって，運動量が減り，生活習慣病につながることもある．
- 著明な陽性症状や抑うつを伴う場合の自殺企図に留意する．

治療法
●治療方針
- 病いをもちつつも普通の，当たり前の日常を送れるように，その人なりのリカバリーに向けて支援するのが，治療の目標である．そのために薬物療法と精神科リハビリテーションを行う．

●薬物療法
- 身体の慢性疾患の薬物療法と同様で，再発を防ぐため，最小限の副作用で継続可能な適正な抗精神病薬処方を目指す．陽性症状などへの対症療法だけではなく，QOL の向上も重視する．

Px 処方例 急性期，鎮静を要する時
下記を併用する．
- エビリファイ錠 6 mg　朝食後 1 錠，夕食後 1 錠　←非定型抗精神病薬
- ワイパックス錠 0.5 mg　1 回 1 錠　屯用　不安な時　←抗不安薬

Px 処方例
- ジプレキサザイディス錠 5 mg　1 回 1 錠　1 日 1 回　就寝前　←非定型抗精神病薬

Px 処方例
- リスパダールコンスタ筋注用 37.5 mg　1 回 1 バイアル　14 日に 1 回筋注　←非定型抗精神病薬

- 抗精神病薬には，定型（第 1 世代）と非定型（第 2 世代）抗精神病薬がある．どちらも陽性症状への効果に優劣があるとする研究はなく，副作用の出方，飲み続けられるか（薬物へのアドヒアランス）を重視して薬剤選択を行う．
- 非定型は定型に比較して，錐体外路症状と，悪性症候群や遅発性ジスキネジア，急性ジストニアなどの重篤な副作用の出現頻度が低い．よって安全性を重視し，飲み続けるためには非定型が選択されることが多いが，クエチアピンフマル酸塩（商品名：セロクエル，ビプレッソ）とオランザピン（商品名：ジプレキサ）の糖尿病の副作用には注意が必要である．
- 投与経路の選択肢として，口腔内崩壊錠（唾液のみで内服できる），14～30 日に一度の注射投与のみですむ持効性注射薬もある．
- 抗精神病薬の治療は単剤（一種類の）治療が基本である．用量を増やせばより効果的ではなく，また 3 種類・4 種類と複数種類をブレンドして効果が期待できるものではない．
- 治療抵抗性の統合失調症の治療では，非定型抗精神病薬のクロザピン（商品名：クロザリル）のみ，ほかの抗精神病薬では効果ない場合に導入が検討されるが，無顆粒球症や糖尿病などの重篤な副作用があるため，厳格なモニタリングをしつつの内服となる．
- 不眠への睡眠薬処方，不安への抗不安薬（どちらもベンゾジアゼピン系薬剤）は対症療法であり，原則頓用使用である．漫然とした長期処方は認知機能に影響するのですべきではない．抑うつへの抗うつ薬処方も同様で，抗精神病薬に追加して処方する．

- ●**心理療法**
- ●疾患教育は単なる情報提供ではなく，当事者自身が症状にまつわる諸問題に対処できるように支援することである．
- ●統合失調症への代表的なリハビリテーションに社会生活技能訓練(social skills training；SST)がある．これは患者にとって困難になっていること，多くは対人コミュニケーションの問題，症状への対処法について，実際の場面に臨む前に，問題を具体的な「チャレンジ課題」として抽出し，患者と支援者が共有して，場面を作って練習(ロールプレイ)し，練習結果にポジティブ・フィードバックで評価する技法である．通常は集団精神療法として行うが，訪問看護師と患者の一対一でも有効である．

- ●**家族へのサポート**
- ●患者への批判的なコメントや過干渉がある，また感情的に過度に巻き込まれが強い家族と接する場合，患者の再発率が高まることが知られている．こうした high EE(expressed emotion)，つまり感情表出レベルの高い家族に対しては，患者への適切なかかわりについての心理教育が再発率を下げる．
- ●家族にも SST は有効である．親の患者への接し方が，真に自立を促しているか，子ども扱いして問題を代わって解決したり，感情的に振り回されたりしていないかを内省し，具体的にどうかかわればよいか練習することができる．
- ●家族会，家族向けの書籍，勉強会などを勧めることも検討される．

在宅における特徴

- ●在宅の統合失調症患者のケアは，急性期の治療が終了し，治療は維持療法と再発予防が中心となる．病院や診療所での治療だけではみえない生活の視点から，就職・就学，人によってはデイケア参加など，次の段階に至るためのステップアップ課題を探して提案する．

在宅診療の実際

- ●**病診連携**
- ●身体合併症管理から，社会参加のための精神科リハビリテーションまでのすべてを一医療機関で担うことは現実的ではない．身体合併症の主治医から学校・職場・地域のボランティアまで多くの人的資源によって，患者と家族がゆるやかに支援されている形を目指したい．
- ●施設ごとの連携において，精神疾患への偏見(スティグマ)が障害となることもある．精神疾患への偏見は，精神医療の専門家にもセルフスティグマとして存在することも知られている．誤解や偏見がないという「偏見」をもたないように，冷静に現実的に病態を捉え，具体的にできることを模索する．
- ●診察室での面接のみでは見逃されやすい薬物の副作用による嚥下障害や歩行障害など，暮らしの中の困難さに目を向ける必要がある．

統合失調症に関連する社会資源・制度

1) **障害者総合支援法による居宅サービス**
- ●介護給付の居宅介護(調理や家事等の支援)
- ●自立支援医療(通院にかかる医療費負担の軽減)

2) **障害者総合支援法による居宅サービスの相談支援(ケアマネジメント)**
- ●地域移行支援(精神科病院退院時の地域移行支援計画の作成，住宅確保，関連機関との調整)
- ●地域定着支援(単身生活者に対する緊急時を含む連絡体制)
- ●サービス利用支援(サービス利用開始時)，継続サービス利用支援(サービス利用開始後のモニタリング時)

3) **障害者総合支援法による社会復帰，就労支援サービス(訓練等給付)**
- ●自立訓練，共同生活援助(グループホーム)
- ●就労移行支援，就労継続支援 A 型(雇用型)・B 型(非雇用型)

統合失調症をめぐる訪問看護

訪問看護の視点

1) 療養者をみる視点
- 再発により認知機能障害が進行することから，入院を要するような精神症状の悪化を防ぐ．
- 幻覚・幻聴・妄想等の陽性症状，感情鈍麻や非社交性等の陰性症状はもちろん，焦燥感や睡眠障害の観察により，精神症状の悪化を防ぐ．
- 療養者が在宅生活における目標や希望が明確になったら，それらに必要な日常生活能力の獲得を支援する．
- 介護負担の軽減のみでなく，療養者の成長とともに介護する親も高齢化することから，社会資源を利用して本人が自立できる支援を検討することもある．
- 身体合併症を有することもあるので，あわせて支援が必要である．

2) 支援のポイント
- 精神症状の悪化の際，必要時に主治医と連携し投薬内容等の調整を図る．
- 目標や希望の表出を促すために，療養者の話しやすい話題(趣味や関心事等)を選んで会話する．
- 療養者の目標や意思が明確な場合，認知機能をアセスメントしながら，日常生活能力の獲得を支援する．
- 家族関係のアセスメントを行い，療養者と家族間の過剰な保護やネグレクトの有無を判断する．
- 抗精神病薬の副作用による肥満，糖尿病のほか，加齢に伴う疾患(高血圧等)も併発することがあるので，継続したアセスメントと身体合併症の管理が必要である．

●状態別：療養者をみる視点と支援のポイント

状態	療養者をみる視点	支援のポイント
精神症状がある状態	睡眠障害，焦燥感，幻覚・幻聴の増強，引きこもり，対人関係を避ける，いつもできていることができないなど様子が違う時は，精神症状の悪化を疑う．	●精神症状がみられていない時の療養者の様子を把握する． ●就寝起床時間，中途覚醒の有無，焦りの有無(ある場合その理由)，幻聴の増強等，具体的に把握する． ●精神症状がみられていない時の違いは，言動のほか，髭そりや整髪，整容状態，いつも干している洗濯物がないなど，居室の様子からも把握できる．
認知機能障害の状態	記銘力，遂行機能，集中力等の認知機能は，療養者の家事，対人関係や疾病管理等，日常生活への対処能力に影響を与えている．適切なアセスメントを行い，支援の方向性を検討する．	●認知機能の程度により，手順メモを渡す，援助者が一緒に行う，服薬カレンダーを使用する等，その障害を補完する支援を検討する． ●認知機能の把握のために，公認心理師や作業療法士との連携も重要である．

訪問看護導入時の視点
- 療養者が在宅生活における目標や希望を明確にするところから始める．目標や希望を明確にできるよ

うになる期間は，療養者の病状や生活歴により，長短がある．
- 統合失調症の療養者に注意をしたら「病状に影響する」「関係が悪くなる」「理解できない」と思いながらケアを提供することで，療養者の状況を適切に把握できない．中立的に率直に話をし，もともと備えている生活能力や意思を尊重して支援する態度が必要である．

STEP❶ アセスメント > STEP❷ 看護課題の明確化 > STEP❸ 計画 > STEP❹ 実施 > STEP❺ 評価

8 統合失調症

情報収集

	情報収集項目	情報収集のポイント
疾患・医療ケア	**疾患・病態・症状** □疾患の症状	❍精神症状（陽性症状，陰性症状，焦り，睡眠障害等），認知機能障害（記銘力，遂行機能，集中力等）はあるか
	医療ケア・治療 □服薬	❍抗精神病薬の分類（定型，非定型）は何か．どのような作用か，副作用はないか
	□治療	❍個人精神療法，社会生活技能訓練（SST）を受けているか，受けていればその目的と内容はどうか
	□医療処置	❍処方通り内服できているか，効果はどうか，飲み心地はどうか，残薬はないか
	全身状態 □成長・発達段階	❍年齢相応の発達段階に比べて秀でているところ，劣っているところはないか
	□呼吸・循環状態	❍喫煙している場合は，慢性の咳，痰と労作性の息切れはないか
	□摂食・嚥下・消化状態	❍食欲不振，あるいは食欲過多はないか
	□栄養・代謝・内分泌状態	❍抗精神病薬（特に非定型）による肥満はないか
	□排泄状態	❍抗精神病薬の副作用による便秘はないか
	□認知機能	❍認知機能障害はないか，あればどの程度か
	□意識	❍抗精神病薬や抗不安薬による眠気はないか
	□知覚	❍視覚，聴覚，痛覚等の過敏さ，鈍感さはないか
活動	**移動** □屋外移動	❍普段どの程度外出しているか，公共交通機関を使用できるか
	生活動作 □基本的日常生活動作 □手段的日常生活動作	❍食事，排泄，生活，更衣，整容動作などの遂行能力はどうか ❍調理，買い物，洗濯，掃除，金銭管理，服薬管理などの遂行能力はどうか
	生活活動 □食事摂取	❍摂取の量や速さ，嚥下状態（詰め込んで食べるなど）はどうか．過多の場合，非定型抗精神病薬との関連はないか
	□水分摂取	❍水分摂取量はどうか．過多の場合，水分量の増加等，水中毒の徴候の可能性はないか
	□活動・休息	❍昼夜逆転や生活リズムの乱れはないか，睡眠時間はどの程度か，中途覚醒や浅眠感はないか，散歩等の運動習慣はあるか
	□生活歴	❍生育歴，過去の精神科入院歴の把握，罹患後つらかったことは何か

情報収集項目		情報収集のポイント
活動	□嗜好品	● 喫煙している場合は喫煙本数，飲酒状態，間食はどの程度か，ストレスとの関連性はあるか
	コミュニケーション □意思疎通 □意思伝達力 □ツールの使用	● 対人関係の築き方はどうか，周囲の状況を察して，人と意思疎通がはかれるか ● 口調による言葉の文脈を察して，人と意思疎通がはかれるか ● 言語(音声または文字)の理解力はどうか．口頭の述べ方は自然か．聴力，視力はどの程度か ● 文字を書いたり，電話，携帯電話，スマートフォン，メール，パソコンなどを使用して他者と意思疎通がはかれるか
	活動への参加・役割 □家族との交流 □近隣者・知人・友人との交流 □外出 □社会での役割 □余暇活動	● 家族に対する態度，思い，抵抗などはないか ● 家庭における役割はあるか，介護や育児を担っているか ● 同居，別居家族とのかかわりはどうか(内容，頻度，方法) ● 近隣者，知人，友人とのかかわりはどうか(内容，頻度，方法) ● 買い物，受診，作業所やデイケアなどのために外出しているか．その移動手段は何か ● 社会での役割(就労，作業所やデイケア等)があるか，本人の積極性はどうか ● 地域活動支援センター，趣味や運動などにどの程度参加しているか，本人の積極性はどうか
環境	**療養環境** □住環境 □地域環境 □地域性	● 部屋の中は片付いているか，入浴や家事が安全にできるようになっているか，冷暖房は完備されているか ● 買い物，作業所，デイケア，受診へのアクセスはどうか，公共交通機関の利便性はどうか ● 住民に対する自治会の見守り活動はどうか．障害者(児)や虚弱高齢者等に対して排他的ではないか
	家族環境 □家族構成 □家族機能 □家族の介護・協力体制	● 誰と同居しているか，独居か，グループホームか ● 療養者への家族の接し方，距離感(過剰な干渉，過度な期待，高圧的またはネグレクト等)はどうか，家族に介護の必要な者はいないか ● 家族に主介護者や副介護者はいるか，家族内にキーパーソンはいるか．家族の介護力や介護負担感，高齢化はないか ● 家族が世間体を気にする，あるいは介護を抱え込んでいないか
	社会資源 □保険・制度の利用 □保健医療福祉サービスの利用 □インフォーマルなサポート	● 障害者総合支援法，介護保険法(65歳以上〜)，生活保護法が適用されているか ● 自立支援医療，訓練等給付，居宅介護，相談支援，介護保険給付(65歳以上)の利用状況はどうか ● 療養者や介護する家族を支える知人，友人，近隣の人々はいるか．家族会の支援はあるか．ボランティアの活用はあるか

情報収集項目	情報収集のポイント
環境	
経済 □世帯の収入 □生活困窮度	●療養生活を続けるにあたり世帯の収入は十分か ●極端に節約をしたり，逆に計画的な金銭管理ができないことはないか
志向性（本人） □生活の志向性 □性格・人柄 □人づきあいの姿勢	●生活する中での価値観はどのようなものか，目標や楽しみはあるか ●社会規範（就職や結婚）に対する劣等感や社会サービスを使用することに対する引け目を感じていないか，感じている場合どの程度か ●もともとの性格はどうか，気まじめすぎて焦りが強くないか ●対人関係のとりかたはどうか，礼節は年齢相応に保てるか
自己管理力（本人） □自己管理力 □情報収集力 □自己決定力	●認知機能障害に伴う日常生活における自己管理能力の低下はないか，いつもできていたことができなくなっていることはないか ●社会資源等の情報を得ているか，その手段を知っているか ●自己決定を許される環境にあったか（疾患のため自己決定が制限されていないか），自己決定をするための支援が必要か
理解・意向	
理解・意向（本人） □意向・希望 □感情 □疾患への理解 □療養生活への理解 □受けとめ	●生活に対する本人の意向や希望は何か，それに向かって日常生活を改善する意欲はあるか ●気分の浮き沈みや自己決定への諦め，焦りはないか ●病名や内服薬，治療方針等をどの程度説明され，理解しているか ●現在の治療の必要性を理解し納得しているか ●統合失調症に対する療養者自身の偏見はないか
理解・意向（家族） □意向・希望 □感情 □疾患への理解 □療養生活への理解 □生活の志向性	●家族自身の生活の意向や希望は何か，療養者の今後をどうとらえているか ●介護を家族で抱え込もうとしていないか ●介護による気分の浮き沈みや，疾患に対する世間体などはないか ●疾患をどのように理解しているか．親の場合，子育てに後悔したりしていないか ●過剰な干渉やネグレクトにより，必要な支援を受けさせないことはないか ●家族自身の生活上の目標や楽しみ，価値観はどのようなものか

事例紹介

グループホームで暮らす精神症状が悪化している統合失調症の療養者の例

Keywords 統合失調症，服薬管理，精神症状，認知機能障害，対人交流，グループホーム，壮年女性

〔基本的属性〕女性，36歳
〔家族構成〕実家に独身の姉がいる
〔主疾患等〕統合失調症
〔状況〕大学生の時に統合失調症を発症した．療養者の世話をしてきた祖母，父親が相次いで亡くなったことをきっかけに，姉と二人暮らしになった．姉は泊まりの仕事があるので，療養者は生活保護を受けながらグループホームで一人暮らしを始めた．環境の変化に伴い，「神の姿が見える」「眠れない」等の症状があり，3か月前から精神科診療所の医師が非定型精神病薬の種類を変更したが，改善が認められず訪問看護の導入となった．

第2章 健康障害別看護過程　1. 慢性疾患

情報整理シート

疾患・医療ケア

【疾患・病態・症状】

主疾患等：統合失調症（25歳～）
病歴：なし
経過：
- 22歳　大学の授業の出席が不定期になり，心配した教授が学生保健センターに紹介した．「外出すると頭の中に考えを入れようとされる」と思い，引きこもりがちになる．
- 25歳　引きこもりと妄想，幻聴が顕著になり精神科病院に10か月入院．統合失調症と診断され，入退院を繰り返す．
- 35歳　療養者の世話をしてきた祖母，父親が相次いで亡くなったことをきっかけに，姉と二人暮らしになる．姉は泊まりの出張があるので，療養者はグループホームに移ることを希望する．
- 36歳　グループホームで一人暮らしを始める．環境の変化にともない，「神の姿が見える」「眠れない」等の症状があり，3か月前から医師が処方を変更したが，改善が認められず訪問看護の導入となった．

【全身状態・主な医療処置】

血圧：120/70 mmHg
脈拍：96回/分
呼吸数：14回/分

身長：163.5 cm
体重：62.0 kg
BMI：23.2

排便：下剤を飲めば1回/日
排尿：4～5回/日
食事：3回/日

食後に舌下錠を正しく使わず水とともに飲み込んでいる

記銘力の低下があり，舌下錠や寝る前の薬の半分を飲み残している
最近疲れやすい
集中力がない
眠れない
イライラする．不安や焦燥感がある
視覚，聴覚，痛覚は問題ない
妄想，幻覚がある

基本情報
年齢：36歳　性別：女性

【医療ケア・治療】

服薬：【内服】抗精神病薬（シクレスト舌下錠），朝・夕1錠ずつ
　　　　　　　　抗精神病薬（セロクエル錠），寝る前1錠
【実施】療養者の自己管理
治療状況：2週間ごとの精神科診療所受診
医療処置：精神症状のコントロール
訪問看護内容：精神症状の観察，認知のゆがみの修正，必要な社会資源の紹介

活　動

【移動】

介助は必要ない．

【活動への参加・役割】

家族との交流：実家に独身の姉がいる．父親と父方の祖母に育てられ，罹患してからは世話も受けていたが他界．
近隣者・知人・友人との交流：グループホームの世話人，メンバー，就労継続支援B型の作業所のメンバー，職員との交流がある．食事のときはグループホームの食堂にきて，食事が終わるとすぐに自室に引きこもる．
外出：週5回作業所にバスと電車で通っているが，最近は遅刻することが多い．
社会での役割：作業所で内職をする．グループホームで図書貸し出し係をしている．
余暇活動：ネイルの手入れなど，おしゃれ好きである．

【生活活動】

食事摂取：食事の支度をしてもらえば三食食べる．
水分摂取：自分でペットボトルを購入したり，ガスでお湯を沸かしてインスタントコーヒーなどをいれることができる．
活動・休息：不眠を訴えない．作業所で眠い，疲れたと言ってすぐに休憩室に行ってしまう．23時に就寝するが，なかなか寝付けない．グループホームの世話人が夜中に巡回していると，気が付いて起きる．時々寝すごして世話人に起こされる．
生活歴：2歳までは両親と姉の4人家族であったが，母親が育児放棄し，父親と父方の祖母に育てられた．10歳代は成績優秀で大学へ進学．
嗜好品：スナック菓子，チョコレート，ナッツ類を好むが，健康に気をつけて食べ過ぎないようにしている．タバコは吸わない．

【生活動作】

基本的日常生活動作

食動作	食事の支度をしてもらえれば自分で食べる
排泄	トイレで排泄する
清潔	風呂に湯をためて毎日自分で入る．最近は，風呂に入るのを忘れがちになっている
更衣整容	着替えや整髪は自分で行っているが，最近，洋服の交換や整髪，ネイルが行き届いていない
移乗	自分でできる
歩行	自立しているが，疲れたと言ってあまり歩きたがらない
階段昇降	自立している

手段的日常生活動作

調理	グループホームの世話人が用意する．土・日曜日と朝食は自分で食事を用意するが，他はパンやコンビニ弁当，安価な定食屋へ行き，調理はしない
買い物	買い物はできるが，最近，店に行きたがらない
洗濯	自分で実施しているが，最近，回数が減っている
掃除	掃除機を使って自分で実施しているが，最近，自室がごみだらけになっている
金銭管理	美容関係に使いすぎる時があるので，残高管理は作業所の職員に頼んでいる
交通機関	自分で利用できるが，最近，利用したがらない

【コミュニケーション】

意思疎通：誤解と思われる発言や不安等を口にする．周囲の状況を察することは難しい．
意思伝達力：言葉の理解は可能であるが，抑揚がなく，表情の硬さがある．
ツールの使用：スマートフォンを持っており，電話できる．メールやメッセージは使用できない．

環　境

【療養環境】
住環境：10戸の1Kが入っているグループホームの2階の個室．エアコン，小さいながらもIHキッチンがついている．
布団を敷いて寝ている．テレビはなく，ラジオがある．
地域環境：コンビニエンスストアやスーパーマーケット，主治医の診療所などが近隣にある．作業所までバスと電車で30分程度．
地域性：地方の都市部で交通の便のよい住宅地．障害者に対して排他的ではなく，自治会で見守り活動もしている．

【社会資源】
サービス利用：

	月	火	水	木	金	土	日
AM	作業所	作業所	作業所	作業所	作業所		
PM	作業所	作業所	作業所	訪問看護	作業所		

保険・制度の利用：訓練等給付（共同生活援助，就労継続支援B型），自立支援医療（精神科診療所，訪問看護，薬局），作業所（継続サービス利用支援），生活保護

【経済】
世帯の収入：障害年金（2級）月6万円．他工賃2万円
生活困窮度：交通費や消耗品，夕食以外は自分で賄い，経済的に余裕はない．経済的援助はない．生活保護は家賃，食費，光熱費，精神科以外の受診に使われる．

【ジェノグラム】

40　実家で一人暮らし　　36　グループホーム

【家族の介護・協力体制】
療養者の世話をしてくれた父親と父方の祖母は他界．姉は独身で仕事をもち自立している．

【エコマップ】

理解・意向

姉

実家に在住．泊まりの出張があるため療養者の世話が行き届かないと考えている．また，姉は療養者を「だらしない」と思っている．

自分は仕事をもち働いており，出張で泊まりも多い．実家にいる時はダラダラしていたので，グループホームで自分のことは自分でできるようになってほしい

最近疲れやすい．ネイルなどのおしゃれも面倒
作業所にやくざがいる
作業所やグループホームのメンバーはだらしなくてイライラする

寝坊して遅刻してしまう．作業所にきちんと通わないと！
早く仕事について結婚したい
最近疲れやすい，やる気がおきない
自由がきかないので，入院は絶対したくない

普段できていた片付けやおしゃれ，作業所の仕事を休憩するようになり，戸惑いがある

【志向性】
生活の志向性：人に迷惑をかけないように生活したいと考えている．最近，作業所の仕事中に休憩室を使用して休んでいるが，まじめなため申し訳ないという焦りの気持ちがある
性格・人柄：まじめな一方，融通がきかない
人づきあいの姿勢：社交的ではないが，普段は他人の悪口を言ったりはしない．サービス提供者に礼節を保つ．しかし最近，作業所のスタッフに対し「やくざがいる」と言ったり，メンバーの様子をみてイライラしていることがある

【自己管理力】
自己管理力：記銘力や遂行機能に軽度の障害があり，多重課題や複雑な手順はこなせない時がある．作業所で行う内職などは，職員が何度か説明し一緒に行って記憶できれば，問題なくできていたが，最近できなくなってきている．嗜好品の選択にあたり，健康には気をつけている
情報収集力：生活・疾患・在宅サービスに関して，作業所の精神保健福祉士に相談することが多い
自己決定力：作業所の精神保健福祉士の支援で，サービス利用などについて決定している

8　統合失調症

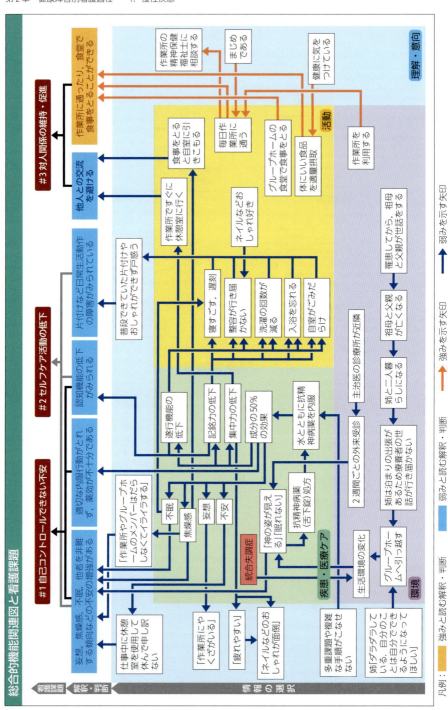

| STEP❶ アセスメント | STEP❷ 看護課題の明確化 | STEP❸ 計画 | STEP❹ 実施 | STEP❺ 評価 |

看護課題リスト

No.	看護課題　【コード型】文章型	パターン
#1	【自己コントロールできない不安】精神症状の悪化により適切な服薬管理を行えず，慢性的な不安を自己コントロールできない	問題着眼型
	根拠 認知機能低下により服薬方法が不十分となり，妄想，焦燥感，不安の増強，不眠，他者とのかかわりに対するいら立ちなどの精神症状が増長し，さらに認知機能を低下させる悪循環になっている．	
#2	【セルフケア活動の低下】精神症状の悪化に伴い，認知機能が低下し，個人衛生や環境衛生が不十分である	問題着眼型
	根拠 精神症状の悪化に伴い，記銘力と遂行機能，集中力等の認知機能の低下が生じ，更衣・整容，洗濯，部屋の片付け，掃除や内服等の日常生活動作が十分行えなくなっている．	
#3	【対人関係の維持・促進】グループホームの食堂や作業所へ出向ける力を活かし，対人関係を維持・促進する	強み着眼型
	根拠 精神症状の悪化のため，他人とのかかわりに対するいら立ち，不安や妄想があり，交流を断つ可能性も考えられる．まじめな性格によるグループホームの食堂や作業所へ出向ける力を保持できるよう支援し，社会参加や対人関係の維持の必要性がある．	

【看護課題の優先度の指針】【自己コントロールできない不安】により精神症状や【セルフケア活動の低下】が増強し，【対人関係の維持・促進】を阻む可能性がある．したがって，服薬方法不十分に起因する【自己コントロールできない不安】を#1，【セルフケア活動の低下】を#2とした．【自己コントロールできない不安】が解決することでより促進される【対人関係の維持・促進】を#3とした．

8 統合失調症

長期目標

適切な服薬管理により統合失調症による精神症状および認知機能障害の軽減を図り，作業所の活動を維持しながらグループホームでの療養生活を送る．

根拠 舌下型の非定型抗精神病薬（シクレスト）は，舌下で溶かし服用し，10分間は，歯みがき，うがい，飲食をしないことが重要であり，水で内服すると薬効が50％になってしまう．療養者はこの複雑な服用方法を実施することができず，薬効が得られないことにより，精神症状（妄想，対人関係を避けたり，引きこもり，易疲労感，睡眠障害，焦燥感などの不安）を悪化させ，それに伴い認知機能（記銘力，遂行機能，集中力）が低下する悪循環となる．しかし，元来のまじめな性格により，グループホームの食堂や作業所に通おうとする意思と力を維持しながら，適切な支援により意向に沿った療養生活を送ることができる．

〈長期目標を共有するケアチーム〉
フォーマルサービス：訪問看護師，精神科診療所の主治医，相談支援事業者の相談員，グループホームの世話人，作業所の精神保健福祉士，薬剤師
インフォーマルなサポート：姉

| STEP ① アセスメント | STEP ② 看護課題の明確化 | **STEP ③ 計画** | STEP ④ 実施 | STEP ⑤ 評価 |

1 看護課題

看護課題	看護目標（目標達成の目安）
#1【自己コントロールできない不安】 精神症状の悪化により適切な服薬管理を行えず，慢性的な不安を自己コントロールできない	1) 療養者に合う内服方法をとれる（1週間） 2) 入院することなく精神症状が改善する（3か月） 3) 変更した内服方法が継続できる（3か月）

援助の内容	援助のポイントと根拠
OP 観察・測定項目 ● 精神状態	● 訪問のたびに，幻覚，睡眠状態，引きこもり，焦燥感等の精神症状について，療養者から情報収集する。また，療養者の了解を得て，必要時，対面や電話でグループホームの世話人，作業所の精神保健福祉士と情報を共有する ● 現在の精神症状がさらに悪化することがあれば，早期に精神科主治医に報告する必要がある　**根拠** 抗精神病薬の切り替えはうまくいかないことがあるので，主治医と連携をとりながら観察する
● 内服薬の服用状況	● 変更した処方を適切に内服できているか，また，療養者に合っている感じがするかをたずね，観察する
TP 直接的看護ケア項目 ● 適切な内服への支援	● 飲み残しがないような方法を提案し工夫する　**連携** グループホームの世話人と作業所の精神保健福祉士やスタッフに，内服を確認してもらうほか，服薬カレンダーなどを使用して，療養者が管理しやすいように支援する
● 内服方法の変更を主治医に依頼	● **連携** 舌下錠の服用が難しいこと，飲み残しがあることから，主治医に食後，水とともに内服する薬物に変更を依頼する。また，1日に何度も内服をしなくてもよいように調整を依頼する
EP 教育・調整項目 ● 変更した内服薬の服薬方法の説明	● 療養者に内服薬の変更の必要性と変更した内服薬の服用方法を説明する　**連携** 療養者が求めれば，薬剤師の訪問薬剤指導も検討する．ただし，引きこもりが強い場合，強要しない
● 適切な生活リズムの必要性の説明	● 適切な内服とともに，適度な睡眠や休養をとり，疲労をためないように説明する　**連携** 不眠が続く場合，睡眠薬等の処方を主治医に依頼する

2 看護課題

看護課題	看護目標（目標達成の目安）
#2【セルフケア活動の低下】 精神症状の悪化に伴い，認知機能が低下し，個人衛生や環境衛生が不十分である	1) 認知機能低下の状態に応じたセルフケアへの支援を得ることができる（2週間） 2) 認知機能の改善に伴いセルフケア活動への支援を再検討する（2か月） 3) セルフケア活動が以前と同じ状態に戻る（3か月）

援助の内容	援助のポイントと根拠
OP 観察・測定項目 ●セルフケア活動低下の状態	⮕入浴，洗濯，整容，整髪，買い物，外出，おしゃれの様子を観察する．訪問時，療養者に質問するほか，居室の様子や身なり，体臭がないかなどを観察して把握する
TP 直接的看護ケア項目 ●認知機能低下により困難になった日常生活動作を補完する支援 ●ポジティブ・フィードバック	⮕忘れがちになる日常生活動作には，声かけや必要時一緒に行うなどの支援をする **連携** グループホームの世話人に依頼するほか，必要時訪問介護の導入も検討する **根拠** 遂行機能の低下の際，援助者が一緒に行い見本を示すことで，実行できることがある ⮕できるようになってきた日常生活動作は直接的支援を少しずつ減らしていく ⮕できるようになってきた日常生活動作に対し，必ず褒める等のポジティブ・フィードバックをする **根拠** ポジティブ・フィードバックにより，療養者が日常生活動作に自信をもち，さらにモチベーションを高めることができる
EP 教育・調整項目 ●焦らないことの説明	⮕精神症状も悪化しているので焦りやすくなるが，焦ってすべてのことを改善しようとしても難しい時期であることを伝え，一つひとつ工夫していく必要性を説明する

3 看護課題	看護目標（目標達成の目安）
#3【対人関係の維持・促進】 グループホームの食堂や作業所へ出向ける力を活かし，対人関係を維持・促進する	1）疲労感の強い時は休憩をとりながらグループホームの食堂や作業所へ出向く（2か月） 2）現在の社会参加，対人関係を維持する（3か月）

援助の内容	援助のポイントと根拠
OP 観察・測定項目 ●グループホームの食堂や作業所へ出向く状態 ●作業中の休憩の状態	⮕グループホームの食堂や作業所へ出向く頻度や時間が減っていないか把握する **連携** 引きこもりが増強するようであれば，精神症状の悪化を予測し，主治医に連携をとる ⮕療養者が疲労感に応じて自主的に休憩をとる対処ができているかを観察する **連携** 自主的にとれない場合には，作業所の精神保健福祉士，スタッフに声をかけてもらうよう連携をとる **根拠** まじめな性格であり，焦りもあるため，休憩に罪悪感をもつ可能性があるので，自主的に休憩できない時には周りの支援が必要である
TP 直接的看護ケア項目 ●話し相手や散歩の支援 ●出向き続けることに対するポジティブ・フィードバック	⮕療養者の疲労感に合わせて，看護師が話し相手になったり，散歩で外出する支援をする．ただし，療養者と看護師に信頼関係が成立してできる支援であるので，まずは関係形成を心がける．療養者の場合，おしゃれなど，自ら話しやすい話題を選んで関係を構築していく ⮕ **強み** 出向き続けていること，まじめに取り組んでいることをほめて，さらに意欲も高めていく

8 統合失調症

EP 教育・調整項目

- 休憩の必要性の説明
  - ⇒疲労感が強くなると，精神症状や認知機能の低下が増すので，回復するまでは休憩をとりながら社会参加や対人関係を続けるように説明する

STEP ① アセスメント　STEP ② 看護課題の明確化　STEP ③ 計画　STEP ④ 実施　STEP ⑤ 評価

強みと弱みに着目した援助のポイント

強みに着目した援助
- まじめで，グループホームの食堂や作業所に出向こうとする意欲を活かし，引きこもりなどの精神症状を増長しないようにする．
- グループホームの世話人や作業所の精神保健福祉士に助けを求めたり相談したりできることを活かし，周囲の支援を得て療養者が回復に向かえるようにする．

弱みに着目した援助
- 舌下錠の服薬方法が療養者には複雑すぎるので，確実にできる方法を精神科主治医に連絡して調整し，精神症状の回復を図る．
- 精神症状悪化による認知機能の低下が引き起こす，日常生活動作の障害を一時的に補完し，療養者の生活の質を確保する．
- 療養者の焦燥感に対して理解を示し，ゆとりをもつように促しながら，社会参加や対人関係を維持できるように支援する．

STEP ① アセスメント　STEP ② 看護課題の明確化　STEP ③ 計画　STEP ④ 実施　STEP ⑤ 評価

評価のポイント

- 療養者が不安等の精神症状を自己コントロールできていると感じているか
- 療養者に合った内服方法をとれているか
- 入院することなく精神症状が改善しているか
- 変更した内服方法が継続できているか
- 認知機能低下の状態に応じたセルフケアへの支援を得ることができているか
- 認知機能の改善に伴いセルフケア活動への支援を再検討できているか
- セルフケア活動が以前と同じ状態に戻っているか
- 疲労感の強い時は休憩をとりながらグループホームの食堂や作業所へ出向いているか
- 現在の社会参加，対人関係の状態を維持しているか

関連項目

第3章「29 社会的孤立」「31 意欲低下」「34 服薬管理不全」

9 重症心身障害児

重症心身障害児の理解

基礎知識

疾患概念
重度の知的障害および運動障害を有する状態を指す行政用語であり,「重症児」と略される(成人は「重症者」).
- ①染色体異常や先天異常などの出生前異常,②周産期の異常,③出生後の疾病が原因となり,それぞれ3割程度とされる[1].

疫学・予後
- 平成26(2014)年のデータでは,全国の重症児・者は51,143人(対人口比0.04%)とされる[1].
- 胃瘻からの経管栄養や気管切開からの吸引などの医療的ケアを必要とする者が増えており,20歳未満の在宅で何らかの医療的ケアを必要とする者は10,000~15,000人と推定されている[2].
- 予後は,重症度によって異なるが,人工呼吸器管理など高度な医療的ケアを必要とする超・準超重症児では30~35歳,それ以外では55歳が平均死亡時年齢などとされる[3].
- 死因としては,肺炎などの呼吸器障害,敗血症が多いが,幼小児期では脳症・脳炎が,年長者では悪性腫瘍や腸閉塞が比較的多いとされる[4].

症状
- 原疾患そのものの症状としては,判定基準にもある重度の四肢麻痺と知的障害がある.その他は,合併症による症状であり,年齢ごとに異なる.
- 乳幼児期:てんかん発作,筋緊張亢進,誤嚥,舌根沈下による上気道閉塞や慢性換気不全などによる呼吸障害
- 学童期(特に中学生ころ):胃食道逆流,慢性換気不全による呼吸障害
- 高校卒業後:誤嚥,気管切開後では腕頭動脈の圧排による気管狭窄,気管腕頭動脈瘻による気管出血,腸閉塞

診断・検査値
- 医学的な診断名ではなく,行政の基準に従い,知能指数(IQ)が35以下で,かつ運動機能が座位までに制限されている状態であることを確認する.
- 判定基準および重症度については,「大島分類」が広く用いられている(表9-1).

■表9-1 大島分類

IQ \ 運動機能	走れる	歩ける	歩行障害	座れる	寝たきり
70~80	21	22	23	24	25
50~70	20	13	14	15	16
35~50	19	12	7	8	9
20~35	18	11	6	3	4
0~20	17	10	5	2	1

1) 1, 2, 3, 4の範囲に入るものが重症心身障害
2) 5, 6, 7, 8, 9は,①絶えず医学的管理下に置くべきもの,②障害の状態が進行的と思われるもの,③合併症があるもの,が多く「周辺児」とよばれる

合併症
- 原疾患や重症度によって異なるが，代表的なものを以下に挙げる．
- 神経系：てんかん，四肢麻痺，筋緊張亢進，睡眠障害（昼夜逆転）
- 呼吸器系：舌根沈下による上気道閉塞，慢性換気不全，無気肺，誤嚥に伴う反復性肺炎，気道過敏性亢進
- 消化器系：胃食道逆流，側彎に伴う腸管運動障害，便秘
- 内分泌系：思春期早発症（特に女児）
- その他：成人期にはがんの発生率が高いとされている．

治療法
●治療方針
- 原疾患に対する治療は少なく，合併症の治療が主体となる．
- 最も多い合併症であるてんかんについては，近年抗てんかん薬が急激に増加したため，小児神経専門医などと連携して在宅での治療を検討する必要がある．
- 筋緊張亢進については，本人への身体的・精神的ストレス，呼吸障害の合併，気管カニューレの事故抜去など，それによって引き起こされる事態を考慮して対症療法を行う．精神的ストレスの軽減，リハビリテーション，ポジショニング，車椅子（バギー）の調整などを行うが，症状が強い場合は薬物療法を考慮する．それでも改善しない場合はボツリヌス毒素（ボトックス）の局所注射や，体内にポンプを植え込むことによるバクロフェンの持続髄注療法が検討される．
- 胃食道逆流に対して薬物療法を用いることもあるが，症状が強い場合には胃瘻造設，噴門形成術が必要となる．
- 換気不全による慢性呼吸障害に対して，まずはポジショニングやリハビリテーション，非侵襲的換気療法（non-invasive positive pressure ventilation；NPPV）などを考慮し，それでも改善がない場合は気管切開による人工呼吸器療法の適応を検討する．
- 誤嚥に対しては摂食内容の工夫やポジショニングを行うが，窒息を起こしたり，誤嚥性肺炎を反復する場合は誤嚥防止術（喉頭気管分離術など）を考慮する．
- 気管支喘息とはっきり診断されなくても，胃食道逆流・誤嚥・慢性気道感染の合併により気道過敏性亢進をきたすことがあり，気管支喘息に準じて治療を行う．

●薬物療法
〈てんかん〉

Px 処方例

以下のいずれかがよく用いられる（いずれも維持量）．
- フェノバール散 10%　2〜10 mg/kg/日　1日1〜2回　←抗てんかん薬
- テグレトール細粒 50%　5〜25 mg/kg/日　1日2回　朝夕食後　←抗てんかん薬
- デパケン細粒 40%　15〜50 mg/kg/日　1日1〜3回　←抗てんかん薬
- マイスタン細粒 1%　0.2〜1.0 mg/kg/日　1日1〜3回　←抗てんかん薬
- イーケプラドライシロップ 50%　20〜60 mg/kg/日　1日2回　朝夕食後　←抗てんかん薬
- ラミクタール錠　1〜5 mg/kg/日　1日2回　朝夕食後　←抗てんかん薬
  ※バルプロ酸ナトリウム（デパケン）併用時は1〜3 mg/kg/日，酵素誘導薬併用時は5〜15 mg/kg/日，開始後しばらくは少量ずつ増量など注意点が多い．
- ビムパットドライシロップ 10%　6〜12 mg/k/日　1日2回　朝夕食後　←抗てんかん薬

〈筋緊張亢進〉

Px 処方例 筋緊張亢進が強く，発汗過多，体温上昇，頻脈などがみられる場合

以下のいずれかが用いられる．
- セルシン散 1%　0.1〜0.5 mg/kg/日　1日1〜3回　←筋緊張治療薬
- テルネリン顆粒 0.2%　0.05〜0.2 mg/kg/日　1日1〜3回　←筋緊張治療薬
- ダントリウムカプセル 25 mg　0.5〜2.0 mg/kg/日　1日1〜3回　←筋緊張治療薬
- ギャバロン錠 5 mg　0.1〜1.0 mg/kg/日　1日2〜3回　←筋緊張治療薬

家族へのサポート
- 乳児期：予期せぬ「子どもの障害」と，24時間の気を抜けない介護により，保護者には大きな精神的・身体的負担がかかる．訪問診療，訪問看護などの医療サービスに加え，放課後等デイサービス，短期入所，居宅介護などの福祉サービスの提供により少しでも負担を軽減するよう努める．
- 幼児期：感染症などによる臨時入院も多い時期となる．重症度によっては胃瘻造設，気管切開，喉頭気管分離，人工呼吸器管理が必要となることもある．兄弟姉妹がいる場合，保護者の精神的・身体的負担が強くなる時期でもある．小学校入学については，2年くらい前から就学相談や学校見学などを勧めることもある．
- 学童期：病態的にも安定し，毎日の生活リズムができてくる時期である．小学校高学年以降になると再び状態が不安定となるケースがあるため，起こりうる合併症については家族にも情報提供しておく．
- 高校卒業後：現状では，生活介護事業所への通所が主な進路となる．本人や家族の希望にもよるが，複数の事業所を利用することが多い．保護者も腰痛などの体調不良やがんなどの疾病を発症することがあり，あらかじめ利用できる短期入所先を確保しておくことが望ましい．地域によっては自立生活が可能な場合もあるが，保護者による在宅介護が困難となった場合には，重症心身障害者施設に長期入所となることが多い．在宅介護による身体的な負担と，長期入所させることに関しての葛藤の中で揺れ動く保護者の気持ちに寄り添いながら，訪問看護，相談室，重症心身障害者施設などと連携して対応していくことが重要である．
- ターミナル/グリーフケア：年齢とともに，多くの場合，胃瘻や気管切開といった医行為が増えてくる．本人にとっての最善の医療について保護者とよく話し合う必要がある．本人が亡くなったあとの家族へのグリーフケアも重要である．
- きょうだいへのサポート：保護者が重症児にかかわることが多くなり，兄弟姉妹がこころの問題を抱えることがある．兄弟姉妹が病院に同行することは少ないため，訪問診療や訪問看護など，在宅チームが兄弟姉妹の状況にも注意を払うことが重要である．きょうだいがケアを担う「ヤングケアラー」問題について支援策を打ち出す自治体が増えている．

在宅における特徴
- 年齢ごとに異なる合併症への対処が基本となるが，介入の目的としては「心身ともに穏やかに生活でき，年齢に応じた発達の支援ができること」となる．重症心身障害児・者の生活にとって保護者の役割は大きく，レスパイト（介護者の休息）も含めた保護者のケアも重要であるが，年齢に応じて学校，福祉施設，介護職員など保護者以外のかかわりも徐々に増やし，自立支援を図ることも必要である．

在宅診療の実際
病診連携
- てんかんや気管切開の管理などは大学病院，小児病院，総合病院小児科でなされることが多く，病院主治医が複数存在することが少なくないため，病院間連携が重要となる．
- 重症心身障害児・者に対する訪問診療も徐々にではあるが増加している．小児科領域では訪問診療がいまだ一般的でないため，病院主治医が在宅医との連携に慣れていないことも多い．訪問看護ステーションも含めた病診連携の仕組みをつくることが重要である．
- 軽微な感染症や，呼吸不全を合併していない肺炎などでは，経静脈的抗菌薬投与も含めた在宅治療が可能なこともあるが，呼吸不全を伴う肺炎，敗血症，痙攣重積など，救急搬送も含めた病院での対応が必要な病態も多い．病態ごとにどの医療機関に紹介・搬送するかを関係者であらかじめ決めておくことが肝要である．
- 2021年に医療的ケア児支援法が施行された．医療的ケアがある児については，医療的ケア児等コーディネーターとの連携を考慮する．

重症心身障害児に関連する社会資源・制度

1) 医療
- 訪問リハビリテーション

- 退院前から治療を受けていた病院

2) 医療費助成制度
- 乳幼児・子ども医療費助成制度，小児慢性特定疾病医療費助成制度，特定医療費助成制度，在宅人工呼吸器使用患者支援事業，在宅重症心身障害児・者訪問事業，重症心身障害児・者医療費助成制度，自立支援医療（育成医療），身体障害者手帳，療育手帳，特別児童扶養手当，障害児福祉手当，重度障害者介護手当など．

3) 介護
- ホームヘルプ

4) レスパイトケア提供のためのレスパイト施設
- ショートステイ，放課後等デイサービス，日中一時支援事業

5) 療育・教育
- 療育センター，児童発達支援，学校・特別支援学校

重症心身障害児をめぐる訪問看護

訪問看護の視点

1) 療養者をみる視点
- 重度の肢体不自由と重度の知的障害が重複している状態を重症心身障害といい，そのような状態にある子どもを重症心身障害児（以下，重症児）という．ただし，重症児は，単なる肢体不自由と知的障害の組み合わせではなく，てんかんなどの合併症や複数の疾患，障害を併せもっている．複数の疾患や障害は生活に困難を伴う状態であると捉える視点が重要である．また，これらは重症児の成長・発達や将来に影響する．
- 重症児は身体症状が重症な場合が多く，医学的な処置が最優先されるが，発達障害にも注目する必要がある．
- 重症児は呼吸器合併症や消化器合併症など様々な合併症を起こしやすく，かつ重症化しやすい．したがって，現在の症状に応じた看護を提供するだけではなく，予防的な看護を提供する必要がある．
- 重症児は，成長・発達の過程から遅れていることが多いが，その子どもなりの成長・発達を遂げていることに着目する．
- 重症児が抱える複数の疾患や障害は治療や機能訓練により改善するものの完治することはなく，介護や医療を常時，生涯にわたり必要とする．家族は，毎日，長時間，医療依存度の高い子どもの介護や医療的ケアを担っており，身体的，精神的，経済的負担が大きいためその負担に配慮する．

2) 支援のポイント
- 重症児が疾患や障害を抱えながらも生活しやすい環境を家族とともに整える．
- 重症児に必要なケアは多岐にわたるため，訪問看護だけでは限界がある．多機関・多職種と連携し，チームで支援する．
- 将来起こりうる合併症や二次障害，それに伴う生活上の障害を予測するとともに，これらを加味して現在必要なケアを考える．
- 定期的に成長・発達を評価し，成長・発達に応じたケアを提供する．
- 重症児だけではなく家族の生活や健康にも配慮する．

●状態別：療養者をみる視点と支援のポイント

状態	療養者をみる視点	支援のポイント
在宅移行期にある場合	長期にわたり入院していたケースでは愛着形成に支障をきたしたり，医療的ケアが必要な子どもの受け入れが難しい場合がある．また，重症	●医療的ケア技術習得のための支援を行う． ●社会資源活用のための支援を

状態	療養者をみる視点	支援のポイント
	児の在宅生活の開始に伴い，家族の生活は大きく変化する．家族の希望があり，重症児の在宅生活を開始する場合は，医療的ケア技術習得に向けた支援や社会資源活用のための支援も重要であるが，家族の関係性や生活にも目を向ける必要がある．	行う． ●重症児の在宅生活開始に伴う家族の生活の再構築のための支援（環境を整え，生活リズムをつくる）を行う．
安定期にある場合	年齢が上がり体調が安定してきても，ケアの内容や方法は成長・発達に応じて変化する．看護師は，重症児の成長・発達を評価し，現状に応じたケアや社会資源活用のための情報を提供する必要がある．成長・発達を促す視点も重要であり，療育センターや特別支援学校などとの連携により適切な時期に療育・教育を開始する．そのためには，その子どもに合った療育・教育を選択できるよう，先を見据えて家族が準備できるように支援するとよい．	●重症児の成長・発達を評価する． ●成長・発達に応じたケア提供・社会資源活用のための支援を行う． ●療育・教育の準備・開始に伴う支援を行う． ●多機関・多職種と連携する．

訪問看護導入時の視点

- 訪問看護導入時は重症児・家族と信頼関係を構築することが重要であるが，重症児とのコミュニケーションは会話に頼れないため，重症児の表情や身体の動きなどを観察し，推察する力が必要である．重症児に話しかけ，スキンシップをとるなど，ふれあいを重ねていく中で信頼関係を築いていく．
- 家族は入院中の病院や訪問看護導入までの期間に重症児のケアを行ってきた経験から，独自のケア方法を確立している場合がある．家族が行っているケアの方法が医学的に誤っている場合は修正する必要があるが，一方的に否定するのではなく，家族が行うケアの方法の意味を理解する必要がある．また，重症児にとってよりよいケアの方法を家族と一緒に考えることが重要である．

STEP ① アセスメント ▶ STEP ② 看護課題の明確化 ▶ STEP ③ 計画 ▶ STEP ④ 実施 ▶ STEP ⑤ 評価

情報収集

情報収集項目		情報収集のポイント
疾患・医療ケア	**疾患・病態・症状** □疾患 □病態 □疾患の症状 □疾患の経過，予後	●主疾患，既往歴，合併症，障害の種類や程度はどうか ●重症度はどうか，病態の機序はどうか，感染の徴候はあるか ●現在出現している症状とその程度はどうか，機嫌や活気はどうか．今後予測される症状はどうか ●症状の進行はどうか，診断時期，病歴，治療歴（リハビリテーション，機能訓練を含む），入院歴はどうか．訪問看護開始の時期はいつか
	医療ケア・治療 □服薬 □治療	●服薬の内容や方法（経口投与か経管チューブからの注入か，経口投与の場合は経口用シリンジ使用の有無など普段の服用方法を具体的に確認する），時間はどうか．誰が服薬を管理しているか ●治療方針や目的は何か，どのような治療内容か，外来受診か・往診か，受診頻度はどうか，治療中止の場合はいつから，どのような理由により中止したのか．機能訓練の内容・頻度はどうか

情報収集項目		情報収集のポイント
疾患・医療ケア	□医療処置	●医療的ケア（痰の吸引，経管栄養など）の目的や内容，頻度はどうか．誰が医療的ケアを実施しているか
	□訪問看護	●家族が訪問看護を導入した目的や方針は何か．訪問看護におけるケアの内容，訪問時間・頻度はどうか
	全身状態 □成長・発達段階	●身長，体重，カウプ指数（乳幼児の発育の評価に用いられる）もしくはローレル指数（学童期の子どもの発育の評価に用いられる）はどうか．どのような成長・発達の段階にあるか，その時期特有の発達課題は何か．その子どもなりの成長・発達を遂げているか
	□呼吸・循環状態	●呼吸数，呼吸音・左右差の有無，酸素使用の有無，SpO_2値，脈拍数・脈圧・リズム不正の有無，血圧，体温，四肢冷感の有無はどうか．呼吸・脈拍・体温・血圧の値は基準値や重症児の平常値と比較してどうか
	□摂食・嚥下・消化状態	●経口摂取か経管栄養か，これらを併用しているか ●経口摂取の場合は，ミキサー食，ペースト食などの食事形態はどうか，食事摂取回数は何回か，咀嚼・嚥下機能はどうか，水分摂取は可能か ●乳児の場合は母乳か人工乳か，吸啜状態はどうか，離乳食は開始しているか ●経管栄養の場合は注入量・回数・時間・内容や注入前の胃内残量はどうか，腹痛や腹部膨満の有無，便の性状・回数はどうか
	□栄養・代謝・内分泌状態	●栄養状態，体重の増減，体温はどうか．脱水の徴候はあるか，1歳半未満の子どもの場合，大泉門は陥没していないか
	□排泄状態	●膀胱直腸障害はどうか．排泄方法（姿勢の調整など），排尿・排便回数・量・性状はどうか
	□筋骨格系の状態	●筋緊張の異常や骨格系の変形・拘縮はどうか．痙攣，骨折はあるか
	□感覚器の状態	●視覚，聴覚はどうか
	□皮膚の状態	●皮膚の湿潤，乾燥，発赤，湿疹，瘙痒感，テープかぶれやおむつかぶれはどうか
	□免疫機能	●感染のしやすさはどうか，予防接種の接種状況はどうか
活動	**移動** □ベッド上の動き	●ベッド上の動きはどの程度可能か．姿勢を保持するためのポジショニングはどのような方法で行っているか
	□起居動作 □屋内移動	●椅子やトイレへの移乗は誰がどのように介助しているか ●トイレなど屋内で移動が必要な場所はどこか，動線はどうか．屋内の移動はどのようにして行っているか（抱っこ，車椅子の使用など）．誰がどのように介助しているか
	□屋外移動	●病院など屋外で移動が必要な場所はどこか，自宅からの距離はどうか，屋外の移動はどのようにして行っているか（車椅子，福祉車両など）．誰がどのように介助しているか
	生活動作 □基本的日常生活動作	●食事，排泄，清潔，更衣・整容，移乗は誰がどのように介助しているか
	□手段的日常生活動作	●調理，買い物，洗濯，掃除は誰が行っているか．どのような援助や環境調整が必要か
	生活活動 □食事摂取	●食事の方法，内容，形態，量，回数，時間帯はどうか

	情報収集項目	情報収集のポイント
活動	□水分摂取 □活動・休息	○水分摂取の方法, 内容, 回数, 1回摂取量, 摂取時間帯はどうか ○睡眠時間, 夜間覚醒の有無, 入眠時の状況, 午睡の有無, 昼夜逆転の有無, 生活リズム, 1日の過ごし方, 遊びの内容や時間, 療育・教育の内容や時間はどうか
	コミュニケーション □意思疎通 □ツールの使用	○どのような方法で意思疎通が可能か ○文字盤, トーキングエイドなどのツールを使用しているか
	活動への参加・役割 □家族との交流	○親やきょうだい, その他の家族員とのコミュニケーションや遊びなどへのかかわりはどうか
	□近隣者・知人・友人との交流	○身内や友人とのかかわりはどうか
	□外出	○外出の目的, 内容, 頻度, 場所, 方法はどうか. 付き添い者は誰か, 外出に伴うリスク(感染や安全)はどうか
	□余暇活動	○余暇活動の有無, 内容, 方法, 頻度, 場所, 余暇活動の捉え方, 余暇活動に伴うリスク(感染や安全)はどうか
	□養育(子ども)	○療育センター, 児童発達支援, 学校・特別支援学校からの療育・教育の内容, 方法, 頻度, 体制はどうか
環境	療養環境 □住環境	○浴室, トイレ, 寝室, 居間, 玄関, 段差や階段の状況はどうか, 在宅医療機器や必要物品の配置, 福祉用具(リフト, 手すりなど)の使用状況はどうか, 住宅改修はされているか, 照明, 雰囲気(子どもの嗜好の取り入れの有無), 家屋形態, 間取り, 衛生状態はどうか
	□地域環境	○病院や療育センター, 児童発達支援, 学校・特別支援学校, 商業施設, 公園やレジャー施設へのアクセスはどうか. 車椅子や福祉車両の使用可能性, 公共交通機関の利便性はどうか. 地域の社会資源の利用可能性はどうか
	□地域性	○地域の特性(住宅地, 商業地域, 郊外, 都市部, 農村部)や住民同士の交流はどうか
	家族環境 □家族構成 □家族機能	○家族構成, 家族員の年齢, 死亡状況, 同居状況はどうか ○家族関係, 家族内の意思決定方法, 家族の健康状態, セルフケア力, 問題解決能力, 親の養育行動・養育態度, 就労状況はどうか
	□家族の介護・協力体制	○介護者, キーパーソン, 協力者の状況はどうか. 家族が行う医療的ケア実施内容, 介護内容・協力内容はどうか. 家族の介護力, 介護負担はどうか. 介護者の生活行動・休息状況・社会活動の状況はどうか
	社会資源 □保険・制度の利用	○医療保険や医療費助成制度(「重症心身障害児に関連する社会資源・制度」参照)の利用状況はどうか
	□保健医療福祉サービスの利用	○児童福祉法に基づくサービスや自治体等のサービス・事業の利用状況はどうか. 訪問系, 日中活動系, 通所系, 入所系, 相談支援系のサービスの利用状況はどうか
	□インフォーマルなサポート	○インフォーマルなサポート提供者はいるか, 重症児や家族との関係はどうか, サポート内容・頻度はどうか

9 重症心身障害児

情報収集項目	情報収集のポイント
環境 経済 □世帯の収入 □生活困窮度	● 世帯収入はどうか，公費による助成金等を受けているか ● 生活保護を受給しているか，経済的余裕・生活困窮の程度はどうか．重症児や家族の将来のための蓄えがあるか
理解・意向 志向性(本人) □性格・人柄	● 社交性や内向性はどうか，家族はどのように認識しているか
自己管理力(本人) □自己決定力	● 重症児の意思や欲求をどのように確認し，生活，療育，医療，サービス決定にどのように反映しているか
理解・意向(本人) □感情	● 服薬や医療的ケアなどに対してどのような感情をもっているか
理解・意向(家族) □意向・希望 □感情 □疾患への理解 □療養生活への理解 □生活の志向性	● 家族の生活，療育，医療，サービス利用に関する意向や希望はどのようなものか ● 家族は服薬や医療的ケアなどに対してどのような感情をもっているか ● 疾患・障害，病態，予後，治療，服薬に対する家族の理解はどのようなものか．急変時の延命処置にどのような希望をもっているか ● 医療的ケアの方法や介護方法に対する家族の理解はどのようなものか ● 家族の価値観，生活背景，就労・育児・家事実施状況，家庭・社会での役割はどのようなものか

事例紹介

特別支援学校に通うひとり親家庭の重症心身障害児の例

Keywords 重症心身障害児，脳性麻痺，てんかん，ひとり親家庭，特別支援学校，学童(男児)

〔基本的属性〕男児，10歳(特別支援学校の小学部4年生)
〔家族構成〕母親と同居(ひとり親家庭)
〔主疾患等〕脳性麻痺，てんかん
〔状況〕分娩時の低酸素血症により仮死状態で出生したA君は4か月の時に退院が決定した．その際，病院の地域連携室から依頼があり，訪問看護が開始された．A君は経口からミキサー食の摂取が可能であるが食事中に咳き込むことがあるため，経鼻経管栄養を併用している．筋緊張が強く，胸郭の扁平などがあるため呼吸器感染が起こると容易に呼吸状態が悪化する．2歳の時に痙攣発作がありてんかんと診断された．てんかん発作は薬によりコントロールできているが，眠気が強いため薬の量を調整中である．母親はA君が1歳の時に父親と離婚しており，訪問看護や訪問介護などの社会資源を活用しながらA君とともに生活している．

情報整理シート

疾患・医療ケア

【疾患・病態・症状】
主疾患等：脳性麻痺（1歳〜），てんかん（2歳〜）
病歴：重症新生児仮死，低酸素性虚血性脳症，RSウイルス感染症，気管支炎，肺炎
経過：
- 0歳　分娩時の低酸素血症により仮死状態で出生した．すぐに総合病院に救急搬送され，1か月間NICUで集中治療を行い，3か月間母子入院した．
- 4か月　家族の希望で在宅に移行することとなり，吸引や経管栄養などの医療的ケアを母親が習得した後に退院した．退院と同時に，訪問看護と訪問介護が開始された．
- 1歳　1歳になっても頸がすわらず，医師より脳性麻痺と診断された．この頃，母親が父親と離婚した．
- 2歳　痙攣発作があり，脳波検査によりてんかんと診断された．4歳頃までてんかん発作を起こすことがあった．
- 4年前　特別支援学校に入学した．

【医療ケア・治療】
服薬：【内服】抗てんかん薬（デパケン），医師の指示によりA君の様子をみながら用量を調整
　　　　【実施】母親が経鼻経管栄養チューブから実施
治療状況：出生時に搬送された総合病院を1か月に1回外来受診し，抗てんかん薬や経管栄養を処方してもらっている．
医療処置：経鼻経管栄養，必要時吸引，理学療法士・作業療法士による機能訓練
訪問看護内容：入浴介助，全身状態の観察

【全身状態・主な医療処置】

- 胸郭の扁平，脊柱の側彎，筋緊張の異常（緊張亢進）あり 座位保持装置の使用により座位保持可能
- ネックレストで頸部を固定している
- 身長：116 cm　体重：17 kg　ローレル指数：109（110未満：やせすぎ）
- スプーンなどの把握は可能
- 重度の知的障害あり 発語はないが表情が豊かでアイコンタクトが可能
- ミキサー食の経口摂取が可能だが食事中に咳き込むことがあるため，経鼻経管栄養を併用している．右鼻腔に経鼻経管栄養チューブが挿入されている
- 母親が主に食事前・注入前に吸引4〜5回/日 特別支援学校では教員が吸引1〜2回/日
- 血圧：110/70 mmHg　脈拍：80〜90回/分　呼吸数：18〜20回/分
- おむつを着用しているが決まった時間にトイレで排泄する
- 痙性四肢麻痺，四肢軽度拘縮

排便：1回/日
排尿：6回/日
食事：3回/日ミキサー食（経口摂取量が少ない時はエンシュア・リキッド®を注入している．水分摂取は難しいため注入している）

基本情報
年齢：10歳　性別：男児

活動

【移動】
屋内移動：母親が抱っこして移動．A君の身長・体重の増加に伴って移動や入浴が困難
屋外移動：車椅子

【活動への参加・役割】
家族との交流：家族（母子）関係は良好である．
近隣者・知人・友人との交流：特別支援学校に通っており，教員はマンツーマンでA君とかかわっている．母親は近所の人にA君に障害があることを話している．
外出：福祉車両に車椅子のまま乗車．晴れの日は車椅子で散歩．
社会での役割：特別支援学校小学部で学んでいる．
余暇活動：DVD，テレビ

【生活活動】
食事摂取：ミキサー食と経鼻経管栄養を併用しており，ミキサー食の摂取状況に応じてエンシュア・リキッド®の注入量を決定している．経管栄養は呼吸器などの合併症があり，ボディイメージの障害にもなること，また挿入時の苦痛も強いため，主治医から胃瘻造設を勧められている．
水分摂取：水分は嚥下しにくく必要な水分量を摂取できないため，ソリタ®水を注入している．
活動・休息：抗てんかん薬の副作用により授業中に寝てしまうことがあるため，A君の様子をみながら薬を減量している．
生活歴：分娩時の低酸素血症により仮死状態で出生し，4か月間入院した．その後も乳児期は肺炎やRSウイルス感染症により入退院を繰り返した．1歳の時に脳性麻痺と診断を受け，療育を開始した．2歳の時に痙攣発作が起こりてんかんと診断され，4歳頃まで発作を起こすことがあった．特別支援学校に入学後は，体調を崩すことは少なくなった．
嗜好品：不明だが嫌いなものを口に入れると咳き込む．

【生活動作】

基本的日常生活動作

食動作	母親が介助しミキサー食をスプーンで摂取．食事中に咳き込むことがあるため，経鼻経管栄養を併用している
排泄	おむつを着用しているが決まった時間にできるだけトイレで排泄するようにしている
清潔	訪問看護，訪問介護にて入浴．週3回は母親が実施
更衣整容	母親が実施
移乗	母親が抱っこで移乗
歩行	歩行できないが，歩行器と立位台を使用し立位の訓練を実施している
階段昇降	実施せず

手段的日常生活動作

調理	母親が実施
買い物	母親が実施
洗濯	母親が実施
掃除	母親が実施
金銭管理	母親が実施
交通機関	利用しない

【コミュニケーション】
意思疎通：身体の動きや視線，表情を確認しながら意思疎通を行う．
意思伝達力：言語表出は困難である．
ツールの使用：母親や介護者が，写真や物，絵などを添える．

9 重症心身障害児

環　境

【療養環境】

住環境：
市営住宅．
自宅ではほとんどの時間をリビングで過ごしている．

地域環境：自然豊かな地域．日中も比較的静かで落ち着いた環境である．最寄り駅まで遠いため車で移動することが多い．かかりつけの病院までは車で30分
地域性：都市近郊の閑静な住宅地．近隣住民との関係は希薄であるがA君親子に声をかけてくれる人もいる．

【ジェノグラム】

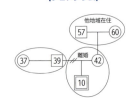

【家族の介護・協力体制】

ひとり親家族であり，母親が主な介護者で，キーパーソンである．母方の祖父母とは疎遠．食事や清潔ケアなどすべて母親が介助している．

【社会資源】

サービス利用：

	月	火	水	木	金	土	日
AM							
PM	訪問看護	訪問介護	放課後等デイサービス	訪問介護	訪問介護		

保険・制度の利用：特別児童扶養手当，障害児福祉手当，在宅重度障害者手当，心身障害者手当，身体障害者手帳，療育手帳，在宅重症心身障害児・者訪問事業，重度心身障害児・者医療費助成制度，自立支援医療

【エコマップ】

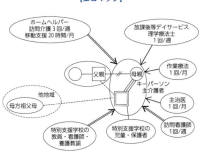

【経済】

世帯の収入：母親の収入（200万円）
生活困窮度：母親の収入に加え，ひとり親家族で所得が少ないため児童扶養手当の支給がある．児童手当も特別児童扶養手当や児童扶養手当との併給が可能であるためこれらをすべて活用している．加えて，上述した保険・制度を活用しながら生活しており，経済的に余裕はないが困ってはいない．なお，元夫とは離婚後は一度も会っておらず，養育費の支払いもない．

理解・意向

【志向性】
生活の志向性：母親からの情報によると，学校が好き
性格・人柄：母親からの情報によると，おとなしい
人づきあいの姿勢：母親からの情報によると，好き嫌いがはっきりしている

【自己管理力】
自己管理力：全て介助
情報収集力：全て介助
自己決定力：全て介助

母親の発言：
- 私が倒れたらAは学校に行くこともできないので自分も健康に気をつけている
- Aが風邪とかひいたら大変なことになる．だから感染対策にはとても気をつかっている
- 子どもがいるから頑張れる
- 看護師さんとホームヘルパーさんがいるからAを家でみられる
- 子育ても家事も1人だから逆に融通がきく．自分のペースでできる
- Aは頸がすわってないのと緊張があってピーンって身体がはるから移動とかお風呂が大変
- Aは嫌いな食べものは嫌がってむせることがある
- たまに薬を入れ忘れるときがある．発作もないし薬を飲む必要があるのかなって思う
- A君が1歳の時に，A君の障害を受け入れられなかった父親と離婚した
- A君が特別支援学校に通っている時間を活用して家事や仕事（パート）をしている

本人：ママが好き／学校が好き

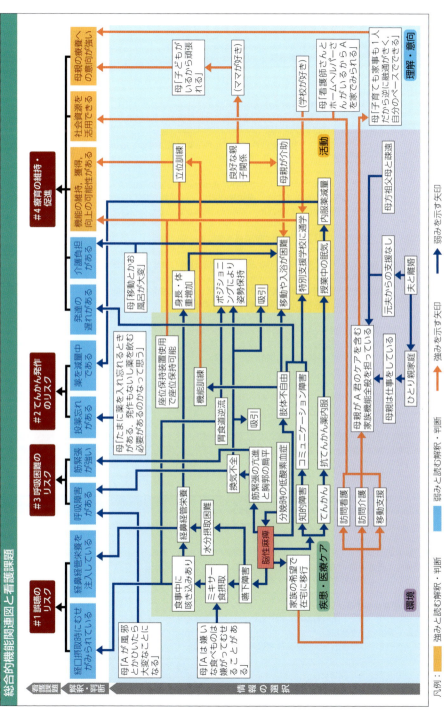

STEP❶ アセスメント　STEP❷ 看護課題の明確化　STEP❸ 計画　STEP❹ 実施　STEP❺ 評価

看護課題リスト

No.	看護課題　【コード型】文章型	パターン
#1	【誤嚥のリスク】経口摂取時にむせがみられ誤嚥のリスクが高い	リスク着眼型
	根拠 A君は嚥下障害があるため経口摂取と経鼻経管栄養を併用しているが，経鼻経管栄養チューブの誤挿入・誤注入のリスクがある．また食事中にむせがみられ，誤嚥のリスクがある．	
#2	【てんかん発作のリスク】投薬忘れや抗てんかん薬減量に伴うてんかん発作のリスクがある	リスク着眼型
	根拠 抗てんかん薬の投与によりてんかん発作は起こっていないが，母親は投薬の必要性の認識が低く，投薬忘れがあること，薬の副作用により日中の眠気が強く，医師の指示でA君の様子を見ながら減量しているため，てんかん発作が起こるリスクがある．	
#3	【呼吸困難のリスク】呼吸障害や筋緊張亢進による呼吸困難のリスクがある	リスク着眼型
	根拠 筋緊張が強く胸郭の扁平などにより呼吸が障害され，呼吸困難になるリスクがある．	
#4	【療育の維持・促進】母親の療育の意欲が高く，本人に機能獲得・向上の可能性があることを活かし，療育を維持・促進する	強み着眼型
	根拠 A君の成長とともに母親の介護負担が増しているが，社会資源を活用しながら母親1人で療育してきた強みを活かす．また，A君は発達に遅れがあるが，リハビリテーション（ハビリテーション）や機能訓練，特別支援教育により運動や感覚などの機能の獲得・維持・向上の可能性がある．	

【看護課題の優先度の指針】A君は，食事中の咳き込みがみられることから誤嚥のリスクが高く，誤嚥が起こった場合に窒息や誤嚥性肺炎などの生命の危機に直結する可能性があるため【誤嚥のリスク】を#1とした．現在，抗てんかん薬を減量中であり，また投薬忘れがあることから【てんかん発作のリスク】を#2に，呼吸障害や筋緊張亢進による【呼吸困難のリスク】を#3とした．母親の療育への意欲の高さを活かしながら，機能訓練などにより，A君が運動や感覚などの機能を獲得・維持・向上できるよう【療育の維持・促進】を#4とした．

長期目標

脳性麻痺による誤嚥，てんかん発作，呼吸困難を起こさず在宅で療育を受けながら機能が発達する．

根拠 A君は誤嚥やてんかん，呼吸困難のリスクがあるため，その予防に努める．母親は療育への意欲が高く，社会資源を活用しながら介護を継続してきたため，このような強みを活かし，母親とA君を支援することで療育を維持・促進する．

〈長期目標を共有するケアチーム〉
フォーマルサービス：訪問看護師，ホームヘルパー，理学療法士，作業療法士，主治医，特別支援学校の教員・看護師・養護教諭
インフォーマルなサポート：特別支援学校の児童・保護者

| STEP❶ アセスメント | STEP❷ 看護課題の明確化 | **STEP❸ 計画** | STEP❹ 実施 | STEP❺ 評価 |

1

看護課題	看護目標(目標達成の目安)
#1 【誤嚥のリスク】 経口摂取時にむせがみられ誤嚥のリスクが高い	1) 母親が食事中の咳き込みに対応できる(1週間) 2) 咳き込まずに食事を摂取できる(1か月) 3) 誤嚥を起こさない(2か月)

援助の内容	援助のポイントと根拠
OP 観察・測定項目 ●バイタルサイン ●食事,注入前・中・後の様子 ●栄養状態 ●呼吸状態	➡誤嚥性肺炎の徴候がないか,呼吸状態に注意して観察する ➡顔色,表情,機嫌,SpO₂値,呼吸状態,姿勢,下痢や腹痛の有無,咳嗽の有無,悪心・嘔吐の有無,腹部膨満の有無,腸蠕動音,咀嚼・嚥下の状態を把握する.加えて,経口摂取の場合は食事形態,食器具,介助方法,食事摂取量・内容,嗜好,経口摂取に対する意欲や家族の希望を把握する.経鼻経管栄養チューブの留置位置・挿入の長さ・固定状況,栄養剤の温度,注入量,注入速度を把握する **根拠** 重症児は誤嚥しても咳き込みなどの反応が生じず誤嚥に気づかない場合があるため,特に食事摂取中や経鼻経管栄養注入中は観察が重要である.不適切な食事環境や対応は誤嚥を誘発するため,適切に対応する ➡体重,ローレル指数,血液検査データ(総蛋白,アルブミン,総コレステロールなど),水分・食事摂取状況を把握する ➡呼吸数,呼吸の深さ,呼吸のリズム,呼吸音,顔色,チアノーゼの有無,努力呼吸の有無,咳嗽や喘鳴などの症状の有無,SpO₂値,上気道の分泌物の量・性状,血液検査データ(白血球,CRPなど)を観察し,呼吸状態を把握する
TP 直接的看護ケア項目 ●食事・経管栄養注入前の吸引 ●食事・経管栄養注入時の体位の工夫 ●食事中の咳き込みへの対応	➡上気道の分泌物が貯留している場合など,必要時は,食事や経鼻経管栄養注入前に吸引する ➡ **根拠** 誤嚥を防ぐため,上体を挙上する.筋緊張の亢進により安定性が得られにくく姿勢の保持が難しいため,重症児の個別性に応じて体位を工夫する ➡顔を横に向けて誤嚥を防ぎ,必要時,吸引する
EP 教育・調整項目 ●医療的ケア(吸引や注入)の教育 ●母親への説明	➡ **強み** 母親は療育の意欲が高く医療的ケアの知識・経験がある.母親が行う医療的ケアの方法を尊重したうえで,改善すべき点を提案する ➡誤嚥のリスクがあることや観察のポイント,重症児に合った食事や体位の工夫の必要性,咳嗽反射時の対処法(顔を横に向けて誤嚥を防ぎ,必要時,吸引する)や誤注入が疑われる場合の対処法(注入を中止し,吸引する)を説明する

2

看護課題	看護目標(目標達成の目安)
#2 【てんかん発作のリスク】 投薬忘れや抗てんかん薬減量に伴ってんかん発作のリスクがある	1) 母親が投薬の必要性を理解できる(1週間) 2) 母親が指示された時間に指示された量の薬を確実に投与できる(2週間) 3) てんかん発作を起こさない(2か月)

援助の内容	援助のポイントと根拠
OP 観察・測定項目 ●バイタルサイン ●てんかん発作の前兆・誘因 ●てんかん発作の有無・状態 ●抗てんかん薬の投与状況	⇒呼吸，脈拍，血圧，体温と意識レベルを確認する ⇒悪心や感覚の異常などの前兆や睡眠不足や疲労などの誘因を把握する ⇒発作が起こった場合は発作の種類・部位(全身性か局所性かについても確認する)・経過・持続時間(開始時刻と終了時刻も確認する)，呼吸状態，SpO₂値，チアノーゼの有無，頭痛や嘔吐などの随伴症状の有無，眼球の状態，意識状態を把握する．必ずしも，痙攣を起こすわけではなく，てんかん発作であることに気づかない場合がある ⇒指示された時間に指示量を確実に投与できているか，投与量と血中薬物濃度はどうか，副作用の有無・程度はどうか把握する
TP 直接的看護ケア項目 ●発作時の対応	⇒ベッド上に玩具などがある場合は除去し，衣服を調整して安全で呼吸しやすい環境を整える．顔を横に向けて側臥位にし，誤嚥や窒息を予防する．発作の開始時刻や経過などを記録する．必要時は医療機関の受診を促す **連携** 発作時の対応や緊急時の連絡先を家族や主治医と確認しておく
EP 教育・調整項目 ●投薬の必要性の説明 ●発作時の観察と対処法の説明	⇒**根拠** てんかんの治療の基本は薬物療法であり，薬物コントロールは長期にわたる ⇒看護師が観察できない場合もあるため，発作時の観察項目(発作の種類・部位・経過・持続時間，呼吸状態，SpO₂値やチアノーゼの有無，随伴症状の有無，眼球の状態，意識状態)や発作時の対応方法(ベッド柵を上げるなど発作に伴う身体損傷を防ぐ，身体をゆするなどの外部刺激は避け，そばから離れず見守る)，受診のタイミングを説明する

3 看護課題	看護目標(目標達成の目安)
#3 【呼吸困難のリスク】 呼吸障害や筋緊張亢進による呼吸困難のリスクがある	1) 適切な姿勢が保持できる(1週間) 2) 呼吸器感染を起こさない(1か月) 3) 呼吸障害を起こさない(2か月)

援助の内容	援助のポイントと根拠
OP 観察・測定項目 ●バイタルサイン ●呼吸状態 ●栄養状態 ●腹部状態	⇒**根拠** 重症児は呼吸器感染が起こっていても，視床下部の障害により発熱が感染の指標になりにくいなど，測定値の判断が難しい．日ごろから，重症児の平常値を把握しておく ⇒呼吸数，呼吸の深さ，呼吸のリズム，呼吸音，顔色，チアノーゼの有無，努力呼吸の有無，咳嗽や喘鳴などの症状の有無，SpO₂値，上気道の分泌物の量・性状を把握する ⇒体重，ローレル指数，血液検査データ(総蛋白，アルブミン，総コレステロールなど)，水分・栄養摂取状況を把握する **根拠** 呼吸困難は食欲低下を伴いやすい．栄養状態が不良になると，呼吸筋の筋力低下や免疫機能の低下をまねく ⇒腸内ガスや便秘などによる腹部膨満の有無を把握する

●活動と休息の状況	根拠 腹部膨満により横隔膜が挙上すると呼吸が制限される
	⇒特別支援学校などにおける日中の活動の状況や睡眠状態を把握する
●医療的ケア	⇒吸入や吸引などの医療的ケアの実施状況を確認する
●重症児の様子	⇒表情，機嫌，活気，言動，姿勢を把握する
TP 直接的看護ケア項目	
●体位の工夫	⇒ポジショニングや姿勢保持具の使用などにより姿勢を整え緊張を緩和する
●排痰への援助	⇒加湿，吸入，吸引や呼吸理学療法などにより排痰を促す
EP 教育・調整項目	
●ポジショニングの説明	⇒ 根拠 重症児のポジショニングの方法は個別性が大きいため，その子どもに合った方法を工夫する必要がある
●医療的ケア(吸入や吸引)や呼吸理学療法の教育	⇒ 根拠 重症児は痰などの分泌物が貯留しやすく，自己喀出が難しい場合が多い
●呼吸器感染予防のための教育	⇒ 強み 母親が呼吸器感染予防の必要性を理解できているため，感染対策の方法をともに確認する姿勢をもつことが重要である

4 看護課題	看護目標(目標達成の目安)
#4 【療育の維持・促進】 母親の療育への意欲が高く，本人に機能獲得・向上の可能性があることを活かし，療育を維持・促進する	1) 特別支援学校に通うことができる(1か月) 2) 作業療法・理学療法や自宅での立位訓練を継続できる(1か月) 3) 母親が適度に息抜きができる(2か月)

援助の内容	援助のポイントと根拠
OP 観察・測定項目	
●母親の健康状態	⇒ 根拠 小児在宅ケアでは家族の心身の負担が大きく，育児負担感が高まりやすい．特に，A君の母親は医療的ケアや介護を一手に担っているため，慢性的な身体的・精神的負担がかかっている可能性が高い．したがって，重症児だけではなく母親の健康状態を把握する
●療育状況	⇒主介護者，キーパーソン，役割，介護による日常生活への影響を把握する
●重症児と母親の生活リズム	⇒規則正しい生活か，睡眠がとれているか確認する 根拠 重症児と介護する母親の健康や生活は相互に影響を及ぼす
●母親の思いや希望，楽しみ，息抜きの方法	⇒ 根拠 重症児と母親が在宅でどのような生活を送りたいと思っているのか理解し，この点を重視して支援を行う
●重症児の成長・発達	⇒ 根拠 重症児の体格の発達に伴い，介護負担は増大するため成長に合わせてケアの方法を変更する
●特別支援学校への通学の状況・機能訓練の状況	⇒特別支援教育の内容や作業療法・理学療法のプログラムを理解し，機能訓練の状況を把握する
TP 直接的看護ケア項目	
●日常生活における機能訓練の援助	⇒ 強み 立位訓練を生活の中に取り入れる
EP 教育・調整項目	
●医療的ケアの指導，ポジショニングの方法の説明	⇒ 根拠 定期的にケアの方法を評価し，重症児の成長・発達に応じたケアを提供する必要がある
●緊急時の対応確認	⇒ 根拠 急な体調の変化の際の入院の受け入れ先をあらかじめ把握し，母親が緊急時に適切な対応がとれるようにする

●レスパイトケアの導入	➡ **強み** A君を他人に任せることに対する母親の思いを尊重し，母親とよく話し合い，ショートステイを導入する．また，看護師が訪問している間，母親に外出を勧めたり，母親に息抜きの機会を提供する
●訪問時の声かけ	➡母親と十分にコミュニケーションをとりパートナーシップを築く．母親の健康に配慮し，母親の相談に乗る

STEP❶ アセスメント　STEP❷ 看護課題の明確化　STEP❸ 計画　STEP❹ 実施　STEP❺ 評価

強みと弱みに着目した援助のポイント

強みに着目した援助
- 母親は，療育への意欲が高く，医療的ケアの知識・経験がある．母親が行う医療的ケアの方法や症状への対処法を尊重したうえで，よりよいケアの方法をともに考える．
- 日常生活の中に機能訓練を取り入れ，A君の発達を促す．

弱みに着目した援助
- 嚥下障害に伴う誤嚥のリスクがあるため，食事や経鼻経管栄養注入時の様子を観察し，誤嚥の早期発見や体位の工夫，咳き込みへの対処を行い，誤嚥予防に努める．
- 投薬忘れや抗てんかん薬減量に伴うてんかん発作のリスクがあるため，抗てんかん薬の投与量や薬物血中濃度，投与状況を把握し，指示された時間に指示量を確実に投与できるよう支援する．
- 呼吸障害による呼吸困難のリスクがあるため，適切な姿勢の保持と排痰への援助を行う．

STEP❶ アセスメント　STEP❷ 看護課題の明確化　STEP❸ 計画　STEP❹ 実施　STEP❺ 評価

評価のポイント

- 母親が重症児の食事中の咳き込みに対応できているか
- 重症児は咳き込まずに食事を摂取できているか
- 重症児は誤嚥を起こしていないか
- 母親は投薬の必要性を理解できているか
- 母親は指示された時間に指示された量の薬を確実に投与できているか
- 重症児はてんかん発作を起こしていないか
- 重症児は適切な姿勢を保持できているか
- 重症児は呼吸器感染を起こしていないか
- 重症児は呼吸障害を起こしていないか
- 重症児は特別支援学校に通えているか
- 重症児は作業療法・理学療法や自宅での立位訓練を継続できているか
- 母親が適度に息抜きができているか

関連項目

第2章「13 筋ジストロフィー」「24 小児がん」
第3章「25 家族の介護疲れ」「26 療育困難」

● 参考文献
1) 松葉佐正：重症心身障害の概念と実態．小児内科 47(11)：1860-1865，2015
2) 杉本健郎ほか：超重症心身障害児の医療的ケアの現状と問題点─全国8府県のアンケート調査─．日小児会誌 112(1)：94-101，2008
3) 武井理子ほか：重症心身障害児(者)の生命予後について．日重症児誌 32(1)：147-149，2007
4) 佐々木征行：重症心身障害児(者)の死亡原因から療育のあり方を考える．日重症児誌 37(1)：51-57，2012

10 パーキンソン病

パーキンソン病の理解

基礎知識

疾患概念
| 運動症状(振戦・筋強剛・無動・動作緩慢・姿勢反射障害)と非運動症状(自律神経徴候・睡眠障害・精神症候・認知機能障害・感覚障害)の2つの症状が認められる疾患である.
- 運動症状は日常生活動作低下による介護者への肉体的負担に,非運動症状は家族や介護者への精神的な負担につながる.パーキンソン病の症状は,どの時期にどのようなものが出現するか予測可能である.そのため看護するスタッフは,運動症状と非運動症状について知っておく必要がある.
- ここでは,通院困難となり訪問診療を行っているパーキンソン病患者について記載する.

疫学・予後
- パーキンソン病の有病率は10万人あたり100~150人で,好発年齢は50~65歳,性差は女性に若干多い傾向がある.
- 近年,治療薬の開発が進み,経過20年以上の患者も多くなってきた.パーキンソン病自体で死亡することはなく,死因のうち最も多いものは合併症,特に誤嚥性肺炎である.

症状
- 運動症状である振戦,筋強剛,無動,姿勢反射障害はパーキンソン病の四大症候とよばれ,重要である.非運動症状の中では特に認知機能障害,睡眠障害,排便・排尿障害,抑うつ症状が介護者への精神的負担の面で重要である.

診断・検査値
- 臨床症状,薬剤反応性,画像検査(MRI,MIBG心筋シンチグラフィー,DATスキャン)を組み合わせて診断される.特にパーキンソン病では治療薬による反応性で,その他のパーキンソン病類縁疾患との鑑別することも大事である.パーキンソン病以外のパーキンソン病類縁疾患では,ドパミン製剤への反応性が乏しい.
- 重症度の診断はホーン-ヤール(Hoehn & Yahr)分類で行われる(表10-1).

合併症
- 合併症は多岐にわたるため,成書を参照.
- 特に重要なのは進行期に発症するもののうち,嚥下障害に伴う誤嚥性肺炎,便秘,褥瘡である.便秘は抗パーキンソン病薬の吸収にかかわるため,改善させる必要がある.週に2~3回排便がみられるよう,目標を設定し,援助する.

■表10-1 ホーン-ヤール分類

分類	症状
Ⅰ度	症状は片方の手足に限局
Ⅱ度	症状は両方の手足に限局
Ⅲ度	姿勢反射障害を認めるがADL自立
Ⅳ度	日常生活に部分的な介助が必要
Ⅴ度	ADLは全介助

- 特に在宅では，便秘について注意していく必要がある．
- パーキンソン病に伴う認知症があるため，認知症やその周辺症状にも注意を払うようにする．

治療法
● **治療方針**
- パーキンソン病に伴う運動症状・非運動症状に対する適切な薬剤治療が必要である．
- 日常生活動作低下に合わせて，リハビリテーションの早期導入が有効である．
- 理学療法による運動症状への介入，作業療法による環境調整・装具の使用，言語聴覚療法による発声練習・嚥下機能訓練は，リハビリテーションの核である．
- 患者・家族への経済的・精神的な負担を軽減するために，難病医療費助成制度と介護保険の申請は必須項目である．難病医療費助成制度の申請には，ホーン-ヤール分類Ⅲ度以上が適応となることに注意する．

● **薬物療法**
〈運動症状〉
- パーキンソン病の運動症状は，中脳黒質の変性や大脳基底核の線条体におけるドパミン欠乏で発症する．そのためドパミンを補充することで運動症状を改善する可能性が出てくる．
- パーキンソン病の運動症状改善の目標は，on 症状の持続（動ける時間の延長）と off 症状の短縮（動けない時間の短縮）である．進行期ではどうしても off 症状の持続時間の延長が認められるため，できるだけ患者の要望に応じられるよう薬剤調整を行う必要がある．
- ドパミン補充ができる薬は，レボドパ製剤（L-ドパ），ドパミン受容体作用薬（ドパミンアゴニスト），グルタミン酸受容体作用薬，アデノシン受容体阻害薬，モノアミンオキシダーゼB（MAO-B）阻害薬，COMT阻害薬がある．
- 進行期パーキンソン病では，神経終末でのドパミン貯蔵能力が低下する．そのため，ドパミン過剰により意図しない運動（不随意運動，いわゆるジスキネジア）を発症する可能性がある．この場合には，薬剤投与量・投与方法の調整が必要となる．
- 進行期パーキンソン病では，抗パーキンソン病薬の薬効が短縮するため，レボドパの少量頻回投与（2〜3時間おきの投与）が必要となることもある．しかし介護者への負担も多くなるため，生活スタイルに合わせた工夫や，薬剤の投与回数を減らすなどの対応を要することもある．

> **Px 処方例** 錠剤を内服できる場合　レボドパ製剤を核に，ほかの薬剤を適宜組み合わせて使用
- メネシット配合錠 100 mg　1回1錠　1日4回　朝昼夕食後・就寝前　←レボドパ製剤
- レキップCR錠 2 mg　1回3錠　1日1回　朝食後　←ドパミンアゴニスト
- コムタン錠 100 mg　1回1錠　1日4回　朝昼夕食後・就寝前　← COMT 阻害薬（レボドパ製剤と併用）
- スタレボ配合錠 L100　1回1錠　1日3回　朝昼夕食後　←レボドパ製剤
  ※メネシット配合錠とコムタン錠の合剤には，スタレボという合剤がある．

> **Px 処方例** 錠剤を内服できない場合　薬剤は粉砕して内服可
- メネシット配合錠 100 mg　1回1錠　1日4回　朝昼夕食後・就寝前　←レボドパ製剤
- ニュープロパッチ 4.5 mg　1回1枚　1日1回　朝に貼布　←ドパミンアゴニスト（経皮吸収型）
- ハルロピテープ 8 mg　1回1枚　1日1回　朝に貼付　←ドパミンアゴニスト（経皮吸収型）
  ※ハルロピテープとニュープロパッチは経皮吸収型の薬剤で，消化管を介さず安定したドパミン濃度を得ることが可能である．眠気とパッチによる接触性皮膚炎が問題となる．接触性皮膚炎には，局所の清潔と軟膏塗布（例：ヒルドイドソフト軟膏）で保湿するなどの対応が必要である．

〈非運動症状〉
- 認知機能障害は，パーキンソン病の50%程度に合併する．認知機能障害の増悪は，介護者への精神的な負担を伴うため，適宜薬剤追加や環境調整で対応を検討する．
- 睡眠障害は，パーキンソン病のほとんどの症例で出現する．入眠困難や中途覚醒をきたし，QOLを損ねることがある．
- 排便障害は，パーキンソン病の影響で腸管運動が低下することで生じる．治療薬の吸収に影響を及ぼすために強く介入すべき問題である．
- 排尿障害は，蓄尿障害による影響で頻尿傾向となる．排尿回数の増加に伴い夜間不眠を認める．

- パーキンソン病の 20〜40% に抑うつ症状を伴う．通常のうつ病と異なり，自殺率，不安，日内変動は少ない特徴がある．主な症状が意欲減退，自発性低下，易疲労性である．

Px 処方例 認知機能障害
- アリセプト D 錠 3 mg　1回1錠　1日1回　朝食後　←アルツハイマー型認知症治療薬
  2 週間経過後に増量する．
- アリセプト D 錠 5 mg　1回1錠　1日1回　朝食後　←アルツハイマー型認知症治療薬
  ※食欲低下・易怒性や興奮性の増強・徐脈に注意して処方する．

Px 処方例 睡眠障害　いずれかを使用する．
- レンドルミン D 錠 0.25 mg　1回1錠　1日1回　就寝前　←睡眠薬
- ランドセン錠 0.5 mg　1回1錠　1日1回　就寝前　←抗痙攣薬
  ※むずむず足症候群に伴う不眠時に有効

Px 処方例 排便障害　下記薬剤を組み合わせて使用する．
- マグミット錠 330 mg　1回1錠　1日3回　朝昼夕食後(適宜便性状で調整)　←塩類下剤
- プルゼニド錠 12 mg　1回1錠　1日1回　就寝前投与(排便回数で調整)　←刺激性下剤
  ※排便コントロールのための薬剤調整は，在宅ケアの場合，現場の看護師の判断力が重要である．

Px 処方例 排尿障害
- ベシケア OD 錠 2.5 mg　1回1錠　1日1回　朝食後　←過活動膀胱治療薬

Px 処方例 うつ症状　下記を併用する．
- ビ・シフロール錠 0.125 mg　1回1錠　1日1回　朝食後　←ドパミンアゴニスト
- パロキセチン OD 錠 10 mg　1回1錠　1日1回　夕食後　← SSRI

家族へのサポート
- パーキンソン病に伴う運動症状・非運動症状について，ステージごとにサポート方法を検討していく．
- 最終的に日常生活動作が全介助となる疾患であり，自宅で，あるいは施設・病院で看取るのか家族間で相談する必要がある．特に施設を利用する場合には時間的な余裕をもって施設の見学・申請を行う．待機期間も長くなる可能性があり，施設入居への準備期間も考慮し，早めに家族間での看取りの場を検討する．

在宅における特徴

- 運動症状の進行により，最終的には薬剤の効果が失われ，日常生活動作全介助となる．看護師，ケアマネジャー，リハビリスタッフと協力し，患者の居住する空間の環境調整を実施する(例：ベッドや車椅子の使用，歩行器の使用，動線部分の整備など)．
- 介護者へ精神的な負担をかける要因として非運動症状がある．どの時期に，どのような症状が出現するのか予測できるのが神経変性疾患の特徴である．その特徴を家族に理解してもらうために，パンフレットなどを使用し，患者・家族教育を実施する必要がある．
- 経口摂取が病期の進行とともに確実に困難となる疾患である．病状に合わせた食形態を工夫する必要がある．

在宅診療の実際

病診連携
- 運動症状に改善の余地のあるホーン-ヤール分類Ⅲ〜Ⅳ度では，期間限定の薬剤調整の検討も可能である．期間限定とするのは，薬剤調整のための入院をすることで，必ず運動症状が改善するという保証がないことや，長期入院を避ける意味もある．
- 誤嚥性肺炎は必発であり，その場合に治療のために病院へ短期間入院を検討することも可能である．入院した場合には，嚥下機能の評価や指導介入を実施してもらうことも検討する(地域によっては，正確な嚥下機能障害の評価・介入が在宅で実施できないところもあるため)．

パーキンソン病に関連する社会資源・制度

1) 機能訓練・日常生活動作訓練，アクティビティケア
- 介護保険法によるデイケア，デイサービス，訪問リハビリテーション
- 医療機関の機能訓練

2) 日常生活の移動・移乗を支援する福祉用具貸与と購入支援
- 介護保険法による福祉用具貸与(車椅子，特殊寝台，特殊寝台付属品，床ずれ防止用具，体位変換器，移動用リフト，工事が不要な手すり)
- 介護保険法による福祉用具(ポータブルトイレ，特殊尿器)の購入費用の払い戻し
- 障害者総合支援法による自立生活支援用具等の日常生活用具の給付または貸与
- 有償移送サービス

3) 住宅改修
- 介護保険法による住宅改修(手すりの取り付け，段差の解消，床材の変更〔滑り止め防止〕，引き戸・洋式便座への取り替え)の費用の払い戻し

4) 日常生活動作(入浴，更衣，整容，食事)の介助
- 介護保険法による訪問看護，訪問介護，訪問入浴，デイサービス，ショートステイ
- 障害者総合支援法による居宅介護，ショートステイ

5) 保健師による支援と医療費自己負担の軽減
- 地域保健法による療養相談(家庭訪問など)
- 難病の患者に対する医療等に関する法律による医療費の自己負担の軽減

パーキンソン病をめぐる訪問看護

訪問看護の視点

1) 療養者をみる視点
- ドパミン欠乏は症状悪化につながるため，適切な薬物療法が重要である．
- 残存機能を最大限に生かし，重度化を予防する視点をもつ．
- 誤嚥性肺炎などの感染症は急激に健康状態が悪化し，致命的な状況になりうるため，十分に注意する．
- 不安や気持ちの落ち込み，いら立ちなどの感情が現れやすい．
- 家族の介護力が多大に必要なことが多い．

2) 支援のポイント
- ドパミン欠乏による錐体外路症状(筋強剛，無動，振戦，姿勢反射障害)の悪化予防のため，服薬管理を確実に行えるように支援する．
  例：介護者等と協力し，内服時間を調整したり，薬カレンダーの使用で内服忘れが起きないようにする．
- 重症度の進行の遅延と精神的ストレスの解消のために，身体機能レベルに応じて，運動療法を行う．
- ドパミン分泌を促すために，楽しいと思うこと，好きなことを行えるように支援する．
- 必要時，通所・短期入所系サービスを導入し，家族の介護負担を軽減する．
- 治療による経済的負担が大きいため，難病医療助成制度の活用方法も理解し支援する．

●状態別：療養者をみる視点と支援のポイント

状態	療養者をみる視点	支援のポイント
歩行が可能な状態	ドパミン欠乏は症状悪化につながり，残存機能が低下する可能性があるため，確実に服薬が行えるよう方法を検討する．また，症状の進行による重症化を防ぐために，身体機能レベルに応	●服薬が確実に行えるよう支援する． ●継続できる運動療法を検討し，支援する．

状態	療養者をみる視点	支援のポイント
	じた継続できる運動療法を行い,精神的ストレスの解消につながるようにする.	●好きなことや楽しいことができるよう配慮する.
歩行が不可能な状態	歩行が不可能な状態においても,残存機能を維持できるよう運動療法を行い,必要時には通所・短期入所系サービスを導入し,家族の介護負担の軽減に努める.健康状態の悪化に伴い,不安や気持ちの落ち込みなどが現れる可能性があるため,精神的な支援が重要となる.	●できることを見つける. ●褥瘡,尿路感染,肺炎の合併症を予防する. ●服薬管理や介護負担の軽減ができるよう多職種連携で支える.

訪問看護導入時の視点

- 確定診断に至るまでに時間を要し,医療職への不信感を抱いていることも多いため,今までの経過など療養者とその家族の思いをゆっくり聴き,信頼関係の構築を図る.
- 残存機能を最大限に活かし,重度化を予防するために運動療法を行い,必要時に理学療法士によるケアを導入する.
- 重症度に応じた生活援助に関する社会資源(通所・短期入所系サービスなど)を導入し,家族の介護負担を軽減する.

STEP❶ アセスメント　STEP❷ 看護課題の明確化　STEP❸ 計画　STEP❹ 実施　STEP❺ 評価

情報収集

	情報収集項目	情報収集のポイント
疾患・医療ケア	**疾患・病態・症状** □疾患 □病態 □疾患の症状 □疾患の経過,予後	●既往歴,認知症はどうか ●疾患の重症度(ホーン-ヤール分類)の程度 ●症状の有無,いつからあるのか,on-off 現象はどうか ●症状の進行はどう経過したのか,診断時期,病歴,治療歴(外科的治療の有無),入院歴はどうか
	医療ケア・治療 □服薬 □治療 □医療処置 □訪問看護	●内服内容と効果,wearing-off 現象の有無,出現時間はどうか ●運動療法はどのような内容か ●医療処置の内容や頻度,介助はどうか ●訪問看護の開始時期,方針や目的は何か,訪問看護の提供頻度と時間帯はどうか
	全身状態 □呼吸・循環状態 □摂食・嚥下・消化状態 □排泄状態 □筋骨格系の状態 □感覚器の状態 □認知機能	●誤嚥性肺炎の有無,起立性低血圧の有無,手足の冷えはないか ●嚥下状態,誤嚥の有無,唾液分泌障害や流涎はどうか ●便秘,腹部膨満感,便の性状,排尿回数や失禁の有無,発汗過多はないか ●安静時振戦,筋強剛,無動・寡動,姿勢反射障害(四大症状)はどうか ●嗅覚異常の有無,食欲,疼痛(腰痛,大腿痛,腹痛)の部位・有無,鎮痛薬の内服状況はどうか ●注意障害,遂行機能障害,記憶障害,性格の変化(認知機能障害)はないか

情報収集項目		情報収集のポイント
	□精神状態	●表情の乏しさ(仮面様顔貌)，抑うつ症状，不安，アパシー(無感動・無関心)，幻覚・妄想の有無，内服薬の種類と副作用はどうか
活動	移動 □ベッド上の動き □起居動作 □屋内移動 □屋外移動	●寝返り，起き上がり，仰臥位での腰の挙上，座位の保持は可能か ●姿勢異常(側屈，腰の曲がり，首の下がり)はないか．椅子への移乗，立ち上がり，立位の保持は可能か ●小刻み歩行，すくみ足，加速歩行，突進現象(歩行障害)はないか．屋内移動の方法はどうか，屋内での生活動線はどうか，トイレまでの歩行距離，転倒のリスクはどうか ●普段の行動範囲は，屋外での移動の方法はどうか
	生活動作 □基本的日常生活動作 □手段的日常生活動作	●ボタンがかけにくい，細かな動作ができないなど(巧緻性障害)の有無はどうか．更衣や整容，清潔，食事，排泄動作に支障はないか ●小銭が取り出せないなど(巧緻性障害)の障害はないか．調理や買い物，洗濯，掃除，金銭管理，交通機関利用の状況はどうか
	生活活動 □食事摂取 □水分摂取 □活動・休息 □生活歴 □嗜好品	●食事量，形態，配食の利用の状況はどうか ●飲水量，内容はどうか ●1日の運動量，休息，不眠，日中の眠気はないか．日中に突然眠ってしまうことはないか ●出生地や他の居住地，職歴，生活習慣はどうか．死別や離別，被災などのライフイベントの有無，性機能障害(勃起不全)などはないか ●飲酒，喫煙，嗜好品の内容，量，期間はどうか
	コミュニケーション □意思疎通 □意思伝達力 □ツールの使用	●しゃべりにくさ，小声(構音障害)はないか ●思考の遅さがみられないか ●文字の力・小ささ(小字症)などの傾向はないか．電話やメールなどの使用はどうか
	活動への参加・役割 □家族との交流 □近隣者・知人・友人との交流 □外出 □社会での役割 □余暇活動	●同居・別居家族との会話やかかわりはどうか，家庭内での役割はどうか ●近隣者・友人との交流の有無，内容，頻度はどうか，疾患への理解はあるか ●外出の場所や内容，頻度はどうか，同伴者はいるか ●就労状況や地域活動，患者会の参加状況や役割はどうか ●趣味の内容や実施頻度はどうか
環境	療養環境 □住環境 □地域環境 □地域性	●寝室，トイレ，浴室，台所，玄関の段差や階段の状況はどうか．福祉用具(手すり等)の使用状況はどうか．住宅改修(スロープ等)の利用状況はどうか．照明や衛生状態はどうか ●部屋から玄関までの間に障害物はないか．車椅子や歩行補助具の使用環境，公共交通の利便性，病院や商業施設，娯楽文化施設へのアクセスはどうか ●地域の特性，住民同士の交流の程度，地域組織の活発性はどうか

	情報収集項目	情報収集のポイント
環境	**家族環境** □家族構成 □家族機能 □家族の介護・協力体制	●家族構成，同居状況，居住地域，年齢はどうか ●家族関係，家族内の意思決定方法，家族の健康状態・問題解決能力はどうか ●家族の医療処置実施内容，介護内容，介護負担感はどうか．介護者の生活への影響（社会活動の状況など），休息状況，介護者・副介護者・協力者の状況はどうか
環境	**社会資源** □保険・制度の利用 □保健医療福祉サービスの利用 □インフォーマルなサポート	●医療保険（後期高齢者医療保険），介護保険，公費負担制度，障害者総合支援制度の利用状況はどうか ●利用内容と頻度，時間，今後のサービスの必要性はどうか ●社会，地域生活とのつながり，サポート提供者の有無，サポート内容と頻度はどうか
環境	**経済** □世帯の収入 □生活困窮度	●就労による収入，年金はあるか，療養生活を続けられる世帯の収入は十分か ●疾患により仕事が継続できなくなり，生活が困窮していないか
理解・意向	**志向性（本人）** □生活の志向性 □性格・人柄 □人づきあいの姿勢	●価値観や生きがい，生活の目標・楽しみ，信仰心や宗教観はどのようなものか ●社交的・外交的な性格か ●他者とかかわろうとする姿勢や興味があるか．もともとの人づきあいの姿勢や訪問看護師やサービス担当者とかかわる姿勢はどうか
理解・意向	**自己管理力（本人）** □自己管理力 □情報収集力 □自己決定力	●内服量，内服時間，自己判断で調整をしていないか ●生活，療養，医療，サービスに関する情報収集はどうか ●生活，療養，医療，サービスの利用に関して自分で決定しているか
理解・意向	**理解・意向（本人）** □意向・希望 □感情 □終末期への意向 □疾患への理解 □療養生活への理解 □受けとめ	●生活，療養，医療，サービス利用に関する意向や希望はどうか ●症状の進行や将来の生活，仕事の継続への不安，家族への罪悪感，夜間排泄時など家族への介助を求めることへのストレスを感じていないか ●終末期や急変時の延命処置にどのような要望をもっているか，事前指示やリビングウィル，アドバンスケアプランニングの有無とその内容はどのようなものか ●疾患，病態，予後，治療・服薬内容への理解と見通しはどうか ●療養方法への理解はどのようなものか ●疾患，療養生活をどのように受けとめているのか
理解・意向	**理解・意向（家族）** □意向・希望 □感情 □疾患への理解	●療養者の生活，療養，医療，サービス利用，家族の生活に関する意向や希望はどのようなものか ●症状の進行や将来の生活に不安や負担感などを感じていないか ●疾患，病態，予後，治療・服薬内容への家族の理解と見通しはどうか．

情報収集項目	情報収集のポイント
理解・意向 □療養生活への理解 □生活の志向性	終末期や急変時の延命処置にどのような要望をもっているか ○療養方法や介護方法への理解はどのようなものか ○家族の価値観，生活背景，就労・育児・家事実施状況，家庭・社会での役割はどのようなものか

事例紹介

日常生活動作の低下がみられるパーキンソン病の療養者の例

Keywords 服薬管理，パーキンソン病，ホーン-ヤール分類Ⅳ，wearing-off 現象，高齢女性

〔基本的属性〕女性，68歳
〔家族構成〕夫と娘家族(娘，婿，孫)との五人暮らし
〔主疾患等〕パーキンソン病
〔状況〕60歳頃より動作緩慢，徐々に歩く速度が遅く歩幅も狭くなるなどの歩行障害が認められた．その後，症状の軽減なく右上肢の振戦が出現し，パーキンソン病と診断，薬物(レボドパ)療法が開始となる．内服開始から7年経過した頃から，wearing-off 現象がみられるようになり，リハビリテーション目的にて訪問看護導入となる．ホーン-ヤール分類はⅣ度．すくみ足や小刻み歩行があり，トイレが間に合わず，家族に迷惑をかけたくないと1人で動いてしまうことがある．元来明るい性格であったが，最近では食事をうまく飲み込めなくなり，精神的に落ち込んでいる．

情報整理シート

疾患・医療ケア

【疾患・病態・症状】
主疾患等：パーキンソン病（61歳〜），ホーン-ヤール分類はⅣ度
病歴：脂質異常症（58歳）
経過：60歳頃より動作緩慢，徐々に歩く速度が遅く，歩幅も狭くなるなどの歩行障害が認められる．その後，症状の軽減なく右上肢の振戦が出現．
61歳　パーキンソン病と診断，薬物療法が開始となる．
67歳　wearing-off 現象がみられるようになる．
68歳　リハビリテーション目的にて訪問看護導入となる．
現在，すくみ足や小刻み歩行があり，トイレが間に合わず，家族に迷惑をかけたくないとベッドサイドのポータブルトイレを使用．元来明るい性格であったが，最近では，食事をうまく飲み込めなくなり，精神的に落ち込んでいる．

【医療ケア・治療】
服薬：【内服】ドパミンアゴニスト，ドパゾール，下剤（酸化マグネシウム錠を毎食後，4日排便がなければラキソベロン10滴）
【実施】夫がセッティング
治療状況：薬物療法，運動療法
医療処置：理学療法士：1回/月（評価），往診：1回/2週
訪問看護内容：リハビリテーション，入浴介助，排便コントロール，服薬管理，家族への介護負担の軽減

【全身状態・主な医療処置】

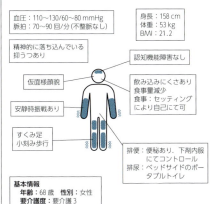

血圧：110〜130/60〜80 mmHg
脈拍：70〜90回/分（不整脈なし）
身長：158 cm
体重：53 kg
BMI：21.2

精神的に落ち込んでいる　抑うつあり
仮面様顔貌
安静時振戦あり
すくみ足　小刻み歩行
認知機能障害なし
飲み込みにくさあり　食事量減少　食事：セッティングにより自己にて可
排便：便秘あり．下剤内服にてコントロール
排尿：ベッドサイドのポータブルトイレ

基本情報
年齢：68歳　性別：女性
要介護度：要介護3
障害高齢者自立度：B1
認知症高齢者自立度：自立

10　パーキンソン病

活　動

【移動】
屋内移動：室内はつたい歩きで移動．姿勢反射障害があり，見守りが必要
屋外移動：車椅子を押してもらい移動

【活動への参加・役割】
家族との交流：夫と娘家族の五人暮らし．夫婦仲はよく，娘家族との関係も良好
近隣者・知人・友人との交流：発病後から疎遠となり，現在は限られた友人から手紙がくる程度
外出：ほぼなし．週1回のデイサービスのみ
社会での役割：発病後はなし
余暇活動：読書が好きだが，最近はベッド上でラジオを聞いて過ごしていることが多い．

【生活活動】
食事摂取：娘が調理した食事を3食摂取．最近，うまく飲み込めなくなってきており，食事摂取量が減少している．
水分摂取：最近，むせることが多くなってきている．
活動・休息：デイサービス以外は，ベッド上で過ごすことが多い．
生活歴：60歳まで役所に勤務．
嗜好品：お酒が好きだが，最近は飲んでいない．

【生活動作】
基本的日常生活動作

食動作	ベッド上端座位で，サイドテーブル使用にて摂取．セッティングにより可
排泄	ベッドサイドのポータブルトイレにて排尿，便秘があるが，下剤でコントロール可
清潔	デイサービス（水）と訪問看護（金）で入浴介助
更衣整容	着替え，整髪，洗顔は時間がかかるが1人で可
移乗	移乗はゆっくり自己にて可．自走は不可
歩行	すくみ足や小刻み歩行のため，見守りが必要．理学療法士（月）でリハビリテーション実施
階段昇降	恐怖心強く，1人では実施していない

手段的日常生活動作

調理	娘が実施
買い物	娘が実施
洗濯	娘が実施
掃除	娘が実施
金銭管理	夫が管理し，確認している
交通機関	夫の車にて移動．車への移乗は車椅子を使用

【コミュニケーション】
意思疎通：可能
意思伝達力：問題なし
ツールの使用：電話対応はしていない．

環　境

【療養環境】
住環境：一戸建て
夫と娘家族の五人暮らし．本人の部屋は1階にあり．電動ベッド，移動バー使用

（間取り図：本人の部屋，リビング，台所，浴室，トイレ，玄関）

地域環境：敷地内に駐車スペースあり．デイサービスの送迎車までは車椅子で移動．スロープ設置にて段差なくスムーズに移乗できる．車で15分程度のところに商業施設あり．娘が車で買い物に行っている．

地域性：都市郊外に位置し，田畑も残る地域である．地域組織の活動も継続されている．昔からの閑静な住宅街

【ジェノグラム】
他地域在住　車で2時間程度

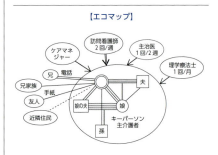

【家族の介護・協力体制】
娘が家事全般を担っている．夫は服薬管理を担当している．兄家族は他地域在住で車で2時間程度の距離で，介護の協力はない．

【社会資源】
サービス利用：

	月	火	水	木	金	土	日
AM			デイサービス				
PM	訪問看護				訪問看護		

保険・制度の利用：介護保険，特定疾患医療費助成

【エコマップ】
訪問看護師 2回/週，主治医 1回/2週，理学療法士 1回/月
ケアマネジャー，兄，兄家族，友人，近隣住民，孫，娘の夫，娘（キーパーソン 主介護者），夫

理解・意向

【本人】
- 薬を飲んだら3〜4時間は調子がよい
- できることは自分でしたい
- これからどうなっていくのだろうか
- 動けない自分がもどかしい
- こんな姿を誰にも見られたくない
- これ以上家族に迷惑をかけたくない
- 今後の病気の進行に対して，不安がある
- 家族に迷惑をかけている

【志向性】
生活の志向性：できるだけ家族に迷惑をかけずに，自宅での療養生活を継続したいと考えている
性格・人柄：まじめで努力家．元来明るい性格．病識が高く今後の不安あり．家族へは迷惑をかけたくない，できるだけ自分でしたいと思っている
人づきあいの姿勢：発症後は消極的．医療者のことは頼りにしている

【自己管理力】
自己管理力：認知症はない．病識があり服薬の必要性も理解している．薬のセッティングは夫がしている
情報収集力：生活・疾患に関する情報収集は夫がしている．本人は夫や医療者に積極的に質問する
自己決定力：夫や娘と相談のもと，生活に関するサービス利用や服薬方法について決定している

夫
自分にできることは薬のセッティングぐらいまた旅行に行けたらいいのだが…
昔は亭主関白であったが，60歳で定年退職後は夫婦で旅行などによく出かけていた
まだまだこれからも旅行に出かけたいと思っている

娘　キーパーソン 主介護者
できるだけ自宅でみてあげたい．最近，落ち込んでいるので，気にかけている
同居．専業主婦のため，子育て以外の時間は，介護をしてあげたいと思っている．しかし，自分の夫への遠慮もある

娘の夫
何か手伝いたいけど，婿よりも娘の方がいいのだろう．家のことは自分が手伝うことができない
自身の実母を早く亡くしており，義母を実の母のように思っている．しかし，自分は何を手伝っていいのかわからない

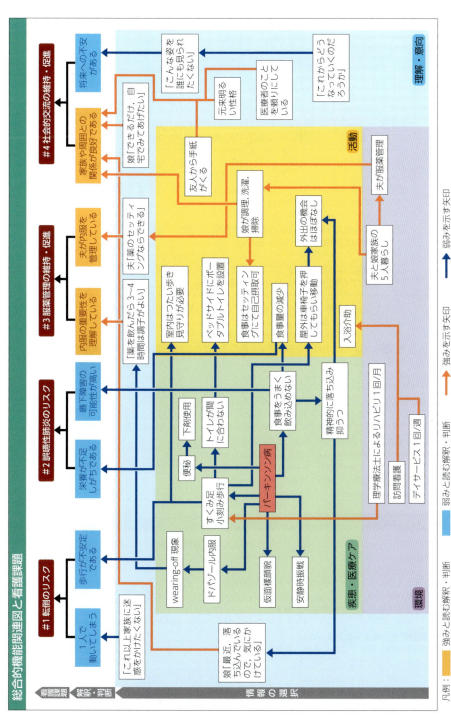

STEP❶ アセスメント　STEP❷ 看護課題の明確化　STEP❸ 計画　STEP❹ 実施　STEP❺ 評価

看護課題リスト

No.	看護課題　【コード型】文章型	パターン
#1	【転倒のリスク】すくみ足や小刻み歩行があり，歩行が不安定なため，転倒のリスクがある	リスク着眼型
	根拠 すくみ足や小刻み歩行があるため，歩行が不安定であるにもかかわらず，家族に迷惑をかけたくないため1人で動いてしまうため，転倒のリスクがある．	
#2	【誤嚥性肺炎のリスク】飲み込みにくさがあり，誤嚥性肺炎のリスクがある	リスク着眼型
	根拠 食事をうまく飲み込めず誤嚥のリスクがある．しかし，嚥下体操を実施，継続することでリスクの軽減につながる可能性がある．	
#3	【服薬管理の維持・促進】服薬の重要性を理解しており，夫の協力があることから，服薬管理を維持・促進する	強み着眼型
	根拠 転倒のリスクを軽減するには症状を抑えるための内服が欠かせない．本人は服薬の重要性を理解しており，夫のセッティングの協力もある．	
#4	【社会的交流の維持・促進】家族や周囲との良好な関係を活かし，社会的交流を維持・促進する	強み着眼型
	根拠 これから自分はどうなっていくのだろうかと思い，誰にもこんな姿を見られたくないと落ち込んでいる．しかし，夫や娘家族との絆は強く，元来明るい性格であり，人との交流を促進できる．	

【看護課題の優先度の指針】歩行障害が出現していることや家族に迷惑をかけたくないために1人で動いてしまうことがある．転倒すると骨折や寝たきりを招き，症状がさらに悪化する危険性があるため【転倒のリスク】が最優先と考え#1とした．また，飲み込みにくさがあり，誤嚥性肺炎を起こしやすい．感染症は健康状態を急激に悪化させ，致命的な状況になりうるため，十分に注意する必要があり【誤嚥性肺炎のリスク】を#2とした．さらに，服薬の重要性の理解や夫の協力のもと服薬管理はできているため【服薬管理の維持・促進】を#3とし，家族と周囲との関係が良好なため社会との交流を促進できると考え，【社会的交流の維持・促進】を#4とした．

長期目標

服薬管理により，パーキンソン病による症状を緩和し，身体機能の維持・促進を図りながら在宅療養生活を送る．

根拠 すくみ足や小刻み歩行があり，歩行が不安定なため，転倒のリスクがある．しかし，夫の協力により服薬管理ができていることや，家族との絆が強く協力が得られる強みがあることから，適切な支援により在宅療養生活を継続することができる．

〈長期目標を共有するケアチーム〉
フォーマルサービス：訪問看護師，主治医，ケアマネジャー，理学療法士，デイサービスの職員
インフォーマルなサポート：夫，娘

| STEP ❶ アセスメント | STEP ❷ 看護課題の明確化 | **STEP ❸ 計画** | STEP ❹ 実施 | STEP ❺ 評価 |

1 看護課題

#1【転倒のリスク】
すくみ足や小刻み歩行があり、歩行が不安定なため、転倒のリスクがある

看護目標（目標達成の目安）
1) 転倒を起こさない（2か月）
2) リハビリテーションを継続することができる（2・3週間）
3) 日常生活動作が維持できる（1か月）

援助の内容 / 援助のポイントと根拠

OP 観察・測定項目
- 錐体外路症状の日常生活動作に及ぼす影響の程度・転倒の有無
  ⇒ 錐体外路症状（筋強剛、無動、振戦、姿勢反射障害）の程度とすくみ足や小刻み歩行の状態、転倒の有無とその状況を把握する
- 顔や表情の変化
  ⇒ 表情の乏しさ（仮面様顔貌）、抑うつ症状、不安、アパシー（無感動・無関心）の有無を把握する
- リハビリテーションの状況
  ⇒ 理学療法士と実施している内容、1人で実施している内容と頻度を把握する
- 起立性低血圧の有無
  ⇒ 血圧の測定、ふらつきの有無、立ち上がり動作を把握する
- 住環境
  ⇒ 寝室、トイレ、浴室、台所、玄関の段差や階段の状況、福祉用具（手すり等）の使用状況、車椅子や歩行補助具の使用状況、住宅改修（スロープ等）の利用状況を把握する

TP 直接的看護ケア項目
- リハビリテーションの実施
  ⇒ 歩幅より少し大きめの幅に目印になるものを置き、またぐように、また、本人の歩行の速さに合った速さのリズムの声かけで歩く練習を行う **根拠** 外部からの刺激に反応して運動を実行するのは比較的やすい。本人の意思を尊重し、自信がもてるように、せかさず本人のペースに合わせる
- 入浴介助
  ⇒ **強み** 入浴時は、見守りながら自分でできることは自分でしてもらう

EP 教育・調整項目
- 継続可能なリハビリテーションの提案
  ⇒ 継続する必要性と効果について説明する。自宅で実施可能なリハビリテーションの情報提供を行う
- ホームヘルパーによるリハビリテーションの実施
  ⇒ **連携** ホームヘルパーと連携をとり、訪問時に可能なリハビリテーションを実施してもらう
- 理学療法士の評価と専門的な助言
  ⇒ **連携** 理学療法士と連携をとり、リハビリテーションの定期的な評価や専門的な助言をもらう
- 環境整備
  ⇒ 歩行の障害となるようなものを療養者の生活動線上に置かない。スリッパは履かない。起き上がる時はゆっくり起き上がるように説明する

2 看護課題

#2【誤嚥性肺炎のリスク】
飲み込みにくさがあり、誤嚥性肺炎のリスクがある

看護目標（目標達成の目安）
1) 誤嚥性肺炎を起こさない（1か月）
2) 発熱しない（1週間）

援助の内容 / 援助のポイントと根拠

OP 観察・測定項目
- バイタルサイン
  ⇒ 体温、脈拍、呼吸数、血圧を把握する

10 パーキンソン病

● 誤嚥性肺炎の徴候	◯ 痰の喀出や喘鳴の有無を把握する．呼吸音の聴取を行う
● 嚥下，咀嚼状態	◯ 嚥下，咀嚼状態，経口摂取（食事量や形態，飲水量）状況，唾液分泌障害や流涎，悪心・嘔吐の有無を把握する
TP 直接的看護ケア項目	
● 嚥下体操の実施	◯ 座位になり，リラックスして首から肩，口，頰，舌の体操を行う．発音の練習，咳ばらいをする．食事の前やテレビを見ながら，入浴中などに実施する **根拠** 嚥下に必要な筋肉をスムーズに動かせるようにする
● 座位時の水分摂取の促進	◯ 前傾姿勢で水分摂取を促す
EP 教育・調整項目	
● 食事中の注意点の説明	◯ 食事は必ず座位で wearing-off 現象の on 時に摂取する．食事中は落ち着いた雰囲気でゆっくりと摂取するよう伝える．また一口量を少量にする
● 発熱時の対応の説明	◯ **連携** 理学療法士の訪問時やデイサービス時に発熱があれば，すぐに看護師に連絡するように伝える．また，発熱時は主治医に連絡する

3 看護課題 / 看護目標（目標達成の目安）

#3【服薬管理の維持・促進】
服薬の重要性を理解しており，夫の協力があることから，服薬管理を維持・促進する

1) 確実に内服することができる（1週間）
2) 服薬の管理ができる（1か月）
3) 便秘にならない（2・3週間）

援助の内容 / 援助のポイントと根拠

OP 観察・測定項目	
● 服薬管理状況と副作用の有無	◯ ドパゾール，ドパミンアゴニストの内服状況，副作用（幻覚，妄想，精神症状），便秘の有無，酸化マグネシウムの内服状況，薬効（持続時間，wearing-off 現象の程度）を把握する
● 夫の協力状況，介護疲れの有無	◯ 夫の健康状態，睡眠状態，介護への協力状況，介護負担の有無とその程度を把握する
TP 直接的看護ケア項目	
● 服薬管理方法についての確認・考える場の設定	◯ **強み** 服薬管理方法について本人・夫と一緒に考える
● 服薬時間の調整	◯ **強み** 服薬時間を生活習慣に合わせることを一緒に考える **根拠** 食事や入浴などに薬効時間を合わせるよう服薬時間を調整することで生活の質が向上する
● 排便コントロール	◯ 腹鳴の聴取．排便が4日みられない場合はラキソベロンを10滴内服する．繊維の多い食事をとるよう説明する
EP 教育・調整項目	
● 確実な服薬への声かけ	◯ **強み** 夫は服薬管理を自分の役割と思っており，夫へのねぎらいと今後の継続への意欲を支えるよう声をかける
● 副作用とその対応についての説明	◯ 疾患の理解や薬物療法の必要性，副作用の症状，変動など異常の観察と対処について説明する **連携** 副作用の出現時は医師か看護師に報告するように伝える

4 看護課題	看護目標（目標達成の目安）
#4【社会的交流の維持・促進】 家族や周囲との良好な関係を活かし，社会的交流を維持・促進する	1）自分の楽しみや好きなことをみつけられる（1週間） 2）家族と一緒に目標をもつことができる（2・3週間） 3）社会との交流をもつことができる（2か月）

援助の内容	援助のポイントと根拠
OP 観察・測定項目 ●表情や言動 ●社会との交流の有無とその内容	●症状の進行や将来の生活へのストレスを感じていないか，外観の変化に対する気持ち・不眠の有無を把握する ●外出頻度とその目的を把握する
TP 直接的看護ケア項目 ●生活行動拡大の支援	● 強み 夫は一緒に旅行に行きたいと思っていること，娘や娘の夫も気にかけていて，何か手助けしたい思いがあることを伝え，生活行動拡大のきっかけをつくる
EP 教育・調整項目 ●楽しみや好きなことをみつけるための提案 ●社会との交流に関する提案 ●多職種連携	● 強み どのような生活を送りたいかを聴き，それに向けた生活支援を行う 根拠 ドパミン分泌を促すために，楽しいと思うこと，好きなことを行えるように支援する ●症状の進行や将来の生活に対する不安や負担感など，ストレスを感じていないか聴く 強み 本人への思い（気にかけていることや手伝ってあげたい気持ちなど）を聴く ●地域でのパーキンソン病の人々の相互交流の場の状況や興味のあることの情報を提供する 根拠 同じ疾患をもち工夫しながらも楽しんで生活している人と出会うことで，元来の明るい性格を取り戻し，社会との交流につながる ● 連携 ケアマネジャーたちと連携し，交流できる社会資源について情報を共有する

STEP ❶ アセスメント　STEP ❷ 看護課題の明確化　STEP ❸ 計画　**STEP ❹ 実施**　STEP ❺ 評価

強みと弱みに着目した援助のポイント

強みに着目した援助
- リハビリテーションを支援することにより療養者が自分でできる生活行動を促進できる．
- 食事中の注意点を家族が理解することで誤嚥性肺炎が起こらないようにする．
- 夫の協力を支援することで服薬管理が継続され，筋強剛や無動，振戦，姿勢反射障害が緩和し，生活の質の向上が期待できる．
- 楽しみを生活の中に取り入れることを家族とともに考えることで，社会との交流が維持・促進される．

弱みに着目した援助
- すくみ足や小刻み歩行があるため，転倒が起こらないようにリハビリテーションを行う．
- 飲み込みにくさがあるため，嚥下・咀嚼状態を的確にアセスメントし，嚥下体操を実施することで誤嚥性肺炎を起こさないようにする．
- wearing-off現象がみられているため，服薬管理や時間などを一緒に考えることで，家族の負担感や不安を軽減する．

10 パーキンソン病

| STEP ❶ アセスメント | STEP ❷ 看護課題の明確化 | STEP ❸ 計画 | STEP ❹ 実施 | STEP ❺ 評価 |

評価のポイント

- 転倒を起こしていないか
- リハビリテーションを継続できているか
- 日常生活動作が維持できているか
- 誤嚥性肺炎を起こしていないか
- 発熱していないか
- 確実に内服できているか
- 服薬の管理ができているか
- 便秘になっていないか
- 自分の楽しみや好きなことをみつけているか
- 家族と一緒に目標をもつことができているか
- 社会との交流をもつことができているか

関連項目

第2章「12 多発性硬化症」「19 摂食・嚥下障害」
第3章「25 家族の介護疲れ」

11 筋萎縮性側索硬化症

筋萎縮性側索硬化症の理解

基礎知識

疾患概念

現在では，筋萎縮性側索硬化症（amyotrophic lateral sclerosis；ALS）は単一の疾患ではなく症候群と考えられている．

- 運動神経のみが選択的に障害される疾患とされていたが，合併症として前頭側頭型認知症（人格変化を主体とする認知症）の明らかなものが15～20％にみられ[1,2]，軽度のものを入れると5～6割にみられるという報告もある．人格変化の症状は，自己中心的で周囲への気遣いや共感の欠如，常同性への過度のこだわり，経口摂取への過度の執着などとして現れるほか，時には暴言・暴力，自発性低下が目立つ例も少数ある．記憶力低下はなく症状に気づかれにくく，ほとんどがある程度進行してから出現する．
- 長期の気管切開下陽圧換気の患者の十数％に，眼球運動も障害され，神経因性膀胱，体温調節障害，発作性頻脈や血圧変動などの自律神経障害を伴う完全閉じ込め状態（totally locked-in state；TLS）をきたす例がある[3]など，多系統に及ぶ合併症例が存在する．

疫学・予後

- 発症年齢，頻度，男女比：多くは中年以後に発症し，ピークは60～70歳[4]である．わが国における発症率は10万人に1.1～2.5人，男性が女性の1.3～1.4倍，有病率は10万人に7～11人，家族性の割合は日本では約5％と推計されている[4]．
- 罹病期間：人工呼吸器を装着しない場合，多くは3～5年といわれている．筆者の経験では，気管切開下陽圧換気を行わなかった151例で，平均4.1年（0.6～14.9年），施行の24例は，平均9.3年（4.9～23.7年）である．

症状・経過

- 一部位の筋力低下や筋萎縮から始まり（片側の上肢が5割強といわれているが個々によって非常に異なる），徐々に他の部位に及ぶ．最終的には，すべての骨格筋が障害され，介助を要するようになり，嚥下障害やコミュニケーション障害をきたす．
- 呼吸筋から始まる場合や歩行可能な時期に呼吸筋麻痺が進行するときは，初期は呼吸困難はなく，疲労感や急激な体重減少をきたすことが多く，がんと誤診される例もある．
- 直接の死因は，呼吸筋麻痺や誤嚥性肺炎である．長期気管切開下陽圧換気患者では突然の心停止がある．

診断・検査

- 慢性進行性の経過と，上位・下位運動ニューロン障害の所見，針筋電図で脱神経所見，他の疾患を除外できることにより診断する．
- 一部に前頭側頭型認知症（frontotemporal dementia；FTD）を合併するため，人格変化などの精神症状に注意するとともに，頭部MRIやSPECTなどの画像検査を経過中に再施行することが重要である．

告知の問題

- 近年は診断時に，病名，進行性で治らないこと，呼吸筋麻痺をきたし人工呼吸器装着を行うかどうかを決めることが必要になると説明されることがほとんどである．早く知ることによって，自己の人生観・価値観に照らし合わせて自己決定している人が増加している印象がある．医療者は，経過中に各

種症状が出現したときに，具体的な対処法やケアについて十分に説明しなければならない．外来通院が困難になったら，早めに在宅診療を行う医師に依頼し連携することが重要である．

〈人工呼吸の選択の際の情報提供〉
①非侵襲的陽圧換気(non-invasive positive pressure ventilation；NPPV)
- 呼吸苦がある場合，その緩和が可能なことがあり，延命にもつながる．
- 呼吸苦がない例，球麻痺が強く唾液の貯留が多い例，送気やマスクを非常に苦痛に感じる例では，かえって苦痛が増し装着困難なことが多い．
- 終日装着になると外せない．
- 必ず限界が来る(多くは2～3年以内)．その時には呼吸苦が必発であるが，苦痛を緩和する方法はある．

②気管切開下陽圧換気(tracheostomy positive pressure ventilation；TPPV)
- 在宅療養が原則で，介護が長期にわたる．
- 一旦装着したら外せない．
- 眼球運動障害と各種自律神経症状を伴う例が十数％ある．

合併症
- 前頭側頭型認知症や自律神経症状のほか，主なものは誤嚥性肺炎，分泌物の喀出困難，尿路感染症，褥瘡などである．

治療法
●**治療方針**
- 症状を改善したり明らかに進行を遅らせたりする治療法は現在ない．そのため，患者自身が病気とともにどう生きるかを考えてもらい，患者・家族が少しでも安心して生活できるように対処することが最も重要である．診断確定時から，患者を中心に家族・医療者・介護者が情報を共有し，事前ケア計画(アドバンスケアプランニング advance care planning；ACP)を話し合うことが望まれる．

●**薬物療法**
- 承認薬は内服薬のリルゾール(商品名：リルテック)と点滴薬のエダラボン(商品名：ラジカット)で，進行を多少遅らせる効果があるとされている．エダラボンは専門医との連携により在宅医も使用可能である．いずれも TPPV 導入後は中止とされている．
- リルテック錠50 mg　1回1錠　1日2回　朝夕食前　← ALS 治療薬
- ラジカット注30 mg　2本　1日1回　← ALS 治療薬
  生理食塩水で希釈し60分かけて点滴静注(第1クールは専門医療機関入院で行う)．第2クール以降は14日間のうち10日間投与し，投与後14日間休薬．
  ※ラジカット注の有効性について：市販後調査は，重度患者への有効性は未証明のままで，重大な副作用は認めないと報告．なお，ドイツの安全性および有効性の調査では有効性を認めないとの報告が出ている[5]．

在宅療養中の対処法
| 症状に応じた対処，ケアが最も重要である．
●**栄養管理**
- 嚥下しやすい姿勢と食事の工夫を行うが，最終的には経腸栄養(胃瘻，経鼻胃管など)を考慮する．呼吸筋麻痺が進行すると胃瘻造設は危険なため早期に行うことが推奨されているが，嚥下障害がないか軽度で気管切開下陽圧換気を希望しない場合，胃瘻を使用しなかった例や，呼吸筋麻痺が中等度以上の場合，手術後に急速に筋力低下が進行する例があり，患者の病態や呼吸筋麻痺の程度，人工呼吸による延命を望んでいるかどうかを十分に検討して行う．

●**呼吸筋麻痺**
- 人工呼吸(NPPV，TPPV)を行うかどうかを自己決定してもらうことが必要である．情報提供については前述した．

●**気道クリアランスの障害**
- 唾液の貯留・流涎や流れ込み，咳嗽力低下のために生じ，呼吸困難感が強く急速に低酸素に陥ることが多く，在宅療養中最も対処に難渋する．吸引，口腔内の低圧持続吸引，各種排痰法(体位ドレナー

ジや用手的排痰法，器械的排痰装置を使用する方法），および気管切開術・輪状甲状間膜穿刺などの手術的方法がある．排痰補助装置は在宅人工呼吸中の患者のみ保険適用になっている．輪状甲状間膜穿刺は気道への流れ込みが多い場合には有効でないことがある．スコポラミン軟膏（保険適用外で院内製剤が必要となるため，薬局と相談が必要）も有効な場合がある．

- ●痛み
- ●要因は，不動や圧迫，関節拘縮，筋痙攣などであるが，原因に応じた対処を行うことが重要である．体位変換，除圧，関節他動運動やマッサージなどのリハビリテーションを行い，必要に応じて鎮痛薬や抗痙縮薬・筋弛緩薬などの薬物療法を行い，コントロール困難な場合はモルヒネも考慮する．詳細は筋萎縮性側索硬化症診療ガイドライン2013[4]などを参照．
- ●コミュニケーション障害
- ●会話も筆談も困難になると，日常的な要求や挨拶などは身振りや合図，文字盤などが最も早く簡便である．複雑な内容や思いを伝えたりする手段としては意思伝達装置がある．注意点として，患者が使用する意思と能力があることを十分に評価して導入することが重要である．
- ●終末期の呼吸苦
- ●気管切開下陽圧換気を選択しない場合，終末期の呼吸苦は7～8割の患者にあり（全例ではない），苦痛緩和が非常に重要である．酸素，モルヒネ，抗不安薬，抗精神病薬などを状態に応じて使用する．モルヒネの量はがんに比してはるかに少量でよいことに注意が必要である．詳細は筋萎縮性側索硬化症診療ガイドライン2013[4]などを参照．

【家族へのサポート】
- ●次々と機能が失われていくこと，今後どうなっていくのかなどへの不安に対し，症状に応じた生活の工夫や環境整備を助言し，日常生活動作の維持を図る．
- ●介護負担の増大による心労に対して，思いを聴くこと，各種サービスの活用を助言する．

在宅における特徴

- ●できるだけ在宅で過ごしたいと願う患者・家族は多く，また最期まで在宅を希望する人も少なくないが，進行，症状への対処，介護などの不安が大きい．
- ●すぐに対応できるかかりつけ医や訪問看護師，相談できる専門医，症状に応じた迅速なケア体制の構築などにより，不安はかなり解消される．
- ●最期まで在宅で過ごした患者・家族の満足度は高い．

在宅診療の実際

【病診連携】
- ●他科との連携：歯科や他科（皮膚科，眼科，耳鼻科が多い）の往診が必要なこともあり，往診可能な医師を把握しておくことが必要である．
- ●医療的入院：気管切開や胃瘻などの医療処置を希望する場合や合併症の治療などで入院が必要となる．かかりつけ医は，患者・家族の希望と病状，紹介先病院の受け入れ状況を把握し入院を依頼する．
- ●レスパイト入院：介護者の病気などで急な入院が必要なときに，満床で受け入れ困難な場合があるため，病院を3か所程度確保しておき，必要時にいずれかに入院できるようにするのもよい．家族が疲労困憊して希望しているにもかかわらず患者が強く拒否するときは，できるだけ患者を説得するが，認知症合併例では困難なことが多い．

ALSに関連する社会資源・制度

1) 医療的ケア管理
- ●在宅人工呼吸器使用患者支援事業等，難病等複数回訪問看護

2) 残存機能活用・廃用予防・コミュニケーション方法確立
- ●医療保険による訪問リハビリテーション（理学療法士，作業療法士，言語聴覚士）
- ●介護保険による福祉用具貸与（特殊寝台，特殊寝台付属品，褥瘡防止用具，体位変換器，移動用リフ

トと吊り具，車椅子，工事が不要な手すり，スロープ，歩行器，歩行杖）
- 介護保険による福祉用具購入（ポータブルトイレ，特殊尿器，入浴補助用具）
- 介護保険による住宅改修（工事が必要な手すりの設置，段差の解消，床材の変更，引き戸への変更）
- 障害者総合支援法における重度障害日常生活用具給付（介護保険でカバーできない車椅子等，ネブライザー，電動式痰吸引器，パルスオキシメーター，意思疎通支援用具，紙おむつ）

3）**日常生活動作における支援（入浴，整容，更衣，食事，活動）**
- 介護保険による訪問介護，訪問入浴介護
- 障害者総合支援法による重度訪問介護
- 医療保険によるリハビリテーション

ALS をめぐる訪問看護

訪問看護の視点

1）療養者をみる視点
- ALS は，治療法が未確立で進行性の疾患であるため，確定診断後の告知や症状進行に伴う療養者・家族の精神的支援を行う視点をもつ．
- 介護者の身体的，経済的，精神的負担を考慮し，医療保険，介護保険，障害者総合支援法等の制度を活用し，多機関，多職種で療養生活支援を行う．
- 疾患進行に伴い全身に影響を及ぼし，生命維持や QOL に大きく影響するため包括的な視点をもち，人工呼吸器装着，胃瘻造設など生命に関与する重要な意思決定を支援する立場に立つ．

2）支援のポイント
- 確定診断後の告知や症状進行に対する療養者・家族の理解や受けとめ方を理解し，抱える不安や悩みに寄り添い支援する．
- 身体の状況に応じて，医療保険，介護保険，障害者総合支援法等の制度の活用と医療，保健，介護の多職種連携により合併症の予防，日常生活支援，QOL の向上が図られるように支援体制を構築する．
- 疾患進行に伴う全身の症状として，運動障害，呼吸障害，嚥下障害，自律神経障害，構音障害等，多岐にわたってみられる．必要な医療処置や生活のあり方を療養者・家族，多職種で検討し，それに応じた支援体制を構築する．
- 療養者・家族の意思決定を尊重し，穏やかな死を迎える選択を尊重する．

●状態別：療養者をみる視点と支援のポイント

状態	療養者をみる視点	支援のポイント
発症初期	確定診断後の病名告知や症状進行に伴う療養者・家族の不安への支援を行い，医療保険，介護保険，障害者総合支援法の利用，療養者・家族のニーズに応じた医療・生活支援を受けることができるように多職種と連携し，療養環境を整える．	●病名告知や症状進行に伴う療養者・家族の不安を受けとめ支援する． ●確定診断後，適切な医療，介護等が受けられるよう支援する．
進行期	疾患の進行に伴い呼吸障害，嚥下障害等の症状が出現し気管切開術，胃瘻造設術，人工呼吸器を装着するかどうかの意思決定が必要になる．その意思決定を行う際に療養者・家族の意向を尊重し支援すること，誤嚥性肺炎や廃用症候群等の合併症を起こさないように予防し，残存機能を活かす．	●必要な医療処置の実施について意思決定を支援する． ●合併症や障害を予防する． ●残存機能に応じて日常生活を支援する．

状態	療養者をみる視点	支援のポイント
安定期	進行期と同様に，誤嚥性肺炎，尿路感染症，廃用症候群等の合併症を起こさないように予防し，残存機能を活かす．また，外出，インターネット等をとおして社会参加活動ができるように多職種・家族と連携し調整し，その人らしい生活を送ることができ，QOLの向上につなげる．	●身体状況が安定するように症状や障害，治療，合併症予防への支援を行う． ●外出などを通して社会参加活動が行えるように支援する． ●停電時に使用する人工呼吸器のバッテリー予備を用意することや避難方法等，災害時対策をあらかじめ検討する．
終末期	終末期においては呼吸困難等の苦痛を緩和できるように麻薬の使用を主治医との話し合いのもと検討し，日常生活全般の支援を十分に行うことでQOLを高め，多職種と連携する．	●終末期における苦痛症状が緩和されるように治療，看護を提供する． ●療養者・家族が望む終末期医療・ケア，療養場所等の意思決定を尊重し多職種で支援体制を構築する．

訪問看護導入時の視点

- 病名告知，症状進行に伴う療養者・家族の理解や意向を確認し，適切な医療，介護が受けられるように，多職種との連携，家族，介護職員に対する教育を行い支援体制を構築する．
- 療養者・家族の療養生活を支援するために必要な制度の申請や利用ができるように保健師，難病医療コーディネーター，ケアマネジャー，退院支援看護師・相談員と連携する．
- 生命維持，合併症の予防，日常生活支援，QOLの向上等の目標を共有し，療養者・家族，介護職員，理学療法士，作業療法士，言語聴覚士，医師，保健師，ケアマネジャー，医療機器業者等多職種で支援する体制をつくる．
- 介護者の負担を軽減するため，レスパイトケアを受けられる体制をつくる．

STEP ❶ アセスメント ▸ STEP ❷ 看護課題の明確化 ▸ STEP ❸ 計画 ▸ STEP ❹ 実施 ▸ STEP ❺ 評価

情報収集

情報収集項目	情報収集のポイント
疾患・病態・症状 □疾患 □病態 □疾患の症状 □疾患の経過，予後	⮕主疾患が全身に及ぼしている影響（呼吸障害，嚥下障害，運動障害，自律神経障害，構音障害等），既往歴，合併症はないか ⮕ALS重症度分類はどの程度か ⮕どのような症状が出現しているか．程度，治療後の症状の変化，日常生活への影響はどの程度か ⮕症状出現と経過，症状の進行，治療歴，入院歴，予後はどうか
医療ケア・治療 □服薬 □治療 □医療処置 □訪問看護	⮕リルゾール服用，他疾患治療薬の服薬はどうか ⮕治療方針，治療内容，受診状況，リハビリテーション内容はどうか ⮕胃瘻造設，人工呼吸器の種類・条件，尿道カテーテル留置はどうか．導尿をしているか．リハビリテーションはどのようなものか ⮕訪問看護内容はどのようなものか

(疾患・医療ケア)

11 筋萎縮性側索硬化症

情報収集項目	情報収集のポイント
疾患・医療ケア	
全身状態	
□呼吸・循環状態	●副雑音・呼吸音減弱の有無，呼吸回数，呼吸の深さ，痰の性状と量はどうか．唾液の有無，自己排痰が可能か．呼吸困難はないか，チアノーゼはないか．睡眠時無呼吸はないか．人工呼吸器の使用状況（NPPV・TPPV，常時使用，夜間のみ使用），人工呼吸器の設定，同調，1回換気量，最高気道内圧，呼吸回数，リーク，アラーム，加湿状態，気管カニューレ固定，カフ圧はどうか．血圧変動，体温低下・調節困難，酸素飽和度，末梢冷感，浮腫はどうか
□摂食・嚥下・消化状態	●（経口摂取）食事動作の緩慢さ，食後の咳や痰の増加，食後の咽頭貯留音，咽頭違和感，食欲低下，食事時間の延長，食事内容の変化はどうか．食べこぼし，口腔内残渣物，ガス貯留，便秘はないか
□栄養・代謝・内分泌状態	●身長，体重，BMI，上腕周囲長，上腕三頭筋皮下脂肪厚はどうか．血清蛋白，アルブミン血糖値の変動はどうか．経口摂取，胃瘻からの栄養・白湯注入量，食事介助・注入の状況はどうか
□排泄状態	●排尿，排便はどうか．下剤を使用しているか．尿道カテーテル留置はどうか．尿量，性状，混濁，浮遊物の有無・程度はどうか．尿廃棄を誰がどのようにしているか
□筋骨格系の状態	●上位運動ニューロン障害：筋の痙縮，痙性歩行，深部反射亢進，病的反射亢進はどうか
	●下位運動ニューロン障害：筋力，緊張の低下，母指・小指球の萎縮（猿手），手の骨関節の萎縮（鷲手），両手・両前腕の筋萎縮，筋脱力，筋線維束収縮はどうか
□感覚器の状態	●眼乾燥，眩しさ，眼球運動による易疲労，口腔内トラブル（流涎，乾燥，舌の飛び出し，咬舌）はないか
□皮膚の状態	●発疹，皮膚の損傷，乾燥，褥瘡はないか．気管カニューレ・胃瘻周囲の皮膚の状態はどうか
□認知機能	●理解力，前頭側頭型認知症による中核症状およびBPSDはないか
□精神状態	●病名告知に対する反応はどうか．疾患進行による不安・悲嘆，抑うつはみられないか
□免疫機能	●免疫機能が低下していないか．誤嚥性肺炎を繰り返していないか
活動	
移動	
□ベッド上の動き	●寝返り，起き上がり，座位保持が可能か．不可能であるなら誰がどのように援助しているのか
□起居動作	●起居動作が可能であるか，どのような介助が必要か
□屋内移動	●歩行（独歩，手をひく，手すり使用）はどうか．車椅子移動をしているか
□屋外移動	●外出の有無，外出の手段，外出支援の必要はどうか．外出時は車椅子で移動（移乗ボード，リフトの使用）しているか
生活動作	
□基本的日常生活動作	●食事動作，排泄，清潔，更衣，整容動作，移乗，歩行，階段昇降が可能．可能でないのであれば，誰がどのように援助を行っているか
□手段的日常生活動作	●調理，買い物，洗濯，掃除，金銭管理，交通機関利用が可能か．不可能であれば誰がどのように援助を行っているか
生活活動	
□食事摂取	●食事内容，形態（普通，刻み食，とろみ食，ペースト食等），量，回数，時間はどうか．間食の有無，胃瘻からの栄養注入の場合は内容，量，回数はどうか

情報収集項目	情報収集のポイント
活動	
□水分摂取	●水分摂取内容, 量はどうか. とろみが必要か. 胃瘻からの注入の場合は量, 回数はどうか
□活動・休息	●睡眠時間, 睡眠パターンはどうか. 催眠薬は使用しているか. 生活リズム, 活動状況, 余暇の過ごし方はどうか
□生活歴	●出生地, 職歴, 家庭・職場・地域等における役割, 生活習慣, ライフイベントはどのようなものか
□嗜好品	●飲酒, 喫煙, コーヒー, 茶, 菓子等の嗜好品, 量はどうか
コミュニケーション	
□意思疎通	●理解力はどうか
□意思伝達力	●発語, 言語能力, ジェスチャー(瞬目, OKサイン, 指文字等)はどうか. 筆談, コミュニケーションツールの使用が可能であるか
□ツールの使用	●ホワイトボード, 文字盤, 意思伝達装置, 呼び鈴, ナースコール使用状況はどうか
活動への参加・役割	
□家族との交流	●家族関係, 同居の有無, 別居家族の訪問・電話の頻度はどうか
□近隣者・知人・友人との交流	●近隣者, 知人, 友人との交流の有無, 頻度はどうか
□外出	●外出の目的, 内容, 頻度, 外出時の人との交流はどうか
□社会での役割	●現在, 過去の就労状況(仕事内容, 就業年数, 役職, 雇用形態), 地域活動(自治会, 民生委員, ボランティア活動)はどうか. 患者会などに参加しているか
□余暇活動	●趣味, 活動の参加状況はどうか
環境	
療養環境	
□住環境	●浴室, トイレ, 台所, 居間, 玄関, 段差, 階段の状況はどうか. エレベーターはあるか. 福祉用具, 住宅改修の利用状況はどうか
□地域環境	●歩行・車椅子利用のための歩道の状況, 公共交通機関の利便性, 公共機関の整備状況はどうか
家族環境	
□家族構成	●家族構成, 家族の居住地, 家族の年齢はどうか. 同居しているか
□家族機能	●家族関係, 家族内の意思決定方法や役割, 家族の健康状態はどうか
□家族の介護・協力体制	●介護者, キーパーソン, 協力者はいるか. 家族の医療処置, 介護実施内容, 介護者の生活, 休息, 余暇の状況はどうか
社会資源	
□保険・制度の利用	●医療保険(被用者保険, 国民健康保険, 後期高齢者医療制度), 介護保険, 障害者総合支援法, 公費助成, 在宅人工呼吸器使用患者支援事業等の利用状況, 負担割合はどうか
□保健医療福祉サービスの利用	●自治体等のサービス利用状況, 内容, 頻度はどうか. 福祉用具, 住宅改修の利用状況, レスパイトケアの受け入れ先はどうか
□インフォーマルなサポート	●家族, 友人, 知人, ボランティア, 患者会などインフォーマルなサポートを受けているか, その頻度・内容はどうか
経済	
□世帯の収入	●就労による収入, 年金(国民, 厚生, 障害), 預貯金, 財産はどうか. 公費助成等を受けているか
□生活困窮度	●生活保護を受給しているか. 経済的余裕はあるか

11 筋萎縮性側索硬化症

情報収集項目	情報収集のポイント
志向性(本人) □生活の志向性 □性格・人柄 □人づきあいの姿勢	●価値観,生きがい,生きる目標,信仰・宗教心はどうか ●論理的,几帳面,頑固,外向的,温厚,神経質等性格・人柄はどうか ●これまでの人づきあいの姿勢から変化しているか
自己管理力(本人) □自己管理力 □情報収集力 □自己決定力	●体調の変化を医師・看護師に相談できているか ●自分が受ける医療,生活に必要な情報収集ができているか ●情報整理を適切に行い理解したうえで自分に必要な医療・生活支援方法を決定しているか
理解・意向(本人) □意向・希望 □感情 □終末期への意向 □疾患への理解 □療養生活への理解 □受けとめ	●疾患が進行する中でどのような医療・生活を希望しているか ●疾患や療養生活に対してどのような感情(不安,怒り,悲嘆,諦め,期待,安心)をもっているか ●人工呼吸器の装着をどのように思っているか.気管切開術・胃瘻造設術をどのように思っているか.麻薬の使用や急変時救急搬送についてどうか.不可逆性な状態に陥った際に積極的治療を望んでいるか ●疾患,症状,予後,治療,日常生活に及ぼす影響,その対処方法(サービス,環境調整,制度の活用)について説明を受け理解しているか ●疾患の進行に伴い生活スタイルの変更を余儀なくされることを理解しているか ●疾患,療養生活に対してどのように受けとめているか
理解・意向(家族) □意向・希望 □感情 □疾患への理解 □療養生活への理解 □生活の志向性	●どのような医療・生活を送ってもらいたいと希望しているか,療養者の希望を知り,どのように考えているのか ●疾患や療養生活に対してどのような感情(怒り,悲嘆,諦め,罪悪感,感謝等)をもっているか ●疾患,症状,予後,治療,日常生活に及ぼす影響,その対処方法(サービス,環境調整・制度の活用),家族が行う医療処置,介護について説明を受け理解しているか ●疾患の進行に伴い,家族も生活スタイルの変更を余儀なくされることを理解しているか ●介護者・家族の価値観,生活習慣,就労状況,介護,家事の状況,社会的役割はどうか.余暇をどのように過ごしているか

事例紹介

人工呼吸器管理を受けながら残存機能を活かした生活を送るALSの療養者の例

Keywords 残存機能,自尊心,筋萎縮性側索硬化症(ALS),尿路感染,呼吸器感染,人工呼吸器管理,胃瘻,壮年男性

〔基本的属性〕男性,55歳
〔家族構成〕妻と高校3年生の娘との三人暮らし
〔主疾患等〕ALS
〔状況〕2年前に発症しALSと診断された.1年前に症状が進行して人工呼吸器装着が必要になり,気管切開・胃瘻造設術を受けている.退院に伴い在宅サービスを開始している.発症前はコンピューター会社役員をしていて経済的余裕がある.患者会の仲間や在宅サービスの支援を受け,自尊心を保ち,日中は車椅子での生活を可能な範囲で行い,ネットや外出で社会との接点をもち続けている.

NOTE

人工呼吸器

「息が苦しい」状況は生死に直結し，医療現場における重大な臨床課題である．呼吸不全は「酸素投与が行われていない状態で動脈血酸素分圧が60 mmHg以下になる呼吸器系の機能障害」と定義される．身体所見では頻呼吸，頻脈が現れ，頸静脈の怒張や浮腫，チアノーゼなどが現れる．慢性呼吸不全ではいそうのほか，補助呼吸筋の肥大による鎖骨窩の陥凹が認められ，肩呼吸や口すぼめ呼吸が特徴的所見である．CO_2ナルコーシスをきたすと頭痛や軽微な人格変化から錯乱・昏睡に至る意識障害が生じることもある．

在宅人工呼吸法（HMV）を行う際に用いる装置が人工呼吸器である．人工呼吸器には気道に空気を送り込む陽圧換気装置を用いて行う方法と，胸郭をキュイラスという胸当てで覆い，体外式陽・陰圧換気装置を用いて胸郭を動かして呼吸を補助する方法がある．

わが国では陽圧換気法が一般的である．これには気管切開を行う侵襲的人工呼吸法（TPPV）と鼻や顔面をマスクで覆い換気を行う非侵襲的人工呼吸法（NPPV）がある．TPPVの最大の長所は確実に気道確保できることであるが，侵襲的であるため実施率は5%程度である．

人工呼吸器を導入する際には，薬物療法，機器類の指導，呼吸リハビリテーション，食事・栄養療法，感染予防対策などが最大限に行われ，患者と家族・介護者の十分な準備とトレーニングが必要である．

在宅医療は患者の意思や希望を尊重し，病状の安定を図り，入院の必要性を減らし，自宅の療養環境を整備し，その人らしい生活を支援する．そのアウトカムは患者と家族のQOLの向上である．

呼吸リハビリテーションでは，呼吸パターンの修正や呼吸筋と呼吸補助筋の強化と胸郭の関節や軟部組織の柔軟性のトレーニングを行う．初期においては持久力や筋力を強化するトレーニングが生活習慣に組み込まれるよう，具体的かつわかりやすく指導することが重要である．病状が進行した場合は無理をせず，愛護的かつ緩和的に体力維持と介護負担の軽減を目的としたプログラムを実施する．カフアシスト装置は喀痰の排出を促し，微小無気肺を改善し，肺炎を予防するために有効な装置である．リハビリテーションの一環として導入することが望ましい．

人工呼吸器を安全かつ有効に用いるためには，かかりつけ医と訪問看護ステーションの地域医療ネットワークによる連携が重要である．患者や家族の負担を減らすためにも，難病法，身体障害者福祉法や介護保険などの社会保障制度を活用し，訪問診療と多職種協働体制を構築する．2018年度診療報酬改定でITを用いた遠隔医療が認められたが，人工呼吸器を使用する患者への適用が期待される．

11 筋萎縮性側索硬化症

第2章 健康障害別看護過程　2. 難病

情報整理シート

疾患・医療ケア

【疾患・病態・症状】

主疾患等：ALS（球麻痺型）(53歳〜)
病歴：特記事項なし
経過：
2年前　話しづらさや食事が喉を通りにくいと感じ，転倒を繰り返すようになったため近医受診．A医療センター神経内科を紹介．受診してALSと診断を受ける．診断直後に歩けなくなり，半年後，口から食べることが困難になり体重が減少．同時期には家族との会話でも聞き返されることが多くなっていた．
1年前　疾患が進行し，呼吸困難を感じるようになり入院．気管切開術，胃瘻造設術を受け，人工呼吸器が装着される．その後，在宅療養環境を整備して退院とともに訪問看護と他の在宅ケアサービスを開始する．

【医療ケア・治療】

服薬：緩下剤（マグミット錠）
催眠薬（アモバン錠）
治療状況：
週1回Bクリニック往診．気管カニューレ交換を2週間に1回，尿道カテーテル交換を1か月に1回，胃瘻カテーテル交換を半年に1回行う予定である．A医療センターは，今後半年に1回妻が代理で受診して，緊急受け入れ体制の確保およびレスパイトケア目的の入院を受け入れてくれる予定である．
医療処置：排痰処置，胃瘻からの栄養投与，尿道カテーテル管理
訪問看護内容：状態観察，口腔ケア，排痰処置，排便処置，尿道カテーテル管理，胃瘻管理，療養相談

【全身状態・主な医療処置】

血圧：120〜130／60〜80 mmHg
脈拍：65〜80回／分 不整脈なし
体温：36.0℃ 前後
酸素飽和度：98〜99％
呼吸：14〜18回／分
痰：白色，硬い
呼吸状態は安定

身長：170 cm
体重：49 kg
BMI：17

排便：2日／週
排尿：カテーテル留置 尿量1,500 mL前後／日
食事：胃瘻より投与 1日3回 栄養1,200 kcal／日 白湯600 mL／日

気切
胃瘻
尿道カテーテル

基本情報
年齢：55歳　性別：男性
要介護度：要介護5
障害高齢者自立度：C1
認知症高齢者自立度：自立

排痰困難のため訪問看護師が1日2回排痰処置を行い，痰吸引等研修を受けたホームヘルパーに実地指導を行い吸引，胃瘻からの栄養投与を行っている

人工呼吸器装着
呼吸器モード：SIMV
TV：500 mL　RR：12
PS：10　PEEP：5
胃瘻より栄養投与
ラコール®NF300 g×4パック
朝・夕：1パック（妻）投与
昼：2パック（ホームヘルパー）投与
白湯600 mLを3回に分けて投与

嚥下障害
構音障害

便秘のため訪問看護で週2回浣腸，摘便を行いコントロール
排尿は尿道カテーテル留置

活動

【移動】

屋内移動：ベッドから車椅子への移乗はリフトを使用して妻・理学療法士・ホームヘルパーが介助して移動を行っている．訪問看護ステーションから週2回理学療法士によるリハビリテーションを受けており，その際に車椅子に移乗している．
屋外移動：ベッドから車椅子への移乗はリフトを使用．重度障害訪問介護を利用して外出支援を受けている．

【活動への参加・役割】

家族との交流：妻，娘とは毎日短時間でも話をする時間をもっている．故郷に住む両親が気になるが2年前から会っていない．
近隣者・知人・友人との交流：SNSでコンピューター会社の元同僚や患者会の仲間との交流がある．近隣者とは外出時に挨拶をする程度で，友人はこれまで何度か面会してくれたが，最近は疎遠になっている．
外出：月1〜2回，患者会に参加している．
社会での役割：夫，父親としての役割をこれまでどおり果たしたいと考えている．また，患者会に参加，協力することで，自らと同じ病気をもち生活する人の支えになりたいと考えている．
余暇活動：家族と過ごしたり，月1〜2回患者会に参加したり，SNSで患者会の仲間や元同僚とコミュニケーションをとり，交流している．

【生活活動】

食事摂取：胃瘻からの栄養投与
水分摂取：胃瘻からの白湯投与
活動・休息：月1〜2回患者会に参加し週2回理学療法士による訪問リハビリテーションを受けて，その際に車椅子に移乗し過ごす時間がある．夜間は睡眠薬服用で睡眠はとれている．
生活歴：サラリーマンの家庭に生まれた．きょうだいはおらず大学を卒業してコンピューター会社に就職．朝9時から夜10時まで開発部門で25年間勤務して役員になったが，発症し退職．これまで，仕事が多忙であっても休日には家族と外出や旅行に出かけるなど家族との時間を大切に生活していた．
嗜好品：時々，胃瘻からコーヒーや茶を投与している．

【生活動作】

基本的日常生活動作

食動作	妻，ホームヘルパーによる胃瘻からの栄養投与
排泄	おむつ使用 排便：酸化マグネシウム朝夕服用．週2回訪問看護師による浣腸，摘便でコントロール 排尿：尿道カテーテル留置
清潔	訪問入浴週2回，訪問介護により適宜清拭
更衣整容	口腔ケア1日3回（訪問看護，訪問介護） 整髪，洗面（訪問介護），髭剃り（訪問介護） 更衣（訪問入浴，訪問介護）
歩行	不可能
移動	不可能．車椅子移乗，体位変換は介助

手段的日常生活動作

調理	妻が行っている
買い物	妻が行っている
洗濯	妻が行っている
掃除	妻が行っている
金銭管理	妻が管理している
交通機関	介護タクシーを利用している

【コミュニケーション】

意思疎通：可能
意思伝達力：問題ない
ツールの使用：透明文字盤，意思伝達装置

環境

【療養環境】

住環境：住居はマンション5階(持ち家). 段差等の住宅改修はされており, 車椅子の使用は可能である. エレベーターあり

地域環境：比較的都市部にある閑静な住宅街
地域性：都市部特有の挨拶程度の人づきあいであるが, 医療機関, 保健福祉サービスは充実している.

【ジェノグラム】

故郷

【家族の介護・協力体制】

日中は訪問看護, 訪問介護で介護を行っているが, 夜間は妻が1人で介護を行っている. 高校3年生になる娘も協力はしてくれるが来年大学に進学するための受験勉強中であるため, 妻は1人で頑張らないといけないと思っている. 他に介護協力してくれる人の存在はない.

【社会資源】

サービス利用：

	月	火	水	木	金	土	日
AM	訪問看護 訪問介護	訪問看護 PT 訪問介護	訪問看護 訪問介護	訪問看護 PT 訪問介護	訪問看護 訪問介護	訪問看護 訪問介護	訪問看護 訪問介護
PM	訪問介護 訪問看護 訪問入浴	訪問看護 訪問介護	訪問看護 往診 訪問介護	訪問看護 訪問介護	訪問看護 訪問介護 訪問入浴	訪問看護 訪問介護	訪問看護 訪問介護

保険・制度の利用：医療保険, 介護保険, 障害者総合支援法

【経済】

世帯の収入：障害年金, 退職金, 預貯金
生活困窮度：経済的に余裕がある.

【エコマップ】

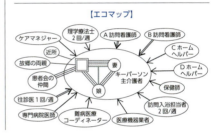

理解・意向

「僕の介護で疲れている妻の負担を軽減するためにおむつ交換を減らしてあげたい…. だから感染のリスクを承知でおしっこの管を入れてもらった. それに外出先でおむつ交換しなくてもいいし…」

「便秘になると呼吸がしんどい. 下痢はいつ便が出るかわからないから嫌なので, 週2回浣腸と摘便で出してほしい」

「2年前にALSと診断された時に, 夫は延命治療は受けたくないと話していたけど, 私と娘のために生きてほしいと話し合い, 生きることを決めてくれてよかったと思っています」

「妻や娘の支えがあり気管切開, 胃瘻造設を受け生きることを選択した」

「家族, 訪問介護, 訪問入浴, 訪問看護が日常生活の支援をしてくれているので, それで満足している」

「お父さんは私たち家族のために仕事だけでなく家族を大切にしてくれていたので, これからも家族と生きてほしいと思っています」

「みんなのサポートを受けて, 時には不便なこともあるが, 今の自分にできることを生活に活かすことができている」

「家族や患者会の仲間, 周囲のサポートを受けて, 生きることを選択してよかったと今は思っている」

本人

妻
キーパーソン
主介護者

50歳, 専業主婦
結婚して25年
夫婦関係は良好.
結婚した当初からこれまで仕事が忙しいにもかかわらず家事を手伝ってくれたり, 家族と過ごす時間を大切にしてくれたことに感謝している

【志向性】

生活の志向性：元コンピューター会社会社役員で開発部門で25年まじめに遅くまで働きながらも休日は家族との時間を大切にしてきた
性格・人柄：温厚
人づきあいの姿勢：家族, 部下, 誰に対しても思いやりをもって人と接してきた

【自己管理力】

自己管理力：これまで仕事, 家庭での問題, そして病気の告知を受けた時も逃げることなく真摯に考えて選択・決断し自己管理してきた
情報収集力：病気のことについてはネット, 書籍, 患者会, 医師等から生活支援については保健師, ケアマネジャー等から情報収集をしている
自己決定力：自分や周囲の状況を把握して, それに応じた決断を行えている

娘

18歳, 高校3年生
来年大学に入学予定
親子関係は良好
一人娘であるため, 父親に可愛がられて育てられた父親がALSになったことをきっかけに看護師になることを考えている

11 筋萎縮性側索硬化症

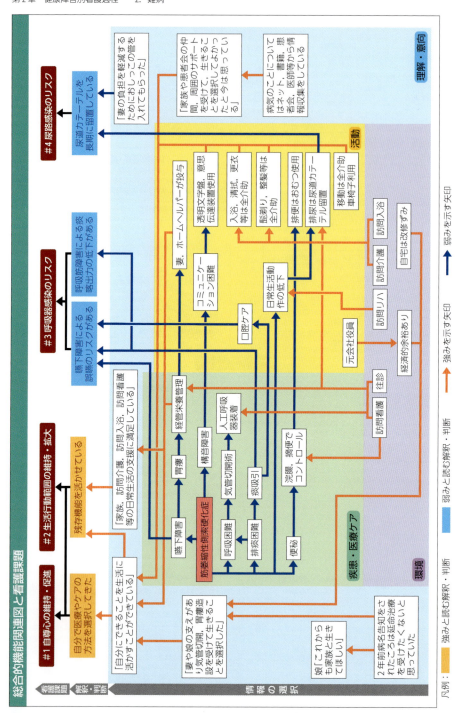

STEP❶ アセスメント　STEP❷ 看護課題の明確化　STEP❸ 計画　STEP❹ 実施　STEP❺ 評価

11 筋萎縮性側索硬化症

看護課題リスト

No.	看護課題　【コード型】文章型	パターン
#1	【自尊心の維持・促進】本人の意思，サポート環境を活かし自尊心を維持・促進する	強み着眼型
	根拠 家族からの支えや医療・介護サービスの提供，患者会等のサポート環境が整っていることや，本人が今後の生活を自分で選択できるための情報収集能力や判断力をもち，経済的余裕があるため自分で生活のあり方を選択することで自尊心を維持・促進できる．	
#2	【生活行動範囲の維持・拡大】残存機能を活かし，生活行動範囲を維持・拡大する	強み着眼型
	根拠 家族からの支えや医療・介護サービスの提供，患者会等のサポート環境が整っているため，周囲のサポートのあり方で残存機能を活かした生活を送ることができる．	
#3	【呼吸器感染のリスク】誤嚥と痰喀出力低下により，呼吸器感染のリスクが高い	リスク着眼型
	根拠 ALSによる嚥下障害による誤嚥，肺活量低下，痰喀出力低下により誤嚥性肺炎などの呼吸器感染のリスクがある．	
#4	【尿路感染のリスク】尿道カテーテルの長期留置により，尿路感染のリスクが高い	リスク着眼型
	根拠 妻の介護負担の軽減や外出先でのおむつ交換が大変であるという本人の意向で尿道カテーテルを留置しているが，不適切な管理により感染するリスクがある．	

【看護課題の優先度の指針】ALSで人工呼吸器を装着していても周囲の環境やサポートを受けることで，【自尊心の維持・促進】【生活行動範囲の維持・拡大】した自分らしい生活を送ることができるので#1，#2とする．そのためには【呼吸器感染のリスク】【尿路感染のリスク】に留意して現在の生活を継続できるよう，顕在化していない課題に対してもモニタリングして注意する必要があるので，それぞれ#3，#4とする．

長期目標

ALSの進行に伴う合併症を予防し，自尊心と残存機能を可能なかぎり長期間維持して，在宅療養生活を送る．

根拠 自分で生活を選択できることや残存機能を活用できる環境があることで自律した生活の継続が可能となり，自尊心の維持・促進を図ることができる．その時間を長期間継続させるためには，呼吸器感染，尿路感染などのリスクを軽減する必要がある．

〈長期目標を共有するケアチーム〉
フォーマルサービス：訪問看護師，往診医，訪問入浴担当者，ホームヘルパー，理学療法士，ケアマネジャー，難病医療コーディネーター，保健師，医療機器業者
インフォーマルなサポート：妻，娘，患者会

| STEP ❶ アセスメント | STEP ❷ 看護課題の明確化 | **STEP ❸ 計画** | STEP ❹ 実施 | STEP ❺ 評価 |

1 看護課題 / 看護目標(目標達成の目安)

看護課題	看護目標(目標達成の目安)
#1 【自尊心の維持・促進】 本人の意思,サポート環境を活かし自尊心を維持・促進する	1) 支援に満足していることを表現できる(1か月) 2) 人とのつながりや役割をもつことができている(1か月) 3) 自分の意思を示す手段をもっている(1か月)

援助の内容	援助のポイントと根拠
OP 観察・測定項目 ● 身体の状態 ● 福祉用具の利用 ● 療養環境 ● 医療・介護サービスの利用状況 ● 生活の満足度 ● 意思の表現	➡ 身体的に安定している状態であるか,安定した状態を保つために必要な福祉用具,環境等が整備されているか,家族や友人,医療・介護サービス等から十分なサポートを受けているか,ADLの低下に応じて生活の再構築が行えているか,家族,人とのつながり,過去と現在においての役割,自分で意思決定が行えているか ➡ 生活環境や受けているサポートに満足しているか,自分の意思を示す手段をもっているか,自分の意思が尊重される状況であるか,家族,友人,人とのつながりに満足しているか,過去を通しての現在の役割に満足しているか
TP 直接的看護ケア項目 ● 苦痛の緩和 ● 外出の支援	➡ 身体的な苦痛に対して,苦痛が緩和されるよう適切に薬物を投与する.福祉用具,ケア等の工夫を行う **根拠** 症状進行に伴い合併症(肺炎,尿路感染症,褥瘡,腰痛等)が生じやすいため苦痛の緩和を薬物,福祉用具,ケア等で緩和する必要がある ➡ 社会参加や気分転換,人との交流が保たれるように外出などの機会を提供する **根拠** 症状が進行しても人とのつながりや役割をもつことで生きがいになるため社会参加,気分転換の機会が必要である
EP 教育・調整項目 ● アドバンスケアプランニング	➡ **連携** 本人の気がかりや意向・価値観や目標・症状や予後の理解・治療や療養に関する意向などについて話し合う機会を多職種でもち,支援体制が構築されるように調整する **強み** 症状進行に伴い,医療・生活のあり方を見直すことが必要になるため,本人・家族とともに多職種でそのつど支援体制を検討する

2 看護課題 / 看護目標(目標達成の目安)

看護課題	看護目標(目標達成の目安)
#2 【生活行動範囲の維持・拡大】 残存機能を活かし,生活行動範囲を維持・拡大する	1) 毎日数時間は車椅子に移乗し座位で過ごすことができる(1か月) 2) 1か月に2回程度行っている外出を継続できる(1か月)

援助の内容	援助のポイントと根拠
OP 観察・測定項目 ● 残存機能の状況	➡ 移乗・座位:手段,座位保持可能な時間,ポジショニング コミュニケーション:手段,活用できる機能(眼球運動,手指の動き)を把握する

●日常生活の状況	⊃排泄，清潔，整容，移動・活動，食事(経管栄養)，コミュニケーションの状況
●日常生活への支援の状況	⊃生活環境(福祉用具，住宅改修)と日常生活への支援(インフォーマルなサポート，フォーマルサービス)の状況 根拠 日常生活の状況に応じた生活環境，支援体制を本人，家族，多職種で調整し残存機能を活かした療養生活を支援する必要がある
TP 直接的看護ケア項目	
●残存機能を活かしたケア提供	⊃ 強み 表情，眼球，指先等の残存機能を活かしたコミュニケーション方法を工夫する 根拠 症状進行に伴い，現在使用している透明文字盤，意思伝達装置を操作するスイッチを見直す必要がある
EP 教育・調整項目	
●外出等，生活行動拡大の勧め	⊃ 強み 日中，車椅子で過ごせる能力を活かし，外出を勧める 連携 療養生活が長期である特徴から本人・家族の心身の負担や経済的負担を軽減するために保健師，難病医療コーディネーターと使用できる制度やサービスについて調整する必要がある

3 看護課題	看護目標(目標達成の目安)
#3 【呼吸器感染のリスク】 誤嚥と痰喀出力低下により，呼吸器感染のリスクが高い	1) 唾液をコントロールできる(1週間) 2) 口腔内を清潔に保つことができる(1週間) 3) カフ圧を保つことができる(1週間) 4) 効果的な排痰ケアを受けることができる(1週間) 5) 呼吸器感染を起こさない(1か月)

援助の内容	援助のポイントと根拠
OP 観察・測定項目	
●バイタルサイン	⊃体温，脈拍，血圧，呼吸，酸素飽和度の状態 根拠 感染の徴候を早期に把握する
●呼吸状態	⊃副雑音の有無，胸郭運動・可動域・柔軟性，呼吸補助筋の状態，心窩部・肋間筋の吸気時陥没呼吸，呼吸困難感，痰の性状・量，唾液たれ込み，チアノーゼ，血液検査データ(白血球，CRP等) 根拠 呼吸器感染の徴候を早期に発見し悪化を予防する必要がある
●人工呼吸器の状態	⊃人工呼吸器モード，設定，1回換気量，呼吸回数，PIP，分時換気量，リーク，同調の状態，カフ圧 根拠 人工呼吸器の使用状況は生命に関与するため管理する必要がある
TP 直接的看護ケア項目	
●カフ圧管理	⊃カフ圧を適正に保つ
●排痰ケア	⊃体位ドレナージ，呼吸介助，カフアシストを使用して気道中枢に痰を移動させ吸引器を使用し効果的な排痰ケアを行う
●口腔ケア	⊃口腔内の清潔を保つ 根拠 口腔内の常在菌を除去し誤嚥性肺炎を予防する
EP 教育・調整項目	
●緊急時の対応の説明	⊃緊急時に医師，看護師が訪問するまでに家族で対応できるように蘇生バッグの使用方法や緊急時対応方法について家族に説明する 根拠 災害時，緊急時は家族の迅速な対応が必

援助の内容	援助のポイントと根拠
●家族，ホームヘルパーへの吸引の説明	要である　**連携**　緊急時の受け入れ先について専門医に確認しておく ⮕安全に吸引できるように定期的に吸引技術を確認して，必要時は指導する　**根拠**　人工呼吸器脱着，喀痰吸引の行為は生命に関与するため安全への配慮が必要である

4 看護課題	看護目標（目標達成の目安）
#4 【尿路感染のリスク】 尿道カテーテルの長期留置により，尿路感染のリスクが高い	1) 発熱がない（1週間） 2) 家族，ホームヘルパーが尿道カテーテルの事故抜去，感染に配慮してケアができる（1週間） 3) 陰部を清潔に保つことができる（1週間） 4) 尿路感染症を起こさない（1か月）

援助の内容	援助のポイントと根拠
OP 観察・測定項目 ●バイタルサイン ●尿路感染の徴候	⮕体温，脈拍，血圧，呼吸，酸素飽和度の状態　**根拠**　感染の徴候を早期に把握する ⮕発熱，尿の性状（色調，混濁，浮遊物），量，尿道カテーテルの交換頻度，固定の状況，屈曲・閉塞の有無，疼痛・違和感の有無，血液検査データ（白血球，CRP等）　**根拠**　尿路感染症の徴候を早期に発見し悪化を予防する
TP 直接的看護ケア項目 ●尿道カテーテル管理	⮕尿道カテーテルの固定，挿入部の清潔保持に注意する．カテーテルからランニングチューブ接続部を外さない．蓄尿バッグが床に接触しないようにする．陰部を洗浄し，カテーテル閉塞時は膀胱洗浄もしくは尿道カテーテルを交換する　**根拠**　カテーテルの不適切な管理は尿路感染の原因となる
EP 教育・調整項目 ●家族，ホームヘルパーへの尿道カテーテル管理の説明	⮕ケア時に尿道カテーテルが屈曲していないか，移乗の際に引っ張ることがないように注意すること，尿廃棄時に尿の性状，量に異常はないか，異常があれば看護師に報告するように説明する　**連携**　家族，ホームヘルパーとの連携のもと尿路感染症等を早期に発見する

STEP ① アセスメント ▶ **STEP ② 看護課題の明確化** ▶ **STEP ③ 計画** ▶ **STEP ④ 実施** ▶ **STEP ⑤ 評価**

強みと弱みに着目した援助のポイント

強みに着目した援助
- 自分の意思を伝える能力，手段を活かした意思決定を支援する．
- 日中，車椅子で過ごせる能力を活かし，外出を勧める．

弱みに着目した援助
- 呼吸器感染が起こらないように，呼吸状態をアセスメントし，排痰ケアや口腔ケア等を行い予防する．呼吸器感染が疑われる場合は早期に治療を受けることができるように対処する．
- 尿路感染症が起こらないように，尿道カテーテルの管理，挿入部の清潔を保つ．尿路感染症が疑われる場合は早期に治療を受けられるように対処する．

STEP ❶ アセスメント　STEP ❷ 看護課題の明確化　STEP ❸ 計画　STEP ❹ 実施　STEP ❺ 評価

評価のポイント

- 支援に対して満足していることを表現できているか
- 人とのつながりや役割をもつことができているか
- 自分の意思を示す手段をもっているか
- 毎日数時間は車椅子に移乗し座位で過ごすことができているか
- 1か月に2回程度行っている外出を継続できているか
- 口腔内を清潔に保つことができているか
- カフ圧を保つことができているか
- 効果的な排痰ケアを受けているか
- 呼吸器感染を起こしていないか
- 発熱がみられないか
- 家族，ホームヘルパーが尿道カテーテルの事故抜去，感染に配慮してケアができているか
- 陰部を清潔に保っているか
- 尿路感染症を予防できているか

関連項目

第2章「16 関節拘縮」「19 摂食・嚥下障害」
第3章「25 家族の介護疲れ」「33 意思決定不全」

● 参考文献
1) Witgert M, et al：Frontal-lobe mediated behavioral dysfunction in amyotrophic lateral sclerosis. Eur J Neurol 17：103-110, 2010
2) Ringholz GM, et al：Prevalence and patterns of cognitive impairment in sporadic ALS. Neurology 65：586-590, 2005
3) 川田明広ほか：Tracheostomy positive pressure ventilation (TPPV) を導入したALS患者のtotally locked-in state (TLS) の全国実態調査．臨床神経学 48：476-480，2008
4) 日本神経学会監，「筋萎縮性側索硬化症診療ガイドライン」作成委員会編：筋萎縮性側索硬化症診療ガイドライン2013．南江堂，2013
5) Simon Witzel, et al：Safety and Effectiveness of Long-term Intravenous Administration of Edaravone for Treatment of Patients With Amyotrophic Lateral Sclerosis. JAMA Neurol 79(2)：121-130, 2022

12 多発性硬化症

多発性硬化症の理解

基礎知識

疾患概念
- **多発性硬化症（multiple sclerosis：MS）は中枢神経系（脳，脊髄）の慢性炎症性脱髄疾患の1つ．**
- 自己免疫機序が病態に関与すると考えられている．

疫学・予後
- 有病率には人種差があり，高緯度地方ほど患者割合が多い．DR2というHLA（ヒト白血球抗原）タイプが発症に関与するとされ，わが国における人口10万人あたりの患者数は14〜18人程度と推定されている[1]．
- 若年成人に発病することが多く，平均発病年齢は30歳前後で，50歳以上で発病することは少ない．男女比は1：2〜3くらいで女性に多いとされる[1]．

症状[2)3)]
- 脱髄が生じる病巣部位によってさまざまで，視力障害（球後視神経炎），眼球運動障害・複視，めまい，小脳失調，運動障害（単麻痺，対麻痺，片麻痺），感覚障害，膀胱直腸障害などである．また，認知機能障害，神経症状（抑うつ，多幸など）を認めることが多い．
- MSに特徴的な症状
  ・Uhthoff（ウートフ）現象：体温の上昇に伴って神経症状が悪化し，体温の低下により元に戻る．
  ・Lhermitte（レルミット）徴候：頸部を前屈すると頸部から背中にかけて電撃痛が放散する．
  ・有痛性強直性痙攣：刺激により放散痛が急激に生じ，異常感覚を伴うテタニー様の強直性攣縮性発作．

診断・検査値[3)]
- 臨床的特徴は，中枢神経病変の「時間的多発性」（症状の寛解と再発を繰り返す）と「空間的多発性」（複数の神経障害部位が存在する）であり，これを病歴・神経学的所見で病巣部位を推測したうえで，MRI検査，髄液検査，電気生理学的検査で証明する．
- 診断には診断基準が用いられるが，他疾患の除外が必要である．わが国においては，国際的に用いられるMcDonald診断基準の2010年度版に基づく，厚生労働省研究班による診断基準（2015）が用いられ，病型として「再発寛解型」「一次性進行型」「二次性進行型」がある．MRI所見が重視され，臨床症状の再発がなくてもMRIで新病巣を認めれば再発と判断され，早期治療がなされる．なお，McDonald診断基準は改定（2017年版）されている．
- MRI検査：MSに典型的な中枢神経領域（脳室周囲，皮質直下，テント下，脊髄）の2つ以上の領域にT2病変が1個以上あることは空間的多発性を示唆する．無症候性のガドリニウム造影病変と無症候性の非造影病変が同時に存在すること，あるいは基準となる時点のMRIに認められない，新たに出現したT2病変および/あるいはガドリニウム造影病変があることは時間的多発性を示唆する．造影剤を使用すれば，急性期病変はT1強調画像で白く描出される．
- 髄液検査：オリゴクローナルIgGバンドの出現，IgGインデックスの上昇が認められる．
- 電気生理学的検査：目，手足に電気・光刺激を与え，視神経，脊髄において脱髄による神経伝導速度の低下が認められないかを確認する（視覚誘発電位，体性感覚誘発電位）．

治療法[4)]
- **治療方針**
- 急性（増悪）期の治療，慢性（進行）期における再発・進行防止の治療，対症療法，リハビリテーション

に大別される.

●薬物療法
〈急性(増悪)期の治療〉
- ●副腎皮質ホルモン大量点滴静注療法(ステロイドパルス療法),血液浄化療法を施行する.

〈再発予防・進行防止の治療〉
- ●疾患修飾薬として原則,1種類が使用され,その適切な導入が再発・障害を抑制するとされている.
- ●ベースライン薬として,インターフェロン製剤(ベタフェロン®,アボネックス®),グラチラマー酢酸塩(コパキソン®)がある.いずれも注射薬であり,自己注射が困難な場合は訪問看護や家族が実施することが可能である.抑うつ傾向の強い場合には,インターフェロン製剤を避け,コパキソンが使用される.
- ●第二選択薬は,再発がみられるなど,疾患活動性が残り治療効果が十分でないと判断された際に用いられ,フィンゴリモド(イムセラ®,ジレニア®),ナタリズマブ(タイサブリ®)を使用することがあるが,進行性多巣性白質脳症などの副作用が生じうるため脳神経内科専門医による慎重な経過観察が必要となる.
- ●他に,ベースライン薬に近い位置づけとされるフマル酸ジメチル(テクフィデラ®),「二次性進行型」に特化したシポニモドフマル酸(メーゼント),2021年に承認されたオファツムマブ(ケシンプタ®)がある.

●対症療法
- ●便秘:酸化マグネシウム,ピコスルファートナトリウム水和物をはじめとする一般的な便秘薬.
- ●排尿障害:必要に応じて,間欠導尿・尿道留置カテーテルを行う.
- ●疼痛・しびれ感:薬剤(プレガバリン,アミトリプチリン,デュロキセチン,ガバペンチンなど),神経ブロックなど.
- ●筋痙縮:バクロフェン髄注療法,チザニジン,ガバペンチンなどの内服薬,ボツリヌス療法など.

●リハビリテーション
- ●回復期から慢性期にかけて重要であり,訪問リハビリテーションも含め,患者の状態に応じて行う.

在宅における特徴

- ●在宅医療の役割は,慢性期における在宅療養支援,急性増悪の早期発見に集約される.この際,医師は訪問診療を行う医師と,MSに対して専門的・重点的に診療する脳神経内科医との「二人主治医制」の体制が望ましい.
- ●通院が困難な患者も少なくないが,脳神経内科医のもとへ可能な範囲で定期的に通院してもらい,同医師に専門的治療(疾患修飾薬などの調整,方針決定や説明を含む)と,病状変化時における予約外受診や入院への対応を担ってもらう.

在宅診療の実際

病診連携
〈慢性期における在宅療養支援〉
- ●他疾患と同様に多職種アプローチが前提である.訪問診療を行う医師,訪問看護師は,たとえば,糖尿病など並存する疾患の日常的管理,尿道留置カテーテルなどの管理・交換,療養生活へのアドバイスを行う.状態に応じて,訪問リハビリテーション,訪問薬剤師(訪問薬剤管理指導)と連携する.
- ●生活援助も必須であり,介護支援専門員(ケアマネジャー),訪問介護士(ヘルパー),福祉用具業者はもちろんのこと,難病に指定されている本症においては,社会資源,福祉制度,医療費の助成に関する相談など,医療ソーシャルワーカー,相談支援専門員,行政などの支援が不可欠である.
- ●なお,MSは平均発症年齢が比較的若く,さまざまな症状を呈し再発・寛解を繰り返すうえに,抑うつなどを呈しやすいため,個々の患者とその家族に応じた心理面への配慮も重要となる.
- ●家族の介護負担,本人や家族の意向を加味しレスパイト入院についても検討する.

〈急性増悪の早期発見〉
- MSは急性増悪や再発時にステロイドパルス療法などの治療適応があり，そのタイミングを逃さないようにすることが求められる．とくに訪問看護師と訪問診療を行う医師は連携して，定期的な診察と血液検査，発熱時などにおける初期対応を行って，合併し得る感染症の早期発見・早期治療，MRIなどの画像検査や脳神経内科専門医を受診する必要性を判断する．

多発性硬化症に関連する社会資源・制度

1) 医療
- 難病法に基づく医療費助成制度
- 重度障害者医療費助成制度

2) 機能訓練
- 病院の機能訓練
- 障害者総合支援法に基づく自立訓練（機能訓練）

3) 日常生活の移動・移乗を支援する補装具，福祉用具貸与と購入支援
- 障害者総合支援法に基づく補装具費の支給・日常生活用具の給付等（車椅子，特殊寝台他）

4) 住宅改修
- 重度心身障害者（児）住宅改修費給付事業等（手すり，スロープの設置）

5) 日常生活動作（入浴，行為，整容，食事）の介助
- 障害者総合支援法に基づく居宅介護

6) 住まい
- 障害者総合支援法に基づく短期入所（ショートステイ）

7) 就労支援・相談支援
- 障害者総合支援法に基づく就労移行支援・相談支援

多発性硬化症をめぐる訪問看護

訪問看護の視点

1) 療養者をみる視点
- 麻痺，感覚性障害，視覚障害，排泄障害など多彩な症状を呈し，再発と寛解を繰り返しながら障害が蓄積されるため，残存機能を活かす視点をもつ．
- 症状が多彩であること，発症の予測がつかないことに理解が追いつかず，不安が強くなることが多い．
- 若い年齢から発症することが多く，就業，結婚，妊娠，親の介護など各ライフステージの課題解決が困難なことが多いため，心理・社会的側面をふまえた，幅広い視点が重要である．

2) 支援のポイント
- 疾患の類型（一次性進行型，二次性進行型，再発・寛解型）とその後の経過を予測し，症状に応じた医療処置，日常生活支援，リハビリテーションを行う．
- 療養者と家族が安全に在宅療養生活を送れるよう，長期的な視点をもってケアチーム体制を構築する．
- ステロイド薬，免疫抑制薬，インターフェロンベータ製剤を用いる際は確実な薬剤投与が必要であり，服薬管理状況や効果を把握し，予測される副作用に注意する．
- 治療方法の正しい理解を促し，不安を軽減する．
- 再発を誘発しやすいストレスや過労，感染，外傷・炎症，過度の日焼けなどを避けるよう配慮する．
- 疾患とうまく付き合いながら在宅生活を続けるには，療養者本人だけでなく，家族や周囲の支援者にも疾患の特徴や症状のコントロールの理解を促す．

● 状態別：療養者をみる視点と支援のポイント

状態	療養者をみる視点	支援のポイント
麻痺等による日常生活が困難な場合	神経の脱髄による麻痺等により，日常生活の困難さが出現している場合が多い．障害の部位，困難となっている動作が何であるかを把握・評価し，補装具や日常生活用具を活用しながら，自己でできる動作，支援を必要とする動作，補装具や日常生活用具の導入や工夫で可能となる動作などを見極めることが重要である．	●できることは本人に行ってもらい，日常生活動作の拡大に向けて支援する． ●常時介護が必要な場合は，障害福祉サービス等を適切に活用できるよう支援する．
疾患の再発リスクが疑われる場合	再発予防のための治療と症状コントロールのための治療が併せて行われている場合があり，新たな症状の出現時には，再発であるか，症状の一時的な増悪であるか把握することが必要である．	●症状悪化時または新たな症状の出現時は，速やかに医師に報告するとともに，早期に受診を促す． ●再発を起こす誘因を最小限にできる予防行動がとれるよう支援する．

訪問看護導入時の視点

- 日常生活上，何に困っているのか，どのような不安があるかを確認し，療養者本人や周囲の支援者の強みを生かし，長期的な視点をもち改善に向けてかかわるようにする．
- 再発や障害の進行をできる限り起こさないよう予防行動を日常生活の中に取り入れる．
- 疾患や治療，病態について医師からどのような説明が行われ，療養者本人・家族がどのように理解・受容しているかを把握する．

12 多発性硬化症

STEP ① アセスメント ▶ STEP ② 看護課題の明確化 ▶ STEP ③ 計画 ▶ STEP ④ 実施 ▶ STEP ⑤ 評価

情報収集

情報収集項目		情報収集のポイント
疾患・医療ケア	**疾患・病態・症状** □病態 □疾患の症状 □疾患の経過，予後	● 病型（一次性進行型，二次性進行型，再発・寛解型）は何か ● 脱髄している部位からどのような障害が起こっているか ● 症状と病巣部位はどう関連しているか ● 再発を誘発しやすい感染，外傷・炎症はないか ● 発症の時期と初発症状はどうだったか ● 過去の再発の時期や症状，経過はどうだったか
	医療ケア・治療 □服薬 □治療 □医療処置 □訪問看護	● 対症療法としての治療薬（鎮痛薬，抗痙攣薬，ステロイド薬など）を使用しているか ● インターフェロン療法，進行・再発を抑えるための治療薬の使用はどうか ● 今後の治療方針はどうか ● 排泄管理に必要な処置を行っているか ● 訪問看護導入の目的，看護内容はどうか
	全身状態 □成長・発達段階	● 療養者のライフステージはいつにあたるか

	情報収集項目	情報収集のポイント
疾患・医療ケア	□呼吸・循環状態 □摂食・嚥下・消化状態 □排泄状態 □筋骨格系の状態 □感覚器の状態 □認知機能 □意識 □精神状態 □免疫機能	➡治療薬の副作用や合併症により呼吸・循環障害を起こしていないか ➡治療薬の副作用や合併症により摂食・嚥下・消化機能に障害を起こしていないか ➡排便障害，排尿障害の有無とその内容はどうか ➡麻痺の部位・程度，拘縮はどうか ➡痛み，しびれ，部位，視覚の障害が起きていないか ➡大脳，小脳の萎縮，変性がある場合の認知機能の低下はないか ➡意識消失発作，てんかん発作などの有無，程度，症状の継続時間はどうか ➡焦燥感，うつ状態，多幸などの症状出現の有無と程度はどうか ➡パルス療法（ステロイド薬），免疫抑制薬の治療による自己免疫機能の低下はないか
活動	移動 □ベッド上の動き □起居動作 □屋内移動 □屋外移動	➡自己で体位変換ができるか．マットの硬さはどうか ➡起居動作に介助が必要か ➡屋内移動に介助や住宅改修（手すり，段差解消等），補助具（車椅子，杖）などが必要か ➡屋外移動に介助や補助具が必要か，通院手段（自家用車か公共交通機関か）はどうか
	生活動作 □基本的日常生活動作 □手段的日常生活動作	➡歩行状態，座位，衣服の着脱，ボタンの留めはずし，ズボンの上げ下ろしなどはどうか ➡調理や買い物，身の回りの整頓などを行えるか
	生活活動 □活動・休息 □生活歴	➡活動後の疲労感，脱力感はないか．回復にかかる時間はどうか．休息，睡眠状況はどうか ➡過去の就労状況や生活の仕方など，どのような生活を送ってきたか
	コミュニケーション □意思疎通 □意思伝達力	➡家族や関係者との意思疎通ができているか ➡電話，携帯電話，スマートフォン，メールなどの連絡ツールを活用できるか
	活動への参加・役割 □家族との交流 □近隣者・知人・友人との交流 □外出 □社会での役割 □余暇活動	➡家族との関係性は良好か ➡近隣者・知人・友人との交流はあるか．頻度はどれくらいか ➡外出の頻度や手段はどうか．外出時（後）の疲労度はどうか ➡就労している場合はその内容と勤務時間，疲労度はどうか．子どもがいる場合は園や学校への送り迎え，行事などはどうしているか ➡趣味や継続している活動などはあるか
環境	療養環境 □住環境	➡食事，トイレ，シャワー浴，睡眠など，生活活動範囲の屋内環境（段差，手すり，距離，空調管理など）が整備されているか

情報収集項目	情報収集のポイント
環境	
家族環境 □家族構成 □家族機能 □家族の介護・協力体制	➡同居家族の健康状態はどうか ➡同居家族による支援がなされているか．または必要時支援できる状況であるか(直接的身体介護，見守り，家事，緊急連絡，通院など) ➡別居家族や友人・知人等の支援体制はどうか
社会資源 □保険・制度の利用 □保健医療福祉サービスの利用 □インフォーマルなサポート	➡医療費助成や障害者総合支援法に基づく制度，各種制度を活用しているか ➡現在の医療体制，必要時の入院先があるか．緊急時の対応，相談先はあるか ➡保健師や社会福祉サービスがかかわっているか ➡家族や親族，友人や近隣者とのかかわり，地域の相談員等の介入状況はどうか
経済 □世帯の収入 □生活困窮度	➡年金の有無，生活に困らない程度の収入があるか ➡将来，生活に必要な収入が確保できているか
理解・意向	
志向性(本人) □生活の志向性 □性格・人柄 □人づきあいの姿勢	➡ライフスタイルや生活リズムはどうなっているか．日常生活上心がけていることなどはあるか ➡どのような性格，人柄か(過去，現在) ➡前向きに他者とかかわっているか．かかわることを苦痛に感じているか
自己管理力(本人) □自己管理力 □情報収集力 □自己決定力	➡日常生活において，自分で管理できているか ➡外部からの情報を収集したり，他者の意見などを総合的に集約，判断できるか ➡自己決定ができるか．決定を支援する人の存在はあるか
理解・意向(本人) □意向・希望 □感情 □疾患への理解 □療養生活への理解	➡訪問看護や他サービスに対して，療養者の意向・希望はあるか ➡常にどのような感情を抱いているか．感情の起伏はどうか．起伏が激しい場合は，時期，時間，どのような場面において出現するか ➡医師からの説明をどのように聞いているか．その説明を療養者がどのように受けとめ理解しているか．理解の程度はどうか(疾患，治療，予後) ➡現在の療養生活をどのように感じているか
理解・意向(家族) □意向・希望 □疾患への理解 □療養生活への理解	➡訪問看護や他サービスに対して，家族の意向・希望はあるか ➡医師からの説明をどのように聞いているか．その説明を家族がどのように受けとめ理解しているか．理解の程度はどうか(疾患，治療，予後) ➡現在の療養生活や介護をどのように感じているか．将来を見据えることができているか

12 多発性硬化症

事例紹介

家族の支援を受けながら生活を送る多発性硬化症の療養者の例

Keywords 多発性硬化症，免疫抑制薬，ウートフ現象，壮年女性

〔基本的属性〕女性，43歳
〔家族構成〕高齢の父母と同居
〔主疾患等〕多発性硬化症
〔状況〕父母と同居しながら仕事をしていたが，8年前に多発性硬化症と診断．ステロイドパルス療法，免疫抑制薬による治療で寛解するが，その後も数回の再発を繰り返し，下肢不全麻痺，有痛性痙攣が残存するようになった．疲労が強く，通勤が困難であることから2年前に退職．自宅療養を行うようになるが，徐々に日常生活動作の低下，判断力の低下がみられ，医師から訪問看護の導入を勧められた．再発・寛解型から二次性進行型に移行しつつあると思われるが，本人にはまだ知らされていない．現在も，訪問看護，リハビリテーションを続けながら自宅療養を継続している．

情報整理シート

疾患・医療ケア

【疾患・病態・症状】
主疾患等：多発性硬化症（二次性進行型，34歳〜）
病歴：なし
経過：
- 32歳　勤務中に右下肢の強いしびれ，歩行困難が出現し，近医受診．理由はわからないまま数日で回復した．
- 34歳　再び同症状が出現し，総合病院受診．翌日，さらに症状が悪化したため，大学病院の神経内科に紹介され，精査目的にて入院．多発性硬化症の診断を受ける．パルス療法実施にて症状は消失，歩行状態も改善し，その後通院で免疫抑制薬による治療を受けていた．
- 39歳　下肢麻痺，上肢のしびれが出現し，大学病院を受診．再発の診断のもと，入院にてパルス療法施行，車椅子が常時必要な状態にまで日常生活動作が低下するが，その後，回復期病棟に転院しリハビリテーションを実施．下肢不全麻痺，上肢のしびれが残存するが，日常生活動作はつたい歩きまで改善したため退院となる．
- 42歳　徐々に日常生活動作の悪化，軽度の判断力の低下がみられたため，病院の医師から訪問診療，訪問看護を勧められ開始．

【医療ケア・治療】
服薬：ジレニア，リボトリール，メチコバール，マイスリー，リリカ
治療状況：免疫抑制薬（内服）による経過観察
医療処置：特になし
訪問看護内容：全身状態の観察，リハビリテーション，入浴介助，日常生活への助言，服薬管理，精神的支援，緊急時対応

【全身状態・主な医療処置】
- 免疫抑制薬を服用中
- 血圧：124/64 mmHg
- 脈拍：72 回/分
- 体温：36.3℃
- SpO_2：98%
- 下肢に時々有痛性痙攣が出現する　初夏から秋にかけて，ウートフ現象が出現（冷罨法を実施）．症状は強い歩行障害，脱力，判断力の低下など
- 身長：158 cm
- 体重：52 kg
- BMI：20.8
- 普段のコミュニケーションは良好．軽い健忘は時々あり
- 睡眠障害があり，マイスリーを服用
- 排便：1回/1〜2日
- 排尿：7回/日
- 食事：3回/日
- 手のしびれがあり，巧緻動作が難しい
- 下肢不全麻痺，下肢のしびれがあり，歩行困難

基本情報
- 年齢：43歳　性別：女性
- 要介護度：対象外（障害区分3）
- 障害高齢者自立度：B1
- 認知症高齢者自立度：Ⅰ

活動

【移動】
屋内移動：室内は，ふらつきがあるため，以前はつたい歩きをしていた．調子が悪いときは転倒の可能性も高くなることから，現在は理学療法士指導の下，ピックアップウォーカー（4点歩行器）を使用し，自力で移動ができるようになった．
屋外移動：外出時は車椅子を使用する（他者の介助が必要）．

【活動への参加・役割】
家族との交流：弟の妻と仲がよく，以前は買い物などに出かけていた．日常生活動作が低下してからは出かけることが少なくなっている．
近隣者・知人・友人との交流：勤務時代の友人との交流があり，普段は友人とメールでのやりとりをしている．年に2回，友人との旅行を何よりも楽しみにしている．
外出：現在は，3か月に1回，専門病院通院以外に外出の機会はほとんどなく，自宅にこもっていることが多い．外出に不安を抱えている．
社会での役割：百貨店の販売員の仕事をしていたが，再発を繰り返し，39歳の時に立ち仕事が困難であることから休職，2年前に退職（41歳）．現在は無職（43歳）．

【生活活動】
食事摂取：母親が調理，セッティングを行ってくれる．摂取は自己で行うが，手のしびれがあるためにスプーンを使用している．
水分摂取：嚥下に問題はないが，体調不良時には摂取量が少なくなる傾向がある．
活動・休息：疲労しやすく，疲れると横になるという生活．週3回訪問リハビリテーション（理学療法士2回，作業療法士1回）を受けている．
生活歴：未婚．もともと快活な女性であった．以前は編み物や手芸が得意であった．
嗜好品：甘いものが好き．飲酒，喫煙歴なし．

【生活動作】

基本的日常生活動作

食動作	スプーンを使って自力摂取可能
排泄	トイレへ移動．ポータブルトイレの設置は本人が拒否している
清潔	主にシャワー浴．一部介助が必要で看護師または母親が介助を行っている
更衣整容	ゆっくりと自分で行うことができる
移乗	見守り下で自力で行うことができる
歩行	不安定．室内は4点歩行器を使用するが，調子が悪い日は，転倒の可能性が高い
階段昇降	手すりを使用し，見守り下で1〜2段は可能

手段的日常生活動作

調理	母親が全て行う
買い物	母親が行う，または本人がインターネットで購入
洗濯	全て母親が行う
掃除	身の回りの整理は本人が行う
金銭管理	本人が行う
交通機関	父親や友人の運転する自家用車またはタクシーを利用．電車やバスの利用はしていない

【コミュニケーション】
意思疎通：平常は問題ないが，調子が悪い日には困難となる場合もある．
意思伝達力：平常は問題ないが，調子が悪い日には困難となる場合もある．
ツールの使用：友人とはスマートフォンやSNSでつながっている．

環境

【療養環境】

住環境：
父母とマンションに同居．エレベーターあり．
自室にベッド，座椅子がある．トイレは洋式で，自室からトイレまでの距離は3～4 m．室内の段差は少ないが，トイレ，浴室，玄関に一部段差がある．

地域環境：公園やスーパーマーケットが近くにある．
地域性：住宅地域

【ジェノグラム】

他地域在住

【社会資源】

サービス利用：

	月	火	水	木	金	土	日
AM		訪問リハ(PT)		訪問リハ(OT)		訪問リハ(PT)	
PM	訪問看護		訪問診療(1回/2週)		訪問看護		

保険・制度の利用：国民健康保険，身体障害者手帳2級，難病法に基づく医療費助成制度

【経済】

世帯の収入：本人の障害年金，父母の厚生年金
生活困窮度：困窮していない．

【家族の介護・協力体制】

高齢の父母が本人の介護を行っている．通院は父が送り迎えを行う．弟が本人宅から車で40分の地域に居住しており，以前は，弟の妻が時々車で買い物に連れて行ってくれていた．父母の支援はやや過剰気味．服薬は時々忘れるので家族が必ず声をかけてくれている．

【エコマップ】

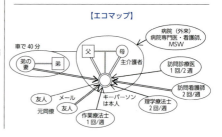

理解・意向

弟

会社員
妻と2人の子どもと一緒に本人宅から40分程度の地域に在住している

友人と旅行に行くのが何よりも楽しみ
よくなって仕事ができればと思うんです
いつ再発するか，痙攣が起こるかとても怖い
1人で外出してみたいけど怖い
調子が悪くなると自分ではどうしようもない
無理をすると調子が悪くなる
父母に迷惑かけたくない，自分でできることは自分でしたい

【志向性】
生活の志向性：体調悪化を恐れ，無理のない生活を心がけている．できれば，仕事に復帰したいと希望している．
性格・人柄：もとは快活な性格．現在は再発への不安が強く，時に両親に強くあたってしまう
人づきあいの姿勢：人づきあいはよい

【自己管理力】
自己管理力：自分の身辺にかかわることの管理は行う．家族の協力を必要とする場合がある
情報収集力：インターネットやSNSなどを通じ情報収集を行う
自己決定力：本人がキーパーソンである．多発性硬化症については不安があり，訪問看護師を相談者にしている

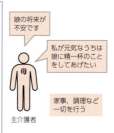

母
主介護者

娘の将来が不安です
私が元気なうちは娘に精一杯のことをしてあげたい
家事，調理など一切を行う

父

娘は本当によくなるのでしょうか

無職(会社員を退職)
受診時には，娘の送り迎えをしてくれる

総合的機能関連図と看護課題

12 多発性硬化症

凡例: 強みと読む解釈・判断 / 弱みと読む解釈・判断 / → 強みを示す矢印 / → 弱みを示す矢印

看護課題

- **#1 日常生活動作の維持・促進**
- **#2 神経症状再発のリスク**
- **#3 健康管理行動の維持・促進**
- **#4 不安**

解釈・判断

#1関連:
- 日常生活に一部介助が必要
- 残存能力を活かし向上できる可能性がある
- 家族、友人のサポートがある

#2関連:
- 現在、寛解期にあると考えられるが、今後、再発・障害進行の可能性がある

#3関連:
- よくなりたいという意欲がある
- 家族、友人のサポートがある
- ウートフ現象あり、体温上昇時の症状悪化がある

#4関連:
- 本人・家族に将来の生活への不安がある
- 難病の複雑な機序により疾患の理解が難しい

情報の選択

活動:
- 手洗い・うがいは欠かさず行う
- 外出時は車椅子使用
- 外出機会の減少
- 運動不足
- 専門病院受診 1回/3か月
- 自己で身の回りの整理ができる
- 普段は、服薬カレンダーで薬の管理
- シャワー浴一部介助
- 4点歩行器で室内の移動はできる
- 外出の不安
- 友人とメールのやりとり
- 「友人と旅行に行くのが何より楽しみ」
- 「いつ再発するか、痙攣が起こるかとても怖い」
- 父「本当によくなるのでしょうか」
- 母「娘の将来が不安です」
- 父「娘に迷惑をかけたくない」
- 母「私が元気なうちは娘に精一杯のことをしてあげたい」
- 弟「妻も子どもにも手がかからなくなったので、もう少し手伝うことができると思う」
- リハビリテーション OT 1回/週
- リハビリテーション PT 2回/週
- 訪問看護 2回/週
- 普段の日常生活介助は両親が行う（やや過乗気味）
- 母:家事全般
- 父:通院介助

疾患・医療ケア:
- 冷電法
- 体温の上昇
- 免疫抑制薬内服
- 多発性硬化症
- 神経の脱髄
- 中枢神経障害（残存症状）
- 判断力の低下
- 症状の悪化
- 下肢麻痺
- 上肢にしびれ
- 下肢に痛みを伴う痙攣がある
- 内服
- 歩行障害
- 巧緻動作困難
- 筋力低下
- 易疲労性
- 易感染性
- ウートフ現象
- 苦痛・ストレス
- 睡眠障害
- 勤務時代の友人と交流あり

環境:
- マンションに両親と同居
- 両親が高齢（現在は健康）
- 障害年金受給（本人）
- 身障者手帳2級 難病認定あり 介護保険非対象
- 厚生年金受給（両親）
- 経済的困窮はない
- 初夏から秋 気温・湿度の上昇
- 2年前に退職
- 「よくなって仕事ができればと思うんです」
- 「1人で外出してみたいけど怖い」
- 「調子が悪くなると自分はどうしようもない」

| STEP❶ アセスメント | STEP❷ 看護課題の明確化 | STEP❸ 計画 | STEP❹ 実施 | STEP❺ 評価 |

看護課題リスト

No.	看護課題　【コード型】文章型	パターン
#1	【日常生活動作の維持・促進】残存機能を活かし，日常生活動作を維持・促進する	強み着眼型
	<u>根拠</u> 補助具や自助具を活用・提案し，工夫を加えることで，日常生活動作の維持・拡大を図ることができる．生活不活発病(廃用症候群)を防ぐためにも，できる限り自身で日常生活を行い，必要箇所のみ介助を受けることが望ましい．	
#2	【神経症状再発のリスク】再発予防・障害進行抑制のために免疫抑制薬を内服しており，神経症状の再発のリスクがある	リスク着眼型
	<u>根拠</u> 多発性硬化症は，再発・寛解を繰り返しながら障害が進行する疾患である．再発を誘発する要因として，ストレスや疲労，感染があり，これらの要因を最小限にする支援が必要である．	
#3	【健康管理行動の維持・促進】よくなりたいという意欲があることを活かし，健康管理行動を維持・促進する	強み着眼型
	<u>根拠</u> ウートフ現象により症状が増悪しているため療養者本人や家族が療養生活上の注意点を理解し，適切に対処することで，症状を緩和したり抑制することができる．	
#4	【不安】疾患の進行，将来の生活，経済，就業などに対する様々な不安がある	問題着眼型
	<u>根拠</u> 疾患の特性の理解，受容を促進させるとともに，不安を引き起こす周辺課題を解決したり，気分転換活動を積極的に取り入れることで，療養者の不安は軽減する可能性がある．	

【看護課題の優先度の指針】在宅療養生活を送るうえで基盤となる【日常生活動作の維持・促進】は優先度が高いため#1とした．多発性硬化症では再発のリスクが高いため【神経症状再発のリスク】を#2とした一方，症状の出現は適切な健康管理行動により制御できる事項であるため【健康管理行動の維持・促進】を#3とした．また，疾患の進行に伴い様々な不安があることから【不安】を#4として位置づけた．

長期目標

多発性硬化症による再発や障害の進行をできる限り抑制し，療養者本人と家族が意欲をもって，在宅療養生活を送ることができる．

<u>根拠</u> 本人の残存機能と高い意欲や家族の支援体制を活用しながら内服治療を受けることによって，神経症状の再発や障害の進行を遅らせることが可能であり，在宅療養生活を送ることができる．

〈長期目標を共有するケアチーム〉
フォーマルサービス：訪問診療医，訪問看護師，理学療法士，作業療法士，病院専門医，外来看護師，病院メディカルソーシャルワーカー(MSW)，訪問セラピスト，障害福祉サービス相談員
インフォーマルなサポート：両親，親族(弟と弟の妻)，友人

| STEP❶ アセスメント | STEP❷ 看護課題の明確化 | **STEP❸ 計画** | STEP❹ 実施 | STEP❺ 評価 |

1

看護課題	看護目標（目標達成の目安）
#1 【日常生活動作の維持・促進】残存機能を活かし，日常生活動作を維持・促進する	1) 日常生活に支障をきたしている障害の部位，程度を理解できる（1か月） 2) 補助具等を利用，工夫しながら，目標に向け，自己でできる日常生活動作を増やす（2か月～）

援助の内容	援助のポイントと根拠
OP 観察・測定項目 ● 障害の部位，状況，程度 ● 認知機能 ● 生活動作と疲労感 ● 本人・家族の障害の受けとめ，理解	⇒ 上下肢・その他部位において，麻痺の程度，しびれ，痛み，痙攣の有無などを確認する．必要時は，運動機能・筋力の測定を行う ⇒ 記憶障害，注意障害，情緒コントロールの障害などの有無・程度を把握する ⇒ 外出や入浴，家事など，生活動作の実施状況と，実施時の転倒リスク，疲労感，脱力の有無と程度を把握する ⇒ 本人・家族が現在，日常生活に支障をきたしている障害について，どのように理解し，受けとめているか．どうなりたいと考えているかを確認する
TP 直接的看護ケア項目 ● リハビリテーションの実施	⇒ 体調を勘案し，疲労や脱力，日常生活上の転倒等のリスクに注意を払う **連携** 理学療法士，作業療法士と協働し，自助具や福祉用具を導入し，より安全な方法における日常生活動作訓練を行う **強み** 年2回の友人との旅行を楽しみにしており，安全に外出時の動作が行えるよう，本人と話し合いながらリハビリテーションを段階的に進める
EP 教育・調整項目 ● 日常生活動作方法の提案 ● 家族が実施する介助内容・方法への提案	⇒ 日常生活動作の工夫や装具や自助具等の活用を提案する ⇒ 生活不活発病（廃用症候群）を防ぐためにも，自分でできることはできる限り行ってもらい，援助が必要な動作のみ介助を行う重要性を理解してもらう

2

看護課題	看護目標（目標達成の目安）
#2 【神経症状再発のリスク】再発予防・障害進行抑制のために免疫抑制薬を内服しており，神経症状の再発のリスクがある	1) 治療薬の確実な服用ができる（2週間） 2) 再発を起こす要因（感染，ストレス）をできる限り除去する（1か月）

援助の内容	援助のポイントと根拠
OP 観察・測定項目 ● 治療薬の服薬状況 ● 疲労，ストレス	⇒ 再発予防薬の服用状況，副作用の有無の把握．他の症状緩和のための服薬状況を把握する ⇒ 労作後の疲労の程度，回復にかかる時間，ストレスの有無，睡眠の状況を把握する ⇒ 友人や家族とのかかわり，気分転換活動の実施状況を把握する

12 多発性硬化症

●感染予防行動	➡感染機会の有無，感染予防行動(手洗い，うがい等)の実施状況を把握する
●新たな症状の出現の有無，現症・障害の悪化	➡新たに出現している症状，麻痺，痙攣，疼痛の悪化の有無，認知機能の変化を把握する
TP 直接的看護ケア項目	
●服薬の管理	➡治療薬等の服薬が確実にできるための工夫と提案を行い，本人に実践してもらう．服薬カレンダーなどを活用し，目に見える場所に薬を設置する　**強み** スマートホンのアラートなどの機能を利用し，飲み忘れがないよう工夫する
EP 教育・調整項目	
●病院専門医や外来との連携	➡**連携** 病院専門医への報告体制を確立できるよう，外来看護師，病院MSWを通じて働きかける．新たな症状の出現時や明らかな現症の悪化が確認された場合は，専門医に報告する　**根拠** 多発性硬化症の療養者の症状が多彩であるため，病状を正しく伝えることが難しい．訪問看護師による観察とアセスメントを直接，医師に報告できる体制づくりが重要となる
●再発を起こす要因と予防策の説明	➡ストレス，疲労，感染が，再発・障害進行の因子となりうることを療養者・家族に理解してもらい，予防行動を継続してもらうよう働きかける

3 看護課題

看護課題	看護目標(目標達成の目安)
#3 【健康管理行動の維持・促進】よくなりたいという意欲があることを活かし，健康管理行動を維持・促進する	1) 気になる症状があった場合は看護師に相談できる (2週間) 2) 症状出現時の適切な対処法を身につける (1か月) 3) 症状を緩和または抑制できる健康管理行動がとれる (2か月)

援助の内容	援助のポイントと根拠
OP 観察・測定項目	
●一時的な症状悪化の状況	➡現症の悪化(しびれ，痛み，痙攣など)，症状緩和の薬剤の服薬状況，継続時間，頻度と，症状出現時の日常生活の状況(活動，睡眠，食事，水分量，排泄，室温，湿度など)を把握する ➡症状出現時の体温，脈拍，呼吸，SpO_2，発汗，精神症状，意識レベルを把握する
TP 直接的看護ケア項目	
●清潔の介助	➡清潔の介助は看護師または母親が行う．主にシャワー浴であるが，冬季は半身浴にし，短時間で終わるように工夫する．普段から，室温を上昇させすぎないように注意し，脱水や熱中症を避けるために水分補給を行う
●症状出現時の対応	➡オンコールにより，状況確認と症状に応じた適切な対処法を説明する．必要時は緊急訪問を実施し，適切に対処する．ウートフ現象が出現した場合は，冷罨法，マッサージ，リラクセーションを実施する　**根拠** ウートフ現象は，体温上昇時に起こりやすい
EP 教育・調整項目	
●症状を悪化させる要因の理解促進	➡**強み** 入浴動作や緊急訪問看護の機会を通じて，一時的な症状悪化を引き起こす要因を療養者と家族が話し合い理解し

●一時的な症状悪化が認められた場合の対処法の説明	てもらうとともに，一緒に工夫しながら環境調整や疲労を起こさないための対処を考える ⊃症状出現時は，慌てず適切な対処法を選択し，症状緩和が図れるように指導する（安静を保つ，薬剤の選択，訪問看護師への相談）．また，家族やその他の協力者にも同様の内容を指導し，支援を依頼する ⊃ 連携 症状が持続する場合や合併症の出現が予測される場合は，医師に報告し，適切な対応を行う

4 看護課題	看護目標（目標達成の目安）
#4【不安】 疾患の進行，将来の生活，経済，就業などに対する様々な不安がある	1) 療養者・家族が，自らの不安を表出できる (3か月) 2) 不安の要因が何であるかを分析し，理解できる (6か月) 3) 気分転換ができる (6か月) 4) 不安の軽減・解決に向けた情報収集ができる (6か月)

援助の内容	援助のポイントと根拠
OP 観察・測定項目 ●不安の内容	⊃不安の内容を聴取する．どのような不安なのか，なぜそのように感じているのかなど．本人の不安と，家族の不安が異なる場合があるので，別々の場所で聴く
●心身への影響	⊃睡眠，食事，活動意欲，精神症状（抑うつ，集中力の低下）などを把握する
●気分転換活動，社会との交流の有無・状況	⊃趣味など気分転換を図る活動，友人や他者との交流，情報収集の機会の有無を把握する
TP 直接的看護ケア項目 ●気分転換および外部との交流を継続する支援	⊃ 強み 本人が好きであった編み物や手芸で気分転換をする．弟の妻に協力してもらい，一緒に買い物に出るなどの機会を再開する．インターネットやSNSなどを活用し，患者会などの情報を得たり，友人との交流が継続できるよう支援する ⊃気分転換活動ができる体位や環境調整，巧緻動作を要する機器の操作に困難がある場合は，端末の選定や音声入力などの活用ができるよう支援する
EP 教育・調整項目 ●不安の傾聴	⊃話しやすい環境，雰囲気をつくり，ゆっくりと時間をとって傾聴する姿勢をもつ．不安の内容を分析し，不安の要因となっている事項について，療養者・家族と一緒に問題解決する姿勢をとる
●将来の生活に対する不安解決のための情報提供・調整	⊃ 連携 再発や障害進行の不安に対しては，医師からの説明の機会を設け十分な説明が受けられるように調整する ⊃ 連携 将来の生活への不安には，社会生活，介護，経済面が含まれるため，様々な支援体制（就労支援相談，ホームヘルパー，相談支援専門員等）の存在を紹介し，できるだけ早期に導入調整を行う．また，必要時は段階的に，入所施設や通所施設の存在やそれにかかる費用などの情報を提供する

| STEP ❶ アセスメント | STEP ❷ 看護課題の明確化 | STEP ❸ 計画 | **STEP ❹ 実施** | STEP ❺ 評価 |

強みと弱みに着目した援助のポイント

強みに着目した援助
- 友人と旅行に行く楽しみをリハビリテーションの目標とすることで，自立した日常生活への実現につながる訓練（屋内，屋外）の継続を行う．
- 家族の支援体制は良好であり，家族に協力を求め気分転換活動や他者との交流を維持・拡大できるよう勧める．
- スマートフォンやタブレットなどの情報通信技術の活用を模索する．

弱みに着目した援助
- 専門医や外来との連携を強化し，療養者・家族が，疾患や治療法をより理解できるよう調整し，治療と予防行動を日常生活に組み込めるよう支援する．
- 緊急対応やオンコールを通じて，療養者・家族に安心してもらうとともに，少しずつ対処方法を習得してもらえるよう働きかけ，疾患の特徴の理解を促進できるようにかかわる．
- 将来の介護体制構築に向けて，療養者の疾患の受容状況をみながら段階的に情報提供を行い，専門的な相談者の介入を進める．

| STEP ❶ アセスメント | STEP ❷ 看護課題の明確化 | STEP ❸ 計画 | STEP ❹ 実施 | **STEP ❺ 評価** |

評価のポイント

- 日常生活に支障をきたしている障害の部位，程度を理解しているか
- 自分でできる日常生活動作が増えているか
- 治療薬を確実に服用しているか
- 再発を起こす要因（感染，ストレス）をできる限り除去しているか
- 気になる症状があった場合は看護師に相談できているか
- 症状を緩和または抑制できる健康管理行動がとれているか
- 療養者・家族が不安を表出できているか
- 不安の要因が何であるかを分析し，理解できているか
- 気分転換ができているか
- 不安の軽減・解決に向けた情報収集ができているか

関連項目

第2章「20 生活不活発病（廃用症候群）」
第3章「25 家族の介護疲れ」

●参考文献
1) 難病情報センター：多発性硬化症／視神経脊髄炎（指定難病13），https://www.nanbyou.or.jp/entry/3806
2) 日本神経学会「多発性硬化症・視神経脊髄炎診療ガイドライン」作成委員会編：多発性硬化症では，どのような症状がみられるか，多発性硬化症・視神経脊髄炎診療ガイドライン2017，第4章，症状．pp58-59，医学書院，2017．
3) 松井 真：多発性硬化症の診断基準と鑑別診断の進め方．日本臨牀 79：1515-1520，2021．
4) 新野正明，宮崎雄生：特集 多発性硬化症診療の最新エビデンスと課題，多発性硬化症の疾患修飾療法－開始，変更，中止の戦略．医学と薬学 79：467-472，2022．

13 筋ジストロフィー

筋ジストロフィーの理解

基礎知識

疾患概念
骨格筋組織で病的壊死と再生が起き，筋力の低下が進行し，歩行や日常生活動作が障害される疾患.
- 2015年施行の難病法により筋ジストロフィー（以下，筋ジス）は指定難病となり，約25,400人の患者は他の難病と同様の社会的援助を受けることができるようになった．
- 根本的治療法は確立されていないため，治療者は症状の悪化・進行を遅らせ能力維持に努めることとなる．患者を社会的な存在として認め，人としての尊厳を尊重し，患者本人と介護者の負担を軽減するよう働きかけることが重要である．
- 病型により遺伝形式や骨格筋障害の分布（**表13-1**），経過，予後，合併症が異なる．骨格筋障害のほか心筋や平滑筋に障害を生じる場合もあり，中枢神経障害や眼症状，聴力障害をきたすこともある．

疫学・予後・症状
①**デュシェンヌ型筋ジストロフィー（以下，DMD）**
- 筋ジスの中で最も頻度が高く，筋細胞膜下に存在するジストロフィン蛋白の異常が原因で発症する．ジストロフィン蛋白は筋細胞膜を補強し，細胞骨格といわれる．
- 2/3は伴性劣性遺伝，1/3は突然変異で，5歳以下の男児に発症する．DMD罹患率は出生男児100万人のうち140～390人，有病率は10万人あたり1.9～3.4人である．
- 最初は走れない，転びやすい，階段昇降がうまくできないことで気づかれる．筋力低下は近位筋に優位で動揺歩行，登攀(とうはん)性起立（ガワーズ徴候）といわれる症状を呈する．ふくらはぎにみられる筋仮性肥大は特徴的所見である．9歳頃には歩行不能となり，脊柱の変形も強く著しい側彎症を呈し，車椅子生活となることが多い．心筋障害による左心不全や呼吸筋障害による呼吸不全に陥り死亡する．

②**ベッカー型筋ジストロフィー**
- DMDと比べて良性の経過をとり，15歳を過ぎても歩行可能である．

診断・検査（遺伝子診断・遺伝相談）
- 骨格筋筋力低下と血中筋逸脱酵素（CK，AST，ALT，HBD，LDH）の上昇により筋ジスを疑う．
- X線CTやMRI検査では筋組織の脂肪化を認める．

■表13-1 筋ジストロフィーの病型，遺伝形式，罹患筋部位

臨床病型	遺伝形式	罹患筋部位
ジストロフィン異常症（デュシェンヌ型/ベッカー型）	X染色体連鎖	近位筋優位
肢帯型筋ジストロフィー	常染色体優性/劣性	近位筋優位
先天性筋ジストロフィー（福山型/非福山型）	常染色体優性/劣性	近位筋優位
顔面肩甲上腕型筋ジストロフィー	常染色体優性	肩甲帯・上腕・顔面筋優位
筋強直性筋ジストロフィー	常染色体優性/劣性	遠位筋・咀嚼筋・胸鎖乳突筋優位
エメリー・ドレフュス型筋ジストロフィー	X染色体連鎖，常染色体優性/劣性	肩甲帯・上腕・下腿優位
眼咽頭筋型ジストロフィー	常染色体優性	眼瞼・咽頭筋優位

- 針電極を筋肉に刺して行う針筋電図検査では筋原性変化（低電位，短時間持続，多相性神経筋単位）も認める．筋強直性ジストロフィーにおいて特徴的なミオトニア放電を認める．
- 生検筋病理所見では筋線維の壊死や再生所見を認め，骨格筋免疫染色で確定診断を行う．
- 患者の遺伝子検査に関しては，十分な倫理的配慮が必要である．遺伝子解析技術の進歩は目覚ましいが，発症前診断の可否は，きょうだいや子への影響を踏まえ倫理委員会での議論も必要である．

治療法
- 根本的治療はないが，DMDの運動機能の低下を抑える遺伝子治療（エクソンスキッピング療法）が実用化されている．
- 適切な薬物療法とリハビリテーション医療，人工呼吸法や人工栄養法などを行うことにより，以前は20歳前後といわれていたDMDの平均寿命は近年40歳まで延長した．
- 遺伝子治療の他に，筋線維破壊を抑制する副腎皮質ステロイド療法と心不全に対する薬物療法がある．
- リハビリテーションにおいては，筋ジス患者は筋破壊を生じやすいため強い負荷の筋力増強訓練は避ける．リハビリテーションの方針は，①筋力維持（血清CK値を指標とし，適正な筋力増強トレーニング実施），②関節の変形拘縮予防・矯正（関節可動域訓練，ナイトスプリントや体幹装具の装着），③能力低下の代償（補装具導入，家屋改造，介護機器利用），④呼吸機能維持（発声・腹式呼吸法訓練，体位ドレナージ法，人工呼吸器を利用した呼吸リハビリテーションの実施），⑤摂食嚥下維持（摂食嚥下訓練，頭部の安定補助，食物形態の工夫）である．筋ジス患者は疲労しやすいため，休息を入れながらリハビリテーションを実施する．
- 肺炎と転倒は生命予後に関連する予防可能な合併症であるため，日常生活において療養環境を整え，早期発見・早期治療につなげるよう心がける．
- 予後不良であってもQOLを重視した治療を前向きな姿勢で行うことが大切である．たとえ医療依存度が高くても，生き生きとした人生を送ることを目指す．

家族へのサポート
- 筋ジスには多様性があり，患者一人ひとりが多くの異なる課題を抱えており，その解決方法はそれぞれ異なる．病型により発症時期，障害の進行のスピード，骨格筋の障害の程度，罹患筋による運動機能と歩行機能並びに生活活動能力，合併症が異なり，病状の進行に伴い家族の対応が変化する．
- 医学的対応のみならず，成長過程にある筋ジス児では教育への配慮も不可欠で，身体と知能に合わせた学校選択と教師との連携が求められる．
- 経済的支援に関しては難病法をはじめとして身体障害者福祉法や生活保護法，母子家庭の場合の援助などに関する情報を提供する．
- 「何があってもあなたの味方だ」という心理的支持に基づく信頼関係を構築することが大切である．

在宅における特徴

- 在宅ケアにおける特徴は「筋ジスの多様性」である．病院での療養では，疾患が重症になれば介護負担は重くなり，患者は何もできず寝たきりになる．しかし，重症の筋ジス患者には違った在宅療養生活もある．知的障害をもたないDMDの若者は人工呼吸器管理や胃瘻による栄養投与を受けながらも，インターネットを駆使して仕事をし，ボランティアの助けを得て憧れの外国人ミュージシャンのコンサートを聴きに行くこともできる．
- 在宅においては，様々な人たちの協力と工夫をすれば夢を実現することが可能である．病院において人工呼吸器は身体をつなぐ鎖であるが，在宅においては患者が外の世界に出かけるためのアクアラングに変わることができる．

在宅診療の実際

- 事例をふまえて，在宅における筋ジス診療の実際を解説する．

〈事例〉 先天性筋ジストロフィー（非福山型） 女性，25歳
患者は生まれつき筋力が弱く，処女歩行は1歳8か月であった．1歳10か月から呼吸器感染を

繰り返し，2歳8か月から在宅酸素療法を受けている．6歳から養護学校に通学し，学力は優秀で課題の作文で文部科学大臣賞を受けたこともある．10歳で気管切開・人工呼吸器を装着したが，日常生活では車椅子で外出し，インターネットで外の世界とつながっている．幼少時のケアは母親が一手に引き受けていたが，今では吸引は自分自身で実施し，胃瘻からの栄養投与も自ら行う．通常は訪問リハビリテーションで体力づくりに励み，発熱した時に医療の世話になる．

病診連携
- 20歳になった時点で当院へ紹介され，月1回の訪問診察が始まった．当院は処方や血液検査，訪問看護やリハビリテーションの指示など必要な医学的管理を行う．発熱や呼吸困難時など緊急時には，往診あるいは地域の救急病院へ紹介する．
- 人工呼吸器や胃瘻などを管理しながらの在宅療養は，平常の管理を行う医療機関と緊急時の援護を行う医療機関が連携することが不可欠である．前者は必要な医療機材や薬剤の提供と気管カニューレの交換などを行う．後者は在宅で実施困難なX線検査や手術などを担当する．
- 医療機関同士の協力関係は安心できる在宅療養を提供するための重要な要素である．
- レスパイト入院は医療依存度が高い患者を対象に，家族の休養を目的に一定期間ケアを提供する医療である．核家族化が進み，家庭の介護力が弱体化する中，このシステムの普及が期待される．

筋ジストロフィーに関連する社会資源・制度

1) 医療
- 医療保険の利用による訪問リハビリテーションなどの居宅サービスの利用
- 指定医療機関の難病指定医の診断，治療

2) 医療費助成制度
- 小児慢性特定疾病医療費助成制度，難病医療費助成制度など

3) 療育・教育
- 小児：療育手帳，特別児童扶養手当，育成医療，放課後等デイサービスなど

4) 地域・社会生活への支援
- 地域生活支援事業，身体障害者手帳，障害者総合支援法に基づく市区町村サービスなど

筋ジストロフィーをめぐる訪問看護（子どもを中心に）

訪問看護の視点

1) 療養者をみる視点
- 筋ジス特有の生理的な特徴を把握し，全身状態の変化や体調悪化の際の傾向やパターンに包括的な視点をもつ．
- 主治医から，安定時のバイタルサインおよび呼吸状態の悪化（喘鳴，陥没呼吸，閉塞性無呼吸，酸素飽和度の低下）がみられた際の気道確保や痰の吸引などの対応について情報を得ておき，共通認識をもつことが重要である．
- 抱っこやタッチケア，手遊び歌など遊びの要素を取り入れながら発達支援を行う視点をもつ．
- 体調が安定して外出ができるようになれば，療育センター，児童発達支援（通所），幼稚園・保育園に通うなど生活体験を増やすことを視野に入れる．
- きょうだいや家族全体の生活パターンを視野に入れて訪問看護のタイミングを調整することが必要である．
- 体調不良時の対応（連絡先を含む）を作成し，電話相談や訪問で対応することができることを伝え，家族の安心につなげる．
- 言語的コミュニケーションが難しいため，前言語的コミュニケーション（喃語，クーイング，手さし，

指さしなど)を育む.

2) 支援のポイント
- 運動機能低下に伴う日常生活動作の制限に対応する.
- 難治性であり療養期間が長期に及ぶため家族の負担軽減に配慮する.
- 摂食・嚥下障害や呼吸障害を伴うことが多く,成長・発達にあわせたケアを提供する.
- 専門職種間で長期にわたってチームで支える際にコーディネーターの役割を担う.

●状態別:療養者をみる視点と支援のポイント

状態	療養者をみる視点	支援のポイント
運動機能低下の状態	運動機能の状態に合わせた健康維持や生活の質の維持のための包括的リハビリテーションの視点をもつ.	● 拘縮,変形予防のための関節可動域訓練を行う. ● 転倒・事故予防対策を行う. ● 生活範囲の維持・拡大を行う. ● 家族がどのように障害を理解し,受容しているか理解する.
呼吸機能低下の状態	在宅での長期間に及ぶ呼吸管理を継続するため,定期的な評価で経時的な変化を捉える視点をもつ.非常時に備えた予備物品の確保,支援者への連絡方法,緊急避難の方法をチームで支える包括的ケアが重要である.	● 適切な呼吸管理を行う. ● 感染予防を行う. ● 家族が長くかかわり続けられる支援計画を提案する. ● 家族と多職種でよく話し合う. ● 緊急時の対応を話し合う.

訪問看護導入時の視点

- 病状の経過,本人・家族の病状理解,退院に向けての準備状況,指導状況,緊急時の対応,家族構成や面会時の様子,主たる介護者のケアの習得状況や対応能力などを把握する.
- 子どもの安全な生活を優先するあまり,病院での指導を忠実に守り家族の生活リズムが大きく崩れることもある.在宅療養を継続していくために,家族の生活を把握したうえでケアを提案する.
- 理学療法士,保健師を含む地域関係者間で支援体制をつくる.

STEP❶ アセスメント | STEP❷ 看護課題の明確化 | STEP❸ 計画 | STEP❹ 実施 | STEP❺ 評価

情報収集

	情報収集項目	情報収集のポイント
疾患・医療ケア	**疾患・病態・症状** □病態 □疾患の症状	➡ 骨格筋障害に伴う運動機能障害はどの程度か ➡ 関節拘縮・変形,呼吸機能障害,心筋障害,嚥下機能障害,消化管症状,骨代謝異常,内分泌系異常,眼症状,難聴,中枢神経障害等を合併していないか
	□疾患の経過,予後	➡ 疾患の進行に伴い傍脊柱筋障害による脊柱変形や姿勢異常,関節拘縮や変形を伴っていないか
	医療ケア・治療 □服薬 □治療 □医療処置 □訪問看護	➡ DMDの場合:副腎皮質ステロイド薬の内服管理ができているか ➡ 根本的な治療法はないことを,養育者がどのように受けとめているか ➡ 筋肉,呼吸,飲み込み,循環(心機能)等,それぞれの症状について専門医・専門機関での対症療法はどのような経過をとっているか ➡ 食事・栄養,呼吸ケア,リハビリテーションによる機能維持の実施後

情報収集項目	情報収集のポイント
	の変化について．家族でも取り組めている内容はあるか
全身状態 □成長・発達段階	●デンバー式発達スクリーニング検査，遠城寺式発達検査などを活用して全体発達，運動面，認知面，言語面はどの発達段階にあるか
□呼吸・循環状態	●呼吸理学療法が必要かどうか．マスク型の呼吸器や排痰補助装置の管理が適切に行われているか
□摂食・嚥下・消化状態	●飲み込む力に合わせた食形態で水分や栄養を保持できているか．経管栄養や胃瘻を造設しているか．経口で楽しみとしての食事を併用することについての親の意向はどうか
□栄養・代謝・内分泌状態	●肥満ややせが顕著か．嚥下機能低下による誤嚥を起こしていないか
□筋骨格系の状態	●歩行障害などの運動機能の低下，関節拘縮や変形，咀嚼・嚥下機能の低下，表情筋の筋力低下．姿勢保持困難．関節可動域の状況はどうか
□皮膚の状態	●褥瘡発生のリスクはないか
□認知機能	●興味のある遊び，動きや音，触感などの感覚への反応はどうか
移動 □ベッド上の動き □起居動作 □屋内移動	●楽な姿勢でポジショニングや姿勢保持を行っているか ●食事，入浴，更衣の時に座位保持ができているか ●車椅子移動時に安全に介助されているか．普段はどの程度移動しているか
□屋外移動	●車で外出時の安全確保や姿勢保持はどうしているか．外出の頻度や活動範囲はどうか
生活動作 □基本的日常生活動作 □手段的日常生活動作	●食事，排泄，入浴，更衣整容時の様子や声かけへの反応はどうか ●介護と家事が母親や特定の人の負担になっていないか，協力は得られているか
生活活動 □食事摂取	●経口摂取の内容・回数・量はどうか．うまく嚥下できなかった時の対応はどうしているか．アレルギー，経管栄養のチューブの位置，腹部の状況はどうか．痰などで嘔吐していないか．胃瘻カテーテルが抜けていないか
□水分摂取	●水分摂取目安量（体重1kgあたり45〜50mL）はどうか．下痢対策（ペプチドで組成されている半消化態栄養剤の使用など）はどうか
□活動・休息	●生活リズムは整っているか．日中・夜間の睡眠時間やパターンはどうか
□生活歴	●療育センター，児童発達支援（通所），幼稚園・保育園など地域でどのように生活体験を増やしているか
コミュニケーション □意思疎通	●コミュニケーションはどうか．はい・いいえはどうか．視線が合いやすい姿勢か．前言語的コミュニケーションはどうか
□意思伝達力 □ツールの使用	●補助代替コミュニケーション手段の利用はどうか ●絵本や絵カードなどの媒体の活用はどうか．書字補助具，握り補助具の導入はどうか

疾患・医療ケア／活動

13 筋ジストロフィー

情報収集項目	情報収集のポイント
活動	
活動への参加・役割 □家族との交流 □近隣者・知人・友人との交流 □養育(子ども)	⊃家族がどのように子どもの疾患に寄り添っているか，成長とともに進む運動障害に対する不安を表出できているか ⊃家族が地域で孤立していないか，友だちやその保護者への疾患の説明をどのようにしているか ⊃療育センター，幼稚園・保育園，学校について見学などを通じて特徴を知り，本人の状況，家庭状況などを総合的に考えて選択しているか
環境	
療養環境 □住環境 □地域環境	⊃使用する医療機器の場所，子どもと家族の動線を考えたベッドや物品を配置しているか．人工呼吸器・吸引器・パルスオキシメータなどのブレーカー容量はどうか ⊃専門医療機関，療育センター，児童発達支援(通所)，幼稚園・保育園までのアクセスはどうか
家族環境 □家族機能 □家族の介護・協力体制	⊃母子・父子・夫婦関係は良好か．親の愛着行動や就労状況はどうか ⊃主介護者，副介護者はいるか，家族内にキーパーソンはいるか，介護力と介護負担はどうか，家族は夜間眠れているか
社会資源 □保険・制度の利用 □保健医療福祉サービスの利用 □インフォーマルなサポート	⊃各種サービスの利用状況はどうか，調整はうまくいっているか ⊃往診，訪問リハビリテーション，訪問介護，訪問入浴，住宅改修，医療機器・福祉用具の利用状況はどうか，母親の育児休暇後の支援体制はどうか ⊃同じ疾患を抱える家族とピアサポートの機会を得ているか，友人・近所の人との関係は良好かどうか
経済 □世帯の収入	⊃経済状態はどうか．該当する医療費助成・福祉制度を申請しているかどうか
理解・意向	
志向性(本人) □生活の志向性 □性格・人柄 □人づきあいの姿勢	⊃日中過ごしたい場所，好きな遊びや刺激はどうか ⊃自律性，自主性をどのように獲得していくのか ⊃人とかかわることに課題や悩みを抱えていることが多い．本人の気持ちを受けとめつつ，友だちとかかわれるように本人や周囲の仲間に対して支援できているかどうか
自己管理力(本人) □情報収集力 □自己決定力	⊃疾患や社会資源の情報はどこから得ているのか ⊃はい・いいえを表出できているかどうか
理解・意向(本人) □意向・希望 □感情 □疾患への理解 □受けとめ	⊃全面的な介助が必要で自らの意思表示が困難であることが多いが，意向を表現する方法はないか ⊃表情筋の低下に伴い表情は乏しく見えるが，母親の声かけに涙することや緊張する姿などから理解できることはないか ⊃いままでできていたことができなくなる喪失体験を感じているか ⊃子どもが抱える不安や悩みを表出できているか

情報収集項目		情報収集のポイント
理解・意向	理解・意向（家族）	
	□意向・希望	○遺伝子が原因で起こる疾患であるため親が自責の念を強く抱えていないか
	□感情	○夫婦間や祖父母との間に確執を抱えていないか．不安なことを相談する相手はいるか
	□疾患への理解	○疾患の進行について理解をしているか．不安や悩みを抱えていないか
		○出生前診断を受ける場合，医師だけでなく，セカンドオピニオンとして遺伝カウンセラーなどからも十分な情報を得ているか．検査を受けるにあたり，家族と話し合いを重ねているか
	□療養生活への理解	○きょうだいへの配慮をどのようにしているか
	□家族計画	○今後の家族計画をどのように考えているか

事例紹介

デュシェンヌ型筋ジストロフィーの小児の例

Keywords 筋ジストロフィー，低栄養，発達支援，家族支援，出生前診断，意思決定，幼児（女児）

〔基本的属性〕女児，3歳
〔家族構成〕核家族，現在第2子妊娠中
〔主疾患等〕デュシェンヌ型筋ジストロフィー
〔状況〕母親が筋ジストロフィーであり，本児も出生前診断で筋ジストロフィーと診断を受ける．在胎週数28週3日（出生時体重2,204g），周産期母子センターで出産．筋生検にてデュシェンヌ型筋ジストロフィーと診断．2歳の頃，熱性痙攣発作のため入院し人工呼吸器を装着するが，現在は自発呼吸が可能になった．退院時，訪問看護導入となった．座位姿勢が不安定で嚥下機能が低下している．両親ともに疾患に対する理解もあり子育てに前向きな姿勢である．

情報整理シート

疾患・医療ケア

【疾患・病態・症状】
主疾患等：デュシェンヌ型筋ジストロフィー（0か月～）
病歴：先天性心疾患（0か月～）
経過：出生前診断で母親と同疾患の筋ジストロフィーと診断
出生後　筋生検にてデュシェンヌ型筋ジストロフィーと診断
　　　　出生時，28週3日，出生時体重2,204g（低出生体重児），身長46cm，アプガースコア5点，重症仮死，自発呼吸が認められなかった．
1歳6か月　先天性心疾患の手術，経過は良好である．
2歳　発熱時に痙攣発作あり3週間入院し，人工呼吸器装着
現在　自発呼吸が可能である．言語発達遅滞，運動発達遅滞がみられる．退院時に，長期的な経過観察が必要なため訪問看護が開始される．

【医療ケア・治療】
服薬：【内服】筋力増量・運動機能改善のためステロイド薬内服（プレドニン）
　　　【経管栄養】半消化態栄養剤（エンシュア®）
治療状況：A市総合発達療育センター1回/月
　　　　　訪問診療2回/月
医療処置：理学療法士2回/週：ポジショニング，座位保持
　　　　　訪問看護師3回/週：経管栄養
訪問看護内容：経鼻経管栄養，摂食リハビリテーション，全身状態の観察，発達状況の確認，コミュニケーション支援，家族支援

【全身状態・主な医療処置】

座位バランス機能低下
単独座位保持困難
摂食・嚥下機能の低下
食べる意欲は認められる
玩具を握ることは可能

表出：発声あり，喃語（−），有意味語（−）
発達：定頸（7か月），寝返り（−），ハイハイ（−），手指把握（+）

身長：85cm
体重：11.2kg
BMI：15.5

排便：1回/2日　浣腸実施
排尿：おむつ使用
食事：経鼻経管栄養

体温：36.6℃
脈拍：98回/分
呼吸数：20回/分
SpO_2：96%
睡眠：良好
生活リズム：良好
　就寝：9時，起床：7時

基本情報
年齢：3歳　性別：女児
重症度スコア：9
デンバー式発達スクリーニング検査
発達年齢：0歳3～4か月

活動

【移動】
屋内移動：父親が抱きかかえて移動．ポジショニング移動は父親が行う．
屋外移動：外出は受診時のみ．介助でベビーバギー利用

【活動への参加・役割】
家族との交流：両親と三人暮らし，両親は子育てに積極的な姿勢．父親は昼休み休憩時に自宅に帰ってきて本児のケアを行う．祖父母も時々訪れ関係は良好である．
近隣者・知人・友人との交流：近所付き合いはほとんどない．
外出：外出は受診時のみ
社会での役割：来年度より日中，療育支援施設に通所予定
余暇活動：好きな遊びは絵本，童謡，動物のぬいぐるみ

【生活活動】
食事摂取：経口摂取の練習をしていたが，座位が不安定になってきたため経鼻経管栄養となった．しかし，第2子妊娠中のため経口摂取の練習ができていない．母親は本児に食べることの楽しさを感じてほしいと希望している．現在はペースト状の食事で経口摂取の練習を行っている．
水分摂取：口唇が乾燥してくると，とろみをつけたお茶，ジュース類を摂取する．
活動・休息：主にベッド上で過ごす．夜間は緊急時に対応するため，父親が同室で睡眠している．
生活歴：生後12か月は入院治療となる．心疾患，痙攣発作のため2回入院をするが，現在は自宅で安定した状態で過ごしている．
嗜好品：なし

【生活動作】

基本的日常生活動作

食動作	ペースト状の食事，とろみをつけた食事で経口摂取の練習を実施
排泄	母親が1回/2日浣腸を実施
清潔	父親が台所で沐浴槽を活用し入浴介助
更衣整容	入浴時に父親が介助
移乗	主に父親が介助
歩行	自立歩行は困難
階段昇降	父親が抱きかかえて自宅の階段を昇降．母親は同疾患のため，移動の介助は困難

手段的日常生活動作

調理	家事は母親が主に行う．第2子妊娠中のためつわりで体調が悪いときは祖母が手伝う
買い物	宅配を活用，週末に父親が買い出し
洗濯	母親が実施
掃除	母親が実施
金銭管理	夫婦で管理している
交通機関	自家用車を利用

【コミュニケーション】
意思疎通：両親の声かけ，はたらきかけを受けとめ，反応する．
言語理解：（−）
意思伝達力：言語表出（−）．はたらきかけへの反応として，閉じている目を開ける，人を探そうとする，人に顔を向ける，顔をしかめる．
ツールの使用：視覚的な刺激に反応できる．玩具に鈴を付けて子どもが母親を呼ぶときに鳴らす．

環　境

【療養環境】

住環境：両親が出身地である市内に5年前2階建ての持ち家を購入する．バギーと緊急時の入院必要物品は1階にある．2階がリビングと本児のベッド，母親は1階寝室で就寝する．

(2階)

地域環境：A市総合発達療育センターまでは車で20分程度．近所にスーパーもあり利便性は高い．父親の職場も近く，昼休みに帰宅できる．

地域性：住宅街．最寄駅から徒歩5分．新興住宅街のため近所付き合いはほとんどない．

【社会資源】

サービス利用：

	月	火	水	木	金	土	日
AM	訪問看護		訪問看護	(往診)	訪問看護		
PM		訪問リハ			訪問リハ		

保険・制度の利用：医療保険，育成医療，療育手帳，特別児童扶養手当

【経済】

世帯の収入：父親の給与
生活困窮度：経済的に余裕あり．

【ジェノグラム】

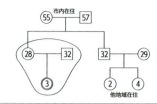

【家族の介護・協力体制】

母親が日中の子育て，家事全般を行う．父親は，入浴，移動，夜間の添い寝，スキンシップなど積極的に子育てに参加．祖父母の協力も得やすい．

【エコマップ】

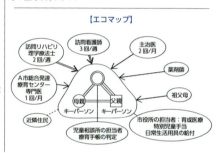

理解・意向

【志向性】

性格・人柄：話しかけられると嬉しい表情になり発声がある．優しくて素直
人づきあいの姿勢：自分の思いを伝えたいという気持ちは育ってきている．人と一緒にいるのが楽しい

【自己管理力】

自己管理力：全て介助
情報収集力：全て介助
自己決定力：全て介助

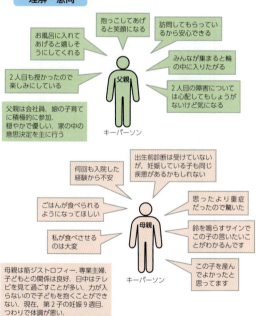

母親は筋ジストロフィー．専業主婦．子どもとの関係は良好．日中はテレビを見て過ごすことが多い．力が入らないので子どもを抱くことができない．現在，第2子の妊娠9週目．つわりで体調が悪い．

13　筋ジストロフィー

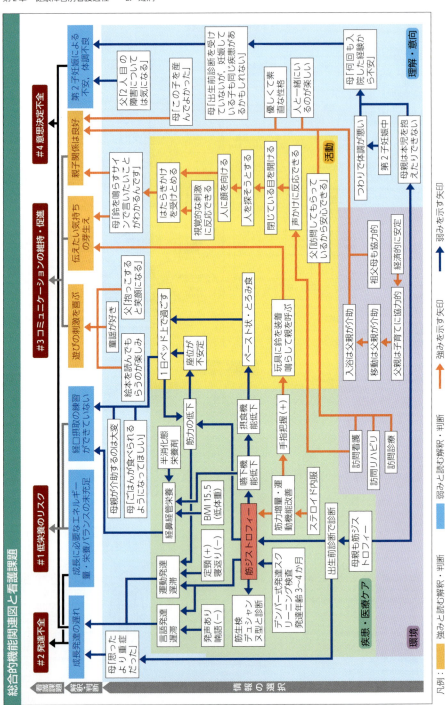

| STEP❶ アセスメント | STEP❷ 看護課題の明確化 | STEP❸ 計画 | STEP❹ 実施 | STEP❺ 評価 |

13 筋ジストロフィー

看護課題リスト

No.	看護課題　【コード型】文章型	パターン
#1	【低栄養のリスク】経口摂取の練習ができていないため，成長に必要なエネルギー量が不足しており，低栄養のリスクが高い	リスク着眼型
	根拠 母親は経口摂取を希望している．しかし，経口摂取の練習ができておらず，座位バランス機能低下と，嚥下機能低下により経口摂取が困難となり，経管栄養を実施している．成長に必要なエネルギー量・栄養バランスを充足させる必要がある．	
#2	【発達不全】成長発達の遅れによる発達不全がみられる	問題着眼型
	根拠 運動発達遅滞，言語発達遅滞がデンバー式発達スクリーニング検査から認められた．今後も筋力低下が予測され成長発達の遅れが課題となる．また，栄養状態が未充足であることの発育への影響について経過観察が必要となる．	
#3	【コミュニケーションの維持・促進】伝えたい気持ちの芽生えや遊びの刺激を通じて親子のコミュニケーションを維持・促進する	強み着眼型
	根拠 子どもが好きな遊びの刺激を工夫することで，主体的に体調の変化や意思を伝えたい気持ちが芽生えてきている．親は子どものサインを受けとめ，親子関係は良好である．今後もふれあい遊びを通じてコミュニケーションを促進する．	
#4	【意思決定不全】第2子妊娠による体調不良や不安により，出生前診断の意思決定が行えない	問題着眼型
	根拠 母親が筋ジストロフィーであるため第1子は出生前診断を受け，同疾患であることが判定された．現在，第2子の妊娠9週目であり，つわりによる体調不良と出産への不安を抱えているために出生前診断を受けるかどうか夫婦の意思決定が十分に行えていない．	

【看護課題の優先度の指針】母親の育児状況を確認しながら無理のない支援が必要となるため，児の成長発達において重要課題である【低栄養のリスク】を#1とした．発達全般に遅れが認められるため【発達不全】を#2に，自分の思いを伝えたいという気持ちが育ってきているので【コミュニケーションの維持・促進】を#3とし，その支援を行うことで子どもに応じた成長を促すことが可能になると考えた．母親が筋ジストロフィーのため出生前診断を受け，障害について夫婦で受容している様子が伺える．現在，第2子妊娠中であるが，体調不良と不安を抱えており夫婦の意思決定が十分に行えないため，【意思決定不全】を#4とし出生前診断についての夫婦の考えを一致させる支援が必要である．

長期目標

第2子妊娠に伴う出生前診断の意思決定が円滑になされ，適切な支援を受けながら児の機能に応じて発育・発達する．

根拠 筋ジストロフィーによる様々な機能低下には，生活動作・生活活動の医療的ケアが不可欠である．日々のコミュニケーションを維持・促進することで，より親子の絆が深まる．また第2子妊娠中の母親が夫婦で考えを一致させることで出生前診断について十分な意思決定ができる．

〈長期目標を共有するケアチーム〉
フォーマルサービス：訪問看護師，主治医，理学療法士，薬剤師，市役所の福祉担当者，総合発達療育

センターの専門医，児童相談所の担当者
インフォーマルなサポート：祖父母

| STEP❶ アセスメント | STEP❷ 看護課題の明確化 | STEP❸ 計画 | STEP❹ 実施 | STEP❺ 評価 |

1 看護課題	看護目標（目標達成の目安）
#1【低栄養のリスク】 経口摂取の練習ができていないため，成長に必要なエネルギー量が不足しており，低栄養のリスクが高い	1) 必要な栄養が摂取できる（2か月） 2) 誤嚥防止の食事形態を工夫できる（2か月） 3) 母親と子どものペースに合わせて経口摂取の練習ができる（2か月） 4) 母親が経鼻経管栄養による栄養管理状況を確認できる（2か月） 5) 身体計測を定期的に行い，母親と栄養状態を評価できる（2か月）

援助の内容	援助のポイントと根拠
OP 観察・測定項目 ●栄養評価〔体重，身長，体重減少率，血液検査（アルブミン値）〕 ●食事の回数，時間，内容，食欲，食事中の姿勢 ●誤嚥の有無 ●皮膚の状態 ●水分摂取量 ●経管栄養の実施状況 ●食物アレルギーの有無 ●消化管機能の状態（下痢・嘔吐など） ●経口摂取の練習に対する母親の負担感	➡ BMI の算出により適正体重を把握する．体重減少率（平常時体重：6〜12か月安定している体重−現在の体重）÷平常時体重×100 を算出する　**根拠** 1か月で5%以上の変化がある場合には栄養補給の改善が大切である ➡ 経口摂取の練習ができていないため，誤嚥やむせを起こしやすい ➡ 発熱や感染がなく健康で過ごしている場合には，数値にこだわらず全体の栄養バランスを確認して経過を観察する ➡ ベッドで過ごすことが多く，十分な栄養が摂取できていないおそれがあるため，褥瘡を起こしていないか皮膚の状態を観察する ➡ 水分摂取量の不足は脱水をまねく．水分摂取しやすい姿勢を工夫することで予防につながる ➡ 適切な手順で実施できているか確認する ➡ 食物アレルギーが起こらないか確認しながら経口摂取を進める ➡ 下痢や嘔吐などがある場合は，感染症を起こしていないか主治医と確認する ➡ 母親が経口摂取実施時に姿勢の保持や手技にやりにくさを感じていないか確認する　**根拠** 経口摂取の練習で負担になっている点を改善することで子どもの経口摂取につながる
TP 直接的看護ケア項目 ●食事の時の姿勢づくり ●経口摂取の支援	➡ **連携** 理学療法士と事前に食事中の姿勢について相談し，支援後も改善策を一緒に検討する　**強み** 母親がつわりなどで体調不良の場合は，子育てに協力的である父親に経口摂取の練習を行ってもらうよう勧める ➡ 筋力の低下に伴い座位バランスが不安定である．食事の際にどのくらい体幹を起こすか，車椅子で座位をとるのか母親のやりやすさも配慮しながら姿勢を提案する ➡ 楽しく安全に食べられるよう食事のスピードは1さじ分を嚥下したことを確認してから次の1さじを食べさせる ➡ 経口摂取に用いる適切な食器を選択し，食形態（現在はペー

	スト状)の工夫を提案する ⇨ 強み 祖父母がきて食事のときは一緒に食べて，子どもに話しかけるなど，食事の時間が和やかで楽しくなるよう設定する
●経鼻経管栄養の管理	⇨経鼻胃管の挿入時は，誤挿入による重篤な合併症を避けるため胃部の聴診を行い，胃内容物のチューブ内への逆流がないか確認する ⇨栄養剤などの注入中は胃食道逆流の予防のため，姿勢保持が可能であれば背もたれを上げる ⇨咳や嘔吐，また体位変換の際に経鼻胃管が抜けないように注意する
EP 教育・調整項目 ●うまく嚥下できなかった場合の対応方法の説明	⇨咳き込んだ場合は背中や胸を叩かない．咳き込みが収まったら食事を再開する ⇨「ゼロゼロ」「ゼコゼコ」と音がする呼吸がある場合や症状が強くなるときは誤嚥していることが考えられるので食事を中断して吸引が必要となることもある．筋力がないと，唾液などが気管に入ってもむせる反応が出にくく，誤嚥に気づきにくいことがある．食後の口腔ケアや姿勢に配慮して予防に努める 連携 必要時，主治医や理学療法士にも食事の様子を伝え，栄養評価を連携しながら行う

2

看護課題	看護目標(目標達成の目安)
#2 【発達不全】 成長発達の遅れによる発達不全がみられる	1) 姿勢を保持する能力に応じた，安心・安全・安楽な環境を整える(2か月) 2) 子どもに合わせた発達を促すことができる(2か月) 3) 現在の成長発達段階(定型発達・遅れ)を理解できる(2か月) 4) 生活の場を広げることができる(2か月)

援助の内容	援助のポイントと根拠
OP 観察・測定項目 ●運動機能(粗大運動・微細運動) ●言語発達 ●日常の姿勢，過ごし方，遊び ●成長発達についての親の思い ●発育の評価	⇨発達の現れ方や進み方を観察し，定期的に成長発達を評価する ⇨姿勢や動きには子どもが自身のボディイメージをもつことが必要なので，自分で自分の顔や身体にふれてもらう 根拠 子どもの成長発達の原則に沿ってかかわることで効果が得やすくなる．手指把握ができるようになったのでスプーンや歯ブラシを持つ練習を始める，など ⇨両親は通常の発達が望めないことの告知を受け，将来どうなるのか，どう生活していけばいいのか不安を感じている．ケアについて話し合いながら両親の思いに耳を傾ける ⇨母子健康手帳を用い，身長・体重の計測値を修正月齢で算出し，成長曲線に印をつける．発育の経過を観察する
TP 直接的看護ケア項目 ●発達を促進するケアの提供	⇨玩具など用途に合った使用ができ，物の概念が広がるようにする ⇨音，メロディ，音楽，歌を通した聴くことの楽しさや聴く

	力を育てる ⮕絵や形，色のマッチングを通じて認知的な側面を育てる ⮕手伸ばしや視線による選択行動を促す．自分の遊びたい物を選択し相手に伝える　強み　遊びを通して緊張や不安などの軽減と癒しを促す．できたことをほめることで行動に自信がもてるようになる
EP　教育・調整項目 ●生活環境の調整 ●子どもの成長発達に対する母の気づきの促し ●もつ能力を生かし可能性を広げる声かけ	⮕子どもが楽しみながら興味を示す機会を，繰り返し経験できる環境をつくる　連携　理学療法士と相談し，安楽な姿勢を工夫する．生活環境に応じた車椅子を選択し，姿勢保持方法，安全保持の工夫を行う．怪我をして動けない期間があると，症状の進行につながるので，環境を整え，事故を防ぐ ⮕母子健康手帳の乳幼児成長曲線の記録を勧める ⮕子どもが安全・安楽に周囲に興味と関心を向けられる配慮を促す　強み　母親は子どものかすかな変化に気づくことができるので，子どもの潜在的な能力も敏感に察知できる

3 看護課題	看護目標（目標達成の目安）
#3【コミュニケーションの維持・促進】 伝えたい気持ちの芽生えや遊びの刺激を通じて親子のコミュニケーションを維持・促進する	1）母親が子どものサインを捉えることができる（1か月） 2）母親が前言語的コミュニケーションを促すことができる（2か月） 3）母親が日々のケア中に声かけができる（2週間） 4）子どもが好きな遊びを繰り返す（1か月）

援助の内容	援助のポイントと根拠
OP　観察・測定項目 ●生活場面でのコミュニケーション行動 ●子どもの動き ●クーイング，手さし，指さし	⮕食事や入浴の場面，遊びや外出時にみせる普段とは違う表情などが表れやすい ⮕子どものわずかな動きを継続してみていくことで，子どもの意図や状態を理解する手がかりを得られる ⮕応答的な「アーウー」といったクーイング（喃語の前段階の発声）や，自分の要求を伝える手さし，指さしは，言葉にはなっていないが意思を示すため現れる
TP　直接的看護ケア項目 ●コミュニケーションツールの活用	⮕1日のスケジュール，活動の内容をボードやカードなど視覚的な道具を活用して話しかける　強み　絵本や童謡が好きである．声かけに反応でき，親子関係もよいのでコミュニケーションが広がりやすい
EP　教育・調整項目 ●コミュニケーションを促す工夫の提案 ●親子のやりとりを深める声かけ	⮕食事，排泄，入浴などの日々の生活の中でケアの前後に話しかける ⮕好きな音楽や絵本を親が繰り返すことで，コミュニケーションに関しての見通しをもたせやすく期待感をもたらすことを伝える ⮕親子でやりとりする姿勢を工夫し，人や物，言葉への関心を広める　根拠　感覚過敏がみられる場合は，手を顔に触れるなどして徐々に触れることの楽しさを覚える ⮕絵本や絵カードを利用して言葉の理解を広げる　連携　正

	しいポジショニングで発声・構音訓練を行えるようリハビリテーションに取り入れてもらう
●前言語的コミュニケーションを促す声かけ	⇒指さし，身振り，身体の動きで気持ちを伝え，表現することを広げる（両手を伸ばそうとする動きで「抱っこしてほしい」という気持ちを表現，飲みたいお茶を指さすなど） ⇒共同注視能力（子どもと親が同じ対象に注意を向ける）を育てて，喃語，クーイング，手さし，指さしなどの前言語的コミュニケーションを広げる　根拠　話す，聞くの相互作用によってコミュニケーションは成り立つ ⇒スキンシップ，声かけを通じて人へのはたらきかけへの反応を促す ⇒好きな玩具・絵本で遊んでもらえるという期待する気持ちを表現させる ⇒興味や関心を共有することを育てる ⇒はい・いいえの応答，スイッチ遊び，絵カードの指さしなどで自分の意思を伝える手助けをする

4 看護課題

看護課題	看護目標（目標達成の目安）
#4 【意思決定不全】 第2子妊娠による体調不良や不安により，出生前診断の意思決定が行えない	1）出生前診断の意思決定について夫婦で話し合う（1か月） 2）夫婦が個々の意思を尊重しながら，情報を共有できる（1か月） 3）遺伝カウンセリングなどの社会資源を活用できる（1か月） 4）妊娠・出産に伴う体調不良や不安を表出できる（1か月）

援助の内容	援助のポイントと根拠
OP 観察・測定項目 ●夫婦の不安・心配事（胎児への不安） ●父親の介護，家事の協力 ●夫婦の関係 ●母親の体調（つわり） ●妊娠中の体調の変化 TP 直接的看護ケア項目 ●主治医や遺伝カウンセラーとの相談の導入 EP 教育・調整項目 ●訪問時に妊娠，出生前診断への思いの傾聴 ●妊娠管理，出産をする病院の選定に関する意思決定支援	⇒第2子出産や今後の生活についての想いや不安を把握する ⇒夫婦の病気をもちながら生活することの考え方・想いや出生前診断への考え方を把握する ⇒父親による子どもの入浴，移動，夜間の添い寝，スキンシップの状況を把握する ⇒夫婦間で第2子の妊娠について話し合いを十分に行っているか確認し，夫婦の意思決定に寄り添う ⇒つわりもあり介護が思うように行えない不安があるか把握する ⇒ 根拠 妊娠中は母親の症状が悪化するおそれもある ⇒ 連携 夫婦で遺伝カウンセリングを受けることを提案する．遺伝カウンセリングで，遺伝情報や出生前診断に関する情報を得ることが大切である．夫婦がどのように情報を受けとめたのか確認する ⇒ 根拠 母親は，妊娠・出産に関する様々なリスクを有するため，妊娠前からリスクを理解し，十分な準備と態勢を整えて臨むことが大切である ⇒妊娠・出産は通常よりも，様々なリスクが伴うため，自宅出産や新生児科のない産院などでの出産は避ける．神経内科，すぐに帝王切開の対応が可能な産婦人科，出生した子どもを

13　筋ジストロフィー

安全に管理してくれる新生児科(新生児集中治療室)の3つを備えた医療機関での妊娠管理，出産をすることをアクセスなども考慮しながら提案する

STEP❶ アセスメント ▶ STEP❷ 看護課題の明確化 ▶ STEP❸ 計画 ▶ **STEP❹ 実施** ▶ STEP❺ 評価

強みと弱みに着目した援助のポイント

強みに着目した援助
- 父親が介護，子育て，家事に協力的であることを活かし，母親の介護負担の軽減につなげる．
- 両親の声かけに対して反応もいいため，子どものしぐさや表情を読み取りながら対話経験を積み重ねコミュニケーションを高める．

弱みに着目した援助
- 嚥下機能，摂食機能が不十分で，筋力もないため経口摂取が困難になってきている．離乳食と同様にアレルギーに留意して慎重に進め必要な栄養がとれるように援助する．
- 標準的な体重増加が疾患の影響のために得られないが，母子健康手帳の乳幼児成長曲線を記録しながら経時的変化を把握し，必要時には主治医と連携をとる．
- 成長発達の遅れに対する母親の気持ちを理解し，一緒に子どもの成長を支える姿勢でサポートをする．

STEP❶ アセスメント ▶ STEP❷ 看護課題の明確化 ▶ STEP❸ 計画 ▶ STEP❹ 実施 ▶ **STEP❺ 評価**

評価のポイント

- 必要な栄養が摂取できているか
- 誤嚥防止の食事形態を工夫できているか
- 母親と子どものペースに合わせて経口摂取の練習ができているか
- 母親が経鼻経管栄養による栄養管理状況を確認できているか
- 身体計測を定期的に行い，母親と栄養状態の評価ができているか
- 姿勢を保持する能力に応じた，安心・安全・安楽な環境を整えられているか
- 子どもに合わせた発達を促すことができているか
- 現在の成長発達段階(定型発達・遅れ)を理解できているか
- 生活の場を広げることができているか
- 母親が子どものサインを捉えることができているか
- 母親が前言語的コミュニケーションを促すことができているか
- 母親が日々のケア中に声かけができているか
- 子どもが好きな遊びを繰り返すことができているか
- 出生前診断の意思決定について夫婦で話し合うことができているか
- 夫婦が個々の意思を尊重しながら，情報を共有できているか
- 遺伝カウンセリングなどの社会資源を活用できているか
- 妊娠・出産に伴う体調不良や不安を表出できているか

関連項目

第2章「9 重症心身障害児」「19 摂食・嚥下障害」
第3章「26 療育困難」「33 意思決定不全」

14 フレイル

フレイルの理解

基礎知識

疾患概念
- 加齢に伴う種々の機能低下(予備能力の低下)に伴い,種々の身体機能障害に対する脆弱性が増加している状態を指す.
- フレイル(frailty;フレイルティ,虚弱)は,健常な状態(剛健)と要介護状態の中間に位置する病態であり,継続的かつ適切な介入により残存機能や予備能力をよい状態に戻すこと(可逆性;reversibility)ができるという特徴を有する.
- フレイルには身体的要因だけでなく,精神・心理的要因,社会的要因があり,多面的である.
- フレイルの主要な要因は筋肉の加齢変化によるサルコペニア(加齢性筋肉減少症)である.

疫学・予後
- 佐竹ら(2017)の報告によると,わが国の地域住民を対象とした(65歳以上と75歳以上の両方を含む)調査をまとめた結果,フレイル状態の者の割合は11.2%,プレフレイル(フレイルと剛健の間の前虚弱)状態の者は51.9%と報告されている.
- 蛋白質やビタミンD不足,薬剤(多剤服用),口腔機能の低下,不活発な生活習慣などがあるとフレイルになりやすくなる.
- 国際的にみると,フレイルである者はそうでない者に比べて,転倒・骨折や移動能力の低下,認知症の発症,入院,死亡といったネガティブな事象を経時的に経験しやすいことがわかっている.

症状
- フレイルには身体的要因,精神・心理的要因,社会的要因と多面性があるため,一概に自覚症状だけで説明することは困難であるが,以下のような主訴・状態が特徴的である.
- 主訴・病態:疲れやすさ・倦怠感,体重減少,食欲低下,歩行困難・ふらつき,もの忘れ・意欲低下,社会性の低下・閉じこもりなど.

診断・検査値

〈フレイルの診断〉(Friedらによる診断基準)
- ①低栄養(1年間に体重4.5 kg以上減少),②身体能力(歩行速度)低下,③筋力(握力)低下,④易疲労感,⑤エネルギー使用量(身体の活動レベル)低下の5項目のうち,3項目に該当する場合をフレイルとし,1~2項目に該当する場合をプレフレイルとする.多面的なフレイルの中でも,特に身体的フレイルの側面をみているという特徴がある.

〈フレイルのスクリーニング1〉(Friedら(2001),Satakeら(2020)による診断基準)
- 国際的にはFriedら(2001)のCardiovascular Health Study(CHS)基準が最も用いられている.①低栄養(1年間に体重4.5 kg以上減少),②身体能力(歩行速度)低下,③筋力(握力)低下,④易疲労感,⑤エネルギー使用量(身体の活動レベル)低下で判定する.
- 国内ではSatakeら(2020)によって,改訂日本版フレイル基準(J-CHS基準)が定められた.①体重減少(6か月で2 kg以上の体重減少),②筋力(握力)低下(男性<28 kg,女性<18 kg),③疲労感[(ここ2週間)わけもなく疲れたような感じがする],④歩行速度(通常歩行速度<1.0 m/秒),⑤身体活動(a 軽い運動・体操をしていますか?,b 定期的な運動・スポーツをしていますか?の設問a,bのいずれも「週に1回もしていない」と回答)で判定する.
- Friedら,Satakeらにおいては,①~⑤の5項目のうち,3項目に該当する場合をフレイルとし,1~2項目に該当する場合をプレフレイルとする.多面的なフレイルのなかでも,特に身体的フレイルの

側面をみているという特徴がある.

〈フレイルのスクリーニング 2〉(簡易版フレイル・インデックス)
- 体重減少,歩行速度,運動習慣,短期記憶,疲労感を尋ねる 5 つの質問項目のうち,3 つ以上あてはまる場合にフレイルのリスクが高いと判定する.

〈フレイルのスクリーニング 3〉(tilburg frailty indicator；TFI)
- オランダの Gobben らが開発した TFI のパート B(15 項目：身体的要素 8 項目,心理的要素 4 項目,社会的要素 3 項目)に回答してもらい,合計得点が 5 点以上をフレイルと判定する.

〈フレイルのスクリーニング 4〉
- 後期高齢者健康診査において 2020 年 4 月から高齢者の特性を踏まえて健康状態を総合的に把握するという目的から,(1)健康状態,(2)心の健康状態,(3)食習慣,(4)口腔機能,(5)体重変化,(6)運動・転倒,(7)認知機能,(8)喫煙,(9)社会参加,(10)ソーシャルサポートの 10 類型,計 15 個の質問票が導入されている.フレイルおよびプレフレイルの判定基準は明確に示されていないが,厚生労働省が「後期高齢者の質問票の解説と留意事項 別添」で各項目の詳細を解説しているので参照されたい.

合併症
- 骨粗鬆症,転倒・骨折,術後合併症,要介護状態,認知症,施設入所,死亡などがあり,いずれの事象の発生もフレイルと有意な関連性がある.
- 生活習慣病(糖尿病),心血管疾患などの発症およびポリファーマシーなどは,フレイルのアウトカムであると同時にその原因にもなり得る.

治療法
● 治療方針
- 栄養・運動療法を中心とした介入が効果を示すことが明らかになっている.また社会性が落ち始めると,連鎖的に閉じこもりや認知症などのリスクが上昇することから,社会参加の程度を評価し必要に応じて支援することが重要である.
- 高齢者においては薬剤の効き過ぎや相互作用などが影響し,活気の低下や転倒などのリスクを増大させることがある.そのため,フレイルを意識した服薬管理指導,すなわち,ポリファーマシー(多剤併用)や潜在的に不適切な薬剤(potentially inappropriate medications；PIMs)にも配慮した指導が必要である.
- 以下に,栄養(食と口腔機能維持),運動,社会参加,薬物療法の分野に分けてポイントを言及するが,これらを包括的に指導し,日常生活に継続的な形で取り組めるように促すことが重要である.

〈栄養〉
- 食欲,むせ,咬合力などの口腔機能・衛生状態の評価を行う.骨粗鬆症に対して食事によりカルシウム(800 mg/日以上)やビタミン D(20 μg/日以上),ビタミン K の摂取を心がけることで骨折予防につながる.
- サルコペニア対策として,(後述の運動に加え)蛋白質摂取が重要であることはすでに周知の事実であるが,実際に蛋白質の摂取絶対量が不足していることと,国民の体重減少への過剰意識を払拭するなど,教育面でも重要な部分が多い.
- 口腔保清として,1 日 2 分以上の歯磨き,デンタルフロスやマウスウォッシュの利用,定期的な歯科受診などを行うことで生命予後がよくなることがわかっている.

〈運動〉
- サルコペニアに対しては,骨格筋量の増加と筋力増強の効果を高めるためにレジスタンス運動と蛋白質(アミノ酸)摂取が有用である.ほかに有酸素運動(最高心拍数の 50〜90％ の運動強度の運動を 20〜40 分/日,週 3 回以上実施)や 2 種類の異なる課題を同時に実施する二重課題運動,ストレッチングなどの柔軟性運動などが有効とされている.
- 運動器の障害のために移動能力の低下をきたした状態(ロコモティブシンドローム)に対しては,開眼片脚立ち訓練,ハーフスクワット,ヒールレイズ,フロントランジなど下半身の筋力トレーニングを実施する.

〈社会参加〉
- 外出頻度や外出目的(身体活動,文化活動,地域活動など)による社会参加の程度を把握し,社会性の維持を促す.しかも,多岐にわたる社会的な活動がどのような内容やレベルであっても継続的に実施

できていれば，本人へのフレイル予防につながる可能性があることもしっかりと教育すべきである．

● **薬物療法**
- 「高齢者の安全な薬物療法ガイドライン2015」などをもとに薬物による有害事象を減らすよう，必要に応じて服薬調整を行う．ベンゾジアゼピン系の薬剤は催眠作用を有するため，ふらつきやめまいが出現しやすく転倒や骨折，長期的には認知症発症の危険性が増大することが報告されている．また，抗コリン作用を有する薬剤の累積も認知症の発症リスクを高める．
- 漢方医学での虚証や未病という概念がフレイルと類似することから，漢方治療の可能性を検討する．

● **家族へのサポート**
- ささいな衰えを自覚し，自ら進んでフレイル予防を行うことのできる人は少ない．同居家族がいるにもかかわらず孤食である人はフレイルやうつ発症のリスクが高いことがわかっている．家族が日常の食事場面において食事内容だけでなく，食欲の有無を観察したり，コミュニケーションを積極的に行ったりすることでフレイル予防に寄与することができることを伝え，家族の役割の重要性を認識してもらうことが必要である．
- 外食や運動・趣味，ボランティア活動などの習慣を家族で共有することで，社会参加の機会を増やすことができる．定年退職や骨折入院，引っ越しなどで社会とのつながりが希薄になるときに，社会性の維持を図ることができるよう，働きかけるのも家族ができるフレイル予防である．

在宅における特徴

- 重度のフレイル高齢者や要介護状態の高齢者の場合には，運動介入を行っても身体機能の改善が期待できないことが報告されている．多くの人が健康な状態からフレイルを経て，要介護状態になると考えられていることから，フレイルの予防のためにはできるだけ早くフレイルの徴候に気づき，生活習慣を見直すことが重要である．

在宅診療の実際

● **病診連携**
- フレイルの予防には，栄養介入と運動介入を併用することが有効であることが示されている．外来通院が可能な時期から病院や診療所の医師や看護師などの医療スタッフが栄養や運動の評価を行い，在宅で実施可能な栄養・運動対策を教示する．
- また，在宅サービスの専門職が必要に応じて病院や診療所に口腔機能の評価やリハビリテーションの紹介を行うことにより，連携してフレイル予防を行うことが必要である．

フレイルに関連する社会資源・制度

1) **日常生活上の困りごと，社会資源利用に関する相談窓口**
- 地域包括支援センター

2) **機能訓練，アクティビティケア，交流の場**
- 介護保険法による通所介護などの通所型サービス
- 住民ボランティアなどによるミニデイケア，サロン，体操教室(一部，介護保険法による通所型サービスに該当する)
- 介護保険法による通所リハビリテーション，訪問リハビリテーション
- 民間企業などによるスポーツクラブ
- 趣味の会

3) **手段的日常生活動作(買い物，洗濯，掃除，調理など)の援助**
- 介護保険法による訪問介護などの訪問型サービス
- 住民ボランティアなどによる生活援助など(一部，介護保険法による訪問型サービスに該当する)
- 民間企業などによる配食サービス，宅配型買物サービス
- 市区町村などによるごみ出し支援サービス

4) **日常生活を支援する福祉用具貸与，住宅改修**
- 介護保険法による福祉用具貸与（歩行器，歩行補助杖，工事が不要な手すり・スロープ）
- 介護保険法による住宅改修（手すりの取り付け，段差の解消，床材の変更，引き戸，洋式便座への取り替え）の費用の払い戻し

5) **地域住民等による見守り，安否確認**
- 民生委員や住民ボランティアによる訪問や電話
- 各市区町村の社会福祉協議会やシルバー人材センターなどが運営する住民らによる訪問や電話

フレイルをめぐる訪問看護

訪問看護の視点

1) 療養者をみる視点
- フレイルの可逆性を踏まえ，フレイル増悪への負の循環を解消する．
- 身体的要因，精神・心理的要因，社会的要因を包含したケアニーズに対処する．
- 老年症候群（骨粗鬆症，尿失禁，うつ，認知機能低下，転倒・骨折など）に対する予測的・予防的ケアを行う．
- 本人の自立性の維持・促進を重視し，エンパワーメントを促進する．
- フレイル高齢者は生活範囲となる近隣環境にも影響を受けるため，環境を広く捉えることが重要である．

2) 支援のポイント
- 主疾患の状況に加え，フレイルに影響する身体的問題（骨粗鬆症，筋力低下，低栄養，転倒・骨折），精神・心理的問題（認知機能低下，うつ，意欲低下など），社会的問題（独居や高齢者夫婦世帯，配偶者の死別，閉じこもり，貧困など）を把握し，それらの相互的な関連性を踏まえた介入を実施する．
- 本人の日常生活動作の自立性，良好な住環境やサポート体制などの強みに着目し，それらの活用や維持・促進をケア計画に含める．
- 支援体制の調整では，療養者が地域とのつながりを維持できるよう，専門職によるサービスに加え，インフォーマルな社会資源（住民主体のサロンや生活援助など）も活用する．

● **状態別：療養者をみる視点と支援のポイント**

通常，身体的フレイル，精神・心理的フレイル，社会的フレイルは併存しやすいため，各視点を包含したアプローチが必要である．

状態	療養者をみる視点	支援のポイント
身体的フレイル	転倒・骨折，活動性や歩行能力低下，低栄養など身体的要素におけるフレイルでは，原因となる疾患や症状への積極的アプローチに加え，運動介入や栄養介入が重要となる．	● 生活の中で実施できる機能訓練，日常生活動作訓練の方法を説明する． ● 訪問リハビリテーションや通所型サービスなどを導入し，活動性を向上する． ● 転倒予防のための生活環境の整備を行う． ● 良質な栄養を摂取するための食習慣の説明や提案をする．
精神・心理的フレイル	うつ，認知機能低下などの精神・心理的要素におけるフレイルでは，療養へのアドヒアランス	● うつや認知機能の程度を評価する．

状態	療養者をみる視点	支援のポイント
	が得られにくい場合もあるため，症状の評価や専門的介入が必要となる．また，身体能力があっても，生活動作を遂行できないことがあるため，生活支援ニーズの見極めが重要である．	●必要に応じて，主治医，専門の医療機関と連携する． ●療養へのアドヒアランスを把握し，服薬や受診行動を支援する． ●精神・心理症状による生活機能低下をアセスメントし，必要な支援体制を整える．
社会的フレイル	独居や高齢者夫婦世帯，貧困，社会的孤立などの社会的要素におけるフレイルは，心身の状態にかかわらず，在宅での療養生活の継続を左右するだけでなく，心身への影響も大きい．社会資源の利用や社会参加のための支援を行う．	●公的なサービスとともに，地域のインフォーマルな社会資源を活用し，社会参加や対人交流を維持できるよう支援する． ●経済的支援となる制度(高額医療，高額介護合算療養費制度など)についての情報提供を行う．

訪問看護導入時の視点

- 訪問看護導入の主目的(医師の指示)以外に，日常生活でフレイルを加速させる要素(例：併存疾患，栄養摂取の不足，口腔機能の低下，不活発な生活習慣，多剤併用，人との交流の減少など)がないかを把握する．
- 高齢者の機能障害ともてる力(強み)を包括的・客観的に把握し，介入策を検討するため，高齢者総合的機能評価(CGA)などに基づく評価ツールを用いて，導入時に対象者をアセスメントする．

STEP 1 アセスメント > STEP 2 看護課題の明確化 > STEP 3 計画 > STEP 4 実施 > STEP 5 評価

情報収集

	情報収集項目	情報収集のポイント
疾患・医療ケア	**疾患・病態・症状** □疾患	●フレイルを増悪させる疾患(筋骨格系疾患，生活習慣病，がん，感染症など)はあるか
	医療ケア・治療 □服薬 □治療	●服薬内容，方法，頻度，管理状況はどうか．フレイルに関連する作用があるか(ふらつき，食欲不振，認知機能・意欲低下など) ●受診頻度はどうか，どのような医療機関にかかっているか
	全身状態 □摂食・嚥下・消化状態 □栄養・代謝・内分泌状態 □排泄状態 □筋骨格系の状態	●食欲不振，咀嚼困難，嚥下障害，便秘はないか ●低栄養，体重減少はないか ●排尿困難，頻尿，尿失禁・便失禁はないか ●サルコペニア(筋量と筋力の低下)，骨密度の低下，不良姿勢(円背，骨盤の後傾，股・膝関節の屈曲)，生活に支障をきたす疼痛(腰背部

情報収集項目		情報収集のポイント
疾患・医療ケア	□感覚器の状態 □皮膚の状態 □認知機能 □精神状態 □免疫機能	や膝の痛み)はあるか ●視覚，聴覚，味覚，嗅覚はどうか ●皮膚症状(老人性乾皮症，接触性皮膚炎，白癬，老人性紫斑)の有無，程度はどうか ●見当識，記憶力，判断力，計算力，理解力の低下が生活に支障を及ぼしていないか ●不安，緊張，うつ症状が生活に支障を及ぼしていないか ●感染のしやすさはどうか，予防接種(インフルエンザ，肺炎)の状況はどうか
活動	移動 □屋内移動 □屋外移動	●屋内移動に介助や補助具が必要か，普段屋内でどの程度移動しているか ●屋外移動に介助や補助具(歩行器，杖，シルバーカーなど)が必要か，普段どの程度外出しているか，車や公共交通機関を利用しているか
	生活動作 □基本的日常生活動作 □手段的日常生活動作	●自立しているが安全性に問題がある動作はあるか(特に歩行，入浴動作) ●調理，買い物，洗濯，掃除，金銭管理，公共交通機関の利用をどのようにしているか
	生活活動 □食事摂取 □水分摂取 □活動・休息 □生活歴	●食事の内容，回数はどうか，摂取エネルギー，蛋白質，ビタミンDは十分か，疾患による食事制限があるか，それを守れているか ●水分摂取量はどうか ●生活リズム，昼寝の有無や時間，夜間の睡眠状況 ●出生地，職歴，生活習慣はどうか．転居・死別などのライフイベントはあったか
	コミュニケーション □意思疎通 □意思伝達力 □ツールの使用	●周囲の状況を理解し，人と意思疎通ができるか ●人と意思疎通ができる基本的な聴力・視力・言語力があるか．不十分な場合は，補聴器，眼鏡，意思伝達装置などを活用できるか ●電話，携帯電話，スマートフォン，メールなどを使用して他者と意思疎通ができるか
	活動への参加・役割 □家族との交流 □近隣者・知人・友人との交流 □外出 □社会での役割 □余暇活動	●同居・別居家族とのかかわりはどうか(内容，頻度，方法) ●配偶者・親・子としての役割があるか，家庭で役割(子や孫の世話，介護，家事手伝い，簡単な家事など)があるか ●近隣，知人，友人とのかかわりはどうか(内容，頻度，方法) ●普段，買い物，受診，楽しみなどのために外出しているか ●社会での役割(就労，ボランティア，寺や教会などでの役割)があるか ●通所型サービス，趣味や運動，サロンなどにどの程度参加しているか，本人の積極性はどうか
環境	療養環境 □住環境	●移動能力に応じて屋内環境を整備しているか．手すりの設置や段差の

	情報収集項目	情報収集のポイント
環境	□地域環境 □地域性	解消がされているか．玄関や道路への出入り口を整備しているか．照明は十分か ➡買い物や受診，楽しみのために出かけている場所へのアクセスはどうか．人通りや自転車・車の往来はどうか ➡住民同士が交流し，関心をもっているか，自治会などの活動内容が活発か．療養者が参加できる地域の行事があるか
	家族環境 □家族構成 □家族機能 □家族の介護・協力体制	➡家族構成，家族の居住地，同居状況はどうか ➡家族関係は良好か，家族が互いに関心をもち交流はあるか．家族の健康状態・問題解決能力はどうか ➡家族内にキーパーソンがいるか，買い物，外出，家事を支援する家族がいるか
	社会資源 □保健医療福祉サービスの利用 □インフォーマルなサポート	➡通所型サービス（デイケアやサロン），訪問型サービス（訪問介護など），住宅改修，福祉用具貸与の利用状況はどうか ➡療養者を支える知人，友人．近隣の人々はいるか
	経済 □世帯の収入 □生活困窮度	➡年金などの収入は療養生活の継続に十分か ➡経済的余裕はあるか
理解・意向	志向性（本人） □生活の志向性 □性格・人柄 □人づきあいの姿勢	➡生活の中で目標や楽しみがあるか，価値観はどのようなものか ➡自立心はあるか，社交的な性格か ➡他者とかかわろうとする姿勢や興味があるか
	自己管理力（本人） □自己管理力 □情報収集力 □自己決定力	➡服薬・医療処置，保健行動の管理力があるか ➡生活，医療，サービスに関する情報収集をしているか ➡生活，医療，サービス利用に関して療養者自身が決定しているか
	理解・意向（本人） □意向・希望 □感情 □終末期への意向 □疾患への理解 □療養生活への理解	➡生活，療養，医療，サービス利用に関する意向や希望はどのようなものか．日常生活動作を自分で実施したいと思っているか ➡加齢に伴う不安，絶望，疎外感などがあるか ➡終末期や急変時の延命処置や療養場所にどのような希望があるか．事前指示やリビングウィルがあるか，それらはどのような内容か ➡フレイルを増悪させる要素や負の循環を理解しているか ➡フレイル予防・改善のために取り組むこと（健康管理，運動習慣，食生活など）を理解しているか
	理解・意向（家族） □意向・希望 □疾患への理解 □療養生活への理解	➡療養者の生活をどのように支えたいと思っているか ➡フレイルを増悪させる要素や負の循環を理解しているか ➡フレイル予防・改善のために日常生活において療養者が取り組むべきこと（健康管理，運動習慣，食生活など）を理解しているか

事例紹介

肺炎による入退院を経て，フレイル状態にある独居高齢者の例

Keywords フレイル，老年期うつ，腰部脊柱管狭窄症，軽度認知障害，低栄養，歩行機能低下，独居，高齢女性

〔基本的属性〕女性，78歳
〔家族構成〕一人暮らし．隣市に長男夫婦が在住
〔主疾患等〕フレイル
〔状況〕高血圧，腰部脊柱管狭窄症があるが，症状は安定している．近くに住む長男夫婦や近隣住民の助けを借りながら，身の回りの世話は自立した生活を送る．肺炎により2週間入院し，退院後より，体力の低下や老いへの悲観的な訴えが目立ち，食欲も低下している．また，「外に出るのが億劫」と通院以外の外出はせず，脚力の衰えを自覚しているほか，趣味の洋裁への関心も薄れている．長男が心配し，訪問看護によるリハビリテーションを導入した．

情報整理シート

疾患・医療ケア

【疾患・病態・症状】
主疾患等：フレイル(78歳〜)
病歴：高血圧(64歳〜)，腰部脊柱管狭窄症(75歳〜)，肺炎(78歳，入院加療)

経過：
- 64歳　高血圧にて近医受診，内服開始
- 75歳　歩行時の下肢のしびれがあり，整形外科受診，腰部脊柱管狭窄症と診断．定期受診と服薬でフォロー
- 78歳　肺炎のため2週間入院する．介護保険を申請し，要支援2と認定

退院から1か月後　退院後より体力低下，老いへの悲観的な訴えが目立ち，食欲も低下している．長男が心配し，生活援助(掃除)目的の訪問介護，およびリハビリテーション目的の訪問看護の利用を開始

【医療ケア・治療】
服薬：【内服】Ca拮抗薬(アムロジン)
　　　　　　　　血小板凝集抑制薬(アスピリン)
　　　　　　　　プロスタグランジン製剤(プロレナール)
治療状況：3週間ごとの受診
医療処置：特になし
訪問看護内容：下肢筋力と体幹強化のためのリハビリテーション

【全身状態・主な医療処置】
- 記銘力の低下あり(MMSEスコア25点)　探し物をしていることが多い
- 身長：156 cm
- 体重：50.0 kg
- BMI：20.5
- 退院後，1か月で2 kgの体重減少あり
- 視力低下あり　眼鏡(遠近両用)使用で，新聞は読むことが可能
- 血圧：120/80 mmHg台
- 脈拍：70〜80回/分，整
- 排便：1回/日
- 排尿：5〜6回/日
- 食事：3回/日
- 腰部脊柱管狭窄症　長時間歩くと足のしびれが出る．間欠跛行あり

基本情報
- 年齢：78歳　性別：女性
- 要介護度：要支援2
- 障害高齢者自立度：J2
- 認知症高齢者自立度：Ⅰ

活動

【移動】
屋内移動：独歩(補助具使用せず)
屋外移動：歩行器歩行

【活動への参加・役割】
家族との交流：長男は毎日電話をかけ，週1回は妻と訪問する．次男，三男，孫は盆と正月のみ訪問する程度．関係はよい．兄弟とは電話で年1，2回程度話す．
近隣者・知人・友人との交流：民生委員が週1回，見守り訪問をしている．40年以上同じ家に住んでおり，近隣住民に顔見知りが多く，週2回ほど，おかずの差し入れなどをしてくれる．
外出：受診のみ(1回/3週)
社会での役割：なし
余暇活動：新聞のコラム欄の書き写しが日課，洋裁

【生活活動】
食事摂取：1日3食食べるが，3食ともご飯と漬物のみで済ませることが多い．週1回は長男夫婦と食事をし，週1回程は近隣住民がおかずを差し入れてくれるが，冷蔵庫にそのままになっている．
水分摂取：お茶を5〜6杯/日
活動・休息：退院後，好きだった洋裁への興味がなくなり，日中は寝室で横になって過ごす時間が多い．夜間は6時間ほど眠れている．
生活歴：25歳で結婚後，専業主婦として3人の息子を育てた．夫とは10年前に死別．昔，洋裁学校に通っていたこともあり，洋裁が趣味である．
嗜好品：なし

【生活動作】

基本的日常生活動作
食動作	自立，普通食摂取
排泄	自立
清潔	自立
更衣整容	自立
移乗	自立
歩行	ゆっくり平地歩行は自立だが，しびれが出ると休憩が必要(10分程度の歩行は可能)
階段昇降	数段の階段は手すりがあれば昇降可能

手段的日常生活動作
調理	簡単な調理を自分で行う
買い物	宅配型の買い物サービス利用(1回/週)
洗濯	自立
掃除	訪問介護(1回/週)
金銭管理	自己管理
交通機関	利用しない

【コミュニケーション】
意思疎通：難聴はあるが，コミュニケーションに問題なし．
意思伝達力：聴力低下あり．発語に問題なし．
ツールの使用：テレビを視聴する際のみ，集音器を使用する．

14　フレイル

環境

【療養環境】

住環境：一人暮らし
築50年木造一軒家2階建
段差は住宅改修で解消している．

地域環境：山間部で，スーパーや最寄り駅までは車かバスで20分かかる．最寄りのバス停まで徒歩10分かかる．バスの本数は少ない．自家用車で移動する者がほとんどである．

地域性：市全体の高齢者人口の割合は50％を占める．古くからの住民同士のつながりは強く，おかずを差し入れてくれる．町内会活動は盛んで，老人会では体操教室や食事会が開催されている．

【ジェノグラム】

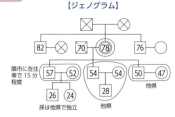

隣市に在住
車で15分程度

孫は他県で独立　他県

【家族の介護・協力体制】

長男は妻とともに週1回訪問し，家の片付けをしたり，食事を一緒に食べる．受診日は長男が車で送迎する．

【エコマップ】

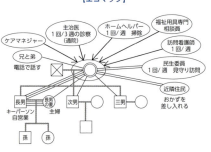

【社会資源】

サービス利用：

	月	火	水	木	金	土	日
AM			訪問看護				
PM	訪問介護						

保険・制度の利用：介護保険，後期高齢者医療
歩行器レンタル（福祉用具）

【経済】

世帯の収入：本人の年金
生活困窮度：経済的困窮はない．

理解・意向

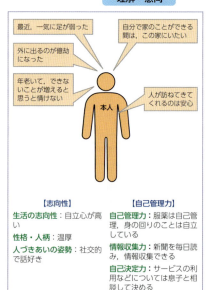

最近，一気に足が弱った
外に出るのが億劫になった
年老いて，できないことが増えると思うと情けない
自分で家のことができる間は，この家にいたい
人が訪ねてきてくれるのは安心

【志向性】
生活の志向性：自立心が高い
性格・人柄：温厚
人づきあいの姿勢：社交的で話好き

【自己管理力】
自己管理力：服薬は自己管理，身の回りのことは自立している
情報収集力：新聞を毎日読み，情報収集できる
自己決定力：サービスの利用などについては息子と相談して決める

一人暮らしだしこのまま弱るんじゃないかと心配している
電話で話したことをすっかり忘れていることがある

キーパーソン
自営業（印刷業）
仕事は繁忙期もあるが，比較的ゆったりしている．サービス利用について本人と相談の上，決定する

自分の親の介護もあるから，週1回顔を見に行くので精一杯

長男の妻
専業主婦
自分の母親の介護があり，忙しい

14 フレイル

第2章 健康障害別看護過程　3．老年症候群

STEP❶ アセスメント　STEP❷ 看護課題の明確化　STEP❸ 計画　STEP❹ 実施　STEP❺ 評価

看護課題リスト

No.	看護課題　【コード型】文章型	パターン
#1	【うつ傾向】抑うつ気分や無関心，身体活動性の低下，食欲低下など，うつに伴う症状がある	問題着眼型
	根拠　退院後より，老いへの悲観，趣味活動への無関心，身体活動性の低下，食欲の低下などうつの傾向が出現しているが，地域の対人交流や社会参加の機会が改善に役立つ可能性がある．	
#2	【低栄養のリスク】食欲の低下や食事内容の偏りがあり，体重減少もみられ，低栄養のリスクがある	リスク着眼型
	根拠　BMI値は正常範囲内であるが，食欲の低下や食事内容の偏りがあり，1か月で2kgの体重減少があることから，低栄養のリスクが高い．	
#3	【歩行の維持・促進】歩行能力，社会参加の機会，自立した生活を送る意欲があることを活かし，歩行を維持・促進する	強み着眼型
	根拠　入院や腰部脊柱管狭窄症によって下肢筋力が低下しており，歩行機能が低下するリスクがある．しかし，歩行能力があること，自宅での生活が自立していること，地域に知人が多く，老人会の行事などの外出の機会があることを活用すれば歩行機能を維持・促進できる可能性がある．	
#4	【記憶力の維持・促進】自立への意欲があること，趣味や知的活動を活かし，記憶力を維持・促進する	強み着眼型
	根拠　記銘力の低下，物忘れや探し物をするなど，軽度の認知機能低下を認める．しかし，自宅での役割，趣味や知的活動を活用すれば記憶力を維持・促進できる可能性が高い．	

【看護課題の優先度の指針】退院後より【うつ傾向】に伴う症状が複数みられ，他の身体症状の悪化を加速する可能性が高いことから#1とした．次いで，【低栄養のリスク】は早急な介入が必要であるが，#1のうつの影響である可能性を考え#2とした．さらに，現在の日常生活動作の維持のために【歩行の維持・向上】が不可欠であるが，#1のうつ傾向の解決により身体活動の向上が期待できるため#3とした．最後に，現時点では生活に大きな支障はないが【記憶力の維持・促進】が自立生活には重要であり，#4とした．

長期目標

フレイルを増悪させる症状を軽減・予防し，地域の社会資源を活用しながら在宅で自立した生活を送る．

根拠　フレイルを増悪させる複数の症状（うつ，低栄養，歩行機能低下，認知機能低下）がみられ，それらが相互的に関連しあっているため，負の循環を断つための早急な介入が必要である．一方で，近隣住民とのつながりや家族の支援に支えられ，一人暮らしを継続する意欲は高いため，適切な支援により現在の自立性を維持・促進できれば，フレイルを改善できる可能性がある．

〈長期目標を共有するケアチーム〉
フォーマルサービス：訪問看護師，主治医，ケアマネジャー，ホームヘルパー，福祉用具専門相談員
インフォーマルなサポート：長男，長男の妻，近隣住民，民生委員

| STEP ❶ アセスメント | STEP ❷ 看護課題の明確化 | **STEP ❸ 計画** | STEP ❹ 実施 | STEP ❺ 評価 |

1 看護課題

#1【うつ傾向】
抑うつ気分や無関心，身体活動性の低下，食欲低下など，うつに伴う症状がある

看護目標（目標達成の目安）

1) 抑うつ気分が解消される（1か月）
2) 食欲が向上する（1か月）
3) 生活の楽しみがある（1か月）

14 フレイル

援助の内容

OP 観察・測定項目
- 抑うつの程度

- 顔貌，表情
- 抑うつ気分，不安，自責感，焦燥感，悲哀，孤独感，疲労感，精神運動制止，希死念慮
- 併存疾患，身体症状（頭痛，食欲低下，口渇，胸やけ，悪心，便秘，下痢，めまいなど）
- 日常生活動作の実施状況

- 食事の回数，内容，食欲，体重減少，栄養状態
- 認知機能に関する訴え，認知機能
- 夜間の睡眠状況，不眠の有無

- 日々の楽しみ，目標，生活のハリ，関心
- 家族，近隣住民との交流頻度

TP 直接的看護ケア項目
- うつ治療のための援助

- 栄養状態の維持・脱水の予防

- うつや疲労感を考慮した運動介入

- 生活行動（主に家事動作）の支援

EP 教育・調整項目
- コミュニケーションによる心理的サポート

- 活動と休息についての助言

援助のポイントと根拠

➡ 老年期うつ病評価尺度（Geriatric Depression Scale）などを用いて評価する
➡ **根拠** うつでは感情が乏しくなり無表情になりやすい
➡ **根拠** 高齢者のうつは，精神症状よりも，身体症状の訴えとして現れることがあり，また，他の疾患（血管性認知症，パーキンソン病など）の前駆症状にもなり得るため，精神症状に加え，他の疾患や身体症状にも注意する

➡ **根拠** うつ症状により生活動作が制限されていないか確認する
➡ うつに伴う食欲低下や食事内容の変化，低栄養がないか把握する
➡ **根拠** 高齢者のうつでは認知機能の低下を強く訴えることがあるが，実際の認知機能と本人の訴えが乖離している場合も多いため，併せて観察する
➡ 趣味や地域活動（老人会の行事など）の参加への関心や意向を把握する
➡ 対人交流への意欲が低下していないか把握する

➡ **連携** 主治医にうつ症状について報告・連絡し，必要に応じて精神神経科などの専門医とも連携する．治療中は定期的な受診を促し，服薬管理を行う
➡ 体重減少や低栄養を防ぐため，食事内容や頻度などを工夫するとともに脱水症状の予防に努める
➡ 散歩，自宅内でのストレッチや筋肉トレーニングなどの運動介入を取り入れる．本人の意向により，対人交流や集団での運動ができる社会資源（デイサービスや地域の体操教室など）の導入を検討する
➡ **連携** うつに伴う日常生活動作の制限がある場合，ケアマネジャー，ホームヘルパーと連携し，必要な生活援助を行う

➡ 体力低下や老いへの悲観，その他の心気的訴えに対し，支持的，受容的，共感的態度で傾聴する
➡ 積極的に話しかけたり，叱咤激励をせず，療養者の言葉を待つ姿勢でかかわる
➡ ネガティブな物事の見方と気分の変化への対処行動をともに考える
➡ **【急性期】** 休養の必要性を伝え，特に夜間は十分な睡眠を確保できるよう支援する（リラクセーションや指示による睡

援助の内容	援助のポイントと根拠
●家族に対する情報提供	眠薬の利用などを勧める). 日中は, 現在自立している家事動作を継続し, 活動性の維持をめざすが, 本人の意欲に応じて行うようにし, 疲れたら休憩するよう伝える ➡【回復期】 強み 洋裁の再開, 老人会の行事参加など, 生活の楽しみにつながる目標を本人とともに立て, 活動や意欲の向上をめざす ➡長男夫婦に, うつの症状やかかわり方について情報提供をする 強み 週1回の食事を一緒に食べる機会を維持してもらうよう説明する

2 看護課題	看護目標(目標達成の目安)
#2 【低栄養のリスク】 食欲の低下や食事内容の偏りがあり, 体重減少もみられ, 低栄養のリスクがある	1) 食事内容が改善する (2週間) 2) 食欲が向上する (1か月) 3) 体重が増加する (1か月)

援助の内容	援助のポイントと根拠
OP 観察・測定項目 ●栄養状態 (BMI, 血液データ) ●嚥下困難 (むせ, つかえ感など), 咀嚼困難 ●食事の回数, 内容, 食欲 ●水分摂取量, 口渇, 口腔や舌の乾燥の有無 ●排便状況 ●食事の姿勢 ●食事環境, 他者との食事の頻度, 外食の有無 ●食べ物の好き嫌いの有無 ●精神心理的問題の有無 ●食欲不振に対する本人の認識 ●活動状況 ●経済状況	➡ BMI 18.5未満(低体重), 体重減少率1か月で5%以上, 血清アルブミン値, 総コレステロール値の低下など低栄養の徴候を把握する ➡食事摂取量の低下に伴う脱水に注意する ➡ 根拠 便秘・下痢は食欲不振につながりやすい ➡ 根拠 円背など不良姿勢は食欲不振につながりやすい ➡ 根拠 孤食は食事が簡素になりやすく, 食欲不振を招きやすい ➡ 根拠 うつや認知症では食欲不振が高頻度でおきる ➡どのような理由で食べないのか, 食欲不振の原因を明らかにする ➡活動状況に見合った食事内容かを評価する ➡節約のために食材の購入や食事量を制限していないかを把握する
TP 直接的看護ケア項目 ●室内での運動や短時間の散歩の支援	➡活動量を維持向上するための援助を提供する 根拠 食事摂取量の低下により, 栄養状態が低下すると活動性が低下し, 筋肉量や筋力低下につながる. また, 活動性が低下すると食欲不振, 食事摂取量の低下を引きおこす. この負の循環を断つことは重要である
EP 教育・調整項目 ●低栄養予防のための教育・提案	➡ 強み 低栄養予防の重要性を説明し, カロリーや蛋白質を摂取できる食品の選び方や献立をともに考える. 調理が不要で価格帯が安い蛋白源である缶詰, 納豆, 豆腐, 乳製品などをうまく取り入れる ➡ 強み 体重測定や食事内容の記録を習慣づける 根拠 療養者自身の意識づけのため重要である

● 口腔ケア実施についての指導	⮕ カロリーや蛋白質を食事からとりにくい場合，栄養補助食品の利用を提案する
	⮕ 根拠 食事摂取量の低下により唾液分泌が低下し，自浄作用，殺菌作用が低下するため，肺炎等のリスクが高くなる
● 家族への情報提供	⮕ 強み 低栄養予防の重要性を説明し，可能な範囲で療養者の食生活に配慮してもらう．週1回食事を一緒に食べることは，楽しみや食欲増進につながる可能性もあるため，継続してもらう
● 栄養管理のための多職種連携・サービス調整	⮕ 連携 主治医と連携し，栄養状態の評価を行う．ケアマネジャー，ホームヘルパーと連携し，必要に応じて，調理の援助を検討する　根拠 本人の主体性を重視し，介入時は家事代行ではなく，本人とともに調理するなど，支援方法を工夫する
	⮕ 本人の意向に応じて，配食サービスの利用や老人会の食事会などへの参加も検討する

3 看護課題	看護目標（目標達成の目安）
#3 【歩行の維持・促進】 歩行能力，社会参加の機会，自立した生活を送る意欲があることを活かし，歩行を維持・促進する	1) 歩行機能を維持する（1か月） 2) 外出頻度が増加する（1か月） 3) 転倒を起こさない（2か月）

援助の内容	援助のポイントと根拠
OP 観察・測定項目	
● 歩行機能，転倒のリスク	⮕ 関節可動域の制限，筋力低下，つまずきやふらつきがないか，転倒危険箇所の有無（自宅内，自宅外の行動範囲）を把握する
● 歩行に影響する身体症状	⮕ 腰部脊柱管狭窄症の治療状況，歩行時のしびれや痛みの程度
● 福祉用具の使用状況	⮕ 歩行器などの福祉用具が本人の歩行機能に合っているか，使用方法は適切かを確認する　連携 必要時，ケアマネジャー，福祉用具専門相談員と連携し，福祉用具の変更や調整を依頼する
● 自宅での活動状況，外出状況	⮕ 普段の歩行につながる生活習慣を把握する
TP 直接的看護ケア項目	
● 下肢筋力強化のための運動療法	⮕ 訪問時に下肢筋力強化のための運動を実施する．この際，療養者自身が1人でも安全に実施できる方法を工夫する（例：椅子に座った状態や手すりなどにつかまった状態での足踏み，かかと上げなど）．1日の回数などの目標を立てる　連携 必要時，ケアマネジャーと連携し，訪問リハビリテーションや通所リハビリテーション，通所型サービス（住民などによる体操教室）の導入を検討する
EP 教育・調整項目	
● 生活動作の継続の勧め	⮕ 強み これまで実施している家事動作や身の回りのことを自分で行うだけでもリハビリテーションになることを説明する
● 外出や歩行の勧め	⮕ 外出や歩行の重要性を説明する　強み 近隣住民宅への訪問や老人会の行事への参加など，療養者が地域とのつながり

	を維持できる外出の目標を立てる

4 看護課題	看護目標（目標達成の目安）
#4【記憶力の維持・促進】 自立への意欲があること，趣味や知的活動を活かし，記憶力を維持・促進する	1）記憶力を維持する（2か月）

援助の内容	援助のポイントと根拠
OP 観察・測定項目 ●認知機能 ●画像診断（MRI）の結果 ●身体的・知的活動，社会参加の状況 ●合併疾患の治療状況 ●認知機能低下に伴う症状と生活への影響 ●療養者と家族の認知機能低下に関する認識 ●うつや意欲低下などの精神症状の有無，程度	➡ミニメンタルステート検査（MMSE）などを用いて評価する ➡ 連携 主治医が過去に認知機能を評価している場合もあるため，情報収集する ➡ 根拠 身体的・知的活動，社会参加を積極的に行うライフスタイルは認知症の保護因子である ➡ 根拠 高血圧は血管性認知症の危険因子になる ➡記憶，見当識，失行・失認，BPSD（行動・心理症状）の有無と程度，それらの日常生活への影響を把握する ➡ 根拠 本人が自覚していない症状に家族が気づいていることがある．また，うつなどを合併している場合，認知機能低下が著しくなくても本人からの訴えが強いことがある
TP 直接的看護ケア項目 ●認知機能維持のための運動介入	➡散歩，自宅でのストレッチや筋肉トレーニングなどの運動介入を取り入れる．本人の意向によって，集団での運動ができる社会資源（デイサービスや地域の体操教室など）の導入を検討する　根拠 運動と認知課題を組み合わせたマルチタスクは軽度認知障害（MCI）の改善に効果がある．集団での運動は運動中に対人交流を取り入れることができるため，1人での運動よりも認知機能の維持において効果的である
EP 教育・調整項目 ●認知機能維持のためのライフスタイルへの提案 ●家族への情報提供	➡ 強み 生活の中で実施している知的活動（新聞を読むこと，新聞のコラム欄の書き写し，洋裁），自宅内での家事動作，近隣住民との交流は認知機能低下の予防によいことを伝え，継続への動機づけを行う ➡療養者の言動で気になることがあれば，訪問看護師に相談するよう説明する．対人交流は認知機能維持に有用であり，電話や訪問での療養者との交流を継続することが重要であることを説明する

STEP❶ アセスメント　STEP❷ 看護課題の明確化　STEP❸ 計画　**STEP❹ 実施**　STEP❺ 評価

強みと弱みに着目した援助のポイント

強みに着目した援助
- 趣味活動，老人会の行事参加など，生活の楽しみにつながる目標を療養者とともに立て，活動や意欲の向上をめざす．
- 調理ができることを生かし，カロリーや蛋白質を摂取できる食品の選び方や献立をともに考える．

- 近隣住民宅への訪問や老人会の行事への参加など，療養者が地域とのつながりを維持できる外出の目標を立てる．
- 知的活動，自宅での家事動作，近隣住民との交流が認知機能低下予防によいことを伝え，継続への動機づけを行う．

弱みに着目した援助
- うつ症状に対して主治医や精神神経科などの専門医と連携する．うつ症状の治療中は定期的な受診を促し，服薬管理を行う．
- 体力低下や老いへの悲観，その他の心気的訴えに対し，支持的，受容的，共感的態度で傾聴する．
- カロリーや蛋白質を食事からとりにくい場合，栄養補助食品の利用を提案する．
- 訪問時，下肢筋力強化のための運動を実施する．この際，療養者自身が1人でも安全に実施できる方法を工夫する．
- 家族に対し，療養者の言動で気になることがあれば，訪問看護師に相談するよう説明する．

14 フレイル

STEP❶ アセスメント　STEP❷ 看護課題の明確化　STEP❸ 計画　STEP❹ 実施　**STEP❺ 評価**

評価のポイント

- 抑うつ気分が解消されているか
- 食欲が向上しているか
- 生活の楽しみがあるか
- 食事内容が改善しているか
- 体重が増加しているか
- 歩行機能を維持しているか
- 外出頻度が増加しているか
- 転倒を起こしていないか
- 記憶力を維持しているか

関連項目

第2章「15 大腿骨頸部/転子部骨折（大腿骨近位部骨折）」「17 認知症」「18 尿失禁」「19 摂食・嚥下障害」「20 生活不活発病（廃用症候群）」
第3章「29 社会的孤立」「31 意欲低下」「34 服薬管理不全」

15 大腿骨頸部/転子部骨折（大腿骨近位部骨折）

大腿骨頸部/転子部骨折（大腿骨近位部骨折）の理解

基礎知識

疾患概念
股関節の骨折で，内側骨折（狭義の頸部骨折）と外側骨折（転子部骨折）がある．
- 大腿骨頸部骨折とは，股関節（下肢の付け根）の骨折である．大腿骨頸部は折れやすい形状をしている．股関節の中（関節包内）で折れると内側骨折，股関節の外で折れると転子部骨折（転子間骨折・外側骨折）と呼ぶ．内側骨折に比して，転子部骨折の発生率は約1.5倍高い．
- 内側骨折は出血が関節包内にとどまるため出血量は少ないが，外側骨折は多い．また，内側骨折は，生体力学的理由から偽関節（骨折が癒合せずに関節のように動く）となることが多い．一方で外側骨折は骨癒合が得られやすいが，整復位の保持が困難な場合は，変形治癒し，内反股となり脚長差を生じる．
- 転倒などの外傷を原因とするが，要介護高齢者の場合は，ベッドから車椅子への移乗に失敗して，ずり落ちた程度でも骨折する．

疫学
- 大腿骨頸部骨折の推計発生数は年間20万人以上といわれ，特に70歳を超えると発生率が急激に増加し，超高齢社会の進展に伴って，今後はさらに増加すると考えられる．

症状
- 典型的な症状は，股関節部に疼痛を訴え，スカルパ三角（鼠径靱帯，長内転筋，縫工筋に囲まれた三角形の部位）や大腿骨大転子部に圧痛を認める．
- 患肢はやや短縮し，肢位は外旋位となる．サッカーのインサイドキックの肢位をイメージするとわかりやすい．強い疼痛によって歩行が困難となるが，一方で歩けるからといって骨折を否定することはできない．

診断・検査
- 診断は股関節部のX線撮影による．臨床的に大腿骨頸部骨折を疑っても，転位がないとX線で骨折を確認するのは難しいこともあり，その際にはMRI検査を行う．

合併症
〈肺塞栓症〉
- 骨折に伴い骨髄内の脂肪が血管内に入り込んで肺動脈を閉塞し，低酸素血症を引き起こすことがあり，脂肪塞栓症候群とよばれている．軽度であれば症状を示さないが，動脈血酸素飽和度（SaO_2）の低下を認める．体幹に近い太い骨の骨折で肺塞栓を合併する頻度が高く，特に大腿骨頸部骨折ではしばしば認められる．骨折後，呼吸困難を訴えるときは，肺塞栓の合併を考える．
- 認知症が重度で，外傷の既往がはっきりしない場合に，原因不明のSaO_2の低下から大腿骨頸部骨折が診断されたという事例もある．

〈微熱と貧血〉
- 骨折すると骨髄や，骨折部周囲の筋肉などの血管から出血し，その部位に腫脹が生じるが，内側骨折の場合には認めにくいので診断が遅れることがある．転子部骨折では，大腿骨大転子部に皮下出血斑や腫脹を認めることもある．軟部組織の損傷が大きいと発熱する．

治療法

●治療方針
- 一般的な骨折の治療は，解剖学的に正しく整復し，骨癒合が得られるまで固定することである．固定方法には，手術療法を行って固定する内固定法，ギプスや装具などを用いる外固定法がある．また，手術療法を観血的治療法，ギプスなどを用いる治療法を非観血的治療法，あるいは保存療法とよぶこともある．
- 大腿骨頸部骨折は，骨癒合を得るのに，およそ3か月を必要とする．また，変形治癒すると脚長差が生じるなど歩行機能が障害されるため，できるかぎり解剖学的に正しく整復を行い，早期に離床させるために強固な内固定を必要とするので，原則的にすべての症例が観血的治療の適応と考えてよい．

●観血的治療法
- 内側型の場合には，人工骨頭置換術が推奨される．熟練した整形外科医が行うと手術時間も短く，出血もわずかで手術侵襲が少なく，骨癒合を待つことなく早期にリハビリテーションを開始できるなど，特に高齢者には優れた手術方法といえる．
- 外側型の場合は，ガンマ型髄内釘（γ-nail®）やコンプレッション・ヒップスクリュー（Compression Hip Screw®）や髄内釘（エンダーピン®）などを用いる．
- 全身状態が良好で，患者が骨折治療の意義を理解し，後療法などへの協力が得られる場合は，積極的に観血的治療（手術療法）を行うことの恩恵ははかりしれない．

在宅高齢者の骨折の特徴

- 要介護状態となった在宅高齢者はベッド上で過ごす時間も長くなり，廃用によって筋力や骨密度が低下し，非常に軽微な外力で容易に骨折を生じる．車椅子からトイレへの移乗に失敗し，ずり落ちる程度でも骨折することは既に述べた．このような受傷機転で生じた骨折を，病的骨折，あるいは脆弱性骨折と呼ぶ．脊椎圧迫骨折，大腿骨頸部骨折，上腕骨近位部骨折，手関節骨折などがその代表的骨折であり，上肢の骨折でも，適切な対処ができないと寝たきりの原因となる．

〈標準的治療を行えない在宅高齢者に対して〉
- 大腿骨骨折治療の原則は観血的治療（手術療法）である．しかし，脂肪塞栓症候群を合併すると全身麻酔による手術が命にかかわることもある．さらに，認知症が重度で，手術療法の意義を理解できなかったり，また術後のリハビリテーションへの意欲が乏しかったりすると，大腿骨頸部骨折の手術が可能でも，認知症を増悪させるなど予後が芳しくないこともある．
- そこで，やむなく非観血的治療（保存的治療）を選択することも少なくない．また，受傷時に既に歩行が困難な症例の場合は，歩行機能の獲得を治療の目的とする意義が薄く，麻酔や手術のリスクを考慮すると，下肢の機能再建には合理性を欠くこともある．さらに病的骨折や脆弱性骨折と考えられる症例では標準的術式を当てはめることが難しい場合も少なくない．
- したがって，あえて標準的治療（手術療法）を選択せずに，薬物療法により疼痛を緩和させるなど対症療法的な対応を行いながら保存的に経過を観察することで生命予後が良好なことも多い．
- 疼痛をコントロールし，入浴など日常生活の制限を行わずに，できる限り通常の生活を維持するように努めることで，転子部骨折では，2～3か月で骨癒合が得られる．変形治癒し，歩行機能が障害されることがあるが苦痛は少ない．内側骨折の場合は，偽関節形成となるが，安静時の疼痛はなく，車椅子での生活を継続することが可能となる（図15-1）．

在宅診療の実際

●病診連携
- 高齢者の大腿骨頸部骨折は，寝たきりの原因となるので，高齢者医療に理解ある医療機関での早期の適切な対応が必要である．全身状態の低下や認知症などで標準的治療を実施することが困難な場合には，保存的治療を選択し，疼痛管理をしっかり行い，できる限り日常生活を制限せずに，経過を観察することで，受傷前の日常生活動作を維持することもできる．
- 本来骨折は生命に影響を与える外傷ではないが，在宅高齢者の場合は，入院という療養環境の変化だけで夜間せん妄を引き起こすなど，目的とする加療が行えない場合もある．また，手術療法に成功し

ても，入院を契機に全身状態が低下して寝たきりとなることがあり，結果的に命を失う遠因となることも少なくない．
- 在宅医療に理解ある医師によって，生活機能を重視した保存的治療の意義を改めて見直す必要がある．
- ポータブルX線装置を用いて，自宅で単純X線撮影を行うことができる．CR処理を行うので，得られた画像の診断精度はよい（図15-2）．

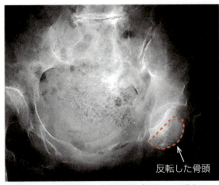

■図15-1 左股関節：大腿骨頭が反転して残存
左大腿骨頸部内側骨折．保存療法の結果，大腿骨骨頭が股関節内で反転し，偽関節を形成している．歩行はできないが，安静時疼痛なく車椅子で生活できる．

■図15-2 自宅でのX線撮影の様子

〈在宅高齢者の骨折治療の実際：生活機能を重視した保存療法の意義（症例）〉

　患者Aさん（88歳女性）は，車椅子からトイレへの移乗に失敗して，しりもちをついた．右股関節部を痛がるため，X線検査を行い（7月26日，写真①），右大腿骨転子部骨折と診断した．心不全を認め，また認知症によって手術への協力が得られないこともあり，家族の強い希望で保存的治療を行った．

　疼痛については，消炎鎮痛薬の坐薬を用いて，約2週間ベッド上で安静とした．貧血の進行がないことを血液検査で確認し，入浴や車椅子での移動を許可．

　約3か月後のX線写真（11月1日，写真②）で骨癒合を確認できる．大腿骨頸部は内反変形しているが，疼痛なく，車椅子での生活が可能である（写真③）．右下肢の短縮（約3cm）を認める．

■写真① ■写真② ■写真③

大腿骨頸部/転子部骨折（大腿骨近位部骨折）に関連する社会資源・制度

1）機能訓練・日常生活動作訓練
- 介護保険法による通所リハビリテーション，訪問リハビリテーション
- 医療保険法による機能訓練
- 介護保険法による通所介護などの通所型サービス

2）日常生活の移動・移乗を支援する福祉用具貸与と購入支援
- 介護保険法による福祉用具（歩行器，歩行補助杖，車椅子，特殊寝台，工事不要の手すり・スロープ）貸与
- 介護保険法による福祉用具（ポータブルトイレ，特殊尿器，入浴用椅子，浴槽内椅子など入浴補助用具，移動用リフトの吊り具）の購入費用の払い戻し
- 通院に伴う有償移送サービスに伴う乗降介助

3）住宅改修
- 介護保険法による住宅改修（手すりの取り付け，段差の解消，滑り防止のための床材の変更，洋式便座への取り替え）の費用の払い戻し

4）日常生活動作（入浴，更衣，整容，食事）の介助
- 介護保険法による訪問介護
- 市区町村による家族介護用品支援サービス（紙おむつ，使い捨て手袋）

大腿骨頸部/転子部骨折（大腿骨近位部骨折）をめぐる訪問看護

訪問看護の視点

1）療養者をみる視点
- 骨折後の療養生活では，股関節の可動域制限や禁忌肢位，創部周囲の体動時の疼痛や筋力低下から高齢者の日常生活全般に障害を生じ，外出などの生活の活動範囲が縮小しやすい．
- 転倒，骨折という予期せぬイベントによる精神的ダメージや日常生活動作の喪失感も大きい．
- 日常生活動作が受傷前の状況に回復することが困難な場合があり，介護が必要となるケースが多い．

2）支援のポイント
- 骨折後は生活様式が大きく変化することが多く，身体機能に応じて，新たな生活様式に合わせたリハビリテーションを行うと同時に転倒を予防する．
- 転倒の不安から歩行や外出に消極的になり，活動範囲が縮小しないよう支援する．
- 過度の安静や介護は療養者の残存機能を低下させるため，身体状況や精神状態を見極めながら，できることや希望を引き出し，目標を定めた支援を行う．
- 身体機能の維持，向上，介護負担を軽減するために，福祉用具や社会資源など活用の情報提供を行う．

●状態別：療養者をみる視点と支援のポイント

状態	療養者をみる視点	支援のポイント
保存的治療を行った場合	呼吸器や循環器などに重篤な併存疾患があり，手術により生命の危機に瀕する場合や，認知症が重度なため，手術療法の意義が理解できない場合には保存的治療を行う．保存的治療は，治療による長期の臥床や受傷部位の安静が必要なため，併存疾患の重篤化や認知機能の低下が起き，床上生活や車椅子での生活となるリスクが高い．また，変形治癒により，歩行時の患肢への荷重が難しく，自立した歩行	●現在の併存疾患の病状，認知機能，日常生活動作を考慮し，福祉用具を活用した在宅療養生活に移行できる環境を整える． ●床上生活となった際には，身体機能の保持，肺炎，褥瘡などの予防を行う．

状態	療養者をみる視点	支援のポイント
	が困難となる可能性があり，生活不活発病を予防することが重要である．	
観血的治療（手術療法）を行った場合	骨折の部位や状態によって，骨接合術，人工股関節置換術などの術式が選択される．術後早期よりリハビリテーションが開始されるが，術式により関節可動域の制限や，入院に伴う筋力の低下が起きる可能性がある．特に人工股関節置換術後では，術後合併症である股関節脱臼を予防するため，禁忌肢位や可動域制限がある．生涯にわたり，生活全般に行動制限を生じ，生活様式を変更することが必要となる．療養者・家族に生活様式の変更とその継続の必要性の理解を促し，身体状況や歩行機能に応じた適切な福祉用具，生活用具を利用し，自立した療養生活につなげることが重要である．	●本人・家族等に対して，禁忌肢位や可動域制限について，パンフレットなどを用い，具体的に示す． ●人工股関節置換術後では，股関節の脱臼を予防するため，座位は椅子を使用し前傾姿勢にならないようにし，トイレを洋式に変更して排泄動作に負担がかからないようにする． ●禁忌肢位を理解し，脱臼を起こさないための生活様式や，自助具などを使用した新たな生活動作を早期に習得する．

訪問看護導入時の視点

- 在宅療養における本人・家族の生活機能の回復の目標を把握し，支援内容を明確にする．
- 現在の身体状況や歩行機能を把握し，日常生活動作を安全に確立できる環境調整のための準備を行う．必要に応じ，移動，入浴，排泄に必要な福祉用具の貸与や購入を行う．

STEP ❶ アセスメント ▶ STEP ❷ 看護課題の明確化 ▶ STEP ❸ 計画 ▶ STEP ❹ 実施 ▶ STEP ❺ 評価

情報収集

	情報収集項目	情報収集のポイント
疾患・医療ケア	**疾患・病態・症状** □疾患 □疾患の症状	➡骨折の原因と骨折時の状況，骨折部位，治療方法（保存的治療，観血的治療・術式）はどうか ➡転倒リスクを伴う疾患（一過性脳虚血発作，関節リウマチ，パーキンソン病，脳血管疾患，認知症，視覚障害），骨粗鬆症はないか ➡過去に転倒，骨折歴はないか，その際の状況はどうか ➡患部の疼痛，発赤，腫脹はないか ➡手術に伴う術後経過への影響はないか，人工股関節置換術後では股関節の脱臼症状（疼痛，股関節の変形）はないか
	医療ケア・治療 □服薬 □治療 □医療処置	➡服薬内容，方法，頻度，管理の状況，歩行状態や転倒に影響する薬剤（抗不安薬，睡眠・鎮静薬，抗うつ薬，抗パーキンソン薬，抗ヒスタミン薬）の服用はないか ➡治療方針とリハビリテーションの目的，目標はどうか ➡禁忌肢位はあるか，併存疾患の治療状況や受診状況はどうか ➡医療処置（点滴，中心静脈栄養法，在宅酸素療法，膀胱留置カテーテルなど）は行っているか，頻度はどうか，体動時（歩行や起立，車椅子への移乗など）に影響はないか

	情報収集項目	情報収集のポイント
疾患・医療ケア	**全身状態** ☐呼吸・循環状態	⮕転倒を起こす症状(起立性低血圧，めまい)はないか，患趾の冷感，熱感，腫脹はないか
	☐摂食・嚥下・消化状態	⮕生活様式の変更による摂食量の変化はないか
	☐栄養・代謝・内分泌状態	⮕歩行に支障をきたす体重の急激な増減はないか
	☐排泄状態	⮕排尿回数・量・性状，排便回数・性状に変化はないか
	☐筋骨格系の状態	⮕全身の筋力(特に下肢筋力)の状態，骨密度はどうか ⮕患部以外の関節に疼痛や拘縮はないか
	☐感覚器の状態	⮕加齢に伴う視覚障害(白内障，緑内障)や聴覚の低下はないか ⮕歩行時のふらつき，重心動揺はないか
	☐皮膚の状態	⮕同一体位による褥瘡や発赤，創傷はないか
	☐認知機能	⮕認知機能の低下はないか
	☐精神状態	⮕転倒の不安やうつ症状はないか
活動	**移動** ☐ベッド上の動き ☐起居動作	⮕ベッド上での寝返り，起き上がり，端座位が可能か，介助が必要か ⮕椅子やトイレへの移乗動作，立ち上がりや立位保持が可能か，介助が必要か
	☐屋内移動	⮕移動の手段(自力歩行，補助具の使用，車椅子)は何か，介助が必要か ⮕移動時に使用する杖や歩行器は適切に使用されているか
	☐屋外移動	⮕屋外へ移動しているか，屋外への移動の手段(自力歩行，補助具の使用，車椅子)は何か，頻度はどうか，介助が必要か
	生活動作 ☐基本的日常生活動作	⮕食事，排泄，清潔，更衣，移乗，歩行，階段昇降はできるか，介助が必要か
	☐手段的日常生活動作	⮕調理，買い物，洗濯，掃除，金銭管理はできるか，介助が必要か，公共交通機関は利用しているか
	生活活動 ☐食事摂取	⮕食欲はあるか，食事の摂取方法，食事内容，回数，栄養バランスはどうか
	☐水分摂取	⮕水分摂取方法，摂取量はどうか
	☐活動・休息	⮕生活リズム，日中の過ごし方，夜間の睡眠状況はどうか，前屈姿勢や股関節を90°以上屈曲する行動をとっていないか
	コミュニケーション ☐意思疎通	⮕周囲の状況を理解し，家族や周囲の人と意思疎通ができているか，意思疎通を図るうえで，介助を受けることに対する遠慮や気遣いによる影響はないか
	☐意思伝達力	⮕意思疎通に必要な基本的な聴力，視力があるか，不十分な場合，補聴器，眼鏡などを活用できるか
	☐ツールの使用	⮕携帯電話やスマートフォンなどを使用して他者と意思疎通ができるか
	活動への参加・役割 ☐家族との交流	⮕家族(同居，別居)との交流の状況(方法，内容，頻度)，家庭内での役割はあるか
	☐近隣者・知人・友人	⮕近隣，知人，友人との交流の方法，内容，頻度はどうか

15 大腿骨頸部／転子部骨折(大腿骨近位部骨折)

情報収集項目	情報収集のポイント
活動 との交流 □外出 □社会での役割 □余暇活動	➡受傷前に比べ，外出の頻度・時間や希望・意欲が低下していないか，外出の目的や場所に変化はないか ➡社会での役割（地域での役割，ボランティア活動）の変化がないか ➡趣味を行っているか，趣味への意欲はあるか
環境 療養環境 □住環境 □地域環境 □地域性	➡住居内でのつまずきやすい段差や電気コードはないか，滑りやすい敷物や床材が使用されていないか，床に水滴や油がこぼれていないか，移動する際の動線上にごみや物が山積し移動しにくくないか ➡ベッドの高さは適切か（ベッドが高く転落しやすくないか，立ち上がりは容易か），ベッド柵は正しく使用されているか，立ち座りする際に不安定な椅子はないか，手すりや家具は固定されているか，室内は明るく足元がよく見えるか，夜間のベッド周囲や廊下，トイレなどの照明はどうか ➡住宅改修（段差の解消，スロープ，手すりの設置，トイレの洋式化など）はされているか，自宅内から屋外への出入り口（玄関やベランダなど）は住宅改修がされ，スムーズに使用できるか ➡自宅周囲の道路は段差や傾きなどがなく通行しやすいか，受診する医療機関，買い物をする場所，利用する公共交通機関はバリアフリーか ➡近隣や住民同士の交流はあるか，自治会活動などの活動は活発か，楽しみにしている地域の行事はあるか
家族環境 □家族構成 □家族機能 □家族の介護協力体制	➡家族構成，同居の状況はどうか ➡家族関係はどうか，家族間の交流はあるか，家族の健康状態はどうか，意思決定は誰が行うか ➡主介護者はいるか，キーパーソンは誰か
社会資源 □保険・制度の利用 □保健医療福祉サービスの利用 □インフォーマルなサポート	➡医療保険や介護保険は利用しているか，生活保護の医療扶助や公費負担制度を利用しているか ➡医療保険による通院，または，訪問での機能訓練を利用しているか ➡介護保険による訪問リハビリテーション，通所介護，通所リハビリテーション，訪問看護，訪問介護，福祉用具貸与，特定福祉用具販売費用の一部払い戻し，居宅介護住宅改修費用の一部払い戻しを利用しているか ➡療養者や介護者，家族を支えるインフォーマルなサポートはあるか
経済 □世帯の収入 □生活困窮度	➡年金などの収入はあるか，日常生活を送るうえで十分か ➡経済的余裕はあるか
理解・意向 志向性（本人） □生活の志向性 □性格・人柄 □人づきあいの姿勢	➡日常生活の中で楽しみや生きがいがあるか，信仰する宗教はあるか，人生に対する価値観はどうか ➡積極性や社交性はどうか，穏やかな性格か，几帳面さはあるか ➡他者とのかかわりに対する積極性や興味はあるか

情報収集項目		情報収集のポイント
理解・意向	**自己管理力（本人）** □自己管理力 □情報収集力 □自己決定力	 ➲服薬，医療処置，保健行動，身の回りのことを管理できているか ➲生活，療養，医療，サービスに関する情報収集を行っているか ➲生活，療養，医療，サービスに関する利用について，意思決定しているか
	理解・意向（本人） □意向・希望 □感情 □療養生活への理解 □受けとめ	 ➲生活，療養，医療，介護サービスに関する意向や希望はあるか，日常生活動作をどこまで実施したいか，やってみたいことやこうなりたいという希望はあるか ➲日常生活への不安や喪失感，抑うつ症状はあるか，転倒の不安はあるか，リハビリテーションへの意欲はあるか ➲可能な日常生活動作や禁忌肢位を理解しているか，生活様式への変更や継続の必要性は理解しているか，自助具の必要性は理解しているか ➲受傷後の日常生活動作について，どのように受けとめているか
	理解・意向（家族） □意向・希望 □疾患への理解 □療養生活への理解	 ➲療養者の生活，医療，介護について意向や希望があるか ➲骨折部位や禁忌肢位を理解しているか，併存疾患の有無，重症度，治療法を理解しているか ➲日常生活への過度の介護や安静の弊害を理解しているか

事例紹介

大腿骨頸部骨折後の基本的日常生活動作が回復していない高齢者の例

Keywords 大腿骨頸部骨折，人工骨頭置換術後，リハビリテーション，家族介護，高齢女性

〔基本的属性〕 女性，82 歳

〔家族構成〕 娘（未婚）と二人暮らし．近隣に息子家族が在住

〔主疾患等〕 右大腿骨頸部骨折

〔状況〕 ベッドからの起立時に転倒し右大腿骨頸部を骨折した．急性期病院にて人工骨頭置換術を受け，1 か月間入院し，1 週間前に退院した．退院直後より，清潔ケアへの援助，リハビリテーション，家族への介護支援の目的で訪問看護を導入した．現在，起立時，歩行時に右股関節周囲に疼痛はあるが，歩行器での室内歩行は可能である．受傷前は家事を行い，外出や旅行を積極的に行っていた．同居する娘は介護休暇中であるが，1 か月後に復職予定である．

第2章 健康障害別看護過程　3．老年症候群

情報整理シート

疾患・医療ケア

【疾患・病態・症状】

主疾患等：右大腿骨頸部骨折，人工骨頭置換術後
病歴：高血圧，骨粗鬆症
経過：
75歳　健康診断にて高血圧を指摘され，かかりつけ医を受診し内服開始．
80歳　定期受診にて骨粗鬆症を診断され，かかりつけ医にて内服開始．
82歳　ベッドからの起立時に転倒．右大腿骨頸部骨折と診断され，急性期病院にて人工骨頭置換術を受け，1か月間入院後，1週間前に退院．入院中に介護申請を行い，退院直後より，清潔ケアの援助，リハビリテーション，家族介護支援の目的で訪問看護を導入．

【医療ケア・治療】

服薬：定期鎮痛薬（カロナール）　2回/日　朝夕
　　　Ca拮抗薬（ノルバスク）　1回/日　朝
　　　骨粗鬆症薬（アクトネル）1回/月　朝
　　　胃炎・胃潰瘍治療薬（ムコスタ）　頓服鎮痛薬服用時
　　　頓服鎮痛薬（ロキソニン）　疼痛増強時2回/日まで服用可
　　　緩下剤（酸化マグネシウム）　便秘時
治療状況：2週間に1回，急性期病院整形外科に通院．1か月に1回，診療所主治医に通院し高血圧，骨粗鬆症治療
医療処置：理学療法士，作業療法士によるリハビリテーション（退院後3か月間のみ）
訪問看護内容：全身状態の観察，シャワー浴・足浴介助，下肢筋力強化訓練，家族への介護支援

【全身状態・主な医療処置】

血圧　110〜120/70〜80 mmHg
脈拍　70〜80回/分
体温　36.0℃
SpO₂　97%

身長：152cm
体重：43kg
BMI：18.6

排便：1回/日
排尿：6〜8回/日
食事：3回/日

視力低下あり，眼鏡（遠近両用）使用でスマートフォンの利用に問題なし

基本情報
年齢：82歳　性別：女性
要介護度：要介護2
障害高齢者自立度：A2
認知症高齢者自立度：Ⅱa

右大腿骨頸部骨折　人工骨頭置換術
右股関節周囲の疼痛起立時，歩行時の疼痛．定期的に2回/日定期鎮痛薬（カロナール）を服用．疼痛増強時に頓服鎮痛薬（ロキソニン）の処方もあるが，退院後は全く服用していない

脱臼予防のため右股関節に可動域制限（前傾姿勢，右股関節の90度以上の屈曲，右下肢の内転位，内外旋位）あり

服薬は自己管理をしている

活動

【移動】

屋内移動：歩行器で移動
屋外移動：車椅子で移動

【活動への参加・役割】

家族との交流：未婚の娘と二人暮らし．本人，息子夫婦，娘ともに家族関係は良好である．骨折前は家族とよく旅行に行っていた．
近隣者・知人・友人との交流：趣味を通じて近隣に住む友人がいる．骨折後は時々，スマートフォンで連絡を取る．
外出：受診（3回/月）と週に1回程度息子の介助で一緒に外出する．
社会での役割：なし
余暇活動：ほぼテレビを見て過ごしている．

【生活活動】

食事摂取：咀嚼，嚥下に問題はない．
水分摂取：嚥下に問題はない．
活動・休息：排尿にて夜間2回程度起きるが，すぐに入眠する．日中ベッド上で端座位，または，臥床して過ごすことが多い．
生活歴：専業主婦であり，夫，娘と3人で暮らしていたが，10年前に夫が他界した．夫は会社の役員を務めており，裕福な生活をしていた．現在も経済的には余裕がある．骨折前は家事全般を担っていた．
嗜好品：和菓子を好んで食べる．

【生活動作】

基本的日常生活動作

食動作	歩行器でリビングに移動し，摂食．食動作は自立しているがセッティングは娘が行う
排泄	排泄後の下衣，ズボンの着衣など一部介助が必要．夜間はポータブルトイレを使用
清潔	洗身の一部介助が必要．シャワーチェア使用
更衣整容	下着，ズボン，靴下の着脱に一部介助が必要．整容は自立
移乗	起立時にふらつきがあり，ベッドからポータブルトイレ，歩行器への移乗は手すりを使用
歩行	歩行時にふらつきがあり，屋内は歩行器を使用．屋外は車椅子を使用
階段昇降	実施していない

手段的日常生活動作

調理	娘が実施．座って野菜の皮むきをしたり，野菜を切ったりする
買い物	娘が実施．息子と外出した際に，嗜好品や娘に頼まれたものは買い物している
洗濯	娘が実施．座って洗濯物をたたむ
掃除	娘が実施
金銭管理	娘が実施
交通機関	利用しない

【コミュニケーション】

意思疎通：軽度の聴力低下があるが，普通の声の大きさでのコミュニケーションに問題なし．
意思伝達力：意思伝達に問題なし．
ツールの使用：高齢者向けスマートフォン

環 境

【療養環境】

住環境：築30年のマンションの3階に居住．室内はバリアフリーに改装されている．マンションにはエレベーター，スロープが設置されており，マンション入り口から，本人の居室まで段差なく移動できる．

地域環境：閑静な住宅街．マンションの1階にスーパーがあり，公園が隣接している．主治医の診療所までは徒歩5分，急性期病院へは車で30分程度．

地域性：都市部の交通の利便性のよい地域．自治会など地域組織はあるが活動は活発でない．

【社会資源】

サービス利用：

	月	火	水	木	金	土	日
AM	訪問リハ(PT)	訪問看護		通院	訪問リハ(PT)	訪問リハ(OT)	
PM							

保険・制度の利用：後期高齢者医療，介護保険．病院からのリハビリテーション（退院後3か月間）．歩行器，車椅子，介護用ベッド，手すり等ベッド付属品レンタル（福祉用具のレンタル）．シャワーチェア，ポータブルトイレ購入（福祉用具の購入）．

【経済】

世帯の収入：年金
生活困窮度：経済的余裕あり．

【ジェノグラム】

近隣に在住

【家族の介護・協力体制】

娘は介護休暇中であるが，1か月後に復職予定である．受診の介助や週1回程度の散歩や買い物の際には，息子が一緒に出かける．

【エコマップ】

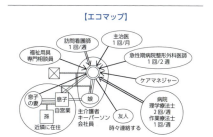

理解・意向

息子

自営業（不動産業）
休暇は比較的取りやすい．介護はできることは協力したいと思っている

家事はできないが見守りや散歩，受診の介助ならできる

妹も大変なので，できるだけ手伝いたい

本人

- 頓服の鎮痛薬（ロキソニン）を飲むと胃が悪くなる
- 痛いからあまり歩きたくない
- 家族と旅行に行きたい
- 娘に負担をかけたくない
- 転ぶのは，不安
- 娘の役に立ちたい
- 身の回りのことは一人で行いたい
- リハビリテーションは楽しい
- 転倒し，痛くて歩けないことにショックを受けている

【志向性】
生活の志向性：できるだけ人に頼りたくない
性格・人柄：穏やかで，世話好き．新しいものや便利なものを積極的に利用．自助具や生活補助具などの使用に前向き
人づきあいの姿勢：趣味を通じた友人が多い．訪問看護師や理学療法士，作業療法士の受け入れはよい

【自己管理力】
自己管理力：体調管理や身の回りのことは支援が必要
情報収集力：生活に関する情報は，テレビやスマートフォン，友人から収集している．医療や介護の情報は娘や息子に頼っている
自己決定力：サービスの利用などは娘と相談し，本人が決めている

娘
キーパーソン
主介護者

復職した時に介護と仕事が両立できるか不安．兄の協力や様々な介護サービスを使って自宅で介護を続けたい

復職までに身の回りのことは自立してほしい

会社員（建設会社事務）
骨折前までは家事は手伝う程度であった．復職後は残業もあり，帰宅は19時を過ぎることもある

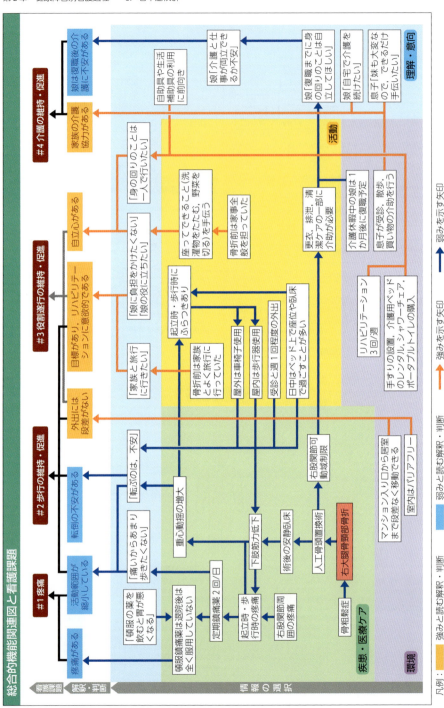

| STEP❶ アセスメント | STEP❷ 看護課題の明確化 | STEP❸ 計画 | STEP❹ 実施 | STEP❺ 評価 |

看護課題リスト

No.	看護課題　【コード型】文章型	パターン
#1	【疼痛】起立時，歩行時に右股関節周囲に疼痛がある	問題着眼型
	根拠 起立時，歩行時に右股関節周囲に疼痛があるが，鎮痛薬の適切な使用やリハビリテーションによる下肢筋力の向上により，疼痛が改善する可能性がある．	
#2	【歩行の維持・促進】目標やリハビリテーションの意欲があることを活かし，歩行機能を維持・促進する	強み着眼型
	根拠 歩行時の疼痛のため活動範囲が縮小し，下肢筋力が低下している．転倒の不安から歩行には消極的であるが，目標やリハビリテーションへの意欲があるため，歩行機能を維持・促進できる可能性がある．	
#3	【役割遂行の維持・促進】目標や自立心があり，家族，周囲の協力を活かし家庭内の役割遂行を維持・促進する	強み着眼型
	根拠 股関節脱臼を防ぎ，動作の工夫を行い，自助具を使用しながら周囲の支援を受け，受傷前に担っていた家事などの役割遂行を維持・促進する．	
#4	【介護の維持・促進】娘に復職後の介護の不安があるが，家族の介護力や社会資源を活用し介護を維持・促進する	強み着眼型
	根拠 主介護者である娘が1か月後に復職するが，介護協力を得られる家族やサービスの導入により，娘の不安を軽減し，現在の介護を維持・促進する．	

【看護課題の優先度の指針】起立時，歩行時の【疼痛】のため日常生活動作に支障がある．【疼痛】を解決することで，リハビリテーションへの意欲といった強みを活かし【歩行の維持・促進】が可能となることから，#1を【疼痛】，#2を【歩行の維持・促進】とした．積極的なリハビリテーションにより，家庭内において【役割遂行の維持・促進】ができ，家族の協力やサービスの調整により【介護の維持・促進】ができると考えたため#3を【役割遂行の維持・促進】，#4を【介護の維持・促進】とした．

長期目標

資源を有効に活用しながら，歩行機能を維持・促進し，家庭内での役割のある自立した生活を送る．

根拠 右大腿部頸部骨折後の手術により，起立時，歩行時に右股関節周囲の疼痛があり歩行機能が低下している．転倒の不安から，活動意欲が低下し，歩行機能の低下が進行する前に介入が必要である．目標や自立心があり，リハビリテーションへの意欲があることから，家族の協力体制の下，今後，適切な支援により，家庭内での役割のある日常生活を送ることができる．

〈長期目標を共有するケアチーム〉
フォーマルサービス：訪問看護師，主治医，ケアマネジャー，理学療法士，作業療法士，福祉用具専門相談員
インフォーマルなサポート：娘，息子

| STEP ❶ アセスメント | STEP ❷ 看護課題の明確化 | **STEP ❸ 計画** | STEP ❹ 実施 | STEP ❺ 評価 |

1 看護課題	看護目標(目標達成の目安)
#1 【疼痛】 起立時，歩行時に右股関節周囲に疼痛がある	1) 鎮痛薬の効果を正しく理解し，適正に服用する(2週間) 2) 起立時，歩行時の疼痛が緩和する(1か月)

援助の内容	援助のポイントと根拠
OP 観察・測定項目 ●疼痛の状態と日常生活への影響 ●鎮痛薬の使用についての理解 ●鎮痛薬の服薬状況	➡疼痛の部位，程度，誘因，動作時の疼痛の状態と影響を把握する　**連携** 疼痛スケール(VAS，フェイススケールなど)にて疼痛を評価し，本人・家族，ケアチームで共有する ➡定期鎮痛薬，頓服鎮痛薬の違いの理解状況を把握する **根拠** 薬剤の効果の正しい理解は疼痛コントロールを促進する ➡定期鎮痛薬の服薬時間，頓服鎮痛薬の使用の有無，効果を把握する
TP 直接的看護ケア項目 ●疼痛緩和時のシャワー浴の実施	➡鎮痛効果の高い時間に訪問し，シャワー浴を実施する **根拠** 疼痛コントロール下での日常生活動作を観察できる ➡シャワー浴時には足浴を実施する　**根拠** 温罨法の効果により，鎮痛効果を促進する ➡シャワー椅子，柄の長いブラシ，ソックスエイド，マジックハンドなどの自助具を使用する　**根拠** 訪問時に自助具を使用した保清・更衣動作を確認する ➡**連携** 理学療法士，作業療法士と日常生活動作や自助具の使用状況を共有する ➡足趾は訪問看護師が洗う　**根拠** 本人が実施すると前傾姿勢となり股関節が90°以上屈曲になる可能性がある
EP 教育・調整項目 ●疼痛コントロールの必要性の説明 ●鎮痛薬についての正しい知識の提供と疼痛への対応方法の説明 ●疼痛緩和時のための動作の勧め	➡歩行時の疼痛をコントロールすることで，日常生活動作が拡大し，下肢筋力が向上することを説明する ➡頓服鎮痛薬は抗炎症効果があり，炎症による疼痛をコントロールできることを説明する ➡頓服鎮痛薬は胃炎・胃潰瘍治療薬を一緒に服用することで胃腸障害を予防できることを説明する ➡疼痛増強の原因を本人・家族と一緒に考え，鎮痛効果が期待できる方法(保温やマッサージなど)を勧める ➡疼痛のない時間は，ベッドから離れ活動することを勧める ➡パンフレットなどを使用し，禁忌肢位(前傾姿勢，股関節の90°以上の屈曲，内転位・内外旋位)や脱臼が起こりやすい動作(床にかがむ，後ろを振り返って物をとる)，疼痛増強動作を説明する　**根拠** 視覚的に示すことで，禁忌肢位，疼痛増強動作の理解が深まる ➡**連携** パンフレットなどは理学療法士，作業療法士と連携し，ケアチームで共有しながら作成する ➡安心して移動できるよう，手すりや歩行器，杖を使用した移動や介助を勧める　**根拠** 転倒への不安は疼痛を増強させる

2 看護課題

#2 【歩行機能の維持・促進】
目標やリハビリテーションへの意欲があることを活かし,歩行機能を維持・促進する

看護目標(目標達成の目安)

1) 歩行器を使用し屋外歩行ができる(2週間)
2) 手すり,杖を使用し屋内歩行ができる(1か月)
3) 杖を使用し屋外歩行ができる(2か月)

援助の内容 / 援助のポイントと根拠

OP 観察・測定項目

- 日常生活動作,起立,歩行の状態
  - ⮕ 日常生活動作,起立時,歩行時のふらつきや歩行器の使用の有無を把握する
- リハビリテーションの内容
  - ⮕ リハビリテーションの内容を把握する
- 下肢筋力強化訓練の実施状況
  - ⮕ 下肢筋力強化訓練の実施状況を把握する
- 過去の転倒状況
  - ⮕ 過去の転倒について,頻度,時間,場所,状況,原因,その際の外傷の有無を把握する
- 転倒への不安
  - ⮕ 転倒への不安の程度を把握する　**根拠** 転倒経験者は不安のため,活動性が低下する(転倒後症候群)
- 生活環境
  - ⮕ 動線上の状況(滑りやすい敷物や水滴,障害物の有無),手すりの設置と使用状況を把握する

TP 直接的看護ケア項目

- 下肢筋力強化訓練の実施
  - ⮕ 理学療法士から指導を受けた下肢筋力強化訓練を行う

EP 教育・調整項目

- 歩行機能に合った歩行補助具の使用
  - ⮕ 歩行機能に合った補助具(歩行器,杖)の使用を勧める
  - **根拠** 不適切な補助具の使用は転倒につながる
  - ⮕ **連携** 歩行補助具の選択には,理学療法士,作業療法士,ケアマネジャー,福祉用具専門員と連携をとり,補助具の使用状況を共有する
- 歩行機能促進の段階的目標設定
  - ⮕ **連携** 家族旅行を想定し,歩行機能向上の目標を本人・家族,理学療法士,作業療法士と一緒に考える
  - ⮕ **根拠** 具体的な目標に向けた外出は歩行やリハビリテーションの意欲を向上させる
  - ⮕ **強み** 段差なく屋外に出られるため,息子と近隣への散歩や外出を積極的に行うことを提案する
- 転倒予防のための環境整備
  - ⮕ 転倒しやすい場所や状況を一緒に確認する。生活動線上には物を置かず,滑りやすいラグやカーペットは敷かない
  - ⮕ 衣類にも留意するよう説明する　**根拠** 靴下,スリッパ,丈の長いズボンの着用は滑りやすく転倒につながる
- 転倒の不安の傾聴とねぎらい
  - ⮕ 転倒に対する不安について傾聴し,リハビリテーションへの取り組み姿勢をねぎらう

3 看護課題	看護目標（目標達成の目安）
#3 【役割遂行の維持・促進】 目標や自立心があり，家族，周囲の協力を活かし家庭内の役割遂行を維持・促進する	1) 更衣や排泄時の衣類の着脱が一人でできる（2週間） 2) 食事の準備，片付け，居室の掃除など家庭内での役割が増える（1か月） 3) 日常生活で生きがいや楽しみがある（1か月）

援助の内容	援助のポイントと根拠
OP 観察・測定項目 ●家庭内での役割の状況 ●家事，身の回りのことの実施状況 ●楽しみや気分転換の状況	⇒家事（調理，買い物，洗濯，掃除）や家庭内での役割状況を把握する ⇒家庭内の役割について本人と家族の意向を把握する ⇒ 連携 理学療法士，作業療法士と連携をとり，自助具や補助具を使用した，家事動作や身の回りのことの実施状況を把握し，共有する ⇒今の楽しみや気分転換はあるかを把握する
TP 直接的看護ケア項目 ●身の回りのケア（更衣，保清，整容）の実施	⇒訪問時に実施する身の回りのケアの必要物品（衣類，タオル，ブラシ，自助具など）のリストや，更衣や排泄時の衣類の着脱方法の行動表を作成し，実施する 根拠 必要物品や行動を明示し，実施することで，日常生活動作が拡大し，本人が自立して実施する際の手引きとなる
EP 教育・調整項目 ●家庭内での役割についての支援 ●社会交流の勧め	⇒一部の支援があれば実施できる家事（調理，掃除）に訪問介護サービスを導入する ⇒ 強み 娘の役に立ちたいという気持ちを尊重し，洗濯物をたたむことやテーブルで野菜を切るなどの座位でできる家事を継続する ⇒ 強み 自立心があることから，自助具の使用や一部の支援できる家事や役割（例えば，食事の準備や片付け，柄の長いモップによる居室の掃除）について，本人・家族と話し合う 根拠 家庭内での役割が明確となり，生活意欲が向上する ⇒ 強み スマートフォンを使用した買い物，旅行の情報の収集など，新たな役割を本人・家族で探す ⇒ 強み 友人との会話は楽しみや気分転換，地域の情報収集につながるため，友人との交流を勧める

4 看護課題	看護目標（目標達成の目安）
#4 【介護の維持・促進】 娘に復職後の介護の不安はあるが，家族の介護力を活かし，介護を維持・促進する	1) 娘の復職後の介護の不安が軽減する（2週間） 2) 娘の復職後の介護役割が調整でき，サービスが導入できる（3週間）

援助の内容	援助のポイントと根拠
OP 観察・測定項目 ● 娘の生活習慣や健康状態の把握 ● 介護状況の把握	⇒ 娘の生活習慣や自分の時間が確保できているか，健康状態，介護についての思いや不安を把握する ⇒ 介護状況や自宅の環境（掃除や整理整頓）に変化がないか把握する ⇒ 家族の介護サービスの利用の希望を把握する
TP 直接的看護ケア項目 ● 介護サービスの導入	⇒ リハビリテーションを目的とした通所サービスや，家事支援を目的とした訪問介護サービスを復職前に導入する 根拠 復職前にサービスを導入することで，復職後の介護についてのイメージができ，不安が軽減する
EP 教育・調整項目 ● 介護サービス導入の意思決定支援 ● 娘の話の傾聴・ねぎらいの声かけ	⇒ 強み 家族が介護に協力的であることや，経済的に余裕があることから，必要に応じて，介護保険では提供できない家事代行サービス（浴室やトイレなどの共有部分の掃除や家族の食事の準備など）を紹介する ⇒ 娘の介護や本人を支える姿勢について，ねぎらい，不安に思っていることを傾聴する ⇒ 復職後も自分の時間を確保し，介護から離れる時間をもつことを勧める ⇒ 連携 娘の体調不良や職場復帰後の生活に変化があった際には，サービス担当者会議の開催を提案し，ケアプランの変更をケアマネジャーと調整する

15 大腿骨頸部／転子部骨折（大腿骨近位部骨折）

STEP ❶ アセスメント STEP ❷ 看護課題の明確化 STEP ❸ 計画 **STEP ❹ 実施** STEP ❺ 評価

強みと弱みに着目した援助のポイント

強みに着目した援助
- 目標があり，リハビリテーションに意欲的であるため，歩行機能を促進するリハビリテーションを行う．
- 自立心があり，娘に負担をかけず，役に立ちたいという気持ちを活かし，日常生活動作の工夫や禁忌肢位を考慮しながら，本人ができる家事や身の回りのことを増やし，役割を見出す．
- 友人との連絡を継続し，社会交流を図り楽しみや気分転換につなげる．

弱みに着目した援助
- 転倒の不安や起立時，歩行時の疼痛から歩行の意欲が低下する可能性がある．鎮痛薬を適正に使用し，疼痛のコントロールを行い，転倒予防の環境整備を行う．
- 娘の復職後の介護の不安を受け止め，必要に応じて介護サービスを導入する．

STEP ❶ アセスメント　STEP ❷ 看護課題の明確化　STEP ❸ 計画　STEP ❹ 実施　**STEP ❺ 評価**

評価のポイント

- 鎮痛薬の効果を正しく理解し，適正に服用することができているか
- 起立時，歩行時の疼痛が緩和しているか
- 歩行器を使用し屋外歩行できているか
- 手すり，杖を使用し屋内歩行できているか
- 杖を使用し屋外歩行できているか
- 更衣，排泄時の衣類の着脱が一人でできているか
- 食事の準備，片付け，居室の掃除など家庭内での役割が増えているか
- 日常生活で生きがいや楽しみがあるか
- 娘の復職後の介護の不安が軽減しているか
- 娘の復職後の介護役割が調整でき，サービスが導入できているか

関連項目

第2章「14 フレイル」「20 生活不活発病（廃用症候群）」

16 関節拘縮

関節拘縮の理解

基礎知識

疾患概念
拘縮 (contracture) とは，関節包外の軟部組織が原因で起こる関節可動域制限のことである．これに対して関節包内の骨・軟骨に原因がある場合には強直 (ankylosis) という．
- 屈曲拘縮：関節が曲がったままの状態．
- 伸展拘縮：関節を伸ばしたままの状態．
- 線維性強直：関節面が結合組織により癒着し多少動くもの．部分的強直，不完全強直ともいう．
- 骨性強直：関節面が骨組織により癒着し全く動かない．完全強直ともいう．

原因による分類
- 皮膚性拘縮：皮膚が熱傷や挫滅のため，ケロイド・肥厚性瘢痕になり起こる瘢痕拘縮．
- 結合組織性拘縮：皮下組織や腱，腱膜が外傷などで浮腫・感染を起こして起こる拘縮．
- 筋性拘縮：高齢者が長期間寝たきりだったことなどに起因する廃用性の萎縮が原因．
  - 筋自体の病変による拘縮：急性や慢性の筋炎による筋線維の変化，筋断裂や筋肉内注射の反復実施による線維化によるもの．
  - 筋の退行性変性による拘縮：長期臥床(寝たきり)による廃用症候群で，筋肉の収縮性や伸展性が減少したり，関節が長期間一定の肢位に固定されたりして，可動域制限が起こるもの．筋肉は一定の期間固定されると，筋線維に退行性変化が起こり，筋肉の基本的な機能である伸展性が低下して可動域制限が起きる．
  - 筋の血行障害による阻血性拘縮：阻血によるもの(フォルクマン拘縮など)．
- 神経性拘縮：神経系に原因があって起こる関節拘縮．
  - 反射性拘縮：疼痛などの末梢刺激が神経の反射弓を通じて筋スパズムを起こし，反射的除痛肢位(痛みから逃れたい肢位)をとるが，これが長時間続くために生じる拘縮．
  - 痙性拘縮：脳血管障害，脳性麻痺，脊髄疾患による中枢神経系麻痺が原因で，筋緊張亢進のために特定肢位で生じる拘縮．
  - 弛緩性拘縮：末梢神経麻痺により拮抗筋と主動作筋の筋力のアンバランスで生じる拘縮．

固定の期間と組織変化
- 拘縮は関節の固定期間が長いほど重度化して強直に移行する．
- 2〜3日の関節が動かない状態によって血流が低下し，必要な栄養分の補給ができなくなり，筋肉などの軟部組織が変化しはじめる(拘縮の始まり)．
- 3〜4週で関節の周りにある皮膚や靱帯，筋肉などが短く，硬くなり，癒着，瘢痕化を起こすことで関節が動かしにくくなる(拘縮の完成)．
- 8〜16週で関節自体(関節包，軟骨)に変化が起き，関節軟骨が硬く，薄くなり，骨と骨との隙間が狭くなることで関節が動かなくなる(強直の発生)．

予後
- 拘縮の治療には長期の時間を要することが多く，一度起きてしまった拘縮は改善させることは難しい．予防に取り組むことが非常に重要である．

症状
- 関節の可動域が制限される．その位置よりさらに力を加えて関節を伸張すると，それに伴って筋・腱

の緊張が増大するときは，筋・腱の短縮が存在している．
- 拘縮が起きやすい場所は肩関節，手指，股関節，膝関節，足関節などで，これらの関節に拘縮が起きると日常生活動作も低下してくる．二関節筋（起始と停止が2つの関節をまたぐ筋）である腸腰筋，大腿筋膜張筋，ハムストリングス，大腿直筋，薄筋，腓腹筋は，拘縮を起こしやすい特性がある．

診断・診察
- 他動的に関節を動かし，その角度を測定する．
- 角度は，自然に立っている状態での体幹や四肢の位置や向きを解剖学的0度として，角度計を用いて関節可動域を5度刻みで測定する．日本整形外科学会・日本リハビリテーション医学会が提唱する関節可動域（ROM）の測定・テスト方法に準じて結果を記録する．
- 拘縮の原因となっている組織が何なのか，関節周囲の組織の緊張などに注意する．

合併症
- 関節拘縮は褥瘡，生活不活発病（廃用症候群），日常生活動作の著明な低下につながる．

治療法
- 拘縮は起こしてしまった場合には難治性である．そのため，拘縮を起こさないようにする予防が最も重要である．どのようなことが拘縮の原因になるかということを理解したうえで，拘縮が起こってしまった場合には関節の可動域訓練が治療の基本である．それに加えて重要なのが安静時のポジショニングである．
- 関節の拘縮により介護が困難であったり，本人の苦痛が強い場合には，緊張の強い腱を切断したり，延長術を行ったりすることもある．

● 関節可動域訓練
- 関節拘縮が起こってしまった場合には他動的に可動域訓練を行う．この際，関節の各運動方向における可動範囲および皮膚・筋・腱の緊張状態を確認し，関節拘縮の原因となっている組織を特定し，ストレッチすることが基本である．

〈身体を温めてから行う〉身体が温まった状態では筋肉の柔軟性が高いため，ストレッチの効果はより高くなる．家庭では温かいタオルの利用，入浴後の身体の温まった状態，軽い運動の後などに行うことが効果的である．

〈反動をつけない〉筋肉を伸ばすとき，反動をつけると緊張して筋肉や腱をいためてしまう危険性がある．静かにゆっくりと伸ばしていく．過剰な力で行うと筋をいためるだけでなく，骨折や関節の脱臼を引き起こすことがある．痙性がある場合は特に重要である．

〈少しずつ伸ばす〉筋肉を一気に伸ばすと筋肉をいためてしまうため，注意が必要である．動きを5～10段階に分けるような気持ちで徐々に伸ばしていく．

〈ゆっくり，大きく伸ばす〉「痛みの出ない範囲，痛みを感じる手前」まで伸ばし，その状態を維持する．5秒程度から徐々に維持する時間を長くし，30秒程度を目標とする．

〈痛みに注意する〉もし痛みが出るようであれば，炎症や浮腫が起こっている可能性があり，結果として関節拘縮を助長してしまうことが考えられる．

〈重力を利用する〉重力を利用して行うのもよい方法である．拘縮を起こした筋・関節は速い動きでは伸びず，時間をかけて伸びる性質がある．例えば，日中は臥位ではなく座位姿勢にして重力を利用して筋・関節を伸ばすのもよい．

〈呼吸を止めない〉息を止めて筋肉を伸ばそうとすると，筋肉が緊張して伸びにくくなるため，ゆっくりとした呼吸でリラックスさせて行う．

〈継続し，複数回行う〉1日2回以上（できるだけ複数回），時間の間隔を空けて実施することが望ましいとされている．毎日でも継続して行うことが大切である．

● 良肢位をとる
- 関節が動かなくなってしまった場合に，日常生活動作において支障の少ない手足の位置や関節の角度のことを良肢位といい，便宜肢位あるいは機能肢位（functional position）ともいう．対義語は不良肢位である．

■表 16-1　各関節の良肢位

部位	良肢位
肘関節	90度屈曲位
手関節	10〜20度背屈位，回内外中間位
手指	テニスボールを握るような肢位
股関節	15〜30度屈曲位，0〜10度外転位，0〜10度外旋位
膝関節	10〜20度屈曲位
足関節	底背屈中間位

16 関節拘縮

- 股関節伸展位，膝関節軽度屈曲位，足関節直角，肩関節外転位，肘関節屈曲位，手関節背屈位を基本とする(**表 16-1**)．
- 寝たきりになり関節運動が制限され，関節可動域が低下することを防ぐために，支障の少ない肢位である良肢位を保持していくことが求められる．しかし，良肢位を保てればそこで拘縮を起こしてもよいというわけではない．

安静時のポジショニング
- ポジショニングは姿勢の安定と，関節拘縮の悪化防止を念頭に行う．クッションなどを用いて，ベッドと身体の接触面積を増やすことで体圧を分散させるとともに，姿勢の安定を図る．
- 不安定な肢位は全身の筋緊張を高め，拘縮を進行させる可能性がある．
- 足関節の底屈位での拘縮を防ぐためには，感覚に異常がなければ，短下肢装具の使用も効果的である．
- 身体の歪み，傾き，筋緊張の有無などに注意する．また，本人の自動運動を妨げないようにすることも必要である．
- 皮膚同士の接触を避け，皮膚表面の通気性を確保する．大転子や仙骨部など，骨が突出している部位には，褥瘡予防のため除圧を行う．

その他の治療法
- 脳性麻痺などにおいて，運動発達を阻害する痙性や拘縮を解除しリハビリテーションを促す目的で，皮下切腱(せっけん)術，フェノールブロック，筋解離術，股関節観血的整復術，大腿骨減捻内反骨切り術などが行われることがある．
- ボツリヌス菌の毒素を注射することで筋の緊張をとるボツリヌス療法は，脳卒中の後遺症などにみられる痙縮などに効果がある．痙縮は日常生活に支障が生じるだけでなく，リハビリテーションの妨げにもなる場合があり，長期の放置で筋肉が固まり，拘縮につながってしまう．手技に技術が必要で高価でもあるが，在宅においても行われるようになってきている．
- デュピュイトラン拘縮は，手掌の腱膜などにコラーゲンが異常に沈着することで拘縮索ができ，手指の拘縮を起こす疾患である．拘縮索に薬剤(コラーゲン分解酵素)を局所注射することにより，拘縮索を構成するコラーゲンを分解し，拘縮索を断ち切る治療法がある．手術療法としては，手掌や指の皮膚を切開して，デュピュイトラン拘縮の原因となっている拘縮索を切除する方法もある．

家族へのサポート
- 拘縮予防のための可動域訓練とポジショニングについて，具体的に指導する．
- 予防の重要性を繰り返し説明する必要がある．起こってしまった拘縮に対しては家族の責任を指摘してはいけない．

在宅における特徴
- 在宅において，必ずしも常にリハビリテーションスタッフが入れるわけではないため，気がつかないでいるうちに関節拘縮が起こり，進行してしまうことが見受けられる．

在宅診療の実際

- 繰り返しになるが，拘縮は予防が重要である．拘縮は起こってしまうとその治療に難渋する．拘縮の起こる可能性をあらかじめ予見し，関節を徒手的に動かして関節可動域の確認を定期的に行う．この手技自体が拘縮予防にもなる．
- 看護師や理学療法士が訪問した時にだけ可動域訓練を行うのでは不十分であるため，家族や介護士に関節の動かし方などを指導する．生活援助を行いながら拘縮予防を行うことも重要であり，おむつ交換時に股関節や下肢の屈伸，車椅子乗車時に膝の屈伸，食事準備時に手指の屈伸，入浴時の手足の屈伸などを行うようにする．
- 体調を悪くしてしまったときにはどうしても臥床しがちとなる．そうしたときの早期運動，早期離床が予防に重要である．

病診連携
- 退院前カンファレンスの開催にあたって，病院側・在宅側のリハビリテーションスタッフも参加できるようにすることが望ましい．多職種が同席する絶好の機会であり，時間の調整は難しいがぜひ活用したい．

関節拘縮に関連する社会資源・制度

1）関節可動域訓練，身体機能訓練，日常生活動作訓練
- 介護保険法による通所介護，通所リハビリテーション，訪問リハビリテーション
- 医療機関によるリハビリテーション

2）関節拘縮予防，日常生活行動を支援する福祉用具の活用
- 介護保険法による福祉用具貸与（特殊寝台，特殊寝台付属品，床ずれ防止用具，体位変換器，車椅子，車椅子付属品，歩行器，歩行補助杖，取り付けに工事を伴わない手すりやスロープ，移動用リフト）
- 介護保険法による福祉用具購入（腰掛便座，特殊尿器，入浴補助用具，移動用リフトの吊り具）

3）住宅改修
- 介護保険法による住宅改修（手すりの取り付け，段差の解消，床材の変更，扉の取り替え，便器の取り替え）
- 市区町村による住宅改修指導事業

4）日常生活動作への支援
- 介護保険法による訪問介護，訪問入浴介護
- 市区町村による家族介護用品支給サービス（紙おむつ，使い捨て手袋）
- 民間の家政婦，ボランティア

関節拘縮をめぐる訪問看護

訪問看護の視点

1）療養者をみる視点
- 療養者の抱える疾患や加齢に伴う症状や障害と生活全体による影響から，本来もっている身体機能を長期間放置しないことで関節可動域に制限が起こらないよう予防的な視点をもつ．
- 関節可動域が制限されると，様々な日常生活動作が自力でできなくなり，循環血液量や筋力低下，褥瘡発生など身体機能の低下をきたし，寝たきりにつながる．
- 残存機能を最大限に活かし，その人本来の力を引き出す支援が必要である．
- 関節可動域が制限されると，家族の介護負担が増大する可能性があるため，家族が関節拘縮を悪化させないための知識や技術を身につけ，無理のない介護を続けられるように配慮した支援が必要である．

2) 支援のポイント

- 療養者の疾患や加齢によって起こり得る関節可動域の制限を予測し，予防する．
- 残存機能の維持・向上を目指した関節可動域訓練や身体機能訓練，生活に合わせた日常生活動作訓練などのリハビリテーションを行う．
- 療養者の残存機能や生活機能の維持・向上，家族の介護負担を軽減するため，福祉用具・社会資源の活用や生活行動の工夫について情報提供を行う．
- リハビリテーションに継続して取り組めるよう，努力を認める声かけや認知能力に応じた説明を行う．

●状態別：療養者をみる視点と支援のポイント

状態	療養者をみる視点	支援のポイント
立位・座位が可能な状態	関節拘縮のある療養者の残存機能として，立位や座位保持が可能であるかどうかを把握することは，食事や排泄などの日常生活動作の方法にかかわるため重要な視点である．可動域制限による痛みなどの症状を緩和しながら，療養者の残存機能を活かした日常生活動作の維持・促進を図ることが重要である．	●ベッドでの座位保持や車椅子移乗時には，クッションや枕を用いて，ポジショニングを保持する． ●日常生活の中で，立位・座位保持に必要な関節を動かすことのできる機会（食事や排泄，入浴など）を取り入れる．
臥床（寝たきり）状態	長時間同一体位で過ごすことで，循環血液量が減少し，さらに関節拘縮が悪化する．そして，生活不活発病や褥瘡が発生し，家族の介護負担が増えるなどの悪循環を引き起こす．臥床（寝たきり）状態であっても，療養者の残存機能を活かし，身体可動性を高め，寝たきりの解消を図ることが重要である．	●クッションや枕を用いて，良肢位が保持できるポジショニングを行う． ●日常生活の中で体位変換や清拭，おむつ交換時などに腰を上げたり，ベッド柵を持つなど療養者ができることを行ってもらう． ●ベッドで座位になる時間をつくったり，車椅子に移乗したりして生活リズムをつくる．

訪問看護導入時の視点

- 関節可動域訓練などのリハビリテーションを取り入れ，療養者の生活の中で関節を動かす機会がもてるよう本人や家族に説明する．
- 身体可動性を妨げないよう家族に適切な体位変換やポジショニングの方法について説明を行う．ただし，家族の介護負担が大きい場合や介護力が脆弱な場合は，訪問介護などの社会資源の導入や福祉用具を活用し，療養体制を整える．
- 専門的な身体機能の評価やリハビリテーションが必要な場合は，理学療法士や作業療法士などの専門家と協働体制をつくる．

STEP❶ アセスメント ▸ STEP❷ 看護課題の明確化 ▸ STEP❸ 計画 ▸ STEP❹ 実施 ▸ STEP❺ 評価

情報収集

情報収集項目	情報収集のポイント
疾患・医療ケア / 疾患・病態・症状 □疾患 □病態	●関節拘縮を伴う症状や障害が予測される疾患（脳血管疾患の後遺症，神経難病，骨折などの外傷，心肺機能の低下，老衰など）は何か ●疾患の重症度や病期はどうか

	情報収集項目	情報収集のポイント
疾患・医療ケア	□疾患の症状 □疾患の経過，予後	○疾患に伴う症状や障害の程度はどうか ○疾患に伴う症状や障害の程度はどのように経過したか．診断時期，治療歴，入院歴はどうか
	医療ケア・治療 □服薬 □治療 □医療処置	○関節拘縮を伴う疼痛などの症状や障害への服薬内容，方法，頻度はどうか．服薬の効果や副作用はどうか ○疾患の治療方針や機能訓練の目的・内容はどうか ○関節可動域を制限させないよう医療処置方法を工夫して実施しているか
	全身状態 □呼吸・循環状態 □栄養・代謝・内分泌状態 □筋骨格系の状態 □感覚器の状態 □皮膚の状態 □認知機能 □精神状態	○残存機能の維持・向上のための機能訓練に影響する循環不全や呼吸不全，起立性低血圧の徴候はないか ○低栄養，基礎代謝率の低下，低体温はないか ○関節可動域の制限，筋萎縮，筋力・耐久力低下，骨密度の低下，腱・靭帯・関節包の硬化，姿勢保持困難はないか，関節可動域制限による疼痛はないか ○感覚・知覚の鈍麻，運動調節機能低下によるバランス・協調運動の障害はないか ○皮膚の萎縮や褥瘡，創傷はないか ○機能訓練への理解力はどうか，認知機能の低下はないか ○機能訓練への意欲や生活への不安，うつ症状，せん妄はないか
活動	移動 □ベッド上の動き □起居動作 □屋内移動 □屋外移動	○残存機能(自力での寝返り，更衣やおむつ交換のときに腰を挙上，自力での座位姿勢保持)がどの程度か ○残存機能(椅子やトイレへの移乗動作，立ち上がりや立位保持)がどの程度あるか ○普段の生活環境でどの程度移動しているのか，生活動線はどうか，どのように移動しているのか，移動に介助や補助具が必要か ○普段の行動範囲はどうか，どのように移動しているのか，移動に介助や補助具が必要か
	生活動作 □基本的日常生活動作 □手段的日常生活動作	○食事，排泄，清潔，更衣，整容動作，移乗，歩行，階段昇降を行えるか．普段それらをどのように実施しているか．関節可動域の制限に伴う影響はないか ○調理，買い物，洗濯，掃除，金銭管理，交通機関利用を行える力はどうか．普段それらをどのように実施しているか．関節可動域の制限に伴う影響はないか
	生活活動 □食事摂取 □水分摂取 □活動・休息 □生活歴	○関節可動域制限による食事摂取内容・量への影響はないか，経管栄養法や中心静脈栄養法による身体可動性への影響はないか ○関節可動域制限による水分摂取量への影響はないか ○日中の離床時間や座位時間，夜間・日中の睡眠時間に身体可動性の低下が影響していないか ○日常生活活動に影響するこれまでの職歴や生活習慣はないか

	情報収集項目	情報収集のポイント
活動	コミュニケーション □意思疎通 □意思伝達力 □ツールの使用	●周囲の状況を理解し，人と意思疎通ができるか ●人と意思疎通ができる基本的な聴力・視力・発語・言語力はあるか．不十分な場合は補聴器，文字盤，意思伝達装置などを活用できるか ●電話，携帯電話，スマートフォン，メールなどの意思伝達ツールを使用して他者と意思疎通ができるか
活動	活動への参加・役割 □家族との交流 □近隣者・知人・友人との交流 □外出 □社会での役割 □余暇活動	●同居・別居家族とのかかわりにおいて，関節拘縮による影響はないか．関節可動域制限が家庭内での役割に与える影響はどうか ●関節可動域制限が近隣者・知人・友人とのかかわりに影響していないか ●関節可動域制限が外出の機会の減少につながっていないか，外出の目的や内容，場所はどうか ●関節可動域制限が社会での役割(就労，地域活動，宗教活動，患者会などでの役割)に与える影響はどうか．活動への意欲はどうか ●関節可動域制限による余暇活動(通所系サービス，趣味，運動，サロンなどへの参加)への影響はないか．活動への意欲はどうか
環境	療養環境 □住環境 □地域環境	●普段，過ごしている場所はどこか．活動範囲内に移乗や移動，日常生活活動を妨げる段差や障害物はないか．能力に応じた福祉用具の活用や住宅改修の必要性はないか ●買い物や通院などの外出へのアクセスはどうか，利便性はどうか
環境	家族環境 □家族機能 □家族の介護・協力体制	●同居・別居家族との関係はどうか，家族内の意思決定方法はどうか．家族の健康状態・認知機能，精神状態，問題解決能力はどうか ●家族に主介護者・副介護者はいるか．家族内にキーパーソンはいるか．家族員の介護における役割はどうか．家族の介護力，介護内容，生活状況，介護負担感はどうか
環境	社会資源 □保健医療福祉サービスの利用 □インフォーマルなサポート	●機能訓練，通所・短期入所系サービス，訪問介護，訪問入浴介護，福祉用具の利用，住宅改修の利用状況はどうか ●療養者や主介護者を支える知人・友人・近隣の人々はいるか，それらの人々からのサポート内容・頻度はどうか
環境	経済 □世帯の収入 □生活困窮度	●関節拘縮があることによって仕事につけないなど，世帯収入への影響はないか，公的な社会資源を活用する収入があるか ●経済的余裕・生活困窮の程度はどうか
理解・意向	志向性(本人) □生活の志向性 □性格・人柄 □人づきあいの姿勢	●価値観はどのようなものか，生活の中で生きがいや楽しみ，目標はどのようなものか ●関節拘縮が進行しないよう，活動を維持するための自立心や社交性はどうか ●訪問看護師やサービス担当者，他者とかかわる姿勢はどうか

16 関節拘縮

情報収集項目		情報収集のポイント
理解・意向	**自己管理力（本人）** □自己管理力 □情報収集力	➲服薬管理，医療処置，保健行動，身の回りの管理への理解力や遂行能力はどうか ➲機能訓練，日常生活支援，福祉用具に関する社会資源の情報を把握しているか
	理解・意向（本人） □意向・希望 □感情 □疾患への理解 □療養生活への理解	➲療養生活や医療，社会資源の利用に関して，どのような意向や希望をもっているか ➲疾患に伴う症状や障害による気分の落ち込み，回復や今後の生活に諦めはないか ➲疾患に伴う症状や関節拘縮，治療への理解はどうか ➲過度な安静の弊害や残存機能を活かす生活行動方法をどのように考えているか
	理解・意向（家族） □意向・希望 □感情 □疾患への理解 □療養生活への理解	➲介護生活や医療，社会資源の利用に関して，どのような意向や希望をもっているか ➲介護による生活スタイルや社会活動の変化に対する不安や心配事はないか，今後の生活に対する不安や諦めはないか ➲疾患に伴う症状や関節拘縮，治療への理解はどうか ➲療養上の世話を行うにあたり，過度な安静の弊害や残存機能を活かす生活行動方法をどのように考えているか

事例紹介

脳梗塞に伴う障害により，関節拘縮が進行している高齢者の例

Keywords 関節拘縮，脳梗塞後遺症，褥瘡，家族の介護疲れ，意欲，家族支援，高齢男性

〔基本的属性〕男性，82歳
〔家族構成〕妻との二人暮らし
〔主疾患等〕脳梗塞
〔状況〕半年前，旅行先で脳梗塞を発症した．後遺症による右半身麻痺，運動性失語がみられる．後遺症など身体機能の低下によるショックから自発性が低下し，リハビリテーションのための通院ができず，徐々に身体機能が低下し，関節拘縮がみられる．妻は，ひとり息子には迷惑をかけずに自分一人で夫を看たいという思いから，社会資源を利用せず献身的に介護をしていた．しかし，最近，疲労感や腰痛があり，友人に相談．介護保険制度について知り，訪問看護導入となった．

情報整理シート

16 関節拘縮

疾患・医療ケア

【疾患・病態・症状】
主疾患等：脳梗塞 (82歳〜)
病歴：高血圧 (75歳〜)，脂質異常症 (75歳〜)
経過：
半年前　脳梗塞を発症し，加療を受けるが，後遺症による右半身麻痺，運動性失語がみられる．リハビリテーション病院への転院を勧められるが，疾患のショックから自発性が低下し，退院を希望した．
退院に向けて，要介護認定を受けるが，サービス利用への抵抗から特殊寝台と付属品の貸与のみ受け，退院した．
退院時は，端座位になることができたが，自宅では活動性が低下し，1日中ベッド上で過ごす．
徐々に膝関節や足関節の可動域の制限や浮腫，筋力低下がみられるようになった．
1か月前　仙骨部に発赤や表皮剥離がみられるようになった．妻には疲労感や腰痛が出現．妻に介護経験のある友人に相談したところ，サービス利用を勧められ，1週間前より訪問看護を導入することとなった．

【医療ケア・治療】
服薬：【内服】カルシウム拮抗薬 (アムロジン)
　　　　　抗血小板薬 (アスピリン)
　　　　　緩下剤 (酸化マグネシウム)
　　　　　HMG-CoA 還元酵素阻害薬 (メバロチン)
　　　【外用薬】炎症性皮膚疾患治療薬 (アズノール)
治療状況：2週間に1回の訪問診療
医療処置：リハビリテーション，褥瘡予防ケア，服薬管理
訪問看護内容：リハビリテーション，褥瘡予防ケア，清潔援助，服薬管理，妻の介護相談

【全身状態・主な医療処置】
血圧：130〜140/70〜80 mmHg
脈拍：60〜80回/分
SpO₂：97〜99%

身長：165 cm
体重：63 kg
BMI：23

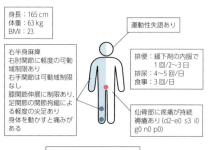

右半身麻痺
右肘関節に軽度の可動域制限あり
右手関節は可動域制限なし
膝関節伸展に制限あり，足関節の関節拘縮による軽度の尖足あり
身体を動かすと痛みがある

運動性失語あり

排便：緩下剤の内服で1回/2〜3日
排尿：4〜5回/日
食事：3回/日

仙骨部に疼痛が持続
褥瘡あり (d2-e0 s3 i0 g0 n0 p0)

基本情報
年齢：82歳　　性別：男性
要介護度：要介護4
障害高齢者自立度：C1
認知症高齢者自立度：Ⅱa

活　動

【移動】
ベッド上の動き：自力での体位変換は不可能，妻がおむつ交換時に適宜，体位変換を行っている．関節拘縮による痛みがあるため，意図的な体位変換やポジショニングは行っていない．普通のマットレスを使用している．
食事のときは，ベッドをギャッチアップし，座位姿勢となる．

【活動への参加・役割】
家族との交流：ひとり息子がいるが，迷惑をかけたくないという思いから，ほとんど連絡をとっていない．
近隣者・知人・友人との交流：脳梗塞発症後，近隣住民や友人たちとの交流はなし
外出：脳梗塞発症後，外出していない．
社会での役割：なし
余暇活動：なし

【生活活動】
食事摂取：妻のつくる食事を食べることを楽しみにしている．
水分摂取：食事の際に，お茶や水を吸い飲みで摂取
活動・休息：1日中ベッドで食事以外は臥床で過ごし，日中は傾眠傾向にあり，昼夜逆転している．
生活歴：75歳に夫婦で営んできた本屋をたたんだ後，妻と旅行などセカンドライフを楽しんでいた．脳梗塞発症後，ショックから活動性が低下している．
嗜好品：脳梗塞発症前までは，毎晩飲酒していた．肉を好み，野菜は嫌いで食べたくない．

【生活動作】
基本的日常生活動作

食事動作	左手でスプーンを使って自力で摂取
排泄	尿・便失禁あり．おむつ使用．妻が適宜交換
清潔	妻が適宜，清拭．陰部洗浄は実施せず．スキンケア不足
更衣整容	妻の介助にて実施
移乗	実施せず
歩行	実施せず
階段昇降	実施せず

手段的日常生活動作

調理	妻が刻み食をつくる
買い物	妻が実施
洗濯	妻が実施
掃除	妻が実施
金銭管理	妻が実施
交通機関	利用しない

【コミュニケーション】
意思疎通：運動性失語．他者の話すことは理解できるが，自分の思いを言語に表すことができない
意思伝達力：「あー」「うー」などの発語や，表情の変化で意思を確認
ツールの使用：なし

環境

【療養環境】

住環境：
2階建ての一軒家
1階が元店舗と台所，トイレ，浴室など．細く狭い階段を上がった2階の1室が居室
特殊寝台の貸与を受け設置
普通のマットレスを使用

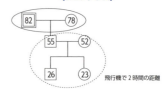

地域環境：古くからある商店街の一角に住居がある．商店街はシャッター街となり，人通りが少なく，日中も暗い．
地域性：かつては商店街の自治会など地域活動が活発であったが，現在は住民の高齢化に伴い，地域活動が消滅している．近所づきあいはほとんどない．近隣に電車や道路などが通っている．

【社会資源】

サービス利用：

	月	火	水	木	金	土	日
AM	訪問看護			訪問看護			
PM							

保険・制度の利用：介護保険，後期高齢者医療，特殊寝台・特殊寝台付属品の貸与

【経済】

世帯の収入：国民年金
生活困窮度：経済的余裕なし．

【ジェノグラム】

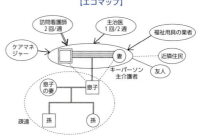

【家族の介護・協力体制】

妻が主な介護者であり，キーパーソン．食事，おむつ交換，更衣などの日常生活や服薬などの管理をすべて1人で献身的に行っている．近隣の介護経験のある妻の友人が相談に乗ってくれる．

【エコマップ】

理解・意向

飛行機で2時間の距離で，妻，娘，息子の4人で暮らしている

母から，「自分が父を看るので，心配は要らない」と言われている

リハビリ時は目を閉じて拒否の姿勢を示す

（過去の発言）他人の世話は受けたくない，妻に看てもらいたい

身体を動かすと痛がり，すぐに横になることを求める

運動性失語のため，発語困難．快・不快は表情やジェスチャーなどで示す

妻のつくった食事を食べるときに笑顔をみせる．妻に手を合わせて感謝を示す

【志向性】
生活の志向性：他人の世話を受けたくないので，妻に自分の身の回りの世話は任せたい．自宅で好きなように生活を継続したいと考えている
性格・人柄：亭主関白．店の客など他人とのかかわりは苦手で，妻に任せてきた
人づきあいの姿勢：脳梗塞を発症する前までは，商店街の活動に参加するなど人づきあいはあったが，現在は人との交流を避けている

【自己管理力】
自己管理力：長年，自営業を営んできているが，店の経営や身の回りのことは妻に任せてきた．現在も日常生活の介護は全て妻が行っている
情報収集力：疾患や生活に関することは，妻を通して医療者から情報を得ている
自己決定力：妻へ自分の意思を伝え，医療や生活に関する決定事項は妻が行っている

夫が他人の世話を受けたくないというので，私が看てあげたい．今まで見よう見まねで介護してきた

夫の身体が大きく硬いので，世話をするのは大変．腰が痛い

夜眠れず，疲れている．このままでは将来が不安

友人に相談し，医師と看護師の訪問を勧められて，よかった

夫婦二人三脚で自営業を営んできたので，夫婦の結束力は強い．献身的に介護や家事を行っている

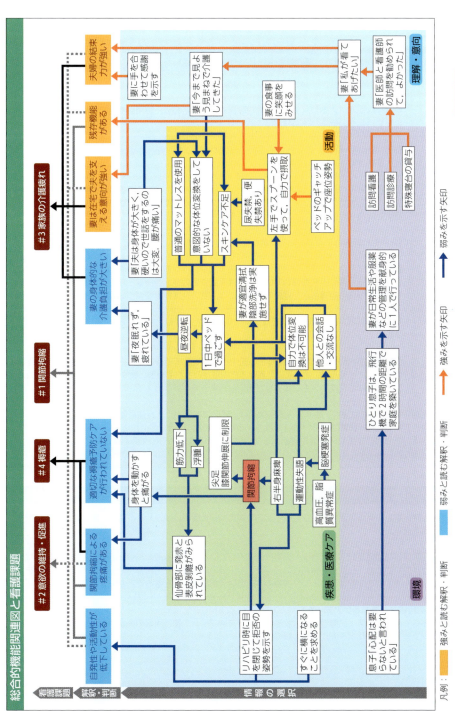

第2章 健康障害別看護過程　3. 老年症候群

STEP 1 アセスメント ▶ **STEP 2 看護課題の明確化** ▶ **STEP 3 計画** ▶ **STEP 4 実施** ▶ **STEP 5 評価**

看護課題リスト

No.	看護課題　【コード型】文章型	パターン
#1	【関節拘縮】自発性や活動性の低下により関節拘縮がみられる	問題着眼型
	根拠 脳梗塞によるショックから終日臥床で過ごしており，膝関節や足関節の関節拘縮による疼痛や活動性の低下がみられる．	
#2	【意欲の維持・促進】残存機能や妻との結束力を活かし，離床への意欲を維持・促進する	強み着眼型
	根拠 妻は夫の望むように在宅で支えたいと思っており，在宅での療養生活の継続のために，夫婦ともに同じ目標に向かう力をもっている．この力や療養者の残存機能を活かし，離床への意欲を維持・促進することで，活動の活性化を期待できる．	
#3	【家族の介護疲れ】妻の身体的介護負担が大きく介護疲れがみられている	問題着眼型
	根拠 妻は疾患の管理や日常生活の世話を1人で行っており，夫の関節拘縮や介護の知識の乏しさから，介護に困難を感じている．妻は不眠や疲労感，腰痛などを生じ健康状態は悪化しており，在宅での療養生活を継続するためには，妻の介護負担軽減が必要である．	
#4	【褥瘡】適切な褥瘡予防ケアが行われていないことにより，褥瘡がみられている	問題着眼型
	根拠 関節拘縮による痛みに伴い，1日中ベッドで臥床で過ごし，循環動態への影響から浮腫や筋力低下がみられ，仙骨部に発赤と表皮剝離がみられている．妻は夫を1人で介護しており，意図的な体位変換やスキンケアなど適切な褥瘡予防ケアが行えていない．	

【看護課題の優先度の指針】すべての看護課題は，関節拘縮によって身体可動性が低下していることから生じているため，【関節拘縮】を#1とする．また，【意欲の維持・促進】により，離床を期待し，#2とする．さらに，在宅での生活を継続するためには，妻の健康状態を改善する必要があるため，【家族の介護疲れ】は#3とする．【褥瘡】は，他の課題が改善することにより軽減するため，#4とする．

長期目標

脳梗塞後遺症に伴う臥床がちな生活から起こる関節拘縮と妻の介護疲れを改善し，妻とともに在宅療養生活を送る．

根拠 身体可動性が低下し，離床への意欲が低下していることから関節拘縮が悪化し，妻の介護疲れや褥瘡が生じている．しかし，療養者の残存機能や夫婦の結束力，在宅療養生活への意向が強いことを活かし，介護体制を改善することで，夫婦の意向に沿った療養生活を送ることができる．

〈長期目標を共有するケアチーム〉
フォーマルサービス：訪問看護師，主治医，ケアマネジャー，福祉用具の業者
インフォーマルなサポート：息子，妻の友人

| STEP ❶ アセスメント | STEP ❷ 看護課題の明確化 | **STEP ❸ 計画** | STEP ❹ 実施 | STEP ❺ 評価 |

1 看護課題

#1 【関節拘縮】
自発性や活動性の低下により関節拘縮がみられる

看護目標（目標達成の目安）
1) 関節可動域が拡大する（2か月）
2) 座位時間が増える（1か月）
3) 尖足が改善する（2か月）

援助の内容	援助のポイントと根拠
OP 観察・測定項目	
● 関節の可動域，可動域制限に伴う疼痛の程度	➡ 全身の各関節が運動を行う際の生理的な運動範囲，関節の屈曲拘縮や伸展拘縮，変形などにより，関節の可動域制限による疼痛などの影響がないか評価する　**根拠** 正常な可動域範囲として，肩関節の屈曲は0～180度で伸展は0～50度，膝関節の屈曲は0～130度，足関節の背屈は0～20度で底屈は0～45度などである
● 普段の生活の過ごし方	➡ 普段の臥位と座位での時間や過ごし方を把握し，生活リズムの見直しにつなげる
TP 直接的看護ケア項目	
● 訪問時の座位訓練	➡ 訪問時に全身の関節可動域を確認しながら，座位訓練を段階的に進める．より専門的なリハビリテーションが必要であると判断される場合は，訪問リハビリテーションや通所リハビリテーションでの理学療法士・作業療法士による介入を検討する　**連携** 介護保険法による新たなサービスの導入は，療養者や家族の意向を確認し，ケアマネジャーと相談・調整する
● 訪問時の関節可動域訓練	➡ 訪問時に，股関節，膝関節，肘関節，手関節の伸展・屈曲運動について，ベッド上仰臥位にて右半身は他動運動，左半身は麻痺がないため自動運動を取り入れて実施する．尖足傾向を改善するために足関節の底背屈運動を他動運動にて実施する．いずれの運動も10回2セット程度から始め，可動域をみながら段階的に進めていく　**根拠** 過剰な外力を加えると，疼痛を引き起こし，かえって可動域が制限されるため，無理に強い力で動かさないことが必要である　**連携** 必要に応じて，理学療法士に相談し，関節可動域訓練の内容や回数などを決める
● 関節可動域制限と疼痛の緩和	➡ 関節拘縮による疼痛があるため，マッサージやホットパック，足浴などを行い，循環を促しリラクセーションを図る
● 残存機能を活かした生活行動の促進	➡ **強み** 療養者は，左手でスプーンを使って食事を自力で摂取することができるため，更衣の際には左手でボタンを留めたり，側臥位になる際には左手でベッド柵を持つことを促す
● 座位時間の確保	➡ **強み** ベッドのギャッチアップでの座位姿勢によって食事を摂取できるため，食事以外の時間にも座位になる時間を増やすなど，現在療養者ができていることを活かす
● 適切なポジショニングの促進	➡ 屈曲拘縮のみられる膝関節や尖足のみられる足関節に対し，クッションや枕を活用し，療養者の残存している自動運動機能を妨げず，身体に適した体位・姿勢を保持する．また，掛け布団との重みが足背部にかからないよう掛け物を調節する
EP 教育・調整項目	
● 身体可動性の維持・促進する必要性	➡ 療養者の身体可動性の低下が身体や生活に及ぼす影響を説

16 関節拘縮

の説明 ●療養者・妻の頑張りへのねぎらい	明し，理解を深めてもらう ⇒療養者の身体可動性の低下は，脳梗塞の後遺症へのショックなど心理的側面が影響しており，療養者のリハビリテーションへの取り組みなどをねぎらい，心理的サポートを行う 　強み　療養者と妻の結束力は強く，夫婦の頑張りをねぎらい，継続して身体可動性の維持・促進に取り組めるよう促す

2 看護課題 / 看護目標（目標達成の目安）

#2【意欲の維持・促進】
残存機能や妻との結束力を活かし，離床への意欲を維持・促進する

1) 離床への意欲のある発言がある（2週間）
2) 離床の機会が増える（2か月）
3) 日々の楽しみや目標がもてる（2か月）

援助の内容 / 援助のポイントと根拠

援助の内容	援助のポイントと根拠
OP 観察・測定項目 ●療養者・妻の生活スタイル，日々の楽しみや今後の意向・目標の把握 ●リハビリテーションへの取り組みの様子の観察	⇒普段の生活スタイルから，楽しみや今後の意向・目標を把握し，それらを実現するための支援につなげていく ⇒訪問時，関節可動域訓練・座位訓練を行っている際の，療養者の表情や言動から意欲を把握する
TP 直接的看護ケア項目 ●座位時間や離床時間の確保 ●通所サービスの導入	⇒訪問時にベッド上で座位や車椅子への移乗を看護師の介助のもと行う ⇒デイサービス・デイケアなどの通所サービスの利用を導入し，離床時間を増やす．デイサービスで提供される入浴などを活用することにより，本人にとって快い刺激となり，生活の楽しみや目標になる　根拠　適切な介助により，車椅子への移乗が可能であるため，本人と妻の了解が得られれば通所サービスを活用することは可能である　連携　介護保険法によるサービス導入は，ケアマネジャーにまず提案し，相談する
EP 教育・調整項目 ●療養者の話の傾聴 ●生活リズムを整える提案 ●離床への意欲をもてるよう楽しみや目標をつくる提案	⇒療養者の離床意欲の低下は，脳梗塞の後遺症へのショックや関節拘縮に伴う疼痛などによる心理的側面への影響がみられる．療養者に寄り添い，気持ちを表出できる機会をもつ ⇒　強み　妻の食事を楽しみに過ごしており，食事はベッドのギャッチアップで自力にて摂取できる．療養者の意向を確認しながら，食事以外にも座位になる機会をもつように勧める ⇒　強み　療養者と妻は結束力が強く，今後も在宅での療養生活を希望している．この希望を実現するために，療養者と妻が生活に張り合いのもてる楽しみを見出せるよう話し合う

3 看護課題 / 看護目標（目標達成の目安）

#3【家族の介護疲れ】
妻の身体的介護負担が大きく介護疲れがみられている

1) 妻の腰痛や不眠，疲労感が緩和される（1か月）
2) 妻が介護に必要な知識や技術を獲得できる（2週間）
3) 介護に必要なサポートを受けられる（1か月）

援助の内容	援助のポイントと根拠
OP 観察・測定項目 ● 妻の健康状態の把握 ● 療養生活や介護への意向の把握 ● 妻の生活スタイルや介護状況・方法の把握	⇒妻の表情や言動から，健康状態を判断する．特に，腰痛や不眠，疲労感の訴えがあることから，必要に応じて病院の受診を勧める必要がある．また，病歴や，通院状況，服薬状況などの健康に関する自己管理についても把握する
TP 直接的看護ケア項目 ● 福祉用具の導入	⇒リフトやスライディングボードなどの補助具の導入を検討する　**連携** 補助具の導入にあたって，福祉用具の業者から専門的な情報を得る．介護保険法によるサービス導入は，ケアマネジャーと調整する
EP 教育・調整項目 ● 妻へのねぎらいと称賛 ● レスパイトケア ● 介護に必要な知識や技術の提供	⇒療養生活や介護に対する妻の心情を表出できるよう関係を構築する ⇒妻が熱心に介護に取り組み，療養者を支えていることをねぎらう ⇒訪問看護の際には，妻に横になるなど休息をとってもらう ⇒**連携** 必要に応じてショートステイ，通所サービスを導入する ⇒妻の腰痛は不適切な介護方法による可能性があり，適切な日常生活援助の方法について情報提供する ⇒療養者が残存機能を活かし，自分でできることを自分で行い，日中の活動を促すことで，妻の腰痛や不眠の改善を図る

4 看護課題	看護目標（目標達成の目安）
#4 【褥瘡】 適切な褥瘡予防ケアが行われていないことにより，褥瘡がみられている	1) 仙骨部の褥瘡が治癒する（2週間） 2) 新たな褥瘡がみられない（1か月） 3) 同じ体位を長時間続けない（2週間） 4) 皮膚にずれや圧迫が生じない（2週間） 5) 皮膚の清潔が保たれる（2週間）

援助の内容	援助のポイントと根拠
OP 観察・測定項目 ● 仙骨部の褥瘡の観察 ● 褥瘡好発部の皮膚の観察 ● 体位・姿勢の観察 ● 清潔状態の観察	⇒訪問のたびに発赤を繰り返している仙骨部の褥瘡の深さ・滲出液・大きさ・炎症/感染・肉芽組織・ポケットの有無や程度について評価する　**根拠** DESIGN-Rなど標準化されたツールを用いて評価・記録し，ケアチームで情報を共有する ⇒訪問時に，褥瘡好発部位の発赤やびらん・炎症の有無・程度，発汗や失禁による湿潤の程度を観察する　**根拠** 褥瘡の好発部位は，仰臥位では後頭部，肩甲骨部，肘頭部，仙骨部，踵骨部，ギャッチアップでの座位では後頭部，肩甲骨部，尾骨部，坐骨結節部，踵骨部である ⇒臥床時間や座位時間，同一体位保持時間，体位変換の回数を確認する　**根拠** 長時間の同一体位では外力が発生する．褥瘡は身体に外力（圧迫，ずれ力）が加わることで，虚血を起こし発生する ⇒おむつの交換頻度，陰部の汚染状態，妻のスキンケアの方

16 関節拘縮

	法を把握する
🟧 **TP 直接的看護ケア項目**	
● 褥瘡の局所ケア	➡ 持続する発赤と表皮剥離がみられる仙骨部には，創傷被覆材の貼付や外用薬の塗布を行う 〈根拠〉新しい局所的な真皮までにとどまる浅い瘡が発生しており，非固着性あるいは粘着力の弱いポリウレタンフィルムなどの創傷被覆材や，創面の保護効果が高いアズノールや白色ワセリンなどの油脂性の外用薬が有用である 〈連携〉皮膚の状態を主治医に報告し，状態に応じた適切な処置を行う
● 適切な体圧分散，体位変換，ポジショニングの促進	➡ 体位変換は2時間ごとが望ましい．しかし，妻の負担を軽減するため，体圧分散寝具やクッションの導入を検討する 〈根拠〉褥瘡を予防するには，外力を小さくし，外力負荷の持続時間を短くすることが重要である 〈連携〉介護保険法による床ずれ防止用具貸与や体位変換器については，ケアマネジャーや福祉用具の業者から情報を得る ➡ ずれ力を排除するためには頭側挙上の角度は30度が望ましい
● 適切な移動・移乗の促進	➡ 療養者は体格が大きく関節拘縮があるが，ずれが最小限になるような移乗・移動を行い，スライディングシートなどを活用する
● スキンケアの実施	➡ 皮膚の清潔と循環を良好に保つため，訪問時に清拭や陰部洗浄を行う 〈連携〉必要時，通所系サービスでの入浴や訪問介護等の導入を検討する
🟧 **EP 教育・調整項目**	
● 褥瘡予防方法の説明	➡ 療養者と妻に同一姿勢を長時間とらないことや，皮膚を清潔に保つことを説明し，褥瘡発生を予防する適切なケアについて理解を深める

STEP ① アセスメント　STEP ② 看護課題の明確化　STEP ③ 計画　STEP ④ 実施　STEP ⑤ 評価

強みと弱みに着目した援助のポイント

強みに着目した援助
- 残存機能を維持・促進できるよう関節可動域訓練を行ったり，普段の生活の中で座位時間を増やしたりと活動範囲の拡大を図る．
- 妻との結束力は強く，在宅療養生活を望んでいることから，離床につながる日々の楽しみや目標が見つけられるように心理的サポートを行いながらともに探る．
- 主介護者である妻は，献身的に療養者の介護を行っていることから，妻の頑張りをねぎらい，称賛し，負担を軽減する．

弱みに着目した援助
- 妻は夫を介護することによる腰痛や不眠，疲労感を訴えているため，適切な知識や技術について提供し，必要なサービス導入について調整する．
- 関節拘縮や尖足がみられており，関節可動域訓練・座位訓練・マッサージ・適切なポジショニングを行い，その解消を図る．
- 療養者は終日，ベッドで臥床して過ごしており，適切な褥瘡予防ケアが行われていないため，離床を促進するとともに，適切な福祉用具の導入やケアを提供することで新たな褥瘡の発生を予防する．

STEP ❶ アセスメント　STEP ❷ 看護課題の明確化　STEP ❸ 計画　STEP ❹ 実施　STEP ❺ 評価

評価のポイント

- 関節可動域が拡大しているか
- 座位時間が増えているか
- 尖足が改善しているか
- 離床への意欲のある発言がみられているか
- 離床の機会が増えているか
- 日々の楽しみや目標を見出すことができているか
- 妻の腰痛や不眠，疲労感が緩和されているか
- 妻が介護に必要な知識や技術を獲得し，実施できているか
- 介護に必要なサポートが受けられているか
- 現在みられる褥瘡が治癒し，新たな褥瘡が発生していないか
- 同一体位を長時間続けていないか
- 皮膚にずれや圧迫が生じていないか
- 皮膚の清潔が保持されているか

16 関節拘縮

関連項目

第2章「6 脳梗塞」「14 フレイル」「20 生活不活発病(廃用症候群)」
第3章「25 家族の介護疲れ」「31 意欲低下」

17 認知症

認知症の理解

基礎知識

疾患概念
脳の後天的な障害により知的能力が低下し，もの忘れや判断力の低下があるために日常生活や社会生活に支障をきたすようになった状態をいう．
- 緩徐進行性で，重度になると歩行や排泄，嚥下など日常生活動作も低下し，やがて死に至る疾患である．主な認知症には，アルツハイマー型認知症，脳血管性認知症，レビー小体型認知症，前頭側頭型認知症が挙げられる．

疫学・予後
- 2020年にはわが国の認知症の患者は600万人を超えており，65歳以上の高齢者の約6人に1人（有病率16.7%）となった．2025年には700万人，約5人に1人に至るとの推計もある．年齢が上がるとともに有病率も増加し，85歳以上では55.5%と老化の影響を強く受けている．
- 一方，64歳以下で発症する若年性認知症も約1%にみられる．また正常圧水頭症など治療可能な認知症も，全体の5%を占めるとされる．
- 予後については，かつては発症後10年くらいとされていたが，治療やケアの改善により延長していく可能性が指摘されている．

症状
- 認知症の疾患ごとに機能低下する脳の部位があり，それを反映して複数の認知機能に障害が生じる．これを中核症状といい，主なものに全般性注意障害（複雑なことへの理解や記憶，反応が困難となる），記憶障害，見当識障害（時間，場所，人がわからなくなる），失語，視空間認知障害，失行，遂行機能障害などがある．
- 進行とともにIADL（買い物や金銭管理，交通機関を使っての外出などの手段的日常生活動作）やADL（入浴，排泄，食事などの日常生活動作）が徐々に低下していく．末期には運動機能や嚥下機能の低下により，寝たきりや栄養失調，誤嚥性肺炎などを生じ，多臓器不全で死に至る．
- 一方，中核症状によって引き起こされる二次的な症状を行動・心理症状（BPSD）や周辺症状という．BPSDでは，物盗られ妄想や帰宅願望，介護拒否，暴力・暴言，不安，抑うつなど，様々な症状を呈する．これらは，中核症状に加え，その患者のもちあわせた性格が影響しつつ，環境や周囲の人の不適切なかかわり方や対応により発生するものであるため，その理由を理解し適切な対応をとることで緩和あるいは予防することが可能である．

診断・検査値
- アルツハイマー型あるいは脳血管性，レビー小体型，前頭側頭型など，どのタイプの認知症であるかをまず正しく診断することが，これから起こりうる症状や障害を想定しつつ必要な支援やケアを構築したり，BPSDを予防するという観点で非常に重要である．
- 通常，認知症が疑われる病状に対して，まずは医療面接（病歴・現症）や身体診察を行い，さらに神経心理検査として長谷川式簡易知能評価スケール（HDS-R）やミニメンタルステート検査（MMSE）を用いて，複数の認知機能を総合的・定量的に把握する．これにより認知症と鑑別すべき病態，すなわち正常加齢性変化，軽度認知障害（MCI），うつ病，せん妄，アルコール多飲，薬剤誘起性障害などを鑑別する．これらの病態を除外し，なおも認知症が考えられる場合には，血液検査，頭部CT，MRIなどを追加し，治療可能な認知症（正常圧水頭症など）を除外する．

合併症
- 認知症の高齢者の約9割は内科疾患を合併しており，認知症によって終末期に至る前に他の合併症で死亡することが多い．その理由として，認知症高齢者は急性疾患による典型的症状が出現しにくいことや，認知機能低下のため症状を訴えたり受診行動をとることが難しく，病気が見過ごされやすいことなどが推測されている．

治療法
●治療方針
- 認知症の治療は，認知機能の改善と生活の質（QOL）の向上を目的として，薬物療法と非薬物療法を組み合わせて行う．
- 認知症のBPSDには，非薬物療法を薬物療法より優先的に行うことを原則とする．
- 向精神薬を使用する場合は，有害事象と投薬の必要性を継続的に評価する．
- 基礎疾患（高血圧や糖尿病など）や社会的孤立など，認知症の悪化要因を改善することも重要である．

●薬物療法
- アルツハイマー型認知症においては，コリンエステラーゼ阻害薬やNMDA受容体拮抗薬の使用が推奨される．一方で，高齢認知症患者にはこれらの薬物療法による有害事象が生じやすい．よって，①少量で開始すること，②薬効評価は短期間に行うこと，③服薬方法は簡略にすること，④多剤服用をできるだけ避けることなどが原則とされている．

●家族へのサポート
- 認知症に特有の難しさは，本人にその病識が乏しく，中核症状に伴う記憶や見当識などの障害がもたらす生活上のトラブルが，社会生活や家族関係を悪化させてしまうことにある．それを改善するには，認知症患者にかかわる周りの人が，できることとできないことを理解して，「なぜそうするのか」を察してケアを行うことが必要であり，これをパーソン・センタード・ケアという．
- 家族に対して，心理的・教育的支援を行うことは，家族の不安や負担の軽減のみならず，家族からの虐待やBPSDの出現を予防することにもつながる意味で重要である．

在宅における特徴

- アルツハイマー型認知症は軽度，中等度，重度，終末期と緩徐に進行していく．中でも中等度の時期は，通常4〜5年持続し，様々な脳機能の障害が進行していくため，日常生活に必要なことが複雑なことから順にできなくなり，しだいに生活のほとんどに介護が必要となる．
- この時期はBPSDが特に出現しやすい時期でもあり，生活機能障害とBPSDへの対応で介護者の負担はピークとなることが多い．BPSDは認知症患者がその障害の中で困惑し不安やストレスを感じている結果として生じているものであり，SOSのメッセージであるととらえるべきである．なぜそうするのかを考え，可能な限りその不安やストレスを軽減できるようなケアを検討していくことがまず必要であり，安易に向精神薬などを用いるべきではない．
- 認知症患者にかかわる家族や介護者の認知症介護に対する不安やストレスが強くなると，ますます本人の症状が悪化していくことがあり，家族や介護者への支援も本人の病状の安定には欠かせない重要な要素である．

在宅診療の実際

- 認知症患者にとって，新しいことを覚えたり，知らない場所で生活することは，大きなストレスとなる．したがって，自宅や住み慣れた地域という環境で，自分らしく暮らし続けることが症状緩和や予後の改善につながるとされる．そのため，できるだけ軽度の段階で医療や介護による支援が得られるような体制整備が求められる．その実現を目指し策定された国の認知症施策推進総合戦略（新オレンジプラン，**表17-1**）により，地域の認知症診断やフォローアップの機会を増やす目的で，かかりつけ医の認知症対応力向上や認知症サポート医の養成が実施されている．

■表17-1 認知症施策推進総合戦略(新オレンジプラン,厚生労働省)の概要

- 高齢者の約4人に1人が認知症の人またはその予備群.高齢化の進展に伴い,認知症の人はさらに増加.2012(平成24)年 462万人(約7人に1人) ⇒ 新 2025(平成37)年約700万人(約5人に1人)
- 認知症の人を単に支えられる側と考えるのではなく,認知症の人が認知症とともによりよく生きていくことができるような環境整備が必要.

新オレンジプランの基本的考え方	認知症の人の意思が尊重され,できる限り住み慣れた地域のよい環境で自分らしく暮らし続けることができる社会の実現を目指す.

- 厚生労働省が関係府省庁(内閣官房,内閣府,警察庁,金融庁,消費者庁,総務省,法務省,文部科学省,農林水産省,経済産業省,国土交通省)と共同して策定
- 新プランの対象期間は団塊の世代が75歳以上となる2025(平成37)年までだが,数値目標は介護保険に合わせて2017(平成29)年度末等
- 策定に当たり認知症の人やその家族など様々な関係者から幅広く意見を聴取

7つの柱	①認知症への理解を深めるための普及・啓発の推進 ②認知症の容態に応じた適時・適切な医療・介護等の提供 ③若年性認知症施策の強化 ④認知症の人の介護者への支援 ⑤認知症の人を含む高齢者にやさしい地域づくりの推進 ⑥認知症の予防法,診断法,治療法,リハビリテーションモデル,介護モデル等の研究開発及びその成果の普及の推進 ⑦認知症の人やその家族の視点の重視

http://www.mhlw.go.jp/file/04-Houdouhappyou-12304500-Roukenkyoku-Ninchishougyakutaiboushitaisakusuishinshitsu/01_1.pdf(2022/8/29 閲覧)

- 認知症が疑われながらも医療サービスや介護サービスを受けていない人のために,専門チームが自宅に訪問して支援を行う認知症初期集中支援チームの設置が全自治体に向けて進められている.
- 認知症患者の在宅での生活を支えるため,地域包括支援センターには認知症地域支援推進員が配置されることとなった.認知症の確定診断やBPSD症状の増悪などに対して,認知症疾患医療センターが各地域における,より専門的な医療の拠点として配備されている.
- 認知症の影響で医療機関への通院が困難な場合,在宅医療でフォローアップすることもしばしばあり,訪問看護や介護とともに,家族支援も含めて日常生活のサポートを行っていく.その際,生活の中での困りごとに対して,認知症と一括りにせず,その人において認知症のどのような障害が影響しているのか,どんな支援があれば本人の自立を維持できるのかといった個別性の高いケアマネジメントを考えることが重要となる.
- 在宅医療や訪問看護,訪問介護は,直接自宅での生活環境を見て,患者本人の困りごとや辛さ,家族の介護上の苦労に耳を傾け,ともに考えることができるという意味で,認知症ケアに最も適した場といえよう.

認知症観の転換

- オレンジプランなどの啓発活動を契機に,「認知症になっても自分らしい暮らしを続けていきたい」「認知症だからという偏見で自分のことを決めつけないでほしい」「自分のことは自分で決めていきたい」といった認知症当事者の声が発信される機会が増えている.
- これまでの認知症に対する古いイメージにより,「本人にはわからない」「できない」「本人には決められない」「おかしな言動で周りが困ることになるので支援が必要で,自宅で暮らし続けるのは無理,施設に入った方がよい」といった間違ったとらえ方が一般的になっている.これは認知症当事者にとっては,諦めや消極的で孤立してしまうことが多く,絶望をもたらすものであった.
- しかし早期から適切なタイミングでの支援につながることで,認知症の人の意思を尊重し,その人らしい暮らしを続けるための環境調整や生活の支援,地域とのつながりをもてるようになり,できることを発揮しながら,認知症とともに歩む暮らしを楽しむことができるようになる.そんな地域や支援,当事者発信が広がっている.
- できなくなることも増えていくが,まだまだできることや理解できることもたくさんあり,本人らしさも決して変わらずにその人とともにあるという,認知症=絶望ではなく,希望を感じられる新しい

認知症観を広げていくべきである．そのために，全国で様々な地域活動や当事者を中心とした取り組みがなされている．

認知症に関連する社会資源・制度

1) 日常生活の支援
- 介護保険法による訪問介護，通所介護，認知症対応型通所介護，（看護）小規模多機能居宅介護，福祉用具貸与，短期入所生活介護
- 障害者総合支援法による訪問介護，就労継続支援
- 精神障害者保健福祉手帳，自立支援医療

2) 住まい
- 介護保険法による共同生活介護（グループホーム），介護老人福祉施設，特定施設（有料老人ホーム，サービス付き高齢者向け住宅）

3) 権利擁護
- 成年後見制度，日常生活自立支援事業

4) 地域からの見守り
- 認知症サポーターの支援，見守り支援ネットワーク，認知症カフェ，認知症の人と家族の会
- 認知症の理解を深める地域での研修会

5) 若年性認知症支援
- 若年性認知症コールセンター，若年性認知症支援コーディネーター，自立支援医療制度（精神通院医療），障害者手帳（精神障害者保健福祉手帳・身体障害者手帳），障害年金，傷病手当金

認知症をめぐる訪問看護

訪問看護の視点

1) 療養者をみる視点
- 療養者は認知機能の低下により，身体の不調や生活上の障害，生活のしにくさについて自ら伝えることが難しくなっていることをふまえる．
- パーソン・センタード・ケアの考えのもと，療養者の生活背景を理解し，"認知症"の人としてではなく1人の"人"としてとらえる視点が必要である．
- 介護を担う家族の介護負担やストレス，ときには虐待防止等にも配慮する．
- 高齢独居，高齢者が高齢者を介護する（老老介護），認知症の人が認知症の家族を介護する（認認介護），療養者や家族が必要な支援を拒否する（介護拒否）等，介護力が低いことがあり，タイミングよく社会資源を導入することが重要である．
- 認知症と間違いやすい状態や疾患（うつやせん妄）との違いを見極める．

2) 支援のポイント
- 認知症の原因疾患の特徴をふまえてケアの方法を工夫する（記憶に働きかける，わかりやすい表示，デジタル時計とカレンダーの活用，携帯電話のアラーム機能の活用，一度に多くのことを指示しない等）．
- 生活環境を整え，不安を軽減することでBPSD（行動・心理症状）を予防する（なじみのある空間，生活用品，人間関係など）．
- 療養者や家族が孤立しないよう，支援者や地域住民とのネットワークを構築する．
- 非言語的コミュニケーションを活用する（視線を合わせる，ゆっくりと会話，落ち着いた雰囲気，笑顔）．
- 療養者のもてる力を引き出す支援（自分でできること，したいこと，決めたいことを活かす）を行う．
- 「認知症の人の日常生活・社会生活における意思決定支援ガイドライン」（厚生労働省）を参考に本人の意思決定を支援する．

● 状態別：療養者をみる視点と支援のポイント

状態	療養者をみる視点	支援のポイント
軽度の認知機能障害	近時記憶の障害や時間の見当識障害がみられるが，日常生活はほぼ自立している．服薬管理，カードでの買い物や金融機関での手続きなどは困難になるが，近所での簡単な買い物はできるため，療養者のできることを尊重し，見守る．	●物忘れの自覚がないため，物忘れや間違いを責めず，根気よく対応する． ●不安感があって頻繁に尋ねてくる場合は，不安の原因を軽減する． ●日課や週間予定を明示し，生活リズムをわかりやすくする． ●自分でできることはできるだけ継続できるように支援する．
中等度の認知機能障害	遠隔記憶障害や見当識障害がみられ，トイレや電気のスイッチの場所がわからなくなったり，入浴や着替えの手順が不確かになる．妄想や徘徊などのBPSDが出現する可能性があるため，療養者が何をしたいのか，その行動の意味や感情を推察し，かかわる．	●手順を1つずつ伝える． ●トイレや電気のスイッチの場所など，家の中でもわかりやすいように目印をつける． ●本人が失敗しそうな場面を避ける． ●肯定的な表現を用いる．否定しない． ●身体の不調や不快，疼痛の有無などのアセスメントを欠かさない． ●家族の介護負担の軽減や慰労に努める．
重度の認知機能障害	記憶も断片的となり，意思の疎通が困難となるため，日常生活全般における介助を行う．寝たきり状態の場合，褥瘡，肺炎などの生活不活発病を予防し，緩和する．	●嚥下機能を低下させる抗精神病薬の見直しを主治医に提案する． ●口腔内の清潔を保持する． ●栄養状態，皮膚の状態，排泄状況を確認する． ●家族への介護方法を説明する． ●急な体調悪化時の対応方法について家族や関係機関と事前に話し合っておく．

訪問看護導入時の視点

- 認知症の軽度なうちから訪問看護や必要な在宅ケアサービスを開始できるよう関係機関との連携を図る．
- 療養者や家族が，疾患についてどのように受けとめ考えているのか留意し，療養者の自信や尊厳を傷つけず，もてる力を発揮できるような援助方法を検討する．
- 家族の介護疲れや負担感にも配慮しながら，医療や介護職とチームで支える視点をもつ．
- 療養者と家族の関係性に注目し，良好な関係を継続できるよう支援する．

| STEP❶ アセスメント | STEP❷ 看護課題の明確化 | STEP❸ 計画 | STEP❹ 実施 | STEP❺ 評価 |

情報収集

	情報収集項目	情報収集のポイント
疾患・医療ケア	**疾患・病態・症状** □疾患 □疾患の症状 □疾患の経過，予後	●認知症の原因疾患は何か，疾患の重症度や病期はどうか ●疾患によりどのような症状があるか ●高血圧症，糖尿病，脂質異常症など他の疾患をもっているか ●認知症状を呈する他の病態や疾患はないか
	医療ケア・治療 □服薬 □治療 □訪問看護	●認知症治療薬は処方されているか，抗精神病薬や睡眠薬は処方されているか ●認知症の原因疾患や併存する疾患に対する薬は処方されているか ●複数の医療機関から薬が処方されていないか ●1人でも処方通りに服薬できる方法になっているか(薬の量，服薬時間，服薬方法) ●処方薬が覚醒レベルや活動性に影響を与えていないか ●非薬物療法(リハビリテーション，回想法，アートセラピーなど)は用いられているか ●残薬は多くないか ●治療や訪問看護の必要性について，本人は理解できているか
	全身状態 □呼吸・循環状態 □摂食・嚥下・消化状態 □栄養・代謝・内分泌状態 □排泄状態 □皮膚の状態 □筋骨格系の状態 □感覚器の状態 □認知機能 □意識	●呼吸数，呼吸音，酸素飽和度，呼吸器症状，血圧，心拍数はどうか ●食欲不振，食欲過多はないか．咀嚼機能，嚥下機能はどうか．空腹・満腹，下痢・便秘等はないか ●食事摂取量，BMIはどうか ●尿意，尿量，排尿間隔，尿漏れの自覚，便意，便量と便性状，排便間隔，便漏れの自覚はどうか ●褥瘡，創傷，湿疹，瘙痒感はあるか ●骨・関節の疼痛はあるか，麻痺や関節の拘縮はあるか，筋力低下はあるか ●視力，聴覚，嗅覚，味覚はどうか ●記憶力，見当識，判断力，計算力，理解力はどうか，BPSD(行動・心理症状)はあるか ●せん妄，錯乱，混乱，不安，緊張，うつ状態はあるか
活動	**移動** □ベッド上の動き □起居動作 □屋内移動 □屋外移動	●寝返りができるか，おむつ交換時などに腰の挙上ができるか，ベッド上で座位保持ができるか，起き上がりができるか ●屋内ではどのように移動しているか ●屋外ではどのように移動しているか
	生活動作 □基本的日常生活動作 □手段的日常生活動作	●食事，排泄，入浴，更衣，整容動作について一連で行えるか，部分的に行えるか，全く行えないか，1日の中での変動はどうか ●調理，買い物，洗濯，掃除，金銭管理について全面的に行えるか，部分的に行えるか，全く行えないか

情報収集項目	情報収集のポイント
活動	
生活活動 □食事摂取	●食べ物の認識，食事の姿勢，食事にかかる時間，摂食動作，食事の形態はどうか
□水分摂取	●水分の認識，水分摂取時の姿勢，水分摂取の方法，とろみの有無はどうか
□活動・休息	●生活リズム，活動時間・内容，睡眠時間，睡眠パターンはどうか．昼夜逆転はないか
□生活歴	●生育歴，職業，生活習慣，生活史はどのようなものか
□嗜好品	●飲酒，煙草，コーヒー，茶，菓子などの嗜好はどうか
コミュニケーション □意思疎通	●理解力はどうか
□意思伝達力	●視覚・聴覚機能，知的機能，言語能力，非言語メッセージ（表情，身ぶり・手ぶり，しぐさ）はどうか
□ツールの使用	●眼鏡・補聴器の使用，電話，携帯電話，スマートフォンなどの使用はどうか
活動への参加・役割 □家族との交流 □近隣者・知人・友人との交流	●同居・別居家族とのかかわりはどうか，家庭内での役割はあるか ●近隣者・知人・友人とのかかわりはどうか
□外出 □社会での役割 □余暇活動	●普段外出しているか，その目的や頻度はどうか ●就労しているか，地域活動に参加しているか ●楽しみや興味をもっているものがあるか，携わることができているか
環境	
療養環境 □住環境	●住み慣れた環境か，最近転居はあったか，室内が整理整頓されているか，物の配置はわかりやすいか
□地域環境	●普段から買い物に出かけている店やスーパーマーケットはあるか，定期的に通院している医療機関はあるか
□地域性	●住宅地域か，商業地域か．交通の便はよいか．転倒や事故に巻き込まれそうな危険な箇所はないか
家族環境 □家族構成 □家族機能 □家族の介護・協力体制	●家族構成，家族の年齢はどうか ●家族の健康状態，家族の就労状況はどうか．家族関係は良好か ●家族に主介護者・副介護者はいるか，家族の介護力や介護負担感はどうか
社会資源 □保険・制度の利用 □インフォーマルなサポート	●医療保険，介護保険，自立支援医療の利用状況はどうか ●近隣，友人，知人からサポートは得られるか，ボランティアは利用できるか
経済 □世帯の収入 □生活困窮度	●就労や年金による収入はあるか ●生活困窮に陥ってないか

情報収集項目	情報収集のポイント
志向性(本人) □生活の志向性 □性格・人柄 □人づきあいの姿勢	➡生活の中での楽しみや生きがいはあるか，生活への希望はなにか ➡社交的，外交的な性格か．性格の変容はないか ➡他者とのかかわりはどうか
自己管理力(本人) □自己管理力 □情報収集力 □自己決定力	➡金銭管理，服薬管理に関心があるか，できるか ➡周囲の情報に関心はあるか，生活に必要な情報を集めようとしているか ➡生活，医療，サービス利用に関して自己決定しているか
理解・意向(本人) □意向・希望 □感情 □終末期への意向 □疾患への理解 □受けとめ	➡生活やサービス利用についてどのような意向や希望があるか ➡何に対してどのような感情をもっているか ➡終末期や急変時の延命処置にどのような希望をもっているか．事前指示はあるか．その内容はどのようなものか ➡疾患について理解しているか ➡薬の効果や副作用をどう理解しているか ➡疾患についてどのように受けとめているか
理解・意向(家族) □意向・希望 □感情 □疾患への理解	➡介護者や家族の生活やサービス利用についてどのような意向や希望があるか ➡介護者や家族は何に対してどのような感情をもっているか ➡介護者や家族の疾患への理解はどうか．終末期や急変時の延命処置にどのような希望をもっているか ➡薬の効果や副作用をどう理解しているか

(左端縦書き見出し：理解・意向)

17 認知症

事例紹介

配偶者との死別と転居をきっかけにアルツハイマー型認知症が進行した高齢者の例

Keywords 糖尿病，高血圧，アルツハイマー型認知症，リロケーションダメージ，家族の介護疲れ，BPSD(行動・心理症状)，高齢男性

〔基本的属性〕男性，78歳
〔家族構成〕長男夫婦と同居
〔主疾患等〕アルツハイマー型認知症，高血圧症，糖尿病
〔状況〕50歳代より高血圧症，糖尿病を指摘され内服治療中であった．定年退職後は地域の自治会の役員等も担っていたが，妻が半年前に他界．それを機に長男夫婦との同居生活が始まった．長男夫婦は共働きで日中は1人で過ごす．最近，認知機能の低下が目立つようになり，薬を飲み忘れたり，鍋を火にかけたのを忘れて外出したり，「財布を盗まれた」と大騒ぎし，警察が駆けつけるなどの出来事があった．家族も目を離せなくなってきたと不安があり，長男の妻が主治医に相談し専門医を受診．アルツハイマー型認知症と診断された．要介護認定を受け，デイサービスを利用することになったが，本人は嫌がりいまだに利用できていない．糖尿病の悪化もみられ，訪問看護による支援が開始となった．

情報整理シート

疾患・医療ケア

【疾患・病態・症状】

主疾患等：アルツハイマー型認知症（軽度）（78歳〜）
病歴：高血圧症（54歳〜），糖尿病（54歳〜）
経過
- 54歳　会社の健康診断にて高血圧と糖尿病を指摘され内服治療を開始．以後，定期通院を続ける．
- 65歳　定年退職後も定期通院を欠かさなかったが，時々服薬を忘れ，妻が促すことで服用できていた．
- 72歳　地域の自治会の集まりを忘れ，近隣住民ともめることがあった．
- 78歳　妻の他界，長男夫婦宅への転居などが続き，通院が2か月ほど中断．高血圧症，糖尿病ともに悪化し内服薬が変更となった．その後も薬の飲み忘れが頻回となり，長男が指摘すると「ばかにするな」と大声をあげ怒ることが増えた．さらに鍋を火にかけたまま外出しボヤ騒ぎとなったり，長男の妻に対し，「財布を盗ったのか」と詰め寄り，警察が駆けつけることなどがあった．被害妄想，理解力・判断力の低下がみられ，長男の妻が心配し主治医へ相談．認知症疾患医療センターの受診となり，アルツハイマー型認知症と診断され，訪問看護導入となった．

【全身状態・主な医療処置】

血圧：140〜162/80〜100 mmHg
脈拍：72〜90回/分
呼吸数：安静時16回/分，労作時28回/分
SpO₂：安静時98%，労作時94%

身長：167 cm
体重：68 kg
BMI：24.4

認知機能低下あり
MMSE：16点
FAST stage：4

空腹時血糖：140〜160 mg/dL
HbA1c：6.8〜7.2%
BUN：22.0 mg/dL
クレアチニン：1.5 mg/dL

排便：1回/2〜3日
排尿：8回/日
食事：3回/日

基本情報
年齢：78歳　性別：男性
要介護度：要介護3
障害高齢者自立度：A2
認知症高齢者自立度：Ⅲa

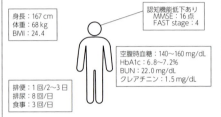

【医療ケア・治療】

服薬：【内服】降圧薬（アムロジン，タナトリル）
　　　　　　　糖尿病治療薬（ジャヌビア）
　　　　　　　抗認知症薬（アリセプト）
治療状況：月1回定期受診
医療処置：特になし
訪問看護内容：体調確認，服薬支援，傾聴，家族の相談

活動

【移動】

屋内移動：自立
屋外移動：自立

【活動への参加・役割】

家族との交流：長男夫婦との三人暮らし．孫が1人いるが他県に下宿しており年に数回会う程度．長男夫婦は共働きで日中は1人で過ごしている．同居を始めてから長男と口論になることが多くなった．長男の妻は義父の体調や様子を気にかけている．
近隣者・知人・友人との交流：転居前は地域の役員を担うなど社交的であったが，転居後は近隣に友人がおらず交流がない．
外出：月2〜3回通院や買い物に行く程度
社会での役割：定年退職後，以前住んでいた地域で自治会長を担ったこともある．今は何もない．
余暇活動：将棋が好きで日中は将棋のテレビを観たり本を読んだりしているが，最近は疲れやすくぼんやりしていることが増えている．

【生活活動】

食事摂取：長男の妻がつくった食事を3食摂取．昼食は時々自分でうどんをつくって食べることがある．
水分摂取：水分制限なし．1日の水分摂取は800〜1,000 mL程度．
活動・休息：日中も家の中で過ごすことが多く，テレビを観ながら安楽椅子で横になっていることが多い．
生活歴：23〜65歳まで会社員として働く．定年退職後は地域の活動に熱心に参加していたが，72歳頃からは物忘れが多くなり役員を交代した．
嗜好品：20歳頃から喫煙．現在も1日10本程度吸う．以前，アルコールを毎晩飲んでいたが，糖尿病になってからはほとんど飲まなくなった．

【生活動作】

基本的日常生活動作

食動作	自立
排泄	自分でトイレに行き自立
清潔	2日に1回程度，自宅の風呂に1人で入る
更衣整容	着替え，整髪，髭剃り，歯磨きは促すと自分でできる
移乗	自立
歩行	自立
階段昇降	手すりを持って昇降することが多い

手段的日常生活動作

調理	長男の妻が実施
買い物	長男の妻が実施
洗濯	長男の妻が実施
掃除	長男の妻が実施
金銭管理	自分で管理しているが，通帳や印鑑をどこに置いたのかわからなくなることが増えてきた
交通機関	通院はバスと電車で通う

【コミュニケーション】

意思疎通：可能
意思伝達力：聴力は年相応に低下，視力は老眼鏡を使用，発語力は問題なし．
ツールの使用：電話対応は可能であるが，電話があったことや内容を忘れることがある．

環境

【療養環境】

住環境：12階建て公営住宅の4階に居住．エレベーターあり．
妻と死別し，長男宅へ越してきたが，まだ環境に慣れていない．

地域環境：人や車の通りが多く，市バスや地下鉄など交通の便はよい．主治医のクリニックまではバスと電車で30分ほどで行ける．
地域性：中核都市部地域で公営の集合住宅が立ち並ぶ．地域の自治会等の活動は比較的活発に行われている．

【社会資源】

サービス利用：

	月	火	水	木	金	土	日
AM		デイサービス			デイサービス		
PM	訪問看護						

保険・制度の利用：後期高齢者医療，介護保険

【経済】

世帯の収入：本人の年金
生活困窮度：経済的余裕あり．

【ジェノグラム】

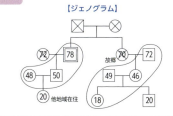

【家族の介護・協力体制】

長男は仕事が忙しく朝早く出勤し夜遅くに帰宅する．主介護者である長男の妻が仕事をしながら家事全般を担っている．

【エコマップ】

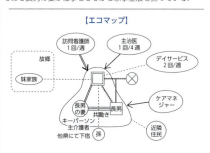

理解・意向

孫
学生
他県に下宿している

おじいちゃんのこと好きだけど，私は私で忙しいからゆっくり会えない

本人

- 長男夫婦の世話になり，ありがたいと思っているけど，何もすることがなく寂しい
- 最近物忘れが増えてきて自分でもどうしたらいいかわからん
- 前から持病があるのはわかっている．ちゃんと治療を続けないと
- 話し相手がほしい
- 妻がいなくなって寂しい，前の家に帰りたいけど，1人では不安
- 自分でも手伝えることがあるなら役に立ちたい
- 長男がしょっちゅう怒ってくる．なんで？

【志向性】
生活の志向性：できるだけ人に迷惑をかけたくないと思っている
性格・人柄：元々は社交的で世話好き．気は短い方だった
人づきあいの姿勢：頼りにされると嬉しい

【自己管理力】
自己管理力：認知機能の低下により，服薬や金銭の管理が難しくなっている
情報収集力：長年の主治医には相談しやすいが，なかなか自分からは他人にきけない
自己決定力：認知機能の低下はあるが，丁寧に説明すれば自己決定する力はある

長男

- 前はしっかりした父親だったのに，なんで忘れてばかりいるんだ？
- 仕事が忙しく，普段は父親のことは妻に任せきり．妻に申し訳ないと思ってはいる

長男の妻
キーパーソン
主介護者

- このままでは仕事を辞めないといけないのかしら
- お義父さんが心配．お世話をするのは私の役割

月～金まで週5日働いている

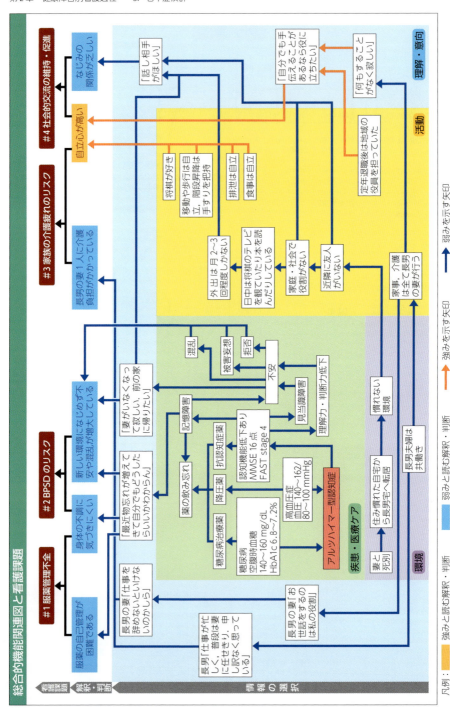

STEP ❶ アセスメント　STEP ❷ 看護課題の明確化　STEP ❸ 計画　STEP ❹ 実施　STEP ❺ 評価

看護課題リスト

No.	看護課題　【コード型】文章型	パターン
#1	【服薬管理不全】記憶障害があり，適切な服薬管理を行えていない	問題着眼型
	根拠　認知機能の低下により記憶障害があり服薬の自己管理が困難になっている．そのため，認知機能の低下に加え，高血圧症と糖尿病が悪化している．	
#2	【BPSDのリスク】新しい環境になじめないことによる不安や混乱からBPSDがみられるリスクが高い	リスク着眼型
	根拠　記憶障害，見当識障害，理解力・判断力の低下のため，新しい生活環境になじめず，不安が増大している．財布を置いた場所を忘れ家族を疑うなどBPSDの徴候がみられる．	
#3	【家族の介護疲れのリスク】長男の妻1人に介護の負担がかかっており，家族の介護疲れのリスクが高い	リスク着眼型
	根拠　長男の妻は仕事をしているうえに1人で家事や介護を担っており，負担感を感じている．認知機能が低下しBPSDが顕著になってきた場合，長男の妻が介護疲れとなるリスクが高い．	
#4	【社会的交流の維持・促進】自立心が高いことを活かし，社会的交流を維持・促進する	強み着眼型
	根拠　もともと社交的で世話好きな性格から，地域のサロンや認知症カフェなどの社会資源につながり顔見知りや友人ができると，社会的交流を維持・促進できる可能性がある．	

【看護課題の優先度の指針】適切な服薬管理により認知機能の低下が予防できるため【服薬管理不全】を#1とした．認知機能低下を軽減することでBPSDや家族の介護疲れも予防できるため，【BPSDのリスク】を#2，【家族の介護疲れのリスク】を#3とした．【社会的交流の維持・促進】は健康を守る面では比較的優先度が低いため#4とした．

長期目標

認知機能の低下による不安や混乱を軽減し，健康状態を維持し，在宅療養生活を継続する．

根拠　妻を亡くし，長男宅に転居したことにより不安や混乱があり（リロケーションダメージ），認知機能低下が増大する可能性がある．しかし，適切な服薬管理や生活環境と家族の介護体制を整え，本人の高い自立心を活かすことにより，新しい生活に適応することができる．

〈長期目標を共有するケアチーム〉
フォーマルサービス：訪問看護師，主治医，デイサービススタッフ，ケアマネジャー
インフォーマルなサポート：長男，長男の妻，近隣住民

17　認知症

| STEP❶ アセスメント | STEP❷ 看護課題の明確化 | **STEP❸ 計画** | STEP❹ 実施 | STEP❺ 評価 |

❶ 看護課題	看護目標（目標達成の目安）
#1【服薬管理不全】 記憶障害があり，適切な服薬管理を行えていない	1）必要な薬を確実に服用できる（1か月） 2）服薬の必要性を理解できる（3か月） 3）高血圧症や糖尿病の悪化や合併症を予防することができる（3か月）

援助の内容	援助のポイントと根拠
OP 観察・測定項目 ●バイタルサイン，全身状態 ●服薬状況 ●家族の協力体制	➪体温，脈拍，血圧，酸素飽和度，高血糖・低血糖症状，栄養状態，体重，BMIを把握する ➪高血糖・低血糖症状の有無，食習慣や食事摂取状況，排泄状況を把握する ➪確実に薬を服用しているか把握する　根拠 服薬忘れや間違いなどにより血圧上昇，低血糖や高血糖症状を引き起こす可能性がある ➪家族が療養者の疾患や症状をどのように理解し，受容し，どの程度の協力を得られるかを把握する　根拠 療養者1人で健康管理を継続していくのは難しく，家族の協力が不可欠である
TP 直接的看護ケア項目 ●服薬管理支援 ●定期的通院の促し	➪療養者1人でも服薬できるよう，服薬カレンダーと時計のアラーム機能を活用する　連携 服薬の回数をできるだけ少なくしてもらえるよう主治医と相談し，薬の一包化を依頼する ➪訪問のたびに，服薬の確認を療養者と一緒に行う ➪次回通院日を訪問のたびに，療養者と一緒に確認する
EP 教育・調整項目 ●治療の必要性についての説明 ●体調悪化時の症状などについての家族への説明	➪継続的に服薬の重要性を説明し，療養者に意識づけていく ➪療養者が訴えることができなくても家族が早期に気づくことで，病状の悪化に対処できる

❷ 看護課題	看護目標（目標達成の目安）
#2【BPSDのリスク】 新しい環境になじめないことによる不安や混乱からBPSDがみられるリスクが高い	1）BPSDがみられない（1か月） 2）BPSDがみられた際，早期に症状が軽減できる（1か月） 3）家族が認知症やそのかかわり方を理解できる（1か月）

援助の内容	援助のポイントと根拠
OP 観察・測定項目 ●精神状態 ●BPSDの要因 ●家族のかかわり方 ●認知症治療薬の服薬状況	➪精神的に安定しているのか，不安になっているのか ➪生活リズム（食事摂取，排泄，睡眠），睡眠の質，空腹感・便秘・脱水の有無を把握する　根拠 不規則な生活リズム，睡眠の質の低下，体調不良はBPSDの要因となる ➪療養者に対する言葉かけや態度を把握する　根拠 療養者が安心できるかかわりによって，BPSDを予防できる ➪ 連携 認知症治療薬の効果や副作用について確認し，必要

TP 直接的看護ケア項目 ●アクティビティケア，非薬物療法の導入	に応じて主治医と相談する ⊃訪問時に今いる場所や日付け，季節などを基本的なコミュニケーションの中で意識づける（リアリティ・オリエンテーション） ⊃ 強み 本人の関心を引き出したうえで，音読・音楽・園芸・絵画・回想法・運動・ゲームなどを取り入れたケアを提供する
EP 教育・調整項目 ●受容的なかかわり ●BPSD対応についての家族への教育 ●家庭内での役割を作る提案 ●不安の傾聴 ●生活リズムの調整	⊃自分を否定されたと感じることでBPSDが増悪するため，まずは本人の訴えを否定せずに，しっかりと受け止める ⊃認知症の特徴やかかわりを説明する ⊃体調不良に気づくポイントについて説明する ⊃BPSDを起こした時の対応について説明する ⊃自分も家族の一員であると実感できるよう，本人のできる役割を家族とともに考え，担ってもらう ⊃療養者が不安や心配事を表出しやすいようにコミュニケーションをとる ⊃療養者は，長男宅に越してきて間もないため，少しでも早く環境に馴染めるよう生活リズムを整える 根拠 リロケーションダメージは，認知症に悪影響を及ぼすことがある

3 看護課題	看護目標（目標達成の目安）
#3【家族の介護疲れのリスク】長男の妻1人に介護の負担がかかっており，家族の介護疲れのリスクが高い	1）長男の妻の介護負担が軽減される（1か月）

援助の内容	援助のポイントと根拠
OP 観察・測定項目 ●レスパイトケアの受け入れ ●家族の介護負担の程度	⊃療養者や家族のサービスに対する思いや理解を把握する ⊃家族の思いや介護負担感について把握する 根拠 家族が介護に関する悩みを抱え込んで孤立することのないようにする
TP 直接的看護ケア項目 ●連絡ノートの導入 ●家族会等の紹介	⊃訪問中の様子を家族に伝えるのに役立つほか，家族の気持ちをノートに書いてもらうことで，普段本人や他の家族になかなかいえない介護のつらさや困ったこと，不安等を表出してもらう機会とする ⊃ 根拠 家族としてつらい思いを共有できる仲間づくりの場となる
EP 教育・調整項目 ●家族の慰安 ●療養者の思いの代弁	⊃介護を頑張っている家族に対し「よく頑張っていらっしゃいます」などのねぎらいの言葉を直接伝える 根拠 家族は，自分が行っている介護が正しいのかそうでないのか，わからなかったり迷っていたりすることがある．「自分は頑張っている」と認められることが，明日の介護への意欲につながる ⊃本人が日頃から家族に感謝している気持ちや，本人がやりたいと思っていることを代わって伝える

●家族のかかわり方の説明	⇨家族(長男の妻)が在宅している時に訪問時間を変更し,療養者への接し方をみてもらう **根拠** 本人と視線を合わせてしっかり傾聴することや,本人の話を否定しない等のかかわり方をみてもらうことで,コミュニケーションや接し方のポイントを知ってもらう.また,本人と家族の関係性を確認することができる
●長男の妻の思いの傾聴	⇨家族の療養者への思いや介護負担について話してもらい,認める
●家族の休息時間の確保	⇨家族が療養者の介護から離れる時間を確保することで,介護負担の軽減につなげる
●レスパイトケアの導入	⇨ **連携** 本人や家族の意向に沿って,ケアマネジャーと連携し,通所サービスの回数を増やす.必要に応じてショートステイの利用を提案・導入する

4 看護課題 / 看護目標(目標達成の目安)

#4【社会的交流の維持・促進】
自立心が高いことを活かし,社会的交流を維持・促進する

1) 家庭内で役割をもち自信を取り戻す(1か月)
2) 近隣住民と顔見知りになり,行き来ができる(3か月)

援助の内容 / 援助のポイントと根拠

OP 観察・測定項目

●療養者の生活の志向性	⇨家庭内で,助けがなくても1人でできること,助けを借りればできること,本人がやってみたいと思うことを把握する
●近隣住民の認識	⇨療養者や家族との関係性や認知症についての近隣住民の理解状況を把握する

TP 直接的看護ケア項目

●地域のサロン等の紹介	⇨ **連携** 認知症カフェなど,地域のサロンへの参加を勧め,初めてサロンに参加する際は必要に応じてケアマネジャーなどに同行してもらう

EP 教育・調整項目

●交流のきっかけづくりの提案	⇨ **強み** 療養者・家族,近隣住民と相談しながら,本人が地域の中で担える役割や交流のきっかけを考える ⇨ **強み** 将棋好きである強みを活かし,将棋仲間を見つける ⇨ **強み** 地域の中でサポーターをみつける **根拠** 本人が成功体験を積むことができる
●近隣住民との関係づくり	⇨ **連携** 地域のキャラバン・メイトと連携し,地域の人たちに認知症サポーターになってもらい,療養者や家族を見守ってもらう

STEP❶ アセスメント ▶ STEP❷ 看護課題の明確化 ▶ STEP❸ 計画 ▶ **STEP❹ 実施** ▶ STEP❺ 評価

強みと弱みに着目した援助のポイント

強みに着目した援助
- 社交的で世話好きな性格である強みを活かし,近隣住民と顔なじみの関係を築く.
- 社交的で世話好きな性格である強みを活かし,地域で療養者が担える役割をみつけ,自信を取り戻してもらう.
- 自分も役に立ちたいという気持ちがある強みを活かし,家庭内で療養者ができることは積極的に行っ

てもらう.

弱みに着目した援助
- 薬の飲み忘れがあるため,1人でも忘れずに服薬できるよう服薬カレンダーの利用など工夫を試みる.
- 薬を飲み忘れることで体調が悪化するため,体調の変化に早く気づけるようにする.
- BPSD を引き起こさないよう,体調を整える.
- 高血圧症や糖尿病などの基礎疾患があるので,合併症を予防する.

17 認知症

STEP ❶ アセスメント　STEP ❷ 看護課題の明確化　STEP ❸ 計画　STEP ❹ 実施　**STEP ❺ 評価**

評価のポイント
- 必要な薬を確実に服用できているか
- 服薬の必要性について認識,理解することができているか
- 高血圧症や糖尿病の悪化や合併症を予防することができているか
- 体調を整え BPSD を起こすことなく生活できているか
- BPSD がみられた際,早期に症状が軽減できているか
- 家族が認知症やかかわり方を理解できているか
- 必要に応じてレスパイトケアを活用できているか
- 長男の妻の介護負担が軽減されているか
- 家庭内で役割をもち自信を取り戻すことができているか
- 近隣住民と顔見知りになり,行き来ができているか

関連項目
第2章「5 糖尿病」「20 生活不活発病(廃用症候群)」
第3章「25 家族の介護疲れ」「29 社会的孤立」

- **参考文献**
1) 認知症の人の日常生活・社会生活における意思決定支援ガイドライン.厚生労働省,平成30年6月

18 尿失禁

尿失禁の理解

基礎知識

疾患概念
- **自分の意志とは関係なく尿が漏れてしまうこと．**
- 生活の質（quality of life；QOL）の低下につながる疾患で，精神的な苦痛や日常生活での活動性低下をもたらす．衛生的にも問題になる．

疫学・予後
- 近年の統計はないが，高齢者の尿失禁については，一般に在宅者の10％，病院・老人施設入所者については50％に尿失禁がみられると過去に報告されている．
- 尿失禁のタイプによっては頻度に性差を認める．
- 尿失禁自体が生命予後に影響することはない．

症状
- 病態の違いから様々な症状がある（**表18-1**）．

診断・検査値
- **問診・日誌**
- 発症時期，頻度，程度，服薬歴や既往歴を聴取する．
- 病態に応じて各種問診ツールが存在する．多数あるため代表的なものを紹介する．詳細は成書を参考のこと．

〈問診ツール〉
①国際前立腺症状スコア（International Prostate Symptom Score；I-PSS）とQOLスコア

■表18-1 尿失禁の種類

尿失禁タイプ	症状	原因
腹圧性尿失禁	咳やくしゃみをした時など，腹圧がかかった時に尿が漏れてしまう	加齢や出産などで，骨盤底筋群という尿道括約筋を含む骨盤底の筋肉が緩むために起こる．女性に多い
切迫性尿失禁	急に尿がしたくなり，我慢できずに漏れてしまう	膀胱炎や過活動膀胱，膀胱結石，膀胱腫瘍などの他に，脳血管障害，脊髄障害など．男性では前立腺肥大症も原因になる
溢流性尿失禁	尿が出せずに膀胱内に溜まり，漏れてしまう	前立腺肥大症の他に，直腸がんや子宮がんの手術後の膀胱周囲の神経機能の低下など．男性に多い
機能性尿失禁	膀胱・尿道機能は正常だが，足腰が弱ってトイレに間に合わない．尿の溜まった感覚がわからないため，トイレで排尿できない	身体機能の低下や認知症など

・腹圧性尿失禁と切迫性尿失禁を合わせ，混合性と分類することもある．
・高齢者であれば複数の要素がかかわっている可能性に気をつける．
・カフェインやアルコールといった嗜好品や内服している薬剤の影響を常に考慮する．代表的なものとして，抗コリン作用を伴う薬剤は前立腺肥大症をもつ男性高齢者の症状を悪化させることが多い．市販の総合感冒薬にも含まれることがあり，注意が必要である．

- 前立腺肥大症の症状の重症度を測るために米国で作成された質問表．女性やパーキンソン病など神経疾患による下部尿路障害の重症度を測るのにも有用といわれている．I-PSS は 7 つの質問からなり，Q1, 3, 5, 6 の点数が高ければ残尿の問題，Q2, 4, 7 が高ければ蓄尿の問題が強いと考える．QOL は現在の症状が続くとどう思うかを問う．

②国際尿失禁会議質問票ショートフォーム (International Consultation on Incontinence Questionnaire-Short Form；ICIQ-SF)
- 4 つの質問からなる簡便な質問票．尿失禁の頻度，程度，困窮度，尿失禁の生じ方を聞いている．「排尿を終えて服を着たときに漏れる」は，尿失禁というよりも排尿後に後部尿道に残った尿が下着にたれることをいう（排尿後滴下）．高齢男性に多い．

③過活動膀胱症状質問票 (Overactive Bladder Symptom Score；OABSS)
- 頻尿と尿意切迫感を中心症状とする過活動膀胱の質問票．

〈排尿日誌〉
- 1 日何回排尿して，1 回あたりどのくらいの尿を排出しているのかを，少なくとも数日間記録してもらう．冊子の他にインターネットでダウンロードすることも可能，携帯端末でのアプリケーションも存在する．
- 様式はいろいろあるが，尿意切迫感や尿失禁，排尿後滴下の有無も記録してもらう．

● 検査
〈身体診察〉
- 腹部膨満や肥満，手術瘢痕，骨盤臓器脱の有無を確認する．
- 腹部から外陰部にかけての感覚障害を評価する．
- 直腸診で前立腺を触診することで，炎症や肥大などを評価する．

〈臨床検査〉
- 尿検査一般・沈渣や血液検査で尿路感染症や腎機能障害の有無を確認する．無症候性の血尿がある場合は，尿細胞診や膀胱鏡などで尿路悪性腫瘍の検索を行う．

〈超音波検査〉
- 尿路系のスクリーニングを行う．前立腺を観察する場合は排尿前に行うこと．
- 残尿を測定する場合は排尿後に行う．現在は超音波で行うのが主流だが，カテーテルによる導尿で行う方法もある．
- その他に，在宅では困難ではあるが，尿流動検査，尿失禁定量テスト（パッドテスト），膀胱造影検査などもある．

合併症
- 尿道周囲が不衛生な状況になること，膀胱内に尿が貯留することから尿路感染症を合併するリスクがある．褥瘡などがある場合に，治癒遅延のリスクにもなりうる．

治療法
- 尿失禁のタイプに合わせ，治療を行う．
- パッド，おむつなどは QOL 低下，寝たきり状態につながる可能性があるので安易には使用しない．
- 以下に挙げる Px 処方例 はすべて添付文書上の用量に従って記載しているが，高齢者の場合は副作用に注意し，半量など少量から開始することが望ましい．また，いずれの処方例においても漢方薬を使用することがある．

〈腹圧性尿失禁〉
- 生活指導：危険因子である肥満，便秘の改善を図る．重たい物を持たない，水分やカフェインなどの刺激物の摂取を制限する．
- 骨盤底筋体操：緩んだ骨盤底筋を鍛える（経会陰超音波などを用いたバイオフィードバック法も考慮）．
- 薬物療法：β_2 アドレナリン受容体作動薬がわが国では保険適応があり，他薬剤と比較して推奨度が高い．

Px 処方例
- スピロペント錠 10 μg　1 回 2 錠　1 日 2 回　朝夕食後　← β_2 アドレナリン受容体作動薬
- 外科的治療：中部尿道ストリング手術が標準術式である．

〈切迫性尿失禁〉
- 生活指導：水分や塩分を摂りすぎない．肥満，便秘の改善，カフェインの減量など．
- 環境調整：トイレまでの動線を改善したり，手すりやポータブルトイレを設置するなど環境を整備する．
- 膀胱訓練：膀胱に尿を溜めて，排尿時間を延ばすことで，膀胱容量を増加させる．
- 骨盤底筋体操：緩んだ骨盤底筋を鍛えることで強化を図る．
- 薬物療法：抗コリン薬や$β_3$アドレナリン受容体作動薬の推奨度が高い．いずれも尿閉が副作用にあり，投与は禁忌ではないが慎重に行う必要がある．

Px 処方例
いずれかを用いる．
- ベシケア錠 5 mg　1回1錠　1日1回　朝食後　←抗コリン薬
- ベタニス錠 50 mg　1回1錠　1日1回　朝食後　←選択的$β_3$アドレナリン受容体作動薬

〈溢流性尿失禁〉
- 尿排出障害の改善が治療になる．
- 前立腺肥大症などの下部尿路閉塞による場合や薬物療法（$α_1$アドレナリン受容体遮断薬，5α還元酵素阻害薬など）あるいは外科的治療による閉塞の解除を行う．尿道カテーテル*による間欠的・持続的導尿が必要になることもある．
- 薬物療法

Px 処方例
いずれかを用いる．
- ハルナールD錠 0.2 mg　1回1錠　1日1回　朝食後　←$α_1$受容体遮断薬
- ザルティア錠 5 mg　1回1錠　1日1回　朝食後　←ホスホジエステラーゼ5阻害薬
- アボルブカプセル 0.5 mg　1回1カプセル　1日1回　朝食後　←5α還元酵素阻害薬

〈機能性尿失禁〉
- 生活指導：着脱しやすい衣類を工夫する．排尿習慣を把握し，排尿誘導を行う（決まった時間で行う時間排尿誘導や，本人の排尿習慣に合わせたパターン排尿誘導がある）．
- 環境調整：トイレまでの動線を改善したり，手すりやポータブルトイレを設置するなど環境を整備する．

家族へのサポート
- 患者には羞恥心と，年長者としてのプライドがあり，正論で迫ると，かえってかたくなになることがあるため，自尊心を傷つけないような対応が必要なことを伝える．
- パッドやリハビリパンツなどを安易に勧めるのではなく，適切な治療や環境の改善，排尿誘導などから取り組んでもらうよう働きかける．しかし，介護者の負担には常に注意が必要である．

尿失禁に関連する社会資源・制度

1) 排泄環境の整備
- 介護保険法による住宅改修，または障害者総合支援法の地域生活支援事業による住宅改修費の給付制度（和式トイレから洋式トイレへの取り替え，段差解消，手すりや足元照明の設置，ドアの変更など）

2) 排泄補助道具の購入支援
- 障害者総合支援法による日常生活用具（特殊便器，特殊尿器，紙おむつなど）の給付
- 介護保険法による福祉用具貸与（手すり，自動排泄処理装置）や特定福祉用具販売（ポータブルトイレなど）
- 市区町村による家族介護用品支給サービス（紙おむつ，使い捨て手袋）

＊尿道カテーテル
　基本的には溢流性尿失禁が適応になる．間欠的な方法と留置する方法がある．
　間欠的導尿法は，末梢神経障害により膀胱排尿筋の収縮力が低い場合や脊髄損傷などで残尿がある状態では標準的な治療法となる．
　膀胱留置カテーテル法は，下部尿路の閉塞があり，他に閉塞を解除する治療法がない，全身状態が重篤あるいは終末期などで，おむつ交換や間欠的導尿を行う介護者がいない場合に使用されることがある．褥瘡など陰部の皮膚に問題が生じている場合に一時的に使用することもある．留置する場合は尿路感染症のリスクが上昇する．

3) 日常生活動作（入浴，更衣，排泄，室内の環境整備）の介助
- 介護保険法による訪問介護，訪問入浴
- 障害者総合支援法による介護給付
- 市区町村による寝具類の洗濯乾燥消毒サービス

4) 機能訓練・日常生活動作訓練
- 介護保険や医療保険による訪問リハビリテーション，デイケアによる骨盤底筋訓練
- 医療機関の機能訓練

尿失禁をめぐる訪問看護

訪問看護の視点

1) 療養者をみる視点
- 尿失禁は，身体面だけでなく，療養者の精神面・生活面にも影響を及ぼし，人間としての尊厳やQOL低下をもたらす．
- 尿失禁は，介護者にとっても負担となることが多く，在宅療養の継続を困難にする要因となる．
- 看護師は，尿失禁の分類を理解し，尿失禁の背景要因をアセスメントし，適切な援助を行う必要がある．
- 安易におむつを使用することは，療養者のQOL，日常生活動作の低下を引きおこす．
- 療養者の尊厳を守り今ある能力を活かす視点，介護者の介護負担を考慮する視点，尿失禁による二次的な障害を予防する視点をもち，統合的な観点から援助を検討することが大切である．

2) 支援のポイント
- 水分摂取から排泄の後始末に至る，排泄に関連する行為の一連のプロセスのどこに問題があり，尿失禁が起こっているのかを把握する．
- 尿失禁の分類に応じた援助を検討する．
- 主治医と連携し，治療による改善の可能性を検討する．
- 排泄に関連する環境と排尿のパターンを把握し，失禁を予防できるような援助を検討する．
- 尿失禁に伴う皮膚障害や尿路感染症を予防する．
- 尿失禁により身体面・心理面・社会面に生じている影響，今後生じうるリスクをアセスメントし，目標をどこにおくか療養者・家族と話し合い，その意向を尊重しながら，援助内容と生活を調整する．

● 状態別：療養者をみる視点と支援のポイント

状態	療養者をみる視点	支援のポイント
腹圧性尿失禁がみられる状況	出産や加齢を契機に生じ，女性に多く，羞恥心などから受診せずに対処していることも多い．不意の尿もれにより行動を制限していることがあるため，失禁が生じやすい状況と本人の困りごとに着目する．	● 腹圧がかかりやすい動作の前には排尿を済ますよう促す． ● 肥満や便秘などのリスク因子を減らす． ● 骨盤底筋訓練も有効である．
切迫性尿失禁がみられる状況	強い尿意切迫感と頻尿を伴うことが多いため，身体的疲労や精神的ストレス，不眠などの二次的な障害を引きおこす可能性がある．失禁による影響を最小限にできるようにすることが重要である．	● 可能な場合は，排尿日誌をつけてもらい，1回の量や付随する症状を把握し，医師と薬物療法を検討する． ● 適した着衣や排泄補助用具を検討する． ● 膀胱訓練を行う．

状態	療養者をみる視点	支援のポイント
溢流性尿失禁がみられる状況	他の尿失禁と異なり,膀胱内に多量の残尿があり,放置すると腎不全や尿路感染症など重篤な症状を引き起こすおそれがあるため,尿閉の原因となる基礎疾患の有無や残尿の有無を把握し,早期の医療介入につなげることが必要である.	●下腹部膨満感や尿量の減少がないかを確認し,エコーを用いた残尿測定を行う.エコーがない場合は導尿し残尿を測定する. ●導尿後に失禁が消失するか,確認する.
機能性尿失禁がみられる状況	歩行障害のため移動が間に合わない,認知症のためトイレの場所がわからないなど,排泄に関連する行為のどの部分が,なぜ遂行できないのか,身体・精神機能だけでなく環境も含めて広く捉える.	●運動機能の低下が原因の場合は環境整備や衣服を検討する. ●認知症では,排尿自覚刺激行動療法や排尿パターンに合ったトイレ誘導が有効である.

訪問看護導入時の視点

- 排泄に関することは羞恥心が伴いやすく,不用意な発言は療養者の尊厳をも傷つけかねない.訪問看護導入時は信頼関係が十分構築されていない場合も多いため,療養者に寄り添う姿勢を示し,尿失禁により最も困っていることと療養者なりの対応方法を把握し,その方法を尊重しながら改善点を提案する.
- がん末期など進行性疾患をきっかけに訪問看護が導入された場合は,今後,疾患の進行に伴い失禁が生じるであろうことを念頭におく.療養者の疾患の理解や受け入れ状況に合わせながら,必要時にすぐ社会資源が導入できるよう,関係職種と連携し調整しておく.

STEP ❶ アセスメント ▶ STEP ❷ 看護課題の明確化 ▶ STEP ❸ 計画 ▶ STEP ❹ 実施 ▶ STEP ❺ 評価

情報収集

	情報収集項目	情報収集のポイント
疾患・医療ケア	**疾患・病態・症状** □疾患 □病態 □疾患の経過,予後	●既往歴・現病歴に失禁の誘因となる疾患や病態はあるか(脳神経系疾患,脳・脊髄損傷,泌尿器系疾患,腎疾患,直腸や子宮等の骨盤内の疾患・手術歴,尿路感染症,糖尿病,認知症,精神疾患,分娩など) ●尿失禁がいつから,どのような状況で生じたか,随伴症状はあるか ●今後,原疾患の進行により,尿失禁が生じる可能性があるか(日常生活動作や認知機能の急激な低下が起こりうるか)
	医療ケア・治療 □服薬 □治療 □医療処置 □訪問看護	●蓄尿症状(頻尿や尿意切迫感,失禁)を引きおこす可能性のある薬物を服用していないか ●尿失禁に対する内服治療の内容,効果はどうか.外科的治療の対象となるのか ●骨盤底筋訓練や膀胱訓練,排尿自覚刺激行動療法の効果はどうか ●(溢流性尿失禁では)残尿測定や間欠導尿,膀胱留置カテーテルの適応はあるか.適応がある場合,排尿状況や合併症はどうか
	全身状態 □成長・発達段階 □呼吸・循環状態	●子どもの場合,発達段階や集団生活の状況はどうか ●発熱,呼吸回数増加,全身倦怠感などはみられないか.尿路感染症や

情報収集項目		情報収集のポイント
疾患・医療ケア	□摂食・消化状態 □栄養状態	脱水徴候はないか ➡食事の摂取状況はどうか，腸蠕動運動の亢進や低下はないか ➡便秘や肥満はないか，水分を控えたり食事量が低下したりしていないか
	□排泄状態	➡排尿回数，排尿量，尿性状，排尿痛・残尿感・尿排出症状はないか ➡尿意の有無，失禁が生じる状況や失禁の量・頻度，尿意切迫感はないか ➡排便回数，排便量，失便はないか ➡現在の排泄方法，介助の必要性はどうか．排泄補助道具の使用状況はどうか
	□筋骨格系の状態	➡四肢の筋力低下，関節可動域の減少，姿勢保持困難，手指の巧緻運動困難はないか
	□感覚器の状態	➡感覚・知覚の鈍麻，運動調節機能低下によるバランス不良，協調運動の障害はないか
	□皮膚の状態	➡皮膚(特に陰部)の湿潤，脆弱性はどうか，おむつによるかぶれや湿疹，褥瘡はないか
	□認知機能・意識	➡意識レベルや認知機能の低下はないか．尿意を認知し，他者に伝えることができるか
	□精神状態	➡せん妄，混乱，うつはないか
活動	移動 □ベッド上の動き	➡寝返りできるか，おむつ交換時に腰を挙上できるか，トイレで座位保持ができるか
	□起居動作	➡トイレに移乗しているか，立位で下着・ズボンの上げ下ろしができるか
	□屋内移動	➡介助や補助具(車椅子，手すり，歩行器)が必要か，普段，屋内でどの程度移動しているか，トイレへの動線はどうか
	□屋外移動	➡介助や補助具(車椅子，手すり，杖など)が必要か，普段の行動範囲や行動頻度はどの程度か
	生活動作 □基本的日常生活動作	➡食事，排泄，清潔，更衣，移乗，歩行動作の遂行状況はどうか．排泄に関連する一連の行為のどの部分は自立し，どの部分に介助が必要か．服や下着の種類は適しているか，本人が着脱や排泄の後始末をできるか
	□手段的日常生活動作	➡調理，買い物，洗濯，掃除の遂行能力はどうか．普段どの程度実施しているか
	生活活動 □食事摂取 □水分摂取 □活動・休息	➡食事の摂取量はどうか，減少していないか ➡水分摂取の内容，回数，1回摂取量，摂取時間帯はどうか ➡睡眠時間，睡眠パターンはどうか．失禁や夜間頻尿による不眠や生活リズムの乱れはないか
	□生活歴 □嗜好品	➡出産歴(分娩・帝王切開)はあるか．生活習慣や衛生観念はどうか ➡酒，コーヒーなどのカフェイン含有飲料の摂取量と摂取時間帯はどうか
	コミュニケーション □意思疎通 □意思伝達力	➡周囲の状況を理解し，人と意思疎通ができるか ➡排尿に関するサインを他者に伝える基本的な視力，聴力，言語力があ

18 尿失禁

	情報収集項目	情報収集のポイント
活動	□ツールの使用	るか．不十分な場合は補聴器，文字盤，意思伝達装置などを活用できるか ⊃電話，携帯電話，スマートフォン，メールなどを使用し他者と意思疎通できるか
活動	活動への参加・役割 □家族との交流 □近隣者・知人・友人との交流 □外出 □社会での役割 □余暇活動 □養育（子ども）	⊃同居・別居家族とのかかわりはどうか（内容，頻度，方法） ⊃近隣・知人・友人とのかかわりはどうか（内容，頻度，方法） ⊃外出状況（目的，内容，頻度，場所）はどうか，失禁を気にして外出を制限していないか ⊃社会での役割があるか，就学・就労状況はどうか ⊃趣味の内容，活動強度，実施頻度はどうか，参加頻度の減少がないか ⊃学校や保育園での教育内容，活動への参加状況，失禁時の対応や連携体制はどうか
環境	療養環境 □住環境 □地域環境	⊃居室からトイレへの動線はどうか．排泄環境は本人の日常生活動作に合ったものか（段差，距離，障害物の有無，手すりの有無，扉の種類，便器の種類・高さ，自動洗浄の有無など）．排泄環境が整備されているか（プライバシーの確保，室温，広さ，明るさ，清潔さ）．使用済みのおむつやポータブルトイレの排泄物の処理状況はどうか ⊃買い物や受診のアクセスはどうか，外出先や外出経路に公衆トイレはあるか
環境	家族環境 □家族機能 □家族の介護・協力体制	⊃家族関係は良好か，家族の健康状態，認知機能，精神状態は良好か．排泄介助を必要とする場合などは介護者への気兼ねや羞恥心はないか ⊃家族に主介護者・副介護者はいるか，家族内にキーパーソンはいるか，家族の介護力や介護負担感はどうか
環境	社会資源 □保険・制度の利用 □保健医療福祉サービスの利用 □インフォーマルなサポート	⊃医療保険，介護保険，障害者総合支援法による給付，市区町村による家族介護用品支給サービス等の適用，利用状況はどうか ⊃住宅改修費の給付制度や福祉用具貸与，通所系サービス，訪問リハビリテーション，訪問介護の利用状況はどうか ⊃療養者や主介護者を支える知人，友人，近隣の人々はいるか
環境	経済 □世帯の収入	⊃療養生活を続けられる世帯の収入は十分か．おむつや排泄補助用具に対して支出できるか
理解・意向	志向性（本人） □生活の志向性 □性格・人柄 □人づきあいの姿勢	⊃生活の中で目標や楽しみがあるか，価値観はどのようなものか ⊃元来どのような性格か，自立心があるか，自己肯定感の低下はないか ⊃他者とかかわろうとする姿勢があるか，人づきあいの状況に変化はないか

情報収集項目	情報収集のポイント
自己管理力(本人) □自己管理力 □情報収集力 □自己決定力	◦服薬，医療処置，更衣などの管理力はあるか ◦失禁の誘因や予防方法などの医療情報，排泄補助用具等の社会資源の情報を把握しているか ◦排泄補助用具の使用や医療福祉サービスの利用に関して自己決定しているか
理解・意向(本人) □意向・希望 □感情 □終末期への意向 □疾患への理解 □療養生活への理解	◦排泄自立への意欲はどうか，おむつなどの排泄補助用具や必要なサービスを利用したいと考えているか ◦自尊心の低下や気分の落ち込み，諦めの感情はないか ◦今後，排泄が自立できなくなった時，在宅療養を継続する意思があるか ◦失禁の原因と効果的な対処方法を理解しているか ◦現在有する機能を活かす排泄方法を理解しているか
理解・意向(家族) □意向・希望 □感情 □疾患への理解 □療養生活への理解 □生活の志向性	◦家族の排泄介助に対する思いはどうか，介助方法に関する希望はどうか ◦排泄介助に関連して，疲労感やいら立ち，負担感が生じていないか ◦失禁の原因と効果的な対処方法を理解しているか ◦安易なおむつ利用の弊害や残存機能を生かす介護方法を理解しているか ◦家族が望む生活を送ることができているか

(左側縦書き見出し：理解・意向)

(右側縦書き見出し：18 尿失禁)

事例紹介

日常生活動作低下と尿意切迫感により，失禁が増加している超高齢者の例

Keywords 尿失禁，尿意切迫感，頻尿，独居，高齢女性

〔基本的属性〕女性，92歳
〔家族構成〕夫・長男とは死別し独居．妹家族が隣市，弟夫婦が隣県に在住
〔主疾患等〕高血圧，骨粗鬆症，腰椎圧迫骨折，右大腿骨頸部骨折(人工骨頭置換術後)
〔状況〕高血圧，骨粗鬆症あり．80歳頃よりくしゃみや咳で少量の尿漏れあり．88歳の時に転倒し，右大腿骨頸部を骨折し入院．退院後，屋外はシルバーカーを使用，室内はつたい歩き．徐々に活動範囲が縮小し，認知機能や意欲の低下があり，寝たり起きたりの生活になっていた．91歳の時に肺炎で入院したことを契機に訪問看護を導入し，全身状態の観察と服薬管理を行っている．2～3か月前の秋頃より室内で尿臭がすることが増え，失禁回数が増加している様子である．楽しみにしていたデイサービスも休みがちになり先週から欠席が続いている．

第2章 健康障害別看護過程　3．老年症候群

情報整理シート

疾患・医療ケア

【疾患・病態・症状】

主疾患等：高血圧(70歳～)，骨粗鬆症(70歳～)
病歴：腰椎圧迫骨折，右大腿骨頸部骨折(人工骨頭置換術後)(88歳)
経過：
70歳　国民健康保険特定健康診査で，高血圧と骨粗鬆症の指摘を受ける．
75歳　高血圧と骨粗鬆症に対し服薬治療開始
78歳　体動時の腰痛，膝痛出現
80歳　くしゃみや咳，物を持ち上げた時に少量の尿漏れ
88歳　転倒し，右大腿骨頸部を骨折し入院．X線検査で過去の腰椎圧迫骨折痕あり．要介護認定を受け，訪問介護と通所リハビリテーションを導入し自宅退院となる．
91歳　肺炎で入院．薬の飲み忘れや体調悪化の不安があることから，医師に勧められ，訪問看護を導入
92歳　秋頃から室内で尿臭がすることが増えてきた．デイサービスも休みがちになっている．

【医療ケア・治療】

服薬：【内服】降圧薬(ミカルディス)
　　　　　　　　骨粗鬆症治療薬(エディロール)
　　　　　　　　末梢性神経障害治療薬(メチコバール)
　　　　　　　　刺激性下剤(プルゼニド)
　　　　　　　　漢方便秘薬(潤腸湯)
　　　　　　　　催眠鎮静薬，抗不安薬(セルシン)
　　　　　　　　鎮痛薬(カロナール)
　　　　　【実施】服薬カレンダーに訪問看護師がセットし，本人が内服
治療状況：1か月に1回の受診
医療処置：なし
訪問看護内容：全身状態の観察，服薬管理

【全身状態・主な医療処置】

血圧：140～150/80～90 mmHg
脈拍：70～80/分（軽度不整あり）
呼吸数：17/分
SpO₂：98%

身長：151 cm
体重：49 kg
BMI：21.5

排便：1回/2～3日
排尿：14回/日
　　　日中10回　夜間4回
食事：2～3回/日

便秘あり，プルゼニド2～3錠を自己調整し内服

日常会話に問題はないが，物忘れや同じ話をすることが増えている．

円背あり．起き上がりや立ち上がり動作時に腰痛，膝痛あり
人工骨頭置換術後は股関節の屈曲制限あり

尿意を感じると我慢ができず漏れてしまう．くしゃみや咳で尿が漏れてしまうことがある．分娩歴あり

基本情報
年齢：92歳　性別：女性
要介護度：要介護1
障害高齢者自立度：A2
認知症高齢者自立度：Ⅱa

活動

【移動】
屋内移動：壁や家具をつたって歩行
屋外移動：シルバーカーを利用

【活動への参加・役割】
家族との交流：妹夫家族との関係は良好であるが，互いに高齢であるため，電話で話すことが多い．3か月に1回程度，妹と姪が訪問．弟夫婦とは数年に1回会う程度
近隣者・知人・友人との交流：隣人など同じ団地内の住民同士で互いの様子をたずねたり，差し入れしたりするなどの交流がある．
外出：最近は，1人ではめったに外出せず，訪問介護時にホームヘルパーと一緒に歩いて5分かかるスーパーに買い物に行く程度
社会での役割：なし
余暇活動：趣味で編み物や洋裁をしていたが，最近はしていない．

【生活活動】
食事摂取：もったいないとの思いあり，出されたものは食べる．1人のときは，抜いたり，菓子パンで済ますことがある．
水分摂取：トイレが近くなることを気にして，勧められてもあまり飲もうとしない．3杯程度
活動・休息：最近は，ベッド上で長座位または臥位，リビングの椅子に座って寝たり起きたりの生活．頻回にトイレに行くため，疲労感がありデイサービスも休みがち．夜間，排尿で中途覚醒するが，すぐに入眠できる．
生活歴：22歳で結婚．2人の子どもを自然分娩で出産．長女は1歳で病死．60歳の時に夫と死別．65歳まで洋裁の仕事をしていた．90歳の時に長男と死別．
嗜好品：コーヒー2～3杯/日

【生活動作】

基本的日常生活動作

食動作	硬い食べ物以外は問題なく摂取
排泄	頻回の排尿．尿意を我慢できず失禁することが増えている．トイレへの移動や衣服の着脱動作は緩慢で時間がかかる．
清潔	デイサービスにて入浴
更衣整容	自立
移乗	股関節110°以上の屈曲はできない．車の移乗には時間がかかるが，ゆっくりであれば可能
歩行	支えがあれば，ゆっくり歩行できる
階段昇降	手すりがあれば，ゆっくり昇降できる

手段的日常生活動作

調理	91歳までは，簡単な調理を行っていた．現在は調理済みのものをレンジで温めたり，お湯を沸かしたりする程度
買い物	主にホームヘルパーが実施．週に1～2回はホームヘルパーが同行し一緒に行く
洗濯	ホームヘルパーが実施
掃除	ホームヘルパーが実施
金銭管理	本人が管理
交通機関	受診時にホームヘルパーが同行，タクシー利用

【コミュニケーション】
意思疎通：意思疎通はできる．
意思伝達力：軽度の難聴あり．
ツールの使用：なし

環　境

【療養環境】

住環境：
市営住宅
エレベーターあり
廊下とトイレの段差は3cm（段差解消コーナー設置あり）
寝室の入口付近は鏡台，机，床に物が置いてあり狭い．
汚れた衣類がビニール袋に入れられ，トイレや洗面所に置かれている．
室内で尿臭がすることが増えてきた．

地域環境：徒歩5分のところにスーパーと商店街がある．徒歩10分圏内にクリニックや郵便局，銀行がある．坂道が少なく，車や自転車の往来が多い．

地域性：団地の住民同士は顔見知り．互いに声をかけあったり，食べ物の差し入れなどをしている．

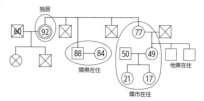

【ジェノグラム】

【社会資源】

サービス利用：

	月	火	水	木	金	土	日
AM	訪問介護	通所介護	訪問看護	訪問介護	通所介護	訪問介護	
PM							

保険・制度の利用：介護保険，後期高齢者医療，88歳時に介護保険の特定福祉用具販売サービスよりシャワーチェアを購入

【経済】

世帯の収入：本人の老齢基礎年金と夫の遺族厚生年金
生活困窮度：年金と貯蓄でやりくりできている．

【家族の介護・協力体制】

夫・子どもと死別し独居であり，主介護者は不在．キーパーソンは妹であり，隣市在住で，高齢であるため，家事協力や介護は難しい．隣人が3日/週訪問し，おしゃべりしたり，差し入れをしたりしている．

【エコマップ】

理解・意向

歳とって尿意が我慢できない．くしゃみしても出てしまう．失禁するのが怖いし，情けない．恥ずかしくて相談できない

デイでお友達に会うのが楽しみだったけど，失禁やにおいがどう思われているのか気になる

優しいご近所さんがいるこの家が好きだし，自分で頑張って，なるべく人に迷惑をかけずに生活したい

もう歳だし，嫌だけれど，施設入所も考えないといけないのか…

足腰が弱くなって動くのが億劫．1人で楽しみがない

【志向性】
生活の志向性：家族の思い出があり，仲がいい近所の人々がいる家に愛着がある．迷惑をかけたくない
性格・人柄：自分のことは自分でしようとする．社交的で話し好き
人づきあいの姿勢：律儀

【自己管理力】
自己管理力：認知力低下に伴い，薬の飲み忘れがある
情報収集力：テレビを観る程度
自己決定力：あり

親代わりに育ててくれて姉さんのことは大好きだし，感謝している．でも自分も病気があり，自分のことで精一杯．一人暮らしの姉さんが心配．姉らしく元気に過ごしてほしい

77歳．隣市在住．大腸がんで療養中

キーパーソン

母が伯母のことを心配しているからもう少し頻回に様子を見に行きたいが，母の看病と仕事で忙しくなかなか伯母の家に行くことができず申し訳ない．心配だし，施設入所も考えた方がいいのではないか

49歳．隣市で妹と同居．教員をしていて，仕事が忙しい．17歳と21歳の子どもがいる．

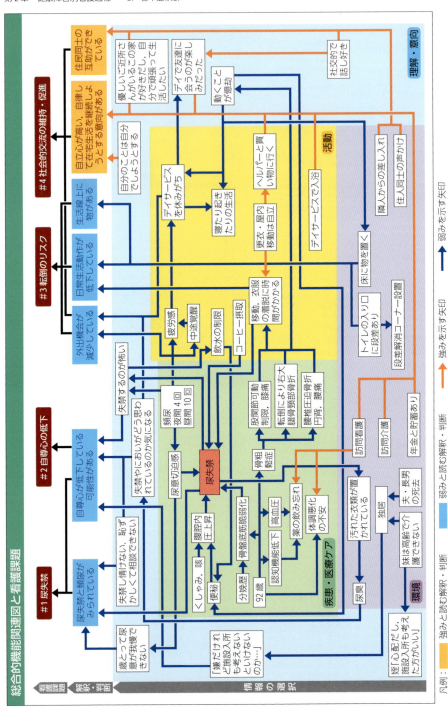

| STEP❶ アセスメント | STEP❷ 看護課題の明確化 | STEP❸ 計画 | STEP❹ 実施 | STEP❺ 評価 |

看護課題リスト

No.	看護課題　【コード型】文章型	パターン
#1	【尿失禁】複合的な要因により尿失禁と頻尿がみられる	問題着眼型
	根拠 腹圧性尿失禁，機能性尿失禁に加え，切迫性尿失禁にみられる尿意切迫感が生じており，頻尿と尿失禁が生じている．頻回の排尿行動による疲労，飲水量の制限，活動範囲を制限する行動がみられ，身体的・精神的なストレスがあることから，排尿のコントロールが必要である．	
#2	【自尊心の低下】尿失禁により自尊心が低下している	問題着眼型
	根拠 尿臭や失禁を気にしているが，自分の思いを表出したり相談したりすることができていない．回避行動が増えているため，自尊感情が低下し，自己効力感が低下する可能性がある．	
#3	【転倒のリスク】外出減少に伴う日常生活動作の低下があり，転倒のリスクが高い	リスク着眼型
	根拠 骨折の既往があり日常生活動作が低下していることやトイレへの動線に障害物があることから，転倒のリスクが高い．尿失禁を気にして外出機会が減っていることから，今後さらに日常生活動作が低下し転倒リスクが高くなる可能性がある．	
#4	【社会的交流の維持・促進】自立心が高いことを活かし，社会的交流を維持・促進する	強み着眼型
	根拠 デイサービスを休みがちになっており，家に引きこもることで日常生活動作の低下が生じるおそれがある．しかし，自立心が高いことを活かし，社会的交流を維持・促進できる．	

【看護課題の優先度の指針】尿失禁によって，さらにQOLが低下する可能性があるため，【尿失禁】を#1とした．本事例では，【自尊心の低下】により本人がデイサービスを休みがちになっている．まずは本人の状況を理解し，気持ちに寄り添うことが大切だと考え#2とし，【転倒のリスク】を#3とした．さらに社会資源を活用することで社会生活が維持できると考え，【社会的交流の維持・促進】を#4とした．

長期目標

尿失禁に伴う生活不活発病が起こらず，身体機能を維持しながら在宅療養生活を送ることができる．

根拠 尿失禁による身体的・精神的・社会的影響がみられており，尿失禁を契機とした生活不活発病（廃用症候群）のリスクが高い．しかし，本人の自立心が強いことから，尿失禁による影響を最小限にし，意向に沿った療養生活を送ることができる．

〈長期目標を共有するケアチーム〉
フォーマルサービス：主治医，訪問看護師，ケアマネジャー，理学療法士，ホームヘルパー，デイサービスの看護師・介護士，福祉用具担当者
インフォーマルなサポート：隣人，団地の住民，妹，姪

18 尿失禁

| STEP❶ アセスメント | STEP❷ 看護課題の明確化 | STEP❸ 計画 | STEP❹ 実施 | STEP❺ 評価 |

1 看護課題

#1 【尿失禁】
複合的な要因により尿失禁と頻尿がみられる

看護目標（目標達成の目安）

1) 排尿回数やパターン，排尿時の随伴症状を報告することができる（2週間）
2) 1日の必要水分量を摂取することができる（2週間）
3) 尿失禁の回数や量が減少する（2か月）
4) 排尿回数が1日4～6回（夜間0～1回）程度になる（2か月）
5) 尿失禁に対する予防行動・対処行動がとれる（3か月）

援助の内容

OP 観察・測定項目
- 失禁に関連する既往歴，手術歴の有無
- 失禁の増悪因子の有無

- 飲水量，カフェイン摂取量，室温

- バイタルサイン

- 尿の色調，尿混濁，異臭の有無
- 排尿時の尿意切迫感，残尿感，排尿痛，尿排出症状の有無
- 排尿パターン（昼間と夜間の排尿回数，1回・1日の排尿量）

- 尿失禁の状況（いつから，どういう時に生じるか，頻度，1回の尿失禁の量，自己対処方法）
- 皮膚トラブルの有無
- 排尿行動に関連する日常生活動作

- 排尿行動に関連する認知機能

TP 直接的看護ケア項目
- 排尿日誌の記録（可能であれば3日，難しければ1日でもよい）

援助のポイントと根拠

➡ 羞恥心・自尊心に十分に配慮しながら情報収集する
　根拠 尿失禁の分類を推測するうえで参考になる
➡ 腹圧性尿失禁の増悪因子（加齢，出産歴，便秘，肥満）を把握する
➡ **根拠** カフェインは緑茶やコーヒーに含まれており，利尿作用や覚醒作用をもつ．夜間頻尿の原因となっていることがあるため，摂取量だけでなく摂取時間帯も把握する．身体が冷えることで急な尿意を誘発しやすいので，室温を確認する
➡ 発熱，頻脈，呼吸数上昇など，感染症や脱水の徴候がないかを把握する　**根拠** トイレが近くなることを気にして，飲水を制限していることから，脱水のリスクがある
➡ 血尿，膿尿，尿混濁，排尿時痛など，感染症や疾患の徴候がないかを把握する　**根拠** 尿意切迫感，頻尿は膀胱炎などの尿路感染症にもみられる症状であり，感染により切迫性尿失禁が生じている可能性もある．残尿感や尿排出症状がある場合や，in/outのバランスが崩れ，尿量が減少している場合は，尿閉による溢流性尿失禁が生じている可能性がある
　連携 尿路感染症，血尿，尿量の異常が疑われる場合や排尿痛がある場合は，必ずすぐに主治医に報告する
➡ おむつの使用有無，尿失禁後の清潔保持の状況，皮膚の状態を把握する　**根拠** 失禁による湿潤は褥瘡や皮膚炎の増悪因子である

➡ 機能性尿失禁の有無を把握する．具体的に，移動のどの動作に時間がかかるのか（立ち上がり，歩行，段差昇降など）や，衣服の種類と衣服の着脱のどこに手間取っているかを把握する
➡ 排尿したことを忘れ，心配になり再度トイレに行ったり，よく行く外出先でトイレの場所に迷ったりしたことがないか把握する　**連携** デイサービスでの失禁状況をデイサービスの職員から情報を得るとよい

➡ **強み** 自分の排尿パターンを把握してもらう．正しく記録すれば，排尿状態の把握，診断，援助計画に有用である
　連携 認知機能の低下があるため，トイレの壁に記録用紙を貼ったり，ホームヘルパー訪問時に声をかけ，飲水量を記載してもらうなど工夫する．排尿日誌は受診時に持参するよう同行のホームヘルパーに依頼する

●排便コントロール（下剤の調整・管理）	⇨飲水量，活動量が少なく，便秘傾向になりやすい．下剤の飲み忘れがあるようであれば，本人と相談し，降圧薬などと同様に服薬管理する
●骨盤底筋体操の実施	⇨ 根拠 腹圧性尿失禁，切迫性尿失禁両方に有用である
●膀胱訓練法の実施	⇨失禁の機序や訓練の必要性について十分に説明した後に行う 根拠 排尿を我慢するため，本人の協力が必須である．切迫性尿失禁の治療法であるが，腹圧性尿失禁で無意識のうちに頻尿になっている場合も有用である
●受診の調整	⇨ 根拠 切迫性尿失禁の場合，上記と並行して，薬物治療が第一選択となる
EP 教育・調整項目	
●排尿コントロールに関する教育	⇨ 強み 正しい知識を提供することで，自己コントロールをしてもらう 連携 ホームヘルパーとも情報・目標を共有し，協働する
	⇨適切な摂取水分量，カフェインを含む食品の節制，排便コントロール（水分摂取，服薬），室温調整，脱ぎやすい着衣の選択，トイレまでの動線の環境整備について説明する．また尿パッドの情報提供も行う
	⇨腹圧がかかる動作の前に排尿を済ませることや，排尿日誌から把握した排尿パターンに合わせて早めにトイレに行くことを説明する

18 尿失禁

2 看護課題	看護目標（目標達成の目安）
#2 【自尊心の低下】 尿失禁により自尊心が低下している	1）尿失禁について医師や看護師に相談できる（1週間） 2）尿失禁に対する恐怖心が消失する（2か月） 3）尿失禁に自らが対処できているとの発言や行動がみられる（3か月）

援助の内容	援助のポイントと根拠
OP 観察・測定項目	
●表情 ●睡眠，食事の摂取状況	⇨ 根拠 抑うつ状態になると表情が暗い，不眠，食欲低下などの症状が出ることがある
●排泄に対する考え，自立への意欲，衛生観念	⇨元来の排尿に対する考え方が羞恥心や自尊心低下に影響している可能性がある
●他者との交流に関する言動 ●外出頻度，外出先	⇨デイサービスへの参加や近隣住民との交流に対する意欲や行動の変化を把握する
TP 直接的看護ケア項目	
●清潔援助	⇨身だしなみを整え爽快感を得られるよう，訪問時に清潔援助の声かけを行い実施する 根拠 身だしなみを保てないことは自尊心を傷つける
EP 教育・調整項目	
●環境整備	⇨尿臭を気にせず，落ち着いて過ごせるようベッド周囲の環境やトイレ・洗面周囲の衛生環境を一緒に整える
●特技や趣味を引き出す声かけ	⇨特技や趣味を話題に引き出したり，気分転換に取り入れられるよう声をかけ，方法を一緒に検討する
●尿失禁のメカニズムや要因，医療的な介入の必要性の説明	⇨尿失禁は加齢だけが原因でないこと，罹患率が高く恥ずかしい症状ではないことを伝え，治療や工夫で改善する可能性があることを伝える

- 尿失禁に対する本人の思いの傾聴

- 本人・ケアマネジャーに利用サービスの調整を提案

◯専門職として援助する姿勢を示し，話しやすい雰囲気・環境をつくる．本人の「恥ずかしい」「つらい」という思いに共感し，今までの努力をねぎらい，話を聴く　**強み** 今までの対処経験を思い出し，自己効力感を引き出す

◯**連携** デイサービスの休みが続くときに，訪問看護や訪問介護時に清潔援助ができるよう，必要に応じてサービス内容や訪問頻度の調整を提案・依頼する

3 看護課題 / 看護目標（目標達成の目安）

#3 【転倒のリスク】
外出減少に伴う日常生活動作の低下があり，転倒のリスクが高い

1) 転倒を起こさない（1か月）
2) 下肢筋力が維持・向上する（3か月）

援助の内容 / 援助のポイントと根拠

OP 観察・測定項目
- 転倒の既往歴

- 運動機能（起居動作，移動，姿勢の保持）

- 疼痛の程度
- 視力，視野

- 内服薬

- 着衣

◯前回の骨折時や転倒経験時の状況，場所，時間帯などを把握し，生活環境に潜む転倒の危険性を把握する

◯トイレまでの歩行時のふらつきの程度，下肢がきちんと挙上しているか，ベッドや居室，便器からの立ち上がり，下着の上げ下げが安定した姿勢で実施できるかを把握する

◯疼痛の程度と鎮痛薬の使用頻度，効果を把握する
◯見えにくさは転倒のリスクとなるため，老眼や白内障の有無を確認する

◯催眠鎮静薬の服用時間，服用後の眠気やふらつき，脱力感の有無，作用時間を把握する．また，降圧薬内服後の低血圧によるふらつきにも注意する

◯脱ぎやすい着衣を選択するとともに，丈の長いズボンや滑りやすい靴下は避ける

TP 直接的看護ケア項目
- 訪問時の下肢筋力運動

◯排泄行動による疲労をアセスメントしながら，無理のない範囲で下肢筋力トレーニングを行う　**連携** ホームヘルパー訪問時に一緒に家事をしたり，外出したりできるよう意識してかかわってもらう

EP 教育・調整項目
- 室内の環境整備の提案

- 排泄環境の調整の提案

◯**連携** 本人が転倒リスクを認識し，床に物を置かないようホームヘルパーと協働しながら，一緒に片付ける

◯ベッドの位置，廊下やトイレ内の手すりの設置や便座の高さ調整などを検討する　**連携** ケアマネジャー，理学療法士，福祉用具担当者と情報共有する　**根拠** 安易なおむつ，排尿補助用具の使用は，QOL低下や寝たきり状態の誘発につながるため，本人の希望，排泄状況，日常生活動作，介護力との兼ね合いにより慎重に検討する

4 看護課題 / 看護目標（目標達成の目安）

#4 【社会的交流の維持・促進】
自立心が高いことを活かし，社会的交流を維持・促進する

1) 排尿のことを気にせずに外出できる（1か月）
2) 排尿パターンに合わせて積極的に活動できる（6か月）

援助の内容	援助のポイントと根拠
OP 観察・測定項目 ● 排尿パターン・尿失禁の状況 ● 尿失禁への対処方法の理解の程度・習得の程度 ● 生活リズム ● 外出意欲・頻度 ● デイサービスへの参加意欲 ● 団地住人・隣人との交流頻度・意欲	● 治療や機能訓練開始後は排尿パターン・尿失禁の状況も変化していくため，定期的に評価する ● 排尿で中途覚醒がある．再入眠できているが起床時の倦怠感や昼寝の時間や頻度を把握する
TP 直接的看護ケア項目 ● 散歩や外出の支援 ● 清潔援助	● 本人の意向に合わせて散歩や外出の支援を行うことで活動を促すとともに，活動に対する自信をもてるよう支援する ● 失禁によるにおいや汚れを気にせずに外出できるよう訪問時に清潔援助の声かけを行い，実施する　**根拠** 身だしなみを保てないことは自尊心を傷つけ，外出を躊躇させる要因となる
EP 教育・調整項目 ● 生活リズムの調整 ● 社会生活の目標の設定 ● 活動に合わせた対処方法の提案 ● 活用できる排泄介助用品の情報提供 ● 本人・ケアマネジャーに利用サービスの調整を提案	● 夜間の睡眠が確保できるよう，訪問時に声かけなどをし，日中の傾眠を減らし生活リズムを整える．必要時，睡眠薬の変更を検討する ● **強み** 社会生活に対する本人の思いを聴きながら，隣人やデイサービスでの交流を通し，認知機能や運動機能低下を予防する ● 外出前の排尿，排尿パターンに合わせた排尿，外出先のトイレの場所の把握，外出時間に合わせた尿パッドの選択・使用を提案する　**連携** ホームヘルパー，デイサービスの職員と情報共有し進める ● デイサービスの休みが続くときは，一時的に訪問看護や訪問介護のサービス内容や訪問頻度を変更することを検討し，本人・ケアマネジャーに提案する ● 身だしなみや生活リズムの調整を行い，活動に対して前向きになったタイミングでデイサービスの再開をはたらきかける

STEP❶ アセスメント　STEP❷ 看護課題の明確化　STEP❸ 計画　STEP❹ 実施　STEP❺ 評価

強みと弱みに着目した援助のポイント

強みに着目した援助
- 自立心を活かし，適切な情報をわかりやすく提示し，自ら行動変容できるよう支援する．
- 行動変容できたことや客観的な排尿の状況をフィードバックし，自己効力感を強化する．
- 他者との交流を楽しみとしていることに着目し，目標を設定し意欲の向上を図る．
- 社交性や経済的な余裕を活かし，必要に応じて，サービス内容を調整する．

弱みに着目した援助
- 失禁の複合的な要因を的確にアセスメントし，適切に介入する．
- 飲水の自己制限や身体活動の低下があるため，生活指導や下剤の調整により脱水や便秘が生じないようにする．
- 失禁があり，また入浴機会が消失しているため，必要に応じて保清援助を行い，皮膚トラブルや尿路感染症を予防する．
- 骨粗鬆症や転倒歴に加え，頻回の排尿行動による疲労や筋力低下があるため，転倒を予防する．

STEP ❶ アセスメント　STEP ❷ 看護課題の明確化　STEP ❸ 計画　STEP ❹ 実施　**STEP ❺ 評価**

評価のポイント

- 排尿回数やパターン，排尿時の随伴症状を報告できているか
- 1日の必要水分量を摂取できているか
- 尿失禁の回数が減少しているか
- 排尿回数が1日4～6回(夜間0～1回)程度か
- 尿失禁に対する予防行動，対処行動がとれているか
- 尿失禁について医師や看護師に相談できているか
- 尿失禁に対する恐怖心が消失しているか
- 尿失禁に自らが対処できているとの発言や行動がみられるか
- 転倒を起こしていないか
- 下肢筋力が維持・向上しているか
- 排尿のことを気にせず外出できるか
- 排尿パターンに合わせて積極的に活動できているか

関連項目

第2章「14 フレイル」「15 大腿骨頸部/転子部骨折(大腿骨近位部骨折)」「20 生活不活発病(廃用症候群)」「21 老衰」
第3章「31 意欲低下」

19 摂食・嚥下障害

摂食・嚥下障害の理解

基礎知識

疾患概念
食物を口から摂取する機能が障害された状態をいう.
- 具体的には，食物を認識し口に運ぶ(先行期)，口に入れてから嚥下可能な状態に咀嚼する(準備期)，舌や硬口蓋・頰など口腔を用いて食物を咽頭に運ぶ(口腔期)，嚥下反射によって食物を食道に運ぶ(咽頭期)，食道の蠕動によって食物を胃内に運ぶ(食道期)，という5つの機能のいずれかが障害されることにより生じる状態をいう．
- ここでは，在宅医療の現場では食道がん以外にはあまりみることのない食道期の異常についての診断，検査，治療については割愛する．

疫学・予後
- わが国での摂食・嚥下障害についての網羅的な疫学調査はない．入院・入所患者を対象とした国立長寿医療研究センターの調査では，入院患者のうち摂食・嚥下障害と判断される患者の割合は，一般病床13.1%，回復期病床31.6%，医療療養病床58.7%，介護療養病床73.7%，老人保健施設45.2%，特別養護老人ホーム59.7%であった．
- 在宅要介護者を対象に行われた調査では，要介護・要支援高齢者の14%に摂食・嚥下障害がみられている．高齢者ではないが，重度心身障害児の40.4%に摂食・嚥下障害がみられるという報告もある．
- 在宅医療の対象者ではその多くに摂食・嚥下障害があると考えてよい．
- 摂食・嚥下障害の予後については諸説あり，定まっていない．脳梗塞など急性疾患に伴って出現した摂食・嚥下障害は，重症度によるが半数程度で改善がみられるという報告が多く，初期に重度であっても慢性期になって，摂食機能が回復する場合もあるとされている．
- 原因疾患としては，脳血管障害，認知症，神経筋疾患，加齢が主なもので，これらに急性期病院での絶食からくる廃用性誤嚥が強く影響し，増悪させる．

症状
- 体重減少，食物・水分摂取時のむせ，湿性嗄声(話すときにゴロゴロいう)，反復する発熱，嚥下困難感．

診断・検査値
- 嚥下造影検査(videofluoroscopic examination of swallowing；VF)，嚥下内視鏡検査(videoendoscopic evaluation of swallowing；VE)が用いられる．しかし，ともにある程度侵襲的であり，また，機器が必要であることから，簡易的に下記に示すようないくつかのスクリーニング方法がある．
- 反復唾液嚥下テスト(repetitive saliva swallowing test；RSST)：被験者ののどに手を当てて，30秒間でできるだけ早く唾液を飲み込んでもらい，喉頭挙上が2回以下であれば嚥下障害を疑う．
- 改訂水飲みテスト(modified water swallowing test；MWST)：冷水3 mLを口腔前庭に注ぎ，嚥下してもらい，以下の5段階で評価する．3以下で嚥下障害を疑う．
  1：嚥下なし，むせる and/or 呼吸切迫
  2：嚥下あり，呼吸切迫あり
  3：嚥下あり，呼吸良好，むせる and/or 湿性嗄声あり
  4：嚥下あり，呼吸良好，むせなし
  5：4に加え，30秒以内に2回以上の空嚥下可能
- フードテスト(food test；FT)：茶さじ1杯程度(3〜4 g)のプリンなどを嚥下させ，その状態を観察

する．嚥下が可能な場合にはさらに2回の嚥下を追加して評価．評点が4以上の場合には，最大3回まで繰り返し，最も悪い点で評価する．
1：嚥下なし，むせる and/or 呼吸切迫
2：嚥下あり，呼吸切迫あり
3：嚥下あり，呼吸良好，むせる and/or 湿性嗄声あり．口腔内残留中等度あり
4：嚥下あり，呼吸良好，むせなし．口腔内残留ほぼなし
5：4点に加え，30秒以内に2回の嚥下可能
- 嚥下障害の重症度分類としては臨床的に重症度を分類したDSS（dysphagia severity scale：才藤，1999）がよく用いられる（**表19-1**）．
- これらの簡易的なスクリーニング検査でもっとも感度，特異度が優れている検査は改訂水飲みテストといわれているが，それでも感度，特異度ともに高くなく，ある報告によれば，嚥下造影検査を対照として，感度，特異度ともに70％前後とスクリーニングとして用いるには注意が必要な精度で，これらの検査で陽性であっても2～3割程度の症例では実際には嚥下に問題はなく，また，陰性であっても同様の割合で嚥下障害が存在している可能性があることに注意を要する．

合併症
- 低栄養，誤嚥性肺炎が主な合併症となる．また，食物による窒息も少なくない．

治療法
- 在宅医療がかかわるのは各種疾患の慢性期であり，摂食・嚥下障害の発症初期，つまり，脳梗塞の急性期などの摂食・嚥下障害のリハビリテーションの詳細については成書を参照されたい．ここでは概要を述べるにとどめる．

■表19-1　摂食・嚥下障害の臨床的重症度分類

		定義	食事	経管栄養	直接的訓練（摂食訓練）	在宅管理
7	正常範囲	臨床的に問題なし	常食	不要	必要なし	問題なし
6	軽度問題	主観的問題も含め何らかの軽度の問題がある	軟飯，軟菜食など義歯，自助具の使用	不要	ときに適応	問題なし
5	口腔問題	誤嚥はないが，主として口腔期障害により摂食に問題がある	軟飯，軟菜食，ペースト食など食事時間の延長食事に指示・促しが必要食べこぼし，口腔内残留が多い	不要	適応一般施設や在宅で可能	可能
4	機会誤嚥	時々誤嚥する，もしくは咽頭残留が著明で臨床上誤嚥がある	嚥下障害食から常食誤嚥防止方法が有効水の誤嚥も防止可能咽頭残留が多い場合も含む	ときに間欠的経管法の併用	適応一般施設や在宅で可能	可能
3	水分誤嚥	水分は誤嚥するが，工夫した食物は誤嚥しない	嚥下障害食水を誤嚥し誤嚥防止方法が無効水分に増粘剤必要	ときに間欠的経管法「胃瘻」の併用	適応一般施設で可能	可能
2	食物誤嚥	あらゆるものを誤嚥し，嚥下できないが，呼吸状態は安定	経管栄養法	長期管理に胃瘻の検討	適応専門施設で可能	可能
1	唾液誤嚥	唾液も含めてすべてを誤嚥し，呼吸が不良．あるいは，嚥下反射が全く惹起されず，呼吸状態が不良	経管栄養法	長期管理に胃瘻の検討	困難	困難

馬場尊，才藤栄一；摂食・嚥下障害の診断と評価．日獨医報　46(1)：18，表1，2001 より改変

●治療方針
- 合併症の予防が最も重要となる．つまり，低栄養，誤嚥性肺炎を予防するための方策がまずは検討される．それに加え，慢性期でも嚥下機能に改善がみられる可能性もあるため，希望により自宅でできるリハビリテーションを行うこともある．ただし，全例が改善するわけではないので，家族・本人の希望によって行い，負担にならない程度にとどめることが必要である．

〈低栄養の予防〉
- 食形態の工夫や介護力の導入による食介助の充実などのほかに，経管栄養の導入を念頭に置く．低栄養の状態では容易に誤嚥性肺炎を発症するので，家族に説明し，希望がある場合には経管栄養をためらわない．
- 一般にきちんと食事摂取量を把握し，必要量〔現体重×27 kcal，るい痩が顕著な場合には，補正体重×27 kcal：補正体重＝理想体重＋(現体重－理想体重)/4)〕の50% 未満の摂取が続く場合には重度低栄養であり，経管栄養の検討が必要である．

〈誤嚥性肺炎の予防〉
- 食事摂取時の姿勢(椅子に深く腰かけ，多少頸部を前傾させ，身体の傾きがないように支えを作るなど)，食事介助の方法など(詳しくは成書を参照)を工夫する．食形態を各人の嚥下機能に合ったものにすることなどで，食事摂取時の食物誤嚥を予防する．
- 食後，睡眠前などに口腔ケアを徹底することで口腔内の菌の繁殖を防止することが必要となる．

〈リハビリテーション〉
- 嚥下リハビリテーションには，間接訓練法と直接訓練法がある．間接訓練法とは，口腔筋や舌，頬筋，嚥下関連筋群などの動きを回復し強化するような運動を行うことをいい，直接訓練法とは形態を工夫した食物を嚥下することで行う訓練である(詳細は国立障害者リハビリテーションセンター「嚥下障害リハビリテーションマニュアル」http://www.rehab.go.jp/whoclbc/japanese/pdf/J30.pdf を参照)．

〈人工栄養〉
- 〈低栄養の予防〉の項でも述べたが，低栄養が進行するとそのことによって筋力低下が起き，嚥下が困難になる．したがって，るい痩が深刻になる前の時点で人工栄養を検討する必要が出てくる．
- 胃瘻：嚥下訓練を行いながら経管栄養を行うのであれば，胃瘻からの経管栄養が第一選択となる．胃瘻の造設方法としては内視鏡を用いるもの(percutaneus endoscopic gastrostomy；PEG)と外科的に造設するものとがあるが，現在は PEG がほとんどを占め，胃瘻の別名として PEG が用いられることもある．
- 経鼻胃管：一般に細径の経鼻胃管を用い，経管栄養を行う方法である．咽頭を胃管が通過するために嚥下訓練などの支障になることがあるが，胃瘻に比べ導入時に侵襲が少ないという利点がある．
- 経静脈栄養：中心静脈カテーテル，PICC カテーテルなどを用いて，高カロリー輸液を行う方法である．何らかの理由で経腸栄養法を用いることができない場合に適応となる．

〈手術療法〉
- 嚥下障害が強く，かつ，本人の経口摂取の希望が強い場合に機能補助的手術法(喉頭挙上術，輪状咽頭筋切断術など)，誤嚥防止術(食道気管分離術など)が行われる場合がある．

家族へのサポート
- 患者が食べられないということは家族にとって大きなストレスとなる．摂食・嚥下障害時に行われがちな禁食という処置は，たしかに命を延ばすことには有用かもしれないが，はたしてそれが望ましい処置かどうかは，患者・家族の尊厳と命を長らえることの意義とをきちんと話し合った上で決めるべきであろう．リスクを冒してでも食べたい，という患者は少なからずいる．そういった患者・家族の「どのように生きたいか」という希望を傾聴し，寄り添い，最大限の支援をリスク覚悟で行うことも時に必要となる．
- また，食形態の工夫は家族に多大な負担を強いるということも念頭に置きながら，かかわる必要がある．

在宅における特徴
- 摂食・嚥下障害に関わる歯科医は増えつつあり，VE を自宅で行ってくれる診療所も増えているので，嚥下障害の評価については在宅でかなりのことが行えるようになってきた．問題は，評価から導き出

- される実際のケアをどのように行っていくかにある．この点が，病院での対処と最も異なる点である．
- 嚥下障害リハビリテーションに精通した言語聴覚士は在宅医療の現場にはまだまだ少ない．在宅介護の多くは「老老介護」であり，介護する人に多くは期待できない．頼みの訪問介護員（ホームヘルパー）もここ10年で1割程度減少している．
- 摂食・嚥下障害のケアは労働集約的であり，人手がかかる．病院などの環境でできたことも自宅ではできないのが通常であると考えるべきで，限界を見極めながら，理想論ではなく，患者・家族の尊厳を最優先してプランニングする必要がある．

在宅診療の実際

病診連携
- 嚥下障害の評価，低栄養時の胃瘻の造設，誤嚥性肺炎時の入院など病院との連携が必要となる場面は多い．肺炎での入院や胃瘻造設を依頼する場合には，患者・家族がどのように病気と向き合い，今後どのように生きていきたいのかということをきちんと先方に伝える必要がある．
- 特に嚥下障害があるにもかかわらず，「経管栄養はしない，命が短くなっても口から食べる」という選択をしている患者の場合には，入院時に先方の医療機関にその旨を伝える必要がある．

摂食・嚥下障害に関連する社会資源・制度

1) 摂食・嚥下機能訓練
- 介護保険法による訪問リハビリテーション，訪問歯科（言語聴覚士，理学療法士による摂食・嚥下機能訓練と評価，歯科医師や歯科衛生士による口腔ケア），通所リハビリテーション
- 医療機関（歯科）における摂食・嚥下機能訓練

2) 日常生活動作（入浴，食事，更衣，整容）の支援，アクティビティケア
- 介護保険法によるデイケア，デイサービス

3) 日常生活の移動を支援する福祉用具貸与
- 介護保険法による福祉用具貸与（車椅子など）

4) 住まい
- サービス付き高齢者向け住宅，有料老人ホームなど

摂食・嚥下障害をめぐる訪問看護

訪問看護の視点

1) 療養者をみる視点
- 療養者の摂食・嚥下機能を高める働きかけと環境づくりに目を向ける．
- 摂食・嚥下障害による誤嚥性肺炎や低栄養などの早期発見と早期介入の視点をもつ．
- 摂食・嚥下機能を維持・促進するために療養者の生活を整えることが重要である．
- 摂食・嚥下障害による誤嚥性肺炎や低栄養の悪循環を予防する視点が重要である．

2) 支援のポイント
- 療養者の摂食・嚥下機能を評価する．
- 療養者の摂食・嚥下機能を高めるための機能訓練を行う．
- 療養者の摂食・嚥下機能に影響を与える環境を評価して，改善点を見出す．
- 摂食・嚥下障害による誤嚥性肺炎や低栄養などのアセスメントを行い，予防する．
- 摂食・嚥下障害の進行や誤嚥性肺炎，低栄養を回避し，摂食・嚥下機能の維持・促進を阻害する要因があるかアセスメントする．
- 療養者の意向やニーズを活かして生活リズムを整え，精神面を刺激する．

● 状態別：療養者をみる視点と支援のポイント

状態	療養者をみる視点	支援のポイント
一定時間，自力で座位が保てる状態	食事時間など一定時間自力で座位が保てる場合は，「座位が保てる」という療養者の強みを活かしながら，どのように働きかけると座位の時間をより快適に維持できるかという視点をもつ．座位の時間が療養者にとって苦痛を伴う経験となった場合，座位を拒否することにつながり，療養者のもつ力を低減することにつながりかねない．	●食事の際は椅子に座り，テーブルとの距離・角度が適切か検討する（なるべく車椅子で食事しない．車椅子での食事は，骨盤が後傾するため食事姿勢やテーブルとの距離を適切に保ちにくい）． ●食事前に嚥下体操を行う． ●アクティビティケアの導入など，療養者の意向とニーズに合わせた活動が継続できるようにする．
ベッド上で食事をする状態（臥床状態）	ベッド上で食事をする場合は，誤嚥予防が重要であるため，嚥下しやすい姿勢が保持されているか，食形態は嚥下能力に応じたものが選択されているかに着目する．また覚醒状態が低下していると誤嚥につながりやすいため，食事中に十分な覚醒状態を保てているか，食事に集中できているかを把握する．	●ベッドの挙上角度，顎が嚥下しやすい角度か評価し調整する． ●食事前後の口腔内の清潔を保持する． ●食事前から働きかけ覚醒を促す． ●体位変換，腰上げ，整容など，ベッド上でできる活動は積極的に行ってもらう．

訪問看護導入時の視点

- 療養者の摂食・嚥下機能と食事環境，生活状況を評価する．食事時の評価や介入は訪問看護だけでは限界があるため，療養者が利用しているサービス機関と情報共有し，協働して介入する体制をつくる．
- 摂食・嚥下障害による誤嚥性肺炎や低栄養などのリスクを念頭に，これらの危険性がないか全身状態のアセスメントを行う．

STEP ① アセスメント ▸ STEP ② 看護課題の明確化 ▸ STEP ③ 計画 ▸ STEP ④ 実施 ▸ STEP ⑤ 評価

情報収集

	情報収集項目	情報収集のポイント
疾患・医療ケア	**疾患・病態・症状** □疾患	●摂食・嚥下障害を引き起こしている疾患は何か，病期がある場合はどの段階か
	医療ケア・治療 □服薬 □治療 □訪問看護	●摂食・嚥下機能に影響する作用はあるか，傾眠などの副作用はないか ●機能訓練の目的・内容はどうか，嚥下障害のスクリーニング検査の結果はどうか ●訪問看護の目的・内容はどうか
	全身状態 □成長・発達段階	●加齢に伴う心身の変化が影響しているか

情報収集項目		情報収集のポイント
疾患・医療ケア	□呼吸・循環状態	●誤嚥性肺炎の徴候はないか，起立性低血圧や四肢冷感などはないか，咳嗽反射はないか
	□摂食・嚥下・消化状態	●摂食・嚥下機能過程（先行期，準備期，□腔期，咽頭期，食道期）のどこが障害されているか，摂食・嚥下能力のグレードはどうか，食欲不振，腸蠕動運動の低下や便秘はないか，歯の咬合不全はないか，義歯は合っているか
	□栄養・代謝・内分泌状態	●低栄養，PEM（protein-energy malnutrition，蛋白質・エネルギー栄養失調症），低体温はないか，口渇はないか，唾液は分泌されているか
	□排泄状態	●排尿・排便回数の減少はないか，尿濃縮・硬便はないか
	□筋骨格系の状態	●関節可動域の狭小化，関節拘縮，筋緊張，筋萎縮，筋力の低下，姿勢保持困難はないか
	□感覚器の状態	●感覚・知覚鈍麻はないか
	□皮膚の状態	●皮膚の乾燥があるか，褥瘡や皮膚損傷，スキンテア（皮膚裂傷）はないか
	□認知機能	●認知機能低下や認知症はないか，食事動作に影響を及ぼす中核症状はないか（道具失行，食物認知の有無，注意障害など）
	□意識	●意識レベルは維持しているか，食事時に覚醒しているか，食事に集中できるか
	□精神状態	●せん妄や錯乱はないか
	□免疫機能	●免疫力の低下がみられないか
活動	**移動** □ベッド上の動き	●寝返りできるか
	□起居動作	●椅子に移乗しているか，生活の中で立ち上がりができているか，立位を保持できるか
	□屋内移動	●補助具（車椅子など）の利用状況，介助はどの程度必要か
	□屋外移動	●補助具（車椅子など）の利用状況，外出の程度はどうか
	生活動作 □基本的日常生活動作	●食事，排泄，生活，更衣・整容動作の遂行状況と能力の差はないか
	□手段的日常生活動作	●掃除，金銭管理，電話をかけるなどの遂行状況と能力の差はないか
	生活活動 □食事摂取	●経口摂取量はどうか，補助食品などを使用しているか
	□水分摂取	●水分摂取量はどうか，水分を自身で確保できているか
	□活動・休息	●活動と休息のバランスがとれているか，生活リズムの乱れはないか．日中の離床時間，座位時間はどのくらいか．夜間・日中の睡眠時間はどれくらいか
	□生活歴	●これまでどのような活動を行っていたか
	□嗜好品	●好みの味，好きな食べ物などはあるか．喫煙や飲酒などはしていたか
	コミュニケーション □意思疎通	●周囲の状況を理解できるか，他者と意思疎通がスムーズに図れるか
	□意思伝達力	●他者と意思疎通ができる基本的な視力・聴力・言語力があるか．眼鏡，補聴器，義歯などは利用しているか
	□ツールの使用	●電話，携帯電話，スマートフォン，メール，手紙などを使用して他者と意思疎通ができるか

	情報収集項目	情報収集のポイント
活動	活動への参加・役割 □家族との交流 □近隣者・知人・友人との交流 □外出 □社会での役割 □余暇活動	➡家族とのかかわりの頻度・程度・方法はどうか，家庭内での役割があるか ➡食事の支援を受けられる近隣者・知人・友人はいるか（食べ物をくれるなど），近隣者・知人・友人と食事をすることがあるか ➡買い物や食事などで外出することはあるか，頻度・程度はどうか ➡社会での役割はあるか，その役割は食行動に影響を与えるか ➡食行動に影響をおよぼす趣味活動はあるか，その頻度・内容はどうか，本人の意欲はあるか
環境	療養環境 □住環境 □地域環境 □地域性	➡食事をする環境はどうか，嚥下・摂食障害を引き起こしやすい要因があるか（食事時にテレビがみられる環境であるなど） ➡買い物や食事などの外出時のアクセスはどうか，食行動に関する外出を妨げる要因はあるか（人通り・自転車・車の往来，道幅，坂の有無など） ➡買い物や食事を支援し合うような（食べ物の交換などの）地域風土はあるか
環境	家族環境 □家族構成 □家族機能 □家族の介護・協力体制	➡独居か同居か，同居している場合は同居者の年齢や人数はどうか ➡家族の健康状態・精神状態（認知機能）は療養者の食行動に影響を及ぼすか ➡食行動を支援してくれる家族はいるか，サポートの程度・頻度はどれくらいか
環境	社会資源 □保険・制度の利用 □保健医療福祉サービスの利用 □インフォーマルなサポート	➡食行動を支援する介護保険サービスを利用しているか ➡具体的にどのような食行動に関する支援サービスを利用しているか（配食サービス，訪問介護，訪問リハビリテーション，施設利用など）．地域の食事支援サービスを利用しているか（老人会の昼食会など） ➡食事を支援する知人・友人・近隣者・ボランティアなどはいるか
環境	経済 □世帯の収入	➡食品を購入できる収入があるか，好みの食品を購入できる経済的余裕があるか，摂食・嚥下行動に必要なものが購入できるか
理解・意向	志向性（本人） □生活の志向性 □性格・人柄 □人づきあいの姿勢	➡食事を楽しんでいるか，食行動にどのような価値観をもっているか ➡食行動に影響を及ぼすような性格や人柄の特徴があるか（社交性，易怒性など） ➡他者と食事をすることや他者から食行動の支援を受けることに抵抗があるか
理解・意向	自己管理力（本人） □自己管理力 □情報収集力	➡自身の食行動を管理することができるか（買い物，食事の準備，食物の管理など），経済的管理ができるか，食事環境を整えることができるか，食事前後の清潔行動を管理できるか ➡食事や食行動に関する情報を自ら収集できるか，食行動にかかわる介

	情報収集項目	情報収集のポイント
理解・意向	□自己決定力	護保険サービスなどの社会資源の情報を自ら把握できるか ●食行動や摂食・嚥下行動について自己決定できるか，どのくらい他者に依存的か
	理解・意向(本人) □意向・希望	●摂食・嚥下機能の回復への意向や希望があるか，食行動への意欲はどうか，食行動に関する社会サービスの活用や食行動にかかわる支援を受けたいと考えているか
	□感情	●食行動に影響を及ぼすような感情があるか(落ち込み，回復へのあきらめ，焦りなどの発言の有無など)
	□疾患への理解	●自身の摂食・嚥下機能やそれにかかわる疾患をどのように理解しているか
	□療養生活への理解	●摂食・嚥下障害の療養の必要性をどのように理解しているか，自身の食行動をどのように理解しているか
	理解・意向(家族) □意向・希望	●療養者の摂食・嚥下機能の回復や食行動にどのような希望をもっているか，療養者の食行動へのかかわりについて，どのような意向をもっているか
	□感情	●療養者の食行動にかかわる時に声を荒げることはあるか
	□疾患への理解	●療養者の摂食・嚥下機能やそれにかかわる疾患をどのように理解しているか
	□療養生活への理解	●摂食・嚥下障害の療養の必要性をどのように理解しているか

事例紹介

摂食・嚥下障害があり誤嚥性肺炎を繰り返している高齢者の例

Keywords 摂食・嚥下障害，誤嚥性肺炎，低栄養，意欲低下，サービス付き高齢者向け住宅，高齢男性

〔基本的属性〕男性，76歳

〔家族構成〕10年前に妻が他界し，現在はサービス付き高齢者向け住宅で独居．1人娘がいるが結婚し遠方に在住

〔主疾患等〕誤嚥性肺炎，高血圧，脂質異常症，不整脈，脳血管性疾患

〔状況〕59歳より高血圧や不整脈を指摘され，妻の死後1年が経った67歳の時に心不全を指摘された．このころより，外出等の活動が徐々に少なくなり，日中も臥床して過ごすことが多くなった．70歳の時に娘の勧めによりサービス付き高齢者向け住宅に入居した．日中は同事業者が経営する同じ敷地内のデイサービスに行くこととなっているが，食事が終わると帰室を希望し，すぐに横になる生活が続いていた．3年ほど前より誤嚥性肺炎で入退院を繰り返していることから，訪問看護が導入されることとなった．

情報整理シート

疾患・医療ケア

【疾患・病態・症状】

主疾患等：誤嚥性肺炎（73歳～）
病歴：高血圧，脂質異常症，不整脈，脳血管性疾患
経過：
- 59歳　高血圧や不整脈，脂質異常症を指摘される．
- 67歳　脳血管性疾患を発症．
  日常生活に大きな影響を及ぼすような麻痺などは残らなかった．
- 73歳　誤嚥性肺炎を発症．以後，誤嚥性肺炎で入退院を繰り返すことが多くなり，誤嚥性肺炎予防目的で訪問看護が導入された．

【医療ケア・治療】

服薬：降圧薬，脂質異常症治療薬，抗血栓薬，胃腸薬
治療状況：誤嚥性肺炎の治療は現在は行っていない．
高血圧，脂質異常症，脳血管性疾患に関する服薬治療のみ行っている．
医療処置：特になし
訪問看護内容：誤嚥性肺炎予防，服薬管理

【全身状態・主な医療処置】

- 血圧：130～150/80～90 mmHg
- 脈拍：70～85回/分　不整脈あり
- 呼吸数：16回/分
- SpO₂：97%
- 痰：唾液様痰が時々あり

- 身長：172 cm
- 体重：53 kg
- BMI：17.9

- 排便：1回/2日
- 排尿：4回/日
- 食事：3回/日

会話はできるが，時々「そうだったかな」と話すことがある
日中は臥床傾向

咀嚼・嚥下機能が低下．食事の主食はおかゆ，副菜は1口の大きさにカットされたものを食べている．とろみなどは使用していない

殿部に時々発赤あり

基本情報
- 年齢：76歳　性別：男性
- 要介護度：要介護3
- 障害高齢者自立度：B1
- 認知症高齢者自立度：Ⅰ

活動

【移動】

杖を使ってゆっくり歩くことができるが，疲れるという理由から車椅子を使って生活している．
寝返りはゆっくりであるが自身で可能
全体的に動作は緩慢で，歩幅は狭い．

【活動への参加・役割】

家族との交流：2か月に1回娘の訪問あり．
近隣者・知人・友人との交流：デイサービスで交流がある程度．自ら話しかけることはほとんどない．
外出：デイサービスに行くほかに外出はない．
社会での役割：以前は俳句を教えていた．
余暇活動：テレビを観ること，俳句をつくること

【生活活動】

食事摂取：自力で箸を使って摂取できる．噛む回数が少ない．摂取量は半分程度
水分摂取：自力で摂取できるが，全体的に水分摂取量は少ない．
活動・休息：デイサービスに週4回行くが，横になりたいと言って臥床することが多い．自室では臥床して過ごすことが多い．身体を動かすとすぐに「疲れる」と発言し，息があがることがある．
生活歴：60歳までサラリーマンとして働く．退職後は妻と俳句づくりを目的に山登りやウォーキングをして過ごしていた．66歳で妻が死去した頃から外出が少なくなり，日中も臥床して過ごすことが多くなった．
嗜好品：働いていたころはお酒をよく飲んでいたが，現在は飲んでいない．

【生活動作】

基本的日常生活動作

食動作	車椅子で食事をする．箸を使ってゆっくり摂取
排泄	トイレで排泄している．時々失禁あり，パンツ型おむつを使用している
清潔	デイサービスで週2日入浴している
更衣整容	着替えや整髪は介護職員の見守りのもと自分で行う．歯磨きは自分でしている様子（見守りはしていない）
移乗	ゆっくりだが自力で可能
歩行	ゆっくりだが杖歩行可能
階段昇降	階段昇降は行っていない

手段的日常生活動作

調理	サービスを利用
買い物	サービスを利用
洗濯	サービスを利用
掃除	サービスを利用
金銭管理	娘が管理
交通機関	利用しない

【コミュニケーション】

意思疎通：意思疎通は可能
意思伝達力：言葉数は少ないが意思を伝達することは可能．視力・聴力は生活に支障なし
ツールの使用：なし

19 摂食・嚥下障害

環　境

【療養環境】

住環境：
サービス付き高齢者向け住宅の3階で生活
自室は約6畳で自室内に洗面台やトイレあり

地域環境：バス通り沿いにある施設であるが，バス停までは徒歩10分程度かかる．バスで10分ほどのところに駅がある．
地域性：大都市から電車で30分ほど離れた地域．地区活動はあまりみられない．

【ジェノグラム】

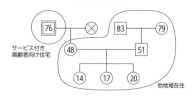

【家族の介護・協力体制】

1人娘は遠方に住んでおり，義父母の仕事の手伝いで多忙なため1回/2か月程度の訪問であり，1回/週電話で連絡を取る．

【エコマップ】

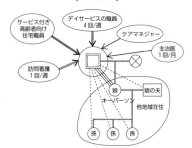

【社会資源】

サービス利用：

	月	火	水	木	金	土	日
AM	9:00～16:00 デイサービス			9:00～16:00 デイサービス			
PM			訪問看護				

保険・制度の利用：介護保険

【経済】

世帯の収入：本人の年金と貯金
生活困窮度：特になし．

理解・意向

自分の住んでいるところに連れて行きたいが，義父母と同居しており一緒に暮らすことは難しいです

娘
キーパーソン

専業主婦であるが義父母の仕事の手伝いもしている．介護保険などの手続きなどは積極的にかかわってくれる

【志向性】
生活の志向性：俳句が好き
性格・人柄：内向的，性格は温厚だが，こだわりもある
人づきあいの姿勢：自ら話しかけることはない

【自己管理力】
自己管理力：服薬は訪問看護師が1週間分セッティングする，内服確認は介護職員が声かけをしてくれる
情報収集力：自ら積極的に情報収集することはない，娘に任せている
自己決定力：自分の意思を伝えることはあるが，最終決定は娘に委ねることが多い

総合的機能関連図と看護課題

看護課題

- #1 摂食・嚥下機能の維持・促進
- #2 誤嚥性肺炎のリスク
- #3 低栄養のリスク
- #4 意欲低下

解釈・判断

#2 誤嚥性肺炎のリスク関連
- 今後も誤嚥性肺炎を繰り返すリスクが高い
- 口腔機能がさらに低下している可能性がある
- 口腔内の清潔が保たれていない可能性がある

#1 摂食・嚥下機能の維持・促進関連
- 自力摂取できる能力がある
- 食事姿勢が悪い可能性がある

#3 低栄養のリスク関連
- BMIが低い
- 食事量が少ない

#4 意欲低下関連
- 活動範囲が限られている
- 疲労感があり臥床がちである

情報の選択

疾患・医療ケア
- 誤嚥性肺炎を繰り返している
- 唾液様疾あり時々
- 摂食・嚥下機能の低下
- 67歳のとき脳血管性疾患を発症
- 障害高齢者の日常生活自立度判定 B1
- 59歳、高血圧
- 59歳、不整脈
- 59歳、脂質異常症
- 副菜は1口の大きさにカットされている
- とろみなどの使用障害なし
- 生活に影響を及ぼす麻痺なし
- 殿部に発赤あり
- BMI 17.9
- SpO₂ 97%を維持
- 食事摂取量は半分
- 水分摂取量が少ない
- 歯磨きは自分でしている様子（見守りはしていない）

活動
- 車椅子で生活（食事も）
- 食事は自力摂取可能
- 杖を使ってゆっくり歩行可能
- 以前は山登りやウォーキングをしていた
- 妻の死後から外出がなくなる
- 日中も臥床していることが多い
- 横になりたいと臥床することが多い
- 体を動かすとすぐに疲れるとよく発言し息があがる
- 「疲れるからあまり動きたくない」

環境
- サービス付き高齢者向け住宅に住んでいる
- 娘は遠方で生活
- 娘は義父母の仕事の手伝いで多忙
- 「娘も忙しいし迷惑をかけたくない」
- 訪問看護 1回/週
- デイサービスを4回/週

理解・意向
- 「ここの施設の人にはよくしてもらっている」
- 「デイサービスに行かず部屋で寝ていたい」
- 「デイサービスに行っても話すことがない」
- 自分から他者に話しかけることは少ない
- 内向的
- 俳句が好き

凡例

- 強みと読む解釈・判断
- 弱みと読む解釈・判断
- 強みを示す矢印
- 弱みを示す矢印

19 摂食・嚥下障害

STEP ❶ アセスメント　STEP ❷ 看護課題の明確化　STEP ❸ 計画　STEP ❹ 実施　STEP ❺ 評価

看護課題リスト

No.	看護課題　【コード型】文章型	パターン
#1	【摂食・嚥下機能の維持・促進】自力で食事が摂取できていることを活かし、摂食・嚥下機能を維持・促進する	強み着眼型
	根拠 既往歴に脳血管疾患があり、現在、摂食・嚥下機能が低下している。しかし、自力で食事が摂取できていることが強みである。療養者自身で現在の摂食・嚥下機能を維持し、向上できるように働きかける。	
#2	【誤嚥性肺炎のリスク】誤嚥性肺炎の再発によって入退院を繰り返しており、常に誤嚥性肺炎のリスクが高い	リスク着眼型
	根拠 誤嚥性肺炎で入退院を繰り返している。誤嚥性肺炎を再発せず在宅生活が継続できるように全身状態を観察し、異常を早期に発見する必要がある。	
#3	【低栄養のリスク】食事摂取量の減少やBMIが低いことから、低栄養のリスクが高い	リスク着眼型
	根拠 摂食・嚥下機能の低下や誤嚥性肺炎を繰り返すことにより、食事を十分に経口摂取できず、低栄養となる可能性がある。「疲れる」という発言やBMIが低くなっていることからも、低栄養による体力の低下を防ぐ必要がある。	
#4	【意欲低下】疲労感があり臥床がちであることから、活動意欲が低下している	問題着眼型
	根拠 日中はデイサービスに通っているが、体力の低下からか動くと「疲れる」と発言することがある。利用している介護サービスの職員と連携を図りながら、活動意欲を向上する必要がある。	

【看護課題の優先度の指針】自力で摂食できるという強みをできる限り維持・促進することで在宅での生活が継続可能であることから、【摂食・嚥下機能の維持・促進】を#1とした。また、誤嚥性肺炎を繰り返していることから、異常を早期に発見して早期に介入する必要があるため【誤嚥性肺炎のリスク】を#2とした。さらに、摂食・嚥下機能の低下や誤嚥性肺炎を繰り返すことにより、経口から食事を十分に摂ることができず低栄養になる可能性があることから【低栄養のリスク】を#3とした。その他、療養者の発言やBMIから体力と活動意欲の低下がうかがえることから、#1や#2を回避する体力を維持するためにも療養者の休息と活動のバランスをとる必要があるため【意欲低下】を#4とした。

長期目標

誤嚥性肺炎や低栄養がみられず、現在の摂食・嚥下機能を維持・促進しながら在宅療養生活を継続することができる。

根拠 経口摂取ができるという強みを継続できるように、現在の摂食・嚥下機能を維持・促進することが必要である。また、摂食・嚥下機能の低下によって誤嚥性肺炎や低栄養をまねくおそれがあり、異常を早期に発見するとともに、これらの悪循環(摂食・嚥下機能低下→食事摂取量低下→低栄養・誤嚥性肺炎→摂食・嚥下障害がさらに進む)を回避することが重要である。

〈長期目標を共有するケアチーム〉
フォーマルサービス：訪問看護師，主治医，ケアマネジャー，サービス付き高齢者向け住宅の職員，デイサービスの職員
インフォーマルなサポート：娘，娘家族

19 摂食・嚥下障害

STEP❶ アセスメント　STEP❷ 看護課題の明確化　**STEP❸ 計画**　STEP❹ 実施　STEP❺ 評価

1 看護課題	看護目標（目標達成の目安）
#1【摂食・嚥下機能の維持・促進】自力で食事が摂取できていることを活かし，摂食・嚥下機能を維持・促進する	1) 嚥下機能が維持・促進できる（1か月） 2) 経口摂取が継続できる（1か月）

援助の内容	援助のポイントと根拠
OP 観察・測定項目	
●摂食・嚥下機能低下の程度	➡嚥下機能のどの障害か（先行期，準備期，口腔期，咽頭期，食道期），摂食・嚥下能力のグレード，咽頭下垂の有無，唾液分泌の程度，口腔内の乾燥の有無，嚥下時間，食事摂取時間
●認知機能の低下の有無・程度	➡道具失行・色の識別の有無，食事に集中しているか 根拠 認知機能の低下は先行期に影響する．これらが食行動にどのように影響を与えているか把握することで，摂食・嚥下機能の正確な評価につながる
●食事の形態・内容	➡嚥下しやすい形態か，とろみ剤の使用の有無
TP 直接的看護ケア項目	
●間接訓練	➡食前に嚥下体操（深呼吸，首の回旋運動，肩の運動，頬や舌の運動，パタカラ体操など）を行う　根拠 食前に行うことで療養者の覚醒を促し，全身や嚥下筋のリラクセーションの効果がある．パタカラ体操は口唇周囲の筋の緊張や運動能を向上させる
●唾液腺マッサージ	➡食前に耳下腺をやさしくマッサージする　根拠 唾液の分泌を促す
●口腔内のアイスマッサージ	➡食前に凍らせた綿棒などで口唇，舌から徐々に軟口蓋や奥舌を複数回往復する．その後綿棒を取り出して空嚥下してもらうよう指示する ➡食前に小さな氷片をなめてもらう ➡根拠 寒冷刺激により嚥下を誘発することができるため，空嚥下が困難な人（認知症があるなど）に実施する
EP 教育・調整項目	
●間接訓練や唾液腺マッサージの方法の説明	➡イラストや写真入りのポスター，パンフレットなどを作成・活用し，継続して実施できるように説明する　連携 必要に応じて施設（サービス付き高齢者向け住宅，デイサービス）の職員などに協力を依頼して取り組むようにする 強み 朝・昼・夕の食事に施設職員が立ち会う機会があることは療養者にとって強みとなる

2 看護課題	看護目標（目標達成の目安）
#2【誤嚥性肺炎のリスク】 誤嚥性肺炎の再発によって入退院を繰り返しており，常に誤嚥性肺炎のリスクが高い	1) 誤嚥性肺炎が起こらない（1か月） 2) 口腔内を清潔に保てる（2週間） 3) 食事時の姿勢を維持できる（2週間）

援助の内容	援助のポイントと根拠
OP 観察・測定項目 ● バイタルサイン ● 呼吸状態，痰の有無・色調 ● 口腔内の清潔 ● 食事姿勢・環境	● 体温，血圧，脈拍，呼吸回数，血中酸素飽和度 ● 喘鳴，嗄声，咳嗽の有無，痰の有無と痰がみられる場合の色調や量 ● 食物残渣の有無，口臭の有無，舌苔の有無 ● 椅子を使用しているか，食卓との距離，食事姿勢が傾いていないか，食事をかきこんでいないか，姿勢は90度を保てているか，食物までの距離はどうか，食事に集中できる環境か
TP 直接的看護ケア項目 ● 口腔ケア（食前・食後） ● 適切な食事姿勢の保持	● 食前に口腔内が不衛生でないか観察し，必要に応じて口腔ケアを行う．食後は歯磨き，うがい，義歯の洗浄を行う 　**根拠** 誤嚥がみられても，口腔内の清潔が保たれていれば誤嚥性肺炎にはなりにくい ● 足底を床に着ける，殿部・膝の角度を90度に保つ，頸部の前屈を保つ（必要に応じてクッション等を用いる），椅子と食卓の距離を近づける，テレビなど食事の妨げとなるものは消す．認知機能の低下の程度によっては1人で集中して食べられるように環境を整え，必要に応じて食事介助をする
EP 教育・調整項目 ● 食事姿勢・環境が維持できるように施設職員と連携を図る ● 効果的な口腔ケアの説明	● **連携** 適切な食事姿勢や環境について写真などを用いて掲示物を作成する．サービス付き高齢者向け住宅，デイサービスの職員と共有して取り組む ● **強み** 日常生活動作をゆっくりではあるが，療養者自身で行うことができる．療養者が自身で効果的な口腔ケアができるように，実際に行ってもらいながら指導を行う

3 看護課題	看護目標（目標達成の目安）
#3【低栄養のリスク】 食事摂取量の減少やBMIが低いことから，低栄養のリスクが高い	1) 体重・BMIが改善する（1か月） 2) 低栄養にならない（1か月） 3) 食事摂取量を維持できる（1か月）

援助の内容	援助のポイントと根拠
OP 観察・測定項目 ● 身体状況 ● 食事摂取状況 ● 食事への関心・意欲	 ● 体重，BMI，腹囲，過去1〜6か月の間の体重減少率，血液検査結果（血清蛋白，アルブミン，総コレステロールなど），PEMの有無，排泄状況（便秘や下痢の有無） ● 1日の食事摂取量，摂取カロリー，食事回数，食事内容とバランス，食形態，水分摂取量 ● 食事の好み，食習慣，食欲，食事に関する療養者の発言内容

TP 直接的看護ケア項目	
●食事への援助	⮕必要に応じて食事介助を行う．食の好みやバランスを考慮する．食べにくい場合は食形態の変更を検討する．1回の摂取量が少ない場合は食事回数を増やす（おやつを活用する）
EP 教育・調整項目	
●食事摂取量が維持できるように施設職員と連携を図る	⮕ 連携 サービス付き高齢者向け住宅，デイサービスの職員と情報を共有し，改善点および支援方法について話し合う 強み サービスの利用により，朝・昼・夕とバランスのよい食事の提供が可能である　根拠 訪問看護師は療養者の食事のときに訪問できるわけではないことから，訪問看護師がアセスメントした内容を他職種と共有して話し合う必要がある

19 摂食・嚥下障害

4 看護課題	看護目標（目標達成の目安）
#4 【意欲低下】 疲労感があり臥床がちであることから，活動意欲が低下している	1）活動と休息のバランスをとることができる（1か月） 2）デイサービスの活動に参加できる（1か月） 3）「疲れる」という発言が減る（1か月）

援助の内容	援助のポイントと根拠
OP 観察・測定項目	
●活動と休息のバランス	⮕1日の過ごし方，1日の活動時間と休息時間はどのくらいか，昼寝はいつでどれくらいの時間か
●活動への意欲	⮕活動への療養者の発言，活動状況と内容（デイサービスでの過ごし方），療養者の活動の好み
●「できるADL」と「しているADL」	⮕「できるADL」と「しているADL」を把握し，差がないかを評価する
TP 直接的看護ケア項目	
●日常生活動作の促進	⮕日常生活動作の中で療養者自身ができるところを見つけ日常生活動作を広げられるようにする　根拠 生活の中でできるリハビリテーション（生活リハビリテーション）を積極的に取り入れ「しているADL」が増えるように工夫する
●訪問看護時のリハビリテーション	⮕訪問看護時にリハビリテーションや生活リハビリテーションを取り入れ，活動時間を増やす
EP 教育・調整項目	
●活動と休息のバランスを保つ教育	⮕1日の活動と休息の実情について療養者と話し合い，改善点を見出す　強み 「娘に迷惑をかけたくない」「トイレとかは自分でしたい」と発言していることを活かす ⮕ 連携 サービス付き高齢者向け住宅，デイサービスの職員と情報を共有し，改善点および支援方法について話し合う（食後の臥床時間が長くならないように声かけをする，デイサービスでの活動に療養者の好みを反映させるなど）　根拠 訪問看護は週1回の利用であることから，療養者の活動の継続にかかわるには限界がある．この限界を理解したうえで他職種と改善点について話し合う必要がある

> STEP ① アセスメント　STEP ② 看護課題の明確化　STEP ③ 計画　**STEP ④ 実施**　STEP ⑤ 評価

強みと弱みに着目した援助のポイント

強みに着目した援助
- 療養者がもっている摂食・嚥下機能やその他の機能を維持できているか，阻害している要因は何かをアセスメントしたうえで支援方法を検討する．
- サービス付き高齢者向け住宅やデイサービスを利用していることから，これらの機関と連携を図りながら協働で支援する．

弱みに着目した援助
- 誤嚥性肺炎を起こしていないか，徴候を早期にアセスメントして予防的に支援する．
- 低栄養を起こしていないかアセスメントしながら，療養者の食事への関心や意欲を引きだせるようにかかわる．
- 活動と休息のバランスが保たれているかをアセスメントし，療養者に合わせた活動が維持できるように支援する．

> STEP ① アセスメント　STEP ② 看護課題の明確化　STEP ③ 計画　STEP ④ 実施　**STEP ⑤ 評価**

評価のポイント

- 摂食・嚥下機能を維持しているか
- 摂食・嚥下機能が向上しているか
- 経口摂取を継続しているか
- 誤嚥性肺炎の徴候がみられていないか
- 口腔内が清潔に保たれているか
- 食事姿勢，環境が保たれているか
- 体重・BMI が改善しているか
- 低栄養になっていないか
- 食事摂取量が維持できているか
- 活動と休息のバランスがとれているか
- デイサービスの活動に参加できているか
- 「疲れる」という発言が減っているか

関連項目

第2章「6 脳梗塞」「14 フレイル」「17 認知症」
第3章「31 意欲低下」

20 生活不活発病（廃用症候群）

生活不活発病（廃用症候群）の理解

基礎知識

疾患概念

以前は「廃用症候群」が用いられていたが，最近では「生活不活発病」が用いられている．
- 安静臥床・不活発な状態が続くことによって，全身もしくは局所的に退行性の変化が起きて生じる二次障害の総称のことで，疾病そのものによって生じる器質的障害（一次障害）とは異なる．

疫学・発生機序・予後
- 正確な罹患人数の把握は困難である．一般的に高齢者に多くなる傾向があるが，災害時に避難所暮らしをするなど，行動が制限されることでも発生する．加齢とともに誰にでも起こる生理的老化とは異なり，病的な老化ともいえる．
- 発生機序としては図20-1のようになる．不活動を誘発する原因は必ずしも骨折や脳卒中など大きな病気とは限らず，ちょっとした風邪症状で寝込んだことがきっかけとなったり，家の中や屋外でほんのわずかつまずいたりしたあと，歩くことに対して恐怖心をもつようになるなど，些細なこともきっかけとなりうる．
- 一方，この不活動から始まる悪循環から回復することは非常に大きな苦労を伴う．例えば，1週間安静臥床をすると，抗重力筋を中心に筋力が10〜15%低下し，3〜5週間臥床すると約半分にまで筋力の低下を生じるが，その回復には健康な人でも3倍以上の時間を要するといわれており，筋力や体力，予備力の落ちている高齢者であれば元のレベルまで回復するには多大な労力を要する．
- 生活不活発病自体は生命予後には大きく影響を及ぼさないが，日常生活全般に介護が必要となるため，本人のみならず，介護者への肉体的・精神的負担が大きくなる．

症状
- 生活不活発病が発生した場合，表20-1のような様々な症状が出現する[1)-3)]．中でも筋力低下，筋萎縮，関節拘縮は不活動によって最もよく生じるが，それらの症状によって，動くことがさらに困難になるという悪循環に陥る．

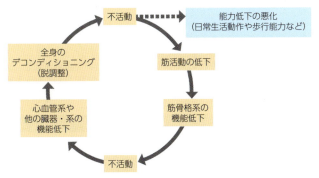

■図20-1　長期の安静臥床や不活動による悪循環

Halar EM, Bell KR : Rehabilitation's relationship to inactivity. Krusen's Handbook of Physical Medicine and Rehabilitation, 4th ed.(Eds) Kottke FJ, Lehmann JF, WB Saunders, Philadelphia, pp1113-1133, 1990 より一部改変

■表 20-1 生活不活発病でみられる症状

運動器系	筋力低下，筋萎縮，関節拘縮，骨萎縮，骨粗鬆症，異所性骨化
心血管系	起立性低血圧，心予備能低下，静脈血栓症，浮腫，循環血液量低下，持久力低下
呼吸器系	沈下性肺炎，無気肺，肺梗塞症
消化器系	便秘，食欲不振，体重減少，腸管上皮萎縮，低栄養状態
泌尿器系	尿路結石，尿路感染，尿失禁，排尿困難
精神機能	認知症，知的能力減退，うつ状態，睡眠障害
その他	脱水，褥瘡，皮膚萎縮

他の疾患でもこれらの症状が出現するので注意が必要
佐藤健一：どうする？　家庭医のための"在宅リハ"．p90，表 3-4，医学書院，2012

診断
- 関節拘縮を除き，採血や画像診断などで生活不活発病の診断をつけることはできない．筋力低下については徒手筋力検査，関節拘縮については関節可動域の評価が重要となる．
- 活動性がどれくらい変化したかについては，「生活不活発病チェックリスト」を利用して評価するとよい（http://www.mhlw.go.jp/file/06-Seisakujouhou-10600000-Daijinkanboukouseikagakuka/0000122331.pdf）．
- 自宅を訪問した際に家屋内での現時点での移動能力は評価できるが，慣れた環境のためにできている可能性もあるので注意が必要である．
- 単発的に「できる能力」と継続的に「している能力」は異なる．自分が評価されているときは誰もが「いいところを見せよう」と普段以上に頑張って様々な動作をするため，普段はやらない動作が「できる」こともある．本人の動作を確認する際には家族からの印象も一緒に確認することが重要である．

治療法
- 生活不活発病については有効な治療方法はない．そのため，生活不活発病を引き起こすことになった一次障害をできるだけ早期に治療すること，治療と並行して可能な限り寝たきりにしないようにして発生を予防し，生活不活発病の出現を早期に発見し，早期に介入すること，普通の日常生活に可能な限り早めに戻すことが大原則である．
- 前述のように一度発生すると身体機能を取り戻すには非常に時間がかかる．最大筋力の 35% 以上の負荷をかけることで筋力は増強するが，その程度の負荷をかけたとしても筋力が増強される割合は 1 週間に 5〜10% 程度でしかない．一方，最大筋力の 20〜35% 程度の負荷を継続的にかけることで筋力は維持されるが，この負荷量は日常生活を送っているときと同じであるといわれている．このことからも，通常の生活を続けることでの筋力維持と早期発見の重要性が理解できるであろう．

家族へのサポート
- 高齢者の場合，体力や筋力が落ちて身体能力が低下すると「歳のせいだから仕方ない」と決めつけてしまう傾向があり，調子が悪いときは無理をさせないで寝かせておくこともよくみられる．こうした安静は，無意識的に「不活発」な状況をつくり出してしまっているといえる．生活不活発病が発生したときのほうが家族の負担は増加することを説明し，少しでも活動性を高くするように促してもらうことが重要である．

在宅における特徴

- 病院などの環境とは大きく異なり，医療関係者が関わる時間は非常に限られており，大部分のケアを家族に依存することになる．たとえ訪問看護や訪問リハビリテーションを導入しても，その介入は 24 時間のうち 1 時間程度でしかない．それ以外は家族が中心となることから，本人の体力を維持しながら生活するための方法を指導することが重要となる．

在宅診療の実際

病診連携
- 病院においては、入院の原因となった疾患を治癒させることに全力を注いでおり、そのために安静を求める傾向にある。特に高齢者では、勝手に動いて転倒したりすることを防ぐために、病院内での活動が制限されることが多い。そのため、治療目的で入院したはずが、逆に生活不活発病を発症することもよくある。
- 入院時点からかかりつけ医などと連携をとり、できるだけ早期に自宅へと退院できるようにすることが重要となる。家族は入院が長くなると患者のいない生活環境に慣れてしまうため、1か月以内での自宅復帰を目標とするのが望ましい。

生活不活発病（廃用症候群）に関連する社会資源・制度

1）機能訓練・日常生活動作訓練，アクティビティケア
- 介護保険法によるデイケア，デイサービス，訪問リハビリテーション
- 医療機関の機能訓練

2）日常生活の移動・移乗を支援する福祉用具貸与と購入支援
- 介護保険法による福祉用具（車椅子，特殊寝台，特殊寝台付属品，床ずれ防止用具，体位変換器，移動用リフト，工事が不要な手すり・スロープ，歩行器，歩行補助杖）貸与
- 介護保険法による福祉用具（ポータブルトイレ，特殊尿器，入浴補助用具，簡易浴槽，移動用リフトの吊り具）の購入費用の払い戻し
- 有償移送サービス

3）住宅改修
- 介護保険法による住宅改修〔手すりの取り付け，段差の解消，床材の変更（滑り防止），引き戸・洋式便座への取り替え〕の費用の払い戻し
- 市区町村による住宅改修指導サービス

4）日常生活動作（入浴，更衣，整容，食事）の介助
- 介護保険法による訪問入浴介護，訪問介護
- 市区町村による家族介護用品支給事業（紙おむつ，使い捨て手袋など），寝具類の洗濯乾燥消毒サービス

5）住まい
- サービス付き高齢者向け住宅，有料老人ホーム，在宅介護対応型軽費老人ホーム（ケアハウス）

生活不活発病（廃用症候群）をめぐる訪問看護

訪問看護の視点

1）療養者をみる視点
- 高齢者の生活全体の不活発さとそれによる様々な心身の機能低下の悪循環を解消する視点をもつ。
- 生活機能低下から始まり、徐々に寝たきりになるため、早期発見と早期対処が重要である。
- 残存機能を最大限に生かし、重度化を予防する観点をもつ。
- 良好なケアを提供することにより、長期にわたり在宅で療養できる。
- 誤嚥性肺炎などの感染症は急激に健康状態が悪化し、致命的な状況になりうる。

2）支援のポイント
- 生活不活発病に伴う多様な全身症状（誤嚥性・沈下性肺炎，褥瘡，便秘，尿路感染，低栄養状態，脱水，抑うつ，意欲低下）を予防する。
- 関節拘縮や筋萎縮を予防するため、身体機能レベルに応じて、関節可動域訓練や機能訓練を行う。
- 認知機能低下やせん妄を予防するため、生活リズムを整え、精神面や認知面に刺激を与える。

- 過度な安静の弊害，残存機能を活用できる生活行動や介護方法を本人や家族に説明する．
- 必要時，通所・短期入所系サービスを導入し，家族の介護負担を軽減する．

●状態別：療養者をみる視点と支援のポイント

状態	療養者をみる視点	支援のポイント
立位・座位が可能な状態	立位・座位が可能な場合は転倒・転落がさらなる機能低下を起こす可能性がある．機能訓練と環境整備を行い，訓練内容を生活に活かせるようにする．簡単な会話ができる場合は，精神面や認知面への刺激を与えることが重要である．	●椅子・トイレへの移乗の際に転倒・転落を起こしやすいので十分注意する． ●座位，立ち上がり，立位，移乗動作の訓練を行い，その機能に応じた食事・排泄・入浴の具体的な方法を勧める． ●アクティビティケアの導入や人との会話を多くもてるように配慮する．
臥床（寝たきり）状態	臥床（寝たきり）状態であっても，療養者ができることを見つけ，寝たきりの解消を図る．生活不活発病が進むと，家族の介護負担はより重くなるため，排便ケアなど負担がかかる介護については工夫が必要である．	●おむつ交換時の腰上げ，体位変換，顔拭き，整髪など療養者ができることを自分で行ってもらう． ●椅子に移す，ベッド上で身体を起こす時間をつくり，生活リズムをつくる． ●便秘であることが多いため，下剤，坐薬・浣腸，摘便を活用し排便コントロールを行う．

訪問看護導入時の視点

- 生活全般に援助を要する場合，家族の多大な介護力が長期間必要になるため，独居，老老介護，未婚子との二人暮らしなど介護力が脆弱な場合は自宅療養が続けられない．適切な住まいを選択する必要性も視野に入れ，本人・家族とよく話し，意向を尊重した療養体制をつくる．
- 転倒による外傷，誤嚥性肺炎，脳血管疾患による入院などをきっかけに訪問看護を導入する場合は，身体機能の低下が大きいため，その変化に応じて社会資源の導入を行う．
- 徐々に生活不活発病が進行し，生活全般に援助が必要になり，訪問看護を導入する場合は，暮らし方や家族の介護方法が確立していることが多いため，その方法を尊重しながら，改善点を提案する．

STEP❶ アセスメント　STEP❷ 看護課題の明確化　STEP❸ 計画　STEP❹ 実施　STEP❺ 評価

情報収集

情報収集項目		情報収集のポイント
疾患・医療ケア	疾患・病態・症状 □疾患	➡生活の不活発さに影響する疾患（脳血管疾患の後遺症，骨折，心肺機能低下）はあるか
	医療ケア・治療 □服薬 □治療 □医療処置	➡活動に影響する作用（血圧低下，傾眠傾向，倦怠感）はあるか ➡機能訓練（理学療法，作業療法，言語聴覚療法）の目的，内容はどうか ➡活動性を維持・向上できるように，医療処置方法を工夫できるか

20 生活不活発病（廃用症候群）

	情報収集項目	情報収集のポイント
疾患・医療ケア	**全身状態** □呼吸・循環状態	●姿勢変化や体動時に起立性低血圧，頻脈，息切れはないか，循環不全，冷感，浮腫，1回換気量の減少，誤嚥性・沈下性肺炎の徴候はないか
	□摂食・嚥下・消化状態	●食欲不振，嚥下困難，蠕動運動低下，便秘はないか
	□栄養・代謝・内分泌状態	●低栄養，基礎代謝率低下，低体温はないか
	□排泄状態	●残尿の増加，結石，排尿困難，頻尿，失禁，膀胱炎など感染症の徴候はないか
	□筋骨格系の状態	●筋萎縮，筋力・耐久力低下，骨密度の低下，腱・靱帯・関節包の硬化，関節可動域の減少，関節拘縮，姿勢保持困難はないか
	□感覚器系の状態	●感覚・知覚の鈍麻，運動調節機能低下によるバランス・協調運動の障害はないか
	□皮膚の状態	●皮膚萎縮や褥瘡はないか
	□認知機能	●認知機能低下や認知症はないか
	□精神状態	●せん妄，錯乱，不安，緊張，うつはないか
活動	**移動** □ベッド上の動き	●寝返りできるか，更衣やおむつ交換のときに腰を挙上できるか，生活の中で自分で座ったり，座位を保持しているか
	□起居動作	●椅子やトイレに移乗しているか，生活の中で立ち上がったり，立位を保持しているか
	□屋内移動	●介助や補助具(車椅子，手すり，歩行器)が必要か，普段屋内でどの程度移動しているか，トイレや浴室への動線はどうか
	□屋外移動	●介助や補助具(車椅子，歩行器・杖・シルバーカー，歩行車)が必要か，普段どの程度外出しているか
	生活動作 □基本的日常生活動作 □手段的日常生活動作	●食事，排泄，入浴，更衣・整容動作の遂行状況と能力の差はないか ●調理，買い物，洗濯，掃除，金銭管理の遂行状況と能力の差はないか
	生活活動 □食事摂取 □水分摂取 □活動・休息 □生活歴	●経口摂取量はどうか，胃瘻(腸瘻)など経管栄養を行っているか ●水分摂取量はどうか ●昼夜逆転や生活リズムの乱れはみられないか，日中の離床時間や座位時間はどの程度か，夜間・日中の睡眠時間はどの程度か ●これまで活動的な生活を送ってきたか
	コミュニケーション □意思疎通 □意思伝達力 □ツールの使用	●周囲の状況を理解し，人と意思疎通ができるか ●人と意思疎通できる基本的な聴力・視力・言語力があるか，不十分な場合，補聴器，文字盤，意思伝達装置などを活用できるか ●電話，携帯電話，スマートフォン，メールなどを使用して他者と意思疎通ができるか
	活動への参加・役割 □家族との交流 □近隣・知人・友人と	●同居・別居家族とのかかわりはどうか(内容，頻度，方法) ●配偶者・親・子としての役割があるか，家庭で役割(子どもや孫の世話，介護，家業手伝い，簡単な家事)があるか ●近隣・知人・友人とのかかわりはどうか(内容，頻度，方法)

情報収集項目	情報収集のポイント
活動 　の交流 □外出 □社会での役割 □余暇活動	●普段，買い物，受診，楽しみなどのために外出しているか ●社会での役割（就労，ボランティア活動・寺や教会などでの役割）があるか，本人の積極性はどうか ●通所系サービス，趣味や運動，患者会やサロンなどにどの程度参加しているのか，本人の積極性はどうか
環境 **療養環境** □住環境 □地域環境	●移動能力に応じて手すり・リフト・スロープの設置がされているか，照明は十分か，玄関や道路への出入りに段差はないか ●買い物や受診のアクセスはどうか，人通りや自転車・車の往来はどうか
家族環境 □家族機能 □家族の介護・協力体制	●家族関係は良好か，家族が互いに関心をもち交流はあるか，家族の健康状態，認知機能，精神状態は良好か ●家族に主介護者・副介護者はいるか，家族内にキーパーソンはいるか，家族の介護力や介護負担感はどうか
社会資源 □保健医療福祉サービスの利用 □インフォーマルなサポート	●機能訓練，通所・短期入所系サービス，訪問介護，訪問入浴介護，住宅改修，福祉用具貸与の利用状況はどうか ●療養者や主介護者を支える知人・友人・近隣の人々はいるか，ボランティアや家政婦などの利用状況はどうか
経済 □世帯の収入	●療養生活を続けられる世帯の収入は十分か
理解・意向 **志向性（本人）** □生活の志向性 □性格・人柄 □人づきあいの姿勢	●生活の中で目標や楽しみがあるか，価値観はどのようなものか ●社交的・外交的な性格か，自立心はあるか ●他者とかかわろうとする姿勢や興味があるか
自己管理力（本人） □自己管理力 □情報収集力	●服薬・医療処置の管理力はあるか ●機能訓練，日常生活支援，住宅改修に関する社会資源の情報を把握しているか
理解・意向（本人） □意向・希望 □感情 □療養生活への理解	●食事や排泄，入浴，着替え，整容の生活動作への意欲はどうか，必要な社会資源やサービスを利用したいと考えているか ●気分の落ち込みや回復への諦め，焦りはないか ●過度な安静の弊害や残存機能を活かす生活行動方法を理解しているか
理解・意向（家族） □療養生活への理解	●過度な安静の弊害や残存機能を生かす介護方法を理解しているか

事例紹介

生活不活発病が進行し，寝たきり状態の高齢者の例

Keywords 生活不活発病，認知症，寝たきり，褥瘡，便秘，せん妄，高齢男性

〔**属性**〕男性，89歳
〔**家族構成**〕娘家族と同居
〔**主疾患等**〕生活不活発病(廃用症候群)，血管性認知症，高血圧，褥瘡
〔**状況**〕誤嚥性肺炎をきっかけに，身体機能が徐々に低下した．5か月前に自宅で転倒し，大腿骨遠位部骨折のため入院し，その間に褥瘡がみられ，退院時に訪問看護が開始されて1か月経った．ベッド上に寝たきりであり，新たな褥瘡，便秘，せん妄の徴候，軽度の関節拘縮がみられている．家族の介護体制は手厚い．

20 生活不活発病（廃用症候群）

情報整理シート

疾患・医療ケア

【疾患・病態・症状】
主疾患等：生活不活発病，血管性認知症，高血圧，褥瘡
病歴：脳梗塞，誤嚥性肺炎，大腿骨遠位部骨折
経過：
- 55歳　脳梗塞にて約3か月入院し，職場復帰．歩行時，左下肢を軽く引きずる症状が残る．
- 78歳　血管性認知症と診断．自宅に閉じこもりがちになる．
- 80歳　誤嚥性肺炎のため入院．身体機能が徐々に低下．
- 83歳　要介護認定(要介護2，主治医意見書の記載＝生活不活発病)を受け，通所介護を開始．
　5か月前トイレ移乗時に転倒し，大腿骨遠位部骨折にて約4か月入院し，保存療法を実施．
　退院時に要介護度の区分変更申請(要介護5)．
　入院中に褥瘡(皮下組織までの損傷)が仙骨部に発生．退院時(1か月前)，褥瘡処置目的に訪問看護を導入．

【医療ケア・治療】
服薬：【内服】緩下剤(ミルマグ)
　　　　　　　刺激性下剤(ラキソベロン)
　　　　　　　降圧薬(ニバジール)
　　　　　　　粘膜潤滑薬(ムコソルバン)
　　　　　　　脳循環代謝改善薬(グラマリール)
　　　　【実施】娘の見守りにて服用
治療状況：2週間ごとの訪問診療
医療処置：褥瘡処置，グリセリン浣腸60 mL，理学療法士による上下肢の他動運動
訪問看護内容：褥瘡処置，排便コントロール，清拭

【全身状態・主な医療処置】
血圧：130〜140/80〜90 mmHg 時折，起立性低血圧
脈拍：65〜75/分(不整脈なし)
呼吸数：14/分
SpO₂：98%
痰：白色痰少量

簡単な会話はできるが，すぐに忘れる
日中，傾眠傾向，反応が緩慢時々，興奮気味・多弁になる

とろみ食を経口摂取
むせはみられず

身長：180 cm
体重：65 kg
BMI：20.1

排便：1回/3日
排尿：4〜5回/日
食事：3回/日

褥瘡(DESIGN-R)：
仙骨部に1か所-治癒傾向
(D3-e3 s8 i0 g1 n0 p0)
→ハイドロコロイド貼用

尾骨部2か所-2週前から
(d1-e0 s3 i0 g0 n0 p0)
→ポリウレタンフィルム貼用

便秘(自然排便はみられない)
下剤が調整できず時折下痢あり
看護師による摘便3回/週
必要時，下剤・浣腸

左膝関節に軽度拘縮あり

基本情報
年齢：89歳　性別：男性
要介護度：要介護5
障害高齢者自立度：C1
認知症高齢者自立度：Ⅳ

活動

【移動】
ベッド上の動き：つかまって寝返り可能，促せばベッド上で腰の挙上は可能，食事の時はベッドで座位姿勢(背もたれあり)となる．
座位時に身体がずれやすく，長時間は座れない．端座位はできない．
起居動作：椅子に移乗しない．

【活動への参加・役割】
家族との交流：娘家族との関係は良好，息子家族は週末に訪問
近隣者・知人・友人との交流：高齢になり，友人との交流は途絶えがち．
外出：退院後外出していない．
社会での役割：なし
余暇活動：なし

【生活活動】
食事摂取：食事量は食べムラがある．
水分摂取：食事以外にお茶・水を吸い飲みで1日5杯
活動・休息：1日中ベッドで臥位．夜間の睡眠は不規則であり時々長時間覚醒している．
生活歴：大手銀行員として60歳まで勤務，65歳まで関連会社に非常勤として勤務していた．その後はシルバー大学や旅行を楽しんでいた．75歳の時，妻が急逝．妻が亡くなった頃から自宅でぼんやり過ごすことが多くなった．娘家族とは29年間同居．
嗜好品：脳梗塞発症とともに禁煙と断酒

【生活動作】

基本的日常生活動作

食動作	セットアップにて，とろみ食をゆっくり摂取
排泄	おむつ使用
清潔	全身清拭，訪問入浴
更衣整容	着替え，整髪，ひげ剃りは介助，歯磨きはセットアップすれば自分で実施
移乗	実施せず
歩行	実施せず
階段昇降	実施せず

手段的日常生活動作

調理	家族が実施
買い物	家族が実施
洗濯	家族が実施
掃除	家族が実施
金銭管理	家族が実施
交通機関	利用しない

【コミュニケーション】
意思疎通：簡単な会話は理解できる．
意思伝達力：聴力・視力は低下，簡単な発語あり
ツールの使用：なし

環境

【療養環境】

住環境：
2階建て一軒家．本人の親の代からの持ち家．
2階に娘家族が暮らす．
バリアフリーである．

介護用ベッド＋ウレタンフォームマットレス
1日ベッドで過ごす
ポータブルトイレ（以前は使っていたが現在は使わない）

地域環境：日中は人や自転車の通りが多い．診療所，居宅サービス事業所など，近隣に多い．
地域性：都市部の交通便のよい住宅地．中心地まで電車で15分．自治会など地域組織活動はある．

【社会資源】

サービス利用：

	月	火	水	木	金	土	日
AM	家政婦	訪問介護	家政婦	訪問介護	訪問診療	訪問介護	
PM	訪問看護	訪問入浴	訪問看護	訪問入浴	訪問看護	訪問リハ	

保険・制度の利用：介護保険，後期高齢者医療，特殊寝台・特殊寝台付属品・床ずれ防止用具の貸与

【経済】

世帯の収入：本人の年金
生活困窮度：経済的余裕あり，息子が経済的に援助．

【ジェノグラム】

【家族の介護・協力体制】

娘が主な介護者であり，キーパーソン．食事，おむつ交換，更衣などすべて介助．孫娘や娘の夫も協力的であり，夜間や休みの日は介護・家事を行う．息子は週末食事介助．

【エコマップ】

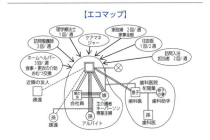

理解・意向

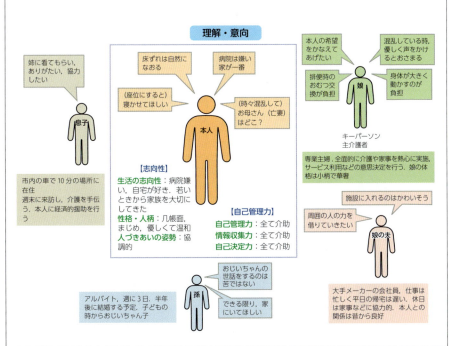

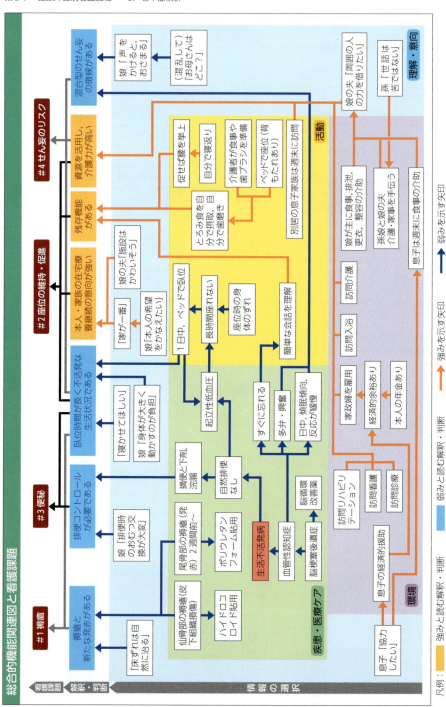

STEP ❶ アセスメント　STEP ❷ 看護課題の明確化　STEP ❸ 計画　STEP ❹ 実施　STEP ❺ 評価

看護課題リスト

No.	看護課題　【コード型】文章型	パターン
#1	【褥瘡】不活発な生活により，褥瘡が発生している	問題着眼型
	根拠 入院中に仙骨部に褥瘡ができ，処置により治癒傾向であるが，退院後生活が不活発であるため，尾骨部に新たな発赤がみられている．	
#2	【座位の維持・促進】残存機能，高い介護力，在宅療養継続への強い意向を活かし，座位を維持・促進する	強み着眼型
	根拠 臥位時間が長く，不活発な生活であるが，支えによって座位がとれるなどの残存機能があること，多くの社会資源が活用でき家族の協力が豊かであるなど介護力が高いこと，本人・家族とも在宅療養継続の意向が高いことを活かし，座位を維持・促進する．	
#3	【便秘】不活発な生活により，便秘がみられている	問題着眼型
	根拠 不活発な生活により自然排便はみられず，看護師による定期的な摘便と不定期の下剤・浣腸などの排便コントロールが必要である．	
#4	【せん妄のリスク】不活発な生活により，せん妄のリスクが高い	リスク着眼型
	根拠 傾眠傾向や緩慢な反応がある一方，時折混乱と興奮がみられ，多弁になるなどせん妄の徴候がある．しかし，家族の声かけで症状が消失することから，残存機能を活かし，適度な活動を取り入れ，せん妄のリスクを軽減することができる．	

【看護課題の優先度の指針】 すべての看護課題は生活不活発病が原因である．根治の必要がある【褥瘡】は#1とした．しかし，本事例は残存機能，介護力，資源活用の面から強みがあり，これらを活かした【座位の維持・促進】を行うことで【便秘】【せん妄のリスク】が解決すると考えたため，【座位の維持・促進】を#2とし，既に問題が起きている【便秘】を#3，対応により症状が消失する【せん妄のリスク】を#4とした．

長期目標

生活不活発病による多様な症状を軽減・予防し，家族の協力と資源を有効に活用し，在宅療養生活を送る．

根拠 生活不活発病の多様な症状（肺炎，転倒骨折，褥瘡，便秘，軽度の関節拘縮，せん妄）がみられている．しかし在宅療養継続の意向が強いこと，家族の協力や資源を有効に活用できる強みがあることから，適切な支援により意向に沿った療養生活を送ることができる．

〈長期目標を共有するケアチーム〉
フォーマルサービス：訪問看護師，往診医，ケアマネジャー，理学療法士，ホームヘルパー，訪問入浴担当者，家政婦
インフォーマルなサポート：娘，娘の夫と子，息子，息子の妻と子

| STEP ❶ アセスメント | STEP ❷ 看護課題の明確化 | STEP ❸ 計画 | STEP ❹ 実施 | STEP ❺ 評価 |

看護課題	看護目標（目標達成の目安）
#1【褥瘡】 不活発な生活により，褥瘡が発生している	1) 仙骨部の褥瘡が二次損傷を起こさず治癒する（1 か月） 2) 尾骨部の褥瘡が消失する（2 週間） 3) 新たな褥瘡がみられない（2 か月） 4) 同じ体位が長時間続かない（1 週間） 5) 皮膚組織にずれや圧迫が生じない（1 週間）

援助の内容	援助のポイントと根拠
OP 観察・測定項目 ●仙骨部・尾骨部の褥瘡の状態	●訪問ごとに深さ・滲出液・大きさ・炎症/感染徴候・肉芽組織・壊死組織・ポケットの有無について評価する **根拠** DESIGN-R など標準化されたツールにて評価・記録し，ケアチームで情報を共有する
●褥瘡好発部位の皮膚の状態	●訪問時に，褥瘡好発部位の皮膚のびらん・炎症や発赤の有無，失禁・発汗による湿潤の程度を確認する **根拠** 褥瘡の好発部位は，仰臥位では後頭部，肩甲骨部，肘頭部，仙骨部，踵骨部，座位では後頭部，肩甲骨部，尾骨部，坐骨部，踵骨部である
●栄養状態	●食事摂取や体重，BMI，上腕三頭筋部皮下脂肪厚を把握する
●体位・姿勢	●寝返りの回数，臥位時間，座位時間，同一体位保持時間を把握する
TP 直接的看護ケア項目 ●褥瘡の局所ケア	●仙骨部と尾骨部の褥瘡には創傷被覆材を貼付し，必要時交換する **連携** 現在の治療で適切か判断し，主治医に報告し，処置変更を促す **根拠** 創傷被覆材の交換時期は褥瘡や滲出液の状況をよく観察して医師と相談しながら決める．創傷被覆材の保険適用基準や内容を把握しておく ●失禁状態が続かないように，介護者の負担をみながら訪問介護にておむつ交換を行ってもらう
●体圧分散の促進	●仙骨部の褥瘡が治癒しない場合，圧切替型エアマットレスへの変更を検討する．座位用に体圧再分散クッションやピローなどで調整し，座位時のずれを防止する **連携** 介護保険法による床ずれ防止用具貸与の内容について，ケアマネジャーから情報を得る
●体位変換の調整	●日中は体位変換を 2 時間おきに行う **根拠** 体位変換の頻度は原則 2 時間であるが，ウレタンフォームマットレス使用時は 4 時間以内でもよい．褥瘡の治癒状況，夜間の睡眠の確保と介護負担状況をみながら，必要時自動体位変換機能付きエアマットレスの導入を検討する
●全身清拭	●皮膚の清潔と循環を良好に保つため，訪問時に全身を清拭する．同時に皮膚をよく観察する
EP 教育・調整項目 ●褥瘡予防方法の説明	●同一姿勢を長時間とらない，食事を十分にとる，失禁状態を放置しないことを本人と家族に説明し，適切なケアで褥瘡は治癒することを伝える

2

看護課題	看護目標（目標達成の目安）
#2【座位の維持・促進】残存機能，高い介護力，在宅療養継続への強い意向を活かし，座位を維持・促進する	1) 座位機能を維持する（1週間） 2) 1日の中で座位時間と臥位時間を適度にとれる（1か月） 3) 自分でできる日常生活動作を維持し，拡大できる（2か月）

援助の内容	援助のポイントと根拠
OP 観察・測定項目 ● ベッド上の動き，起居動作，関節可動域 ● バイタルサイン ● 日常生活動作の実施状況 ● 機能訓練の内容	⮕ 寝返りやベッド上での腰の挙上状況，上下肢関節可動域を把握する ⮕ 血圧，脈拍，呼吸数，特に座位・体動時の変化の有無を把握する　**根拠** 臥位時間が長いため起立性低血圧のリスクが高い ⮕ 1日の臥位時間や座位時間の長さ，食事摂取，歯磨きなど座位での生活動作の自立状況を把握する ⮕ 理学療法士による機能訓練の内容や到達状況を把握する
TP 直接的看護ケア項目 ● 訪問時の関節可動域・座位訓練 ● 自分でできる生活行動の促進 ● 座位時間の確保	⮕ **連携** 理学療法士による機能訓練内容をふまえ，訪問時に関節可動域訓練や座位訓練を段階的に進める　**根拠** 関節可動域訓練は拘縮のある左下肢は他動運動，他の部位は自動介助運動，自動運動と進める ⮕ **強み** おむつ交換時には促して腰を挙上してもらう．整髪，ひげ剃りなど上肢を使った生活行動など自分でできるように促す ⮕ **強み** 食事以外のときにも座位をとることを勧める．訪問時に座位をとらせる他，訪問介護時にも座位時間をとるようにする　**根拠** 座位時間を確保することは褥瘡，便秘，せん妄の予防にも効果がある
EP 教育・調整項目 ● 残存機能を活かす意義と方法の提案 ● 生活の目標の設定	⮕ **強み** 臥床時間が長いことで，機能低下が起こる悪循環となることを本人と家族に説明し，家族の声かけと自分で動いてもらうことを勧める ⮕ **強み** 本人の居室で家族もともに食事をとることを提案する　**根拠** 人と食事をすることで，食事を楽しみ，座位時間を延ばせる可能性がある

3

看護課題	看護目標（目標達成の目安）
#3【便秘】不活発な生活により，便秘がみられている	1) 2, 3日に1回排便がみられる（2週間） 2) 自然排便が規則的にみられる（1か月）

援助の内容	援助のポイントと根拠
OP 観察・測定項目 ● 排便状況，排便コントロール状況 ● 排泄動作	⮕ 排便時間，量，回数，便の性状，腹部膨満感の有無，腸蠕動音，排ガス，摘便・浣腸の実施状況，下剤の服薬方法・副作用を把握する ⮕ 便意・残便感・腹痛の有無，おむつ内の排泄かどうか，ま

20 生活不活発病（廃用症候群）

	た腹圧のかけ具合を把握する
●食事・水分の摂取状況 ●体位・姿勢・動作	⮕食事の量，内容，水分摂取量を把握する ⮕寝返り・座位になる回数，床上での動きを把握する
TP 直接的看護ケア項目	
●排便コントロール	⮕側臥位で膝を屈曲してもらい，便を出すタイミングでいきんでもらう，摘便を行う．便意がない場合は腹部マッサージや温罨法を行う **根拠** 便が直腸に降りていない場合は刺激性下剤の服用や浣腸を行う **連携** 排便介助は体格が大きいこと，ごみ処理の点から介護者の負担感が強いため，看護師やヘルパーが対応できるようタイミングを考える
EP 教育・調整項目	
●動作の拡大の提案	⮕ **強み** 座位時間をとる，座位になってお茶を飲む，臥位時には寝返りを行うなど身体を動かすことを勧める
●食事・水分の摂取の提案	⮕ **強み** 十分な水分摂取と食物繊維や乳酸菌を含む食品摂取を勧める

4 看護課題	看護目標（目標達成の目安）
#4【せん妄のリスク】 不活発な生活により，せん妄のリスクが高い	1) 日中，覚醒することができる(1か月) 2) 興奮状態にならない(1か月) 3) 生活リズムが規則的になる(1か月)

援助の内容	援助のポイントと根拠
OP 観察・測定項目	
●せん妄症状	⮕過活動型のせん妄症状(興奮，不眠，多弁)と低活動型のせん妄症状(傾眠，緩慢さ)の有無，タイミング，持続性を把握する **根拠** 夜間は日中と比べ不安が増強しやすいため，せん妄の症状が強くなりやすい．このような夜間せん妄が高齢者に多くみられる
●服薬状況	⮕脳循環改善薬の服用状況を把握する
TP 直接的看護ケア項目	
●手浴，足浴の実施	⮕訪問時に洗面器に38〜42℃の湯を張り，手や足を5分程度つけ，石けんで洗いマッサージを行う **根拠** 手浴，足浴はリラックス効果をもたらし，不快感を軽減する
EP 教育・調整項目	
●生活リズムの確保と安心できる環境づくりの提案	⮕ **強み** 夜間の睡眠を確保するため，夜間の雑音，照明，室温などの環境づくりの方法を介護者と考える．昼夜逆転を予防するため日中は刺激を与え覚醒を促す必要があり，家族にも頻繁に声かけをしてもらう．疲労感がみられる場合は，短時間(30分以内)の睡眠を促す **根拠** せん妄症状には薬物療法を第1選択とすることは推奨されず，生活改善をまず図る
●訪問時の声かけ	⮕訪問時に話しかける．褥瘡処置，全身清拭，摘便などケアの際に声をかけ，安心感を与える **根拠** 不安感により，せん妄症状が引き起こされる

| STEP❶ アセスメント | STEP❷ 看護課題の明確化 | STEP❸ 計画 | **STEP❹ 実施** | STEP❺ 評価 |

強みと弱みに着目した援助のポイント

強みに着目した援助
- 腰を挙上する，寝返りをする，食事動作ができるなどの残存機能を活かし，自分でできる生活行動を促進する．
- 家族の介護体制が手厚いこと，サービスが多く導入されていることを活かし，座位時間を確保する．
- 家族に適切な声かけをしてもらうことで，日中は刺激を与え覚醒を促し，生活リズムを整え，せん妄症状が起こらないようにする．
- 起居動作を拡大することで，現在みられている症状（褥瘡，便秘，せん妄の徴候，軽度の関節拘縮など）の悪化予防や改善が期待できる．

弱みに着目した援助
- 褥瘡が複数箇所，新たに発生していることから，創傷の状態を的確にアセスメントし，適切な処置かを常に判断する．
- 生活の不活発さにより褥瘡がみられているため，適切な体位変換や姿勢を促し，新たな褥瘡が発生しないようにする．
- 生活の不活発さにより便秘がみられているため，家族の負担感を考慮し，摘便，浣腸，下剤の投与などによる排便コントロールを適切に行う．
- ケアや処置の際は，声をかけ，安心感を与えることにより，せん妄症状を予防する．

| STEP❶ アセスメント | STEP❷ 看護課題の明確化 | STEP❸ 計画 | STEP❹ 実施 | **STEP❺ 評価** |

評価のポイント

- 仙骨部の褥瘡が二次損傷を起こさず治癒しているか
- 尾骨部の褥瘡が消失しているか
- 新たな褥瘡がみられていないか
- 同じ体位が長時間続いていないか
- 皮膚組織にずれや圧迫が生じていないか
- 座位機能を維持しているか
- 1日の中で座位時間と臥位時間を適度にとれているか
- 自分でできる日常生活動作を維持し，拡大できているか
- 2，3日に1回排便がみられるか
- 自然排便が規則的にみられるか
- 日中，覚醒しているか
- 興奮状態になっていないか
- 生活リズムが規則的か

関連項目

第2章「14 フレイル」「15 大腿骨頸部/転子部骨折（大腿骨近位部骨折）」「16 関節拘縮」「17 認知症」「21 老衰」
第3章「25 家族の介護疲れ」

● 参考文献
1) 米本恭三監：最新リハビリテーション医学　第2版．医歯薬出版，2005
2) 折茂賢一郎ほか：別冊「総合ケア」廃用症候群とコミュニティケア．医歯薬出版，2005
3) 千野直一監：現代リハビリテーション医学　第2版．金原出版，2004

21 老衰

老衰の理解

老衰におけるエンドオブライフケア

1）老衰（senility）の定義
- 加齢によって身体を形成する細胞や組織の能力の低下が全身性に生じるため，恒常性と生命活動の維持が困難になること．特定できる疾患がなく徐々に生命徴候が弱って，やがて死に至ったときに老衰死とよぶ．

2）老衰によるエンドオブライフの経過と背景
- 調子がよくなったり悪くなったりする中で死を迎えるため，具体的な予後の予測ができない．
- がんなどの悪性疾患と異なり老衰の死への軌跡は緩やかであるが，窒息や誤嚥により周囲の予測に反して急に死に至ることもある．
- 老化の進行により，食事がとれなくなり活気が低下し，るい痩が進行するが，過度な栄養・水分補給は苦痛となるというのが通説である．食べられない，飲めないという状況による脱水状態は，苦痛も少ないとされている．

老衰における在宅でのエンドオブライフケア

1）在宅看取り意識の統一
老衰に対して，在宅看取りを想定する場合には，急な変化があっても「自然に委ね，在宅で看取る」ということを家族・支援の関係者が意識統一しておくことが重要である．

2）苦痛緩和を優先する意識の統一
老化の進行により食事がとれなくなり，活気や意識の低下が進むが，その状態に応じて行われる点滴補液などの医療処置が本人の苦痛になっていないか多角的なアセスメントが重要である．

3）チームアプローチ
老化の進行によって起こりうる状況を，家族を含めた在宅ケアチームが予測・認識し，情報共有を密に行い，チーム全体で本人の苦痛の緩和を大前提にかかわる．

療養者・家族の特徴からみた援助・対策

1）独居者の場合
独居者が老衰による在宅でのエンドオブライフケアを選択する場合は，同居家族がいる場合と比べてより多くの準備と心構えが必要となる．本人の強い意思決定と意思表示が前提であり，緊急時の連絡体制等の構築とフォーマルサービス・インフォーマルなサポートを駆使した切れ目のない支援体制の構築が必要不可欠である．

2）老老介護の場合
65歳以上の高齢者世帯が増大する現在において，主介護者も高齢者であることが多く，老老介護による在宅看取りが多くなることが予測される．支援の対象者は，本人だけでなく主介護者である高齢家族の心身の健康にも十分な配慮と支援が必要となる．

3）介護者が2世代・3世代家族もしくは親戚がかかわる場合
介護者が2世代，3世代にわたる場合や親戚等がかかわる場合のマンパワーは大きく，在宅エンドオブライフケアを進めるうえで安心・安全の確保に大きな力となる．一方で，関係する家族員それぞれのエンドオブライフケアへの考え，看取りへの思いといった意識の違いによる軋轢が時には在宅看取りの障壁となることがあるため，関係する家族員の意識を統一させられるような支援を行う必要がある．

老衰に関連する社会資源・制度

1) **医療保険**
- 在宅訪問診療
- 在宅薬剤管理指導(薬剤師の訪問)による疼痛コントロール薬の調整など

2) **介護保険**
- 居宅療養管理指導(医師,歯科医師,薬剤師,看護師,管理栄養士,歯科衛生士)による在宅看取り支援への様々な調整と指導
- 居宅介護支援(ケアマネジャーによる介護サービス計画の作成・調整)
- 訪問介護による日々の生活支援
- 訪問リハビリテーションによる症状マネジメントと関節可動域維持へのケア
- 福祉用具利用

3) **地域住民等による見守り,安否確認**
- 民生委員や隣人,自治会,地域ボランティアによる訪問,電話による安否確認,緊急時対応

老衰をめぐる訪問看護

訪問看護の視点

1) **療養者をみる視点**
- 療養者本人の意思が尊重されるよう看取りの方法や場を選択できるよう意思決定への支援が重要である.
- ケアチーム内で症状マネジメント,症状予測に関する情報共有と連携が重要である.
- 本人の苦痛がどこにあるのかを丁寧に見極める.
- 本人の心身の機能が低下する中で,本人ができることやしたいことは何かを探り続ける.
- 本人の今の望みは何かを常に考え,多職種専門家や家族と共有することが重要である.

2) **支援のポイント**
- ケアチームに本人の心身の変化と予後予測に関する情報を提供する.
- 褥瘡など本人の苦痛となる症状悪化の進行を防ぐ.
- 本人の日々の心身の変化に対する家族の不安に寄り添う.
- 家族(きょうだい親戚)間での看取りへの意識の相違を調整し支援する.
- 本人の望みを聞き取り,最後までその意思が反映され,満足いく生活を送れるようかかわる.

● **状態別:療養者をみる視点と支援のポイント**

状態	療養者をみる視点	支援のポイント
老衰が進み看取り期へ移行すると判断される状態	老衰により食事摂取量が減少し気力の低下が顕著になってくるため,活動耐性が低下し生活不活発病(廃用症候群)が一気に進む.よって,褥瘡や誤嚥性肺炎などの発生を予防する視点が重要になってくる.また,本人の意識のあるうちに希望を聴取し意思決定を促す視点も重要である.	●寝たきりの状態になってくるため,体位変換や除圧などのケアと介護者への教育を行う. ●誤嚥予防を意識した食事,水分摂取介助を検討・実施する. ●予後を想定した本人の意思決定を支援し家族の思いを把握する.
老衰による臨終があと数日内と予測される状態	老衰により様々な生命徴候が低下しつつある状況である.反応が乏しくなり意識低下,血圧や尿量も低下してくるため,急な呼吸停止も想定	●できるだけ本人の苦痛を軽減する. ●急な呼吸停止も想定して,緊

状態	療養者をみる視点	支援のポイント
	のうえ，家族にこころの準備を促すことが重要である．	●急時連絡先を把握する． ●家族へのグリーフケアを行う．

訪問看護導入時の視点

- 老衰によって全身の活動耐性が低下するとともに嚥下機能も低下し，食事摂取も難しく低栄養状態が続き褥瘡発生リスクは非常に高い．加えて，誤嚥性肺炎の発生リスクも高くなるため，本人の苦痛を増大させない支援体制をつくる．
- 関節拘縮が進むと体位変換時の疼痛などによる苦痛が増大するため，関節可動域の維持や安楽な体位の保持といった視点が重要である．
- 老衰の予後は予測が難しく，急な変化により臨終を迎えることもあるため，家族の心構えと緊急時の連絡・対応の体制を構築しておく必要がある．

STEP ❶ アセスメント　STEP ❷ 看護課題の明確化　STEP ❸ 計画　STEP ❹ 実施　STEP ❺ 評価

情報収集

	情報収集項目	情報収集のポイント
疾患・医療ケア	**疾患・病態・症状** □疾患の症状 □疾患の経過，予後	⮕心身の機能低下の状態が生命の危機にどれくらい関与する状況か ⮕心身の状態の衰えにより本人の意識や生命徴候がどう変化しているか
	医療ケア・治療 □服薬 □治療 □医療処置	⮕誤嚥することなく服薬ができるか ⮕補液による身体の変化，苦痛緩和を目的とした関節可動域訓練等の実施の効果はどうか ⮕皮膚トラブル等を悪化させないように何らかの早めの予防的処置が必要な状態か
	全身状態 □発達段階 □呼吸・循環状態 □摂食・嚥下・消化状態 □栄養 □排泄状態 □筋骨格系の状態 □感覚器の状態 □皮膚の状態 □認知機能 □意識 □精神状態	⮕「自己統合」*に向けてどのようなことを今後望むのか ⮕呼吸困難感や喘鳴が増強していないか，血圧低下，頻脈はないか ⮕食欲はあるか，誤嚥はしていないか，腸蠕動音の変化 ⮕食事摂取，飲水ができるか，その量と回数の程度と量の変化 ⮕尿量の変化，排便の回数と便の性状 ⮕関節可動域の状態，体位変換時の疼痛，座位保持の時間 ⮕問いかける言葉は聞こえているか，痛みの訴えはあるか ⮕皮膚や粘膜の損傷はないか，それに伴う痛みはないか ⮕問いかけに対する返答内容のつじつまがあっているか ⮕自らの意思を発言できるか，問いかけに開眼するか ⮕錯乱，妄想，幻覚，せん妄といった状態にないか
活動	**移動** □ベッド上の動き □起居動作	⮕寝返りを自分でできるか，更衣やおむつ交換時に自分で手足をどれくらい動かせるか ⮕自分でベッド柵を持って起き上がれるか，座位や立位保持は可能か

*エリクソンの発達段階で，老年期の課題の1つとして「自己統合」が示唆されている．これまでの人生を振り返り，自分の人生を受け入れ，肯定的に統合することができれば，自らの死も受け入れられるという考え方である

	情報収集項目	情報収集のポイント
活動	□屋内移動 □屋外移動	● 立位・歩行，つたい歩きが可能か，どの程度の介助が必要か，車椅子移乗が可能か ● 外出への意欲はあるか，座位保持時間はどの程度か
	生活動作 □基本的日常生活動作 □手段的日常生活動作	● 食事，排泄，更衣，整容動作の遂行状況はどうか ● 掃除，洗濯，金銭管理，食事準備の遂行状況はどうか
	生活活動 □食事摂取 □水分摂取 □活動・休息 □生活歴 □嗜好品	● 経口摂取の量はどうか．その他の栄養補給方法（経管栄養，点滴等）を行っているか ● 水分摂取の量はどうか．誤嚥していないか．水分摂取の内容（水，茶，その他）はなにか ● 日中どの程度覚醒して座位や離床できているか．日中の覚醒状況，夜間の睡眠時間，昼夜逆転していないか ● これまでの職業や生活環境，習慣にしてきたことは何か ● どのような物であれば口にしたいと思っているのか，本人が今の生活で希望することはなにか
	コミュニケーション □意思疎通 □意思伝達力	● 周りからの問いかけに反応し，その内容を理解することができるか ● 周りからの問いかけに対して，返事をすることができるか
	活動への参加・役割 □家族との交流 □近隣者・知人・友人との交流 □外出 □社会での役割 □余暇活動	● 介護家族との関係性，会話はどの程度か ● 近隣者の訪問，友人の訪問，電話での会話はあるか ● 受診や買い物，楽しみのための外出をしているか ● 自分の立場，役割をどのように感じているか ● 楽しみの時間，趣味の活動や笑顔になる機会があるか
環境	療養環境 □住環境 □地域環境	● 室内に，転倒せず移動できるように手すり等が設置されているか，療養の場から外の空気や景色を見ることができるか，におい（悪臭）などはしないか ● 受診のアクセスはどうか，買い物のできる店までの距離はどうか，静かな環境か，道路や電車の音は聞こえないか
	家族環境 □家族機能 □家族の介護・協力体制	● 主介護者の健康状態とその他の家族との関係性，交流の程度はどうか ● 副介護者の存在，他の家族関係者らからの支援状況はどうか
	社会資源 □保険・制度の利用 □保健医療福祉サービスの利用 □インフォーマルなサポート	● 高額医療・介護療養費の申請はしているか．特別訪問看護指示書は出ているか ● 訪問介護，訪問看護，訪問リハビリテーション，福祉用具貸与，訪問入浴などの介護サービス利用状況はどうか ● 民生委員，近隣住民からのサポート状況，ボランティアの利用状況はどうか

21 老衰

情報収集項目	情報収集のポイント
環境 経済 □世帯の収入 □生活困窮度	● 年金額，介護者の収入はどの程度か ● 医療費・介護サービス利用費の支払い状況はどうか．食費は十分か．家賃や光熱費は滞っていないか
理解・意向 志向性（本人） □生活の志向性 □性格・人柄 □人づきあいの姿勢	● どのようなことに楽しみや喜びを感じているか ● 自らの意思や希望をはっきりと伝える性格か，遠慮しがちな性格か ● 他者とのかかわりへ興味や関心があるか
自己管理力（本人） □自己管理力 □情報収集力 □自己決定力	● 痛みやしんどさを自ら訴え，受診や服薬の行動へつなげられるか ● 活用できる医療・介護サービスについての情報を得て，それらの情報を活用して日常生活を確立することができるか ● 自らの心身の状態を考えて，どのような医療・介護サービスの利用がよいか考えることができるか
理解・意向（本人） □意向・希望 □終末期への意向 □疾患への理解 □療養生活への理解 □受けとめ	● これから先の生活へどのような希望をもっているか．今，自分の置かれている状況に対してどのように感じているか ● この先，自分の最期の時を迎える場所は自宅がよいか，病院がよいと考えているか，どのようなことを大切にしてほしいか ● 自分の身体状況をどの程度理解できているか ● 自分自身の現在の生活による健康障害発生リスク等を理解しているか ● これから先の療養や予後についてどのように考えているのか
理解・意向（家族） □意向・希望 □感情 □疾患への理解 □療養生活への理解 □生活の志向性	● 本人にどのような生活を送ってもらいたいと考えているのか．家族の願いは何か．最期の時をどこで迎えさせたいと思っているのか ● 現在の介護における思い，これから先のことをどのように感じているのか，葛藤，悲嘆，焦りはないか ● 予後や今後の本人のたどる経過についての理解はどの程度か ● リスクや留意すべき点を理解しているか ● 本人とどのような生活を続けていきたいか．生活で大切にしていることは何か

事例紹介

老衰により心身機能が低下してきている終末期の超高齢者の例

Keywords 老衰，関節拘縮，食事量減少，エンドオブライフケア，家族支援，褥瘡，疼痛，高齢女性

〔基本的属性〕女性，95歳
〔家族構成〕75歳の長女と同居
〔主疾患等〕老衰（生命機能の低下）
〔状況〕90歳頃までは自宅の庭の畑で野菜を育てることを生きがいに自立した生活をしていた．4年前に畑仕事中に転倒し腰椎圧迫骨折．その後，体動時の痛みがとれずベッドで過ごすことが多くなった．徐々に関節拘縮が進んできており，体位変換時や更衣時には苦痛様顔貌となることが多い．1か月ほど前から好きな果物もあまり口にしたがらず，水分も受け付けなくなってきている．長期間の臥床により仙骨部や踵部に発赤がみられてきている．

情報整理シート

疾患・医療ケア

【疾患・病態・症状】
主疾患等：老衰（生命機能の低下）
病歴：糖尿病（50歳〜内服治療），アルツハイマー型認知症（89歳〜），腰椎圧迫骨折（90歳）
経過
- 50歳　糖尿病の指摘を受け内服治療開始．現在コントロール良好
- 89歳　物忘れや火の元の不始末が続き受診の結果，アルツハイマー型認知症の診断を受ける．
- 90歳　畑仕事中に転倒し，腰椎圧迫骨折にて2か月入院（保存治療）．体動時の痛みは消えず徐々に不動状態となった．
- 93歳　ベッド上での生活が多くなり，受診が困難となり身体管理，褥瘡予防，関節可動域訓練の目的で訪問看護導入となった．
- 95歳　1か月前から傾眠傾向となり，看取り期に入っていると主治医の往診時に家族へ伝えられ，延命処置は行わず，在宅で看取る方針で家族・主治医間で合意している．訪問看護は現在，輸液，関節可動域訓練，褥瘡予防，排便処置のため週3回訪問している．

【医療ケア・治療】
服薬：緩下剤（ミルマグ）
　　　　鎮痛薬（カロナール）
医療処置：週3回生理食塩水（500 mL）皮下点滴
訪問看護内容：褥瘡予防処置，関節可動域訓練，摘便処置，清拭，口腔ケア，家族支援

【全身状態・主な医療処置】

血圧：80〜90/50 mmHg
脈拍：90〜100/分（不整あり）
体温：37.0℃
呼吸数：20/分
呼吸音：痰貯留あり，ときおり喘鳴あり
SpO_2：93〜95%

身長：152 cm
体重：35 kg
BMI：15.2

排便：便秘のため週2回摘便．便意の訴えなし
排尿：おむつ内失禁　尿意の訴えなし

基本情報
年齢：95歳　　性別：女性
要介護度：要介護5
障害高齢者自立度：C2
認知症高齢者自立度：Ⅱb

- 終日傾眠傾向だが，体位変換時に開眼し苦痛様顔貌になる．問いかけには，小さい声で反応することもある
- 食事：1日数回一口大に切った果物を口にする程度　水分：長年飲んでいるヤクルトは好んで飲むが，水はあまり進まない．脱水傾向にある
- 筋骨格系の状態：両股関節拘縮あり，おむつ交換時に疼痛あり，円背あり，膝関節30度屈曲ができ伸展できない，肘関節軽度屈曲のままで伸展できない．四肢関節拘縮あり，関節拘縮予防ケア実施
- 皮膚の状態：仙骨部，踵部発赤　ブレーデンスケール9点，(DESIGN-R) D1-E1-S0が続いておりテガダーム™を貼付して経過観察中

活動

【移動】
ベッド上：自力で体位変換はできない．長女が2時間おきに夜中も体位変換．ギャッチアップ30度までは疼痛なくできる．30度以上のギャッチアップでは疼痛が増強する．座位は腰痛と股関節痛が強く難しい．終日ほぼ臥位で過ごしている．

【活動への参加・役割】
家族との交流：娘の声かけには反応し，「食べたくない」「ヤクルト」といった程度の会話はあるが，自ら発語することはほとんどない．孫が週2回訪ねてくると，笑顔になる．
近隣者・知人・友人との交流：長年自らがつくった野菜を近所の人に配り歩いていたため，本人を慕う隣人が多く，ときおり様子を見に訪れるが，会釈をしたり，「ありがとう」という．
外出：外出できていない．2か月ほど前には夫のお墓参りに行きたいと話すことがあったが，今は何もいわない．
社会での役割：近所の人に自分がつくった野菜を届けるのが楽しみであった．
余暇活動：終日寝室でラジオがついているが，聴いているのかはわからない．時々畑を気にする様子は見受けられる．

【生活活動】
食事摂取：2週間前から一口大の果物を多くて1日10切れ食べるのみ．食事を口に運んでも口を開けないことがある．
水分摂取：水は嫌いで緑茶を200 mL/日，ヤクルト1本程度/日
活動・休息：1日中ベッド上で，傾眠傾向で閉眼している．
生活歴：郵便局員の夫を支えながら長男長女を育て上げた．主婦であったが，家の庭に畑を耕し，家計を助けていた．子どもたちが独立してからは，近所の人に自分の畑でとれた野菜を配り歩くのが何よりの楽しみであった．夫と建てた自分の家が何よりの自慢であり，丁寧に掃除をしていた．「家でぽっくり逝けたら」と口癖のようにいっていた．
嗜好品：いちご，スイカ，ぶどうといった季節の果物が好きで今でも果物であれば比較的好んで食べる．昔から日本酒が好きだったが，最近は口にしたいといわなくなった．

【生活動作】

基本的日常生活動作

食動作	介助者が一口大の果物を口に入れると食べる
排泄	おむつ内失禁
清潔	訪問入浴2回/週，適宜清拭
更衣整容	更衣，整容，口腔ケア全介助（1日3回）
移乗	全介助（訪問入浴時のみ）
歩行	実施できない
階段昇降	実施できない

手段的日常生活動作

調理	家族が実施
買い物	家族が実施
洗濯	家族が実施
掃除	家族が実施
金銭管理	家族が実施
交通機関	利用しない

【コミュニケーション】
意思疎通：反応は遅いが受け答えは可能．
意思伝達力：自らの意思を自発的に伝えることはほとんどないが，家族の問いには短い言葉で応じることが多い．孫や近隣の人が訪問してきた時には，「ありがとう」と声を出し，笑顔になる時もある．関節可動域訓練時，痛みが強いと「いや」と声を出すことがある．
ツールの使用：なし

21　老衰

第2章 健康障害別看護過程　4. エンドオブライフ

環　境

【療養環境】

住環境：築60年の平屋一軒家
娘と同居（寝室は別室）
縁側から庭の畑がみえる．

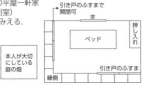

地域環境：古くからの住宅が立ち並ぶ静かな住宅街．スーパーまでは徒歩10分程度で，生活には困らない．在宅看取りには積極的な医師が比較的多い地域で夜間でも往診に対応してもらえる．
地域性：近所づきあいが強く，隣人の病気や介護の問題等もお互いによく知っている．困ったときには助け合う．

【ジェノグラム】

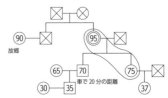

【家族の介護・協力体制】

長女は介護教室にも通うほど介護に意欲的で介護力が高い．
長男や孫の介護支援も十分に望める．
家族関係，きょうだい仲は，とてもよい．

【社会資源】

サービス利用：

	月	火	水	木	金	土	日
AM	訪問看護	訪問介護	訪問介護	訪問介護	訪問看護	訪問介護	
PM	訪問介護		訪問看護	訪問入浴	訪問介護		

保険・制度の利用：介護保険，後期高齢者医療，特殊寝台，褥瘡防止用具（三角枕）貸与

【エコマップ】

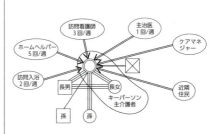

【経済】

世帯の収入：本人は遺族年金
生活困窮度：経済的余裕あり．

理解・意向

長男

車で30分の所に住んでいる．仕事帰りや，休日には頻繁に顔を出し，母の食べられそうなものを差し入れる．

姉が一緒に住んでくれるようになって安心している．母には何としてもまだ元気でいてほしい．できるだけの支援をしたい．

本人

（過去の発言）自分以外誰も気にしないから畑が気になる…

（問いかけると）何もほしくないし，食べたくない，寝かせてほしい

（過去の発言）身体を動かすと痛むが，入浴すると痛みが楽になる

（過去の発言）家でぽっくり逝きたい

自宅に愛着があり，家で暮らしたい．

【志向性】

生活の志向性：元々自宅庭の畑仕事が生きがい．家族を第一に考えた生活を送ってきた
性格・人柄：物静かな性格で，人の悪口を決していわない
人づきあいの姿勢：自分のつくった野菜を近所に配り歩いていた．今でも近所の人が顔を見せてくれると笑顔になることがある．孫のことをとても可愛がっている

【自己管理力】

自己管理力：自己では不可
情報収集力：自己では不可
自己決定力：問いかけると，希望を伝える力は残っている

長女
キーパーソン
主介護者

母はこれまで自分たちのためにいろいろと手をかけてくれた．今度は私が母の希望に寄り添いたい

母は衰弱しており，在宅で看取ること，延命処置はしないことを決めているので長くはないと理解している

弟は母の容態をどこまで理解しているのか…

おばあちゃんの畑の野菜は美味しかった．おばあちゃんも気がかりだろうな…．おばあちゃんの世話を手伝いたい

独立して近所に住む孫も週2日は様子を見に訪れる．療養者も孫に会うと嬉しそうにする．

総合的機能関連図と看護課題

看護課題

- **#1 疼痛**
- **#2 褥瘡のリスク**
- **#3 自尊心の維持・促進**
- **#4 在宅看取りの維持・促進**

解釈・判断

#1 疼痛
- 関節拘縮による四肢関節の疼痛がある
- 自分で身体を動かすと痛む
- 関節拘縮により、心身機能の低下が進んでいる

#2 褥瘡のリスク
- 低栄養、長期臥床によりより衰弱がある
- 長期臥床により、心身機能の低下が進んでいる

#3 自尊心の維持・促進
- 意思を表出できる
- 意識がある
- 周囲のことに関心がある

#4 在宅看取りの維持・促進
- 主介護者の介護力が高い
- 主介護者の在宅看取りへの意欲が高い
- きょうだい間で予後の見通しに相違がある

情報の選択

疾患・医療ケア
- 体位変換時に苦痛様顔貌を見せる
- おむつ交換時に疼痛を訴える
- DESIGN-R D1-E1-S0
- テガダーム™で保護
- ブレーデンスケール9点
- 円背
- 腰椎圧迫骨折
- 鎮痛薬
- 皮膚発赤
- 経口摂取量が減少し栄養不良
- 四肢関節の疼痛
- 四肢関節拘縮
- 関節可動域訓練
- 脱水傾向
- 認知機能低下
- アルツハイマー型認知症
- 失禁、おむつ交換
- 便秘
- 摘便
- 皮下点滴
- 「暖かせてほしい」

活動
- 痛みがあると「いやっ」と言える
- 食事の時間以外は畑のことを気にかけている様子がある
- 関節可動域訓練は抵抗する時もある
- 自らの体位変換は難しく不動状態
- 長女：夜中も2時間ごとに体位変換している
- 娘の声掛けには応じることが多い
- 孫が訪ねてくると笑顔になる
- 近所の人が訪れると眼し笑顔になることがある

環境
- 訪問介護
- 訪問入浴
- 訪問診療
- 訪問看護
- 経済的余裕あり
- 遺族年金
- 自慢の持ち家
- 縁側から庭の畑が見える
- 長女は介護教室に通っている
- 孫「週2日訪問してくる」

理解・意向
- 孫「祖母の世話を手伝いたいと思っている」
- 「家でぼっくり逝きたい」
- 長女「母は長くないと理解している」
- 長女「母には長くまだ元気でいてほしい」
- 長男「母の希望に寄り添いたい」

凡例
- 橙：強みと読む解釈・判断
- 青：弱みと読む解釈・判断
- → 強みを示す矢印
- → 弱みを示す矢印

21 老

第2章 健康障害別看護過程　4. エンドオブライフ

STEP ① アセスメント　STEP ❷ 看護課題の明確化　STEP ③ 計画　STEP ④ 実施　STEP ⑤ 評価

看護課題リスト

No.	看護課題　【コード型】文章型	パターン
#1	【疼痛】長期臥床により全身の関節拘縮が進行し，体位変換時の疼痛がみられている	問題着眼型
	根拠 腰椎圧迫骨折後の長期臥床により全身の関節拘縮が進行しており，今後これまで以上に体位変換時の疼痛が増悪し安楽な生活が阻害されないようなケアが必要である．	
#2	【褥瘡のリスク】長期臥床により発赤がみられ，褥瘡悪化のリスクが高い	リスク着眼型
	根拠 長期臥床による心身機能の低下，低栄養，脱水があり褥瘡悪化のリスクが高い．	
#3	【自尊心の維持・促進】本人の意思が表出されていることを活かし，自尊心を維持・促進する	強み着眼型
	根拠 自分が大切に守ってきた庭の畑に対する思いが表出されたり，近所の人や孫の訪問に笑顔になったり，本人の意思が表出できていることから，自尊心を維持・促進できる可能性がある．	
#4	【在宅看取りの維持・促進】家族の高い介護力を活かし，在宅看取りを維持・促進する	強み着眼型
	根拠 介護負担の増大による不安もあるが，娘は母を自宅で看取りたいという意思が強い．最後まで介護を継続し，満足のいく看取りを行うことが必要である．	

【看護課題の優先度の指針】老衰(生命機能の低下)によって，徐々に食事や水分がとれなくなり，臨死期に差しかかってきている．傾眠傾向にあるが，関節拘縮の進行による関節痛が苦痛をもたらしている．よって，第一の優先課題として#1【疼痛】とした．次いで長期臥床により褥瘡悪化のリスクが高まっており，これ以上の苦痛と家族の介護負担を増やさないために#2【褥瘡のリスク】とした．さらに本人の思いに沿った人生の締めくくりができるように#3【自尊心の維持・促進】，本人の最期の時間に介護者が寄り添えることが重要であるため#4【在宅看取りの維持・促進】という課題を挙げた．

長期目標

老衰により身体機能が低下していく中，長期臥床による苦痛を最低限にとどめながら，在宅での最期の時間を家族とともに送ることができる．

根拠 経口摂取が難しくなり，全身の身体機能と気力の低下がみられていることから終末期にある．傾眠傾向と長期臥床による苦痛や弊害がみられているが，家族の介護力も高く，支援により在宅での最期の時間を家族とともに送ることができる．

〈長期目標を共有するケアチーム〉
フォーマルサービス：ケアマネジャー，訪問看護師，主治医，ホームヘルパー，理学療法士，訪問入浴担当者，福祉用具担当者
インフォーマルなサポート：長女(主介護者)，長女の子(別居)，長男(別居)，近隣住民

| STEP❶ アセスメント | STEP❷ 看護課題の明確化 | **STEP❸ 計画** | STEP❹ 実施 | STEP❺ 評価 |

1 看護課題

看護課題	看護目標（目標達成の目安）
#1【疼痛】 長期臥床により全身の関節拘縮が進行し，体位変換時の疼痛がみられている	1）関節可動域訓練を拒否しない（1週間） 2）関節拘縮が進行しない（2週間） 3）関節痛が軽減する（2週間）

援助の内容	援助のポイントと根拠
OP 観察・測定項目 ● 関節可動域の程度 ● 起居動作	⊃ 股関節，膝関節，肩関節，肘関節，足関節といった大関節における関節可動域がどの程度か確認する　根拠 関節拘縮は日々進行するので，体位変換やおむつ交換の方法を検討するためにもこまめに可動域を確認する．起居動作の状況からも判断する
● 関節痛のレベルと疼痛の変化	⊃ 通常安静時，関節可動域訓練前後の疼痛の変化について，ペインスケールを用いて確認する　根拠 どのような肢位が安楽なのか，関節を動かす際どのような動きや可動域訓練であれば疼痛が増強するのか確認し，介護者全員が認識のうえ日々のケアに取り入れていく必要がある
● 表情	⊃ 疼痛の程度，本人の自発的な発言とともに表情の変化からも推測する ⊃ 疼痛による不眠がないかも把握する
TP 直接的看護ケア項目 ● 関節可動域訓練	⊃ 本人の反応をみながら，痛みを感じない範囲でゆるやかに実施する　連携 理学療法士から訓練の指導を受け，他の介護者も体位変換時やコミュニケーション時に実施するようにする　根拠 股関節の拘縮はおむつ交換が困難となり，肩関節の拘縮は更衣を困難にするため，家族や看護師など定期的にかかわる者が実施する必要がある
● 疼痛緩和のためのマッサージと温罨法 ● 鎮痛薬使用と疼痛コントロール	⊃ 不動の状態が続くほど関節拘縮が強まり疼痛が増強するため，疼痛緩和の温罨法やマッサージ等を取り入れる．鎮痛薬等の投与も併せて検討する　根拠 温罨法により血液循環を促進し，筋肉の緊張を和らげ，気持ちも穏やかにして鎮痛効果を促進させる
● 良肢位の保持	⊃ 体位変換やおむつ交換の後には，良肢位を保つ時間が長くなるように，訪問介護，訪問看護，家族全員が意識できるように情報共有する　根拠 良肢位を保つことにより，拘縮の進行を防ぎ，おむつ交換時の苦痛を増強させないようにする ⊃ 良肢位について，誰もが理解できるよう図示したものをおむつチェック票とともに置いておく
EP 教育・調整項目 ● 関節可動域訓練の必要性の説明	⊃ 関節可動域訓練による痛みを感じているが，関節を動かすことは拘縮悪化を防ぎ，疼痛を軽減させるために必要なケアであることを本人・家族ともに理解してもらえるように伝える ⊃ 家族にも体位変換やおむつ交換時に，関節拘縮予防のため2〜3回の股関節の回転運動など他動運動を行うよう説明する

2 看護課題 / 看護目標（目標達成の目安）

#2【褥瘡のリスク】
長期臥床により発赤がみられ，褥瘡悪化のリスクが高い

1) 皮膚発赤が消失する（2週間）
2) 新たな皮膚発赤や褥瘡発生の徴候がみられない（2週間）
3) 同一体位が長時間続かない（1週間）

援助の内容 / 援助のポイントと根拠

OP 観察・測定項目

- 皮膚の状態（発赤，皮膚色の変化，皮膚乾燥の状態）
- 栄養状態（血液データ，食事量）

  ⇒ 褥瘡の好発部位である仙骨，踵部，腸骨，大転子，肩甲骨周囲などの皮膚の状態変化と圧迫痛の有無を観察する
  ⇒ 栄養状態や脱水の程度（皮膚の乾燥状態）を確認する
  【根拠】栄養不良状態，脱水状態では褥瘡のリスクは非常に高まる

- 圧迫されている部位はないか確認し，疼痛出現の有無の確認
- 便・尿失禁による皮膚汚染の状況
- 皮膚湿潤の状況

  ⇒ 気がつかないうちに長時間同一部位が圧迫されている可能性があるため，定期的な観察が必要である
  ⇒ 定期的なおむつチェックにより排泄状況を確認する
  ⇒ 皮膚が湿潤状態にないかを確認する 【根拠】湿潤による脆弱性が増す

- 体位

  ⇒ 本人が苦痛なく保持できる体位を把握する

TP 直接的看護ケア項目

- 定期的（2時間ごと）の体位変換による同一部位の除圧

  ⇒ 日中はできるだけ2時間ごとに体位変換をする 【根拠】同一体位による圧迫が2時間以上続くと皮膚や皮下組織が血流障害によって虚血状況に陥り，壊死を起こすとされている
  【連携】家族の負担にならないよう訪問介護時にはホームヘルパーに体位変換を行ってもらう

- エアマットレスなど体圧分散寝具の導入

  ⇒ 夜間は2時間ごとの体位変換が難しくなる場合もあるので，体圧分散寝具を導入する 【根拠】継続的に除圧できる寝具を導入することで，徒手的な体位変換との複合的な予防策を講じることができる（寝具と皮膚の接する部分は血流障害を生じることも多いので，体圧分散寝具に頼りすぎず，必ず皮膚の観察も継続することが必要）

- 陰部の保清（陰部洗浄，おむつ交換）

  ⇒ 家族，訪問介護，訪問看護，訪問入浴間でおむつチェック票を作成し，時間配分を行いながら，定期的におむつ内の確認とおむつ交換を行い，排泄物と皮膚への付着時間を短く保ち清潔保持に努める 【根拠】便に含まれる消化酵素や排泄物の皮膚への付着により皮膚がアルカリ性となり脆弱性が増すため，できるだけ排泄物の付着時間を短くし，皮膚を清潔にしてアルカリ性へ傾かないように保つことが必要である
  ⇒ 排便がない日であっても，最低1日1回は訪問介護の際に陰部洗浄を行う．訪問介護のない日曜日は家族が陰部洗浄を実施する
  ⇒ 陰部洗浄を行った際にもおむつチェック票に記載し，確認できるようにする

- 皮膚（発赤部）の保護

  ⇒ 仙骨部や踵部など褥瘡のリスクの高い骨突出部は，皮膚発赤など色調の変化があった時点でポリウレタンなどの保護フィルム材を貼付するなどして保護する 【根拠】ポリウレタンフィルムは，湿潤環境を保ち細菌感染を防止する．また，便・尿失禁による皮膚のアルカリ化を防ぐことができる

EP 教育・調整項目

- 褥瘡予防の必要性と方法の説明

  ⇒ 【連携】関節拘縮があるため，体位変換は痛みを伴う時もあるが，2時間以上の同一体位による皮膚への局所的な圧力に

	より褥瘡発生リスクが高まることを，家族とホームヘルパーに説明する
	➡ 連携 家族とホームヘルパーに対し，肩甲骨や仙骨部，踵部などに褥瘡が発生しやすいため，特にそれらの部位の定期的な観察と長時間圧迫を避けるよう説明する

3 看護課題	看護目標（目標達成の目安）
#3 【自尊心の維持・促進】 本人の意思が表出されていることを活かし，自尊心を維持・促進する	1) 本人の意思・希望が表出できる（1週間） 2) 笑顔になる時間がもてる（1週間）

援助の内容	援助のポイントと根拠
OP 観察・測定項目 ● 表情，痛みの訴え，意識状態の変化，本人の日々の言動	➡ 意識状態の変化，苦痛様顔貌はないか，不安や疼痛など身体の状態について確認する 根拠 食事量が低下し，意識も低下してきており，急な変化が起こってもおかしくない状況であるため，常に意識状態の確認は必要である
● 今後の生活についての思いや不安	➡ 本人がこれから先のことをどのように考えているのか確認する（在宅で最期まで過ごしたいという思い，どこまで自分の身体状況を理解しているのか確認する）
● 家族に対する思い	➡ 家族との関係と現在受けている介護（介護サービス支援体制の状況も含め）に対する満足状況について確認する
● 睡眠状況，精神状態の変化	➡ 睡眠状況の確認，精神的不安定さの有無など 根拠 臨死期になるとせん妄などを発症する可能性もあるので精神状態や睡眠パターンの変化を確認する
TP 直接的看護ケア項目 ● 補助食品の検討	➡ 経口摂取を楽しめるように，ヤクルトなど本人の嗜好に合わせた誤嚥しにくい補助食品について検討し，楽しんで経口摂取できるようにする
EP 教育・調整項目 ● これまでの人生の振り返り	➡ 強み 今は何もできなくなってしまっているが，これまで畑仕事で家族や地域に貢献してきたこと，家族のことなど人生の統合に向けた会話を進める 根拠 老年期の課題である「絶望と統合」について，何もできなくなってしまったことを嘆き「絶望」の思いにとらわれることなく，自分の人生を振り返りながら，いい人生だったと考えられるように「自己統合」への支援を行う
● 意思を引き出す声かけ	➡ 強み 声かけに開眼したり表情を変えるようなことは，本人の希望や意思の現れなので，タイミングを逃さず声かけなどの対応を行う
● 本人の意向の実現化のための提案	➡ 強み 残りの時間を有意義に笑顔で過ごすためにはどのようなことが必要か，家族にも相談しながら実現していく
	➡ 畑を長年守ってきて大切にしてきたこと，今もまだ畑に対する思いは表出されているので，畑が見える場所で過ごせる時間をもつよう環境を整える
	➡ 本人は自宅に愛着があり家でぽっくり逝きたいといっていた．少しでも本人の意向に沿えるよう，本人が今はどう思っているのか，考えていることを表出するように促す

援助の内容	援助のポイントと根拠
●なじみの近所の人の訪問の勧め	➡ 強み 昔からのなじみの近所の人の訪問は，本人の意思や気力を向上させ，笑顔になれる時間をつくる 根拠 長年，自分のつくった野菜を配るなど，地域の人とかかわりながら暮らしてきたため，地域の人の訪問により気力が向上する可能性がある

4 看護課題	看護目標（目標達成の目安）
#4【在宅看取りの維持・促進】家族の高い介護力を活かし，在宅看取りを維持・促進する	1) 介護者が最期の時間を心穏やかに過ごせる（1週間） 2) 介護者が在宅看取りの意欲を維持する（1週間） 3) 介護者が安心して介護が続けられる（1週間） 4) 介護者が心身の不調を訴えない（1週間）

援助の内容	援助のポイントと根拠
OP 観察・測定項目	
●家族の介護に対する思い，表情	➡在宅看取りの心構え，どこまで在宅看取りの状況を理解しているのかについて確認する ➡現在の介護（介護サービス支援体制の状況も含め）の負担感や満足度について確認する
●家族の睡眠状況，精神状態の変化	➡家族がしっかり睡眠をとれているか確認し，不眠などの精神的不安定感がないかを把握する
TP 直接的看護ケア項目	
●家族へのストレッチ体操の実施	➡体位変換など長時間の介護で心身の疲労が蓄積していると想定し，簡単にできるストレッチ体操やリラクゼーション方法の情報を伝え，ともに実施してみることで心身を整えてもらう
EP 教育・調整項目	
●家族への声かけ	➡ 強み 家族の関わり方により，本人が笑顔になる時間が増えていることをフィードバックする ➡ 強み 本人がいまだに関心が強く，大切にしてきた庭の畑に関わることを本人に感じてもらいたいと思っている家族の思いに寄り添い，できることを支援する
●介護者の不安や悩みの傾聴	➡在宅看取りへの意思が揺らいでいないか，不安はないか，不明点はないか常に訪問時に声をかけて確認する
●主治医からの説明の場の調整	➡ 連携 医師に直接聞けない不安，緊急時の対応や体制等をともに話し合い，医師との話し合いの場を設定する
●今後の療養についての話し合いの場の調整	➡ 強み 主介護者の長女が1人で奮闘し孤立してしまうことのないように，他関係者・家族との話し合いの場や今後の相談ができる場を作れるよう調整，声かけを行う
●臨死期に向かう家族の受け入れ体制の調整	➡ 強み 看取りのパンフレットなどを用いながら，自然に臨死期へ経過する状況について理解を得るように説明し，安心できる体制をともに整える 根拠 急な変化も考えられること，その際の対処法をシミュレーションしておく 〈具体的な説明〉 ・意識低下，呼吸の変化など現在の状態変化は死の過程での自然な反応である ・意識低下の状態で苦痛様顔貌が続いても，あまり苦痛は感じていないこと（緩和されること）などを伝える

| STEP❶ アセスメント | STEP❷ 看護課題の明確化 | STEP❸ 計画 | **STEP❹ 実施** | STEP❺ 評価 |

強みと弱みに着目した援助のポイント

強みに着目した援助
- 主介護者の長女は介護力が高く，在宅看取り意欲も高いため，適切なサポートにより，その思いを低下させることなく在宅介護を継続できるように支援することで，本人の在宅で最期を迎えたいという希望を実現させる．
- 本人が大切にしてきた庭の畑への思いを大切にし，気力が低下する中で本人の重要な意思として尊重した支援を行う．
- 地域での本人の役割を最後まで感じられるように支援を行う．

弱みに着目した援助
- 経口摂取ができなくなり，傾眠傾向で活動耐性も急激に低下しているため，褥瘡を悪化させない．
- 全身の衰弱が進行しており，自力での体位変換が難しくなってきているため，関節拘縮が進行し関節の痛みが増大しないよう，苦痛を緩和する．

| STEP❶ アセスメント | STEP❷ 看護課題の明確化 | STEP❸ 計画 | STEP❹ 実施 | **STEP❺ 評価** |

評価のポイント

- 関節可動域訓練を拒否していないか
- 関節拘縮が進行していないか
- 関節痛が軽減しているか
- 皮膚発赤が消失しているか
- 新たな皮膚発赤や褥瘡がみられていないか
- 同一体位が長時間続いていないか
- 本人の意思・希望が表出できているか
- 笑顔になる時間がもてているか
- 介護者が最期の時間を心穏やかに過ごせているか
- 介護者が在宅看取りの意欲を維持しているか
- 介護者が安心して介護を続けられているか
- 介護者が心身の不調を訴えずに過ごしているか

関連項目

第2章「16 関節拘縮」「17 認知症」「20 生活不活発病(廃用症候群)」
第3章「25 家族の介護疲れ」

21 老衰

22 神経難病

神経難病におけるエンドオブライフケアの理解

神経難病におけるエンドオブライフケア

　神経難病は治療困難で進行性に増悪し，死を免れない状況に陥る疾患が少なくない．神経難病は，①予後予測が難しく，急性呼吸不全などによる急変から急速に終末期に陥る可能性がある，②症状の進行に伴い，療養場所や生命維持にかかわる医療処置など，難しい選択を迫られる，③コミュニケーション障害を伴うことが多い，という特徴から，早期の段階からエンドオブライフケアを意識した介入を行うことが重要である．終末期のケアとして多くの疾患に共通するものは，運動，呼吸，栄養，排泄などの障害や合併症への対症的ケア，苦痛緩和，コミュニケーション支援，意思決定支援，家族ケアが挙げられる．

神経難病における在宅でのエンドオブライフケア

- 疾患に特異的な症状（構音障害，嚥下障害，排尿障害，呼吸障害など）により，吸引，経管栄養，尿道カテーテル管理，人工呼吸器管理といった高度な医療処置，医学管理を提供する必要がある．
- 重度の四肢・体幹機能障害がある場合が多く，24時間の介助を要するため，家族の心身の負担を考慮し，十分な介護量を確保する必要がある．
- 生命の維持にかかわる重大な意思決定を支援する必要があり，その選択によって導入する医療やサービス内容が変化する．
- 神経難病患者の在宅療養は，複数の制度に保障され，かかわる機関や職種が多様である．よって，終末期における本人や家族の意向，状態の変化に適切に対応するには，多職種が役割分担し，制度を越えて連携する必要がある．

療養者・家族の特徴からみた援助・対策

1）独居者の場合

　神経難病患者が終末期に1人で生活することは，社会資源を活用してもなお，極めて難しい．そのため，状態によって自宅以外の療養の場の提案が必要であり，早期に療養場所について本人と話し合うことが重要である．そのうえで本人が終末期に自宅療養を希望する場合は，必要な医療，介護が切れ目なく提供できる体制を整える必要がある．特に緊急対応が遅れる可能性が高いため，予測しうる事態への対応方法をケアチーム内で確立しておく．

2）高齢者夫婦世帯の場合

　高齢者夫婦世帯では，主介護者が配偶者である老老介護であることが多い．この場合，主介護者は加齢による健康障害を抱えやすく，看取り意欲が高い場合でも，介護力が不足しがちである．在宅支援サービスやレスパイト支援の充実，インフォーマルな支援に加え，主介護者の健康管理が重要である．また，主介護者が疾患や障害を抱えている場合は，主介護者にも介護保険サービスの利用を勧めるなどの対応が必要である．

3）療養者が壮年期である場合

　40～50歳代の壮年期の患者は，病気の進行により職業人・家計支持者としての役割を果たせなくなることが多く，壮年期の発達課題である社会的役割の遂行が困難となる．ケア提供者は，社会的役割を喪失せざるをえない療養者の苦悩に寄り添い，これまでとは異なる役割の果たし方をともに考える．また，家族にとっても一家の大黒柱を失うことによる経済的不安・負担につながりやすいため，経済状況を把握し，経済的支援となる社会資源の活用を勧める必要がある．

神経難病におけるエンドオブライフケアに関連する社会資源・制度

1) 難病に特化した相談窓口
- 難病相談支援センター，難病医療拠点病院
- 保健所保健師

2) 医療処置，医学管理のための支援
- 訪問診療
- 医療機器（呼吸器や酸素ボンベなど）の貸出，医療機器業者による保守点検

3) 日常生活動作の介助
- 介護保険法による訪問介護，訪問入浴
- 障害者総合支援法による介護派遣
- 家政婦，ボランティア

4) 療養生活を支援する補装具・福祉用具などの貸与と購入支援
- 障害者総合支援法による補装具（装具，座位保持装置，オーダーメイドを含む車椅子，意思伝達装置など）の購入費の支給，日常生活用具（特殊寝台，特殊マット，移動用リフト，吸引器，パルスオキシメーターなど）の給付または貸与
- 介護保険法による福祉用具貸与，購入費用の払い戻し

5) レスパイトに利用できる通所・短期入所支援
- 介護保険法，障害者総合支援法による通所サービス，短期入所サービス
- 自治体の在宅重症難病患者一時入院事業による難病医療拠点病院などへのレスパイト入院

6) 経済的支援
- 障害者総合支援法による手当て，年金，重度心身障害者医療費助成，税金などの減免
- 難病法による医療費の公費負担

7) ピアサポート
- 家族会，患者会

神経難病をめぐる訪問看護

訪問看護の視点

1) 療養者をみる視点
- 急変の可能性を常に念頭におく．
- 意思決定支援では，療養者が「いかに死ぬか」ではなく「最期までどう生きるか」という視点を大切にする．
- 家族の介護力や看取り意欲が不可欠である．家族が主体的に実施していることを強みとして着眼する．
- 療養者は，複数の制度を組み合わせ，最大限の資源を活用している場合が多い．訪問看護師は，各専門職や資源の役割と機能を理解することが重要である．

2) 支援のポイント
- 生命維持に影響を及ぼす症状（呼吸障害，球麻痺症状，自律神経障害，排泄障害，栄養障害など）を評価し，症状マネジメントを行う．
- 全人的苦痛（身体，精神，社会，スピリチュアル）を評価し多職種と協働しながら緩和ケアを実施する．
- 意思決定場面では，療養者と家族の包括的な状況（知識，生活歴，志向性，発達課題，介護体制）を踏まえ，療養者や家族が主体的に思いや考えをまとめられるよう援助する．
- 療養者にかかわる多職種とのケア会議や連絡を緊密に行い，情報共有，支援体制の調整（社会資源の種類，利用頻度，利用時間），ケア方針（医療処置の実施，急変対応，看取りの計画）の認識の統一を図る．

●状態別:療養者をみる視点と支援のポイント

状態	療養者をみる視点	支援のポイント
気管切開や人工呼吸器装着をしていない(しない選択をしている)場合	気管切開や人工呼吸器装着をしない場合,呼吸・嚥下障害に伴う呼吸停止により死亡するリスクが高い.特に筋萎縮性側索硬化症(ALS)は強い呼吸苦を伴うため,積極的な緩和ケアを行う.呼吸苦が比較的少ない疾患(多系統萎縮症やパーキンソン病)でも,嚥下障害,声帯開大麻痺,呼吸筋強剛などに伴う肺炎や呼吸不全が好発するため,呼吸器合併症の予防や対症療法は重要である. なお,気管切開や人工呼吸器装着を一度拒否しても,意思が揺らぐ可能性がある. 終末期でも日常生活動作や全身症状の程度,意識レベルには個人差が大きい.	●呼吸状態,痰の貯留状況から呼吸器合併症のリスクをアセスメントする. ●苦痛症状を把握し,対症療法(体位の工夫,酸素療法,非侵襲的人工換気,モルヒネを含む鎮痛薬・抗精神病薬の使用など)について,医師,療養者・家族と検討し,苦痛緩和を図る. ●気管切開や人工呼吸器装着への療養者・家族の意向の変化がないか確認し,精神面の支援を行う. ●呼吸苦,死への恐怖,葛藤を理解し,療養者・家族の精神的ケアを行う. ●【胃瘻未造設の場合】栄養状態,飲水量を把握し,療養者・家族の経管栄養への意向について確認する.
人工呼吸器装着後の場合	人工呼吸器装着後の予後予測は困難であるが,通常,数年〜十数年の長い療養生活を経て,疾患の増悪や廃用に伴う複数の合併症により死亡する場合が多い.この場合,医療依存度,介護度が極めて高いため,家族の介護負担を考慮し,適切な社会資源が利用できるよう支援する.また,人工呼吸器装着後に,療養者・家族が葛藤する場合もあるため,心理的な支援も重要である.加えて,完全閉じ込め状態(totally locked-in state;TLS)や最小限のコミュニケーション状態への支援も重要である.	●人工呼吸器の異常やトラブルへの対処を他職種や家族が共通して行えるよう,指導・連絡体制を整える. ●合併症(肺炎,尿路感染,褥瘡,関節拘縮,敗血症など)の予防,対症療法を実施する. ●家族の介護力に応じた医療,介護サービスが切れ目なく提供できるよう,多職種と緊密に連携する. ●TLS状態下にある療養者の状況や心理を理解し,本人の尊厳・QOL維持,家族の精神的ケアを行う.

訪問看護導入時の視点

- 終末期の医療処置への療養者・家族の意思決定が明確にあるか,その際の説明内容や受けとめを情報収集し,療養者・家族の意向に添ったケア計画を立てる.
- 長い療養生活を経ている場合,ケア方法,サービス内容,ケア提供者などの変更は,療養者・家族に抵抗感や不安を生じさせる.そのため,支援内容や体制を変更する場合は,段階的にサービスを導入する.

STEP ❶ アセスメント　STEP ❷ 看護課題の明確化　STEP ❸ 計画　STEP ❹ 実施　STEP ❺ 評価

情報収集

情報収集項目		情報収集のポイント
疾患・医療ケア	**疾患・病態・症状** □疾患	➲神経難病の種類，既往歴，合併症(呼吸器感染症，尿路感染など)はないか
	□病態	➲神経難病の重症度，病期はどうか
	□疾患の症状	➲疾患に特異的な運動障害，嚥下障害，構音障害，呼吸障害，錐体外路徴候，自律神経症状(起立性低血圧，便秘，排尿障害，イレウス，発汗障害など)，精神症状(抑うつ，幻覚，妄想，認知症など)はあるか．随伴症状(不動や筋強剛に伴う疼痛，呼吸障害に伴う呼吸困難感など)はあるか
	□疾患の経過，予後	➲発症時期，経過，治療歴，入院歴，予後はどうか．訪問看護はいつ開始したか
	医療ケア・治療 □服薬	➲服薬の内容，頻度，効果，副作用はどうか，服薬方法(経口，坐剤，胃瘻からの注入)，服薬介助は誰がどのようにしているか
	□治療	➲対症的・緩和的治療(胃瘻造設，気管切開，人工呼吸器の装着，筋弛緩薬，鎮痛薬，抗不安薬，モルヒネの投与など)の方針は何か，受診・訪問診療の頻度はどうか
	□医療処置	➲吸引，経腸栄養，人工呼吸器や在宅酸素療法の管理，褥瘡ケアなどの内容，方法，頻度はどうか，医療処置の効果や副作用はどうか
	□訪問看護	➲訪問看護でのケア内容は何か，提供頻度や時間はどうか，複数の事業所が対応している場合，その役割分担はどうか
	全身状態 □呼吸・循環状態	➲肺活量，SpO_2，血液ガスデータ，呼吸困難感，副雑音，咳嗽の有無と程度，喀痰の量と症状，脈拍，血圧，体温，発汗，四肢冷感，体液貯留はどうか
	□摂食・嚥下・消化状態	➲食事形態(経口摂取，経管栄養か)はどうか，食事摂取の回数，嚥下機能はどうか，便秘になっていないか，排便量や排便回数はどうか
	□栄養・代謝・内分泌状態	➲低栄養か，体重の増減はどうか
	□排泄状態	➲残尿，排尿困難，尿閉，多尿はあるか，尿失禁や便失禁はあるか
	□筋骨格系の状態	➲筋緊張亢進，筋強剛，筋萎縮，筋線維束攣縮，関節拘縮はあるか，その程度はどうか，四肢，表情筋，まばたき，眼球などが随意的に動くか
	□皮膚の状態	➲褥瘡，創傷，湿潤・乾燥状態はどうか
	□認知機能	➲理解力，判断力，見当識はあるか，それらを判定できる反応があるか
	□意識	➲意識レベルはどうか
	□精神状態	➲不安，うつ症状はあるか
	□免疫機能	➲肺炎，尿路感染のかかりやすさはどうか
活動	**移動** □ベッド上の動き	➲ベッド上での寝返りはできるか，良肢位を保持できるか
	生活動作 □基本的日常生活動作	➲食事動作，排泄，清潔，更衣・整容動作，移乗を行う力があるか，どのように実施しているか，誰がどのように介助しているか

22 神経難病

情報収集項目		情報収集のポイント
活動	**生活活動** □食事摂取 □水分摂取 □活動・休息 □生活歴	⮕終末期における食事の内容,摂取方法(経口,経鼻,経腸),形態,量,カロリー,回数,時間帯に変化はあるか ⮕終末期における水分摂取の内容,回数,1回摂取量,摂取時間帯に変化はあるか ⮕睡眠パターン,昼間の覚醒状態はどうか ⮕職歴や生活習慣はどうか,発症以降の生活の変化があったか(離職,離別など)
	コミュニケーション □意思疎通 □意思伝達力	⮕理解力はあるか,本人の理解力を把握できる手段(問いかけへの反応など)があるか ⮕構音障害,気管切開などによる発語障害があるか,文字盤,意思伝達装置を使用して意思伝達が可能か,クローズドクエスチョンへの返答が可能か
	活動への参加・役割 □家族との交流 □社会での役割	⮕家庭内で親,子,配偶者としての役割があるか,それを維持できているか,家族は本人と交流しているか(声かけ,タッチングなど言語以外の交流を含む) ⮕発症以前の社会的な役割はあったか,現在に至るまでにその変化や喪失があったか
環境	**療養環境** □住環境	⮕医療機器の設置状況はどうか,介護用品や着替えはどこに収納しているか,福祉用具の使用状況はどうか,住宅改修はされているか,介護者の動線はどうか
	家族環境 □家族構成 □家族機能 □家族の介護・協力体制	⮕家族構成はどうか ⮕家族関係,家族内の意思決定方法はどうか,発症後,家族関係の変化はあったか,家族の健康状態,精神状態,就労状況はどうか ⮕介護者・キーパーソン・副介護者・協力者の状況はどうか,医療処置・介護内容はどうか,家族の介護力,介護負担感,生活行動,休息,社会活動の状況はどうか
	社会資源 □保険・制度の利用 □保健医療福祉サービスの利用 □インフォーマルなサポート	⮕医療保険,介護保険,障害者総合支援法,難病医療費助成制度の利用状況はどうか ⮕介護保険法,障害者総合支援法,自治体などのサービス・事業の利用状況(種類,内容,頻度,時間)はどうか ⮕インフォーマルなサポート提供者がいるか,サポート内容・頻度はどうか
	経済 □世帯の収入 □生活困窮度	⮕家計支持者はだれか,発症・進行による収入の変化があったか,障害者総合支援法による手当て,年金はあるか,医療費の助成,税金などの減免は受けているか ⮕経済的余裕,生活困窮の感覚はどうか

情報収集項目	情報収集のポイント
志向性(本人) □生活の志向性 □性格・人柄 □人づきあいの姿勢	●価値観, 生きがい, 生活の目標・楽しみはなにか, 信仰心・宗教観があるか ●もともとの性格・人柄はどうか, 情緒運動系障害による性格の変化があるか ●家族・サービス提供者とかかわる姿勢や反応, もともとの人づきあいの姿勢はどうか
自己管理力(本人) □自己決定力	●生活, 療養, 医療, サービス利用に関して自分で決定しているか
理解・意向(本人) □意向・希望 □感情 □終末期への意向 □疾患への理解 □療養生活への理解 □受けとめ	●生活, 療養, 医療, サービス利用に関する意向や希望はどのようなものか, 発症時点から現在までにそれらの変化があったか ●予後への不安, 怒り, 絶望などがあるか, 過去の意思決定に対する後悔や葛藤はあるか ●終末期や急変時の延命処置にどのような希望をもっているか, 事前指示書やリビングウィルはあるか, それらはどのような内容か ●予後, 治療内容への理解と見通しはどのようなものか ●療養生活, 療養方法への理解はどのようなものか ●疾患, 療養生活をどのように受けとめてきたか, 経過中の変化はあったか
理解・意向(家族) □意向・希望 □感情 □疾患への理解 □療養生活への理解 □生活の志向性	●生活, 療養, 医療, サービス利用に関する意向や希望はどのようなものか ●療養者の予後への不安や悲嘆はあるか, 過去の意思決定に対する後悔や葛藤はあるか ●予後, 治療内容への理解と見通しはどのようなものか, 終末期や急変時の延命処置にどのような希望をもっているか ●介護方法, 医療処置への理解はどのようなものか ●価値観, 生活背景, 就労・家事実施状況, 家庭・社会での役割はどのようなものか

事例紹介

多系統萎縮症の症状が進行してきている終末期の療養者の例

Keywords 神経難病, 多系統萎縮症, エンドオブライフケア, 意思決定支援, 家族介護, 壮年男性

〔基本的属性〕男性, 64歳
〔家族構成〕長女夫婦とその子ども1人と同居
〔主疾患等〕多系統萎縮症小脳型
〔状況〕58歳で多系統萎縮症小脳型(multiple system atrophy, cerebellar type ; MSA-C)の診断を受け, 症状の増悪を繰り返しながら6年間, 在宅療養生活を送っている. 呼吸障害や嚥下障害の進行により, 気管切開の必要性を医師より説明されたが, 生命維持のための医療処置は拒否している. 現在, 構音障害, 認知機能低下, 運動失調のため意思疎通は困難な状態であるが, 以前から自宅での最期を希望している. 家族関係は良好であり, 主介護者の長女を中心に, 療養者の在宅での看取りに向けて意欲的に介護に取り組んでいる.

情報整理シート

疾患・医療ケア

【疾患・病態・症状】
主疾患等：多系統萎縮症小脳型（MSA-C）(58歳〜)
病歴：なし
経過：
- 58歳　ふらつき、ろれつ困難がみられ、脳MRIの結果、小脳萎縮と橋十字サインを認め、MSA-Cと診断
- 60歳　運動失調に加え、便秘、尿閉などの自律神経障害が出現。療養上の世話、家族への介護支援目的で訪問看護を導入。同時に訪問リハビリテーション、訪問入浴を導入
- 62歳　睡眠時無呼吸にて持続的気道陽圧法（CPAP）を導入、構音障害のため発語困難となる、認知機能低下が出現。ほぼ寝たきりになり、訪問介護、訪問入浴を導入
- 64歳　誤嚥性肺炎にて入院。嚥下障害のため胃瘻造設となる。CPAPの中止。主治医より、声帯開大麻痺、呼吸障害の進行に伴う突然死の可能性が説明され、気管切開の希望について確認を受けるが、延命処置を希望せず退院となる。

数日前より、喀痰貯留、喘鳴が著明となりSpO₂が低下している。

【全身状態・主な医療処置】
- 吸引：娘、看護師、ホームヘルパーが実施
- 痰：白色粘稠、注入後に多い
- 疾患に伴う認知機能低下あり（意思疎通困難のため認知機能の程度は不明）
- 在宅酸素療法　O₂ 0.5〜1.0 L（経鼻）
- 胃瘻：バンパー型チューブタイプ 20F 留置（主治医が1回/3〜4月で交換）
  - 朝：半固形経腸栄養剤 300 g
  - 昼：水 150 mL
  - 夕：半固形経腸栄養剤 300 g
  - 22時：水 150 mL（水はとろみ剤使用）
  - 注入は家族、看護師、ホームヘルパーが実施
- 身長：175 cm
- 体重：58.0 kg
- BMI：18.9
- 体温：36.6℃
- 脈拍：62回/分
- 血圧：80/40 mmHg
- SpO₂：80〜92%
- 四肢体幹失調、筋強剛・痙縮により、四肢が屈曲。関節拘縮も著明
- 排便：2回/週
- 排尿：600 mL/日
- 食事：胃瘻より2回/日
- 便秘　看護師による摘便2回/週　必要時、下剤・浣腸

基本情報
- 年齢：64歳　性別：男性
- 要介護度：要介護4
- 障害高齢者自立度：C2
- 認知症高齢者自立度：Ⅱ

尿道カテーテル16F留置中（訪問看護にて1回/4週間で交換）

【医療ケア・治療】
服薬：【内服→胃瘻から】刺激性下剤（2回/週排便処置前日のみ）
【浣腸剤】グリセリン浣腸 50 mL（2回/週訪問看護にて）
治療状況：積極的治療は行わず、病状観察のため訪問診療1回/週
医療処置：排泄ケア（排便処置、尿道カテーテル管理）、胃瘻管理、呼吸管理（吸引、呼吸リハビリテーション）、在宅酸素療法（HOT）、理学療法士による四肢の他動運動・マッサージ
訪問看護内容：呼吸管理、胃瘻管理、排泄ケア、家族への介護支援

活動

【移動】
ベッド上の動き：自力での体動は不可

【活動への参加・役割】
- **家族との交流**：長女家族・次女との関係性は極めて良好。次女家族は毎週末訪問
- **近隣者・知人・友人との交流**：元同僚など友人はいるが、寝たきりになってから交流はなくなっている。
- **外出**：レスパイト入院(1回/月)の際に外出する以外の外出はなし。
- **社会での役割**：なし
- **余暇活動**：音楽好きで、昔は月1回はコンサートに行っていた。自室には本格的なオーディオ機器があり、日中、娘が音楽をかけるようにしている。

【生活活動】
- **食事摂取**：経口摂取は不可能。胃瘻より半固形経腸栄養剤 600 kcal/日摂取
- **水分摂取**：経口摂取は不可能。胃瘻より半固形経腸栄養剤 600 gに加え、水分 300 mL/日を摂取
- **活動・休息**：1日中ベッドで臥床。終日閉眼しており、半覚醒状態。
- **生活歴**：高校の化学の教師として59歳まで勤務し、発病後退職した。妻と30代で死別し、男親のみで娘2人を育て上げた。娘たちが成人後は一人暮らしであったが、発病を機に長女家族と同居になった。
- **嗜好品**：特になし

【生活動作】

基本的日常生活動作
食動作	経口摂取不可（胃瘻より半固形経腸栄養剤）
排泄	おむつ使用、尿道カテーテル留置、全介助
清潔	全身清拭、部分浴、訪問入浴にて全介助
更衣整容	着替え、整髪、髭剃りは全介助
移乗	実施せず
歩行	実施せず
階段昇降	実施せず

手段的日常生活動作
調理	家族が実施
買い物	家族が実施
洗濯	家族が実施
掃除	家族が実施
金銭管理	家族が実施
交通機関	利用しない

【コミュニケーション】
- **意思疎通**：意思疎通は困難である。声かけに開眼することはあるが、すぐに閉眼する。
- **意思伝達能力**：発語なし。ほぼ閉眼しており、開眼時も無表情・無反応で視点が定まらないことが多い。
- **ツールの使用**：63歳まで文字盤を使用していたが、現在は使用せず。

環 境

【療養環境】

住環境：持ち家マンション（5階）3LDK，バリアフリー住宅である．発病を機に長女家族と同居

地域環境：分譲マンション群が建つ地域．スーパー・電車の駅が徒歩圏内にあり利便性は良好．訪問看護ステーション・主治医の病院も車で10分圏内にある．

地域性：近隣づきあいは希薄な地域である．隣人とは顔見知り，挨拶程度の住民がほとんど

【社会資源】

サービス利用：

	月	火	水	木	金	土	日
AM	訪問看護	訪問看護	訪問看護	訪問看護	訪問看護	訪問入浴	
PM	訪問看護 訪問診療	訪問介護	訪問介護 訪問リハビリ	訪問介護	訪問介護		

保険・制度の利用：身体障害者手帳1級，介護保険，医療保険，指定難病への医療費助成制度

【経済】

世帯の収入：障害者手当，障害基礎年金，娘婿の給与収入あり
生活困窮度：経済的な困窮はなし．

【ジェノグラム】

【家族の介護・協力体制】

長女が主介護者である．体位変換や更衣など力仕事は長女の夫が行うことが多い．孫が看護学生であり，介護にも協力的であり，長女のよき相談者になっている．長女の休息のために，週末は次女が訪問して日中の介護を行う．

【エコマップ】

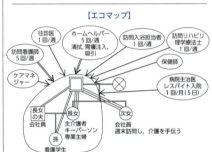

理解・意向

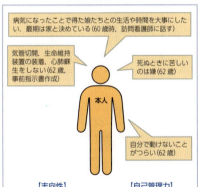

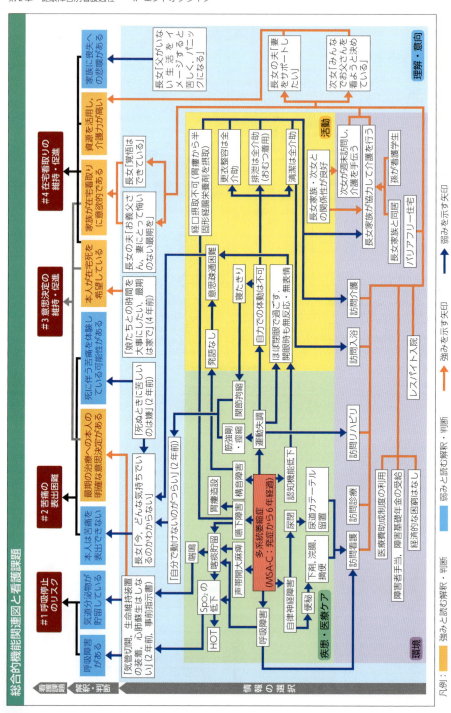

| STEP❶ アセスメント | STEP❷ 看護課題の明確化 | STEP❸ 計画 | STEP❹ 実施 | STEP❺ 評価 |

看護課題リスト

No.	看護課題　【コード型】文章型	パターン
#1	【呼吸停止のリスク】疾患の進行に伴う呼吸障害と気道分泌物の貯留により呼吸が停止するリスクが高い	リスク着眼型
	根拠 多系統萎縮症による呼吸障害や声帯開大麻痺があるが，気管切開や人工呼吸器の装着をしない意思がある．喀痰貯留に伴う喘鳴があり，血中酸素濃度が低下しており，呼吸停止に至る可能性が高い．	
#2	【苦痛の表出困難】疾患の進行に伴う運動失調，発語障害，認知機能低下により現在体験しているだろう苦痛を表出できない	問題着眼型
	根拠 終末期における苦痛を体験している可能性があるが，構音障害，運動失調，認知機能低下により意思疎通が困難であるため，本人の苦痛を推し量り，穏やかに過ごせるようかかわる必要がある．	
#3	【意思決定の維持・促進】エンドオブライフにおける療養方針に対し，本人や家族が満足する意思決定ができるように促す	強み着眼型
	根拠 事前指示書により最期の治療への本人の明確な意思決定があり，家族もそれを尊重している．今後予測される急変時の対応などにおいても，本人と家族が満足する意思決定を促進する必要がある．	
#4	【在宅看取りの維持・促進】資源や高い介護力を活かし，家族の在宅看取り意欲を維持する	強み着眼型
	根拠 家族を喪失することへの悲嘆があるが，本人の在宅死の意向を踏まえ，家族は資源を活用し，意欲的に介護に取り組んでおり，最期の瞬間まで家族が意欲を維持できるための支援が必要である．	

【看護課題の優先度の指針】呼吸停止は生命に直結する課題であり，可能な限りの呼吸管理が必要であるため【呼吸停止のリスク】を#1とした．次に，意思疎通が困難な中，死を前に体験するであろう苦痛に常時対応する必要があるため【苦痛の表出困難】を#2とした．さらに，死に至るまでに今後も本人・家族が満足できるよう意思を丁寧に確認する必要があるため【意思決定の維持・促進】を#3とし，その意思決定に基づく本人が望む最期を実現するには【在宅看取りの維持・促進】が不可欠と考え#4とした．

22 神経難病

長期目標

最期の瞬間まで苦痛が最小限の状態を維持し，療養者と家族が望む在宅療養生活を送ることができる．

根拠 病状の増悪により，死を回避しがたい状況である．療養者と家族の療養生活への意向が明確であり，家族の在宅看取り意欲が高いことから，可能な限りの苦痛緩和と症状マネジメントを行うことで，最期まで自宅での療養生活を送ることができる．

〈長期目標を共有するケアチーム〉
フォーマルサービス：訪問看護師，往診医，ケアマネジャー，理学療法士，ホームヘルパー，訪問入浴担当者，保健師，病院主治医，病院看護師
インフォーマルなサポート：長女，長女の夫，孫(長女の娘)，次女

| STEP❶ アセスメント | STEP❷ 看護課題の明確化 | STEP❸ 計画 | STEP❹ 実施 | STEP❺ 評価 |

1 看護課題	看護目標(目標達成の目安)
#1【呼吸停止のリスク】 疾患の進行に伴う呼吸障害と気道分泌物の貯留により呼吸が停止するリスクが高い	1)気道分泌物が貯留しない(1週間) 2)呼吸苦(その徴候)がみられない(1週間) 3)呼吸器感染症を起こさない(1週間)

援助の内容	援助のポイントと根拠
OP 観察・測定項目	
●呼吸状態,呼吸障害の徴候	○呼吸数,呼吸パターン(睡眠時無呼吸の有無など),胸郭の動き,呼吸音,SpO_2値(吸引前後の変化),末梢血液循環の悪化傾向(皮膚の冷感,チアノーゼ),呼吸苦の有無を確認する 根拠 多系統萎縮症は通常,呼吸苦の自覚はないことが多い.予後予測のためには,特に声帯開大不全に伴う低酸素状態や無呼吸など急変徴候の把握が重要である
●意識レベル	○外部の刺激への反応,夜間・日中の覚醒状況,不穏症状の有無
●呼吸器感染症の徴候とリスク	○胸部の副雑音聴取,発熱,咳や喀痰(膿性痰)の有無と性状,唾液貯留の有無,胃食道逆流の有無,血液検査データ(CRP,白血球数増加)
●栄養,水分摂取量	○ 根拠 痰の性状や量,胃食道逆流に影響する
TP 直接的看護ケア項目	
●体位の工夫	○可能な範囲でセミファウラー位など呼吸しやすい体位をとる
●排痰ケア	○体位ドレナージ,タッピング,吸引によって,可能な範囲で排痰を促す 連携 痰の性状,量,胃食道逆流の状況によっては,主治医と連携し,経腸栄養剤・水分摂取量の調整を検討する
●口腔ケア	○ 根拠 胃瘻造設後でも,唾液や胃食道逆流物の気管内流入により誤嚥性肺炎が発生するリスクがあるため,口腔内を清潔に保つ
●包括的呼吸リハビリテーション	○ 連携 状態に応じて,理学療法士と連携し,頸部,胸郭,背部のマッサージやストレッチなどによる呼吸筋の緊張緩和やリラクセーションを図る
●酸素療法	○ 根拠 低酸素を伴う呼吸困難に対し,医師の指示のもと使用する.呼吸苦がみられなくてもSpO_2 92〜93%以下の場合は,使用するほうが疲労感が減少することがある.CO_2ナルコーシスの出現に注意する
EP 教育・調整項目	
●体位の工夫,排痰ケア,口腔ケアの必要性,方法の助言 ●呼吸停止時の対応方法の助言	○ 連携 家族,ホームヘルパーが実施しているケアの手技を確認し,手技の統一と安全な実施のための助言をする ○家族に呼吸停止時は慌てず,訪問看護師や主治医に連絡するよう伝える 連携 かかわっている専門職間で療養者死亡時の対応方法を確認し,プロトコールを作成するなど,統一を図る 根拠 自宅での死亡事例で救急車を呼ぶと,場合によっては「異状死」とされ,警察の介入が必要になる.在宅死が予測される場合,急変時の連絡先や方法(まず,誰にどういう手順で連絡するか)を家族に十分説明しておく

2	看護課題	看護目標（目標達成の目安）
#2	**【苦痛の表出困難】**疾患の進行に伴う運動失調，発語障害，認知機能低下により現在体験しているだろう苦痛を表出できない	1) 呼吸苦（その徴候）がみられない（1週間） 2) 不穏症状がみられない（1週間） 3) 痛み（その徴候）がみられない（1週間）

援助の内容	援助のポイントと根拠
OP 観察・測定項目	
● 意識レベル	➡ 外的刺激への反応，夜間・日中の覚醒状況，不穏症状の有無
● 随意運動や反応	➡ 全身の随意運動の有無，規則性のある反応や徴候（脈拍の増加，顔面紅潮，不随意運動の増強など） **根拠** 四肢・体幹失調，眼球運動障害などにより随意運動が障害されている場合，通常，終末期には代替的コミュニケーション手段を既にすべて喪失していることが多い．そのため，苦痛に対する本人の身体的徴候のパターンを家族からの情報なども含め，把握する
● 苦痛を伴う処置の実施状況	➡ 更衣，体位変換，排泄ケア，吸引の実施方法，頻度など **根拠** 筋強剛・痙縮や関節拘縮がある場合，更衣時や体位変換時の疼痛が生じやすい
● 苦痛や不快につながる身体症状	➡ 呼吸障害，運動失調，筋強剛，関節拘縮，便秘，発汗や体温の変動など
● 療養者の過去の言動と嗜好性	➡ 不安や苦痛の訴えの内容，発生状況，好きなこと，心地よいと感じること **根拠** 本人の苦痛を正確に把握することは，終末期においては極めて困難であるが，過去の療養者の情報は有力な手がかりになる
TP 直接的看護ケア項目	
● 呼吸苦の緩和	➡ 体位の工夫，排痰ケア，包括的呼吸リハビリテーション，酸素療法 **連携** 状態によっては，主治医と連携し，薬物療法（鎮痛薬，抗精神病薬など）による緩和処置を検討する
● 疼痛の緩和	➡ 安楽な体位の工夫，関節の他動運動やマッサージ，更衣方法や寝衣の工夫
● 排便コントロール	➡ 腹部温罨法，マッサージ，浣腸，摘便処置 **根拠** 便秘は苦痛につながる
● リラクセーション	➡ 本人の過去の嗜好性を踏まえたマッサージ，罨法，音楽セラピーなどを実施する
EP 教育・調整項目	
● 苦痛を伴う医療処置，介護行為の方法の助言	➡ **強み** 家族が実施する医療処置（吸引，尿道カテーテル管理，胃瘻管理），更衣，排泄ケア，体位調節などを安全，かつ本人にとって苦痛が最小限にできる方法をともに考える **連携** 他職種（ホームヘルパーや訪問入浴担当者）のケアが本人の苦痛にならないよう，必要時，手技について助言する
● タッチングや声かけ	➡ ケアの際の声かけ，タッチングを行い，安心感を与える

3	看護課題	看護目標（目標達成の目安）
#3	**【意思決定の維持・促進】**エンドオブライフにおける療養方針に対し，本人や家族が満足する意思決定ができるように促す	1) 本人・家族の意向に沿った看取りができる（1週間） 2) 本人・家族が療養への意向を表出（家族が代弁）できる（1週間） 3) 家族が意思の揺らぎに対処できる（1週間）

援助の内容	援助のポイントと根拠
OP 観察・測定項目 ● 療養者の意向，受けとめ ● 家族の意向，受けとめ ● 提供されている医療処置やケア内容 **TP 直接的看護ケア項目** ● 意向に沿った医療処置や介護の実施 **EP 教育・調整項目** ● 意思決定の揺らぎに対する医師からの説明の勧め ● 代理意思決定者としての家族とのコミュニケーション ● 意思を表出できる関係づくり	● 過去の言動，終末期の療養への意向，過去の意思決定プロセス，選択した内容，受けとめ，意思の揺らぎの有無 ● 終末期の療養への意向，これまでの意思決定における療養者との考えの相違，現在の選択（延命処置をしない）の受けとめ，意思の揺らぎの有無 ● **根拠** 療養者や家族の意向に添った療養生活であるかを把握する ● 急変時の救急搬送，吸引や点滴など侵襲を伴う処置，薬剤の利用（例：セデーションや鎮痛剤）などは，本人や家族の意向を踏まえて実施する **根拠** 終末期は状態によって新たな処置が加わることも多いため，その都度意向を確認する．また，事前指示書がある場合は，それに則ったケアを実施する ● 過去の意思決定が揺らぐ場合，その葛藤を理解し，納得のいく選択ができるよう支援する **連携** 必要時，医師からの説明を受けられるようにする ● 終末期の療養生活に対する思いや考えを引き出す **根拠** 療養者の意思表示が困難な場合，家族に対し，家族自身の意向とともに，「療養者ならどう考えるか，過去に療養者と話したことがあるか」等を問いかけるようにする ● **強み** 一度決めたことでも，その選択について再度検討し，変更できることを本人・家族に説明し，いつでも訪問看護師に相談できることを保証する

4 看護課題	看護目標（目標達成の目安）
#4 【在宅看取りの維持・促進】 資源や高い介護力を活かし，家族の在宅看取り意欲を維持する	1) 家族が療養者を在宅で看取ることができる（1週間） 2) 家族の介護負担が増大しない（1週間） 3) 家族が療養・介護と看取りについての思い（不安，疑問，希望など）を表出できる（1週間）

援助の内容	援助のポイントと根拠
OP 観察・測定項目 ● 家族の言動，表情，ストレス状況 ● 家族の実施している医療処置，介護の内容 ● 社会資源の利用状況 **TP 直接的看護ケア項目** ● 状態に応じた医療処置（吸引，尿道カテーテル管理，点滴処置や与薬）や介護（排泄ケア，清拭や更衣，ポジショニングなど）の実施	● 訪問時の家族の表情，行動，発言などを観察し，療養・介護，在宅看取りのプロセスが心身のストレスになっていないか確認する ● 家族が実施する医療処置や介護の量が増加していないか確認する ● 看取りまで，利用中の社会資源で対応できるか，追加が必要かを把握する ● 終末期の段階や家族の介護力に合わせて，看護師が医療処置や介護にかかわる時間や頻度を増やし，看取りを前にした家族の負担や不安を軽減する

EP 教育・調整項目
- 家族に対する支持的な声かけ
- 看取りに関する情報提供
- 多職種による支援体制の調整

- **強み** 発症から現在までの療養者と家族の療養生活を肯定的に受けとめることができるよう，療養者と家族の努力をねぎらう
- **強み** 家族が療養者とのかかわり方をイメージできるよう，看取りまで家族が実施できるケア（声かけ，タッチングなど）を説明する
- **連携** 死期が近いことをサービス提供者間で情報共有し，看取りまでともに家族を支える姿勢を維持する

STEP❶ アセスメント　STEP❷ 看護課題の明確化　STEP❸ 計画　**STEP❹ 実施**　STEP❺ 評価

強みと弱みに着目した援助のポイント

強みに着目した援助
- 家族が実施している医療処置や介護の手技を確認し，療養者にとって苦痛が最小限になる方法を家族とともに考える．
- 終末期の医療処置の選択など，一度決めたことでも，再度検討し，変更できることを療養者・家族に説明する．
- 療養生活を肯定的に受けとめることができるよう，療養者・家族の努力をねぎらう．
- 家族が療養者とのかかわり方をイメージできるよう，看取りまで家族が実施できるケアを説明する．

弱みに着目した援助
- 呼吸障害に対し，呼吸ケア（体位の工夫，排痰ケア，口腔ケア，呼吸リハビリテーション，酸素療法）を実施する．
- 急変時の対応方法について，家族，ケア提供者と確認し，認識の統一を図る．
- 療養者の苦痛を理解するため，療養者の随意運動の評価に加え，身体的徴候のパターンを把握する．
- 苦痛につながる症状（呼吸障害，運動障害，排泄障害）を把握し，苦痛の発生予防や軽減のためのケアを実施する．
- 苦痛を伴う医療処置や介護行為は，家族や他のケア提供者とともに，苦痛を最小限にできる方法を検討し，実施する．

STEP❶ アセスメント　STEP❷ 看護課題の明確化　STEP❸ 計画　STEP❹ 実施　**STEP❺ 評価**

評価のポイント

- 気道分泌物が貯留していないか
- 呼吸苦（その徴候）が起きていないか
- 呼吸器感染症が起きていないか
- 不穏症状が起きていないか
- 痛み（その徴候）がないか
- 療養者・家族の意向に沿った看取りができたか
- 療養者・家族が療養への意向を表出（家族が代弁）できているか
- 家族が意思の揺らぎに対処できているか
- 家族が療養者を在宅で看取ることができたか
- 家族の介護負担が増大していないか
- 家族が療養・介護と看取りについての思い（不安，疑問，希望など）を表出できているか

関連項目

第2章「10 パーキンソン病」「11 筋萎縮性側索硬化症」「12 多発性硬化症」
第3章「25 家族の介護疲れ」「33 意思決定不全」

23 がん

がんの理解

がんにおけるエンドオブライフケア

- がんは診断時から死を意識せざるを得ない疾患であり，療養者とその家族は治療中も常に転移や再発などの不安を抱えながら，病状の進行とともに何度も意思決定を行わなければならない．そのため，療養者と家族を含む意思決定支援が重要なケアの1つとなる．
- 末期がん療養者には全人的苦痛があり，疼痛・症状マネジメントを含む緩和ケアを早期から開始することにより生活の質の向上や予後が改善するとの研究結果もみられており，早期に緩和ケアを導入することが重要といえる．
- 疾患群別の予後予測モデルでは，末期がんは最期の1〜2か月で急速に身体機能の低下をきたすという特徴が示されており，日常生活動作の急速な低下に注意しながら，悔いなく残された時間をその人らしく過ごせるよう支援することが重要となる．

がんにおける在宅でのエンドオブライフケア

- 在宅におけるがん療養者は，非がん療養者に比べて年齢的に若く在宅療養の期間が短い特徴があるために，死を受け入れるまでの時間的な余裕がなく，療養者と家族は死への備えができにくい．そのため，早期から信頼関係の構築に努め，終末期を意識しながら療養者と家族の思いを積極的に聞くことが重要となる．
- 在宅では，24時間常に医療者がそばにいるわけではない．そのため，療養者と家族が安心して在宅で過ごすことができるよう，現在と今後起こりうる症状とその対処方法について説明し理解を促す必要がある．
- 在宅では，生活者として残された限りある生をその人らしく生きるためには，医療的側面からだけでなく，福祉的側面やインフォーマルなサポートを含む多職種連携が重要である．チームメンバー間で互いの専門性を理解しながら情報を共有し連携してケアを行う．

療養者・家族の特徴からみた援助・対策

1）末期がん療養者が独居の場合

独居末期がん療養者の場合は，本人の意思確認が重要となる．家族がいる場合は家族の意思確認を行い，家族を含む本人にかかわるチームメンバーの特定と意思統一，方針の徹底を図る．加えて，緊急時の連絡方法をチームメンバー間で徹底することが重要である．特に，医師と看護師は協働して，確実・安全な方法で症状緩和・服薬管理を行う．さらに，本人を含め，家族，関係者に対して看取りの教育を行い，死亡時の連絡体制を確実にしておく必要がある．死後の様々な手続きに対し，死亡届を誰が出すか，誰が遺体を引き取るか，引き取りまでの保管場所はどこかなどをあらかじめ決めておくことが必要である．

2）末期がん療養者の家族の場合

末期がん療養者と同様に，家族の心は様々に揺れ動き，不安や抑うつなどの心理的ストレスが認められる場合が多く，療養者の死後も生きていかなければならないために，療養者よりも多くの不安を抱えている．家族は自分のことよりも療養者のことを考え，自己の健康管理がおろそかになることも多い．そのため，療養者だけでなく家族への身体的・精神的支援が必要となる．さらに，死は家族にとっては悲嘆の始まりを意味するため，闘病中における予期悲嘆へのケアだけでなく，療養者の死後も家族の悲嘆への支援は重要である．

3）末期がん療養者に子どもがいる場合
　末期がん療養者が若く，幼い子どもがいる場合は，悲嘆が複雑になる危険性があるため，早期からの支援が必要となる．また，12歳以下の子どもは大人と同じように死を理解することができない．そのため，子どもの発達段階に応じて説明を行い，子どもにもさようならをいう機会が与えられるよう，子ども自身が自分も大事な存在であることを感じられるよう，疎外感を軽減する支援が重要である．

4）末期がん療養者の配偶者が男性の場合
　男性配偶者は女性に比べ悲嘆表出が困難である場合があるため，日記を書くなど本人に合った方法で悲嘆の表出を支援していく必要がある．

がんに関連する社会資源・制度

1）日常生活動作の介助
- 介護保険法による訪問介護

2）日常生活の移動・移乗を支援する福祉用具貸与と購入支援
- 介護保険法による福祉用具貸与（車椅子，特殊寝台，特殊寝台付属品，床ずれ防止用具，体位変換器，移動用リフト，工事が不要な手すり）
- 介護保険法による福祉用具（ポータブルトイレ，特殊尿器）や購入費用の払い戻し

3）レスパイトケア
- 介護保険法による療養通所介護

4）ピアサポート
- 家族会，患者会

がんをめぐる訪問看護

訪問看護の視点

1）療養者をみる視点
- 末期がんは早い転帰をたどるため，病状の変化に注意し，先を見越して対処することが重要である．
- 療養者とその家族の看取りの意向を尊重する．
- 今後起こりうる症状について家族に説明し，一緒にケアすることを伝え，支えることが重要である．
- 全人的苦痛を理解し，多職種連携で支える視点をもつ．
- 家族も大切な人を亡くす予期悲嘆を感じているため，その感情を表出できるように十分に配慮する．

2）支援のポイント
- 身体機能や日常生活動作の低下に注意し，予後の予測を行い，身辺整理や関係修復などやり残したことができるよう，また，その人らしく最期を尊厳をもって過ごせるよう支える．
- 現状をどのように受けとめているのか聞き，残された限りある時間をどのように過ごしたいのか，看取りの意向について意思決定支援を行う．特に12歳以下の子どもには，発達段階に応じた説明をし，誤った理解をしないように説明する．
- 現在の症状や今後起こりうる症状（意識の低下や呼吸の変化，死前喘鳴など）について説明し，最善を尽くすことを説明する．
- 身体的，精神的，社会的，スピリチュアルペインを理解し，療養者の様々なニーズに応えることができるよう，医師と看護師だけでなくメディカルソーシャルワーカーや宗教家，ボランティアなど，多職種で連携して全人的に支える．
- 子どもも含めた家族の予期悲嘆の表出を促し，複雑な悲嘆を予防する．最期まで聴覚は機能していることを伝え，療養者への声かけや思い出話などができるよう支援する．

● 状態別：療養者をみる視点と支援のポイント

状態	療養者をみる視点	支援のポイント
前期（予後半年〜数か月）月単位	予後半年の時期には身体機能の低下がみられず，末期であることを受容することは困難である．しかし，がんの転帰は早い．残された時間を有意義に過ごせるように支援することが重要である．	●疼痛やその他の苦痛となる症状をコントロールする． ●家族の予後告知に関する悩みについて相談を受ける． ●必要に応じて，療養者や家族に今後起こりうる症状とその対応策について説明する． ●病気や予後についてどのように理解しているのか，今後どのように過ごしたいのか聴く．
中期（数週間）週単位	症状の悪化や全身倦怠感の出現により日常生活動作の低下が著明となり，死が現実のものであることを自覚することで予期悲嘆が現れる．それに伴い，生きている意味を見出せず，スピリチュアルペインが出現する．	●全身倦怠感へのステロイド薬の使用を検討する． ●スピリチュアルケアを含む症状緩和を行う． ●予期悲嘆への配慮を行う． ●家族の負担が強い場合，新たに社会資源を導入するなど，介護体制の見直しを行う．
後期（数日）日にち単位	徐々に言語的コミュニケーションや声かけへの応答が難しくなる．また，症状の急激な悪化によりコントロールが難しくなり，混乱などが起こることがある．症状悪化に伴い家族の負担が増すため，看取り体制を見直すことも重要である．	●安楽な体位の工夫を確実に行う． ●混乱が起こる場合は，医師と連絡を取り，鎮静の必要性を検討する． ●家族の看病疲れに配慮する．
死亡直前（数時間）時間単位	聴覚は残っているため，最期まで療養者に対し人格をもった人として接することが重要である．療養者が安らかな最期を迎え，家族が安心して看取ることができるようにするという視点をもつ．	●死亡直前に起こる諸症状，特に死前喘鳴について，療養者の苦痛はないことを家族に説明する． ●聴覚は最期まで残ることを伝え，音楽や語りかけることなどを家族に提案する． ●看取り時に必ずいなければならない人は誰なのか，連絡方法はどうするのか，具体的に決める．
死別後	療養者の生前，家族は自身の身体などを省みず，療養者の介護を優先していたため，死別後にはじめて身体的症状を感じることがある．可能であれば，家族の悲嘆の状況に応じてグリーフケアを行う．	●訪問や電話で，訪問看護における終末期ケアの評価，後悔や満足について尋ねる． ●複雑な悲嘆の有無を確認する． ●必要時，専門家や遺族会などを紹介する． ●家族の健康状態の把握とアドバイスを行う．

訪問看護導入時の視点

- がんの病期，転移の有無，予後，看取りの意思を把握し，残された時間を悔いのないように支える．
- 信頼関係を早期に構築するためにも，療養者とその家族の思いを傾聴する．
- 全人的苦痛（トータルペイン）の有無とその内容について把握し，苦痛の軽減に努める．
- 療養者と家族を支えるために，在宅ケアチームのメンバー間の目的やケアの統一を図り，連携体制を整える．

23 がん

STEP ① アセスメント ▶ STEP ② 看護課題の明確化 ▶ STEP ③ 計画 ▶ STEP ④ 実施 ▶ STEP ⑤ 評価

情報収集

	情報収集項目	情報収集のポイント
疾患・医療ケア	**疾患・病態・症状** □疾患 □病態 □疾患の症状 □疾患の経過，予後	❯既往歴はどうか，認知症はないか ❯疾患の病期，転移はどうか ❯疾患による症状，全人的苦痛はどうか ❯症状はどう経過したのか．診断時期，病歴，治療歴，入院歴はどうか
	医療ケア・治療 □服薬 □治療 □医療処置 □訪問看護	❯非オピオイド鎮痛薬や弱オピオイド鎮痛薬，強オピオイド鎮痛薬の服薬状況と投与経路はどうか．突出痛や副作用の有無と対処はどうか ❯治療方針や目的，内容はどうか ❯医療処置の内容や頻度，効果や副作用，介助はどうか ❯訪問看護の開始時期・方針や目的は何か，訪問看護の提供頻度と時間，今後の頻度の見通しや他の事業所との連携の必要性はどうか
	全身状態 □呼吸・循環状態 □摂食・嚥下・消化状態 □栄養・代謝・内分泌状態 □排泄状態 □筋骨格系の状態 □感覚器の状態 □皮膚の状態 □認知機能 □意識 □精神状態 □免疫機能	❯呼吸苦の有無とその程度，原因はどうか ❯食欲不振，悪心・嘔吐，腹痛の有無とその原因はどうか．食事形態と内容，量はどうか ❯腹水，腹部膨満感の有無とその原因はどうか．全身倦怠感の有無とその原因，服薬状況はどうか ❯便秘の有無と頻度とその原因はどうか．服薬状況はどうか ❯疼痛・神経症状の有無とその程度，原因はどうか．服薬状況はどうか ❯抗がん剤治療の副作用による味覚の変化や手足のしびれは起こっていないか．聴覚や嗅覚はどうか ❯がんの皮膚への浸潤の有無とその程度，対処方法はどうか．褥瘡はどうか ❯見当識や記憶力等への影響の有無とその程度，原因はどうか．服薬状況はどうか ❯意識レベルの程度とその原因はどうか ❯せん妄や錯乱，混乱，不安，緊張，うつ症状の有無とその程度，その原因はどうか ❯易感染性の有無や抗がん剤治療の有無とその時期，内容，対処はどうか
活動	**移動** □ベッド上の動き □起居動作 □屋内移動	❯起き上がり，座位の保持，寝返り，仰臥位での腰の挙上は可能か ❯立ち上がり，立位の保持，椅子への移乗は可能か ❯屋内移動の方法，屋内での生活動線はどうか．トイレまでの歩行距離，

情報収集項目	情報収集のポイント
活動	
□屋外移動	転倒のリスクはどうか．介助や補助具（車椅子，手すり，杖）が必要か ➡普段の行動範囲，屋外での移動の方法はどうか．介助や補助具（車椅子，杖）が必要か
生活動作 □基本的日常生活動作 □手段的日常生活動作	➡食事や排泄，清潔，更衣，整容動作に支障はないか．急激な低下はないか ➡調理や買い物，洗濯，掃除，金銭管理，交通機関利用の状況はどうか
生活活動 □食事摂取 □水分摂取 □活動・休息 □生活歴 □嗜好品	➡経口摂取量や嚥下障害の有無とその程度はどうか．胃瘻等の経管栄養を行っているか ➡飲水摂取量はどうか ➡睡眠時間，熟眠感の有無，薬剤の使用の有無とその程度はどうか ➡出生地や他の居住地，職歴，生活習慣，死別や離別，被災などのライフイベントの有無，それらに関する思いはどのようなものか（ライフレビュー） ➡飲酒，喫煙，嗜好品によるリラックス効果は得られるか
コミュニケーション □意思疎通 □意思伝達力 □ツールの使用	➡理解力はどうか ➡意思を伝えるためのアドバンスケアプランニングの有無とその内容はどうか ➡事前指示書やリビングウィルなど，療養者の意思を表したツールの有無とその内容はどのようなものか
活動への参加・役割 □家族との交流 □近隣者・知人・友人との交流 □外出 □社会での役割 □余暇活動	➡同居・別居家族との会話やかかわりはどうか，家庭内での役割はどうか ➡近隣者・友人との交流，内容，頻度はどうか．疾患への理解はあるか．会いたい人や話したい人などいないか ➡外出の場所や内容，頻度はどうか，同伴者はいるか ➡仕事や地域活動の役割はどうか，引き継ぎは問題なくできているか ➡趣味の内容や実施頻度はどうか，やり残したことはないか
環境	
療養環境 □住環境 □地域環境 □地域性	➡移動能力に応じて福祉用具（手すりやリフトなど）の使用状況はどうか，住宅改修（スロープなど）の利用状況はどうか，部屋からトイレ・浴室までの間の障害物はないか ➡車椅子や歩行補助具の使用環境，公共交通機関の利便性，病院や商業施設へのアクセスはどうか ➡地域の特性，住民同士の交流の程度はどうか
家族環境 □家族構成 □家族機能 □家族の介護・協力体制	➡家族構成，同居状況，居住地域，年齢はどうか ➡家族の絆の強さや関係性はどうか．家族内の意思決定方法，家族の健康状態・問題解決能力はどうか．これまで家族で乗り越えた困難な出来事への対処方法はどうだったか ➡介護者や，介護者をサポートする協力者がいるか．家族の医療処置実施内容，介護内容，介護負担感はどうか．介護者の生活への影響，休

情報収集項目		情報収集のポイント
環境		息状況はどうか
	社会資源 □保険・制度の利用 □保健医療福祉サービスの利用 □インフォーマルなサポート	●医療保険(後期高齢者医療保険)、介護保険の利用状況はどうか．予後を考えて介護保険の区分変更のタイミングをはかれているか ●利用内容と頻度、時間、今後のサービスの必要性はどうか．緊急時の入院先(バックベッド)はどうか ●社会、地域生活とのつながり、サポート提供者の有無、サポート内容と頻度はどうか
	経済 □世帯の収入 □生活困窮度	●就労による収入、年金はあるか．療養生活を続けられる世帯の収入は十分か ●療養者の死後、家族は生活に困らないか
理解・意向	**志向性(本人)** □生活の志向性 □性格・人柄 □人づきあいの姿勢	●価値観や生きがい、生活の目標・楽しみ、信仰心や宗教観はどのようなものか．今までの生活の中で後悔していることはないか ●社交的・外交的な性格か ●もともとの人づきあいの姿勢はどうか．訪問看護師やサービス担当者とかかわる姿勢はどうか．修復したい人間関係はないか
	自己管理力(本人) □自己管理力 □情報収集力 □自己決定力	●内服量、内服時間、自己判断での調整をしていないか ●生活、療養、医療、サービスに関する情報収集はどうか ●生活、療養、医療、サービスの利用に関して決定しているか
	理解・意向(本人) □意向・希望 □感情 □終末期への意向 □疾患への理解 □療養生活への理解	●療養者の生活、療養、医療、サービス利用に関する意向や希望はどうか ●症状の進行や生活面に対して不安や罪悪感など、ストレスを感じていないか ●疾患、病態、予後、治療・服薬内容への療養者の理解と見通しはどのようなものか．急変時の延命処置にどのような希望をもっているか ●療養方法や介護方法への理解はどのようなものか ●療養者の価値観、生活背景、就労・育児・家事実施状況、家庭・社会での役割はどのようなものか
	理解・意向(家族) □意向・希望 □感情 □疾患への理解 □療養生活への理解 □生活の志向性	●家族の生活、療養、医療、サービス利用に関する意向や希望はどうか ●症状の進行や将来の生活面に対して不安や罪悪感など、ストレスを感じていないか ●疾患、病態、予後、治療・服薬内容への家族の理解と見通しはどうか．終末期や急変時の延命処置にどのような希望をもっているか ●療養方法や介護方法への理解はどうか ●家族の価値観、生活背景、就労・育児・家事実施状況、家庭・社会での役割はどうか

事例紹介

骨転移のある末期の肺がんで，予後1か月の療養者の例

Keywords 肺がん，骨転移，末期がん，症状コントロール，スピリチュアルペイン，家族支援，エンドオブライフケア，壮年男性

〔基本的属性〕男性，52歳
〔家族構成〕妻と長女・長男との四人暮らし
〔主疾患等〕肺がん，骨転移
〔状況〕51歳の時に小細胞肺がん，骨転移（進展型）と診断され，抗がん剤治療と放射線治療開始．その後，リンパ節に転移したがんが神経を巻き込み嚥下障害が出現，皮下埋め込み型CVポート（以下，CVポート）造設．退院後，CVポート管理目的にて訪問看護導入となった．徐々に呼吸苦と背部痛，全身倦怠感が出現．麻薬等にて症状コントロールを図るが，次第にベッド上での生活となり，排泄や食事，着替えに介助を要するようになる．16歳の息子には妻から病名のみ告げ，10歳の娘には何も伝えていない．その後，徐々に状態が悪化し，予後1か月程度（週単位）の状態である．

情報整理シート

疾患・医療ケア

【疾患・病態・症状】
主疾患等：肺がん(51歳〜)，骨転移あり
病歴：なし
経過：51歳　小細胞肺がん，骨転移(進展型)と診断される．抗がん剤治療と放射線治療開始
　　　52歳　リンパ節転移，嚥下障害が出現，皮下埋め込み型ポート(以下，CVポート)造設
　　　　　　退院後，CVポート管理目的にて1か月前に訪問看護導入となる．
　　　　　　徐々に呼吸苦と背部痛，全身倦怠感が出現．次第にベッド上での生活となり，排泄や食事，着替えに介助を要するようになり，最近ではつらい気持ちを看護師にのみ吐露し，「機械につながってまで生きていたくない」とも話している．
　　　　　　徐々に状態が悪化，現在予後1か月程度と考えられる．服薬以外の治療は受けていない．

【医療ケア・治療】
服薬：【内服】鎮痛薬(オキシコンチン)　2回/日　20 mg
　　　　　　　レスキュー・ドーズは使用していない
　　　　　　　ステロイド(デカドロン)　1回/日　2 mg
治療状況：CVポートから高カロリー輸液を注入(夜間12時間)
医療処置：往診：1回/2週
訪問看護内容：CVポート管理，疼痛・症状コントロール，保清，看取り，家族へのケア

【全身状態・主な医療処置】
血圧：110〜130/70〜90 mmHg
脈拍：70〜80回/分(不整脈なし)
呼吸数：16〜20回/分
SpO₂：96〜98%
呼吸苦：軽度あり

身長：176 cm
体重：63 kg
BMI：21.0
食欲低下に伴い体重減少中(1か月で5 kg減少)

CVポート
皮膚トラブルなし
合併症なし

脳・肝転移なし
認知機能障害なし

リンパ節に転移
嚥下障害あり

骨転移による背部の鈍痛あり．全身倦怠感あり
オキシコンチン1日2回20 mg，デカドロン1日1回2 mg内服中

基本情報
年齢：52歳　　性別：男性
要介護度：要介護5
障害高齢者自立度：C1
認知症高齢者自立度：自立

排便：1回/2〜3日
排尿：5〜6回/日
食事：食べたい時に飲み込みやすいものを少しずつ摂取

活動

【移動】
屋内移動：1週間前から歩行できず，寝たきり状態
屋外移動：退院以降なし

【活動への参加・役割】
家族との交流：家族の仲はとてもよく，絆も強いが，今回のことについて，子どもとは話ができていない．16歳の息子には妻から病名のみ告げ，10歳の娘には何も伝えていない．
近隣者・知人・友人との交流：入院中は同僚や友人が見舞いに来てくれていた．退院後はないが，友人とは電話で話している．
外出：退院後はなし．
社会での役割：営業部長としてバリバリ働いていたが，診断されてから休職している．
余暇活動：発症前はゴルフやテニスなどの運動をしていた．

【生活活動】
食事摂取：CVポートから高カロリー輸液を妻が注入．経口からは，飲み込みやすいものを少しずつ摂取
水分摂取：とろみをつけて少しずつ摂取
活動・休息：全身倦怠感が強く，ベッド上で寝たままで過ごしている．日中はテレビをつけているが，あまり見られていない．
生活歴：毎年，職場の健診を受け問題なかったが，51歳の時に健診にて要精密検査となり，受診し診断を受ける．
嗜好品：コーヒーを3杯/日飲んでいた．

【生活動作】

基本的日常生活動作

食動作	CVポートから高カロリー輸液を妻が注入　経口は，飲み込みやすいものを少しずつ摂取
排泄	尿器や尿とりパッド使用し自己にて可　排便時のみおむつ使用．訪問看護師にて介助
清潔	ベッド上で訪問看護師にて全身清拭を実施
更衣整容	横向きや腕を通すことはできる．その他は介助．洗顔は濡れタオルを渡すと自己にて可．髭剃りも時間はかかるが自己にて可
歩行	1週間前から歩行できず，寝たきり状態
階段昇降	不可

手段的日常生活動作

調理	妻が実施
買い物	妻が実施
洗濯	妻が実施
掃除	妻が実施
金銭管理	妻が管理し，本人は確認程度
交通機関	退院時に妻の運転する車で帰宅．以後なし

【コミュニケーション】
意思疎通：可能
意思伝達力：問題なし
ツールの使用：電話対応は可能

第2章 健康障害別看護過程　4．エンドオブライフケア

環境

【療養環境】
住環境：一戸建て
子どもと四人暮らし
本人の部屋は2階にあり
ベッド上で生活
妻はその横で就寝

地域環境：車で5分圏内に商業施設あり，買い物は妻が車で行っている．
地域性：政令指定都市内の住宅街である．10年前に建て売り住宅を購入し，引っ越してきた．近所には同年代の世帯が多く，ある程度のつながりはある．

【ジェノグラム】

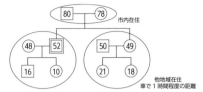

市内在住

他地域在住
車で1時間程度の距離

【家族の介護・協力体制】
妻が家事全般を担い，本人の体調管理や介護にも積極的にかかわっている．両親は頻回に訪問しているが，妹は仕事が忙しく，会いに行けなくて申し訳ないと思っている．しかし，元々が兄思いの妹であり，大変気にかけている．

【社会資源】
サービス利用：

	月	火	水	木	金	土	日
AM	訪問看護		訪問看護		訪問看護		
PM							

保険・制度の利用：医療保険

【エコマップ】

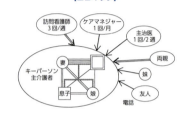

【経済】
世帯の収入：休職中
生活困窮度：貯金もあり，現在は問題なし．

理解・意向

息子
お母さんが大変そう

高校生．部活が忙しいが，母（療養者の妻）の様子から何かおかしいと感じている．病名については，母から聞いているが，予後については知らない

娘
何かできることはないだろうか

小学生．母（療養者の妻）に甘えたいが，忙しそうで，話ができていない

本人の思い（本人）：
- 抗がん剤（2次）治療を何としても受けたい
- 機械につながったままで生きていたくない
- 妻に感謝している
- できるだけ長く生きていたい
- 実母に心配をかけたくない
- 自宅では治療を受けられる体力をつけるために，休息していたい
- なぜ自分がこんな病気にかからなければならないのか
- 子どもに弱い自分を見せたくない
- 自分の人生は何だったのか
- 弱っていく自分を受け入れられない
- つらい気持ちを訪問看護師にのみ吐露している

妻
キーパーソン
主介護者

これからどうしていけばよいのか不安ばかり，子どもたちに何と説明していいのかわからない

専業主婦．自分の身体よりも療養者を気づかい，自分の時間を削ってでも療養者への介護を優先させている

実母

なぜ息子がこの年齢でこんな病気にならなくてはいけなかったのか，代われるものなら代わってやりたい

市内在住．直接介護したいが，妻に遠慮している．頻回に訪問している

【志向性】
生活の志向性：自宅でできるだけ長く過ごしたい
性格・人柄：自分がしっかりしなければと思っている．闘病意欲が高い
人づきあいの姿勢：友人から電話がかかってくることあり

【自己管理力】
自己管理力：脳・肝転移や認知機能障害はなく，病識あり．予後については知らない
情報収集力：病気についてインターネットで熱心に情報収集する
自己決定力：病気に関することについて妻に相談しながら決定している

404

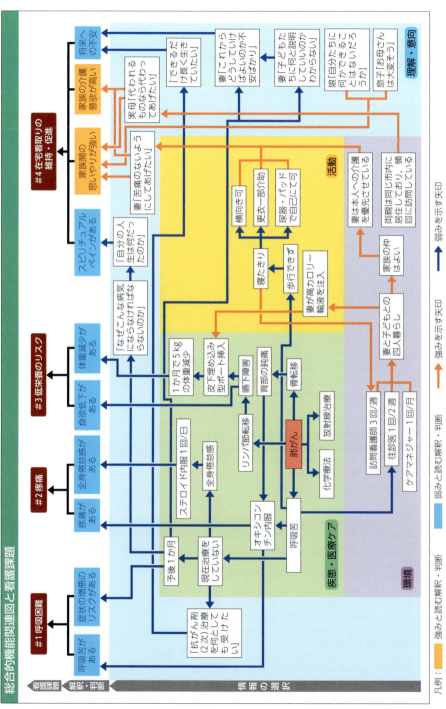

第2章 健康障害別看護過程　4. エンドオブライフケア

STEP ① アセスメント　STEP ② 看護課題の明確化　STEP ③ 計画　STEP ④ 実施　STEP ⑤ 評価

看護課題リスト

No.	看護課題　【コード型】文章型	パターン
#1	【呼吸困難】末期がんによる呼吸困難がみられ，現在治療をしていないことから，さらなる呼吸状態の悪化が生じている	問題着眼型
	根拠 肺がん末期状態で徐々に状態が悪化し，現在予後1か月（週単位）と考えられる．そのため，今後さらに現在ある呼吸困難が増悪，さらには喀血などの症状が出現する可能性が高い．	
#2	【疼痛】骨転移による疼痛がある	問題着眼型
	根拠 骨転移による疼痛はオキシコンチンの内服，全身倦怠感にはステロイドの内服にてコントロールできているが，予後1か月の末期がんであり，今後さらに症状が増悪することが考えられる．	
#3	【低栄養のリスク】リンパ節転移による嚥下障害があり，現在，皮下埋め込み型ポートを挿入しているが，末期がんによる食欲低下や体重減少も加わり，低栄養のリスクがある	リスク着眼型
	根拠 リンパ節に転移したがんが神経を巻き込み，嚥下障害があり，皮下埋め込み型ポートを挿入しているが，末期がんによる食欲低下や体重減少も加わり，低栄養のリスクがある．	
#4	【在宅看取りの維持・促進】家族間の思いやりが強いことを活かし，満足できる・安らかな看取りを促進する	強み着眼型
	根拠 本人は抗がん剤（2次）治療を強く望み，状況を受け入れられていない．妻は自分のことよりも本人のことを想い介護を優先させ，本人も妻に感謝している．子どもたちは状況を察知し，本人のために何かしたいと思っている．	

【看護課題の優先度の指針】肺がん末期状態で徐々に状態が悪化し，現在，予後1か月程度（週単位）であり，今後呼吸困難が増悪することが考えられ，残された時間を安らかに過ごすためにもコントロールが第一優先となるため，【呼吸困難】を#1とした．また，骨転移による背部の鈍痛やがん末期特有の全身倦怠感が増悪することも考えられ，【疼痛】を#2とした．そして，嚥下障害による食欲低下や体重減少から【低栄養のリスク】を#3とした．最後に，もともと家族仲がよくお互いを思い合っており，【在宅看取りの維持・促進】を#4とした．

長期目標

進行がんによる苦痛症状が最低限に抑えられ，本人・家族とも満足できる安らかな死を在宅で迎えることができる．

根拠 がん末期で徐々に状態が悪化し，身体機能の低下による日常生活動作の低下がみられている．予後は1か月程度（週単位）と考えられるが，家族仲もよく互いを思い合っていることから，適切な支援により苦痛なく安らかな死を在宅で迎えることができる．

〈長期目標を共有するケアチーム〉
フォーマルサービス：訪問看護師，主治医，ケアマネジャー，宗教家
インフォーマルなサポート：妻，長男，長女，実父母，妹

| STEP❶ アセスメント | STEP❷ 看護課題の明確化 | **STEP❸ 計画** | STEP❹ 実施 | STEP❺ 評価 |

1

看護課題	看護目標（目標達成の目安）
#1 【呼吸困難】 末期がんによる呼吸困難がみられ，現在治療をしていないことから，さらなる呼吸状態の悪化が生じている	1）呼吸困難が増強しない（1週間） 2）咳嗽が増強しない（1週間） 3）睡眠がとれる（1週間） 4）喀血を起こさない（1か月）

援助の内容	援助のポイントと根拠
OP 観察・測定項目 ●呼吸困難と日常生活動作への影響 ●与薬状況と効果，副作用の有無 ●睡眠状態	⇒呼吸困難の有無とその程度，咳嗽や喀血の有無を把握する．症状による日常生活動作への影響を把握する ⇒オキシコンチンの内服時間とその効果，レスキュー・ドーズの使用の有無とその効果を把握する．便秘の有無とその程度，対処方法を把握する ⇒睡眠時間，熟眠感の有無，薬剤の使用の有無とその程度について把握する
TP 直接的看護ケア項目 ●呼吸困難に対する非オピオイド鎮痛薬・オピオイドの投与と管理 ●安楽な体位や過ごし方の検討	⇒ 連携 症状の原因とコントロールを行う．増悪の予測を行い，主治医に報告する．オキシコンチンが効かない場合は，主治医の指示に基づき鎮静薬を使用する ⇒安楽な体位とリラクセーション方法を本人と一緒に考える．上半身を起こし，数時間ごとに体位変換すると痰が出やすい．衣服をゆったりしたものにする．部屋の温度を下げる
EP 教育・調整項目 ●緊急時の対応の確認・情報共有	⇒本人・家族に入院や延命処置について確認する 連携 緊急時の連絡方法と緊急時の入院先を確認する．主治医やケアマネジャーと情報の共有を密にし，連携を図る

2

看護課題	看護目標（目標達成の目安）
#2 【疼痛】 骨転移による疼痛がある	1）疼痛が増強しない（1週間） 2）全身倦怠感が増強しない（1か月）

援助の内容	援助のポイントと根拠
OP 観察・測定項目 ●疼痛と全身倦怠感の程度と日常生活動作への影響 ●与薬状況と効果，副作用の有無 ●疾患の進行の有無	⇒背部痛（持続痛と突出痛），神経障害性疼痛，全身倦怠感の程度を把握する．症状による日常生活動作への影響を把握する 根拠 全身倦怠感は疼痛と同程度以上の頻度で出現する ⇒オキシコンチンの内服時間とその効果，レスキュー・ドーズの使用の有無とその効果，ステロイドの内服状況とその効果を把握する．便秘の有無とその程度，対処方法を把握する．ステロイドの副作用の有無を把握する ⇒肝転移（意識障害）や脳転移の症状（見当識や記憶力などへの影響）の有無とその程度を把握する 根拠 肺がんは骨・肝・脳などへの転移を起こす
TP 直接的看護ケア項目 ●疼痛・全身倦怠感に対する薬物療法の管理	⇒主治医の指示に基づき鎮痛を目的としてビスホスホネートの投与管理を行う．非薬物療法である放射線治療や神経ブ

23 がん

●日常生活動作の介助	ロック等について専門家と相談する．全身倦怠感の増悪の予測を行い，主治医に報告する ⬱体動時痛には予防的にレスキュー薬を使用する ⬱痛みが最小限になる動作方法の工夫や装具の使用，環境調整などのリハビリテーションを組み合わせる ⬱全身清拭と陰部洗浄，おむつ交換，更衣などの援助を行う 連携 日常生活動作のさらなる低下があれば，ケアマネジャーと相談し，ホームヘルパーなどの導入を検討する
EP 教育・調整項目	
●症状悪化時の対応の説明	⬱今後起こりうる症状とその対処についてわかりやすく説明する，最善を尽くすことを伝える 連携 症状悪化時や不安な時などは躊躇せずに，いつでも医師か看護師に連絡するように伝える

3 看護課題	看護目標（目標達成の目安）
#3 【低栄養のリスク】 リンパ節転移による嚥下障害があり，現在皮下埋め込み型ポートを挿入しているが，末期がんによる食欲低下や全身倦怠感も加わり，低栄養のリスクがある	1）好きな物を経口で摂取することができる（1週間） 2）誤嚥性肺炎を起こさない（1か月） 3）CVポートから感染を起こさない（1か月）

援助の内容	援助のポイントと根拠
OP 観察・測定項目	
●バイタルサイン	⬱体温，脈拍，呼吸数，血圧を把握する
●経口摂取の量と内容	⬱経口摂取の量と内容を把握する
●嚥下障害の状態	⬱嚥下，咀嚼状態，経口摂取状況，誤嚥の有無を把握する．呼吸音を聴取する 根拠 腫瘍熱との区別を行う
●CVポート刺入部	⬱発赤，熱感，腫脹，痛み，潰瘍，血栓，カテーテルの閉塞などの有無，高カロリー輸液の注入状況を把握する
TP 直接的看護ケア項目	
●CVポート刺入部の管理	⬱妻の注入手技の確認と困っている点への対処，物品の不足や問題がないか確認する
●食事形態の支援	⬱とろみをつけるなどの工夫をする．飲み込まずに口の中で噛みしめることで食べる楽しみを支える
EP 教育・調整項目	
●経口摂取時の注意点の説明	⬱可能な限り前傾姿勢で摂取するよう伝える．あせらずゆっくり摂取するよう伝える
●主治医との連携	⬱ 連携 感染が疑われる時は主治医に連絡する
●発熱や感染徴候出現時の連絡体制	⬱ 連携 家族や他職種が熱発や感染を疑う時は，訪問看護ステーションに連絡するよう伝える

4 看護課題	看護目標（目標達成の目安）
#4 【在宅看取りの維持・促進】 家族の思いやりが強いことを活かし，満足できる・安らかな看取りを促進する	1）悲しみを表出することができる（1週間） 2）家族が残された時間の過ごし方を考えることができる（1週間） 3）家族が互いに気持ちを表出することができる（2～3週間）

4) 安らかな死を迎えることができる(1か月)
5) 家族が満足して看取ることができる(1か月)

援助の内容	援助のポイントと根拠
OP 観察・測定項目 ● 病状の進行，日常生活動作の低下の有無，予後 ● 人生の最期の時の過ごし方の内容 ● 気になることや心配なことの有無と現状の捉え方	⮕ 病状の進行や日常生活動作低下の有無を把握し，予後についてアセスメントする ⮕ 事前指示書やリビングウィル，アドバンスケアプランニングなどの有無と人生の最期の時の過ごし方・内容を把握する ⮕ 今，気になっていることや心配なことがないか聞いていく．自身の状況をどう捉えているか把握する
TP 直接的看護ケア項目 ● 看取りに向けたサービスの導入	⮕ 療養通所介護やホームヘルパーの導入または回数を増やすことを検討する ⮕ **連携** 訪問看護の回数を増やすことを検討する．医療費などの経済面について医療ソーシャルワーカーの介入を検討する．スピリチュアルペインに対して宗教家の介入を検討する．急変時や看取り時の連絡・対応体制について話し合う
EP 教育・調整項目 ● 残された時間の過ごし方への意思決定支援 ● その人らしさを保つ(自律性)ケア ● スピリチュアルペインと全人的苦痛に関する共通理解 ● 家族に対する支持的な声かけ ● 妻に死に至る過程の説明	⮕ 現在の病状の認識を確認する．残された時間の過ごし方(入院や緩和ケア病棟)について情報提供を行う．本人と家族で決定できるように待つ ⮕ **強み** 会いたい人や関係を修復したい人はいないかを聴き，可能な限り実現に向けて支援する ⮕ **強み** 趣味や楽しみなど，その人らしさを保つことができるよう，くつろげる方法を提案する ⮕ 仕事などでやり残したことがないか聴き，早めに身辺整理に着手できるよう支援する ⮕ **連携** 信頼関係を構築し，全人的に理解する．感情に焦点を当てて聴いていく．その内容を多職種と共有する **強み** 今までの人生について，また自身の置かれた状況，生きる意味を考えることができるよう本人と話す ⮕ **強み** 家族(特に子どもたち)ができるケアを考え，後悔のない介護ができるように声かけを行う．実父母にもケアの参加を促す ⮕ 妻が思い切り感情を出せるよう配慮する．また可能な限り息子や娘，実父母の想いを聴き，直接に把握できない場合は妻から情報を得る **根拠** 悲嘆は続柄によっても異なる ⮕ 家族との思い出や家族への思いなどを聴いていく **根拠** 第三者の存在が，普段なら言えない互いへの思いや感謝の気持ちを伝える機会となる ⮕ 子ども(特に娘)への説明をどのようにするのか，妻と話し合う **根拠** 発達段階に応じた説明をすることで，子どもは死を理解することができる．疎外感を感じずに別れる準備ができる ⮕ **連携** 主治医と相談しながら，これから起こりうる症状，死に至る過程について説明を行う．また最善を尽くすことも説明する **根拠** 事前に説明を聞くことで心の準備ができる

STEP❶ アセスメント　STEP❷ 看護課題の明確化　STEP❸ 計画　**STEP❹ 実施**　STEP❺ 評価

強みと弱みに着目した援助のポイント

強みに着目した援助
- 会いたい人や関係を修復したい人はいないかを聴き，悔いが残らないよう可能な限り実現に向けて支援する．
- 趣味や楽しみなど，その人らしさを保つことができるよう，くつろげる方法を提案する．
- 家族との絆が強いため，家族との思い出や家族への思いなどを聴き，互いに気持ちを表出することができるよう支援する．
- 子ども（特に娘）への説明について妻と話し合い，子どもたちに別れを伝える機会があるよう支援する．
- 本人や子ども，実父母から気持ちを聴き，残された時間をその人らしく生き，安らかな死を迎えることができるよう支援する．また，納得のいく看取りができるよう家族を支援する．

弱みに着目した援助
- 呼吸苦や疼痛，全身倦怠感がみられているため，先を見越し症状を緩和する．
- 嚥下障害やCVポートがあるため，管理を確実に行い，感染を起こさないよう予防する．
- スピリチュアルペインには，本人の生き方と自身の置かれた状況を深く理解する姿勢をもつ．

STEP❶ アセスメント　STEP❷ 看護課題の明確化　STEP❸ 計画　STEP❹ 実施　**STEP❺ 評価**

評価のポイント

- 呼吸困難が増強していないか
- 咳嗽が増強していないか
- 睡眠がとれているか
- 喀血を起こしていないか
- 疼痛が増強していないか
- 全身倦怠感が増強していないか
- 好きな物を経口で摂取することができているか
- 誤嚥性肺炎を起こしていないか
- CVポートから感染を起こしていないか
- 悲しみを表出することができているか
- 家族が残された時間の過ごし方を考えることができているか
- 家族が互いに気持ちを表出することができているか
- 安らかな死を迎えることができたか
- 家族が満足して看取ることができたか

関連項目

第2章「1 がん慢性期」「21 老衰」「22 神経難病」「24 小児がん」

NOTE

CVポート(図23-1)

　CVポートとは中心静脈カテーテルの一種であり，皮下にポートと呼ばれるカテーテルへのアクセス部(体外から針を刺入する部位)を埋め込むことで，ポート部をもたない中心静脈カテーテルに比べ，感染リスクの低減や患者の利便性の向上をはかることができる機器である．CVポートは一般に，がん化学療法中の患者や，腸管からの栄養補給ができない患者に造設される．在宅医療ではCVポートを扱う機会が少なくないため，以下にその管理における注意点についていくつか述べる．

■**清潔操作で管理する**：CVポートは中心静脈に留置されており，内部には高カロリー輸液が流れていることが少なくない．これは菌が血流内に侵入し感染を成立させるのに好都合な環境であり，末梢ルートと違って厳密な清潔操作を行わなければ，容易にカテーテル関連血流感染症を引き起こしてしまう．カテーテル関連血流感染症は重篤な病態を引き起こし，治療のためにはポート抜去も必要になる．こうした事態を避けるためにも，適切な清潔操作を行うこと，使用する回路はなるべく閉鎖式システムを採用すること，菌の侵入門戸となる接続部分はなるべく少なくすることなどに注意をする必要がある．

■**陽圧ロックをする**：カテーテル閉塞が生じる原因として多いのは，カテーテル内に血液が吸引された状態で血液が凝固してしまうことである．したがって，カテーテル内に血液が逆流しない状態を維持することがカテーテル閉塞対策として重要であり，陽圧ロックはそのために必要な処置の1つとなる．具体的には，回路に接続された生理食塩液あるいはヘパリンナトリウム注射液が充填されたシリンジを押して，陽圧をかけながらクレンメを閉じる．こうすることで回路内が陽圧になるため，カテーテル内への血液の逆流が予防され，カテーテル閉塞が起こりにくくなる．

■**逆血確認をすべきかどうかは主治医に確認する**：ポートによっては一方向弁がついており逆血確認できないものがある．また，逆血確認をした場合は，カテーテル閉塞を防ぐために十分な量のフラッシュを行う必要がある．このため，逆血確認が必要かどうかは主治医に確認をしておくのが無難である．

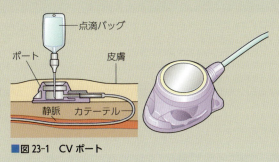

■図23-1　CVポート

24 小児がん

小児がんの理解

小児がんにおけるエンドオブライフケア

- 高齢者の場合とは異なり，子どもが亡くなること自体が特殊で不条理な出来事である．小児がんは子どもの死因の上位を占めるが，がんで亡くなる子どもの数は成人と比較し圧倒的に少ない．したがって，家族は子どもを亡くす経験がないことが多く，子どもががんで死に逝くことを受け入れ難い．看護師もエンドオブライフケアの経験が少ない場合が多い．
- WHOは「緩和ケア」を定義した8年後の1998年に「小児緩和ケア」を次のように定義している．「小児緩和ケアとは，子どもの身体，心，精神に対する積極的なトータルケアであり，家族への支援も含む．それは，病気が診断された時からはじまり，病気に対する直接的な治療を受けているかどうかにかかわらず継続される．医療職者は，子どもの身体的，精神的，社会的な苦痛を評価し緩和しなければならない．効果的な緩和ケアは，家族を含み，利用可能な地域資源を活用する幅広い分野横断的なアプローチを必要とする．たとえ，資源が限られていても実践できる．専門的な医療機関でも地域にある医療機関でも自宅でも提供できる（筆者訳）．」
- 小児がんのエンドオブライフケアでは，ある程度経過を予測できるため，悔いが残らないケアを家族とともに考え，時期を逸せず提供する必要がある．加えて，家族は子どもとの死別という喪失が迫っているため，家族の予期悲嘆や悲嘆に対するケアやグリーフケアが重要である．

小児がんにおける在宅でのエンドオブライフケア

- 在宅でエンドオブライフケアを行う条件として，本人と家族の希望があることが前提となるが，おおむね10〜13歳に満たない子どもは法的には意思能力がないと評価されており，親が意思決定を代行する場合が多い．ただし，子どもは親が決めた決定に従うだけではなく，決定のプロセスに関与する権利がある．子どもの権利を守る立場にある看護師は，小児がんの子どもを含む家族の意思決定と合意形成を支えることが重要である．
- 小児がんで亡くなる子どもは固形腫瘍以外に白血病などの造血器腫瘍も多く，終末期では，輸血が頻回に必要になる．また，強い疼痛や呼吸困難などの症状の出現が予測される．したがって，在宅で看取りができる環境を整えるだけではなく，症状緩和のための医学的処置が必要であり，病院の医師や在宅医との連携が不可欠である．

療養者・家族の特徴からみた援助・対策

1）きょうだいがいる場合

子どもが在宅で家族とともにエンドオブライフの時期を過ごすごとは，きょうだいにとって，本児との関係や本児以外の家族員（例えば，子どもが入院している時は付き添いのため一緒に過ごせなかった親）との関係を維持するうえでも重要な意味をもつ．きょうだいに十分な説明が行われていなかったり，親が子どもの世話で手一杯になっている場合は，きょうだいは疎外感を抱いたり，特別扱いされる子どもに反感を抱いたり，状況を察して自分の気持ちを表出せずに我慢している場合がある．看護師はきょうだいへの病状説明などのきょうだい支援を含めた家族支援を行うことが重要である．

2）小児がんの子どもが幼児期の場合

幼児期前期（1〜3歳）の子どもは言葉で苦痛や意思を十分に表現できず，泣いて表現する場合が多いため，観察と観察した結果に基づく早期の対応が特に必要である．幼児期後期（3〜6歳）になると自分の身体に起こっていることをある程度理解し意思を伝えることができるが，子どもの理解力に合わせて説明の方法や表現の仕方を工夫する必要がある．子どもとコミュニケーションを図るために看護師は時

には子どもと遊んだり，ケアに遊びを取り入れたり，スキンシップを図り子どもとの信頼関係を構築する必要がある．子どもの希望に沿うことは重要であるが，エンドオブライフの時期においても本人にとって必要なことであれば行うように促し，できた時には頑張りを認めるかかわりを行うケアが必要である．

3）小児がんの子どもが学童期の場合

小学生以上になると理解力が増し，身体の不調や自分の意思を幼児期よりも的確に表現できるようになるが，社会性の発達に伴い，他者への気遣いから幼児期のように率直に不安や苦痛などの感情表出を行わない場合がある．また，エンドオブライフの時期の学童期の子どもは，健常な子どもや入院前の自分と今の自分を比較して，劣等感や罪悪感をもつことがある．看護師は子どもが不安や苦痛を表出する機会をつくり，共感を示し，丁寧に対応することが重要である．例えば，学童期の子どもはエンドオブライフの時期も教育(学習)を継続している場合が多いが，このような日常生活の中でできていることを認め，フィードバックすることも重要である．

小児がんに関連する社会資源・制度

1）医療
- 訪問診療などの在宅医療
- 退院前から治療を受けていた病院への通院

2）医療費助成制度
- 小児慢性特定疾病医療費助成制度，乳幼児・子ども医療費助成制度，医療費控除制度，公益財団法人がんの子どもを守る会療養援助事業などの医療費に関連する制度・サービス
- 身体障害者手帳，療育手帳，特別児童扶養手当，障害児福祉手当，ホームヘルプサービスなどの疾患・治療に伴う障害に関連する制度・サービス

3）支援組織
- 小児がんの子どもをもつ親の会や子どもを亡くした親の会などの家族会
- メイク・ア・ウィッシュ，ファミリーエージェンシー，スマートムンストン，小児がんネットワークMN プロジェクトなどの支援団体

小児がんをめぐる訪問看護

訪問看護の視点

1）療養者をみる視点
- 在宅に移行後も症状緩和のための医学的処置が必要であるが，子どもの受け入れが可能なクリニックでも輸血などの医療的処置は困難な場合が多く，在宅で子どもの医療的処置を行うことの課題がある．
- 死に対する本児・家族の不安や恐怖，つらさは言葉では言い表せない．また，在宅は常に医療職者がいる病院とは環境が異なる．本児・家族を孤独にさせない支援が必要である．

2）支援のポイント
- 痛みや発熱，呼吸困難などの症状を緩和するとともに，多機関・多職種と連携し，在宅で看取りができるように環境を整える．
- 子どもの在宅ケアでは家族のケアも同時に行う必要がある．本児・家族の不安や恐怖を表出する機会をつくり，本児・家族の気持ちに寄り添う．

● 状態別：療養者をみる視点と支援のポイント

状態	療養者をみる視点	支援のポイント
安定期にある場合	本児・家族の悔いが残らないようなケアを行うことが重要である．先を見越して，時期を逸せず，本児・家族の希望に沿ったケアを提供する．	● 本児・家族の気持ちを聴き，希望に沿った支援を行う． ● 家族が子どもとともに在宅で

状態	療養者をみる視点	支援のポイント
	子どもの身体状態が落ち着くことは本児・家族の心理的安定につながる．また，在宅療養を継続していけるというモチベーションにつながる．本児・家族への精神的なケアを行う際には身体的なケアを同時に考える必要がある．	過ごす時間の意味や価値に気づけるように支援する． ●本児・家族に対する精神的なケアと身体的なケアの両方が必須である．
臨死期にある場合	親は若い場合が多いため，死別の経験が少なく，まして子どもとの死別は未経験であることがほとんどである．病状の悪化に伴い，家族は子どもの死を現実のものとして意識し始めるが，子どもの死を受け入れなければならないことを理解していてもあきらめることはできず，苦悩と希望の葛藤の中にいる．家族が子どもを亡くした後の長い人生を納得して歩いていけるように，後悔を残さないようなケアを行うことが重要である．	●家族の死別経験を確認・理解し，どのような経過をたどり死に至るのか説明する． ●グリーフケアは亡くなる前から始まっていることを意識してケアを行う． ●十分に看取れた充足感はグリーフケアにつながる．

訪問看護導入時の視点

- 子どもは死の直前になってから在宅に移行する場合も多く，その期間は短く，家族のストレスは大きい．したがって，本児・家族との早期の関係構築が求められ，退院前カンファレンスに参加することが望ましい．
- 訪問看護導入時に事前指示書の作成の有無を含め，「もしもの時」の本児・家族の考えや意向を把握する．その際，子どもの意思を反映することが重要である．

STEP ① アセスメント ▶ STEP ② 看護課題の明確化 ▶ STEP ③ 計画 ▶ STEP ④ 実施 ▶ STEP ⑤ 評価

情報収集

	情報収集項目	情報収集のポイント
疾患・医療ケア	**疾患・病態・症状** □疾患 □病態 □疾患の症状 □疾患の経過，予後	●基礎疾患や小児がんとその治療に伴い出現した合併症・障害はあるか ●病態の機序はどうか，病期はどうか，感染の徴候はあるか ●現在出現している症状とその程度はどうか，機嫌や活気はどうか．今後出現することが予測される症状はあるか ●症状の進行はどうか，診断時期，病歴，治療歴(手術，移植，化学療法，放射線療法)，入院歴はどうか．訪問看護開始の時期はいつか．今後，どのような経過をたどるか，残された時間はどれくらいか
	医療ケア・治療 □服薬 □治療 □医療処置 □訪問看護	●服薬の内容や方法(オブラートやシロップ，乳首や経口用シリンジの使用の有無，白湯に溶解するなど子どもが飲みやすい工夫の有無)，時間はどうか．管理者は誰か ●治療は継続しているか，継続している場合はどのような方針か，目的や内容はどうか．外来受診か往診か，受診頻度はどうか．治療中止の場合はいつから，どのような理由により中止したのか ●医療処置の目的や内容，場所(在宅で可能か，病院で行っている医療処置か)，頻度や効果・副作用はどうか．今後起こりうる症状に対しどのような処置がどこで可能か．誰が医療処置を実施しているか ●家族が訪問看護を導入した目的や方針は何か．訪問看護におけるケア

情報収集項目		情報収集のポイント
疾患・医療ケア		の内容，訪問時間・頻度はどうか
	全身状態 □成長・発達段階	●身長，体重，カウプ指数（乳幼児の発育の評価に用いられる）もしくはローレル指数（学童期の子どもの発育の評価に用いられる）はどうか．どのような成長・発達の段階にあるか，その時期特有の発達課題は何か．その子どもなりの成長・発達を遂げているか
	□呼吸・循環状態	●呼吸数，呼吸音・左右差の有無，呼吸困難感の有無，酸素使用の有無，SpO_2値，脈拍数・脈圧・リズム不正の有無，血圧，体温，四肢冷感の有無，倦怠感の有無・程度，胸水・腹水の有無，浮腫はどうか．呼吸・脈拍・体温・血圧の値は基準値や本児の平常値と比較してどうか
	□摂食・嚥下・消化状態	●経口摂取や水分摂取の状況はどうか，食事形態はどうか，嚥下機能は問題ないか．乳児の場合は母乳か人工乳か，吸啜状態はどうか，離乳食は開始しているか．腹痛や腹部膨満の有無，便の性状・回数はどうか
	□栄養・代謝・内分泌状態	●食欲不振，体重の増減，空腹感，倦怠感はあるか．栄養状態，体温はどうか．脱水の徴候はあるか，1歳半未満の子どもの場合，大泉門は陥没していないか
	□排泄状態	●おむつ着用の有無，排尿回数・量・性状はどうか
	□感覚器の状態	●疾患・治療に伴う，視覚，聴覚，味覚の変化はあるか．疼痛の有無，程度はどうか
	□皮膚の状態	●皮膚の湿潤，乾燥，発赤，湿疹，瘙痒感，テープかぶれやおむつかぶれはどうか
	□意識	●意識レベルはどうか，鎮痛薬や酸素療法などの治療との関連はどうか
	□精神状態	●不安の有無・程度はどうか
	□免疫機能	●感染のしやすさはどうか（白血球や好中球，CRPなどの血液検査データの値はどうか，体内にラインやカテーテルは挿入されているか），抗菌薬などの内服の有無，治療歴（手術，移植と免疫抑制薬の使用，化学療法，放射線療法），予防接種の接種状況はどうか
活動	**移動** □ベッド上の動き	●寝返りや座位保持，ベッド上での遊びは可能か．発達段階や病状を加味して考えるとどうか
	□起居動作	●椅子やトイレへの移乗，つかまり立ち，立ち上がりや立位の保持は可能か．発達段階や病状を加味して考えるとどうか．誰がどのように介助しているか
	□屋内移動	●トイレなど屋内で移動が必要な場所はどこか，動線はどうか．屋内の移動はどのようにして行っているか（抱っこ，介助，補助具の使用など）．誰がどのように介助しているか
	□屋外移動	●病院など屋外で移動が必要な場所はどこか，自宅からの距離はどうか．屋外の移動はどのようにして行い，誰が介助しているか．移行時に必要な物や留意点はあるか
	生活動作 □基本的日常生活動作	●食事，排泄，清潔，更衣，整容，移乗，歩行は可能か．発達段階や病状を加味して考えるとどうか．誰がどのように介助しているか
	□手段的日常生活動作	●調理，買い物，洗濯，掃除は誰が行っているか．どのような援助や環境調整が必要か
	生活活動 □食事摂取	●食事の内容，形態，生もの禁止などの医師からの指示の有無，量，回

情報収集項目	情報収集のポイント
活動	
□水分摂取 □活動・休息	➡ 数，時間帯はどうか．間食の有無や内容，量はどうか ➡ 水分摂取の内容，回数，1回摂取量，摂取時間帯はどうか ➡ 睡眠時間，夜間覚醒の有無，入眠時の状況，午睡の有無，生活リズム，1日の過ごし方，遊びの内容や時間，学童期以上の場合は教育の内容や時間，排泄や食事などの生活行動の自立状況はどうか
コミュニケーション □意思疎通 □ツールの使用	➡ 理解力はどうか．発達段階や使用している薬剤（鎮痛薬など）の影響を加味して考えるとどうか ➡ 痛みの主観的評価を行うためにフェイススケールやビジュアルアナログスケール（VAS），数値スケールなどのツールを用いているか．その他の場面でもツールを用いているか
活動への参加・役割 □家族との交流 □近隣者・知人・友人との交流 □外出 □余暇活動 □養育（子ども）	➡ 親やきょうだい，他の家族との会話や遊びなどのかかわりはどうか ➡ 友人とのかかわりはどうか，子どもの状態をどのように説明しているか ➡ 外出の目的，内容，頻度，場所，方法はどうか．付き添い者は誰か，外出に伴うリスク（感染や安全）はどうか ➡ 余暇活動の有無，内容，方法，頻度，場所，余暇活動に伴うリスク（感染や安全）はどうか ➡ 保育所・幼稚園，学校・特別支援学校からの保育・教育内容・方法・頻度・体制はどうか
環境	
療養環境 □住環境 □地域環境 □地域性	➡ 浴室，寝室，居間，玄関，段差や階段の状況はどうか，在宅医療機器や必要物品の配置はどうか，照明，雰囲気（子どもの嗜好の取り入れの有無），家屋形態，間取り，衛生状態はどうか ➡ 病院や保育所・幼稚園，学校・特別支援学校，商業施設，公園やレジャー施設へのアクセスはどうか．歩行環境や車椅子の使用可能性，公共交通機関の利便性はどうか ➡ 地域の特性（住宅地，商業地域，郊外，都市部，農村部）や住民同士の交流はどうか
家族環境 □家族構成 □家族機能 □家族の介護・協力体制	➡ 家族構成，家族員の年齢，死亡状況，同居状況はどうか ➡ 家族関係，家族内の意思決定方法，家族の健康状態，セルフケア力，問題解決能力，親の養護行動・養育態度，就労状況はどうか ➡ 介護者，キーパーソン，協力者は誰か．介護者等の生活行動・休息状況・社会活動の状況はどうか．家族の医療処置実施内容，介護内容・協力内容はどうか．家族の介護力，介護負担はどうか
社会資源 □保険・制度の利用 □保健医療福祉サービスの利用 □インフォーマルなサポート	➡ 医療保険や医療費助成制度（「小児がんに関連する社会資源・制度」の項目参照）の利用状況や利用に対する家族の認識はどうか ➡ 小児慢性特定疾病児童等自立支援事業（平成27年から実施されたサービスで相談支援，療育生活支援，介護支援などがある）などのサービス利用状況や利用に対する家族の認識はどうか ➡ インフォーマルなサポート提供者はいるか，子どもや家族との関係はどうか，サポート内容・頻度はどうか

情報収集項目	情報収集のポイント
環境 経済 □世帯の収入 □生活困窮度	⊃世帯収入はどうか，公費による助成金等を受けているか ⊃生活保護を受給しているか，経済的余裕・生活困窮の程度はどうか．家族の将来のための蓄えがあるか
理解・意向 志向性(本人) □性格・人柄	⊃社交性，内向性，几帳面さなどはどうか．乳・幼児の場合，人見知りをするか
自己管理力(本人) □自己管理力 □自己決定力	⊃服薬管理や保健行動についてどの程度セルフケアが可能か ⊃自己決定力がどの程度あるか，医療やサービス，ACPのプロセスにどの程度子どもが参加しているか
理解・意向(本人) □意向・希望 □感情 □終末期への意向 □疾患への理解 □療養生活への理解 □受けとめ	⊃意思能力がどの程度あるか．生活，療養，医療，サービス利用に関する意向や希望はどのようなものか ⊃服薬や医療処置，死などに対しどのような感情をもっているか ⊃ACPは作成されているか，終末期や急変時の延命処置に対する意向をどの程度表明できるか，本児・家族にどのような意向があるか ⊃疾患，病態，予後，治療，服薬内容への理解はどのようなものか ⊃療養生活への理解はどのようなものか ⊃疾患，療養生活をどのように受けとめ，納得しているか
理解・意向(家族) □意向・希望 □感情 □疾患への理解 □療養生活への理解 □生活の志向性	⊃家族の生活，療養，医療，サービス利用に関する意向や希望はどのようなものか ⊃家族は服薬や医療処置，死などに対しどのような感情をもっているか ⊃疾患，病態，予後，治療，服薬内容に対する家族の理解はどのようなものか．終末期や急変時の延命処置にどのような希望をもっているか ⊃療養方法や介護方法に対する家族の理解はどのようなものか ⊃家族の価値観，生活背景，就労・育児・家事実施状況，家庭・社会での役割はどのようなものか

24 小児がん

事例紹介

積極的治療からエンドオブライフケアに切り替えた小児がんの子どもの例

Keywords エンドオブライフケア，小児緩和ケア，在宅酸素療法，疼痛コントロール，家族支援，急性骨髄性白血病，幼児(女児)

〔基本的属性〕女児，5歳
〔家族構成〕父親，母親，姉(8歳)と同居
〔主疾患等〕急性骨髄性白血病(AML)
〔状況〕2歳時に発症したAMLの治療のため入退院を繰り返していた．骨の痛みがあり受診したところ，2度目の移植後の再発が明らかになった．家族の希望で積極的な治療から症状を緩和する治療に切り替え在宅に移行することとなり，訪問看護が開始された．退院後しばらくは活気があったが，しだいに発熱や全身倦怠感などの症状が出現し，ベッド上に横になって過ごすことが多くなった．骨の痛みも強くなったため，鎮痛用の麻薬投与を開始した．先日，突然，呼吸困難を訴えたため，在宅酸素療法を開始することになった．

情報整理シート

疾患・医療ケア

【疾患・病態・症状】

主疾患等：急性骨髄性白血病

病歴：なし

経過：
2歳　急性骨髄性白血病と診断された．入院して化学療法を行い，寛解に至り退院した．
3歳　再発がわかり再入院して化学療法を行ったのち，臍帯血移植を行った．移植後順調に経過し，退院した．
5か月前　骨の痛みがあり受診したところ，2度目の再発（骨髄への再発）が明らかになった．その際，医師からこれ以上積極的な治療を行うのは難しいことが両親に告げられた．家族の希望があり，積極的な治療から症状を緩和する治療に切り替え在宅に移行することとなり，訪問看護が開始された．

【医療ケア・治療】

服薬：【内服】鎮痛薬（MSコンチン）
　　　　　　　鎮痛薬（アセトアミノフェン）
　　　　　　　刺激性下剤（ラキソベロン）
　　　　【実施】母親が実施

治療状況：輸血のため数日おきに外来受診

医療処置：在宅酸素療法（2 L/分で口元に吹き流し）を母親が管理，SpO_2 を継続的に測定，中心静脈カテーテル（CVカテーテル）を母親が管理

訪問看護内容：在宅酸素療法管理，疼痛・症状マネジメント，CVカテーテル管理

全身状態・主な医療処置

- 微熱，全身倦怠感があり，ベッド上に横になって過ごす時間が長くなった
- 鼻出血，歯肉出血があり，定期的に輸血を行っている
- 骨の痛みが強く，鎮痛用の麻薬投与が開始された
- 在宅酸素療法中だが，酸素マスクを嫌がるため，酸素2 L/分を口元に吹き流ししている．パルスオキシメータプローブを足趾に装着中
- 経口摂取可能だが食事摂取量は徐々に減少している
- 血圧：90/60～70 mmHg
- 脈拍：100～110回/分
- 呼吸数：30回/分
- SpO_2：96～98％
- 右鎖骨下にCVカテーテル挿入中
- 下痢が続いていたが麻薬の投与開始後，便秘傾向にある

- 身長：110 cm
- 体重：15 kg（体重減少）
- カウプ指数：12.4（13未満：やせすぎ）
- 排便：1回/1～2日
- 排尿：6～7回/日
- 食事：3回/日

基本情報
年齢：5歳　性別：女児

活動

【移動】

屋内移動：抱っこにて移動
屋外移動：車椅子

【活動への参加・役割】

家族との交流：家族関係は良好だがAちゃん中心の生活を送っているため姉は寂しい思いを我慢している．

近隣者・知人・友人との交流：Aちゃんの容態急変が予測されるため，祖父母や親戚が近日中にAちゃん宅を訪問する予定である．

外出：ディズニーリゾートに行きたいというAちゃんの希望を叶えるため，メイク・ア・ウィッシュ（3歳から18歳未満の難病と闘っている子どもの夢をかなえる非営利のボランティア団体）を利用して，訪問看護師同伴で家族でディズニーシーに行った．

社会での役割：なし

余暇活動：ベッド上で母親や姉に絵本を読んでもらう．

【生活活動】

食事摂取：食事量が減ってきているため，中心静脈栄養法（IVH）を行うことを検討している．

水分摂取：3歳ごろまで使用していたストローマグを使用し，少量ずつ1日500 mL程度水分摂取している．

活動・休息：ベッド上に横になって過ごす時間が長くなった．

生活歴：出生時は異常がなく，正常な成長・発達を遂げてきた．2歳の時にAちゃんの機嫌が悪く，感冒様症状があるため近医を受診したところ風邪と診断された．2週間以上経過しても症状が改善しないため総合病院を受診したところ，急性骨髄性白血病と診断された．

嗜好品：ミルクティー

【生活動作】

基本的日常生活活動作	
食動作	母親がセッティングし，普通食を少量摂取
排泄	日中はトイレで排泄しているが夜間はおむつ着用
清潔	シャワー浴（発熱時は清拭），排泄時は温水洗浄便座で肛門周囲洗浄
更衣整容	母親が実施（その日の体調に応じてできることはAちゃんが行うよう促している）
移乗	母親が抱っこで移乗
歩行	実施せず
階段昇降	実施せず
手段的日常生活活動作	
調理	母親が実施
買い物	母親が実施
洗濯	母親が実施
掃除	母親が実施
金銭管理	母親が実施
交通機関	利用しない

【コミュニケーション】

意思疎通：可能
意思伝達力：問題なし
ツールの使用：痛みを評価する際，フェイススケールを使用

24 小児がん

環境

【療養環境】

住環境：分譲マンション バリアフリーであるが車椅子移動するには手狭である。自宅では、ほとんどの時間をリビングで過ごしている。

地域環境：日中は人通りが多い。かかりつけの病院までは車で10分

地域性：都市部の交通の便のよい住宅地。マンションの住民同士の関係は希薄である。地域にはAちゃんの友人がいるが母はAちゃんの友人やその家族にAちゃんが終末期にあることを話していない。

【ジェノグラム】

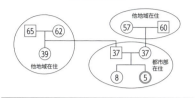

【家族の介護・協力体制】

母親が主な介護者でありキーパーソンである。食事や清潔ケアなどすべて母親が介助している。父親も協力的で、夜間や週末はAちゃんのケアや家事、育児を行う。姉は小学校の下校後、Aちゃんのベッドサイドで Aちゃんとともに過ごすことが多い。父親も早めに帰宅するようになったため、夕食後は家族でAちゃんのベッドサイドで過ごしている。

【社会資源】

サービス利用：

	月	火	水	木	金	土	日
AM	訪問看護	外来(輸血)	訪問看護	訪問診療	外来(輸血)	訪問看護	
PM							

保険・制度の利用：乳幼児医療費助成制度、小児慢性特定疾病医療費助成制度

【エコマップ】

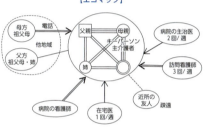

【経済】

世帯の収入：父親の収入(700万円)

生活困窮度：子どもの教育費や住宅ローン、通院に伴う交通費・駐車場代など支出が多いため経済的に余裕はないが、医療費については保険・制度を活用できているため困ってはいない。

理解・意向

父親：どんなことがあっても家族を支えたい。自分が悲しんでいる場合ではない

仕事一筋で生きてきたけど今は家族で過ごす時間を大切にしたい

大手の広告代理店の管理職。仕事優先の人生を送ってきたが、Aちゃんや妻を支えるため、早めに帰宅してAちゃんのケアや家事、育児を手伝うようになった

本人：
- 死んだら星になるの？
- どうしていつも来ないみんな(祖父母や親戚)がおうちに来るの？
- ママ、ずっとここにいて
- (病気になって痛い思いをするのが)ママじゃなくてよかった
- ねえね(姉)と遊びたい
- おうちがいい
- 私、死んじゃうの？

志向性
- 生活の志向性：自宅が好き
- 性格・人柄：家族思いで優しい
- 人づきあいの姿勢：母親と一緒にいたがる

自己管理力
- 自己管理力：全て介助
- 情報収集力：全て介助
- 自己決定力：全て介助

母親：Aちゃんの好きなようにさせてあげたい 苦しまないようにしてあげたい。神様、Aちゃんを助けてください

歯科衛生士として勤務していたが、Aちゃんの小児がん発症とそれに伴う付き添いのために退職し現在無職

キーパーソン 主介護者

姉：Aちゃんが帰ってきた！Aちゃん死んじゃうの？

Aちゃんが在宅に移行し、家族が一緒に過ごせることを喜んでいる 一方で、両親がAちゃんにかかりきりになっているため寂しい思いをしている 姉なりにAちゃんや家族の状況を理解できるので家族に協力しようと努力している

第2章 健康障害別看護過程 4. エンドオブライフ

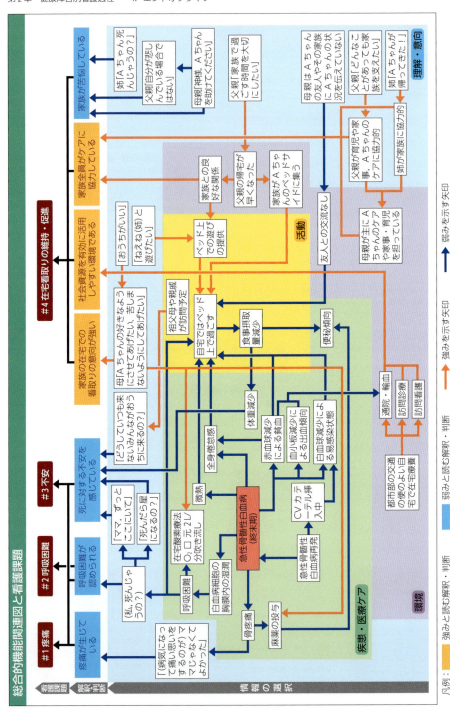

| STEP❶ アセスメント | STEP❷ 看護課題の明確化 | STEP❸ 計画 | STEP❹ 実施 | STEP❺ 評価 |

看護課題リスト

No.	看護課題　【コード型】文章型	パターン
#1	【疼痛】白血病が再発し，疼痛が生じている	問題着眼型
	根拠 白血病細胞の浸潤による骨の痛みがあり，麻薬の使用により疼痛コントロールしている状況である．呼吸困難や不安も痛みを増強している要因と考えられる．	
#2	【呼吸困難】白血病細胞の胸腔内の浸潤により呼吸困難が認められる	問題着眼型
	根拠 白血病細胞が胸腔内で増殖し，大静脈や気管が圧迫されることにより呼吸困難が認められる．	
#3	【不安】死に対する不安を感じている	問題着眼型
	根拠 祖父母や親戚の訪問が予定されるなどの通常とは異なる状況を敏感に感じとっている．また，疼痛の増強や呼吸困難の出現，体重の減少など身体の変化に伴い死を意識することがあり，不安を感じている．	
#4	【在宅看取りの維持・促進】家族の在宅看取りへの強い意向と協力を活かし，看取りを維持・促進する	強み着眼型
	根拠 Aちゃんが苦しまずに安らかに逝けることを優先し，在宅で看取る意向が強い．また，訪問看護などの社会資源を活用しながら家族が協力して在宅療養を継続できている．Aちゃんの死が避けられない状況に家族全員が苦悩しているが，苦悩の中に希望を見出せるように寄り添い，安らかな看取りを維持・促進する．	

【看護課題の優先度の指針】家族は，Aちゃんの「おうちがいい」という意向を尊重し，「家族で過ごす時間を大切にしたい」という希望がある．したがって，Aちゃんの痛みや苦痛を最小限にし，家族みんなで最期まで在宅で過ごせることが重要である．Aちゃんにとって苦痛が強い症状である【疼痛】【呼吸困難】【不安】を優先度の高い看護課題とした．特に，痛みがないことはAちゃんと家族の心理的安定につながり，積極的にコントロールする必要があるため【疼痛】を#1に，【呼吸困難】を#2，【不安】を#3とし，#4に【在宅看取りの維持・促進】を挙げた．

24 小児がん

長期目標

白血病の終末期に生じる多様な症状による苦痛を緩和し，家族の協力を活かし，Aちゃんの在宅での安らかな看取りを維持・促進する．

根拠 Aちゃんは白血病の終末期であり，疼痛，呼吸困難，不安の症状が認められるが，家族はAちゃんを在宅で看取る意向が強い．また，社会資源の活用や家族の協力が可能なため，適切な支援により，Aちゃんの在宅での安らかな看取りを維持・促進することができると考えられる．

〈長期目標を共有するケアチーム〉
フォーマルサービス：訪問看護師，在宅医，病院の主治医，病院の看護師，メディカルソーシャルワーカー
インフォーマルなサポート：母親，父親，姉，祖父母，親戚

STEP ❶ アセスメント　STEP ❷ 看護課題の明確化　STEP ❸ 計画　STEP ❹ 実施　STEP ❺ 評価

1 看護課題

#1 【疼痛】
白血病が再発し，疼痛が生じている

看護目標（目標達成の目安）

1) 痛みを我慢せず表現することができる（1週間）
2) 痛みが軽減したことを表現することができる（1週間）
3) 痛みをコントロールし，在宅で穏やかな生活を送ることができる（3週間）

援助の内容 / 援助のポイントと根拠

OP 観察・測定項目

- バイタルサイン
  - ⇒呼吸，脈拍，血圧，体温と意識レベルを確認する
- 痛みの状態
  - ⇒痛みの部位，程度，性質，発現時間，持続時間を観察し，痛みについて把握する　**根拠** 医療職者は子どもの痛みを過小評価しがちであることが指摘されている．「観察・測定項目」に沿って観察を行い，痛みを適切に評価する必要がある
  - ⇒痛みが生じている場合は，子どもの発達段階を加味して評価する．痛みの程度を客観的に評価するための方法として，フェイススケールやビジュアルアナログスケール（VAS）などがある
- 痛みを増強する症状
  - ⇒呼吸困難などの身体症状と不安などの精神症状の有無と程度を把握する
- 活動と休息の状況
  - ⇒ベッド上での遊びの実施状況や睡眠状態を把握する
- 鎮痛薬の使用状況
  - ⇒時刻を決めて指示された量を一定の使用間隔で投与しているか，鎮痛薬の効果が十分に得られているかなど，用量や用法，効果，副作用を把握する
- 子どもの様子
  - ⇒表情，機嫌，活気，言動，姿勢を把握する

TP 直接的看護ケア項目

- 医師の指示に基づく鎮痛薬の投与・麻薬の管理
  - ⇒特に，麻薬の用量や用法に変化があった場合は効果や副作用をしっかりとモニタリングする
- 体位の工夫，温罨法やマッサージの実施
  - ⇒子どもの希望や反応を確認しながら実施する
- 医師への報告・相談
  - ⇒**連携** 処方されている薬剤では十分な効果が得られなくなってきた場合など，必要時は医師に報告，相談する

EP 教育・調整項目

- 鎮痛薬の説明
  - ⇒鎮痛薬の作用発現時間や持続時間，副作用，管理や記録，取り扱いについて説明する
- 痛みの対処法の説明
  - ⇒子どもに痛みを我慢しないように伝える．家族に痛みを緩和するための対処法について説明する

2 看護課題

#2 【呼吸困難】
白血病細胞の胸腺内の浸潤により呼吸困難が認められる

看護目標（目標達成の目安）

1) 呼吸困難を我慢せず表現することができる（1週間）
2) 呼吸困難が軽減したことを表現することができる（1週間）
3) 呼吸状態が安定し，在宅で穏やかな生活を送れる（3週間）

援助の内容 / 援助のポイントと根拠

OP 観察・測定項目

- バイタルサイン
  - ⇒呼吸，脈拍，血圧，体温と意識レベルを確認する
- 呼吸状態
  - ⇒呼吸数，呼吸の深さ，呼吸のリズム，呼吸音，顔色，チア

援助の内容	援助のポイントと根拠
	ノーゼの有無，努力呼吸の有無，咳嗽や喘鳴などの症状の有無，酸素流量・吸入時間・投与方法，SpO_2値，上気道の分泌物の量・性状，血液検査データ（血液ガス）を観察し，呼吸状態を把握する
●栄養状態	⇒体重，カウプ指数，血液検査データ（総蛋白，アルブミン，総コレステロールなど），水分・食事摂取状況を把握する 根拠 呼吸困難は食欲低下を伴いやすい．栄養状態が不良になると，呼吸筋の筋力低下や免疫機能の低下をまねく
●腹部状態	⇒腸内ガスや便秘などによる腹部膨満の有無を把握する 根拠 腹部膨満により横隔膜が挙上すると呼吸が制限される
●活動と休息の状況	⇒ベッド上での遊びの実施状況や睡眠状態を把握する
●医療的ケアの状況	⇒在宅酸素療法が適切に行われているか把握する
●子どもの様子	⇒表情，機嫌，活気，言動，姿勢を把握する
TP 直接的看護ケア項目	
●体位の工夫	⇒子どもの希望や反応を確認しながら，肩枕や安楽枕などを用いて上半身を挙上し，呼吸がしやすい体位を整える 根拠 上半身を挙上することで横隔膜が下がり呼吸が楽になる
●上気道の分泌物の除去	⇒吸入や吸引を行う必要があれば，食事前や睡眠前に行う 根拠 子どもの場合は分泌物の自己喀出が困難な場合がある．貯留した分泌物は気道内の空気の流れを妨げ，食事や睡眠を妨げる可能性がある
●在宅酸素療法の管理	⇒設定確認や作動状況の点検などの安全管理，使用環境の確認と調整を行う 連携 医師から指示された酸素投与方法を変更する必要がある場合など，必要時は医師に報告，相談する
EP 教育・調整項目	
●安静の必要性の説明	⇒根拠 酸素消費量を少なくすることで呼吸困難を軽減する
●在宅酸素療法に関する理解度の確認と説明	⇒医師からどのような指導管理が行われているか，家族はどのように理解しているか確認する．定期的に酸素投与方法や緊急時の対処法，受診のタイミング，体位ドレナージ，安楽な体位のとり方，低酸素血症などの症状について説明する

3 看護課題	看護目標（目標達成の目安）
#3 【不安】 死に対する不安を感じている	1) 不安な気持ちや疑問を表現することができる（1週間） 2) 不安が軽減し，在宅で穏やかな生活を送れる（3週間）

援助の内容	援助のポイントと根拠
OP 観察・測定項目	
●不安による反応	⇒腹痛などの身体症状，過度の依存や拒否的反応，攻撃的な言動，退行現象，指しゃぶりなどの習癖の出現の有無・程度を把握する
●活動と休息の状況	⇒ベッド上での遊びの実施状況や睡眠状態を把握する
●子どもの様子	⇒表情，機嫌，活気，言動を把握する
TP 直接的看護ケア項目	
●ベッド上での遊びの提供	⇒子どもの健康状態や嗜好を考慮し，本の読み聞かせや，とびだす絵本を使った遊びを提供する．親やきょうだいの健康状態を考慮し，一緒に参加してもらったり，場合によっては，

24 小児がん

	子どものケアから離れてもらい休息を促す 根拠 終末期を在宅で過ごす子どもと家族を精神的に支援することは，重要な小児訪問看護の役割の1つである．遊びを通して，子どもがその子らしく過ごせる穏やかな時間を提供することは，子どもの不安や苦痛を緩和し心理的な安定につながる．その他，遊びを通して，子どもとのコミュニケーションが促進され，子どもの思いを聞く機会を得たり，信頼関係の構築や家族支援にもつながる．また，終末期においても子どもは成長・発達を続けているため，年齢に応じた遊びを取り入れることは，成長・発達を支援する意味においても重要である
EP **教育・調整項目** ● 発達段階に応じた病状の説明 ● 家族への助言 ● 気持ちを表出できる関係の構築 ● 環境の調整	⇒ 病状や医療的ケアに関する説明を行い，子どもが疑問に思っていることについて対応する．不安な気持ちを表出してよいことを伝える 連携 説明や対応が人により異なると子どもが混乱する可能性があるため，チームで連携し説明の内容や対応の仕方を統一する必要がある ⇒ 家族に子どもの側にいることやタッチングの効果・重要性について伝える ⇒ コミュニケーションをとることに重点を置き信頼関係を構築し，子どもに寄り添う．子どもの話を遮らず，傾聴する ⇒ 気持ちが落ち着き，感情が表出できるよう環境を整える

4 看護課題	看護目標（目標達成の目安）
#4 【在宅看取りの維持・促進】 家族の在宅看取りへの強い意向と協力を活かし，看取りを維持・促進する	1) 在宅で看取りができる環境を整えることができる（1週間） 2) 社会資源を活用しながら家族が協力して在宅療養を継続できる（3週間） 3) 在宅で安らかな看取りができる
援助の内容	**援助のポイントと根拠**
OP **観察・測定項目** ● 家族の健康状態 ● 家族の様子 ● 家族の理解度 ● 介護状況と介護による影響 ● 家族の思いや希望，ニーズ TP **直接的看護ケア項目** ● 訪問診療の導入	⇒ 根拠 臨死期が近づくにつれ子どもの状態が悪化するため，家族は子どもの側から離れられなくなる場合が多く，疲労が蓄積する．また，親は子どものきょうだいに配慮することが難しい状況になるため，きょうだいへの支援も重要である ⇒ 表情や言動を把握する ⇒ 子どもの症状や予後について家族はどのように理解しているか，医療職者と家族の認識が乖離していないか確認する ⇒ 主介護者，キーパーソン，協力体制，家族間の関係性，役割，介護による日常生活への影響を把握する ⇒ 根拠 子どもと家族が在宅でどのような終末期を過ごしたいのか理解する ⇒ 経過を理解しており，なじみのある病院の医師・看護師とつながっていたいという家族の希望を尊重し，家族とよく話し合い，訪問診療を導入する 根拠 血液疾患の終末期の子どもは頻繁に輸血を行う場合が多いが，症状の進行に伴い，輸血のための受診や移動に伴う身体的負担が増大する可能性

が考えられる．在宅移行時など，早期に訪問診療を導入する方が望ましいが，家族の意向を尊重し，子どもの症状の悪化や，それに伴う家族の生活，健康状態，気持ちの変化に合わせて，そのつど必要な社会資源の紹介を行う必要がある

⇨ 連携 終末期の子どもをもつ家族が自分で子どもの輸血に対応できる在宅医を探すのは難しいため，メディカルソーシャルワーカーなどの多職種と連携し，情報提供する

EP 教育・調整項目

- 医療的ケアの説明・教育，子どもの症状に対する対処法の説明・教育
  - ⇨ 強み 在宅療養継続の意向が強く，介護力のある家族であるため，家族のセルフケア力を高める支援を行う
- 看取りに向けた準備教育
  - ⇨ 家族の死別体験を踏まえ，家族差を加味して，どのような経過をたどり死に至るのか説明する．医療職者と家族の認識に差が生じないように，看取りの時期や在宅での看取り方(容態が変化した際の連絡先や死亡確認・死亡診断書の受け取りなど)，エンゼルケアについて説明する 連携 必要時，医師から説明してもらう機会を設ける
- 家族への精神的支援
  - ⇨ 家族の悔いが残らず十分に看取れたという充足感をもてるように，家族の心配事や不安，希望に対応する．随時，家族の意思や希望に変化がないか確認する．また，子どもの状態が落ち着いている時は，少しでも家族が休めるように配慮するとともに家族の情緒的安定を図る支援を行う
- 訪問時の声かけ
  - ⇨ 家族と十分にコミュニケーションをとり，不安を表出できるような関係を築く
- 家族の関係性の調整
  - ⇨ 強み 今後も家族が協力しながら在宅療養を継続できるよう家族全体を支援する
- 看取りのための環境整備
  - ⇨ 子どもを見送るときに呼びたい人や着せたい服など見送り方について事前に話し合いの機会をもち，家族が見送る準備ができるよう支援する．死が近づいてきたときに，家族が子どもの側にいて，子どもに話しかけるなど家族にしかできないケアが行えるよう助言する．別れの時間を十分に確保し，家族とともに死後の処置(エンゼルケア)を行う
- グリーフケア
  - ⇨ 根拠 子どもの死後の家族への支援を指すが，十分に看取れたという充足感はグリーフケアにつながる

24 小児がん

STEP❶ アセスメント　STEP❷ 看護課題の明確化　STEP❸ 計画　**STEP❹ 実施**　STEP❺ 評価

強みと弱みに着目した援助のポイント

強みに着目した援助
- 子どもとともに過ごす時間に価値を見出し，協力しながら在宅療養を継続している家族である．必要な時は家族関係を調整し，思い合い，協力しながら在宅で安らかな看取りができるよう家族全体を支援する．
- 在宅療養継続の意向が強く，介護力のある家族である．安らかな看取りを維持・促進するため，医療的ケアの技術や症状出現時の対処方法を家族に指導し，家族のセルフケア力を高める支援を行う．

弱みに着目した援助
- 疼痛が生じているため，発達段階や子どもの状態を加味して痛みをアセスメントし，医師と連携して疼痛をコントロールする．
- 呼吸困難が認められるため，呼吸状態を的確にアセスメントし，体位の工夫や分泌物の除去を行うとともに，在宅酸素療法の管理を行う．
- 死に対する不安を感じているため，不安による反応を把握し，子どもに寄り添うとともに，家族が子どもの側にいられるように家族を支え，子どもが安らかに過ごせるように環境を整える．

STEP ❶ アセスメント　STEP ❷ 看護課題の明確化　STEP ❸ 計画　STEP ❹ 実施　**STEP ❺ 評価**

評価のポイント

- 痛みを我慢せず表現することができるか
- 痛みが軽減したことを表現することができるか
- 痛みをコントロールし，在宅で穏やかな生活を送ることができているか
- 呼吸困難を我慢せず表現することができるか
- 呼吸困難が軽減したことを表現することができるか
- 呼吸状態が安定し，在宅で穏やかな生活を送ることができているか
- 不安な気持ちや疑問を表現することができるか
- 不安が軽減し，在宅で穏やかな生活を送ることができているか
- 在宅で看取りができる環境が整っているか
- 社会資源を活用しながら家族が協力して在宅療養を継続できているか
- 在宅で安らかな看取りができたか

関連項目

第2章「9 重症心身障害児」「13 筋ジストロフィー」「23 がん」
第3章「25 家族の介護疲れ」「26 療育困難」

第3章
心理・社会的課題別看護過程

25 家族の介護疲れ

家族の介護疲れの理解

家族の介護疲れとは

1）家族の介護疲れの定義
- 家族が在宅で療養者の介護を担うことで疲労感を抱くことを指す．
- 介護疲れに関連する用語として介護負担がある．介護負担は，何らかの障害をもった親族の世話をする家族が経験する身体的・精神的・社会的・経済的な負担をいう．

2）家族の介護疲れが起こる背景
- 介護はゴールが見えづらく，24時間，365日継続して行われる．
- 介護を担う家族の多くが壮年期や老年期にある．壮年期の場合は，仕事や家庭内役割と介護との両立が困難となることがある．老年期の場合は，老老介護となり，家族も心身の課題をもつことが多い．
- 療養者の要因として，療養者の疾患の影響によって心身の変化がみられやすいこと，これまでの療養者と家族の人間関係（親子，嫁姑等）によっては役割意識等が働き，介護拒否が生じることが挙げられる．また，疾患の影響により，家族がこれまでのコミュニケーション方法の変更を求められることもある．しかし，家族が変更できないままコミュニケーションに食い違いが生じ，関係が悪化することもある．
- 家族側の要因として，自分の時間がとれないこと，思い通りに介護ができないこと，他者に介護状況を理解されないことから，悩みや不安，ストレス，いら立ちを抱えやすいことが挙げられる．また，心配性や完璧主義といった家族の特性で介護に妥協できない場合もある．

3）健康への影響
- 家族の介護疲れが，家族の心身状態の悪化（循環器疾患，うつ病等）を招くことがある．
- 家族の健康状態が悪化すると，療養者の在宅生活が維持できなくなり，療養者の健康悪化につながることも多い．
- 家族の介護疲れは高齢者虐待の要因の1つになりうる．

家族の介護疲れとケア

- 家族の介護疲れは，療養者の在宅生活の継続に大きな影響を与えるため，家族の介護疲れの有無とその要因を把握したうえで，介護疲れを軽減する視点をもって支援する．また，家族に介護疲れがみられない場合でも，加齢や療養者の疾患や障害の進行，家族の心身，生活の変化により介護疲れは出現する．そのため，その看護手技の介護疲れの有無を把握する必要がある．
- 家族によっては介護を抱え込み，他者の支援を拒む場合もあるため，長期的な視野をもちながら，家族のニーズに合わせた支援体制をつくる．

療養者・家族の特徴からみた援助・対策

1）介護する家族が男性の場合
男性の多くは社会的役割をもって働いていた経験から，介護を自身の仕事として認識して役割を果たそうとする者が多い．そのため，自分の思い通りに介護ができないと精神的ストレスを抱えることが多い．また，家庭の悩みを知人などに相談するといった行動も女性に比べてとりにくいことから，他者に支援を求めることができず抱え込むこともある．したがって，家族介護者が介護をどのような役割として認識しているかを把握しながら支援する必要がある．

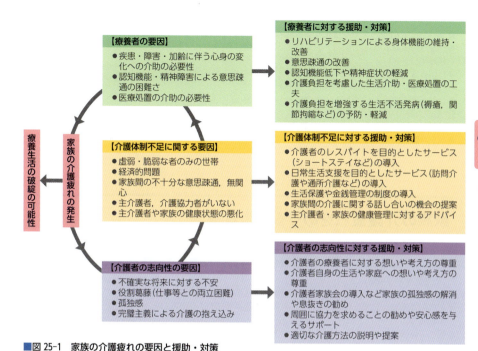

■図 25-1　家族の介護疲れの要因と援助・対策

2) 介護する家族が子ども（実子）の場合
　子どもは過去の親のイメージが強く残っており，介護を受けている親の状況を受け入れられず，介護に苦慮したり，精神的ストレスを抱えている場合もある．反対に，親への過剰な愛情や「介護は家族がするもの」といった価値観から，介護疲れを招いている場合もある．そのため，これまでの親子関係や現在の介護の受け入れ状況を把握しながら支援する必要がある．

3) 介護する家族が義理の息子・娘の場合
　義理の息子・娘の場合は，嫁姑関係など，これまでの関係が現在の介護状況に影響を与えることがある．また，義理の息子・娘といった関係から，介護に疲弊していることを他者に言えず抱え込んでいる場合もある．そのため，これまでの療養者との関係性や療養者に対する思いを把握しながら支援する必要がある．

4) 家族が複数の介護を担っている場合
　介護者の高齢化，核家族化が進んでいることから，家族が複数の介護を担っている場合も多い（多重介護）．そのため，家族が担っている介護の程度，介護に費やしている時間などを把握したうえで支援の方向性を検討する必要がある．

家族の介護疲れに関連する社会資源・制度

1) レスパイトケア
- 介護保険法によるデイサービス，ショートステイ

2) 日常生活動作（入浴，更衣，整容，食事）の介助
- 介護保険法による訪問介護，訪問入浴介護
- 市区町村による家族介護用品支給サービス（紙おむつ等），寝具類の洗濯乾燥消毒サービス

3) 日常生活の移動・移乗を支援する福祉用具貸与と購入支援
- 介護保険法による福祉用具貸与(車椅子，特殊寝台，特殊寝台付属品，床ずれ防止用具，体位変換器，移動用リフト)
- 有償移送サービス，介護タクシー

4) 機能訓練，日常生活動作訓練，アクティビティケア
- 介護保険法によるデイケア，デイサービス，訪問リハビリテーション

5) 交流の場
- 地域の会合，多世代参加型の交流の場
- 家族介護者の会
- 趣味などの会(運動，音楽など)

家族の介護疲れをめぐる訪問看護

訪問看護の視点

1) 療養者をみる視点
- 家族の介護疲れに影響を与えている要因を解消する視点をもつ．
- 家族の介護疲れを増強しないように，療養者の健康状態や心身機能の低下・悪化を予防・予測する視点をもつ．
- 家族の健康状態や心身機能を把握し，今後起こりうるそれらの変化を予測する．
- 療養者と家族のニーズとそれぞれがもつ強みに着目する．
- 療養者や家族が他者の支援や外部サービスの導入を拒否する場合は，その理由を把握する．

2) 支援のポイント
- 療養者と家族の両方の心身の健康を守るサービスの提案や調整を行う．
- 療養者と家族が必要時に助けを求められる体制や信頼関係をつくる．
- 家族が介護以外に自分の時間を確保できるようにサービスの提案や調整を行う．また，家族が社会的活動を維持できるように働きかける．

●看護課題別：療養者をみる視点と支援のポイント

看護課題	療養者をみる視点	支援のポイント
問題着眼型看護課題： 家族の介護疲れ	家族の介護疲れがすでにみられている場合は，療養者・家族ともに健康問題や心理社会的問題につながるリスクが高い．それぞれの問題に目を向けつつ，悪循環に陥らないように支援する必要がある．	● レスパイトケアを活用する． ● 療養者と家族の健康管理に目を向けた支援をする．
強み着眼型看護課題： 家族の介護の維持・促進	療養者と家族に合う介護方法となっているか，社会資源が必要な場合はどのように導入すればよいか，また家族が介護以外の時間を確保できているかなど，家族の介護の継続を支援する視点から，現在の介護状況をアセスメントする．	●（療養者と家族に合う）介護方法を助言する． ● サービスを調整する． ● 家族が介護以外の自分の時間を確保したり，社会活動が維持できるように支援する．

| STEP ❶ アセスメント | STEP ❷ 看護課題の明確化 | STEP ❸ 計画 | STEP ❹ 実施 | STEP ❺ 評価 |

情報収集

情報収集項目	情報収集のポイント
疾患・医療ケア	
疾患・病態・症状	
□疾患	●療養者の疾患が家族の介護疲れに影響していないか(脳血管疾患の後遺症,骨折,認知症など)
□疾患の症状	●療養者の疾患の症状が家族の介護疲れに影響していないか(痰が多いなど)
□疾患の経過,予後	●疾患は進行性か,慢性的か
医療ケア・治療	
□服薬	●療養者の服薬の作用(副作用)や管理が家族の介護疲れに影響していないか
□治療	●療養者の機能訓練などの治療が家族の介護疲れの軽減につながるか
□医療処置	●療養者への医療処置が家族の介護疲れに影響していないか(夜間の定期的な吸引など)もしくは軽減するよう工夫されているか(排便コントロールなど)
□訪問看護	●療養者への訪問は,家族の介護疲れの軽減につながる効果的な内容となっているか
全身状態	
□呼吸・循環状態	●療養者に誤嚥性・沈下性肺炎の徴候はないか,痰の増加・色調の変化はあるか
□摂食・嚥下・消化状態	●療養者に嚥下困難,食事摂取時間の延長はないか,腸蠕動運動低下,便秘・下痢はないか
□栄養・代謝・内分泌状態	●療養者に低栄養はないか
□排泄状態	●療養者に頻尿,失禁,尿路感染などの感染症の徴候はないか
□筋骨格系の状態	●療養者に筋萎縮,筋力の低下,腱・靱帯・関節包の硬化,関節可動域の減少,関節拘縮,姿勢保持困難はないか
□感覚器の状態	●療養者に感覚・知覚鈍麻,難聴,視覚障害はないか
□皮膚の状態	●療養者に皮膚萎縮や褥瘡はないか
□認知機能	●療養者に認知機能の低下や認知症はないか
□精神状態	●療養者に錯乱,不安,緊張,うつはないか
□免疫機能	●療養者に免疫機能の低下はないか(感染しやすいか)
活動	
移動	
□ベッド上の動き	●療養者は介助がどの程度必要か,療養者は寝返りはできるか,更衣やおむつ交換のときに腰を挙上できるか,自分で座ったり,座位を保持できるか
□起居動作	●療養者は介助がどの程度必要か,療養者は椅子やトイレに移乗しているか,立ち上がったり立位を保持できるか
□屋内移動	●療養者は介助がどの程度必要か,補助具を使用しているか,屋内でどの程度移動できるか,トイレ等の生活動線はどうか
□屋外移動	●療養者は介助がどの程度必要か,補助具を使用しているか,どの程度外出できるか
生活動作	
□基本的日常生活動作	●療養者は介助がどの程度必要か,療養者の食事,排泄,生活,更衣・整容動作の遂行状況と能力の差はないか

25 家族の介護疲れ

情報収集項目	情報収集のポイント
□手段的日常生活動作	●療養者は介助がどの程度必要か，療養者の調理，買い物，洗濯，掃除，金銭管理の遂行状況と能力の差はないか
生活活動 □食事摂取 □水分摂取 □活動・休息 □生活歴	●療養者の経口摂取量はどうか，胃瘻（腸瘻）など経管栄養を行っているか，栄養補助剤をしようしているか，介助はどの程度必要か ●療養者の水分摂取量はどうか，介助はどの程度必要か ●療養者の日中・夜間の睡眠時間はどの程度か，日中の離床時間はどの程度か，昼夜逆転や生活リズムの乱れはあるか ●療養者は，これまでどのような活動をしてきたか
コミュニケーション □意思疎通 □意思伝達力	●療養者は，周囲の状況を理解できるか，他者と意思疎通が図れるか ●療養者は，自分の意思を伝えることができるか，意思を伝達できる基本的な聴力，視力，言語力があるか，不十分な場合，補聴器，文字盤などを活用できるか
活動への参加・役割 □家族との交流 □近隣者・知人・友人との交流 □外出 □社会での役割 □余暇活動	●療養者の同居・別居家族とのかかわりはどうか（内容，頻度，方法） ●療養者の家庭内での役割はどうか ●療養者の近隣・知人・友人とのかかわりはどうか（内容，頻度，方法） ●療養者の外出に家族はどの程度かかわっているか ●療養者に社会での役割はあるか ●療養者は，余暇活動があるか（内容，頻度，方法），積極性はどうか
療養環境 □住環境 □地域性	●療養者の活動を妨げる住環境ではないか，居室はどこか（照明は十分か，段差はあるか，障害物が多いか，移動能力に応じてリフトなどが設置されているか） ●住民同士が交流し関心をもっているか，住民同士に助け合いの意識があるか，参加しやすい雰囲気か
家族環境 □家族構成・機能・関係性 □家族の介護・協力体制 □家族の家庭内役割分担 □家族の職業などの社会的役割 □家族の生活時間 □家族の発達段階 □家族の対応能力 □家族の健康状態	●家族構成はどうか，家族関係は良好か，家族が互いに関心をもち交流があるか ●キーパーソンは誰か，介護の主担当者は誰か，副介護者はいるか，家族員それぞれがどの程度介護に協力する意思があるか ●誰が家事（炊事，洗濯，買い物など）を行っているか，介護に伴って家族員が役割を変更する可能性があるか ●家族は職業をもっているか，それはどのような内容か，職業が介護や療養者の生活にどの程度影響するか ●家族が介護に伴ってどのような生活を送っているか，家族が自分の時間が確保できているか，工夫や調整がされているか ●家族の発達段階はどうか ●家族の危機対応能力やセルフケア能力はどうか，これまでにどのような対処をしてきたか ●家族の健康状態はどうか，認知機能・精神状態は良好か，家族の健康状態が介護や療養者の生活にどの程度影響するか

（活動／環境）

	情報収集項目	情報収集のポイント
環境	□家族の介護に対する負担感の有無	◯現在の介護にどのような負担を感じているか，その程度はどのくらいか
	社会資源 □保険・制度の利用 □保健医療福祉サービスの利用 □インフォーマルなサポート	◯介護保険を十分に活用しているか．居住する市区町村の介護に関連した制度を利用できるか ◯介護保険サービスをどの程度使用しているか ◯信頼関係のある人はいるか，趣味の活動を一緒にできる知人，友人，近隣の人々はいるか，家族介護者の会を利用しているか
	経済 □生活困窮度	◯療養者のサービスの利用を増やしたり，趣味などの活動をする経済的余裕はあるか
理解・意向	志向性(本人) □生活の志向性 □性格・人柄 □人づきあいの姿勢	◯生活，外出，人との交流に対して目標や楽しみがあるか ◯社交的・外交的な性格か，話好きか，ユーモアがあるか ◯他者を信用しているか，他者とかかわろうとする姿勢や興味があるか
	自己管理力(本人) □自己管理力 □情報収集力 □自己決定力	◯自身の心身の健康を管理できるか ◯介護保険サービス，趣味の活動に関すること，活用できる社会資源について情報を把握したり，収集できるか ◯サービス利用を決定する判断力があるか
	理解・意向(本人) □意向・希望 □受けとめ	◯療養生活についてどのような意向や希望をもっているか ◯現在の自身の心身の状況，家族のおかれている状況についてどのように受けとめているか
	理解・意向(家族) □意向・希望 □感情 □疾患への理解 □療養生活への理解 □生活の志向性	◯介護に対してどのような意向や希望をもっているか ◯療養者や介護状況に対してどのような感情を抱いているか ◯療養者の疾患・病状をどのように理解しているか，今後の進行の可能性をどのように考えているか ◯療養者のおかれている生活や今後の療養生活の方向性について理解できているか ◯今後の介護，自分自身の生活についてどのような志向をもっているか

25 家族の介護疲れ

事例紹介

日常生活に全介助が必要な超高齢者への介護疲れがみられる家族の例

Keywords 家族の介護疲れ，大腿骨転子部骨折後，生活不活発病(廃用症候群)，認知症，一人介護，超高齢女性

〔基本的属性〕女性，98歳
〔家族構成〕息子夫婦(子どもは独立)と同居
〔主疾患等〕生活不活発病(廃用症候群)，大腿骨転子部骨折，アルツハイマー型認知症
〔状況〕近所の地域活動に参加したり畑で野菜をつくったりして過ごしていたが，92歳の時に大転子部骨折をしたのを機にベッド上での生活となった．生活不活発病が進み，現在はほぼ食事や排泄など全介助の状態である．認知機能の低下も進み，94歳の時，アルツハイマー型認知症と診断された．最近は昼夜逆転となり，夜中に叫ぶことがある．息子は病弱で介護の協力が得られにくいことから，息子の妻が1人で介護を担っている．これまで「お義母さんにとてもよくしてもらったので，できるだけ自分だけでお世話をしたい」と息子の妻が希望し，あまりサービスを導入してこなかった．しかし，訪問時に「できるだけ家でお義母さんを看たいが，私も体調が悪く介護が続けられるかわからない」という発言があった．

情報整理シート

疾患・医療ケア

【疾患・病態・症状】
主疾患等：生活不活発病（廃用症候群），アルツハイマー型認知症
病歴：大腿骨転子部骨折，誤嚥性肺炎
経過：
- 92歳　大腿骨転子部骨折で入院．それを機に1日の大半をベッドで過ごす生活となる．
- 94歳　アルツハイマー型認知症と診断される．
- 95歳　誤嚥性肺炎で入院．入院を機にさらに日常生活動作が低下し，自力で動くことが困難となる．主治医からの依頼を受けて訪問看護が導入される．

【医療ケア・治療】
服薬：下剤，整腸薬
治療状況：週に1回往診あり
医療処置：褥瘡予防，浣腸
訪問看護内容：体調管理，排便コントロール，褥瘡予防，陰部洗浄

【全身状態・主な医療処置】
血圧：90〜110/50〜60 mmHg
脈拍：58〜65回/分
呼吸数：12回/分
SpO_2：97％
咳嗽や白痰が時々あり

身長：152 cm
体重：38 kg
BMI：16.4

排便：1回/3日
排尿：8回/日
食事：3回/日

基本情報
年齢：98歳　性別：女性
要介護度：要介護5
障害高齢者自立度：C2
認知症高齢者自立度：Ⅳ

- ベッド上で過ごす昼夜逆転傾向で夜中に叫ぶことがある
- 殿部に発赤あり
- 便秘あり　訪問看護時に浣腸を行う
- 四肢の関節拘縮がみられる　移乗や排泄介助時に痛みのため声を出すことがある

活動

【移動】
ベッド上の動き：ベッド上での生活であり，自力で寝返りがうてない．体位変換も全介助で行う．

【活動への参加・役割】
家族との交流：娘(夫の妹)が月1回訪問する．孫(息子の娘)が3か月に1回程度訪問する．たまに電話がある．
近隣者・知人・友人との交流：ほとんど交流はない．息子の妻は介護を始めてからほとんど交流なし
外出：介助なしでは外出はできない．息子の妻は買い物に行く程度．
社会での役割：現在は特になし
余暇活動：92歳まで畑仕事をしていた．息子の妻はコーラスをしていた(今は行っていない)．

【生活活動】
食事摂取：おかゆを食べる．食事摂取量は少ない．
水分摂取：全体的に水分摂取量は少ない．
活動・休息：自力で活動はできない．昼間は傾眠傾向にある．
生活歴：専業主婦．92歳で骨折するまで，大きな病気やけがはしたことがなく，地域活動に参加したり畑で野菜をつくったりして過ごしていた．
嗜好品：甘い和菓子が好きだった．現在もお汁粉の汁などを食べることがある．

【生活動作】

基本的日常生活動作

食動作	介助でおかゆを経口摂取(息子の妻の介助)
排泄	テープ式おむつ使用．ベッド上で排泄している．腰の挙上なども自力ではほとんど困難である
清潔	2回/週の訪問入浴．訪問看護時には陰部洗浄を行うが，息子の妻は使い捨てシートを用いて拭いている
更衣整容	全介助．訪問入浴時に更衣を実施する
移乗	全介助(抱きかかえる形で行う)
歩行	自力では歩行できない
階段昇降	階段昇降はできない

手段的日常生活動作

調理	息子の妻が実施
買い物	息子の妻が実施
洗濯	息子の妻が実施
掃除	息子の妻が実施
金銭管理	息子の妻
交通機関	ほとんど外出しないため利用していない

【コミュニケーション】
意思疎通：目線は合うが会話での意思疎通は難しい．しかし，夜中には「あー」と声をあげることがある．
意思伝達力：やや難聴あり
ツールの使用：特になし

25　家族の介護疲れ

環 境

【療養環境】

住環境：
2階建て一戸建て住宅
療養者の部屋は1階にある。
息子の妻は2階で寝ているが、夜中に療養者に呼ばれることがあり1階と2階を行き来している。

地域環境：駅まで徒歩20分、住宅地に畑や田んぼが混在している。
地域性：大都市から電車で15分程離れた地域、マンションなどの新興住宅地と古くから暮らしている人が混在している地域であり、地区活動が活発である。

【ジェノグラム】

【家族の介護・協力体制】

2人の孫娘は遠方に住んでいるため3か月に1回程度の訪問である。たまに電話で連絡がある程度。息子は病弱で介護の協力は得られない。娘（夫の妹）が月に1回訪問するが、介護を担うわけではなく、義母に声をかける程度である。

【社会資源】

サービス利用：

	月	火	水	木	金	土	日
AM	訪問看護	訪問入浴		訪問看護	訪問入浴		
PM							

保険・制度の利用：介護保険

【エコマップ】

【経済】

世帯の収入：年金と貯金
生活困窮度：困窮は特になし。

理解・意向

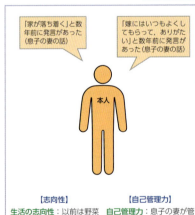

【志向性】
生活の志向性：以前は野菜づくりや地域活動に参加
性格・人柄：温厚、優しい
人づきあいの姿勢：人づきあいが上手であった

【自己管理力】
自己管理力：息子の妻が管理
情報収集力：以前は息子が行っていたが、現在は息子の妻が行う
自己決定力：現在は自己決定ができないため、息子と息子の妻が行っている

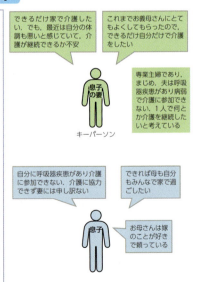

「家が落ち着く」と数年前に発言があった（息子の妻の話）

「嫁にはいつもよくしてもらって、ありがたい」と数年前に発言があった（息子の妻の話）

できるだけ家で介護したい。でも、最近は自分の体調も悪いと感じていて、介護が継続できるか不安

これまでお義母さんにとってもよくしてもらったので、できるだけ自分だけで介護をしたい

専業主婦であり、まじめ。夫は呼吸器疾患があり病弱で介護に参加できない。1人で何とか介護を継続したいと考えている

キーパーソン

自分に呼吸器疾患があり介護に参加できない。介護に協力できず妻には申し訳ない

できれば母も自分もみんなで家で過ごしたい

お母さんは嫁のことが好きで頼っている

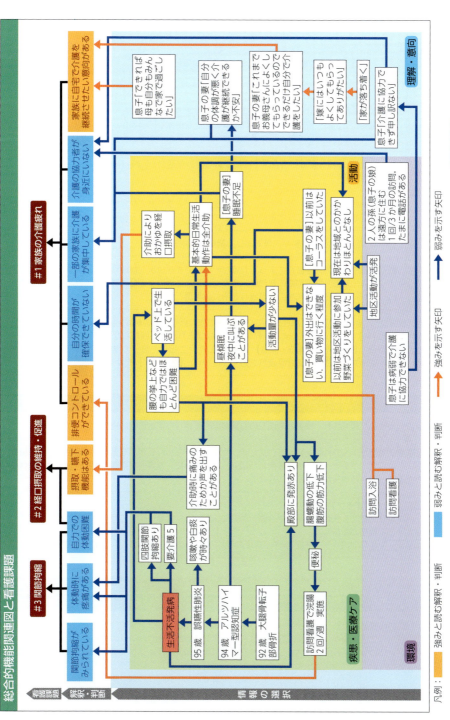

25 家族の介護疲れ

第3章 心理・社会的課題別看護過程　1. 環境

| STEP❶ アセスメント | STEP❷ 看護課題の明確化 | STEP❸ 計画 | STEP❹ 実施 | STEP❺ 評価 |

看護課題リスト

No.	看護課題　【コード型】文章型	パターン
#1	【家族の介護疲れ】一部の家族に介護が集中しており，介護疲れがみられる	問題着眼型
	根拠　息子が病弱で介護に協力できず，近隣に介護の協力者がいないため，息子の妻に介護負担が集中している．息子の妻は自身の体調の悪さを自覚しているが，できる限り在宅介護を継続させたいという意向をもっているため介護疲れが軽減できるような働きかけが必要である．	
#2	【経口摂取の維持・促進】摂食嚥下機能がある強みを活かし，経口摂取を維持・促進する	強み着眼型
	根拠　療養者は日常生活動作全般において全介助が必要であるが，経口摂取できている．この残存機能を活かすために介護負担を考慮しつつ経口摂取を維持・促進する必要がある．	
#3	【関節拘縮】自力での体動が困難であり，関節拘縮がみられる	問題着眼型
	根拠　息子の妻の介護疲れによって介護が十分にできない状況が続くと，療養者の関節拘縮がさらに悪化する．関節拘縮の悪化は，療養者の苦痛を増強するだけでなく家族の介護量の増加につながり，さらなる家族の介護疲れを招く悪循環となる．	

【看護課題の優先度の指針】現在顕在化している息子の妻の介護疲れの軽減を図る必要があることから，【家族の介護疲れ】を#1とした．また，介助を受けながらも経口摂取ができているという療養者の強みを活かすため，【経口摂取の維持・促進】を#2とした．さらに，息子の妻の介護疲れによって，療養者の拘縮が悪化するとさらなる介護疲れを招くことから，【関節拘縮】を#3とした．

長期目標

家族の介護疲れが軽減され，療養者も現在の心身機能を維持し在宅生活を継続することができる．

根拠　息子の妻が1人で介護を担っていたため，介護疲れがみられるが，できる限り自宅で介護を継続したいという意向がある．家族の介護疲れが増強しないように，療養者ができること，日常生活動作を維持することで，在宅生活の継続につながる．

〈長期目標を共有するケアチーム〉
フォーマルサービス：訪問看護師，主治医，ケアマネジャー，必要に応じて理学療法士，言語聴覚士，在宅サービス機関の関係者
インフォーマルなサポート：家族（息子と息子の妻），知人・友人，近隣の人，息子夫婦の子ども

| STEP❶ アセスメント | STEP❷ 看護課題の明確化 | STEP❸ 計画 | STEP❹ 実施 | STEP❺ 評価 |

1	看護課題	看護目標（目標達成の目安）
	#1 【家族の介護疲れ】一部の家族に介護が集中しており，介護疲れがみられる	1) 息子の妻の介護疲れが軽減する（1か月） 2) 息子の妻の体調が悪化しない（1か月） 3) 介護疲れを軽減する新たなサービスを導入できる（2週間） 4) 息子の妻が介護疲れについて表出できる（1か月） 5) 家族の排泄介助の負担が増強しない（1か月）

438

援助の内容	援助のポイントと根拠
OP 観察・測定項目	
●介護疲れ・介護負担の有無と程度	○息子の妻の言動や表情から把握する．Zaritの介護負担尺度などを参考にしながら，介護疲れ・介護負担の変化を把握する
●息子の妻の体調，受診行動の有無(睡眠，食欲，表情，言動)	○息子の妻が自分の体調をどのように自覚しているか，体調が悪化したことで受診しているかを把握する．必要に応じて息子の妻のバイタルサインを測る
●療養者との接し方(話し方，目線，対応など)	○ 根拠 息子の妻から直接的に介護疲れに対する訴えがなくても，療養者との接し方から介護疲れを推測できる
●現在のサービス利用状況，サービス利用に対する考え方・意向	○ 根拠 療養者・家族の意向を十分に反映していないサービスの一方的な導入は，療養者・家族の不信感につながる．一方的な誘導にならないよう留意する必要がある
●息子の妻の生活サイクル，自分の時間の有無と程度 ●家族の趣味，楽しみ，目標，意欲 ●家族の社会活動の有無と参加の意向	○介護だけに集中せず，自分の時間が確保できる生活か，趣味・楽しみへの意欲や社会活動への参加の意向などを把握する　 根拠 家族が介護中心の生活を送っている場合，自分の趣味や楽しみ，目標などを見失ったり，あきらめている場合も多い．そのため，さりげない会話から家族が自分自身の時間を確保できているか把握し，確保する意欲がもてるようにかかわる
●排便の有無，回数，性状	○ 根拠 家族にとって，排泄介助は，介護疲れ・負担に大きな影響を与える．そのため，排泄の介助が介護疲れに影響を及ぼしていないか把握する必要がある
TP 直接的看護ケア項目	
●排便コントロール	○必要に応じて下剤や整腸剤を調整し，浣腸を行う　 根拠 排泄に対する家族の介護負担が大きい場合は，訪問看護時に排泄ケアができるように，時間を指定して坐薬を家族に入れてもらったり，訪問看護時に浣腸をすることもある
●レスパイトケアを目的としたサービス(ショートステイ)の導入の調整	○療養者と息子の妻の意向を確認しながらも，療養者・息子の妻の両方にとってレスパイトケアが必要であることを説明してサービスを早急に導入する　 連携 宿泊を伴うサービスの導入に抵抗を示す場合，家族の要望を伝えるなど，施設とも細かな調整を図りながら，試行的なサービスの利用を検討していく
●在宅生活の継続を目的としたサービスの導入の調整(デイサービス，訪問介護，ショートステイなど)	○現在は，訪問看護と訪問入浴しか導入しておらず，それ以外の療養者の日常生活の支援はすべて息子の妻が行っている　 連携 療養者の日常生活の支援を他者に任せられるように日常的なサービスを導入する
EP 教育・調整項目	
●介護疲れを表出できる関係性の保持	○息子の妻が介護疲れをいつでも表出できるような関係性をつくる
●息子の妻の体調管理のための調整	○息子の妻に何らかの心身の症状がみられるが受診行動がとれていない場合は，受診を促す　 連携 必要に応じ訪問介護やショートステイ利用中に受診ができるようサービスの調整を図る
●介護疲れが招く影響について家族に説明	○息子の妻の介護疲れは，療養者の症状を左右すること，在宅生活を継続するうえでも，介護疲れを日々解消する必要があることについて説明する
●息子への精神的サポートの依頼	○介護に直接協力ができない息子に対しても，妻の介護疲れの状況を説明し，妻の精神的サポートについて説明し協力を求める

25 家族の介護疲れ

- ●家族が外出や他者との交流など自分の時間や楽しみ，生活スタイルをつくる提案
- ●家族会の紹介

⮕家族が自分自身の時間を確保することに罪悪感をもたないよう配慮する 根拠 介護中心の生活になると，家族は自分の生活を犠牲にすることが多く，家族自身も「犠牲にしている」と感じることが多い．家族が自分の生活を療養者の生活スタイルに合わせるのではなく，両方の生活スタイルを融合させることが在宅生活の継続につながることを説明する

⮕ 強み 息子とその妻はできる限り在宅生活を継続することを望んでいる

⮕ 強み 息子の妻がコーラスをしていたことから，コーラスを継続できるようにするなど外出や他者との交流，家族会といった自分の時間や楽しみをつくる 連携 家族が自分の時間を確保できるように，家族の活動に合わせたサービスの調整をする

2 看護課題	看護目標（目標達成の目安）
#2【経口摂取の維持・促進】 摂食嚥下機能がある強みを活かし，経口摂取を維持・促進する	1) 経口摂取を維持できる（3か月） 2) 誤嚥性肺炎を起こさない（3か月）

援助の内容	援助のポイントと根拠
OP 観察・測定項目 ●バイタルサイン，痰の有無・性状，副雑音の有無など ●口腔内の状態 ●食事摂取量（栄養状態），誤嚥の有無（むせ，喘鳴の有無など） ●食事内容・姿勢 ●口腔ケアや食事介助の状況	⮕誤嚥性肺炎の有無を確認するために，体温，血圧，脈拍，呼吸回数，SpO$_2$などを測定し，全身状態を把握する ⮕唾液分泌が十分か，食物残渣・口臭・舌苔の有無などを確認する ⮕食事時にむせや喘鳴などがないか把握する ⮕食形態や内容，とろみ剤の使用の有無，食事介助時の体位・姿勢など ⮕息子の妻がどのように口腔ケアや食事介助をしているか，実際に行ってもらい確認する
TP 直接的看護ケア項目 ●口腔ケア ●摂食嚥下訓練 ●サービスの調整	⮕食物残渣・口臭・舌苔を除去し，唾液分泌を促進する 根拠 誤嚥がみられても，口腔内の清潔が保たれていれば誤嚥性肺炎になりにくい ⮕口腔内のアイスマッサージや氷なめを促し，嚥下機能を高める ⮕ 強み おかゆなどを摂取できていることから，ゼリー・プリン状の食品など本人の嗜好に合わせて摂取できる食品の種類を増やす ⮕介護疲れが強い場合は，日中の食事介助や口腔ケアを訪問介護サービスで行ってもらうようにするなど提案する
EP 教育・調整項目 ●口腔ケア・食事介助の助言	⮕息子の妻がどのように口腔ケアや食事介助をしているか確認したうえで，効果的で負担の少ない方法を助言する

3 看護課題 / 看護目標（目標達成の目安）

#3 【関節拘縮】
自力での体動が困難であり，関節拘縮がみられる

1) 関節拘縮が悪化しない（3か月）
2) 身体の可動性を維持できる（3か月）
3) 疼痛が出現しない（3か月）
4) 新たな褥瘡が発生しない（3か月）

援助の内容 / 援助のポイントと根拠

OP 観察・測定項目

- 現在の日常生活動作，麻痺・拘縮・疼痛の有無・程度
  - ➡関節可動域を評価する　**根拠** 麻痺や拘縮があると，体位変換やおむつ交換の時の介護者の負担が増加する．また，疼痛があると，家族が介護に困難を感じる

- 活動の有無（時間，内容）
  - ➡排泄・食事などの日常生活動作，座位時間，体位変換などの時間，リハビリ時間・内容などを把握する

- 介助の程度・方法
  - ➡介助がどの程度必要か，どのような介護方法か把握する
  - **根拠** 介助の程度や介助量は人によって異なる．家族が行っている介助方法が効果的か，介護疲れの増強につながっていないか確認する

- 褥瘡の有無・程度
  - ➡褥瘡の発生場所・程度を確認する（DESIGN-Rの活用）
  - **根拠** 関節拘縮があると効果的な体位変換が行われにくく，褥瘡発生のリスクが増加する．新たな褥瘡の発生は，療養者の苦痛につながり，家族の介護疲れの増強につながる

TP 直接的看護ケア項目

- リハビリテーション（関節可動域訓練）
  - ➡ **連携** 理学療法士による関節可動域訓練やマッサージを取り入れる．また，理学療法士と連携して訪問看護時にもリハビリテーションを継続的に行う

- 体位変換
  - ➡関節拘縮の程度に合わせて効果的な体位変換ができるように，クッションなどを用いる．効果的な体位を写真に残して壁に貼るなどし，家族が実践しやすいような工夫をする
  - **根拠** 基本的には2時間未満の体位変換が望ましいが，体位変換の時間とサービスが重なるように工夫するなど，家族の負担の軽減を図る

- 身体の可動性の維持
  - ➡療養者の可動性が維持できるように，ケア時には療養者ができることをしてもらうようにする（たとえば，おむつ交換時にベッド柵を持ってもらうなど）

- エアマットなどの福祉用具の導入の調整
  - ➡自動で体位変換ができるマットなどもある．拘縮・褥瘡の程度，日常生活動作を考慮し，療養者に合ったエアマットなどの福祉用具が利用できるように調整を図る

- 効果的なサービス提供時間の調整
  - ➡療養者の身体の可動性の維持に配慮する（例えば訪問入浴と訪問リハビリテーションの曜日が重ならないようにするなど）

EP 教育・調整項目

- 効果的な介助の助言
  - ➡体位変換やリハビリテーションなど，現在の家族の方法を把握したうえで，家族の負担にならない方法を家族と一緒に話し合い実践できるように提案する

強みと弱みに着目した援助のポイント

STEP ❹ 実施

強みに着目した援助
- 在宅生活を継続したいという息子の妻の意向を活かして，在宅生活を継続するための効果的なサービスを導入する．
- 息子の妻が趣味や楽しみを生活の中に取り入れられるようにする．
- 療養者は介助が必要なものの，体調は安定していることから，現在の体調が維持できるように支援する．

弱みに着目した援助
- 息子の妻の介護疲れが著明と判断できる場合はサービスの必要性を説明し，早急に導入できるよう調整する．
- 息子の妻が介護を1人で抱えていることから，可能な範囲で他の家族の協力が受けられるようにする．
- 息子の妻の介護疲れに影響を与えている要因を明らかにして，それらを軽減する看護や介護サービスを提供する．

評価のポイント

STEP ❺ 評価

- 息子の妻の介護疲れが軽減しているか
- 息子の妻の体調が悪化していないか
- 介護疲れを軽減するサービスを導入できているか
- 介護疲れについて表出できているか
- 家族の排泄介助の負担が増強していないか
- 経口摂取を維持できているか
- 誤嚥性肺炎を起こしていないか
- 関節拘縮が悪化していないか
- 身体の可動性を維持できているか
- 疼痛が出現していないか
- 新たな褥瘡が発生していないか

関連項目

第2章「16 関節拘縮」「19 摂食・嚥下障害」「20 生活不活発病（廃用症候群）」

26 療育困難

療育困難の理解

療育困難とは

1) 療育困難の定義
- 療育困難の定義は「低出生体重児や重症仮死児などのハイリスク児や，乳幼児健診後に運動や精神発達の遅れや歪みが認められた児に対して，親や周囲の適切なはたらきかけが困難となった状態」である．
- 療育とは，高木憲次（1888-1963）が治療教育を意味するドイツ語を訳した造語で，「療」は医学的リハビリテーション，「育」は社会的リハビリテーションを表す．
- 現在の療育は，治療，教育，リハビリテーション，保育，福祉，社会参加に限定されず，障害をもつ子どもが生き生きと一人ひとりの能力と個性に応じて過ごせるように家族や周囲がはたらきかけをしていく包括的な支援を意味する．療育は発達全般に障害をもつ子どものよりよい発達を支援するための理念，方法，技術，システムの枠組みとして発展している．

2) 療育困難が起こる背景
- 養育者の育児経験・知識の不足，健康状態（うつ状態・精神疾患など），子どもの障害を受けとめられないことにより，子どもへの適切なかかわりが難しくなる．
- 支援を受けることへの抵抗感，家庭の経済的問題，子育て支援情報の不足，療育へのアクセス困難などの理由により養育者が孤立する．
- 子どもの健康状態が不安定で入退院を繰り返すことにより，療育を受けることができない状況が続く．

3) 健康への影響
- 適切な療育を受けられないために発達段階に応じた子どもの成長・発達が促進されない．
- 療育を受けることができないため，地域社会からの孤立が助長される．
- 就園・就学に向けた適切な個別支援計画が作成できないため，支援体制の整備が課題となる．

療育困難とケア
- 療育困難の起こる最も多い要因は，親の障害の受容困難である．わが子の障害に気づいた時の落胆，罪悪感，悲嘆などの精神的混乱の中におかれた親に歩み寄り，支える存在となるようかかわる．
- 療育困難の課題として，親が子育てに大変さを抱え，イライラなどが子どもに向かってしまうリスクやネグレクトが起こるリスクが生じるため早期発見に努める．
- 子どもの発育をベースにし，発達段階に合わせた療育支援を提案する．
- 身近な人の理解や，周囲の支援について状況を把握する．
- レスパイトケアとして行政や民間企業が提供しているサービスの利用を提案し，包括的に支援する．

療養者・家族の特徴からみた援助・対策

1) 乳児期の場合
養育者の障害受容を支えるにあたっては障害児をもつことの負担ばかりでなく，家族の人生に与える肯定的な影響に着目する観点をもつ．親子の愛着は，親が子どもに愛情を感じ表出する時に形成される．親が子どもと遊んだり，楽しんだりするための時間をつくることで愛着に気づく場合もある．抱っこや抱きしめなどの親密な身体的なふれあいから親は子どものことを理解する．親が自分のペースを落とし，子どもを見守り，子どものペースでやりとりするように提案する．育児支援として抱き方や着替え，おむつ交換，入浴，移動など適切な方法を援助する．

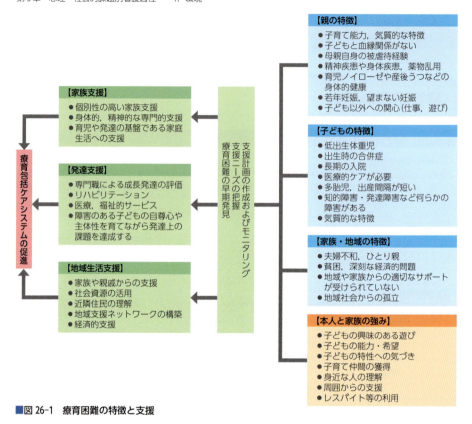

■図 26-1　療育困難の特徴と支援

2) 幼児期の場合
　重複障害児については保育・集団参加を見据えて利用する施設の選択を行うことは大きな課題である．出生時に全身状態が安定しており，乳幼児健診後に発達の遅れや歪みが認められた場合は療育機関へ紹介される．通所療育を経て学校教育に継続的な支援体制を整備することが課題となってくる．養育者には，様々な要因から育児ストレスが蓄積し療育困難に直面する．療育困難の原因に気づき，対処できるよう支援計画を立案，実施することが療育困難の再発防止につながる．

3) 学童期の場合
　2007年から特別支援教育が学校教育法に位置づけられた．特別支援学校や特別支援学級に在籍し，担当教師，養護教諭，カウンセラー，必要に応じ専門的な療育機関が対応を協議する場をもつ．家庭と十分に連携し一貫性のある生活・学習指導を行う．療育困難である場合，的確なアセスメントと継続的な支援に結びつく地域支援ネットワークが必要となる．

療育困難に関連する社会資源・制度

1) 医療
● 未熟児養育医療

2) 福祉
● 療育手帳の活用，個別支援計画の作成・実施，相談支援事業者によるモニタリング(子どもの成長と変化の確認と修正)

3）療育
- 療育センターにおける，理学療法士・作業療法士・言語聴覚士などの専門職による個別療育の支援
- 児童発達支援（児童発達支援センター，児童発達支援事業），放課後等デイサービスなどの通所
- 保育所等訪問支援

療育困難をめぐる訪問看護

訪問看護の視点

1）療養者をみる視点
- 療育を開始しても短期的な機能改善や効果がみえにくいため，ライフスタイルを意識した長期的な視点で，子ども，親，家族とその環境の特徴によってニーズを見極め，療育困難について発生予防・早期発見に努める．
- 子どものニーズに合う地域のネットワークおよび暮らしを助けてくれる社会資源を活用した包括的ケアの視点をもつ．

2）支援のポイント
- 親と信頼関係を構築し，安全・安心をもたらす存在となり，育児不安を軽減し子育て環境を改善する．
- 子どものニーズに適切に対応できる親の強みを維持・促進する．
- 子どもへの支援は健康であること，安全を保つこと，楽しみ・達成感をもたせることが効果的である．
- 親は前向きな子育てスキルを獲得し，親と子どもの安定した愛着の形成を促進する．
- 地域のヘルスケアに関する専門職と連携し，地域支援ネットワークを構築する．

●看護課題別：療養者をみる視点と支援のポイント

看護課題	療養者をみる視点	支援のポイント
問題着眼型看護課題： **療育困難**	継続した支援を必要としているかを一時点で早期に見極め，予測することは難しい．日常のケアの中で子ども・家族が抱える問題について経時的に観察し，アセスメントする視点をもつ．	●家族の了解を得て，必要に応じて他機関（医療機関，保健所・市町村保健センター）との情報共有を行い，連携しながら支援を行う． ●家族の問題解決能力や親の意見・意向を尊重しながら信頼関係を構築し，問題解決に向けて支援する．
強み着眼型看護課題： **療育の維持・促進**	親が子どものニーズを認識し，基本的な身体ケアを行い，安心・安全な環境で療育できるようにすることが重要である．子育ての相談相手の有無や，パートナーなどのサポートの存在は，療育の維持・促進につながる．親が抱いている心配事を隠さずに話す場合もあるが，促されない限り話さない親もいる．親の心の奥底にある療育に関する心配事を見過ごさないことが重要である．	●通常の生活体験から年齢相応の発達を促す支援を行う． ●親子の関係性が安定するように支援する． ●パートナー不在の場合は，祖父母等の協力が得られるか確認し，調整をはかる． ●子育ての相談相手がいない場合は，地域子育て世代包括支援センターを紹介するなどして，親が相談できる環境を整える． ●地域で利用できる療育教室，

第3章 心理・社会的課題別看護過程　1．環境

看護課題	療養者をみる視点	支援のポイント
		リハビリテーション等の専門機関を紹介し，発達支援の場につなげる．

STEP ① アセスメント ▸ STEP ② 看護課題の明確化 ▸ STEP ③ 計画 ▸ STEP ④ 実施 ▸ STEP ⑤ 評価

情報収集

情報収集項目	情報収集のポイント
疾患・病態・症状	
□合併症	●超低出生体重児や極低出生体重児は，健康上の様々な問題を引き起こす合併症が高い確率で起こる．合併症である動脈管開存症，呼吸窮迫症候群，新生児仮死，慢性肺疾患，貧血ほか未熟児網膜症（網膜の異常）はないか
□疾患の経過，予後	●妊娠中の経過，出生時の様子はどうだったか．新生児期からの経過を母子健康手帳の記載等で確認できたか．多胎出生か
医療ケア・治療	
□治療	●妊娠，出産，出生時の合併症など経時的にどのような治療が行われてきたか
□医療処置	●在宅で行う医療処置に関する親の知識・手技はどうか．物品の配置などを工夫しているか（乳幼児のきょうだいなどが触らないよう置く位置に配慮する）
□訪問看護	●医療機関，各種在宅サービスとの連携方法および緊急時の対応はどうなっているか
全身状態	
□成長・発達段階	●極低出生体重児では，運動障害（脳性麻痺）ほか，知的障害などの合併症がないか
	●発達の key months に確認する項目，4 か月では定頸，原始反射（モロー反射，緊張性頸反射の消失傾向），7 か月では座位，立ち直り反射，顔に布をかけるテスト，手を伸ばして物をつかむ，いろいろな音に反応する，10 か月では，つかまり立ち，パラシュート反射，身振りのまね，人見知りを観察する
	●発達性協調運動障害（developmental coordination disorder; DCD）により，協調運動の困難さがないか
□感覚器の状態	●皮膚感覚の刺激への反応はどうか．タオルなどの上から優しく触り，なでることで皮膚感覚を刺激した際に過敏さはないか
□免疫機能	●主治医と相談しながら適切に予防接種を受けているか
移動	
□ベッド上の動き □屋内移動 □屋外移動	●離乳食や遊びの時にどのような姿勢を保持できるか ●ずりばい，ハイハイなどでどの程度移動しているか ●抱っこひも，スリング，ベビーバギーなどを活用しているか．車移動にチャイルドシートが利用できているか
生活動作	
□基本的日常生活動作	●月齢や年齢相応の物や道具を扱う能力があるか（極低出生体重児では，微細運動を苦手とする児が多い）

（疾患・医療ケア / 活動）

	情報収集項目	情報収集のポイント
活動	□手段的日常生活動作	➡遊び，学習，余暇活動，食事，更衣など，どの場面であれば自立しているか．またどのような援助や環境調整が必要か
	生活活動 □食事摂取 □活動・休息 □生活歴	➡離乳食は順調に進んでいるか，アレルギーがある場合は対応できているか ➡生活リズム，睡眠のパターンは規則的か ➡地域にどの程度なじんでいるか．子連れで行きやすい買い物場所や病院，歯科医院などの情報を得ているか
	コミュニケーション □意思疎通 □意思伝達力	➡子どもの言語理解，言語表出の発達について親は理解しているか ➡自分が不快なときや抱っこしてほしい時に親にサインが出せているか
	活動への参加・役割 □家族との交流 □知人・友人との交流 □外出 □養育(子ども)	➡家族や祖父母からどのような子育てへの協力が得られているか ➡友人などに心配事や悩みがあったとき気軽に相談できているか．近隣と疎遠になっていないか ➡受診や買い物，保育所・幼稚園の送迎など必要最低限の外出となっていないか．緊急時の受診準備はできているか ➡地域にある療育センター，幼稚園・保育所の加配，病院のリハビリテーションなど必要に応じた療育を受けているか
環境	療養環境 □住環境 □地域環境 □地域性	➡貧困や深刻な経済問題のため，子育て環境が悪化していないか ➡子育てをしやすい環境にあるか．近隣に同世代の子育てをしている家庭があるか．公園など子どもと外遊びする環境が整っているか ➡近隣住民に子どものいる家庭への理解があるか(泣きへの苦情など)
	家族環境 □家族構成 □家族機能 □家族の介護・協力体制	➡周囲に子育て協力者はいるか．子どもの障害に理解があるか ➡親子関係に血縁関係があるか ➡子育てに両親が積極的にかかわっているか，無関心ではないか，きょうだいとの関係は良好か ➡母親の就労の有無．育児休暇の場合，復職予定時期などはいつか ➡親の子育てに関する知識や態度や質，子どもの障害に対する受容，親の感情やストレスへの反応，親の性格，親子のやりとりや行動のスタイルはどうか ➡親や家族に過去の被虐待歴，人格障害，薬物・アルコール等の依存，うつ状態，統合失調症，家庭内暴力，知的障害はないか ➡親は家庭状況，他のきょうだいとの関係性でやりにくさを感じていないか ➡家族が社会的に孤立していないか ➡子育てや家事の役割分担はできているか
	社会資源 □保険・制度の利用 □保健医療福祉サービ	➡必要に応じた医療・福祉サービスを申請できているか．サービス利用への抵抗感はないか ➡経済的な理由(保険料未納)から医療・福祉サービスが利用できない状

26 療育困難

情報収集項目	情報収集のポイント
環境 スの利用 □インフォーマルなサポート	況になっていないか ➡地域の子育てサポートサービスについて情報収集できているか．それらの情報収集手段(市区町村の広報誌，インターネット)はどのようにしているか
経済 □世帯の収入 □生活困窮度	➡経済的な余裕はあるか．主たる家庭への収入はどのようになっているか ➡生活保護世帯か．パートナーがいないひとり親世帯で生活に困窮していないか
理解・意向 **志向性(本人)** □生活の志向性 □性格・人柄 □人づきあいの姿勢	➡好む遊びや安心する場所はどこか ➡子どもの気質(活動の活発さ，注意の逸れやすさ，粘り強さ，新しい環境への反応の仕方，生活の規則正しさ，変化に対する順応の速さ，感覚の鋭敏さ，喜怒哀楽の激しさ，気難しい子・楽観的な子など)はどうか．母親との相性はどうか ➡親や周囲の大人，きょうだいなどの子どもとのかかわりへの反応は豊かか
自己管理力(本人) □自己決定力	➡子どもの自主性や自律性をどのように育めているか．子どものペースや気持ちに親はどのように配慮しているか
理解・意向(本人) □意向・希望 □感情	➡親へのかかわりへの反応をどのように示しているか．泣く，微笑むなどの表情やしぐさでどのように親に伝えているのか ➡基本的な欲求が満たされた時や遊びで満足している時の様子はどうか
理解・意向(家族) □疾患・療養生活への理解 □感情 □生活の志向性	➡子どもの表情，声，サインを療養者が気づき，快・不快をわかることができているか ➡子どもへの愛情，子どもの疾患や障害，将来への不安や見通しをどのように認識しているか ➡ストレスを感じた時に感情を表出できているか ➡社会資源の活用や地域支援ネットワークへの利用のしやすさはどうか

事例紹介

医療的ケアを抱えた超低出生体重児と療育困難のある母親の例

Keywords 療育困難，ネグレクト，愛着形成，運動発達遅滞，在宅酸素療法，乳児(男児)

〔基本的属性〕男児，11か月
〔家族構成〕母親，兄との三人暮らし
〔主疾患等〕超低出生体重児
〔状況〕在胎週数26週5日，前期破水，子宮内感染のため母子医療センターで出産．出生時体重860g，出生後自発呼吸なく，すぐに気管挿管されNICU入院．日齢20日，動脈管クリッピング術施行．6か月後GCUより小児科へ転棟．7か月後退院．退院時より訪問看護を開始した．退院後も，気管支炎，RSウイルス感染のため入退院を繰り返した．現在「ずりばい」は可能．両親は本児を妊娠中に離婚し，母親が生活保護を受給している．

情報整理シート

疾患・医療ケア

【疾患・病態・症状】
- **主疾患等**：超低出生体重児
- **病歴**：慢性肺疾患，小児喘息，動脈管開存症術
- **経過**：在胎週数 26 週 5 日，前期破水，自然分娩．子宮内感染のため母子医療センターで出産
- **出生時** アプガースコア 5 分 8 点，自発呼吸（−），出生時体重 860 g，身長 29 cm，頭囲 22.0 cm
- **出生後** 自発呼吸なく気管挿管され NICU 入院．日齢 20 日，動脈管クリッピング術施行
- **6 か月後** GCU より小児科へ転棟．7 か月に退院．退院時，病院から紹介され，訪問看護を開始した．
- **8 か月** 気管支炎，無気肺のため入院
- **10 か月** RS ウイルス感染のため入院

【医療ケア・治療】
- **服薬**：【内服】小児喘息治療薬（ムコダイン，ムコソルバン，オノン）
  気管支拡張薬（メプチン）
  抗ヒスタミン薬（ザイザル）
  漢方薬（痰を抑える：小青竜湯）
  【吸入】吸入液（パルミコート，メプチン）
  【実施】母親が服薬管理を行う
- **治療状況**：母子医療センター　1 回/月
  往診医の訪問診療　1 回/2 週
  訪問看護　7 回/週
  訪問リハビリテーション　1 回/週
- **医療処置**：在宅酸素療法，吸引，吸入，浣腸
- **訪問看護内容**：在宅酸素療法の管理，吸引，吸入，内服管理，入浴介助，環境整備，全身状態の観察，療育困難感の軽減，母親の精神的なケア，介護の相談

【全身状態・主な医療処置】
- 在宅酸素療法（経鼻カニューレ）
  酸素流量 0.5 L/分
  吸入　2 回/日
- 体温：36.8℃
- 呼吸数：36 回/分（陥没呼吸）
- 覚醒時：喘鳴（＋）
- SpO_2：97〜100％
- 脈拍：120〜150 回/分（入眠時）
  150〜180 回/分（覚醒時）
- 排痰障害
- 身長：65 cm
- 体重：7,355 g
- カウプ指数：17.4
- 寝返り（＋），はいはい（−），つかまり立ち（−），ずりばい（＋），喃語（＋），追視（＋），名前を呼ぶと振り向く（＋），手指把握（＋），発達性協調運動障害（＋）
- 排便：1 回/日．腹部膨満あり，肛門部発赤
- 排尿：おむつ使用
- 食事：離乳食 2 回/日，ミルク 150 mL×4 回
- パルスオキシメータ

基本情報
- **年齢**：11 か月（修正月齢 9 か月）　**性別**：男児
- 遠城寺式発達検査（発達年齢：6〜7 か月）

活　動

【移動】
- **屋内移動**：母親が抱きかかえて移動，スリング使用
- **屋外移動**：外出時はベビーバギーを使用

【活動への参加・役割】
- **家族との交流**：母親（21 歳）と兄（4 歳）の 3 人家族．兄は自閉的な傾向があり対人関係に課題がある．母親は本児のケア時に話しかけ微笑みかける姿もみられる．しかし，子どもへの声かけは少なくスキンシップをしている場面はあまりみられない．
- **近隣者・知人・友人との交流**：母親は同級生と SNS で会話する程度
- **外出**：外出は受診時のみ
- **余暇活動**：電車の玩具や音の鳴る太鼓で遊ぶ．

【生活活動】
- **食事摂取**：離乳食 2 回/日，経口哺乳（ミルク）150 mL×4 回
  離乳食は粒が少しでもあると口から出す．
  遊び食べが多く準備した 5 割程度を摂取
- **水分摂取**：哺乳瓶使用（お茶）　300 mL/日
- **活動・休息**：日中は母親と自宅リビングで過ごす．13 時から 2 時間程度，昼寝をする．
- **生活歴**：第 1 子は 17 歳で若年出産．本児の妊娠中に離婚．現在の市営住宅に引っ越す．中学卒業後は無職，生活保護世帯．母親自身も生活保護世帯であった．母親には継母による被虐待歴あり．第 1 子は自閉症スペクトラム障害と診断．保育園の送迎は本児を自宅に 1 人置いていく．本児の生活リズムは整っておらず，就寝 23 時，起床 8 時
- **嗜好品**：なし

【生活動作】

基本的日常生活動作

食動作	ミルクは哺乳瓶を使用．ペースト状の離乳食を嚥下可能．コップの使用は練習中
排泄	おむつ使用．浣腸 1 回/2 日（黄色泥状便）
清潔	自宅の浴槽で母親が入浴介助
更衣整容	入浴時に更衣する．ミルクを吐いてもそのままであることが多く衣服が汚れている
移乗	寝返り，「ずりばい」はするが，「はいはい」はできない．1 人で座位可能．つかまり立ち（−）

手段的日常生活動作

調理	離乳食摂取の介助・ミルクの授乳は母親が行う．時間は不規則
買い物	本児を自宅において買い物に出かけることもある
洗濯	更衣回数が少なく衣服が汚れている．洗濯は 2 日に 1 回のペース
掃除	1 回/週，部屋は散らかっている
金銭管理	母親が行う．家計簿をつけている
交通機関	主に電車を利用する

【コミュニケーション】
- **意思疎通**：いないいないばぁを喜ぶ．
- **意思伝達力**：喃語（＋），発声もさかん
- **ツールの使用**：なし

26　療育困難

環境

【療養環境】

住環境：市営住宅の2階．エレベーターあり．第1子の玩具が散乱している．

地域環境：築30年の市営団地．高齢者が多く若い世帯は少ないため，公園で子どもが遊ぶ姿はみられない．
地域性：民生児童委員が親切に妊娠中より様々な相談に応じてくれている．子育て支援センターも徒歩圏内にあるが利用したことはない．第1子の保育士も親切に子育てのことについて教えてくれる．本児については現在保育所入所待ち．第1子を若年妊娠した時から保健師がかかわっている．ネグレクトの疑いで近隣より通報があった．

【ジェノグラム】

（図：40－45／／42，15，21／／22，4（保育所），11か月）
※45は他地域在住

【家族の介護・協力体制】

母親が養育・医療的ケア・家事を行う．ひとり親家庭で，子育ての相談相手や協力者はいない．

【エコマップ】

（母親＝キーパーソン，本児，兄，訪問看護7回/週，訪問リハビリ理学療法士1回/週，母子医療センター主治医1回/月，往診医1回/2週，保育士，保健師，同級生，民生児童委員，近隣住民，児童相談所ケースワーカー，市役所：要保護児童対策地域協議会）

【社会資源】

サービス利用：

	月	火	水	木	金	土	日
AM	訪問看護	訪問看護	訪問看護	訪問看護	訪問看護	訪問看護	訪問看護
PM				訪問診療	訪問リハ		

保険・制度の利用：児童手当，小児慢性特定疾患の医療費助成

【経済】

世帯の収入：生活保護世帯月15万
生活困窮度：経済的に不安定．

理解・意向

本人
- 看護師が来ると，表情豊かに笑い，声かけに反応する
- 抱っこして欲しい時や母親が見えないと大泣きする

【志向性】
性格・人柄：不安感が強い．母親が見えないと泣く
人づきあいの姿勢：伝えたい気持ちは育っている．喃語や発声がさかん

【自己管理力】
自己管理力：全て介助
情報収集力：全て介助
自己決定力：全て介助

【認知面の発達】
言語理解：母親の話し方で感情を聞きわける（＋）
対人関係：親しみと怒った顔がわかる（＋），身ぶりのまね（－），人見知り（－）

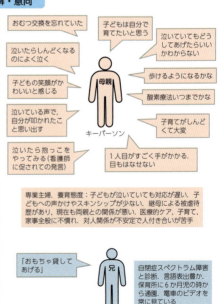

母親（キーパーソン）
- おむつ交換を忘れていた
- 泣いたらしんどくなるのによく泣く
- 子どもの笑顔がかわいいと感じる
- 泣いている声で，自分が叩かれたことを思い出す
- 泣いたら抱っこをやってみる（看護師に促されての発言）
- 子どもは自分で育てたいと思う
- 泣いていてもどうしてあげたらいいかわからない
- 歩けるようになるかな
- 酸素療法いつまでかな
- 子育てがしんどくて大変
- 1人目がすごく手がかかる．目もはなせない

専業主婦．養育態度：子どもが泣いていても対応が遅い．子どもへの声かけやスキンシップが少ない．継母による被虐待歴があり，現在も継母との関係が悪い．医療的ケア，子育て，家事全般に不慣れ．対人関係が不安定で人付き合いが苦手

兄
「おもちゃ貸してあげる」

自閉症スペクトラム障害と診断．言語表出豊か．保育所へ6か月児の時から通園．電車のビデオを常に見ている．

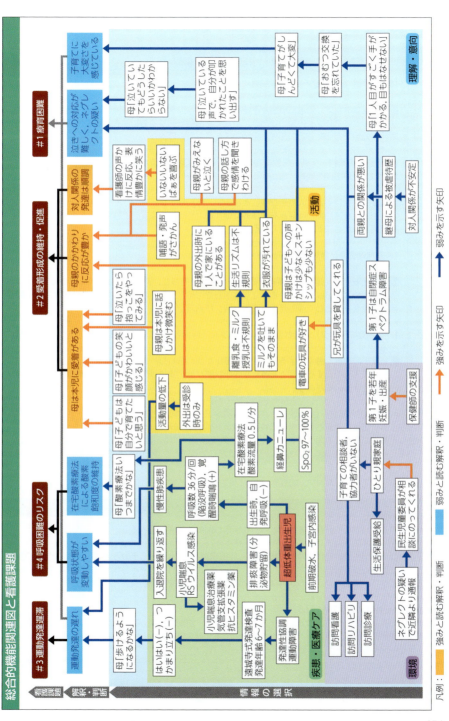

第3章 心理・社会的課題別看護過程　1. 環境

| STEP ❶ アセスメント | STEP ❷ 看護課題の明確化 | STEP ❸ 計画 | STEP ❹ 実施 | STEP ❺ 評価 |

看護課題リスト

No.	看護課題　【コード型】文章型	パターン
#1	【療育困難】ネグレクトの疑いがあり，療育困難がみられる	問題着眼型
	根拠 医療的ケア，療育に母親が不慣れである．本児を置いて保育所の送迎・買い物などに出かけるなどネグレクトの疑いがある．子育てで困難を感じても相談する相手がいない．第1子は若年妊娠であったことに加え，自閉症スペクトラム障害があり手がかかっている．	
#2	【愛着形成の維持・促進】母親のかかわりには児の反応が豊かであることを活かし，愛着形成を維持・促進する	強み着眼型
	根拠 日中は自宅で2人で過ごすことが多い．母親はテレビをつけて過ごしている．子どもへのスキンシップや声かけなどを具体的に促すと「やってみます」と答える．安定した愛着関係を構築するために支援が必要である．	
#3	【運動発達遅滞】運動発達遅滞がみられる	問題着眼型
	根拠 遠城寺式発達検査で運動発達は6〜7か月であった．運動機能は維持しているが，体力低下のため，はいはい，つかまり立ちは困難である．今後，本児の体力・運動発達に合わせた発達支援を行うことで運動発達遅滞のリスクが低減できる．	
#4	【呼吸困難のリスク】呼吸状態が変動しやすく，呼吸困難のリスクが高い	リスク着眼型
	根拠 小児喘息，感染による呼吸状態の悪化が認められた．在宅酸素療法として生後1年までに酸素吸入を中止する予定であったが呼吸状態が悪化するリスクが高く，酸素飽和度を適正範囲に維持する必要がある．	

【看護課題の優先度の指針】【療育困難】は，医療的ケアを要する子ども，周囲のサポート不足など様々な要因から療育困難が課題として考えられるため#1とした．母親の【愛着形成の維持・促進】により，前向きな子育てに繋がると考え#2とした．【運動発達遅滞】【呼吸困難のリスク】については新生児期から抱えているリスクであるが，今後の予後は良好であることが予測されることを考慮し優先順位を#3，#4とした．

長期目標

親子の絆を深めながら，社会資源のサポートを活用し前向きに療育できる．

根拠 超低出生体重出生時の症状（運動発達の遅れ，呼吸困難）がみられる．そのうえ，母親は子どもの泣きへの対応が難しく療育困難感を抱えている．ネグレクトが疑われるが子どもへの愛着を感じている強みがあることから，適切なサポートを得ながら安定した愛着関係を構築することができる．

〈長期目標を共有するケアチーム〉
フォーマルサービス：母子医療センター主治医，往診医，訪問看護師，訪問リハビリテーションの理学療法士，保健師，民生児童委員，保育士，児童相談所ケースワーカー
インフォーマルなサポート：母親の同級生

| STEP❶ アセスメント | STEP❷ 看護課題の明確化 | STEP❸ 計画 | STEP❹ 実施 | STEP❺ 評価 |

1 看護課題	看護目標（目標達成の目安）
#1 【療育困難】 ネグレクトの疑いがあり，療育困難がみられる	1) 子どもの泣きに対応できる（2か月） 2) 子どもの睡眠のリズムが整う（2か月） 3) 子育ての大変さや子どもの成長発達についての不安を信頼している支援者に話せる（2か月） 4) 適切な育児サポートを活用できる（1か月）

26 療育困難

援助の内容	援助のポイントと根拠
OP 観察・測定項目 ●子どもの泣きへの対応，頻度 ●日常のスキンシップ ●育児困難感，育児不安感，被虐待歴 ●子どもの成長発達への不安 ●母親の健康状態 ●子どもの生活リズム，睡眠のパターン ●協力者・相談者の有無	⊃自然な会話の中で確認する ⊃母親の泣きへの対応での成功体験を把握する ⊃母親が育児への不安を信頼できる支援者に語ることで自身の子育てを内省的に振り返り，どんな場面で困難や不安を感じるのかわかる ⊃母親の身体的・精神的健康状態を確認する ⊃生活リズムが整っているのか，乱れている場合は要因も確認する ⊃訪問看護師がいない時間に看護師が電話で対応できることを伝える
TP 直接的看護ケア項目 ●育児サポートサービスの導入	⊃ 連携 行政サービスのファミリーサポートセンターの活用などを提案する　根拠 本児を外出させることが大変なため，短い時間の保育所の送迎，買い物時には自宅に1人にしており，泣き声通報が近隣住民からあった
EP 教育・調整項目 ●子どもの泣きへの対応方法の説明 ●生活リズムを整える方法の提案 ●子育ての大変さ，子どもの成長発達についての不安の傾聴と励まし	⊃お腹がすいた，眠い，おむつが不快などが泣きの原因であることが多い．これらの原因に対してケアを行うことで子どもの泣きがやむことを体験する．泣き声をよく聞きわけて抱っこする，話しかける，音楽をかける，遊びや玩具で気分を変えるなどの工夫を提案する ⊃子どもの泣きは，つながりを求めるサインとして，気持ちを落ち着かせ，寄り添うよう伝える．子どもの状態が大丈夫か大丈夫でないか，推測してケアを提案する ⊃睡眠のリズムをつくり，眠る時刻やそれまでの流れを習慣化する．同じ時刻に風呂に入り，寝かせる直前に授乳して，テレビを消し，絵本を読むなど毎日繰り返すことを提案する．マッサージ，抱っこで揺らす，音楽を聞かせるなど子どもの心と身体をリラックスさせる　根拠 子どもの快い眠りをつくることは母親の肉体的・精神的な負担を軽くする ⊃誰かに悩みを聴いてもらうような経験をほとんどもっていないことが多い．まずは心情を受けとめる　連携 地域の保健センター，子育て支援センター，男女共同参画センター，女性センターなどに育児の悩みについての対面，電話での相談窓口が設置されている．必要に応じて連携を図る ⊃「笑顔がかわいい」という肯定的な気持ちを感じる場面や経験を質問し，語りを傾聴する

2 看護課題	看護目標(目標達成の目安)
#2 【愛着形成の維持・促進】 母親のかかわりには児の反応が豊かであることを活かし,愛着形成を維持・促進する	1) 子どもとふれあい,信頼関係をつくる(2か月) 2) 子どもの笑顔に応え,互いに微笑み合う(2か月) 3) 子どもを抱きしめ一体感をもつ(1か月) 4) 子どもに愛情表現を目的としたマッサージができる(2か月) 5) 子どもに愛情を表現し明るく語りかける(2か月)

援助の内容	援助のポイントと根拠
OP 観察・測定項目 ● 子どものかかわりへの反応(表情,声,視線,など),子どもの気質 ● 母親のかかわりの様子,母親の表情,育児負担感,育児困難感	➡ 子どもが母親の保護を求め,近寄ってどのようにサインを出しているか読み取る ➡ 母親がどのように子どもに安心感を与えようとしているか確認する　連携　母親のかかわりの様子や変化,不安について,地域の保健師に必要に応じて伝え連携をとりながらサポートする ➡ 子どもの気持ちに敏感に気づいているか,子どもの欲求に応えているか,子どもを適切に見守っているか,母親の声かけのタイミングを把握する
TP 直接的看護ケア項目 ● 必要に応じて専門の医師やカウンセラーの紹介	➡ 連携　必要に応じて専門の医師やカウンセラーと話し合う　根拠　母親の被虐待歴から,基本的に子どもの頃に得るはずだった愛情を十分に得られず愛着障害があることが考えられる.愛着障害とは,生後3歳くらいまでの間にスキンシップや声かけ,十分な愛情をかけてもらえずに育った子どもに起こる障害である
EP 教育・調整項目 ● 愛着を形成できるかかわり方の提案	➡ 母親が子どもを両手で抱えてじっと目を見つめていると,子どもも見つめ返し,微笑むと笑顔になるという相互作用をみせる.子どもの合図を読み取って,優しくフォローしたり,真似をすることで,子どもの目をみて微笑んだり,語りかけることの大切さを実感する経験を重ねる　強み　対人関係は順調に構築されてきているので,さらに親子の絆を深めることで子どもの情緒面が安定してくる ➡ 本児の欲求や気持ちに目を向け,何があっても受けとめてくれる「安全基地」の存在になる.日常のケアの中で母親ができていることや励んでいることを認める　強み　母親は子どもへ愛着がある.具体的なかかわり方を伝え,あたたかい愛情を体験していく中で親の感情も調整される ➡ 子どもと過ごす時間をつくり,子どもに対する関心や思いを伝える,ふれあう,微笑み合う,抱きしめる,マッサージをするなどの愛情表現を通じて子どもが愛されているという気持ちを育む　強み　本児は母親の表情や声かけへの反応が豊かであり,後追いもみられる.母親への安心感を求めている強みを活かして子どものサインを受けとめる　根拠　乳幼児期に親からの愛情を受けとめると親子関係が安定的になる
● 親である自分を大切にすることの説明	➡ 信頼できる人がいる,余暇を楽しめる,時間のゆとりがあるなどの状況であれば,親であることに余裕が生まれる

3 看護課題	看護目標（目標達成の目安）
#3 【運動発達遅滞】 運動発達遅滞がみられる	1）歩行獲得を目指してリハビリテーションを継続できる（3か月） 2）筋緊張に合わせたポジショニングができる（2か月）

援助の内容	援助のポイントと根拠
OP 観察・測定項目 ● 粗大運動，手指操作の状況，声かけへの反応，追視，1日の過ごし方 ● 子どもの過ごす部屋の環境	⇒ 子どもができるようになった変化に着目する ⇒ 安全な環境では，子どもは親に自由な行動を止められることが減り，探検や発見を経験する機会が多くなる
TP 直接的看護ケア項目 ● 筋緊張に合わせたポジショニング ● 身体イメージ，運動イメージの形成 ● 遊びの支援	⇒ 超低出生体重児は，胎内で屈曲姿勢をとる期間が少なく，神経系の発達が未成熟なため，在胎週数が短いほど筋緊張が低下する．適切なポジショニングを行うことでストレス反応，啼泣の頻度が軽減され，睡眠状態が良好になる ⇒ 頭・お尻・おなかなど身体部位をイメージできるよう遊びの中に取り入れる．たとえば，うつ伏せでおなかに枕を入れる，バスタオルでおなかをもち上げるなどの工夫をして屈曲姿勢に近い肢位にする ⇒ 好きな電車や太鼓の玩具を少し離れたところにおき，はいはいにつながる身体の動きを誘う．きょうだいにもケアに参加してもらう ⇒ 本児が立ち上がると届く机の上に，ボタンを押すとベルの鳴るオモチャを置いておき，立ち上がる運動をするとベルを鳴らすことができる方法を提案する　**強み** 子ども自ら立ち上がる運動をしたくなるような環境を整え，子どもが楽しんでできることを増やす
EP 教育・調整項目 ● ポジショニングの説明 ● きょうだいへの協力・参加の提案	⇒ 写真等を使用してポジショニングの方法を伝え，管理できるよう勧めるが，母親の負担にならないタイミングを示す ⇒ 遊びの中できょうだいの動きをみることも刺激になる．兄も遊びの中で身体を動かす運動を通じて本児へのかかわりを促す

4 看護課題	看護目標（目標達成の目安）
#4 【呼吸困難のリスク】 呼吸状態が変動しやすく，呼吸困難のリスクが高い	1）呼吸困難が起こらず，呼吸状態が安定する（2か月） 2）排痰障害による感染，無気肺を予防できる（2か月） 3）適切にチューブの管理が行える（2か月） 4）母親が医療的ケアへの不安を表出できる（2か月）

援助の内容	援助のポイントと根拠
OP 観察・測定項目 ● 呼吸の様子（喘鳴の有無と程度，頸部の緊張，ねじれ，陥没呼吸の有無） ● バイタルサイン	⇒ 安楽な呼吸の維持は，生命を守るためでなく成長発達を促し，QOL向上の基盤となる ⇒ 呼吸回数，深さ，リズム，無呼吸の有無，体温，脈拍，血圧，顔色，活気，SpO_2を把握する

26 療育困難

●聴診(呼吸音，副雑音) ●経鼻カニューレの固定	⮕聴診器や看護師の手を温めて接する．分泌物や唾液が下葉の背面側にたまりやすいので背部の聴診を行う．異常の早期発見につながる
●母親の医療的ケアに対する不安	⮕長期にわたる医療的ケアに対して母親に不安があるかを把握する
TP 直接的看護ケア項目	
●在宅酸素療法の管理	⮕チューブは 1 回/日交換し，左右の鼻腔に交互に挿入する．皮膚に固定するテープは 1 回/日貼り替える ⮕呼吸状態を観察し，安定しているときに行う．チューブは鼻腔の形に合わせる　**連携** 医師の指示に従ってチューブの長さを調整する
●胸郭運動の促進，体位ドレナージ	⮕気道の確保と姿勢の管理，排痰の介助，胸郭運動を促すリラクセーションを行う ⮕離乳食の摂取時で嚥下が難しくなる場合は，チューブを抜去する
EP 教育・調整項目	
●在宅酸素療法の管理方法の教育	⮕食事などでチューブを外している間は，呼吸状態が悪化するおそれがあるためパルオキシメータによる呼吸状態の観察を怠らないよう説明する ⮕分泌物がチューブをふさがないよう注意する．吸引で分泌物が取りきれない場合は，チューブを抜去し水道水で洗浄してから再度，挿入するよう説明する ⮕きょうだいが誤ってチューブや医療機器などを触らないよう丁寧に伝える．きょうだいの動線も考えて，ベッドの位置も随時工夫するなどの配慮を提案する

> STEP❶ アセスメント　STEP❷ 看護課題の明確化　STEP❸ 計画　**STEP❹ 実施**　STEP❺ 評価

強みと弱みに着目した援助のポイント

強みに着目した援助
- 愛着形成を促すことで，親子の絆を深め前向きな子育てへの姿勢を育む．
- 適切な子育てのサポートを受けることで，療育困難な状態を立てなおすことができる．

弱みに着目した援助
- 超低出生体重児のため発達性協調運動障害があり運動発達に遅れがみられるが，子どもの興味を引き出しながら動きを促す．
- 排痰障害や呼吸困難のリスクを予防し，安定した在宅療養生活が送れるよう支援する．

> STEP❶ アセスメント　STEP❷ 看護課題の明確化　STEP❸ 計画　STEP❹ 実施　**STEP❺ 評価**

評価のポイント

- 母親は子どもの泣きに対応ができているか
- 子どもの睡眠のリズムが整っているか
- 母親は子育ての大変さや子どもの成長発達についての不安を信頼している支援者に話せているか
- 適切な育児サポートを活用できているか
- 子どもとふれあい，信頼関係を築けているか
- 子どもの笑顔に応え，互いに微笑みあえているか
- 子どもを抱きしめ，一体感をもてているか
- 子どもに愛情表現を目的としたマッサージができているか
- 子どもに愛情を表現し，明るく語りかけられているか

- 子どもの歩行獲得を目指してリハビリテーションを継続できているか
- 子どもの筋緊張に合わせたポジショニングを提案できているか
- 呼吸困難が起こらず，呼吸状態が安定しているか
- 排痰障害による感染・無気肺を予防できているか
- 適切にチューブの日常管理が行えているか
- 母親が医療的ケアへの不安を表出することができているか

関連項目

第2章「9 重症心身障害児」「13 筋ジストロフィー」
第3章「28 生活困窮」「32 自己放任」

27 家族による高齢者虐待

家族による高齢者虐待の理解

家族による高齢者虐待とは

1) 家族による高齢者虐待の定義
- 「高齢者虐待」とは，2006年（平成18年）4月に施行された「高齢者虐待の防止，高齢者の養護者に対する支援等に関する法律（高齢者虐待防止法）」において，高齢者（65歳以上の者）の養護者（在宅で世話をしている家族・親族・同居人など）による虐待と，養介護施設従事者等（介護保険施設の職員など）による虐待と定義され，「身体的虐待」「介護・世話の放棄・放任（ネグレクト）」「心理的虐待」「性的虐待」「経済的虐待」に分類される．

2) 家族による高齢者虐待が起こる背景
- 在宅での介護は，1日中密室で療養者と向き合うため，介護疲れが蓄積しやすい．
- 認知症を発症する人が増えている中，介護する家族への支援が十分行きわたっていない．
- 介護者が男性の場合，慣れない家事や介護に苦しんでいても，周りに助けを求めない傾向があるうえ，地域社会の人間関係が希薄な場合はその兆候に誰も気づかずに，問題が深刻化しやすい．

3) 健康への影響
- 身体的虐待や介護放棄などは，直接的に生命の安全を脅かすことがある．
- 経済的虐待のうち，生活困窮などから家族が療養者の収入に依存し，必要な医療や介護を受けさせないことで，健康状態が悪化することがある．
- 心理的虐待は，療養者の尊厳を傷つけ，生きる意欲を失わせ，抑うつの原因となることがある．

家族による高齢者虐待とケア

- 高齢者虐待防止法において，虐待を発見した者は，市区町村または地域包括支援センターに通報することが義務付けられている．その際，虐待かどうか疑わしい場合であっても，判断を行うのは行政であるため，速やかに情報提供することが重要である．
- 高齢者虐待の予防や支援においては，被虐待者の安全を確保するとともに，養護者に寄り添い，支援する姿勢をもってかかわることが求められる．
- 高齢者虐待対応において，被虐待者が支援を拒んだり，虐待者との暮らしを希望したりしても，本人の安全が確保されない場合は，市区町村の責任において，自己決定の尊重よりも分離保護が優先されることがある．

療養者・家族の特徴からみた援助・対策

1) 高齢者のみの世帯の場合
　夫婦ともに65歳以上であると，体力的な衰えから介護疲れに陥りやすい．特に夫が妻を介護する場合は，周囲に助けを求めずに1人で介護を抱え込みやすく，理想通りの介護ができないジレンマなどからストレスが蓄積した結果，暴力や暴言につながることが少なくない．また，夫婦ともに75歳以上になると双方ともに認知症の発症リスクも高まり，生活全般にわたって支援が必要となる．したがって，高齢者のみの世帯を地域ぐるみで日頃から温かい目線で把握し，何かあったときは助け合える風土や関係性を醸成しておくことが必要である．

2) 無職の子どもと二人暮らしの場合
　子どもが無職の場合，療養者の年金等が世帯の唯一の収入となり生活困窮に陥りやすく，療養者に必要な医療や介護サービスを受けさせずに健康状態が悪化するという，経済的虐待が起こる可能性がある．また，療養者の認知機能の低下や，「親の通帳の管理は世話の一環である」という考え方などにより，

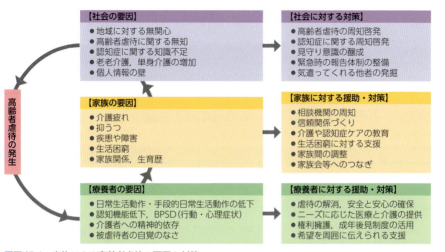

■図 27-1　家族による高齢者虐待の要因と対策

療養者や子どもに経済的虐待の自覚がないことが多い．したがって，このような家族を支援する場合は，行政や司法関係機関と連携し，成年後見制度等の活用も視野に入れた支援を行うことが必要である．

加えて，無職の子どもに対しても，親の年金に依存せずに自立できるよう他職種と連携し，行政の就労支援担当部署へつなぐ視点が重要である．

3）介護者に知的・精神的な問題がある場合

介護サービスを利用せず，地域からも孤立して家族介護を行っていたものの，きょうだいの死亡などにより，知的障害や精神障害のある子どもが親の介護を担わざるを得ない状況となった場合，介護・世話の放棄・放任（ネグレクト）が起こる場合がある．このような家族を把握した場合は，市区町村の障害福祉担当部署等と連携し，療養者と介護者の意向を確認する一方で分離保護も視野に入れ，速やかに生活基盤を整える支援が必要である．

4）独居の場合

1人で誰ともかかわらず，ごみをため込んだ不衛生な生活環境で暮らしていたり，医療や介護が必要な状態であってもかかわりを頑なに拒否したりするなど，療養者の健康や安全が損なわれる「セルフネグレクト（自己放任）」の状態で暮らしている人がいる．セルフネグレクトは，高齢者虐待防止法では虐待に含まれていないが，療養者の人間らしい暮らしや生命，健康が損なわれているという点においては，他者に虐待されている場合と変わりはない．したがって，セルフネグレクトの場合であっても，高齢者虐待防止法の取り扱いに準じて，粘り強く必要な支援を行っていくことが重要である．

家族による高齢者虐待に関連する社会資源・制度

1）早期発見・見守りネットワーク
- 地域住民，自治会，民生委員などによる見守り
- 社会福祉協議会のボランティアによるごみ出しサポートなどによる支援
- 配食サービスや新聞配達などによる見守り

2）保健医療福祉サービス介入ネットワーク
- 地域包括支援センターによる地域ケア会議の開催
- ケアマネジャーによるケアプランの見直し
- 訪問看護師やホームヘルパーによる状態把握，身体的精神的支援
- デイサービスやショートステイ利用による介護者の休息時間の確保

3）関係専門機関支援ネットワーク
- 主治医または入院医療機関との連携による適切な医療・看護の提供

- 市区町村による虐待対応会議の開催，立入調査，やむを得ない事由による措置（分離保護等），生活保護などの検討
- 成年後見制度または日常生活自立支援制度の利用による適切な年金，収入，資産の管理

家族による高齢者虐待をめぐる訪問看護

訪問看護の視点

1）療養者をみる視点
- 在宅で介護されている療養者を看護するにあたっては，虐待はどの家庭でも起こりうることを想定し，介護者のストレスや介護疲れなどの虐待につながりやすい要因を予測し，早期に対応することが重要である．
- 介護者を支援するにあたっては，介護者自身に精神発達的な疾患や，人間関係をうまく築けないため就労が長く続かないなどの社会生活上の課題がある場合があり，医学的なアプローチにとどまらず，多職種と連携して多角的に支援することが必要である．

2）支援のポイント
- 訪問看護師は，療養者の全身を直接確認できる立場にあり，衣服に隠れた場所に不自然な傷やあざがないかどうか，栄養状態は十分であるか，おむつを着用している場合は陰部の清潔状態を確認し，おむつ交換等の排泄の世話は適切になされているかどうかなどを，さりげなく的確に観察する．
- 療養者の認知症のBPSD（行動・心理症状）への対応を介護者に教育する．
- 家族の介護負担の軽減策をケアマネジャーなどと検討することや，介護者の話を傾聴するなどの精神的サポートを行う．
- 24時間365日体制で相談できる体制を確保する．

●看護課題別：療養者をみる視点と支援のポイント

看護課題	療養者をみる視点	支援のポイント
問題着眼型看護課題 家族による高齢者虐待	訪問看護師は，多職種の中でも医療の視点でのアセスメントを期待されている．家族による高齢者虐待が発生しやすい要因を常に予測し，早期に芽を摘む支援が重要である．既に虐待が発生または疑われる場合は，療養者の生命の安全を第一に考え，速やかに行政や関係機関と連携し支援を開始する．	●的確に収集した情報を関係者と共有し，役割分担を行いながらチームで支援を行う．
強み着眼型看護課題 家族介護の維持・促進	虐待は，療養者の認知症の症状の出現や，家族の介護疲れが原因の多くを占めており，介護負担を軽減することで虐待を解消できる可能性がある．	●介護者のこれまでの努力をねぎらい，寄り添いながら精神的サポートを行う． ●療養者の認知症の症状に応じたかかわり方の教育を行う． ●介護者が休息をとれるように，ケアマネジャーなどと調整を行う．

| STEP ❶ アセスメント | STEP ❷ 看護課題の明確化 | STEP ❸ 計画 | STEP ❹ 実施 | STEP ❺ 評価 |

情報収集

27 家族による高齢者虐待

情報収集項目	情報収集のポイント
疾患・医療ケア	
疾患・病態・症状 □疾患 □疾患の症状	●疾患が療養者の意思を表現することに影響しているか ●疾患の症状が家族の介護疲れに影響しているか ●認知症のBPSD（行動・心理症状）の悪化など，疾患の進行により，虐待が深刻化していないか
医療ケア・治療 □服薬 □医療処置 □訪問看護	●服薬は適切に介助されているか ●必要な医療を受けているか ●訪問看護内容の工夫により，虐待の予防または解消につながることはないか
全身状態 □栄養・代謝・内分泌状態 □皮膚の状態 □認知機能 □精神状態	●生命の安全が確保され，健康が維持できているか．痛む部位はないか ●栄養状態は良好か ●皮膚に不自然なあざや傷，褥瘡はないか ●認知機能低下による症状が，介護者の介護疲れに影響していないか ●精神的な不安定さや，おびえた様子はないか ●虐待を受けていることを自覚できているか ●よく眠れているか，昼夜逆転していないか
活動	
移動 □ベッド上の動き □屋内移動 □屋外移動	●ベッド上で寝返りができない場合，適切に体位変換が行われているか ●ベッドや車椅子に紐で1日中くくりつけられていたり，手袋をつけられたりしていないか ●トイレ介助はどのようになされているか，力任せに強引な介助はされていないか ●虐待を受けた際に，防御または逃げ出せる身体能力があるか ●通院や買い物などは，どのような手段で行われているか
生活動作 □基本的日常生活動作 □手段的日常生活動作	●日常生活動作，手段的日常生活動作の自立の程度と介助の程度はどうか
生活活動 □食事摂取 □水分摂取 □生活歴	●必要な食事が準備され，摂取できているか ●必要な水分が準備され，摂取できているか ●本人と介護者はどのような暮らしを送ってきたか，夫婦関係や親子関係はどうか
コミュニケーション □意思疎通 □意思伝達力	●虐待されていることを他者に伝え，救援を求めることができるか ●電話に出られるか，また緊急時の救援のために自力で電話をかけることができるか
活動への参加・役割 □家族との交流	●虐待者，虐待者以外の家族との関係や，会う頻度はどうか

	情報収集項目	情報収集のポイント
環境	**活動** □近隣者・知人・友人との交流 □外出	➡近隣者・知人・友人とのかかわりはどうか，会う頻度や連絡手段はどうか ➡屋外へ出る機会は与えられているか，閉じ込められていないか
	療養環境 □住環境 □地域性	➡持ち家か借家か，住宅ローンや家賃の滞納はないか ➡療養者と介護者の生活スペースの住み分けはどうか ➡住宅の手入れはされているか（雨漏り，ごみの蓄積，ゴキブリやネズミなどの死骸の放置） ➡地域の高齢者の見守り意識や連帯感はどうか ➡地域住民の認知症や虐待を行う者への偏見はないか
	家族環境 □家族構成 □家族機能 □家族の介護・協力体制	➡独居か，同居家族がいるか ➡介護を行う家族との人間関係はどうか ➡介護者の身体・精神・社会的な状態はどうか（疾患や就労状況など）
	社会資源 □保険・制度の利用 □保健医療福祉サービスの利用 □インフォーマルなサポート	➡公的医療保険，年金などの社会保険料の納付と受給状況はどうか ➡社会保障制度の支払いが苦しい場合，申請により料金が減免される可能性はないか ➡医療・介護サービスの利用状況はどうか ➡日頃から気にかけてくれる他者はいるか，異変があったときに気づける定期的な訪問サービスなどはあるか
	経済 □世帯の収入 □生活困窮度	➡年金の額，家族の収入，同居以外の家族からの仕送りなど ➡障害者手帳や特別障害者手当の申請は行っているか ➡家賃，健康保険，公共料金などの滞納状況（郵便物に督促状が混じっていないか） ➡介護者に浪費癖や借金はないか
理解・意向	**志向性（本人）** □生活の志向性 □性格・人柄 □人づきあいの姿勢	➡虐待者との生活を望んでいるか．施設入所に関するとらえ方はどうか ➡虐待者から受ける行為やそのことに関する思いを，他者に伝えることができるか ➡セルフネグレクトの場合，心を開いてもらえる可能性がある人は誰か
	自己管理力（本人） □自己管理力 □情報収集力 □自己決定力	➡虐待者から身を守るための避難先（親類宅など）を自ら確保できているか ➡虐待に関する救済機関を知っているか，自ら連絡をとれるか ➡虐待者と関係を断つ，または同居生活を継続することを選択する決断力があるか
	理解・意向（本人） □意向・希望 □感情 □療養生活への理解	➡虐待が継続されることによる自らの将来を予測できているか ➡感情は安定しているか，感情の不安定さが虐待者の攻撃性を刺激していないか

情報収集項目		情報収集のポイント
理解・意向	□受けとめ	● 虐待されていることで劣悪な生活が当たり前になり，人間らしい生活の質に対する感覚が麻痺していないか，尊厳が保たれているか
	理解・意向（家族） □感情	● 介護生活の中で，イライラが募る場面や頻度はどうか ● 療養者が元気だった時の思い出や関係性はどうであったか ● よく眠れているか，三食食べているか，規則正しい生活か
	□疾患への理解	● 療養者の疾患による言動などへの影響と対応を理解しているか（認知症等）
	□生活の志向性	● 家事や介護のスキル，仕事，収入，きょうだいや親戚・友人関係はどうか ● 介護者が楽しみをもつことができているか，もしくは昔は何を楽しみとしていたか

事例紹介

引きこもりの息子から虐待を受けている，認知症の高齢者の例

Keywords 高齢者虐待，認知症，引きこもり，年金，男性介護者，未婚の子ども，成年後見制度，ネグレクト，経済的虐待，高齢女性

〔基本的属性〕女性，82歳
〔家族構成〕無職の長男との二人暮らし
〔主疾患等〕脳梗塞後遺症（右麻痺，失語症），認知症
〔状況〕脳梗塞の退院を機に，引きこもりで安定した職に就いていない息子の介護による在宅療養が始まった．収入源は療養者の年金のみで，息子は生活苦を理由に週1回の訪問看護以外はサービスを拒否している．在宅介護を始めて3か月になるが，排泄の世話は朝1回おむつを交換するのみで，食事もスーパーの弁当等を1日2回与えるのみである．息子と訪問看護師とは徐々に信頼関係が構築されつつあり，「母親が夜中に大声で叫んだり，おむつの中に手を入れて布団を糞便で汚したりするから，イラっとして物に当たったりきついことを言ってしまう．でも施設とか離れて暮らすのは嫌だ」との訴えが聞かれるようになった．

第3章 心理・社会的課題別看護過程　1．環境

情報整理シート

疾患・医療ケア

【疾患・病態・症状】

主疾患等：脳梗塞後遺症（右麻痺，失語症，82歳〜），認知症（76歳〜）
病歴：閉経間近の50代前半に体調不良を感じて受診した際に，高血圧と不整脈を指摘される．以降，降圧薬内服と心電図検査にて経過観察を行っていた．
経過：
53歳　　更年期障害，高血圧症，不整脈（心房細動）
62歳　　高コレステロール血症
76歳頃　もの忘れ（鍋焦がし，役所の通知文がわからない）
82歳　　脳梗塞にて入院，3か月のリハビリテーションのあと自宅へ退院．右半身麻痺，失語症，認知機能の低下が後遺症として残った．退院後に介護サービスを拒否する息子との生活を心配した病棟看護師が地域包括支援センターに連絡し，療養者，息子，病院主治医を交えて退院前カンファレンスを行った結果，病院主治医の強い勧めによる訪問看護を唯一受け入れ，在宅療養3か月目となった．

【医療ケア・治療】

服薬：【内服】抗凝固薬（ワーファリン），降圧薬（ディオバン）
　　　【実施】息子が朝食時に介助し服薬．セットし忘れることがある
治療状況：月1回の外来通院にて脳梗塞の経過観察．在宅療養3か月目の現在，息子が通院をしぶるようになった．
医療処置：月1回の外来通院にて，体重測定，採血，心電図
訪問看護内容：入浴介助，口腔ケア，拘縮予防のリハビリテーション，認知症ケア（コミュニケーション），療養指導，家族の状態観察，主治医連携

【全身状態・主な医療処置】

血圧：130〜150/80〜90 mmHg
脈拍：60〜70回/分（不整脈なし）
呼吸数：16〜20回/分

週1回の訪問看護にて，ケアを行うとともに，息子の介護力と精神状態の観察を行っている

身長：145.0 cm
体重：36.0 kg
BMI：17.1

脳梗塞後遺症による右半身麻痺，失語症，認知症

おむつ交換が1日1回のため，陰部が赤くただれている

排便：1回/2〜3日
排尿：5回/日
食事：2回/日

基本情報
年齢：82歳　　性別：女性
要介護度：要介護4
障害高齢者自立度：B2
認知症高齢者自立度：Ⅲb

活動

【移動】

屋内移動：ベッド挙上の介助で座位は保てるが，ベッドからおろしてもらえることは，訪問看護時と通院時以外なし．
屋外移動：外出は通院のみ．介護タクシーで病院まで行き，院内は息子が車椅子を押して移動している．

【活動への参加・役割】

家族との交流：本人は終日1階のベッド上で，息子は2階で過ごし必要な時だけ降りてきて世話をする．両者の間で会話はほとんどない．他府県に住む長女も，姑との同居・介護で精一杯であり，数年来将来られない．長女は長男を毛嫌いしている．
近隣者・知人・友人との交流：本人は専業主婦であったため，近所づきあいはよかった．しかし，脳梗塞発症後に息子が仕事を辞めて家にいるようになってからは，コミュニケーション下手な息子に遠慮して，家を訪ねてくる者はいなくなった．
外出：月1回の通院のみ
社会での役割：なし
余暇活動：息子がテレビをつけっぱなしにしているが，療養者は内容を楽しんでいる様子はない．

【生活活動】

食事摂取：昼前に息子が起床，朝昼兼用の菓子パンをベッド上のテーブルに置くと片手で食べる．夜は息子がスーパーの半額弁当をベッド上に配膳するも，いつも同じ品であることに加え，右麻痺のため左手でのスプーン使用で食べこぼすことが多い．むせることも時々あり．摂取量が徐々に減少している．
水分摂取：息子が昼前にストローつきの500 mL水筒に水を入れたものを，1日かけて摂取している．
活動・休息：終日ベッド上におり，日中もウトウトしがちで刺激の少ない生活．夜間に目が覚め，奇声を発することがある．
生活歴：結婚以来専業主婦にて息子と娘を育て上げた．夫が厳格で家族に厳しかった影響か，母子密着型で過保護な一面があった．12年前に夫を亡くし，未婚の息子と二人暮らし．
嗜好品：甘いものが好き．飲酒，喫煙歴なし．

【生活動作】

基本的日常生活動作

食動作	息子が電動ベッドの角度を上げて座位にし，テーブル上に配膳．むせることが多い
排泄	おむつ使用．1日1回，息子が交換
清潔	週に1回訪問看護師の介助で入浴
更衣整容	週に1回訪問看護師の介助でパジャマ交換
移乗	息子の介助により椅子に移乗可能
歩行	通院時に介護タクシーの通院等乗降介助を受け，玄関までゆっくり歩行可能
階段昇降	できない

手段的日常生活動作

調理	できない
買い物	できない
洗濯	できない
掃除	できない
金銭管理	できない．息子が年金が入る通帳を管理している
交通機関	通院時は介護タクシーにて息子が付き添う

【コミュニケーション】

意思疎通：簡単な会話は理解できる．
意思伝達力：失語症があるため，自分の気持ちが伝えにくいことと，感情失禁を起こし，突然泣き出したりすることがある．
ツールの使用：なし

環　境

【療養環境】

住環境：
2階建て一軒家，名義は本人．
住宅ローンは支払い済みであるが，築50年が経過し老朽化しており，修繕を要する箇所があるが，夫の死後は手入れをする人がなく放置されている．物があふれ，段差も多い．

地域環境：昭和半ばの高度経済成長期にベッドタウンとして開発された分譲住宅地帯であり，他府県からの移住者が多い．

地域性：高齢者の見守り意識が高く，行政から提供された災害時避難行動要支援者名簿を町会役員と民生委員が共有し，日頃から安否確認の訪問も活発に行われている．しかし，名簿記載条件の独居高齢者以外の支援を要する世帯の把握ができていないことが課題となっている．

【社会資源】

サービス利用：

	月	火	水	木	金	土	日
AM			訪問看護				
PM							

保険・制度の利用：介護保険〔訪問看護，福祉用具貸与（特殊寝台，特殊寝台付属品），通院等乗降介助〕，後期高齢者医療，地域包括支援センターによる月1回の訪問

【経済】

世帯の収入：夫の老齢遺族年金と本人の老齢基礎年金（社会保険料納付後手取り額：12万円/月）

生活困窮度：苦しい．息子が年金を管理しているが，入院医療費を支払えず分納の約束をして退院してきた5年前から固定資産税を滞納しているため，自宅は行政に差し押さえられている．

【ジェノグラム】

【家族の介護・協力体制】

同居の息子が世話をするが，家事能力が低く，食事はでき合いの弁当や菓子パンで，おむつ交換も昼前に1回のみと，十分な介護が提供されていない．遠方の長女は嫁ぎ先の姑の介護と子どもの学費の工面で精一杯であり，援助を受けることは難しい．引きこもりの息子がいるため，近所の人も訪ねてこなくなった．

【エコマップ】

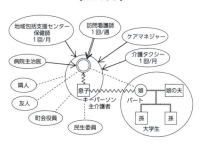

理解・意向

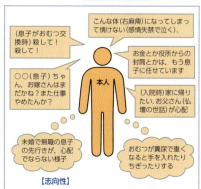

長女

遠方の他県に在住．姑を在宅で介護している．夫がリストラにあい所得が半減し，子ども2人の大学の学費をまかなうために最近パートに出ざるを得なくなった

〔本人〕

お母さんのことは気になるけど，うちも姑の介護で精一杯．兄は昔から定職につかないで実家に引きこもってばかりで，かかわりたくない

（息子がおむつ交換時）殺して！殺して！

○○（息子）ちゃん，お嫁さんはまだかね？また仕事やめたんか？

未婚で無職の息子の先行きが，心配でならない様子

こんな体（右麻痺）になってしまって情けない（感情失禁で泣く）．

お金とか役所からの封筒とかは，もう息子に任せています

（入院時）家に帰りたい．お父さん（仏壇の世話）が心配

おむつが糞尿で重くなると手を入れたりちぎったりする

〔志向性〕
生活の志向性：元気なときは，近所の友人との井戸端会議が日課だった
性格・人柄：脳梗塞前は朗らかな性格．子育ては過保護であった
人づきあいの姿勢：おとなしく，思ったことをはっきりいえないタイプ

〔自己管理力〕
自己管理力：全て介助
情報収集力：全て介助
自己決定力：全て介助であるが，喜怒哀楽は表現できる

息子　キーパーソン　主介護者

おむつをいじられたり，夜中に大声を出されるとしんどいけど，母親を施設に預けるのは嫌だ

母親の年金を管理するのは当然　介護保険は高いから，医者から勧められた訪問看護だけでよい　看護師さんには感謝している

未婚．高校を卒業後，3年ほど繊維工場で働いたが，長く続かず実家に引きこもりがちになった．時々アルバイトをするが，生活費は親頼みであり，自身の年金や医療保険料は滞納
家事能力が低く，スーパーの半額弁当や菓子パンばかりの生活であり，かなりの肥満である．親の年金が主な収入源であり，食費，光熱・通信費，母親の医療費，おむつ代などを差し引くと，ほとんど残らない．生活保護を受けることは恥ずかしいと思っている
母親の介護を始めて3か月，イライラすることが多くなり，物に当たったり罵声を浴びせたりするようになった

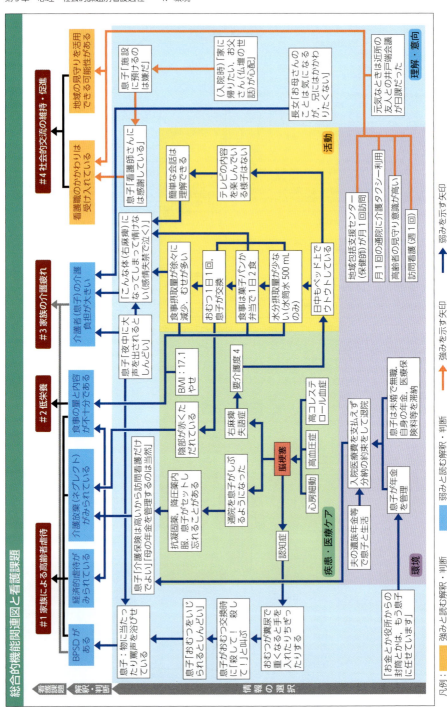

| STEP❶ アセスメント | STEP❷ 看護課題の明確化 | STEP❸ 計画 | STEP❹ 実施 | STEP❺ 評価 |

看護課題リスト

No.	看護課題　【コード型】文章型	パターン
#1	【家族による高齢者虐待】息子による母親への経済的虐待・ネグレクトがみられており，身体的虐待の可能性もある	問題着眼型
	根拠 母親のBPSDに対して息子が物に当たったり罵声を浴びせたりするほか，1日2食しか与えず，おむつも1日1回しか交換しないなど，身体的虐待，ネグレクトに相当する．また，母親の年金を必要な介護サービスに充てないことは，経済的虐待である．	
#2	【低栄養】食事の量と内容が不十分なため低栄養状態である	問題着眼型
	根拠 菓子パンや弁当など，1日2食しか与えられず，BMI 17.1とやせている．また，水分摂取量も水筒水500 mLと少ない．	
#3	【家族の介護疲れ】認知症によるBPSDのため介護者（息子）の介護負担が大きく，介護疲れがみられている	問題着眼型
	根拠 要介護度が4と重度なことに加え，認知症によるBPSDや脳卒中による感情失禁がみられており，息子の介護負担が大きい．	
#4	【社会的交流の維持・促進】介護者は看護職のかかわりを受け入れていることと，地域の見守り意識が高いことを活かし，社会的交流を維持・促進する	強み着眼型
	根拠 居住地域は見守り意識が高く，民生委員等による訪問活動も活発に行われている．しかし本世帯は息子との同居であるため，見守りの網から漏れている．つながりを再構築することで，虐待の発生防止と息子の引きこもりの改善が期待できる．	

【看護課題の優先度の指針】#1【家族による高齢者虐待】および#2の【低栄養】は，家事能力が低い息子による不適切な介護が，療養者の生命や生活の質を著しく脅かしているものであり，緊急に解決すべき課題である．次に，息子の介護負担を軽減し，見守り意識の高い地域へこの家族をつなげることで，本事例の問題を大きく改善できる可能性があることから【家族の介護疲れ】を#3とし，【社会的交流の維持・促進】を#4とした．

長期目標

息子による虐待と不適切な介護による衰弱が解決され生活の基盤が整ったうえで，在宅療養生活を送ることができる．

根拠 親の収入に依存し，引きこもり生活を送っていた息子にとって，突然始まった在宅介護は手に余るものである．生活苦を理由に療養者に必要な医療や介護サービスが提供されておらず，食事や排泄のケアも不適切であり，療養者の生命と尊厳の維持が危ぶまれる状態である．多角的な視点で虐待解消に向けた生活基盤を整えることにより，療養者と息子の関係が改善できることをめざす．

〈長期目標を共有するケアチーム〉
フォーマルサービス：訪問看護師，ケアマネジャー，病院主治医，診療所主治医（在宅医），ホームヘルパー，地域包括支援センター，司法関係者，民生委員，配食サービス
インフォーマルなサポート：娘，近隣住民，友人，町会役員，ボランティア

第3章 心理・社会的課題別看護過程　1．環境

| STEP❶ アセスメント | STEP❷ 看護課題の明確化 | STEP❸ 計画 | STEP❹ 実施 | STEP❺ 評価 |

1 看護課題	看護目標（目標達成の目安）
#1【家族による高齢者虐待】息子による母親への経済的虐待・ネグレクトがみられており，身体的虐待の可能性もある	1) 身体的虐待のおそれが解消する（1週間） 2) ネグレクト状態が解消する（1週間） 3) 経済的虐待が解消する（3か月）

援助の内容	援助のポイントと根拠
OP 観察・測定項目 ● あざ，傷，褥瘡，おむつかぶれ ● 痛み，かゆみ ● 医療ケア（受診状況，服薬状況）	➡ パジャマ交換や入浴介助の際に，さりげなく全身の皮膚の状態を観察し，肋骨なども触って痛む部位がないか確認する．おむつ使用の場合は陰部の清潔とかぶれの有無も確認する　**根拠** 直接殴られていなくても，力任せの移乗介助などで骨折することがある ➡ **連携** 内服薬の残量から，服薬介助がされているかを確認する．通院を忘れ，薬が足りていない場合は速やかに主治医に報告する
TP 直接的看護ケア項目 ● 高齢者虐待の事実の通報 ● 療養者の安全確保 ● 訪問診療の導入	➡ **連携** ケアマネジャーとともに訪問し，療養者と介護者から個別に聞き取りを行い，虐待の様子や経過を把握した後，地域包括支援センターに連絡する　**根拠** 療養者は虐待を受けていても，介護者への気兼ねや報復へのおそれから事実を正確に伝えることができないことがある．また，介護者を責める口調ではなく，ねぎらいの言葉をかけ，寄り添う姿勢を保つ ➡ **連携** 療養者の生命の安全が損なわれる可能性があるため，市役所やケアマネジャーと連携し，介護者の納得と同意が得られるまでの間，一時的にショートステイなどで保護する　**根拠** 高齢者虐待の場合は，市役所の職権（老人福祉法に基づく「やむを得ない事由による措置」）により，所定の介護サービスを公費で導入できる．また，介護者の拒否などで療養者の状態が確認できないときは，市の権限で立入調査を行う．また介護者の暴力などが想定される場合は，警察署長へ援助要請を行い，訪問への同行を依頼する ➡ **連携** 通院が困難な場合，訪問診療に切り替える．入院していた病院主治医から，身近な地域で在宅診療を行っている診療所医師へ紹介状を出してもらうことも提案する
EP 教育・調整項目 ● 高齢者虐待対応会議での情報共有 ● 介護者への精神的支援	➡ **連携** 市役所の高齢福祉部門および地域包括支援センターと連携し，高齢者虐待対応会議で訪問看護の立場からの観察事項や支援方針を述べる　**根拠** 高齢者虐待の防止や対応については市区町村が主体となり，関係機関と連携しながら被虐待者の保護と虐待者への支援を行う責任がある．訪問看護師には，医学的な観点や，身体的な観察事項などに関する意見や情報提供が期待されている ➡ 療養者が市区町村の職権により自宅外に保護され，面会制限がされている場合には，介護者は動揺し，信頼している訪問看護師に療養者の居場所を尋ねたり怒りをぶつけたりすることがある．その場合は，守秘義務を果たしながらも介護者

- ●成年後見制度の申し立て支援の確認
- ●債務の整理状況の確認

の気持ちに寄り添い，落ち着いて今後のことをともに考えられるよう支援する

⇒ 連携 市役所が，成年後見制度の市長申立てを行い，療養者の年金や資産が療養者のために適正に使われる体制を構築することを確認する　根拠 成年後見制度を利用することにより，療養者名義の不動産を適正に取り扱い，滞納している医療費や固定資産税などの債務を整理したり，介護保険サービスの契約行為を適切に行ったりすることができる

2 看護課題

#2 【低栄養】
食事の量と内容が不十分なため低栄養状態である

看護目標（目標達成の目安）

1) 1日3回食事がとれる（1週間）
2) 低栄養状態が改善する（1週間）

援助の内容

OP 観察・測定項目
- ●バイタルサイン（体温，脈拍，血圧，呼吸）
- ●意識状態，全身倦怠感，口渇の有無
- ●尿の量・回数，便の状態
- ●血液データ（ヘマトクリット，血清アルブミン，血清脂質，電解質等）
- ●食事内容，摂取量，回数，介助の様子，咀嚼嚥下力，食欲，嗜好
- ●水分摂取量
- ●体重，BMI

TP 直接的看護ケア項目
- ●医師への報告および受診の勧奨

- ●食事に関するサービスの導入

- ●口腔ケア
- ●生活不活発病（廃用症候群）防止のリハビリテーション

EP 教育・調整項目
- ●食事のとり方の提案

援助のポイントと根拠

⇒ 脱水の症状である体温上昇，頻脈，血圧低下，呼吸数増加に注意する　根拠 高齢者はもともと身体の水分量が少ないため，食事回数が減ったり下痢をしたりすると容易に脱水に陥りやすい．また，口渇や倦怠感などの自覚症状に乏しいことも多い．いつもより元気がないなどの些細な変化も含めて注意深く観察を行う

⇒ 連携 観察事項を速やかに医師に報告し，必要に応じ受診の手配をする　根拠 重症度が高い場合は輸液を要する場合もある．また，梅雨の時期は身体が暑さに慣れておらず湿度が高いため，熱中症を発症しやすいことにも留意する

⇒ 連携 ケアマネジャーなどと協議し，配食サービスや訪問介護，デイサービスなどの導入により，適切な食事がとれる体制を確保する

⇒ 食事は，右半身麻痺を勘案し，自助具を導入する．また，おにぎりなど手で食べやすいものも取り入れる

⇒ むせは誤嚥性肺炎につながるおそれがあるため，咀嚼や嚥下の評価を行い，能力に応じた食形態を検討する

⇒ 口腔ケアや生活不活発病防止のリハビリテーションによる身体活動量を増やすことで，食欲が向上し，摂取量が増える可能性がある

⇒ 連携 管理栄養士などと連携し，介護者がスーパーで療養者の食料を調達する際に菓子パンよりも蛋白質などの栄養価の高い惣菜を選択できるよう助言する　強み 介護サービスを拒否している介護者であるが，訪問看護師が他職種と連携することで，たとえば，調理はヘルパーに依頼しようと思える可能性がある

3 看護課題	看護目標（目標達成の目安）
#3 【家族の介護疲れ】 認知症によるBPSDのため介護者（息子）の介護負担が大きく，介護疲れがみられている	1) 介護者は必要な医療・介護サービスの導入に同意できる（2週間） 2) 介護者は認知症をもつ人へのかかわりを理解できる（1か月） 3) 介護者は気分転換ができる（1か月） 4) 別居家族が必要な支援に関する情報を得られる（1か月）

援助の内容	援助のポイントと根拠
OP 観察・測定項目 ● 介護負担感を感じる場面，頻度，思い ● 疾患の理解の程度（認知症，脳梗塞） ● 高齢者虐待に関する自覚	⇒介護生活の中で，イライラが募る場面や頻度について，傾聴しながら情報を収集する　根拠 認知症などの疾患の理解や虐待行為に関する自覚を確認する際は，男性は一般にプライドが高いことに十分留意してコミュニケーションを図る．一度に多くの情報を収集せず信頼関係を強め，心を開いてもらう
● 介護者の健康状態	⇒介護者に抑うつ傾向がみられる場合は，精神科医療につなげる
TP 直接的看護ケア項目 ● 排泄ケアへの支援	⇒おむつに手を入れることは，交換回数が少ないことをはじめ，漏れないように分厚いおむつを何枚も重ねており，気持ちが悪いことが要因と考えられる　強み 療養者は座位がとれるため，薄型で通気性のよいものを紹介することや，「おむつ」とよばずに「紙の下着」というよび方に変えるなど，精神的な面にも配慮し，自尊心を保てるよう支援する
EP 教育・調整項目 ● 移動介助がしやすい環境整備	⇒介護がしやすい動線を考慮したベッドの配置や，介護者の腰を痛めない移乗動作などを実演を交えて伝え，実施できるように支援する
● 介護の認識を変化させる説得	⇒介護者に，このままでは共倒れになることを説明し，サービス利用に対して粘り強く理解を得る．気分転換ができる方法についてもともに考える
● 認知症ケアに関する教育	⇒親が認知症になってしまい，情けないという子どもの心情に配慮しながら，認知症の中核症状やBPSD（行動・心理症状）などの基礎知識を提供する．夜間の不穏解消やおむつに手を入れることを予防するためにも，こまめなケアが必要なことを伝え，介護力の向上や介護サービス導入への糸口とする
● 金銭的問題の調整	⇒障害者手帳の申請により，税金や各種公共料金の減免が受けられる可能性がある．また，特別障害者手当の申請により，経済的に支援される可能性があることについて検討する（令和4年4月1日現在，月額27,300円） ⇒連携 司法関係機関と連携し，別居の娘にも成年後見制度を活用して医療費や固定資産税などの債務を整理し，自宅などの資産を療養者のために有効活用することで，ゆくゆくは負の財産の相続を親族が迫られる可能性を回避できることなどを説明する

4 看護課題	看護目標（目標達成の目安）
#4【社会的交流の維持・促進】 介護者は看護職のかかわりを受け入れていることと，地域の見守り意識が高いことを活かし，社会的交流を維持・促進する	1) 近隣住民より温かく見守られる（2週間） 2) 本人や介護者が異変を周囲に伝えられる（2週間） 3) 介護者は周辺の人のサポートを受け入れることができる（3か月） 4) 介護者は就労支援相談機関へ相談ができる（2か月）

援助の内容	援助のポイントと根拠
OP 観察・測定項目 ● 地域住民の価値観，しきたり，見守り体制など ● 日頃から気にかけてくれる人の存在 ● 介護者の地域づきあいに対する考え方	➡ 住民との会話や多職種との連絡などから，地域住民の高齢者虐待に関する周知度や，見守り体制の有無を確認し，本事例について支援が得られるかを検討する ➡ 息子は引きこもり生活が長かったため，地域との交流は無理をせず，介護者のペースを尊重する
TP 直接的看護ケア項目 ● 地域住民との関係づくり	➡ 連携 地域包括支援センターと連携し，地域見守りに関する住民との信頼関係を築く 根拠 町会の役員や近隣住民と，顔の見える関係を築く．その際，個人情報の取り扱いには細心の注意を払う
EP 教育・調整項目 ● 認知症に関する社会資源の導入 ● 介護者の引きこもり解消に向けた支援	➡ 強み 厚生労働省の認知症施策である，各市区町村などが養成している認知症サポーターが運営する認知症カフェや，認知症介護家族会，男性介護者の会などへの橋渡しを行い，当事者同士で交流することを支援する 根拠 当事者同士で胸の内を語り合うことは，インフォーマルな情報収集のみならず，介護者の精神的安定によい効果をもたらすことを活用する ➡ 連携 地域包括支援センターや行政と連携し，生活困窮者自立支援制度により行政に設置されている就労支援相談等の支援を受け，引きこもりの生活から徐々に地域社会へ参加することに慣れ，親の年金に頼らない安定した生活に向けての一歩が踏み出せるよう支援する 根拠 生活困窮者自立支援制度とは，「社会とのかかわりに不安がある」「他の人とコミュニケーションがうまくとれない」など，ただちに就労が困難な人に対して，プログラムに沿って基礎能力を養いながら就労に向けた支援や就労機会の提供を行うものであり，各市区町村等に相談窓口が設置されている

| STEP ❶ アセスメント | STEP ❷ 看護課題の明確化 | STEP ❸ 計画 | **STEP ❹ 実施** | STEP ❺ 評価 |

強みと弱みに着目した援助のポイント

強みに着目した援助
- 介護者は訪問看護師とは信頼関係が築けているため，虐待解消と療養者・家族の自立支援に向けた多職種連携の要となってチームアプローチを行う．
- 近隣住民の高齢者見守りに対する意識の高さを活かし，地域ぐるみでの支援体制をつくる．

弱みに着目した援助
- 介護者は家事に慣れない男性であり，生真面目で融通の利かない介護でストレスをためやすいことや，問題をすぐに表出せずに抱え込みやすいことに十分配慮し，介護疲れによる虐待の解決を図る．
- 不適切な介護を解決すると同時にアドボカシーの観点から健康を守ることを優先し，必要な支援を行い低栄養と脱水を解消する．

| STEP ❶ アセスメント | STEP ❷ 看護課題の明確化 | STEP ❸ 計画 | STEP ❹ 実施 | **STEP ❺ 評価** |

評価のポイント

- 身体的虐待のおそれが解消しているか
- ネグレクト状態が解消しているか
- 経済的虐待が解消しているか
- 1日3回食事がとれているか
- 低栄養状態が改善しているか
- 介護者は必要な医療・介護サービスの導入に同意しているか
- 介護者は認知症をもつ人へのかかわりを理解しているか
- 介護者は気分転換ができているか
- 別居家族が必要な支援に関する情報を得ているか
- 近隣住民より温かく見守られているか
- 本人や介護者は異変を周囲に伝えられているか
- 介護者は周囲の人のサポートを受け入れているか
- 介護者は就労支援相談機関へ相談しているか

関連項目

第2章「6 脳梗塞」「17 認知症」
第3章「25 家族の介護疲れ」「28 生活困窮」「29 社会的孤立」「30 不衛生な住環境（ごみ屋敷）」「32 自己放任」

28 生活困窮

生活困窮の理解

生活困窮とは

1) 生活困窮の定義
- 明確な定義はないが，生活困窮者自立支援法では生活困窮者を「現に経済的に困窮し，最低限度の生活を維持することができなくなるおそれのある者」と示している．
- 生活困窮については，居住地域の経済水準を考慮する必要があるため，最低所得の基準額を示すことは困難である．
- 関連する概念に，貧困，ワーキングプア，老後破産，住民税非課税世帯がある．

2) 生活困窮が起こる背景
- 初職における定着の失敗，就職定着困難から安定した収入の確保が難しい状況になる．
- 精神障害，引きこもり，発達障害の疑いや未対応により就労が困難となる場合がある．
- 中高年者では生活費捻出のほか，ルーズな金銭感覚による債務過多やギャンブル等依存症による支出過多がある．
- 個人の背景のほかに，雇用機会の喪失など社会的な背景も関係する．

3) 健康への影響
- 近年，低所得と肥満の関連が指摘されている．バランスのよい食事よりもその日入手できる食事を優先し，主食に偏った安価に購入できるもの，品目の少ない食事などに偏りやすい．
- 知識不足や金銭感覚のルーズさなどにより，限りある収入の中で，健康の維持・増進のための必要な消費が優先されず，健康障害を生じる可能性がある．

生活困窮とケア

- 生活困窮のために自己負担があるサービスを導入しない，必要な消耗品を購入しない，適切な食事を摂取できないなどの不適切な状態が生じ，支援が困難になりやすい．
- 年金や保険料などの未納により，社会保障制度の利用が難しく，適切な介護サービスが受けられない，福祉用具を利用できず，援助に工夫を要するといった状態が生じる．
- 医療や介護が必要になることで支払い過多となり，生活困窮に陥る可能性もある．
- 医療費が支払えず，適切な時期に必要な医療を受けないことにより悪化し，機能低下に陥ることがある．

療養者・家族の特徴からみた援助・対策

1) 精神障害，依存症，発達障害（疑い・未対応）などの健康障害により就労困難な場合
適切な医療を受け，健康障害の回復を目指す．また，障害をもちながら就労できるよう，障害者総合支援法による就労支援を行う．そのためには医師，障害者総合支援法による相談支援専門員との連携が重要となる．また，療養者と家族が障害を受容し，各種制度を利用して就労を目指すよう心理的，社会的側面の援助を行う．

2) 社会保障制度に関する知識不足や理解力不足による制度未活用の場合
知識不足や理解力不足により年金や保険を受給することができず，結果的に自己負担額が多くなるといった社会保障制度が活用できない状態に陥る．社会保障制度の知識や適正な制度活用を目指す意識の変容，場合によっては経済的虐待による生活困窮も考えられるため，権利擁護などを行っていくことで，適正な社会保障制度の活用に結び付ける．

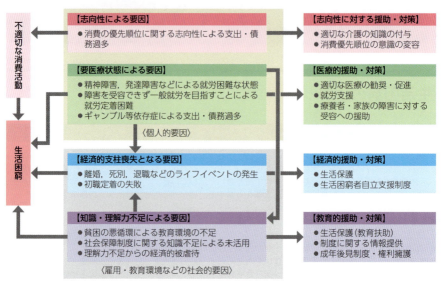

■図 28-1　生活困窮の要因と援助・対策

3) 離婚, 死別, 退職などによる経済的支柱の喪失の場合

生活保護, 生活困窮者自立支援制度の活用などの提案といった, 最低限度の文化的な生活を保障するための制度につなげる.

4) 志向性による支出, 債務過多の場合

限りある収入の中で嗜好や依存に関連するものの支出やそれによる債務が過多となり, 最低限度の生活に必要なものなどを購入しない場合がある. これには療養者や家族の志向性が大きく影響するため, 意思決定を尊重しながらも, 何を優先して消費していくのか, 適切な生活管理の知識の付与と意識の変容を促す.

生活困窮に関連する社会資源・制度

1) 生活保護制度
- 居住地の福祉事務所(福祉事務所がない自治体では自治体の役場)の生活保護担当に申請する.
- 生活保護制度による生活扶助, 住宅扶助, 教育扶助, 医療扶助, 介護扶助, 出産扶助, 生業扶助, 葬祭扶助

2) 生活困窮者自立支援制度
- 生活困窮者自立支援法による自立相談支援事業, 就労準備支援事業, 一時生活支援事業, 家計改善支援事業, 就労訓練事業, 住居確保給付金の支給, 生活困窮世帯の子どもの学習・生活支援事業

3) 障害者総合支援法による就労支援
- 障害者総合支援法による就労移行支援, 就労継続支援A型(雇用型), 就労継続支援B型(非雇用型)

生活困窮をめぐる訪問看護

訪問看護の視点

1) 療養者をみる視点
- 消費活動における優先順位は療養者や家族の志向性により決定されることが多く，優先順位が下げられることで必要な食事や介護物品，サービスが抑制されていないか注目する．
- 生活困窮の要因によっては治療や福祉制度の申請など，訪問看護以外のサービスや制度の活用につなげることで解決を図る場合があり，要因を見極めながら連携先の想定をしておく．
- 健康上の問題や生活上の課題が生活困窮の影響によるものではないかどうか見極める．

2) 支援のポイント
- 経済的な問題は表出されにくいので，問題に気づいた場合は自尊心を傷つけないように配慮する．
- 社会保障制度に関する知識や情報が不足して適切な判断ができずに生活困窮となっていくことを防ぐために正確な情報提供を行う．
- 生活困窮者を対象とした支援に関する知識や情報を提供し，制度の活用を促す．
- 生活困窮者を対象とした支援に関連する事業所等につなげていく．

●看護課題別：療養者をみる視点と支援のポイント

看護課題	療養者をみる視点	支援のポイント
問題着眼型看護課題： **生活困窮による介護破綻**	適切な介護が実施できない状況となる経済的な要因に着目する．また，必要物品を購入するための情報と理解力，意向があるかどうかに着目する．	●適切な介護に関する情報を提供する． ●生活困窮の要因に適用する社会制度の情報提供や手続きの調整を行う． ●社会制度や適切な介護に関する理解を促す． ●安価な費用による福祉用具の代用品の活用や作製を勧める．
強み着眼型看護課題： **生活困窮の緩和による健康・安楽の維持・促進**	生活困窮状態の緩和による健康や生活上の課題の解決状況に着目する．	●適切な判断により変化し，安定してきた状態を知覚・継続できるようにかかわる． ●意思決定を尊重しながらも先の見通しをもてるように説明する．

STEP ① アセスメント ▶ STEP ② 看護課題の明確化 ▶ STEP ③ 計画 ▶ STEP ④ 実施 ▶ STEP ⑤ 評価

情報収集

情報収集項目		情報収集のポイント
疾患・医療ケア	**疾患・病態・症状** □疾患 □病態 □疾患の症状 □疾患の経過，予後	⇒主疾患，既往歴，合併症は何か ⇒疾患の重症度や病期はどうか，病態の機序はどうか ⇒疾患による症状はあるか ⇒病状はどう経過したか．診断時期，病歴，治療歴，入院歴はどうか．訪問看護はいつから何を目的に開始されたか

	情報収集項目	情報収集のポイント
疾患・医療ケア	**医療ケア・治療** □服薬 □治療 □医療処置 □訪問看護	● 服薬内容，方法，頻度はどうか．服薬の効果や副作用はどうか．服薬介助をしているか．配薬ボックスや服薬カレンダーを活用しているか ● 治療方針や目的は何か，どのような治療内容か，外来受診か・往診か，受診頻度はどうか，機能訓練の内容や頻度はどうか ● 医療処置(導尿，吸引，人工呼吸器管理，胃瘻など)の内容や頻度はどうか．医療処置の効果や副作用はどうか．療養者本人が適切な処置を行えるか ● 訪問看護の方針，目的は何か．ケア内容は何か，提供頻度はどうか
	全身状態 □呼吸・循環状態 □摂食・嚥下・消化状態 □栄養・代謝・内分泌状態 □排泄状態 □筋骨格系の状態 □感覚器の状態 □皮膚の状態 □認知機能 □意識 □精神状態 □免疫機能	● 呼吸回数，呼吸音の減弱，呼吸リズム，呼吸困難感，SpO₂，副雑音，咳嗽の有無とその程度，喀痰の量と性状，脈拍，脈圧，左右差，リズム，血圧の増減，体温の増減，四肢冷感，チアノーゼ，めまいはどうか ● 食事形態(経口摂取，経管栄養等)はどうか．食事摂取回数は何回か，唾液分泌機能，咀嚼・嚥下機能はどうか．消化機能はどうか．神経麻痺，窒息はあるか ● 低栄養や過栄養はあるか，食欲不振，体重増減はあるか．基礎代謝率や体温はどうか ● 残尿，排尿困難，頻尿，尿閉はあるか．尿失禁や便失禁はあるか．排尿量や排尿回数はどうか．便秘，下痢はあるか．排便量や排便回数はどうか ● 筋力，骨量，関節可動域はどの程度か．筋萎縮，関節拘縮，痙攣，骨折はあるか ● 視覚，聴覚，味覚，嗅覚，運動調節機能はどうか ● 皮膚の緊張度，湿潤・乾燥状態，脆弱性，弾力性はどうか．褥瘡，湿疹，瘙痒感はあるか ● 見当識，記憶力，判断力，計算力，理解力はどうか．認知症による中核症状や BPSD(暴力，幻覚，徘徊，興奮，妄想などの行動・心理症状)はあるか ● 意識レベルはどうか，もうろう状態か，清明か ● せん妄，錯乱，混乱，不安，緊張，うつ状態はあるか ● 感染のしやすさはどうか
活動	**移動** □ベッド上の動き □起居動作 □屋内移動 □屋外移動	● ベッド上で寝返り，起き上がり，仰臥位での腰の挙上はできるか，背もたれなしで座位の保持ができるか ● 椅子やトイレへの移乗，立ち上がりはできるか，つかまらずに立位の保持ができるか ● 屋内での生活動線はどうか，屋内ではどのように移動しているか，車椅子，杖，歩行車などを使用しているか ● 普段の行動範囲はどの程度か，屋外での移動手段は何か，車椅子，杖などを歩行時に使用しているか
	生活動作 □基本的日常生活動作 □手段的日常生活動作	● 食事，排泄，清潔，更衣，整容，移乗，歩行，階段昇降を自立して行えるか．普段それらをどのように実施しているか ● 調理，買い物，洗濯，掃除，金銭管理，交通機関利用を自立して行えるか．普段それらをどのように実施しているか

	情報収集項目	情報収集のポイント
活動	**生活活動** □食事摂取	● 食事の内容, 形態(普通食, きざみ食, とろみ食など), 量, 回数, 時間帯はどうか. 調理は誰が行っているか, 適切な食事形態か, 市販の嚥下調整食を活用しているか
	□水分摂取	● 水分摂取の内容, 回数, 1回摂取量, 摂取時間帯はどうか
	□活動・休息	● 睡眠時間, 睡眠パターン, 生活リズム, 日中の離床時間, 生活の過ごし方はどうか. 昼夜逆転はないか
	□生活歴	● 出生地, 過去の居住地, 職歴, 生活習慣はどうか. 転居, 死別, 離別, 被災のライフイベントなどはあったか
	□嗜好品	● 飲酒, 喫煙, コーヒー・茶・菓子等の嗜好の内容, 量, 期間はどうか
	コミュニケーション □意思疎通	● 理解力はどうか
	□意思伝達力	● 意思を伝達するための視力, 聴力, 発語, 言語能力はあるか. 補聴器, 眼鏡, スピーチカニューレ, 文字盤, 意思伝達装置を使用しているか
	□ツールの使用	● 電話, 携帯電話, スマートフォン, メールなどの意思伝達ツールを使用しているか
	活動への参加・役割 □家族との交流	● 同居家族との会話やかかわりはどうか. 別居家族との電話, 訪問の頻度, かかわりはどうか. 家庭内で親, 子, 配偶者としての役割はあるか. 家事や仕事など家族の中の役割は何か
	□近隣者・知人・友人との交流	● 近隣者・知人・友人との交流の目的, 内容, 頻度はどうか
	□外出	● 外出の目的, 内容, 頻度, 場所はどうか. 外出に他者との交流は伴うか, 外出に同伴者は必要か
	□社会での役割	● 就労状況(仕事内容, 場所, 常勤・非常勤, 就労年数)はどうか. 地域活動(自治会, 民生委員, 住民ボランティアなどでの活動), 宗教関連活動(寺, 教会, 新興宗教などでの活動), 患者会, 介護社会の参加状況や役割はどうか
	□余暇活動	● 趣味の内容, 実施頻度はどうか. 運動の内容, 頻度はどうか. 趣味に関する集まり, サロンへの参加状況はどうか
環境	**療養環境** □住環境	● 浴室, トイレ, 台所, 寝室, 居間, 玄関, 段差や階段の状態はどうか. 家屋の修繕が必要な状態が放置されていないか. 福祉用具(リフト, 手すりなど)の使用状況はどうか. 住宅改修(バリアフリー, スロープなど)はされているか. 照明, 家屋形態, 間取りはどうか. ごみや物が散乱していないか, 衛生状態はどうか
	□地域環境	● 歩行環境, 自転車・車椅子・歩行補助具の使用可能性, 公共交通の利便性はどうか. 小売店, 商業施設, 病院, 主治医, 娯楽文化施設へのアクセスはどうか
	□地域性	● 地域の特性(住宅地, 商業地, 郊外, 都市部, 農山漁村地域など)はどうか. 住民同士の交流, 関心の程度, 地域への愛着・一体感はどうか. 地域の慣習(冠婚葬祭など)や地域組織(自治会など)の活発度はどうか
	家族環境 □家族構成	● 家族構成, 家族の居住地域, 家族の年齢, 死亡状況, 同居状況はどうか

	情報収集項目	情報収集のポイント
環境	□家族機能 □家族の介護・協力体制	●家族関係，家族内の意思決定方法，家族の健康状態・問題解決能力はどうか ●介護者・キーパーソン・副介護者・協力者の状況はどうか．家族の医療処置実施内容，介護内容，協力内容はどうか．家族の介護力，介護負担感はどうか，介護者の生活行動，休息状況，社会活動の状況はどうか
	社会資源 □保険・制度の利用 □保健医療福祉サービスの利用 □インフォーマルなサポート	●医療保険(被用者保険，国民健康保険，後期高齢者医療制度)，介護保険，障害者総合支援制度，公費負担制度，生活保護，生活困窮者自立支援制度の利用状況，理解状況はどうか ●介護保険法，障害者総合支援法，自治体等のサービス・事業の利用状況(種類，内容，頻度，時間)はどうか．訪問系・通所系・一時入所系サービス，福祉用具，住宅改修等の利用はどうか．サービス利用の優先順位はどのようなものか ●インフォーマルなサポート提供者はいるか．療養者や家族との関係はどうか，サポート内容・頻度はどうか
	経済 □世帯の収入 □生活困窮度	●就労による収入，年金はあるか，公費による助成金等を受けているか．親戚等から，何らかの形で経済的な援助を得ることが可能か ●生活保護を受給しているか，生活困窮者自立支援制度の対象となっているか，経済的余裕・生活困窮の感覚はどうか ●必要な医療材料はそろっているか ●生活に必要な物品が不足していないか．衣類や家具，寝具などが破れたり汚れていたり，傷んでいるままのものを使用していないか ●食事や入浴回数などを制限していないか，着衣など同じものになっていないか
理解・意向	**志向性(本人)** □生活の志向性 □性格・人柄 □人づきあいの姿勢	●価値観，生きがい，生活の目標，楽しみはどのようなものか．信仰心や宗教観はどのようなものか，外国人等の場合は民族性・国民性の特徴はあるか．消費に関する優先順位はどのようなものが優位となるか ●療養生活に必要なものの消費やサービス利用についてどのようにとらえているか ●社交性，内向性，情動性，論理性，几帳面さ，おおらかさなどはどうか ●訪問看護師，サービス担当者とかかわる姿勢はどうか，もともとの人付き合いの姿勢はどうか
	自己管理力(本人) □自己管理力 □情報収集力 □自己決定力	●服薬管理，医療処置，保健行動，身の回りの整えを自分で管理しているか ●生活，療養，医療，福祉，サービスに関する情報を収集しているか ●生活，療養，医療，福祉，サービスに関して決定しているか
	理解・意向(本人) □意向・希望	●生活，療養，医療，サービス利用に関する意向や希望はどのようなものか

	情報収集項目	情報収集のポイント
理解・意向	□感情	◯生活が困窮していることについて，今後どのように解決したいと思っているか
		◯何に対してどのような感情（不安，諦め，怒り，罪悪感，絶望，寂しさ，疎外感，安心感，感謝，期待，愛着，喜びなど）をもっているか
	□終末期への意向	◯終末期や急変時の延命処置にどのような希望をもっているか，事前指示やリビングウィルはあるか，それらはどのような内容か
	□疾患への理解	◯疾患，病態，予後，治療・服薬内容への理解と見通しはどのようなものか
	□療養生活への理解	◯療養方法への理解はどのようなものか
	□受けとめ	◯生活が困窮している要因をどのように考えているか
		◯疾患，療養生活，今後出現する可能性のある症状についてどのように受けとめているか
	理解・意向（家族）	
	□意向・希望	◯介護者や家族の生活，療養，医療，サービス利用に関する意向や希望はどのようなものか
		◯介護者や家族は生活が困窮していることについて，今後どのように解決したいと思っているか，療養者に対してどのようにしたいと思っているか
	□感情	◯介護者や家族は何に対してどのような感情（不安，諦め，怒り，罪悪感，絶望，寂しさ，疎外感，安心感，感謝，期待，愛着，喜びなど）をもっているか
	□疾患への理解	◯疾患，病態，予後，治療，服薬内容への介護者や家族の理解と見通しはどのようなものか，終末期や急変時の救命処置にどのような希望をもっているか
	□療養生活への理解	◯療養方法や介護方法への介護者や家族の理解はどのようなものか
		◯介護者や家族は生活が困窮している要因をどのように考えているか
	□生活の志向性	◯介護者や家族の価値観，生活背景，就労，育児・家事実施状況，家庭・社会での役割，消費の優先順位はどのようなものか

事例紹介

年金，介護保険料未払いのため不適切な介護がみられている生活困窮家族の例

Keywords 生活困窮，介護保険料未払い，難病法（難病の患者に対する医療等に関する法律），医療費助成制度，多系統萎縮症，神経因性膀胱，壮年女性

〔基本的属性〕女性，62歳
〔家族構成〕夫との二人暮らし
〔主疾患等〕多系統萎縮症，神経因性膀胱
〔状況〕夜間頻尿があり，トイレの介助により眠れないことが夫婦ともにつらい．1年以上の介護保険料の滞納があり，介護保険サービスを利用していない．また，尿パッドなどの消耗品を購入できず，入浴や洗濯の頻度も少ないため，保清や清潔な下着が不足がちである．とろみ剤を購入できないために水分補給ではむせやすい．本人は住み慣れた自宅で夫とともに過ごしたい，そのためにも少しでも自分でできることは自分で行いたいと思っている．

第3章 心理・社会的課題別看護過程　1．環境

情報整理シート

疾患・医療ケア

【疾患・病態・症状】

主疾患等：多系統萎縮症（57歳〜），神経因性膀胱
病歴：不育症による流産3回
経過：
57歳　歩行時のふらつきや転倒が多くなり，動作が鈍くなったり，歩行の際に足がすくむようになったりしだした．
61歳　ベッドからの起き上がりや食後にもふらつきがみられるようになった．いびきが生じるようになり，夜間はBiPAP（二相性気道陽圧法）を導入．尿閉がみられる．食事では噛むことに時間にむせることが多くなり，食事形態は軟飯または全粥となった．間欠的導尿を行い，導尿の手技の指導と状態観察のため訪問看護導入．屋外での歩行が難しく，車椅子での移動はトラックなどの交通量が多く危険なため外出できない．そのため往診にて診察を受けている．

【医療ケア・治療】

服薬：【内服】脊髄小脳変性症治療薬（セレジスト）
　　　ノルアドレナリン作動性神経機能改善薬（ドプス）
　　　コリンエステラーゼ阻害薬（ウブレチド）
　　　緩下剤（プルゼニド）
治療状況：往診にて運動失調症状，パーキンソン症状，自律神経症状，排尿障害，便秘の状況に対し，薬剤が処方されている．
医療処置：夜間のみBiPAPを使用し，着脱を夫が介助する．夫による間欠的導尿を排尿のたびに行う．浣腸，摘便
訪問看護内容：排便コントロール，夜間の睡眠状況，運動失調症状の観察，リハビリテーション，入浴介助（時に清拭），導尿，夫の導尿の手技の確認，療養相談

【全身状態・主な医療処置】

筋緊張：強剛があり，動作が緩慢
運動行動：ふらつきがあり転倒しやすい．歩き出しに時間がかかり，小刻み歩行となる
嚥下機能：むせやすく，軟飯または全粥の食事形態を指示されている
排便：1回/2〜3日，便秘
排尿：5〜7回/日．切迫性尿失禁，排尿困難感，尿閉，夜間頻尿がある．間欠的導尿を行う．残尿は150〜200mL/回程度
食事：3回．座位になって摂取する

睡眠：睡眠時無呼吸が生じるため，夜間はBiPAPを使用している．排尿で夜間3〜4回覚醒する
血圧：訪問時は100/70〜120/76 mmHgを示すことが多い
麻痺・拘縮：上肢，下肢の関節に拘縮がある

身長：156 cm
体重：48 kg
BMI：19.7

基本情報
年齢：62歳　性別：女性
障害支援区分：区分3
障害高齢者自立度：B1
認知症高齢者自立度：自立

活動

【移動】

屋内移動：身体のバランスがとれずふらつくことから，つかまれば歩行可能だが車椅子に乗って自走する．移乗の介助が必要．

【活動への参加・役割】

家族との交流：夫と意思伝達装置で会話する．兄とは難病であることがわかってから疎遠になっている．夫の姉が苦手で，あまり交流をもたないようにしている．
近隣者・知人・友人との交流：民生委員，近隣の人が時々様子を見に来てくれる．ボランティア活動の人が時々気にしてごみ出しを手伝ってくれる．
外出：切迫性尿失禁が気になり，また周囲の道がトラックの交通量が多く，車椅子での移動は危険であまり外出しない．
社会での役割：妻として夫を気遣う．
余暇活動：ラジオをつけて過ごすことが多い（テレビはない）．

【生活活動】

食事摂取：嚥下障害があるため軟飯または全粥を指示されている．つくり置きが難しく，夫がつくる．補助具を使用し摂取できる．
水分摂取：水を飲むがとろみ剤を使用しないため，むせやすい．
活動・休息：動くと転倒の危険性があるため，ほぼ1日中車椅子で過ごすことが多い．夜間頻尿のため，何度も夫を起こし，トイレに移動して排泄，ベッドに戻るといったことを繰り返すため，熟睡感がない．ベッドは夫の両親が使用していた介護用ではないものを使用している．
生活歴：夫が転職を繰り返し，12年前に夫の実家を頼って現住所に越してきた．実家の町工場で事務員をしていたが7年前に閉鎖した．それから発症まで近所の工場で事務のパートをしていた．
嗜好品：クッキーやせんべいが好きだったが，今は食べられない．飲酒・喫煙はしない．

【生活動作】

基本的日常生活動作

食動作	自分で補助具を使って食べる．嚥下機能が低下しており，むせやすい
排泄	移乗と立位時に介助を受ける
清潔	光熱費，洗髪・身体洗浄剤節約のため週2回入浴，週1回清拭．入浴では浴室の中での移動，浴槽の中からの立位，またぎ，背部の洗身，清拭では背部，殿部，足部の介助を受ける
更衣整容	袖，足を通す更衣の介助を受けながら行う．尿失禁が多く，失禁があるたびに夫の介助で下着を替える
移乗	腰部を支えてもらいながら行う
歩行	屋内でのみ，壁伝いにならゆっくり歩行できる
階段昇降	できない

手段的日常生活動作

調理	本人が行うことはない．夫，ホームヘルパーが行う
買い物	本人が行うことはない．夫が行う
洗濯	本人が行うことはない．ホームヘルパーが行うが洗濯物の取り込みは夫が行う
掃除	ホームヘルパーが行う
金銭管理	理解はできるが買い物などは行わないため夫が行う
交通機関	利用しない

【コミュニケーション】

意思疎通：発語できるが，呂律が回らず不明瞭な発音になるため，意思伝達装置を使用している．
意思伝達力：ある
ツールの使用：意思伝達装置を使用する．

環　境

【療養環境】

住環境：持ち家(夫の実家を相続した). 2階建て一軒家の1階部分で過ごす.
ベッドからダイニングに移動し,日中座位になるときに車椅子を使用するが,部屋が狭く,1日ダイニングでじっとしていることが多い.
地域環境：町工場が集まった地域で,道路は歩道がなく,トラックの交通量が多い.
地域性：助け合いの気持ちが強く,夫の両親が町工場を経営していた時から付き合いのある近所の人とのつながりが強い. 地域の女性会も組織され,ほとんどの家庭が入会しており,本人も入会して活動していた.

【社会資源】

サービス利用：

	月	火	水	木	金	土	日
AM	居宅介護		訪問看護	居宅介護	訪問看護	居宅介護	
PM	訪問看護	居宅介護					

保険・制度の利用：医療保険,難病法による指定難病への医療費助成制度,障害者福祉サービス居宅介護,補装具費支給(車椅子,意思伝達装置). 公的年金と介護保険料が未納であったため,障害基礎年金および介護保険サービスを利用できない.

【経済】

世帯の収入：夫の老齢基礎年金(90万程度/年)
生活困窮度：苦しい.

【ジェノグラム】

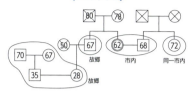

【家族の介護・協力体制】

夫がトイレでの移乗や立位保持,食事に関する介助をしているが,夜眠れないことで疲弊している. また,とろみ剤や尿パッドなどの消耗品を購入できず,使用していない. 尿失禁のたびに更衣することから洗濯物が増えるが,水道代や洗剤の節約のため頻回の洗濯を夫が嫌がる. 夫の調理内容が単調である. 金銭的援助は受けていない.

【エコマップ】

理解・意向

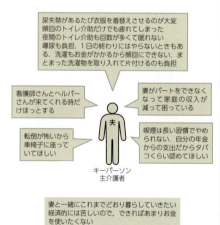

【志向性】
生活の志向性：あまり先の見通しをもたない
性格・人柄：人懐こく,近所の人とはすぐ仲良くなる
人づきあいの姿勢：誰とも,へだたりなく付き合ってきた

【自己管理力】
自己管理力：低い
情報収集力：低い
自己決定力：ある

28 生活困窮

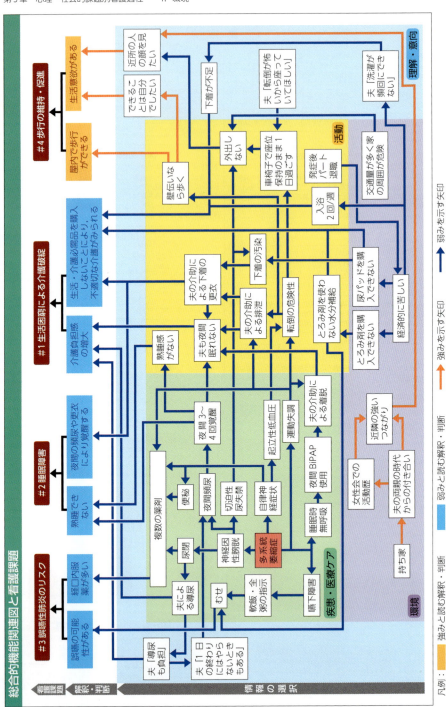

| STEP❶ アセスメント | STEP❷ 看護課題の明確化 | STEP❸ 計画 | STEP❹ 実施 | STEP❺ 評価 |

看護課題リスト

No.	看護課題　【コード型】文章型	パターン
#1	【生活困窮による介護破綻】生活困窮により,生活・介護必需品を購入しないことにより不適切な介護がみられ,介護破綻となっている	問題着眼型
	根拠 生活困窮により,切迫性尿失禁に対し尿パッド,嚥下障害に対しとろみ剤を購入できず,下着の汚染や誤嚥の可能性が生じる.また光熱費や洗剤の節約により保清や清潔な下着が不足し介護破綻をきたしている.夫が夜間眠れないことにより介護負担が大きい.	
#2	【睡眠障害】夜間の頻尿や下着の更衣などにより,夜間の睡眠が障害されている	問題着眼型
	根拠 疾患からくる夜間頻尿により療養者とともに夫も介護のため覚醒し,介護の手間をかけていること,尿失禁で下着の汚染が発生し更衣することに時間をとられることから療養者,夫ともに睡眠不足となっている.	
#3	【誤嚥性肺炎のリスク】とろみ剤を使用しないことから水分摂取時に誤嚥する可能性があり,誤嚥性肺炎のリスクが高い	リスク着眼型
	根拠 食事形態を軟飯または全粥で指示されていることから,水分摂取にはとろみが必要である.とろみ剤を用いない水分摂取ではむせて誤嚥する可能性がある.また,服薬する薬剤も多く,服薬のたびに誤嚥する可能性が高くなる.	
#4	【歩行の維持・促進】生活意欲があることと歩行能力を活かし,歩行を維持・促進する	強み着眼型
	根拠 夫は安全のために車椅子での座位保持を望んでいるが,療養者は壁伝いに歩行可能であり,日常生活動作の維持・促進が必要である.療養者はできることがあればやりたいという意欲があり,日常生活動作の拡大に取り組める可能性がある.	

【看護課題の優先度の指針】療養者の介護を受けながらの生活が成り立たなくなる課題として,生活困窮による不適切な介護や介護負担感の増大から【生活困窮による介護破綻】を#1,尿パッドを用いないことが影響する【睡眠障害】を#2とした.潜在的問題の中では,生命にかかわる可能性のある課題として,とろみ剤を用いないことによる【誤嚥性肺炎のリスク】を#3,今後の日常生活動作低下を予防するための【歩行の維持・促進】を#4とした.

28 生活困窮

長期目標

限られた収入の中で介護に必要な消費を優先し,安全な在宅療養生活を送ることができる.

根拠 限られた収入の中で,生活必需品や介護に必要な消耗品の購入を優先するような志向性をもってもらうことで,不適切な介護の状態を回避する.また,顕在化している課題を解消し,療養者の日常生活動作を維持・促進することで療養者と家族のQOLの維持向上を目指す.

〈長期目標を共有するケアチーム〉
フォーマルサービス:行政(生活保護担当課,障害福祉担当課,生活困窮者自立支援担当課),保健所保健師,ホームヘルパー,訪問看護師,主治医
インフォーマルなサポート:近隣の人,ボランティア,民生委員

第3章 心理・社会的課題別看護過程　1. 環境

STEP ❶ アセスメント　STEP ❷ 看護課題の明確化　STEP ❸ 計画　STEP ❹ 実施　STEP ❺ 評価

1 看護課題	看護目標（目標達成の目安）
#1【生活困窮による介護破綻】 生活困窮により，生活・介護必需品を購入しないことにより不適切な介護がみられ，介護破綻となっている	1) 下着の汚染を減らす (1 か月) 2) とろみ剤を使用してむせずに水分摂取をする (2 か月) 3) 適切な介護の知識がもてる (1 か月) 4) 生活や介護の必需品や必要な光熱費の消費を優先した行動をとれる (1 か月) 5) 夫が夜間眠れるようになり，介護負担が改善する (2 か月)

援助の内容	援助のポイントと根拠
OP 観察・測定項目 ●尿回数，下着の汚染回数 ●嚥下状態 ●尿失禁の対処方法，誤嚥予防に関する知識 ●夫の介護負担感と介護状況 ●経済状況 ●清潔な下着の枚数 ●陰部の皮膚の状態 ●バイタルサイン	●介護破綻の要因となっている実際の尿失禁状況を確認する ●嚥下時のむせがないか確認する　**根拠** 誤嚥性肺炎を起こしやすい状態にないか把握する ●尿失禁の対処方法や誤嚥予防に関する適切な知識がどの程度あり，間違った認識などがないか確認する　**根拠** 誤った知識や知識不足は不適切な介護をまねく ●**根拠** 介護負担が大きいと，必要な介護が実施できず，介護放棄につながる要因となる ●尿パッドやとろみ剤の購入ができない状況，光熱費や洗剤の節約状況について確認する　**根拠** 消耗品などの購入は療養者や家族の志向性に左右されるため，消費の優先順位の認識を確認する必要がある ●**連携** ホームヘルパーと下着の洗濯した枚数，回数，替えの下着の枚数を確認する ●**根拠** 尿失禁により陰部が汚染され，皮膚障害を引きおこす　**連携** 皮膚障害が生じている場合は医師に報告する ●脈拍，体温，血圧を測定し感染徴候の有無を確認する　**根拠** 尿失禁で陰部の汚染が放置されることにより尿路感染を引きおこす
TP 直接的看護ケア項目 ●とろみ剤を用いた水分摂取	●買い物の計画に則りとろみ剤を購入してきてもらい，とろみ剤を本人，夫と使用し，水分摂取を促す　**連携** ホームヘルパーと情報共有し，訪問時の水分摂取ではとろみ剤を使用する
EP 教育・調整項目 ●消費の優先順位に関する意識の変容を目指した説明と計画立案 ●適切な介護方法の説明・教育 ●下着汚染予防の手段の調整 ●とろみ剤購入の調整	●**強み** 夫婦ともに理解力があるため，先の見通しをもち，生活必需品を優先して消費する意識の変容のために，必需品を購入しなかった場合のデメリット，購入した場合のメリットを説明する ●必要性の優先順位をつけた必需品のリストを作成する．優先順位に沿った買い物の計画を立てる ●**強み** 夫婦ともに理解力があるため，誤嚥の可能性，とろみ剤の必要性，誤嚥した場合の影響について説明する　**根拠** 嚥下機能からみて，医師の指示により食事形態が粥である場合，水分摂取時にはとろみ剤が必要である ●**強み** 夫婦ともに理解力があるため，下着汚染を予防するための尿パッドの必要性の説明と尿パッドの代用品の調整を本人，夫と一緒に考える ●**強み** 夫婦ともに理解力があるため，誤嚥を予防するため

	にとろみ剤の必要性の説明と，購入店舗候補を本人，夫とともに考える 【連携】安価に購入できる販売店の情報を相談支援専門員，ホームヘルパー等に提供してもらう
●尿汚染による皮膚障害と対処の説明	➡【強み】夫婦ともに理解力があるため，尿失禁により尿汚染が続くことによる皮膚障害の可能性と対処について説明する
●介護破綻状況に関する連携	➡【連携】保健所保健師，相談支援専門員，主治医，ホームヘルパーと情報を共有し，介護負担，経済的負担を軽減するための介入について調整する
●生活困窮に関する連携	➡【連携】相談支援専門員と情報を共有し，生活保護担当課，障害福祉担当課，生活困窮者自立支援担当課などの関係機関との調整を検討してもらう

2 看護課題

看護目標（目標達成の目安）

#2【睡眠障害】
夜間の頻尿や下着の更衣などにより，夜間の睡眠が障害されている

1) 夜間に覚醒することなく睡眠が十分にとれる（2か月）
2) 夜間頻尿が減少する（3か月）
3) 夜間の下着の汚染が少なくなる（1か月）

援助の内容	援助のポイントと根拠
OP 観察・測定項目	
●夜間覚醒の状況	➡夜間覚醒の回数，覚醒時間，間隔について把握する
●夜間の排泄にかかる時間	➡BiPAP着脱，トイレまでの移動，衣服の着脱，更衣にかかる時間を確認する
●導尿のタイミングと回数	➡【強み】1日のうちの夫による間欠的導尿のタイミングと回数，残尿量を記録してもらって把握する 【根拠】排尿障害による残尿が頻尿に関連する
●夫の導尿の手技	➡夫の間欠的導尿の手技が適切かどうか確認する
●バイタルサイン	➡脈拍，体温，血圧を測定し，感染の徴候の有無を確認する 【根拠】導尿の手技が適切でない場合や残尿が多い場合は，尿路感染を引きおこす．また，尿路感染が頻尿を引きおこす
TP 直接的看護ケア項目	
●間欠的導尿の実施	➡導尿を行い，残尿を排泄させる 【根拠】排泄障害による残尿があることで頻尿を引きおこす．残尿を解消することで夜間の頻尿が改善する
EP 教育・調整項目	
●夜間覚醒軽減のための医師への服薬方法の提案	➡【連携】医師に夜間頻尿による夜間覚醒状態，排尿回数，残尿量を報告する 【根拠】夜間頻尿が多尿による場合，医師に抗利尿ホルモンなどの薬剤を処方してもらうことで対処可能である
●尿パッド使用の提案	➡尿パッドの使用で，夜間の下着汚染が防止できる
●夜間のみポータブルトイレ使用の提案	➡夜間のみベッドサイドにポータブルトイレを置いて使用し，トイレまでの移動，BiPAP着脱の手間の削減による介護の手間を軽減することを提案する 【連携】提案内容に関し相談支援専門員への連絡を行い調整する
●就寝前の導尿の必要性の説明	➡就寝前に夫に導尿を実施してもらう 【連携】就寝前の導尿ができるよう，介護環境を整えるため相談支援専門員と調整する

3 看護課題	看護目標（目標達成の目安）
#3 【誤嚥性肺炎のリスク】 とろみ剤を使用しないことから水分摂取時に誤嚥する可能性があり，誤嚥性肺炎のリスクが高い	1) 誤嚥性肺炎を起こさない（3か月） 2) 誤嚥せずに水分摂取ができる（2か月） 3) とろみ剤を使用することができる（2か月）

援助の内容	援助のポイントと根拠
OP 観察・測定項目 ● 嚥下機能	⮕ 食事，水分摂取時の嚥下状態を把握し，むせや飲み込みにくさの有無を確認する　**根拠** 嚥下機能の低下により誤嚥を生じる
● バイタルサイン ● 呼吸状態	⮕ 脈拍，体温，血圧を測定し，感染の徴候の有無を確認する ⮕ 呼吸数，呼吸音，チアノーゼの有無など呼吸状態の異常の有無を確認する
● とろみ剤使用の有無	⮕ 水分摂取時にとろみ剤を使用しているかどうか確認する　**根拠** 水分は流れが速いため水の動きに口の動きを合わせるのは難しく，嚥下の時間調整のために水分にとろみをつける
TP 直接的看護ケア項目 ● 嚥下体操	⮕ **強み** 座位保持が可能で理解力があるため，嚥下体操を実施する　**根拠** 口腔機能を保つには口や喉の筋を動かす嚥下体操を行う
● 口腔ケア	⮕ **強み** 補助具を使用すれば歯ブラシを把持可能であるため，座位保持のうえ，口腔ケアを実施する　**根拠** 口腔・顔面に運動障害がある場合は口腔内の自浄作用が働きにくく，口腔内細菌により誤嚥性肺炎を引きおこすおそれがある
EP 教育・調整項目 ● 誤嚥予防のため，とろみ剤の必要性の説明 ● 誤嚥性肺炎のリスクの説明	⮕ **強み** 理解力があるため，水分摂取と誤嚥の関連，誤嚥予防のためのとろみ剤の必要性について説明する ⮕ **強み** 理解力があるため，水分や食事を誤嚥した場合や，発熱や呼吸状態の悪化がみられた場合は訪問看護ステーションに連絡してもらうよう説明する
● 感染の徴候がある場合の医師への連絡	⮕ **連携** 感染の徴候がみられた場合は医師に速やかに連絡するよう説明する

4 看護課題	看護目標（目標達成の目安）
#4 【歩行の維持・促進】 生活意欲があることと歩行能力を活かし，歩行を維持・促進する	1) 室内での歩行が維持できる（3か月） 2) 杖を使用することができる（3か月） 3) 立位を保持できる（2週間）

援助の内容	援助のポイントと根拠
OP 観察・測定項目 ● 日中の座位時間 ● 歩行状態	⮕ 日中車椅子上での座位時間を確認する ⮕ 室内では壁伝いでゆっくり歩行できるため，歩行状態を確認する
● 室内環境	⮕ 室内を歩行する場合の動線と障害物の有無を確認する　**根拠** 動線上に障害物があると転倒を引きおこす
TP 直接的看護ケア項目 ● 歩行訓練	⮕ **強み** 歩きたいという希望があり，室内は壁伝いでゆっく

り歩行できるため，ふらつき発生時に支えられるよう同伴しながら立位保持と歩行訓練を室内で行う　根拠 リハビリテーションは身体機能の低下や活動量の低下をできる限り予防する

EP 教育・調整項目
- 環境整備

　⇒動線上の障害物を移動させ環境整備を行う　連携 ホームヘルパーに動線上の障害物がないよう環境整備を依頼する．相談支援専門員と調整する

- 歩行訓練の必要性の説明

　⇒本人・夫に対し歩行訓練の必要性を説明する

- 歩行による室内移動の勧奨と安全な室内移動の方法の説明

　⇒**強み** 歩きたいという希望があるため，車椅子使用ではなく，歩行による室内移動の勧奨とふらつき時に杖など支えるものを使用した安全な室内移動の方法を本人と夫に説明する
　連携 ホームヘルパーが訪問しているときは見守りの下，歩行にて室内移動をしてもらう．相談支援専門員に杖を利用できるよう調整してもらう

- 夫の見守りの勧め

　⇒歩行時には夫に見守りをしてもらうよう説明する

STEP ❶ アセスメント　STEP ❷ 看護課題の明確化　STEP ❸ 計画　**STEP ❹ 実施**　STEP ❺ 評価

強みと弱みに着目した援助のポイント

強みに着目した援助
- 本人に歩きたいという意欲があり，壁伝いの歩行ができるため，歩行訓練を実施し，環境整備と見守りの必要性を説明し，歩行可能な環境を整え，歩行の維持・促進を図る．
- 近隣の人とのつながりがあるため，交流がもてるような機会を想定して歩行意欲を維持する．

弱みに着目した援助
- 生活困窮により生活や介護に必要なものを購入できないことを考慮し，予測される問題を提示して，先の見通しをもって適切な介護ができるよう教育する．
- 睡眠障害を引きおこす様々な介護の手間に対し，省力化できるよう適切な介護方法を教育する．

STEP ❶ アセスメント　STEP ❷ 看護課題の明確化　STEP ❸ 計画　STEP ❹ 実施　**STEP ❺ 評価**

評価のポイント

- 下着の汚染が減少したか（日中・夜間）
- とろみ剤を使用してむせずに水分摂取ができているか
- 適切な介護の知識がもてているか
- 生活や介護の必需品や必要な光熱費の消費を優先した行動をとれているか
- 本人も夫も夜間に覚醒することなく睡眠が十分にとれているか
- 夜間頻尿が減少しているか
- 誤嚥性肺炎を起こさずに過ごせているか
- 誤嚥せずに水分摂取ができているか
- とろみ剤を使用することができているか
- 歩行で室内移動できているか
- 杖を使用することができているか
- 立位を保持できているか

関連項目

第2章「10 パーキンソン病」「20 生活不活発病（廃用症候群）」「22 神経難病」
第3章「27 家族による高齢者虐待」「30 不衛生な住環境（ごみ屋敷）」「31 意欲低下」「32 自己放任」

29 社会的孤立

社会的孤立の理解

社会的孤立とは

1）社会的孤立の定義
- 社会的孤立の定義は「家族や地域社会との交流頻度が乏しい客観的な状態」である．
- 関連する概念に，孤立感・孤独感，閉じこもりなどがある．
- 孤立感・孤独感は「仲間づきあいがないことによる寂しさなどの主観的な状態」を意味し，社会的孤立と孤立感・孤独感は通常区別する．
- 閉じこもりは「外出頻度が極端に少ない（週に1回以下）状態」を意味する．

2）社会的孤立が起こる背景
- 1世帯あたりの平均構成員数が減少し，家族間のつながりが希薄になっている．
- 地域ぐるみで行ってきた冠婚葬祭や自治会活動などの簡素化が進んでいることから，地域での人々のつながりが希薄になっている．
- 介護や育児はこれまで家庭で担われてきたが，社会資源が整い，人々の生活が便利になった反面，地域社会・家族間での助け合いに頼らない暮らしが可能になり，社会的孤立が助長されている．

3）健康への影響
- 助けを求められないまま，認知症や精神障害，虐待などの問題が深刻化してから発見される場合がある．時には，孤立死，介護心中・介護殺人など取り返しのつかない結末に発展することがある．
- 身体的活動性や活動範囲が縮小するため，自立していた日常生活動作が困難になることがある．
- 意欲や認知機能など知的活動性が低下するため，心理面の生活の質を保てなくなり，ますます孤立を深める悪循環に陥ることがある．

社会的孤立とケア

- 社会的孤立の者は自ら支援を求めないことが多いため，支援者は対象者のニーズを判断し，アドボカシーの視点をもって支援する．
- 社会的孤立の者は，外部との接触を一切拒否するため，最初の対応として行政や地域包括支援センターなど公的役割をもつ機関がかかわることもある．
- 社会的孤立の者は多様なケアニーズがあるため，多職種で支援体制をつくる．

療養者・家族の特徴からみた援助・対策

1）独居者の場合
　独居者や日中独居者は社会的孤立に陥りやすい．独居者に突然の体調の悪化や外傷などが起きた場合，周囲に助けを求められず，その発見が遅れやすい．一方で，在宅療養生活を送っている独居者は自立心が強く，そのことが生活の質の維持につながっている面がある．したがって，緊急の際の対応をあらかじめ対策し，独居者の自尊心を維持できるようにかかわる．

2）男性の場合
　男性は，地域の人々と交流する素地がないことが多く，特に独居の男性は社会的孤立に陥りやすい．男性は，食生活や衛生面，健康の維持に関するセルフケアが不得手な傾向があるため，社会的孤立状態にある男性には，周囲からの目が届かず健康状態が悪くなることがある．基本的なセルフケアが自立しているか，健康面が維持できているか，配慮する．

3）虚弱・脆弱な者のみで暮らす家族の場合
　虚弱・脆弱な者が互いに支え合いながら暮らしている家族も多い．例えば，移動能力がやや低下して

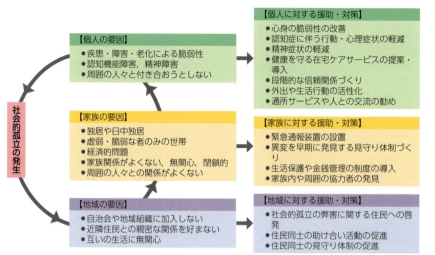

■図 29-1　社会的孤立の要因と援助・対策

いる妻が進行性疾患の夫を介護している場合，要介護高齢者が知的障害のある成人の息子を気遣いながら暮らしている場合などが挙げられる．このような場合，家族に病気や障害があることを他者に知られたくないなどの要因から，家族ぐるみで孤立していることがある．その家族の中で対話ができる人を見つけ，本人や家族が困っていることを糸口に継続して見守る体制をつくる．

4）閉鎖的な家族や地域の場合

世間体を過度に気にするなど，周囲との関係に閉鎖的な文化をもつ家族や地域の場合，家族ぐるみで社会的孤立に陥りやすいため，問題が明らかにならず，深刻化することがある．例えば，精神障害，認知症など，受診がされず重症化したり，家庭内での虐待が深刻になって発見されることがある．また，健康問題，心理・社会的問題が同時に複数発生することが多いため多職種で多様な視点から支援を行う．

社会的孤立に関連する社会資源・制度

1）地域住民等による見守り・安否確認
- 民生委員や住民ボランティアによる訪問や電話
- 市区町村の社会福祉協議会やシルバー人材センターなどが運営する住民らによる訪問や電話

2）サービスや事業者による見守り・安否確認
- 訪問系サービスによる安否確認
- 地域包括支援センター，保健センター，保健所などからの訪問や実態の把握
- 配食サービスや宅配業者による安否確認

3）緊急通報体制
- 行政や民間事業者などによる緊急通報装置
- 行政や社会福祉協議会，地域包括支援センター，事業所などによる緊急時の連絡先カード（キット）の活用・鍵預かりサービス
- ガス・水道・電気・新聞配達・郵便局などの事業者との連携
- 生活保護，年金，手当などに関する行政との連携

4）交流の場
- 介護保険法，障害者総合支援法などによる通所系サービス
- 子育てサロン，高齢者サロン，多世代参加型の集まりの場
- 患者会，家族介護者の会
- 趣味などの会（体操，手芸，音楽，囲碁将棋など）

社会的孤立をめぐる訪問看護

訪問看護の視点

1) 療養者をみる視点
- 多くの療養者は社会的孤立のリスクをもっているが,そのことを訪問看護師に自ら訴えることは少ない.
- 療養者・家族に起こりうる生命,健康,安全に関するニーズについて,予防・予測的観点をもつ.
- 対象者が訪問看護師とのかかわりを拒否する場合,アドボカシーの観点が重要である.
- 訪問看護師は個々の療養者のケアニーズを把握している強みを活かし,その地域で人と交流できる社会資源の利用を勧めることが必要である.
- サービス担当者とトラブルが続くため,訪問看護が終了になる対象者は完全な孤立状況に追い込まれ,深刻な健康問題が発生することがある.訪問看護終了後も公的機関や他の事業所などが見守ることもある.

2) 支援のポイント
- 体調や病状等の急変に早期発見・対処できる体制をつくる.
- 健康を守る在宅ケアサービスの提案や調整を行う.
- 療養者や家族が必要時助けを求められる体制や信頼関係をつくる.
- 療養者が人と交流できる社会資源をつくる.また,地域ケア会議で社会資源の必要性を提案する.

●看護課題別:療養者をみる視点と支援のポイント

看護課題	療養者をみる視点	支援のポイント
問題着眼型看護課題: 社会的孤立	社会的孤立が既に発生している場合は,深刻な健康問題や心理社会的問題につながるリスクが高い.また,訪問看護以外のサービスが導入されていないことが多く,療養者・家族との信頼関係の確保が重要である.	●訪問看護師や特定の人とは,信頼関係をもてるように促す.
強み着眼型看護課題: 社会的交流の維持・促進	人は疾患や障害があっても,生きることの意義を自ら見いだし主体的に人と交流できる可能性をもっている.生活の質の向上を目指し人との交流の拡大を図る.	●日常生活の中で人と交流できる機会を提案し,参加することを促す. ●療養者が目的や楽しみをもち,主体的に人と交流できるように促す.

STEP❶ アセスメント ▶ STEP❷ 看護課題の明確化 ▶ STEP❸ 計画 ▶ STEP❹ 実施 ▶ STEP❺ 評価

情報収集

情報収集項目		情報収集のポイント
疾患・医療ケア	疾患・病態・症状 ☐疾患 ☐症状	➡疾患が移動能力,知的活動性や人との交流に影響しているか ➡症状が生活動作や人との交流に影響しているか
	医療ケア・治療 ☐服薬 ☐医療処置	➡活動性の維持・向上のために,服薬方法や時間を工夫できるか ➡活動に制限を伴う医療処置方法を工夫できるか

情報収集項目	情報収集のポイント
疾患・医療ケア	
全身状態 □成長・発達段階 □認知機能 □精神状態	⮕加齢に伴う脆弱性や環境の変化に対する適応力があるか，子どもの場合，適応力の発達があるか ⮕認知機能低下により人との交流を拒否していないか，興奮，暴言・暴力など人に対する攻撃性はないか ⮕せん妄，錯乱，不安，緊張，うつなどより人との交流を拒否していないか，暴言や暴力など人に対する攻撃性はないか
活動	
移動 □ベッド上の動き □屋内移動 □屋外移動	⮕会話ができる姿勢を保持できるか，臥位にて意思伝達装置を使用できるか ⮕屋内移動に介助や補助具(手すり，歩行器など)が必要か，普段屋内でどの程度移動しているか ⮕屋外移動に介助や補助具(歩行器・杖・シルバーカー，歩行車など)が必要か，普段どの程度外出しているか，車(タクシー，自家用車)や交通機関(電車，バスなど)を利用しているか
生活動作 □手段的日常生活動作	⮕調理や買い物など生活の活動性に関する動作を実施しているか
生活活動 □活動・休息 □生活歴	⮕人との交流が阻害される昼夜逆転や生活の乱れがないか，1日を誰とどのように過ごしているか，生活リズムは規則的か ⮕人との交流のある生活をしてきたか，転居や被災など急激な環境の変化，身近な人との離別・死別，ペットの喪失に遭遇したか
コミュニケーション □意思疎通 □意思伝達力 □ツールの使用	⮕周囲の状況を理解し，人と意思疎通ができるか ⮕人と意思疎通できる基本的な聴力・視力・言語力があるか，不十分な場合，補聴器，文字盤，意思伝達装置などを活用できるか ⮕対面を必要としないツールである電話・メール・携帯電話，スマートフォンなどを使用して他者と意思疎通ができるか
活動への参加・役割 □家族との交流 □近隣・知人・友人との交流 □外出 □社会での役割 □余暇活動	⮕同居・別居家族とのかかわりはどうか(内容，頻度，方法) ⮕配偶者・親・子としての役割があるか，家庭で役割(子どもや孫の世話，介護，家業手伝い，簡単な家事など)があるか ⮕近隣・知人・友人とのかかわりはどうか(内容，頻度，方法) ⮕外出頻度はどの程度か，受診や買い物など必要最低限の外出に限られているか，楽しみや人との交流のための外出を行っているか ⮕社会での役割(就労，ボランティア活動，寺社や教会などでの役割)があるか，本人の積極性はどうか ⮕楽しみや交流のための活動(趣味や運動，患者会やサロンなど)はどの程度行っているのか，本人の積極性はどうか
環境	
療養環境 □住環境	⮕移動能力に応じて屋内環境を整備しているか，手すりの設置や段差の解消がされているか，玄関や道路への出入り口を整備しているか，近隣の生活の様子(人の出入り，洗濯やごみ出し)がわかりやすい家屋形

29 社会的孤立

情報収集項目	情報収集のポイント
環境	
□地域環境	態か，家族と団らんしやすい間取りか ➡日用品の買い物や病院への定期的な受診，楽しみのために出かけている場所へのアクセスはどうか，周辺の人通りや自転車・車の往来はどうか，事故の危険性はないか，治安はよいか
□地域性	➡住民同士が交流し，関心をもっているか，住民同士に助け合いの意識があるか，自治会などの組織率が高く活動内容は活発か
家族環境 □家族構成 □家族機能 □家族の介護・協力体制	➡一人暮らしか，家族構成はどうか ➡家族関係は良好か，家族が互いに関心をもち交流はあるか，家族の健康状態，認知機能，精神状態は良好か ➡外出の付き添いや送迎をする介護者や家族はいるか
社会資源 □保健医療福祉サービスの利用 □インフォーマルなサポート	➡通所系サービス，外出のための送迎サービス，ヘルパーやボランティアなど外出支援サービスを利用しているか，緊急通報装置を利用しているか ➡信頼関係のある人はいるか，外出の付き添いや送迎をする知人・友人・近隣の人々はいるか，安否や日常の異変に気づいてもらえる見守りがあるか
経済 □生活困窮度	➡外出や人づきあいができる経済的余裕があるか
理解・意向	
志向性（本人） □生活の志向性 □性格・人柄 □人づきあいの姿勢	➡生活，外出，人との交流に対して目標や楽しみがあるか ➡外出や人づきあいのための金銭使用に対する価値観はどうか ➡社交的・外交的な性格か，話し好きか，ユーモアがあるか ➡訪問看護師や他のサービス担当者を信頼しているか，他者とかかわろうとする姿勢や興味があるか
自己管理力（本人） □自己管理力 □情報収集力 □自己決定力	➡外出に対応できるように服薬・医療処置を管理できるか ➡趣味の会，地域サロンなど人と交流できる社会資源の情報を把握したり，収集できるか ➡サービス利用を決定する判断力があるか
理解・意向（本人） □意向・希望 □感情 □療養生活への理解	➡外出したい，人と交流したいと考えているか，人とのかかわりに拒否感はないか，通所・外出の送迎サービス・外出支援の付き添いサービス・緊急通報装置を利用したいと考えているか ➡外出や人との交流が好きか，家庭で役割や会話がなく寂しさを感じているか，療養のために社会から疎外感はないか ➡社会的孤立によって生活動作や知的活動性が低下する可能性を理解しているか
理解・意向（家族） □療養生活への理解	➡社会的孤立によって，本人の生活動作や知的活動性が低下する可能性を理解しているか

事例紹介

呼吸症状悪化に伴い，子ども宅に転居した日中独居の高齢者の例

Keywords 社会的孤立，日中独居，転居，虚弱，慢性閉塞性肺疾患，高齢男性

〔属性〕男性，80歳
〔家族構成〕長男夫婦(子どもなし)と同居
〔主疾患等〕慢性閉塞性肺疾患
〔状況〕故郷で野菜づくりを楽しみに一人暮らしをしていたが，呼吸症状の悪化と在宅酸素療法の導入に伴い，遠方の息子夫婦宅に転居し，訪問看護が開始された．日中は1人でテレビを見て過ごす．呼吸状態は安定しており，屋内での動作は自立しているが，外出には見守りが必要である．訪問時の様子はふさぎ込みがちである．

29 社会的孤立

情報整理シート

疾患・医療ケア

【疾患・病態・症状】

主疾患等：慢性閉塞性肺疾患
　　　　　　病期Ⅳ（極めて高度の気流閉塞）
病歴：慢性気管支炎，肺炎
経過：
62歳　　　咳が増え受診，慢性気管支炎と診断され，気管支拡張薬と去痰薬を内服
72歳　　　労作性呼吸困難と慢性的な咳がみられ，慢性閉塞性肺疾患と診断
79歳　　　肺炎のため2か月間入院，在宅酸素療法を導入
10か月前　退院後，遠方の息子宅に引っ越し，同時に訪問看護を開始

【医療ケア・治療】

服薬：【内服】去痰薬（ビソルボン）
　　　　　　　　気管支拡張薬（ユニフィルLA）
　　　　【吸入】長時間作用型気管支拡張薬（スピリーバ）
　　　　【実施】息子夫婦が実施
治療状況：2週間ごとの外来受診にて経過観察
医療処置：在宅酸素療法（安静時2L/分，労作時3L/分）を自己管理，SpO_2自己測定
訪問看護内容：包括的呼吸リハビリテーション，在宅酸素療法管理，時折入浴見守り

【全身状態・主な医療処置】

在宅酸素療法
・鼻カニューレ
・外出時携帯ボンベ
安静時 2L/分
労作時 3L/分

ふさぎ込みがち

身長：170 cm
体重：55 kg
BMI：19.0

血圧：120〜130/70〜80 mmHg
脈拍：70〜80（不整脈なし）
呼吸数：安静時 18
　　　　労作時 28
SpO_2：安静時 96%，
　　　　労作後 93%
呼吸困難感：ほとんどなし
　　　　　　時々入浴時程度あり
痰：白色痰少量
咳：ほとんどみられず

排尿：1回/日
排尿：5〜6回/日
食事：2〜3回/日

基本情報
年齢：80歳　性別：男性
要介護度：要介護1
障害高齢者自立度：A1
認知症高齢者自立度：Ⅱa

活動

【移動】

屋内移動：家の中は歩行，2階には上がらない．
屋外移動：玄関前の階段昇降に見守りが必要，杖歩行

【活動への参加・役割】

家族との交流：1日中人と話さないこともある．家庭内での役割なし．故郷の妹と週に約1回電話
近隣者・知人・友人との交流：故郷の友人，近隣の人と手紙交換
外出：受診のみ
社会での役割：なし
余暇活動：テレビ

【生活活動】

食事摂取：平日，昼食は時々食べない．
水分摂取：食事以外にお茶を1日5〜6杯
活動・休息：日中はテレビを見て過ごす．寝付きが悪く，早朝覚醒あり．
生活歴：故郷で調理師として45年間勤務，70歳で妻を亡くす．その後，自宅裏の畑で野菜づくりを楽しみながら一人暮らし，10か月前に息子宅に転居．故郷の自宅は現在空き家．故郷は自然豊かな山村地域．
嗜好品：20歳頃から喫煙（タバコ 20本/日），70歳頃に禁煙

【生活動作】

基本的日常生活動作

食動作	自立，普通食摂取
排泄	日中・夜間ともトイレにて排泄
清潔	自宅浴室で入浴，見守り必要
更衣整容	着替え，整髪，洗顔，ひげ剃りは自立
移乗	ベッド・椅子・便器への移乗は自立
歩行	ゆっくりではあるが平地歩行は自立 長時間の歩行は行わない
階段昇降	数段であれば見守りで可能，長い階段や傾斜のきつい階段は昇降できない

手段的日常生活動作

調理	息子の妻が調理
買い物	息子夫婦が行っており，実施せず
洗濯	息子夫婦が行っており，実施せず
掃除	息子夫婦が行っており，実施せず
金銭管理	少額の小遣い銭は自己管理
交通機関	利用せず

【コミュニケーション】

意思疎通：いくらか困難
意思伝達力：聴力は低下，視力・発語力は問題なし
ツールの使用：電話応対は可能

環境

【療養環境】

住環境：
2階建て一軒家
玄関前に数段の階段

日中はLDで過ごす

地域環境：人や車の通りが少ない．最寄りのバス停まで徒歩5分．商業施設や主治医には車で10分．バスの便は日中は少ない．
地域性：大都市近郊の閑静な新興住宅街．住民同士の関係や地域組織の活動は希薄．

【ジェノグラム】

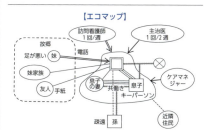

他地域在住

【家族の介護・協力体制】
息子の妻が調理を担当．他の家事，受診の付き添いや入浴の見守りは息子夫婦で協力して実施．

【エコマップ】

【社会資源】

サービス利用：

	月	火	水	木	金	土	日
AM	訪問看護				通院		
PM							

保険・制度の利用：介護保険，後期高齢者医療，身障者手帳

【経済】
世帯の収入：本人の年金
生活困窮度：経済的余裕あり．

理解・意向

妹

故郷で自身の子ども家族と在住．本人が故郷で暮らしていたとき，手作りのおかずを持って，頻繁に訪問していた

兄さんのことが気になるが，足の調子が悪くて遠出は無理

本人

動かないのでお腹が減らないし，眠れない
酸素が始まって呼吸が楽になった
年寄りが集まるところ（デイなど）は行きたくない
誰でも自分の家が一番
もう寿命がきていると思う．ここで暮らすしかない
息子夫婦に感謝しています
故郷での暮らしのことを尋ねると会話が弾む

【志向性】
生活の志向性：野菜づくり，料理に関心
性格・人柄：穏やかで寡黙，内向的，職人気質
人づきあいの姿勢：看護師に自ら話しかけない，言葉少ない

【自己管理力】
自己管理力：服薬や在宅酸素療法の管理，身の回りのことは自立
情報収集力：生活に関する情報収集は息子任せ
自己決定力：転居，訪問看護利用開始は息子が提案し，決定

息子
キーパーソン

あのまま1人住まいを続けさせるのは心配．今はほっとしています

メーカー勤務，中間管理職で多忙．家事には協力的．転居やサービス利用などについて決定

息子の妻

協力できることは手伝います

公務員．家事と仕事の両立を継続．ドライな性格で，言われることはやるが，積極的にかかわらない

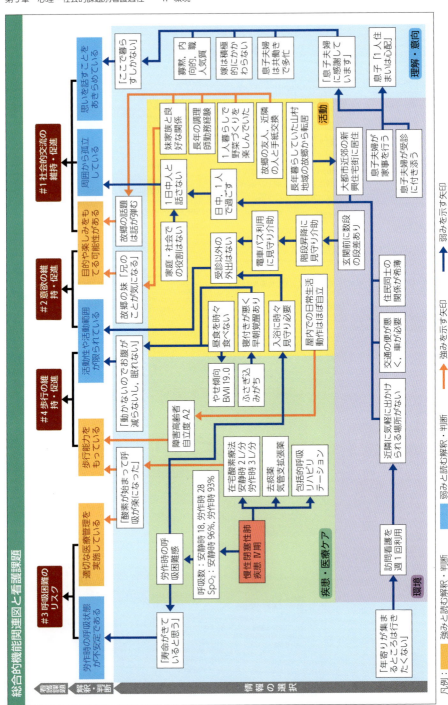

| STEP❶ アセスメント | STEP❷ 看護課題の明確化 | STEP❸ 計画 | STEP❹ 実施 | STEP❺ 評価 |

看護課題リスト

No.	看護課題　【コード型】文章型	パターン
#1	【社会的交流の維持・促進】生活の目的や楽しみをもてる可能性を活かし，社会的交流を維持・促進する	強み着眼型
	根拠 症状悪化に伴い故郷から息子宅に転居してきたため，活動範囲が限られており，周囲から孤立している．自分の思いも表出できていない．しかし，故郷の人々との良好な関係，野菜づくりの趣味や調理師経験を活かして人との交流を促進できる可能性がある．	
#2	【意欲の維持・促進】生活の目的や楽しみをもてる可能性を活かし，意欲を維持・促進する	強み着眼型
	根拠 転居による環境の変化に適応しきれないため，活動性が限られ，抑うつ気分がみられている．しかし，これまでの生活歴から意欲を維持・促進できる可能性がある．	
#3	【呼吸困難のリスク】労作時に呼吸状態が不安定であり，呼吸困難のリスクが高い	リスク着眼型
	根拠 慢性閉塞性肺疾患はⅣ期であるが，医療ケアは適切に管理している．しかし労作時の呼吸状態が不安定なため，症状の進行に配慮しながら呼吸困難への予防的対応が必要である．	
#4	【歩行の維持・促進】歩行能力を活かし，歩行を維持・促進する	強み着眼型
	根拠 活動性や活動範囲が限られており，歩行機能低下のリスクがある．しかし日常生活動作は自立し，一定の歩行機能があるため，その歩行機能を維持・促進する必要がある．	

【看護課題の優先度の指針】QOL面で症状悪化に伴う転居という環境の変化に適応できず，社会的交流や意欲の維持が困難になると考えたため，【社会的交流の維持・促進】を#1，【意欲の維持・促進】を#2とした．慢性閉塞性肺疾患の重症度が高く慎重な配慮を要するが，現在は安定しているため【呼吸困難のリスク】は#3とする．【歩行の維持・促進】は#1と#2が解決することによりリスクが軽減されるため，#4とした．

長期目標

慢性閉塞性肺疾患がある中，安定した呼吸状態を維持し，周囲から孤立せずに日々の楽しみのある在宅療養生活を送る．

根拠 息子夫婦と暮らすことにより，生命の安全は守られており，適切な医療管理や生活管理が実施されている．しかし，QOLの点からは望ましいとはいえず，周囲の人々との交流や日々の楽しみをもつことで，よりよい療養生活を送ることができる．

〈長期目標を共有するケアチーム〉
フォーマルサービス：訪問看護師，主治医，ケアマネジャー，必要に応じて理学療法士，作業療法士
インフォーマルなサポート：息子，息子の妻，必要に応じて故郷の妹，妹家族，知人・友人

第3章 心理・社会的課題別看護過程　1．環境

| STEP❶ アセスメント | STEP❷ 看護課題の明確化 | STEP❸ 計画 | STEP❹ 実施 | STEP❺ 評価 |

1 看護課題	看護目標（目標達成の目安）
#1【社会的交流の維持・促進】生活の目的や楽しみをもてる可能性を活かし，社会的交流を維持・促進する	1）自分の思いを率直に表出する（1か月） 2）人と交流し，活動範囲を拡大できる（2か月） 3）外出や人と交流することの楽しみを感じる（2か月） 4）息子夫婦が本人の思いを理解し，協力ができる（2か月）

援助の内容	援助のポイントと根拠
OP 観察・測定項目 ●家族，故郷の人々との交流時間，頻度，内容，方法，人づきあいへの意向 ●外出への興味，関心 ●日々の楽しみ，目標，生活の張り，関心 ●孤独感，寂しさ，落ち込み，あきらめ	➡家族などとの交流や本人の思いは変化するため，自然な話題の中で把握する．また，息子夫婦からも情報を把握する　**根拠** 心理・社会的な情報は，本人と家族ではとらえ方が異なることもある
TP 直接的看護ケア項目 ●緊急通報装置の設置 ●通所系サービス，会話ボランティアなどの導入 ●訪問時の散歩の支援 ●生活活動拡大の支援	➡**連携** 一人で過ごしているときの異変の際，連絡できる装置をケアマネジャーと連携し，提案する ➡本人の関心を把握し，人と交流できる機会を提案する　**連携** 地域の高齢者サロンや会話ボランティアなどインフォーマルな社会資源について，ケアマネジャーや地域包括支援センターから情報を得る ➡**強み** 花見や地域のイベントなど目的のある散歩を行う．呼吸状態が不安定になる可能性が高いため，携帯酸素ボンベを準備し，呼吸状態の変化や疲労感をみながら散歩に付き添う．あらかじめ家族に散歩の了解を得る　**根拠** 不測の状況が起きた場合に備えて，新たなことを行う場合には家族に説明し，理解を得る ➡**強み** 故郷への外泊の可能性を探る．故郷の妹家族や知人などから協力を得られる可能性があり，本人や息子夫婦とよく話し合う　**連携** 外泊が実現できる場合は主治医と連携し，道中の酸素療法の管理，付き添いの手配や必要物品の準備を行う．ケアマネジャーと連携し，故郷での緊急時対応など調整する　**根拠** 故郷や道中で起こりうる危険などについて予測する
EP 教育・調整項目 ●異変を早期発見する見守り体制 ●外出や人との交流のための楽しみや目標をつくる提案 ●屋外に出ることや外出の勧め	➡**連携** 緊急時の連絡体制をつくる．息子夫婦は近隣と交流がある可能性があり，近隣者が異変に気づいた際，連絡が可能か検討する ➡**強み** 調理師であり，野菜づくりを楽しみにしていたことから，料理に関する役割をもてるか，野菜や植物を庭で育てられるか，外出や人との交流に関する楽しみや目標をつくる　**根拠** 本人の主体性を引き出すようにかかわる ➡**強み** 庭木の世話，ごみ出し，買い物，外食など身近な方法をともに考える

2 看護課題	看護目標（目標達成の目安）
#2【意欲の維持・促進】 生活の目的や楽しみをもてる可能性を活かし，意欲を維持・促進する	1) 意欲のある発言がみられる（2週間） 2) 抑うつ気分が解消される（1か月） 3) 生活の目的や楽しみ，リズムがある（2か月）

援助の内容	援助のポイントと根拠
OP 観察・測定項目 ● 日々の楽しみ，目標，生活の張り，関心 ● 孤独感，あきらめ，憂うつ，悲しみ ● 食事の回数，内容，食欲，体重減少 ● 入眠困難，早朝・中途覚醒，過眠 ● 疲労感 ● 整容，更衣などの生活行動	➡ 思いは変化するため，自然な話題の中で把握する．息子夫婦からみた本人の意欲の状況も把握する ➡ 抑うつ気分があるため生活行動に支障をきたす状態が2週間以上続くようであれば，うつ病の診断を想定し，主治医に報告する　根拠 訴えの背後に身体疾患が隠れている場合があるため，細心の注意を払う
TP 直接的看護ケア項目 ● 生活リハビリテーション	➡ 気持ちに張りをもち，規則正しい生活を送るため整容，更衣を促す
EP 教育・調整項目 ● 栄養状態の維持・脱水の予防 ● 生活リズムの確保の提案 ● 気持ちを表出できる関係性の保持 ● 意欲向上のための楽しみや目標をつくる提案	➡ 意欲低下によって，栄養・水分摂取状況や生活行動に支障をきたさないように配慮する　根拠 高齢者は脱水症状がわかりにくい．脱水のための意欲低下も疑う ➡ 睡眠障害があるので，日中の活動を高めること，昼間に必要な睡眠（長時間は避け，30分以内にとどめる）をとることを勧める　根拠 夕方以降の長い昼寝は，夜間の睡眠に影響する ➡ 強み 自然な会話をとおして本人の興味がもてる話題をみつけ，本人が自分の気持ちを表出できる関係性をもつ ➡ 強み 家庭内で料理に関する役割をもてるか，野菜や植物を庭で育てられるか，日々の楽しみや目標の可能性を探る

3 看護課題	看護目標（目標達成の目安）
#3【呼吸困難のリスク】 労作時に呼吸状態が不安定であり，呼吸困難のリスクが高い	1) 安静時・労作時ともに呼吸状態が安定する（2週間） 2) 呼吸器感染症を起こさない（1か月） 3) COPDに対する医療ケアを安定して実施する（1か月）

援助の内容	援助のポイントと根拠
OP 観察・測定項目 ● 呼吸状態 ● 栄養状態 ● 生活活動と疲労感 ● 医療ケア	 ➡ 呼吸数，呼吸リズム，呼吸音，呼吸困難，咳嗽，喀痰の量・性状，呼吸時の姿勢，呼吸様式，皮膚の色調，顔色，チアノーゼ，SpO_2，血圧，脈拍を測定する ➡ 体重，BMIを把握する　根拠 呼吸努力が増えると食欲が低下し，食事摂取量が低下しやすい ➡ 歩行や入浴，家事など体力を消耗しやすい生活動作の実施状況と疲労感を把握する ➡ 内服薬や吸入薬の服用や在宅酸素療法の管理が適切に行われているか，状況を把握する

29 社会的孤立

TP 直接的看護ケア項目 ●包括的呼吸リハビリテーション		⇒ 連携 必要時，医師，理学療法士，作業療法士と相談し，呼吸補助筋の疲労軽減のためのストレッチや胸郭の動きを高める体操を行う．入浴，外出など負荷のかかる動作の際の呼吸の仕方を訓練する．特に入浴は負荷が高いため看護師が介助する 根拠 湯や水の刺激を受けたり，前屈姿勢をとることで無意識に息を止めてしまうこともあるため，低酸素状態に注意する
EP 教育・調整項目 ●生活動作の際の対処方法 ●食事のとり方の提案		⇒呼吸困難を生じやすい生活動作の際，口すぼめ呼吸や呼気，動作をゆっくり行うこと，息をとめないことを説明する．疲労感を感じたときは適宜臥床し，休息を勧める ⇒呼吸仕事量が増大し，消費エネルギーが亢進しているため，高エネルギー，高蛋白質，高脂質，高ビタミンの食事を勧める．昼食は抜かずに，食欲がない場合は嗜好に合った食事を数回に分けることを提案する．食べるペースを遅くして，息を整えながら咀嚼や嚥下を行うように勧め，少ない咀嚼で食べられる軟らかい食材の準備を息子の妻に伝える 根拠 食事中の呼吸困難を避ける

4 看護課題	看護目標（目標達成の目安）
#4 【歩行の維持・促進】 歩行能力を活かし，歩行を維持・促進する	1）生活の中で歩行している（1か月） 2）転倒を起こさない（2か月）

援助の内容	援助のポイントと根拠
OP 観察・測定項目 ●歩行機能，転倒のリスク ●生活の過ごし方	⇒関節可動域の制限，筋力低下，つまずきやふらつきがないか把握する 根拠 転倒の発生と筋力低下は相互に関係する ⇒外出状況や普段の活動範囲を把握する
TP 直接的看護ケア項目 ●歩行機能向上のためのプログラム	⇒ 連携 ケアマネジャーと連携し，歩行を強化できるアクティビティがある社会資源の利用を提案する．利用時には，携帯酸素ボンベを準備し，呼吸困難がみられないように配慮する．必要時，理学療法士と相談し歩行訓練を導入する
EP 教育・調整項目 ●外出や歩行の勧め	⇒外出や歩行の意義の理解状況を把握する 強み 買い物や外食など身近な目標を伴った外出や短時間の歩行を頻繁に行うことを勧める 根拠 過度に安静にする必要性はないことを理解してもらう

STEP❶ アセスメント　STEP❷ 看護課題の明確化　STEP❸ 計画　**STEP❹ 実施**　STEP❺ 評価

強みと弱みに着目した援助のポイント

強みに着目した援助
- 呼吸状態は医療管理をしながら安定しているため，その強みを活かして，訪問時に散歩を行う，日々の外出を勧めるなど活動範囲の拡大を図る．
- 人との交流や歩行を強化できるアクティビティへの参加を勧める．

- 調理師であり，野菜づくりを楽しみにしていたことから「食」や「料理」に関する役割や目標をもてないか，可能性を探る．
- 故郷への思いが強いこと，故郷の妹家族や知人などと交流があることから，本人と息子夫婦とよく話し合い，故郷での一時外泊の可能性を探る．

弱みに着目した援助
- 呼吸状態を維持するため，呼吸リハビリテーションを勧め，服薬や在宅酸素療法の自己管理状況を把握する．
- 一人で過ごす時間が長いため，異変があったときに連絡ができる装置の設置や体制づくりをする．
- 昼食を時々摂取しない理由に，意欲や呼吸機能の低下による食欲不振が考えられるが，低栄養状態にならないように食事の内容や回数，量を調整する．
- 外出を支援する際は携帯酸素ボンベの準備や緊急時対応などを想定して援助する．

STEP ❶ アセスメント　STEP ❷ 看護課題の明確化　STEP ❸ 計画　STEP ❹ 実施　STEP ❺ 評価

評価のポイント
- 自分の思いを率直に表出できているか
- 人と交流し，活動範囲を拡大できているか
- 外出や人と交流することの楽しみを感じることができているか
- 息子夫婦が本人の思いを理解し，協力できているか
- 意欲のある発言がみられているか
- 抑うつ気分が解消されているか
- 生活の目的や楽しみ，リズムがあるか
- 安静時・労作時ともに呼吸状態が安定しているか
- 呼吸器感染症は起きていないか
- COPDに対する医療ケアを安定して実施できているか
- 生活の中で歩行しているか
- 転倒を起こしていないか

関連項目
第2章「2 慢性閉塞性肺疾患（COPD）」「14 フレイル」
第3章「31 意欲低下」

30 不衛生な住環境（ごみ屋敷）

不衛生な住環境（ごみ屋敷）の理解

不衛生な住環境（ごみ屋敷）とは

1）不衛生な住環境（ごみ屋敷）の定義
- 不衛生な住環境の典型例として，ごみ屋敷という言葉が使われるが，ここでは，「ごみや物が敷地内外に溢れかえっており，悪臭や害虫の発生，崩落や火災などの危険や住人の健康に悪影響を及ぼす不衛生な住環境」とする．
- ここでの「ごみ」とは，所有者の意思によらず，通常の感覚からみてごみと判断するものを指す．
- たくさんの動物を不衛生に飼育する多頭飼育や庭の樹木・雑草の繁茂がみられることもある．

2）不衛生な住環境（ごみ屋敷）が起こる背景
- ①ごみを片付ける能力が低下している場合や②堆積物をごみと認識していない場合，①と②の混合型がある．
- ごみを片付ける能力が低下している場合には，認知症，精神障害，身体疾患による生活動作の低下が原因である．
- 堆積物をごみと認識していない場合は，特定の物を収集してしまう習癖によるものであり，精神障害やため込み症（hoarding disorder：DSM-5の定義「所有物を手放すことが困難な疾患」），自己放任も関連する．
- ごみ屋敷と関連が深い精神障害としては，統合失調症スペクトラム障害，持続性抑うつ障害，神経発達症群（なかでも注意欠如多動症や自閉スペクトラム症）といわれている．
- 高齢者において，ごみ屋敷が起こる状況をディオゲネス症候群（老年期隠遁症候群）とよぶこともある．

3）健康への影響
- ほこり，排泄物，腐敗した食品・飲料水，動物の糞尿，害虫などにより呼吸器系・消化器系・皮膚・尿路系などのあらゆる感染を起こしやすい．
- 因果関係は不明だが，ごみ屋敷で暮らしている場合，生活・環境・健康の管理に関心や意欲がなく，不衛生，熱中症や凍傷，脱水や低栄養・やせ，持病の悪化などのリスクが高い．人との交流を好まず，支援を拒否することも多く，意欲の低下，抑うつ，認知機能・精神症状の悪化や社会的孤立を起こしやすい．
- 生活動線にごみや物が堆積していることや堆積物の崩落により，転倒や外傷のリスクがある．

不衛生な住環境（ごみ屋敷）とケア

- ごみ屋敷の背景に精神障害や認知症がある場合は，受診につなげ疾患の特性に応じた援助を行う．
- 療養者本人や家族がごみと認識せず不都合を感じていないことや支援を拒むことが多いため，堆積物を片付けることを目的とせず，本人がかかわりを求めなくても定期的に訪問し，忍耐強く信頼関係をつくる．
- 家族や近隣住民，サービス提供者などとの人間関係のトラブルを把握し，本人の訴えを引き出す．
- 行政の保健師・ケースワーカー，地域包括支援センターのスタッフ，ケアマネジャーなどと連携し，近隣の住民の理解や協力を得ながら支援体制をつくる．
- ごみ屋敷状態が療養者などの健康や安全を脅かしているかを見極めて援助を行うが，健康に影響を及ぼしていない場合は，なぜそのような状態になっているのか理解しながら，かかわる．

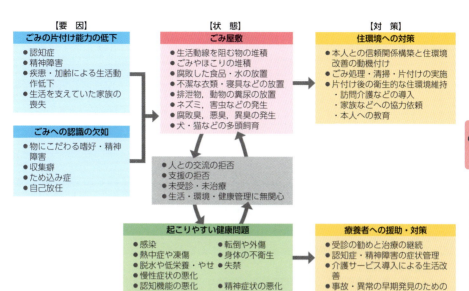

■図 30-1　不衛生な住環境（ごみ屋敷）の要因と援助・対策

療養者・家族の特徴からみた援助・対策

1) ごみを片付ける能力が低下している場合

　認知症，精神障害，身体活動の制限を伴う慢性疾患の罹患により生活動作が低下し，ごみ処理や物を所定の場所に片付けられなくなる．高齢になり，生活を支えていた家族などの喪失，身体機能の衰えとともにごみ屋敷状態になる場合がある．原因となっている疾患についての受診をしないまま適切な服薬や健康管理を行えていないことが多いため，適切な医療管理を促しながら環境整備に努める．サービスを導入しながら継続的にかかわることで，ごみ屋敷状態を改善しやすい特徴がある．

2) 堆積物をごみと認識していない場合

　収集癖を伴う精神障害やため込み症の場合，本人は堆積物を「捨てるのはもったいない，愛着がある大切なもの」と考えており，片付けを勧めても受け入れにくく近隣住民とトラブルになりやすい．特定の物が堆積することが多く，一時的に片付けても元に戻りやすい．物に強い愛着があるため本人の許可なく，物に触れると，二度とかかわれなくなることもある．療養者の健康と安全に配慮しつつ，療養者や関係者との対話を進め，慎重に信頼関係をつくりながら，環境整備やサービスの導入などを進める．療養者本人や近隣の安全が守れない場合は，行政の代執行によるごみ処理などや本人の入院・入所を講じることもある．

不衛生な住環境（ごみ屋敷）に関連する社会資源・制度

1) ごみ処理・清掃・片付けの実施

- 行政，地域包括支援センター，社会福祉協議会などからのごみ処理などのための訪問
- 民間の清掃業者によるごみ処理など
- ごみ屋敷条例（一部の市区町村のみ制定）や関連法令（廃掃物の処理及び清掃に関する法律，悪臭防止法，消防法，道路交通法など）の支援・指導・勧告・代執行・即時執行によるごみ処理など
- 市区町村によるふれあい収集（ごみだしが困難な高齢者・障害者などに対する家庭ごみの戸別収集と安否確認）

2) 衛生的な住環境の維持
- 訪問介護による掃除などの家事支援
- 家族・知人・民生委員や住民ボランティアなどへのごみ出しや掃除などの協力

3) 生活管理・健康管理・孤立防止
- 生活保護，要介護認定，障害支援区分認定などの申請や申請手続き代行
- 通所介護・訪問介護による入浴支援
- 介護保険法・障害者総合支援法などによる通所系サービスや地域のサロン
- 市区町村，保健所や地域包括支援センターの保健師などによる健康管理・保健指導
- 精神科医療機関などの受診やアウトリーチ（電話訪問や見守り訪問）による治療

不衛生な住環境（ごみ屋敷）をめぐる訪問看護

訪問看護の視点

1) 療養者をみる視点
- ごみ屋敷に暮らす療養者は，近隣住民の苦情などが寄せられることで発見され，支援困難事例と考えられやすい．
- 治療やケアによって状態改善が期待できる精神障害や認知症があるのかを把握する．
- ごみ屋敷や不衛生な住環境によって，心身の健康状態に問題を起こさないことが重要である．
- 訪問看護が導入される時点では，少なくともサービスを利用することは本人も了解しており，清掃などによりに物やごみを一部片付けられていることが多い．

2) 支援のポイント
- 療養者本人や家族などへの教育・意識啓発，訪問介護などによる掃除を導入し衛生的な住環境を維持する．
- 未受診・未治療の精神障害や認知症などを有している場合があるため，受診や服薬管理などを勧める．
- 他の介護サービスや定期的な訪問看護の提供により，生活のリズムをつけて生活改善を図る．
- なぜごみ屋敷になりやすいのか，家族や近隣住民などの理解を得る．
- 事故や異常の早期発見・早期対応のための多職種・家族・近隣の人々を含めた見守り体制をつくる．

● 看護課題別：療養者をみる視点と支援のポイント

看護課題	療養者をみる視点	支援のポイント
問題着眼型看護課題： **不衛生な住環境（ごみ屋敷）による健康問題**	ごみ屋敷により，療養者本人の健康問題が起きている状態である．ごみ屋敷によって起こりやすい主な健康問題は，図30-1に示すとおりである．ライフライン（電話，電気，ガス／水道）を確保し，本人の健康や近隣の安全を第一に判断する．地域社会で孤立しないように本人やキーパーソンとなる家族と信頼関係をつくる視点が重要である．ごみ処理や清掃を行いつつ，生活動線への物の堆積を防止し，健康問題に対応することが重要である．	● 本人のこだわりを受容し，言葉を選び，本人・家族と対話を重ねる． ● 多職種で対応することを基本とし，必要時，行政や保健所と連携する． ● 感染や転倒などの健康問題に対応する． ● 家族，近隣とのトラブルがある場合，説明や話し合いの機会をつくる．
リスク着眼型看護課題： **不衛生な住環境**	ごみの片付け能力が低下している場合やごみに対する認識が欠如している場合は，生活管理に関心がなくなり，住居内に物やごみ，ほこりが	● 訪問介護や本人や家族の協力を得ながら定期的に片付けを行う．

看護課題	療養者をみる視点	支援のポイント
(ごみ屋敷)による健康問題のリスク	堆積し，ごみ屋敷になることが多い．ごみ屋敷の中で療養している場合，最低限の清潔を守り，健康問題が起きないように，環境整備を行う視点が重要である．また，ごみ屋敷を引き起こしている認知症や精神障害などの症状管理を行うことも必要である．	●安楽に生活できるように環境を整える． ●入浴，更衣，整容など清潔を守る生活行動を確立させる． ●認知症，精神障害や慢性疾患などの症状の悪化を予防する． ●健康問題を早期に発見し対応する．

STEP❶ アセスメント　STEP❷ 看護課題の明確化　STEP❸ 計画　STEP❹ 実施　STEP❺ 評価

情報収集

情報収集項目	情報収集のポイント
疾患・病態・症状 □疾患 □疾患の症状 □疾患の経過，予後	●認知症，精神障害(統合失調症，神経発達症群)，ため込み症や生活動作が低下する慢性の身体疾患はないか ●重度の認知機能低下，妄想，空間認識の低下，不注意や多動性，うつなどはないか ●疾患の発症の経過はどの程度か，今後疾患の症状の改善は見込めるか
医療ケア・治療 □服薬 □治療 □医療処置	●疾患に薬物処方がされているか，また処方されたとおり服薬しているか ●定期的に必要な受診をしているか ●必要な医療処置を行っているか，感染のリスクが高い医療処置(創傷処置，中心静脈栄養，膀胱留置カテーテル，経管栄養，人工呼吸器管理など)を行っているか
全身状態 □成長・発達段階 □呼吸・循環状態 □摂食・嚥下・消化状態 □栄養・代謝・内分泌状態 □排泄状態 □感覚器の状態 □筋骨格系の状態 □皮膚の状態 □認知機能 □精神状態 □免疫機能	●加齢や疾患に伴う脆弱性や知的発達段階はどうか ●かぜ症状，肺炎，気管支炎など呼吸器系感染の徴候はないか ●悪心・嘔吐，腹痛，下痢，血尿など消化器系感染の徴候はないか ●脱水，低栄養・やせ，過栄養，熱中症の徴候(めまい・ふらつき)はないか ●尿失禁や便失禁はあるか，残尿，尿閉，腹痛など尿路系感染の徴候はないか ●嗅覚や味覚など正常か，腐敗した食品や飲料水などを判別できるか ●堆積物への接触などにより，転倒や転落，つまずきはみられていないか ●皮膚の状態は清潔か，湿疹，瘙痒感，創傷，凍傷の徴候などはないか ●見当識，記憶力，判断力，理解力は低下していないか，物の整理のための空間認識はどうか ●妄想，不注意や多動性，引きこもり，気分障害，うつ，コミュニケーション障害，焦燥感，不安などはないか ●糖尿病などが併存しているか，免疫抑制薬を服用しているかなど，感染のしやすさはどうか

(疾患・医療ケア)

情報収集項目		情報収集のポイント
活動	**移動** □起居動作 □屋内移動 □屋外移動	❍椅子やトイレ，浴槽への移乗，立ち上がりに介助や補助具(手すりなど)が必要か，普段どの程度起居動作を行っているか ❍屋内移動に介助や補助具(手すり・歩行器，杖)が必要か，屋内移動の生活動線はどうか，普段どの程度動いているか ❍屋外移動に介助や補助具(手すり・歩行器，杖，シルバーカー，歩行車)が必要か，屋外に出るときの動線はどうか，普段どの程度外出しているか，外出の際，車(タクシー，自家用車)や公共交通機関(電車，バス)を利用しているか
	生活動作 □基本的日常生活動作 □手段的日常生活動作	❍食事，排泄，入浴，更衣，整容動作は可能であり，清潔な環境を保てるか ❍掃除，物の整理，ごみ出し，片付け，洗濯は可能であり，清潔な環境を保てるか
	生活活動 □食事摂取 □水分摂取 □活動・休息 □生活歴 □嗜好品	❍規則的に十分な量の食事を摂っているか，外食，市販・宅配の惣菜や弁当などを活用しているか，消費期限切れの食品や腐敗した食品を摂取していないか ❍水分摂取の内容や摂取量，時間帯はどうか，腐敗した飲料水を摂取していないか ❍睡眠時間，睡眠パターンはどうか，生活リズムは規則的か．1日の過ごし方や過ごしている場所はどうか，日中は臥位姿勢または座位姿勢のいずれが多いか ❍就労・就学経験はあるか，仕事が長続きしていたか，失業，転居，被災，同居家族との離別，死別など生活が急に変わるライフイベントを経験していないか ❍昼間から飲酒をしていないか，着火しやすい環境で喫煙していないか，菓子など食事以外の食品の摂取内容，量，タイミングはどうか
	コミュニケーション □意思疎通	❍言語的なコミュニケーションは得意か，周囲の気持ちや状況を踏まえた意思疎通はできるか，特定の事柄に対するこだわりは強いか，気分や感情は安定しているか
	活動への参加・役割 □家族との交流 □近隣者・知人・友人との交流 □外出 □社会での役割 □余暇活動	❍家族とのかかわりはどうか，本人が信頼している家族・親族はいるか ❍近隣者・知人・友人とのかかわりはどうか，本人が信頼している近隣者・知人・友人はいるか，近隣住民からごみ屋敷についての苦情や通報はないか ❍外出の頻度や目的はどうか，楽しみや人との交流のために外出しているか ❍社会での役割はあるか，重要な役割をとることを避けていないか ❍楽しみや人との交流のための活動をしているか
環境	**療養環境** □住環境	❍集合住宅か，一戸建てか，ごみや物が散乱していないか，堆積物の種類はどのようなものか，屋外にごみや物があふれていないか，ごみや物が生活動線を阻んでいたり，トイレ，浴室や台所の使用制限はない

情報収集項目	情報収集のポイント
環境 □地域環境 □地域性	● か，食事をする場所や睡眠をとる場所は確保できているか，足の踏み場はあるか，ほこりがたまっていないか ● 動物を適切に飼育しているか，動物の糞尿が放置されていないか ● 腐敗した食品が冷蔵庫や部屋の中に放置されていないか，排泄物や，排泄物で汚れた衣類・おむつなどが放置されていないか ● 電気・ガス・水道などが止められていないか，照明機器や空調機器，調理器具は使えるか，窓やドア，壁などが壊れたままか，家屋の倒壊の危険性はないか ● 暖房・調理器具の近くに燃えやすいものがないか，家具や物が倒れやすいか ● 庭などの雑草が生い茂り，樹木が剪定されずに敷地の外まで茂っていないか ● ゴキブリ，ダニ，ネズミなどは発生していないか，異臭や悪臭はしないか ● 治安は良好か，住居周辺に建物が密集しているか，地域の経済水準はどうか ● 住民同士が交流しているか，住民同士がお互いの生活に関心や助け合いの意識をもっているか，自治会などの住民組織があり，活動内容は活発か
家族環境 □家族構成 □家族機能 □家族の介護協力体制	● 一人暮らしか，家族構成はどうか，近隣に別居家族や親族はいるか ● 療養者と家族の関係は良好か，家族間で関心をもち交流しているか，家族の健康状態は良好か，家族間でトラブルはないか ● 片付けや家事支援，療養者本人への声かけに協力できる家族がいるか
社会資源 □保険・制度の利用 □保健医療福祉サービスの利用 □インフォーマルなサポート	● ごみ屋敷条例や関連法令（廃掃物の処理及び清掃に関する法律，悪臭防止法，消防法，道路交通法）の対象となる住環境ではないか ● 訪問介護や民間の清掃業者などによるごみ処理・清掃・片付けなどを利用しているか，生活・健康管理や孤立防止のための通所・訪問系サービスや地域のサロンなどを利用しているか，市区町村，保健所，地域包括支援センター，社会福祉協議会など公的機関からサポートを受けているか ● 民生委員や住民ボランティア，近隣住民から理解を得て，見守りを受けているか，近隣住民と人間関係のトラブルはあるか，ごみ屋敷について通報や苦情があった場合，通報者（苦情者）との関係やこれまでの経緯はどのようなものか
経済 □世帯の収入 □生活困窮度	● 就労による収入，年金，公費による助成などを受けているか ● 生活保護を受給しているか，生活困窮者自立支援制度の対象となっているか
理解・意向 **志向性（本人）** □生活の志向性 □性格・人柄 □人づきあいの姿勢	● 物への執着や収集癖はないか，物を捨てることに抵抗がないか，衛生観念（身の回りの清潔さや健康維持のための生活習慣の考え方）はどのようなものか ● 社交性や柔軟性はあるか，偏った価値観や信念はないか ● 人付き合いや他者とのかかわりを拒否しないか，他者に心を開いてい

情報収集項目	情報収集のポイント
	るか
自己管理力(本人) □自己管理力	●ごみの分別や指定場所や指定日にごみ出しができるか，汚れや不潔な下着や衣服を着用していないか，歯磨きをしているか，身体の汚れや悪臭はないか．髪や髭が整っているか，爪が伸びていないか ●治療が必要な場合，受診をしているか，必要な服薬・医療処置を管理しているか ●家賃や公共料金を滞りなく支払っているか
□情報収集力 □自己決定力	●生活や健康管理のための情報を自分で収集しているか ●体調不良や危険の際，周囲に助けを求められるか，サービス利用を決められるか
理解・意向(本人) □意向・希望	●堆積物をどうとらえているか，ごみ処理・清掃・片付けを希望しているか．困っていることはあるか，他者とのかかわりやサービス・制度利用を好まない理由はあるか，在宅での生活を続けたいか，周囲に助けを求める意向はあるか
□感情 □疾患への理解 □療養生活への理解	●他者への嫌悪感や疎外感があるのか，気分は安定しているのか ●疾患をどう理解しているのか，治療を諦めたり，自暴自棄になっていないか ●不衛生な状態が療養や健康・安全に及ぼす影響をどう理解しているか
理解・意向(家族) □意向・希望	●療養者にかかわりたいと希望しているか，ごみ処理・清掃・片付けを希望しているか，困っていることはあるか，周囲に助けを求める意向はあるか
□疾患への理解 □療養生活への理解	●未診断の認知症，精神障害などが背景にある可能性を理解しているか ●不衛生な状態が療養や健康・安全に及ぼす影響をどう理解しているか

(左側縦書き項目: 理解・意向)

事例紹介

肺炎を繰り返す，ごみ屋敷に暮らす高齢者の例

Keywords ごみ屋敷，不衛生，呼吸器感染，ため込み症疑い，糖尿病，認知症，高齢女性

〔基本的属性〕女性，70歳
〔家族構成〕一人暮らし(未婚)，1年前に同居していた姉と死別
〔主疾患等〕認知症，糖尿病，高血圧，脂質異常症，ため込み症疑い
〔状況〕以前より，物をため込む傾向があったが，姉と死別後，様子がおかしいと近隣住民から地域包括支援センターに連絡があり，ごみ屋敷状態と認知症の進行がわかった．しばらく様子をみていたが，その後続けて肺炎で2回入院した．2回目の入院時に血糖コントロールが悪く，皮下注射を導入．主治医の勧めで要介護認定を受け，退院時に訪問看護や介護サービスを利用することになった．退院時に一部清掃し，生活動線は確保したが，ごみ屋敷状態は解消されていない．

情報整理シート

疾患・医療ケア

【疾患・病態・症状】
- 主疾患等：認知症，糖尿病，高血圧，脂質異常症
- 病歴：ため込み症疑い，肺炎，気管支喘息
- 経過：
  - 58歳　糖尿病，高血圧，脂質異常症のため服薬開始
  - 66歳　気管支喘息を指摘され，発作のため入院
  - 6か月前　近隣住民から地域包括支援センターに連絡，ごみ屋敷状態と認知症の進行が判明
  - 4か月前　肺炎のため入院(1週間)．ごみ屋敷状態は継続
  - 1か月前　肺炎のため再度入院(3週間)，血糖コントロールが悪く，皮下注射を導入．退院に際し要介護認定を申請，訪問看護，訪問介護，通所介護が開始．ケアマネジャーなどの協力を得て清掃を行い生活動線のみ確保

【全身状態・主な医療処置】
- 認知機能低下あり MMSE：20点
- 外出して戻れなかったことがある．物忘れあり．質問をはぐらかす．話はまとまらない．
- 以前から物のため込み傾向あり

- 血圧：120〜140/80〜90 mmHg
- 脈拍：80〜90/分(不整なし)
- 呼吸：15回/分
- HbA1c：6.6%
- 空腹時血糖値：140 mg/dL
- 中性脂肪：150 mg/dL
- 総コレステロール：233 mg/dL
- LDLコレステロール：148 mg/dL
- HDLコレステロール：62 mg/dL

- 時々，白色痰少量．

- 身長：154 cm
- 体重：60 kg
- BMI：25.3

- 排便：1回/2〜3日
- 排尿：6〜7回/日
- 食事：2〜3回/日

- 持続性GLP-1受容体作動薬 週に1回 訪問看護師が大腿部に皮下注射

基本情報
- 年齢：70歳　性別：女性
- 要介護度：要介護1
- 障害高齢者自立度：A1
- 認知症高齢者自立度：Ⅱa

【医療ケア・治療】
- 服薬：
  - 【内服】降圧薬(アダラート1日1回)
  - DPP-4阻害薬(エクア1日2回)
  - 脂質異常症治療薬(リベルＮ1日2回)
  - 中枢神経系用薬(アリセプト1日1回)
  - 緩下剤(マグミット1日2回)
  - 漢方薬(抑肝散1日2回)
  - 【注射】持続性GLP-1受容体作動薬(トルリシティ)
- 治療状況：近隣の診療所にて1か月ごとに受診にて経過観察
- 医療処置：持続性GLP-1受容体作動薬皮下注射　1回/週
- 訪問看護内容：皮下注射と血糖・服薬管理，食事を含む健康管理

活動

【移動】
- 屋内移動：家の中はつたい歩き．2階は上がらない
- 屋外移動：シルバーカーを押して家から500mくらいまでは移動する．

【活動への参加・役割】
- 家族との交流：同居していた母と死別後，家族はいない．電車で2時間離れた県内に弟がおり，2か月に1回くらい様子をみにくる．
- 近隣者・知人・友人との交流：以前は，近所の地域サロンの常連だった．その付き合いで近隣住民や仲間が気にかけてくれる．
- 外出：近くの商店街での買い物や受診に行く程度である．
- 社会での役割：なし
- 余暇活動：広告の裏に絵を描いたり，新聞を読むのが楽しみ

【生活活動】
- 食事摂取：市販の惣菜・おにぎりや配食サービスの弁当を食べる．食パン好きで，食べきれないまま毎日パンを買い込み，床に放置しているものもある．
- 水分摂取：ペットボトルのお茶を1日3〜4本程度摂取
- 活動・休息：日中は床に座ったり，うたた寝をする．夜中はトイレのため1〜2回起きる．早朝覚醒は時々ある様子
- 生活歴：小学生の時に今の家に引っ越してきた．未婚のまま両親，離婚した姉と暮らし，家事は母や姉がしていた．短期大学を卒業後，近隣の町工場の事務員として60歳の定年まで働いた．若い時から生活雑貨，文房具をため込む傾向があった．50歳の時に父，55歳の時に母を亡くし，元気だった姉が1年前に脳出血で急死
- 嗜好品：20歳頃から58歳頃まで喫煙(10〜15本/日)．パンや麺類が好きで現役時代は食べ歩きを楽しみにしていた．

【生活動作】

基本的日常生活動作

食事動作	自立．食卓は物であふれており，床で食べる
排泄	日中・夜間ともトイレで排泄．時々間に合わず尿漏れをし，下着を汚す
清潔	浴室は物があふれており，自宅では入浴しない．通所介護施設で入浴
更衣整容	更衣や整容動作は自立
移乗	椅子への移乗は自立，浴槽への移乗は見守り必要
歩行	屋内はつたい歩き，屋外はシルバーカー利用
階段昇降	階段昇降は行わない

手段的日常生活動作

調理	ガスは火災防止のため元栓を閉めている．電子レンジは使用可．配食サービス利用
買い物	近くの商店街に惣菜などを買いに行く
洗濯	洗濯機は使用．未使用の衣類も洗ってしまう
掃除	実施しない．ヘルパーが実施
金銭管理	少額の買い物は自己管理
交通機関	利用しない

【コミュニケーション】
- 意思疎通：ほぼ良好だが，つじつまの合わない返答がときどきある．
- 意思伝達力：聴力はやや低下．視力・発語力は問題なし
- ツールの使用：携帯電話をとることは可能．電話をかけるのは困難

30　不衛生な住環境(ごみ屋敷)

環　境

【療養環境】

住環境：2階建て住宅．2階は物があふれたまま．清掃により，トイレ，洗面所などの生活動線を確保したが，至る所に物があふれ，ほこりが溜まっている．座椅子で食事をし，夜には布団を出して和室で寝る．

地域環境：下町で町工場が散在．徒歩10分圏内に診療所，郵便局，商店街，コンビニ，駅があり便利
地域性：長年住んでいる住民が多く，高齢世帯が多い．近所づきあい，自治会や老人会の活動は活発

【社会資源】

サービス利用：

	月	火	水	木	金	土	日
AM	通所介護	訪問介護	通所介護	訪問看護	訪問介護		
PM						通所介護	

保険・制度の利用：介護保険，国民健康保険，配食（毎日1食）

【経済】

世帯の収入：年金
生活困窮度：両親が残した貯金などがあるが，減ってきている．

【ジェノグラム】

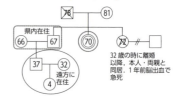

32歳の時に離婚以降，本人・両親と同居．1年前脳出血で急死

【家族の介護・協力体制】

弟とかろうじて交流がある．2か月に1回程度様子を見に来る．

【エコマップ】

理解・意向

【弟】
- 入浴や掃除など1人でできないことを手伝ってほしい
- 家での生活を続けたい本人の気持ちを大切にしたい
- 母も姉も昔から物をためこむ．触ると怒られるので手を出すのは控えている

定年後で週に1回非常勤で勤務

本人と弟の関係は，仲が悪い訳ではないが，若い時から付き合いが少なく，父が死亡してからは実家にさらに足が向かなくなっていた

弟の妻ががんで療養中のため，その世話を1人で行っている．本人が肺炎で入院したことをきっかけに，気にかけるようになった

【本人】
- 忘れてしまったり，できないことがあるので手伝ってほしい
- 両親の思い出のある家に暮らし続けたい
- 絵を描くのが好き，集めてきた文房具は捨てられない
- 片付けが嫌い
- （この家に）捨てるようなごみは，ありません
- 元気になったらサロンに行きたい
- 何かを探そうとしても，見つからない

【志向性】

生活の志向性：物を捨てることに抵抗がある．物の整理には無頓着
性格・人柄：おしゃべりで明るい．独立心が強い
人づきあいの姿勢：人づきあいはよく，愛想はよい．近隣住民やサービス担当者の受け入れもよい

【自己管理力】

自己管理力：飲み忘れた薬が床に落ちている．冷蔵が必要な食品をシルバーカーに積んだままのことがある．パンを必要以上に買い込み，つまみ食い，物をだしたまま，元に戻さない
情報収集力：近隣住民からサロンの予定一覧表をもらい，興味のある予定に印をつけている
自己決定力：自分で決定する

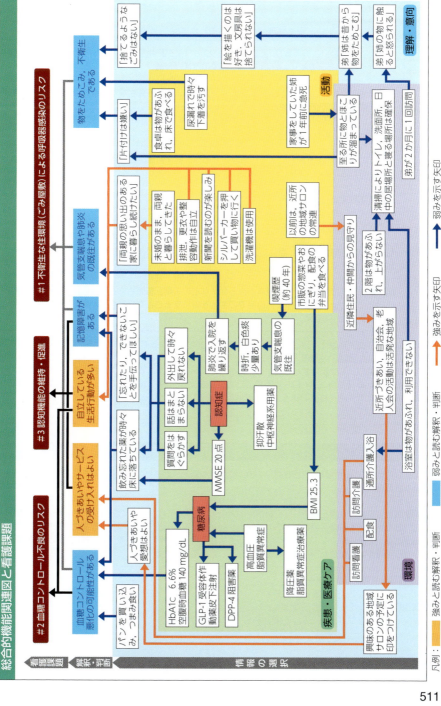

30 不衛生な住環境(ごみ屋敷)

第3章 心理・社会的課題別看護過程　1. 環境

STEP❶ アセスメント　STEP❷ 看護課題の明確化　STEP❸ 計画　STEP❹ 実施　STEP❺ 評価

看護課題リスト

No.	看護課題　【コード型】文章型	パターン
#1	【不衛生な住環境（ごみ屋敷）による呼吸器感染のリスク】物をため込み，不衛生な住環境（ごみ屋敷）により，呼吸器感染のリスクが高い	リスク着眼型
	根拠　物をためこむ習癖（ため込み症疑）や認知症により，不衛生な住環境（ごみ屋敷）となっている．喫煙歴や気管支喘息の既往や高血糖による易感染性から呼吸器感染への耐性が弱く，堆積している埃が誘因となり，呼吸感染を起こしやすい状態である．過去4か月間に肺炎によって2回入院しており，注意を要する．	
#2	【血糖コントロール不良のリスク】糖尿病であり，服薬管理や食生活が十分でない可能性があり，血糖コントロール不良のリスクが高い	リスク着眼型
	根拠　訪問看護によりGLP-1受容体作動薬の皮下注射は遂行できているが，服薬管理が十分でないこと，食行動が糖質に偏っていること，軽度の肥満であることから，血糖コントロールが不良になるリスクが高い．	
#3	【認知機能の維持・促進】自立している生活行動が多く，現在の認知機能を維持・促進する	強み着眼型
	根拠　内服薬の飲み忘れや話がまとまらないなどの短期記憶障害などはみられるが，生活の中で自立できていることも多く，自宅での生活を維持することで認知症による生活機能の悪化を予防することができる．	

【看護課題の優先度の指針】元来の物をため込む習癖と認知症によって，起きている不衛生な住環境（ごみ屋敷）の状態は，健康への悪影響，特に呼吸器感染の原因になるため，【不衛生な住環境（ごみ屋敷）による呼吸器感染のリスク】を#1とした．糖尿病の管理が不良になることにより感染のリスクが高まる可能性もあるため【血糖コントロール不良のリスク】を#2とする．認知症によって記憶障害などは起きているが，在宅生活を維持できる生活行動は自立していることから【認知機能の維持・促進】を#3とした．

長期目標

不衛生な住環境（ごみ屋敷）の改善を図りつつ，糖尿病や認知症の悪化，呼吸器感染を予防し，在宅で自立した生活を送る．

根拠　独居で家族の支援を期待しにくいが，本人の人づきあいやサービスの受け入れのよいところを活かし，様々な資源を有効活用しながら，糖尿病や認知症の疾病管理を行いつつ，在宅生活を維持できる強みがある．呼吸器感染などが起きやすい不衛生な住環境（ごみ屋敷）であるため，継続的な支援を提供しながら不衛生な住環境（ごみ屋敷）の改善を図ることが重要である．

〈長期目標を共有するケアチーム〉
フォーマルサービス：訪問看護師，主治医，ケアマネジャー，ホームヘルパー，通所介護施設スタッフ，地域包括支援センターの社会福祉士
インフォーマルなサポート：弟，近隣の住民，サロンの仲間

| STEP❶ アセスメント | STEP❷ 看護課題の明確化 | STEP❸ 計画 | STEP❹ 実施 | STEP❺ 評価 |

1 看護課題

#1【不衛生な住環境（ごみ屋敷）による呼吸器感染のリスク】
物をため込み，不衛生な住環境（ごみ屋敷）により，呼吸器感染のリスクが高い

看護目標（目標達成の目安）

1) 発熱，咳嗽など呼吸器感染の徴候がみられない（1週間）
2) 生活動線を確保し続けられる（2週間）
3) ごみを定期的に捨て，掃除を行い，ほこりを除去できる（2週間）
4) 身体の清潔や衛生状態を保つことができる（2週間）
5) 手洗いやうがい，必要に応じてマスクの着用ができる（2週間）
6) 肺炎などの呼吸器感染症を起こさない（1か月）

援助の内容

OP 観察・測定項目
- 住環境や生活動線，ごみや物の内容と量
- ごみや物の片付けに対する認識や意向

- 保清や整容，更衣，手洗いの有無や頻度
- 呼吸器感染の徴候

- 感染予防のための行動・環境

TP 直接的看護ケア項目
- 掃除や片付けの継続

- 清潔ケア

- 口腔ケア，歯磨き

EP 教育・調整項目
- 衛生的な環境の整備

援助のポイントと根拠

➡トイレ，洗面所，日中の居場所，寝る場所などの生活動線を確保できているか把握する．ごみや物，ほこりの量が増えていないか，腐った物や賞味期限切れのものが堆積していないか，ダニやゴキブリなどの発生がないか，ごみや物を不快と思っているか．片付けたいのかを把握する　根拠 ごみや物の堆積状況から本人の生活状況を推測し，片付けのタイミングを図る

➡尿漏れがないか，身体が不衛生になっていないかを把握する

➡呼吸数・呼吸リズム・呼吸音の状況，喀痰の量・性状，副雑音・喘鳴・呼吸困難・咳嗽，喉の痛み・発熱・食欲不振の有無や血液検査データ（白血球，CRP）結果など呼吸器感染の徴候を把握する　根拠 高血糖状態になっている場合は，感染のリスクが高いことに注意する

➡外出・通所の際の手洗いやうがい，必要に応じてマスクを着用しているか，ほこりの堆積状況やダニの発生の有無を把握する

➡本人に確認しながら物の整理や片付けを行ったり，腐った物は捨て，ごみをまとめる　連携 ケアマネジャーやホームヘルパーと清掃やごみ出し方法を検討する．市区町村の家庭ごみの戸別収集事業を利用する

➡連携 ホームヘルパーと連携し，特に，滞在時間の長い和室のほこりを除去し，ダニが発生しないように布団や座椅子を天日に干す

➡通所介護での入浴を確保する．入浴をしなかった際は訪問時に清拭，足浴，洗髪を行う　連携 浴室が利用できないため，通所介護で入浴を継続する

➡訪問時に口腔内の状況を確認し，ともに歯磨きなどを行う　根拠 認知機能が低下している場合，細かいところまで歯磨きなどができないことがあるため，口腔内の清潔を保ち，感染を予防する

➡連携 本人の意向やタイミングを見計らい，粗大ごみの収集や庭の掃除が可能か，民間の清掃業者を導入できるか，弟や近隣の住民，サロンの仲間に理解や協力を求められるか，検討する　強み 人づきあいがよい強みを活かす

30 不衛生な住環境（ごみ屋敷）

●保清・衛生の保持のための教育	⇒物の片付けや掃除に対しての意向を探りつつ，さりげなく提案する
	⇒ **強み** ごみ収集日の朝に玄関先にごみを出すように伝える．洗濯は自分で実施しているため，タンスに目印やラベルなどをつけて，衣服を所定の場所に片付け，毎日適切に更衣ができるようにする **根拠** 認知機能に応じて，生活の中で本人ができることをともに考え，生活行動の維持を図る
●感染予防行動の促進	⇒外出後は手洗いやうがいを勧め，喉の痛みを感じる場合はマスクの着用を勧める．呼吸器感染の徴候があるときは，看護師に伝えるように説明する

2 看護課題 / 看護目標（目標達成の目安）

看護課題	看護目標（目標達成の目安）
#2【血糖コントロール不良のリスク】 糖尿病であるが，服薬管理や食生活が十分でない可能性があり，血糖コントロール不良のリスクが高い	1) 配薬箱を活用し，適切に服薬管理ができる（2週間） 2) 規則的で，バランスのとれた食生活となる（1か月） 3) HbA1c値や空腹時血糖値，BMIが適正範囲内となる（2か月）

援助の内容	援助のポイントと根拠
OP 観察・測定項目 ●血糖コントロールやその関連指標	⇒HbA1c, 空腹時・随時血糖，75g経口ブドウ糖負荷試験の結果，中性脂肪値，総コレステロール値，LDLコレステロール値を血液検査結果から把握する．低血糖の有無，尿の回数を聴き取りから把握する ⇒訪問時に定期的に体重を測定し，BMIを算出する
●食生活	⇒食事時間，食事量，食事内容，食パンなどの糖質の摂取状況を把握する
●服薬管理	⇒内服薬の飲み忘れや飲み残しの有無，服薬に対する認識を把握する
●受診行動	⇒内科診療所への受診，血液検査実施状況を把握する **連携** 主治医と情報を共有する
TP 直接的看護ケア項目 ●持続性GLP-1受容体作動薬の皮下注射	⇒看護師が大腿部もしくは腹部に皮下注射を週に1回実施する．注射部位の硬結を防ぐために同じ場所に繰り返し投与しない **根拠** 膵β細胞膜上のGLP-1受容体に結合し，血糖の状況に応じて，インスリンの分泌を促進する．本薬剤の単独使用では，低血糖をきたす可能性は低い
●服薬管理の支援	⇒看護師が訪問時に配薬箱に1週間分の内服薬をセットする **連携** 管理しやすいように薬剤の一包化を薬剤師と調整する．訪問介護以外の日はホームヘルパーや通所介護の送迎のスタッフに飲み忘れがないか，確認してもらう．降圧薬，DPP-4阻害薬，中枢神経系用薬などは主治医と相談のうえ，朝に服用することとする **強み** 配薬箱のセットは必ず本人とともに行う **根拠** 本人は字を読むことができるため，自立心を維持できるようにかかわる
EP 教育・調整項目 ●食事内容や生活リズムの調整や薬物管理の必要性の説明	⇒ **強み** 意思疎通やケアの受け入れは良好な強みを活かし，血糖コントロールのため規則的に食事を摂ること，食パンな

どの糖質を摂りすぎないこと，内服や皮下注射が糖尿病管理に重要なことを理解状況に合わせて説明する

3 看護課題	看護目標（目標達成の目安）
#3 【認知機能の維持・促進】 自立している生活行動が多く，現在の認知機能を維持・促進する	1) 目印や声かけによって生活行動を維持できる（2週間） 2) サービス提供者や近隣住民と良好な関係を維持できる（2週間） 3) 日々の生活に目標や楽しみをもてる（1か月）

援助の内容	援助のポイントと根拠
OP 観察・測定項目	
●記憶障害や認知機能，生活行動	●意思疎通の状況，会話に辻褄があるか，外出して戻れなくなっていないか，失禁したままではないか，さりげない雑談をしながら把握する ●電子レンジに食べ物がおいたままではないか，冷蔵庫にたくさんの同じ食品や賞味期限切れの物があるか，シルバーカーに買い物が積んだままか，毎日更衣をしているか，トイレの流し忘れがあるか，ガスコンロや火を使用しているか，高額の買い物のレシートがあるかなど，観察する ●食事，排泄，更衣，整容，洗濯，外出などの自立状況を把握する
●日々の楽しみ，目標，生活のはり	●新聞を読む，絵を描くなどの関心事項から本人の意向を引き出す
TP 直接的看護ケア項目	
●アクティビティの支援	● 強み 地域のサロンや絵を描くことなど関心に合った集まりに参加できるようにする 連携 近隣住民からの地域の集まりに関する情報を得る
●認知機能維持・向上のためのトレーニング	● 強み 識字力がある強みを活かして，訪問時に服薬状況，血圧や血糖の値を記載する健康管理ノートを訪問時に記載してもらう，地域の広報を持参し，本人に音読してもらうなど生活の中で認知機能が維持できる方法を示す
●重要な生活情報の掲示	● 強み 各サービス担当者や弟の連絡先，サービスや受診予定日，ごみ出し方法など大きな字で書いたメモを貼り，本人が思い出せるように配慮する
EP 教育・調整項目	
●意向を表出できる関係性の保持	● 強み 人づきあいがよいため，自然な会話をしながら食事・衛生・健康面で，どのような生活を送りたいのか，意向を表出できる関係性を保持する
●通所介護等のサービス変更の調整	●通所介護でのアクティビティプログラムが本人の認知機能や意向にあっているかを確認し，必要に応じて事業所やサービスの変更などを調整する

STEP❶ アセスメント　STEP❷ 看護課題の明確化　STEP❸ 計画　**STEP❹ 実施**　STEP❺ 評価

強みと弱みに着目した援助のポイント

強みに着目した援助
●食事，排泄，更衣，整容動作，近隣への外出など自立している生活行動が多く，声かけや多様なサー

ビスを利用することにより，1人で在宅生活を送るための最低限の生活行動や衛生管理行動を確立できるように図る．
- 人づきあいが好きなこと，絵や新聞に関心がある強みを活かして，認知機能や人間関係を維持できるような活動につなげる．
- 字を読むことなどはできるため，服薬箱や重要な生活情報のメモなどの掲示を活用し，必要な生活・健康管理行動を促す．

弱みに着目した援助
- 認知症とため込み症疑いのため，物やごみを自発的に片付けたり，本人に協力を求めることが難しいため，サービスを導入して日常のごみ処理・掃除を行いながら，抜本的に掃除をするタイミングを見計らう．
- 繰り返し起きている肺炎は住居内のほこりやダニが誘因になっている可能性があり，日常の掃除を細やかに実施する．
- 認知症があり，火災防止のため調理は難しく，市販の惣菜などに頼っていること，元来糖質の多い食品を好むことを考慮して，血糖のモニタリングをしながら持続性GLP-1受容体作動薬の皮下注射やDPP-4阻害薬の投与を的確に行う．

STEP ① アセスメント　STEP ② 看護課題の明確化　STEP ③ 計画　STEP ④ 実施　STEP ⑤ 評価

評価のポイント
- 発熱，咳嗽など呼吸器感染の徴候がみられていないか
- 生活動線を確保し続けられているか
- ごみを定期的に捨て，掃除を行い，ほこりを除去できているか
- 身体の清潔や衛生状態を保つことができているか
- 手洗いやうがい，必要に応じてマスクの着用ができているか
- 肺炎などの呼吸器感染症を起こしていないか
- 配薬箱を活用し，適切に服薬管理ができているか
- 規則的で，バランスのとれた食生活となっているか
- HbA1c値や空腹時血糖値，BMIが適正範囲内であるか
- 目印や声かけによって，生活行動を維持できているか
- サービス提供者や近隣住民と良好な関係を維持できているか
- 日々の生活に目標や楽しみをもてているか

関連項目
第2章「5 糖尿病」「17 認知症」
第3章「32 自己放任」「34 服薬管理不全」

31 意欲低下

意欲低下の理解

意欲低下とは

1) 意欲低下の定義
- 意欲低下の定義は、「普段何気なく行っていたことが面倒に感じるあるいは時間がかかる、感情の起伏が小さくなるなど、自発性が乏しくなった状態」である。
- 認知症、脳卒中、うつ病、統合失調症などの疾患、身体機能低下や生活環境の変化など様々な原因により脳内の神経伝達物質（ドーパミン、アドレナリン、セロトニンなど）の分泌量のバランスが崩れることで生じる。
- 関連する概念には意欲減退、無気力症候群などがある。
- 意欲減退はほぼ同義語として用いられる。無気力症候群は「やる気が起きない、なんとなくダラダラしてしまう状態」で、無気力になる対象が限定され、自覚がないなどの特徴があり、意欲低下とは区別する。

2) 意欲低下が起こる背景
- 高齢夫婦、高齢者の独居世帯が増加している。老々介護や、貧困が社会的な問題になっており、高齢者がいきいきと暮らすことが容易でない社会的環境がある。
- 家族関係が希薄である場合、居住地が遠方である場合などは、療養者の意欲低下に気づきにくい。

3) 健康への影響
- 意欲低下により身体を動かさない、他人と接触しない、周囲への関心がなくなるなど心身機能の低下につながる。
- 周囲が変化に気づいても、なまけているように思われることもあり、心身機能の低下が進み悪化しやすい。

意欲低下とケア
- 意欲低下の状態にある療養者が、自らその状態に気づき行動することは難しい。家族や本人をよく知る親しい人が相談できる体制づくりのため、行政や地域包括支援センターとの連携が重要である。
- 意欲低下が疾患に起因するものか見極めるため、医療機関との連携が不可欠である。
- 意欲低下の程度や内容は、療養者の性格や生活歴によって大きく異なるため、本人の意思の尊重、アドボカシーを重視し、多様なケアニーズを検討する。

療養者・家族の特徴からみた援助・対策

1) 独居の場合
意欲低下が生じていても、本人が認識することは難しく、別居の家族や周囲の人も気づきにくい。気づいた時にできるだけ早期に介入することが大切である。しかし、独居の療養者では、自分なりの生活スタイルを大切にし、他者を自宅に招き入れること自体を好まない場合もある。可能な限り、本人の話をよく聞くことと同時に、家族や周囲の親しい人から療養者の意欲が低下する前と現在の様子を詳しく聞き取り、かかわり方を検討する。

2) 関係性が良好な家族がいる場合
家族関係が良好な場合は、療養者に対する支援が得られやすい。しかし、その一方で療養者の様子を心配し、早く元気になってほしいと過度に働きかけることがある。援助者は家族の思いを聞き、家族の不安や心労に理解を示す必要がある。その上で、援助者としてどのようにかかわろうとしているかを家族に説明し、療養者の現状についての理解を促す。

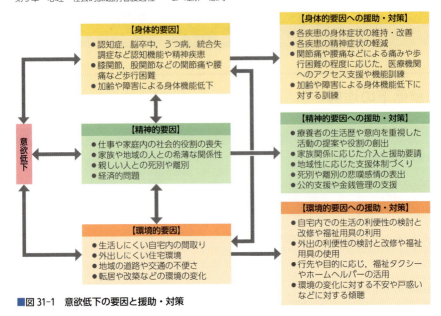

■図 31-1　意欲低下の要因と援助・対策

3) 家族間に極端に強い力関係がある場合

意欲低下は，それまでできていたことでも時間がかかる，なかなか行動しないなどの状況から，周囲から「なまけている」と思われやすい．そのため療養者が家族や配偶者間の力関係で弱い立場の場合，身体的暴力や精神的暴力などの虐待を受ける可能性がある．療養者の症状を悪化させる上，家族が複数いる場合は問題がより複雑になり，援助者の介入がますます困難になる．家族や配偶者間の力関係や暮らしぶりについて情報収集し，療養者本人と各家族への介入方法を検討する．

意欲低下に関連する社会資源・制度

1) 医療的介入
- 意欲低下の原因となりうる疾患の診断や治療(医療保険を利用)
- 医師の診療による服薬やリハビリテーションの指示

2) 他者との交流と機能訓練
- サービス事業者のデイサービス，訪問介護などの居宅サービス
- 小規模多機能型居宅介護
- 地域支援事業の交流会や行事
- 地域住民の趣味などの交流会や地域行事

意欲低下をめぐる訪問看護

訪問看護の視点

1) 療養者をみる視点
- 意欲が低下している状態を，本人が自覚することは難しい．
- 周囲にも気づかれにくく，周囲の人が気づいても，なまけているように思われやすい．
- 何らかの疾患，身体的な要因による意欲低下もあるため，医師の診断を受けて，他の精神的・環境的要因についても検討する．

2) 支援のポイント
- 療養者本人の話をよく聞き，これまでの生活歴や意向を尊重する．
- 家族関係の情報収集を行い，家族から意欲が低下する前と現状についてよく聞き，家族の思いを尊重してかかわる．
- 意欲低下は身体的機能低下，精神症状の出現，社会的活動の低下などにつながるリスクがあるため，予防的な視点をもち，支援を行う．
- 地域包括支援センター，行政，医療機関，他のサービス事業者と連携し，多様なサービス利用が可能な体制づくりをする．
- 療養者の意思や意向に沿って，意欲につながるような社会資源の必要性を検討し提案する．

●看護課題別：療養者をみる視点と支援のポイント

看護課題	療養者をみる視点	支援のポイント
問題着眼型看護課題： **意欲低下**	意欲低下は何らかの疾患による身体的要因から生じることもあるため，医師の診断を受けて要因を検討する．要因に応じた適切な支援を行うことで回復，改善が期待できる．療養者の話を聞き，意欲低下に至った経緯や思いを知る．	● 意欲低下の要因についてアセスメントする． ● 適切な治療が行われるように受診などの支援を行う． ● 生活の中で症状緩和が図れるようにする．
強み着眼型看護課題： **意欲の維持・促進**	療養者の話を丁寧に聞き，良好なコミュニケーションをはかり信頼関係を築く．療養者がこれまでの生活で大切にしてきたこと，多くの時間を費やしてきたことは何かを知る．利用可能な社会サービスについて検討し，身体・精神・社会的な活動の幅を広げる．	● 社会サービスについて丁寧に説明する，体験の機会を設けるなど，本人が安心して利用できるよう受け入れ状況に応じた支援をする． ● 趣味や経験を生かし，意向を尊重して，新たな楽しみや役割を見出せるようにする． ● 身体運動を生活の中で習慣化できるようにする．

STEP ❶ アセスメント ▶ STEP ❷ 看護課題の明確化 ▶ STEP ❸ 計画 ▶ STEP ❹ 実施 ▶ STEP ❺ 評価

情報収集

情報収集項目		情報収集のポイント
疾患・医療ケア	疾患・病態・症状 □疾患 □症状	➡ 疾患が心身の機能に影響を及ぼしているか ➡ 症状が日常生活動作や地域生活に影響しているか

情報収集項目	情報収集のポイント
疾患・医療ケア	
医療ケア・治療 □治療 □服薬	●定期受診または必要時に受診しているか ●内服薬の服用，外用薬の使用，薬剤管理などが適切にできているか ●生活の中で症状緩和が図れているか
全身状態 □成長・発達段階 □摂食・嚥下・消化状態 □栄養・代謝・内分泌状態 □排泄状態 □認知機能 □精神状態	●加齢に伴う心身機能の低下，環境変化への適応力があるか ●嚥下力，咀嚼力があり，規則的な食事ができているか．入れ歯や差し歯を使用しているか ●必要な栄養摂取ができているか ●便秘や下痢などがないか ●他者との会話やコミュニケーションはどの程度行えるか．活気はあるか ●不安，不穏，混乱などがないか．感情表現がどの程度できるか
活動	
移動 □起居動作 □屋内移動 □屋外移動	●動作時に不安定感はないか．どの程度の時間がかかるか ●屋内移動に介助や補助具（手すり，歩行器など）が必要か ●屋外移動に介助や補助具（歩行器，杖，シルバーカーなど）が必要か．普段の外出目的や頻度はどうか，交通機関を利用しているか
生活動作 □基本的日常生活動作 □手段的日常生活動作	●食事，排泄，入浴，整容，更衣について適切な頻度や所要時間で行えているか ●買い物，洗濯，調理などの家事全般，金銭管理，服薬管理，交通機関の利用，電話対応など，どの程度自立して行えているか
生活活動 □食事摂取 □水分摂取 □活動・休息 □生活歴	●身長，体重，年齢，活動量などから適切な食事量を摂取できているか ●身長，体重，年齢，活動量などから適切な水分量を摂取できているか ●日常をどのように過ごしているか．生活のリズムは規則的であるか．夜間に十分な睡眠をとれているか ●これまでどのような生活をしてきたのか．転居や被災といった急激な環境の変化，身近な人との死別や離別，ペット喪失などの体験はなかったか
コミュニケーション □意思疎通 □意思伝達力 □ツールの使用	●周囲の状況を理解し，他者と円滑に会話して意思疎通が図れているか ●会話に支障のない聴力，視力，言語能力があり，自身の意思を他者に伝えることができているか ●電話，携帯電話，スマートフォン，メールなどを使用して，他者とコミュニケーションを図ることが可能か
活動への参加・役割 □家族との交流 □近隣者・知人・友人との交流 □外出	●別居，同居の家族との交流状況（頻度，内容，方法）はどうか ●近隣者・知人・友人との交流状況（頻度，内容，方法）はどうか．困ったときに頼れる人がいるか ●外出の頻度はどうか．何を目的にどこに出かけるか．買い物や受診，余暇活動などでの外出はあるか

	情報収集項目	情報収集のポイント
活動	□社会での役割	● 家庭内の役割（家事，養育，介護など），社会的役割（仕事や地域活動など）をもっているか．積極性はどの程度あるか
	□余暇活動	● 楽しみや他者との交流のために行っていること（趣味，運動，地域サロン，クラブ活動など）があるか．積極性がどの程度あるか
環境	療養環境 □住環境	● 療養者の暮らしやすさはどうか．加齢や疾患による身体機能の低下に応じた改修や福祉用具の利用など，整備がされているか．台所，浴室，洗濯物干し場，ごみ出しなど家事のしやすさ，玄関や道路までの経路までの通りやすさなどはどうか
	□地域環境	● 受診，買い物など日常的な外出のためのアクセス，道路事情はどうか．周辺の人通りや自転車，車などの往来状況や事故のリスクはどうか
	□地域性	● 近隣住民同士の交流があるか．助け合う互助関係があるか．自治会組織，地域活動などは行われているか
	家族環境 □家族構成	● 同居，別居の家族構成はどうか
	□家族機能	● 家族関係は良好か．コミュニケーションはどの程度図れているか．各家族の健康状態や仕事や学業の他，どんな家族内の役割を担っているか
	□家族の介護・協力体制	● 家族の介護協力があるか．どんな介護をどの程度行っているか．家族の誰にどれくらいの負担がかかっているか
	社会資源 □保険・制度の利用 □保健医療福祉サービスの利用 □インフォーマルなサポート	● 要介護認定を受けているか．通所系，居宅サービスを利用しているか ● 地域包括支援センター，社会福祉協議会，民生委員の介入などの支援事業サービスを利用しているか ● 困ったときに頼りになる友人，知人などが身近にいるか．地域住民の支援活動，NPOやボランティア団体の支援活動などの支援を受けているか
	経済 □世帯の収入 □生活困窮度	● 就業による給与，年金，近親者からの支援があるか ● 生活に必要な衣食住にかかわる物の購入に困っていないか．サービス利用にかかる費用の支払いに困っていないか．余暇や楽しみに使うことができる余裕があるか
理解・意向	志向性(本人) □生活の志向性	● どんなことに楽しさを感じるか，こだわりや趣味をもっているか ● 仕事や子育て，趣味など，苦労してきたことも含めて，これまでの人生や生活の中で，どのようなもの・ことに多くの時間や労力を費やしてきたのか．テレビ，ラジオ，新聞，インターネットなどを使っているか．どんな話題や情報に関心を示すか
	□性格・人柄	● 直接会って話すだけでなく，手紙，電話，eメールなどを用いて，他者とコミュニケーションをとっているか ● もともと人づきあいが得意か．人と話すことが好きか．温厚か，活発か
	□人づきあいの姿勢	● 定期的，継続的につきあいのある人がいるか．昔なじみの人だけでなく，新たに出会う人と人見知りせずつきあいができるか．サービス提供者の受け入れや，自宅に他者が入ることへの抵抗感はどうか

31 意欲低下

情報収集項目	情報収集のポイント
理解・意向 **自己管理力(本人)** □自己管理力 □情報収集力 □自己決定力	●受診行動がとれているか．内服や外用薬を処方通りに服用，使用しているか ●医療や社会サービスの利用について，情報収集し内容を把握できるか ●サービスを利用するかどうか，またサービスの内容について決められるか
理解・意向(本人) □意向・希望 □感情 □療養生活への理解	●これから何を大切に過ごしていきたいか ●喜怒哀楽の感情表出が，以前に比べどのように変化しているか ●意欲が低下している状況をどのように感じているか
理解・意向(家族) □意向・希望 □感情 □療養生活への理解 □生活の志向性	●療養者の状態について，どのようになってほしいと希望しているか．どの程度の協力をしたいと考えているか ●療養者に対して，どんな姿勢でかかわり，どんな感情表出をしているか ●療養者の状態変化を身体的要因のほか・精神的・環境的要因についてサービス提供者とともに考えることができるか ●自身の生活の中で，大切にしていることは何か

事例紹介

姉との死別と役割の喪失を経験したことにより意欲低下をきたした高齢者の例

Keywords 意欲低下，社会的役割，変形性膝関節症，腰痛症，日中独居，介護経験，死別，高齢女性

〔基本的属性〕女性，70歳
〔家族構成〕娘夫婦，孫と同居
〔主疾患等〕変形性膝関節症，腰痛症
〔状況〕5年間，実姉の通い介護をしていたが，6か月前に実姉が死去した．起居動作時に膝関節と腰部の痛みが増強し，非常にゆっくりした動作になった．元気がなくなり，「面倒だ」となかなか通院もしなくなった．日中は1人でテレビを見て過ごすことが多い．食事や洗濯などの家事は娘が行っており，本人が行うことはない．室内の移動はゆっくりと自力で行える．3か月前から外出時には一点杖を使用している．訪問時，口数が多くはないが，時々実姉の思い出を訪問看護師に話すことがある．

情報整理シート

疾患・医療ケア

【疾患・病態・症状】
主疾患等：変形性膝関節症，腰痛症
病歴：高血圧，便秘症
経過：
68歳　膝，腰の痛みがあり，近医に2～3回/週通院し，物理療養・関節注射等で症状緩和，経過観察をしていた．
6か月前　姉と死別後，元気がなくなり，膝の痛みも増したこともあり，通院が「面倒になった」となかなか通院しなくなった．
3か月前　家族が様子を心配し，主治医に相談して，訪問看護の利用が開始された．入浴動作が困難なため手すりの設置を目的に要介護認定を申請し，要支援2の認定を受けた．

【医療ケア・治療】
服薬：【内服】降圧薬（テノーミン，朝食後）
　　　　　　　ビタミン剤
　　　　　　　鎮痛薬（食後）
　　　　　　　消化性潰瘍治療薬（オメプラゾン，朝夕食後）
　　　　　　　便秘薬（酸化マグネシウム，就寝前）
　　　【外用】鎮痛湿布薬（1枚/日）
治療状況：1回/週の通院
医療処置：ヒアルロン酸注射．温熱療法．症状悪化の程度により，今後は人工膝関節置換術の検討も必要
訪問看護内容：ホットパック，膝関節運動リハビリテーション，腰痛体操，散歩

【全身状態・主な医療処置】
血圧：130～150/80～90 mmHg
脈拍：70～90回/分（不整脈無）
呼吸数：15～17回/分

身長：145 cm
体重：55 kg
BMI：26.2

排便：1回/2～3日
排尿：4～5回/日
食事：3回/日

認知症の症状はなく，会話はスムーズで理解力もある

腰痛：立ち上がり，同一姿勢が続くと痛みがある

便秘症：内服をして何とか自然排便がある．最近前よりも出にくくなったと感じている

両膝関節症：寒い日には痛みが強いことがある．動かすと痛いので，動きが鈍くなってきたと感じている

基本情報
年齢：70歳　性別：女性
要介護度：要支援2
障害高齢者自立度：J2
認知症高齢者自立度：自立

31　意欲低下

活動

【移動】
自宅内：自力歩行で移動できるが，臥位から座位，座位から立位の立ち上がり動作で，膝関節と腰部に痛みが出るため，非常にゆっくりした動作になる．
外出時：3か月前から一点杖を使っている．家の周りを10分ほどで散歩ができる．

【活動への参加・役割】
家族との交流：娘夫婦と孫との関係は良好である．
近隣者・知人・友人との交流：近所の顔見知りは多いが，深い付き合いをしている人はいない．実姉の介護をしていたとき，介護家族の会に時々出かけていたが，現在は参加していない．
外出：現在は訪問看護師と一緒に近隣の散歩に行くのみ．
社会での役割：6か月前まで5年間実姉の介護をしていたが，現在は特にない．
余暇活動：日中はテレビを見ていることが多い．亡くなった姉の趣味がガーデニングだったため，姉の介護中，姉の家の鉢植えの草，花の世話をしていたが，現在は何もしていない．

【生活活動】
食事摂取：実姉の死去後，食欲減退
水分摂取：お茶が好きで1日に湯飲みに7～8杯程度は飲んでいる．
活動・休息：日中「何もすることがない」とテレビを，ぼーっと見ていることが多い．夜間「眠れないことがある」と睡眠薬を希望したが，医師よりもう少し様子をみようと処方はされていない．
生活歴：小学生のころ，両親が亡くなり年齢の離れた実姉に育てられた．高校を卒業後，公務員として働いていた．職場で知り合った夫と結婚，その後は専業主婦であった．子どもは娘が1人である．娘夫婦と同居しており，孫が小さい時は面倒をみていた．10年前に夫が亡くなった（胃癌で1年間闘病）．実姉が5年前に脳梗塞で介護が必要となり，ほとんど姉の家にいて介護するようになった．元気なころは，一緒によく買い物に出かけていた．
嗜好品：以前は和菓子が好きだった．

【生活動作】

基本的日常生活動作

食動作	自力で摂取可能
排泄	自立しており，トイレで実施
清潔	入浴は膝の痛みで一部介護と見守りが必要
更衣整容	ゆっくりとであるが自力で可能
移乗	ゆっくりとであるが自力で可能
歩行	介助は不要であるが，起き上がり，立ち上がり動作はゆっくりしかできない
階段昇降	ゆっくりであれば，可能

手段的日常生活動作

調理	以前は，実姉の介護を担っていたため，工夫してよくつくっていたが，現在はつくっていない．娘が用意してくれた食事を，自分でレンジやガスコンロを使って温めて食べることはできる
買い物	家族が実施
洗濯	家族が実施
掃除	家族が実施
金銭管理	家族が実施
交通機関	利用しない

【コミュニケーション】
意思疎通：全く問題なく，意思疎通が図れる．
意思伝達力：視力は老眼鏡使用で問題ない．聴力低下なし．
ツールの使用：携帯電話

環境

【療養環境】

住環境：分譲マンション8階建ての5階．3LDK
娘の結婚後，夫と二人暮らしであったが，夫の死去後，娘夫婦が転居してきた．

地域環境：日用品を購入できるスーパーマーケットが数店舗近くにあり，日中は人通りが多い地域．古い戸建て住宅もあり，以前は空き地があった．最近，大きなマンションが数軒建築され，住宅地になった．

地域性：マンションは少し高い丘の上に立っているため，近隣は坂道が多い．マンションの自治会組織があり，以前は夏祭りや正月に行事があったが，現在は入居者が高齢で活発ではなくなった．

【ジェノグラム】

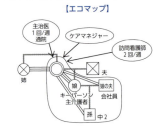

【家族の介護・協力体制】

主介護者は娘である．娘は日中仕事で不在であるが，食欲のない母（療養者）のために，昼食の準備もしている．娘の夫も協力的で，土曜の通院時，本人の膝の痛みが強い時は，近医まで車椅子を借りに行き，通院を手助けしている．孫は幼少期に世話をしていた時期があり，現在でも仲がよい．

【社会資源】

サービス利用：

	月	火	水	木	金	土	日
AM						通院	
PM	訪問看護			訪問看護			

保険・制度の利用：介護保険，医療保険，浴室の手すり設置

【経済】

世帯の収入：本人の年金，娘夫婦の給与
生活困窮度：娘夫婦と同居のため，経済的に問題はない．

【エコマップ】

理解・意向

孫：中学2年生．サッカー部に所属し，土日も練習や試合に出かけることが多い

本人のコメント：
- 膝と腰が痛いし，出かけるのは億劫
- 動かないからあまり食べたくない
- 何もやることがない
- 姉さんとよく買い物に出かけた
- 姉さんは，私を育てるために一生懸命働いてくれた
- 姉さんの大事にしていた，鉢植えの手入れが気になる
- 孫も大きくなったし，私は必要ない
- 手術はしたくない
- 娘家族には迷惑をかけたくない

【志向性】
生活の志向性：専業主婦で家事をこなし，一人娘を育てた．小さい孫の世話，夫が病気の時は懸命に看病をした．5年前から半年前まで実姉の介護をしていた
性格・人柄：とても温厚な人柄．まじめで几帳面
人づきあいの姿勢：積極的ではない

【自己管理力】
自己管理力：十分にできるが，娘に管理を任せている
情報収集力：十分にできるが，必要なことは娘に任せている
自己決定力：十分にできる

娘 キーパーソン 主介護者：
- 叔母の介護をしている時は，忙しそうで身体が心配だった
- これからは好きなことをしてゆっくり過ごしてほしい
- 叔母が亡くなってから，元気がなくなって心配
- 高校教師．平日は定時で帰宅できるよう努めている．家事全般をこなす

娘の夫：
- 元気のない義母の様子が心配
- 妻も安心できるように，できるだけ協力したい
- 食品会社の会社員．平日の帰りは遅いが，土日は休日で，家事に協力的である．義母（本人）の通院介助も行っている．本人との関係は以前から良好である

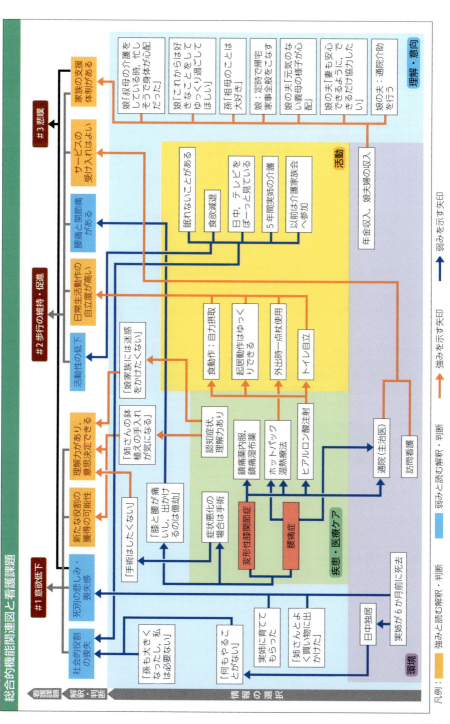

第3章 心理・社会的課題別看護過程　2. 理解・意向

STEP❶ アセスメント　STEP❷ 看護課題の明確化　STEP❸ 計画　STEP❹ 実施　STEP❺ 評価

看護課題リスト

No.	看護課題　【コード型】文章型	パターン
#1	【意欲低下】社会的役割の喪失，姉との死別により，生活意欲が低下している	問題着眼型
	根拠　5年間介護した実姉と6か月前に死別し，悲しみと喪失感が強い．孫も10代になり，養育の手伝いも不要となったことから生活意欲が低下している．しかし，娘夫婦の理解や協力が得られる状況であり，療養者の生活歴と意向に沿った新たな役割を獲得できる可能性がある．	
#2	【歩行の維持・促進】日常生活動作の自立度が高いことを活かし，歩行を維持・促進する	強み着眼型
	根拠　変形性膝関節症，腰痛症で痛みが生じたことで，活動性が低下している．内服，外用薬，注射により疼痛軽減は可能であるため，症状緩和を図りながら活動できる機会をつくる必要がある．	
#3	【悲嘆】姉と死別し，悲しみと喪失感が強いことにより悲嘆が大きい	問題着眼型
	根拠　日中一人で過ごすことが多い．娘家族の多忙な様子に「迷惑をかけたくない」という思いがあり，実姉への感謝や思い出について話すことがあるものの，喪失感を表出する機会がない．	

【看護課題の優先度の指針】実姉と半年前に死別し，介護という重要な社会的役割を喪失した．同時期から元気がなくなり，食欲の減退や，日中ぼんやり過ごす様子があることから【意欲低下】を#1とした．膝部と腰部の痛みが増強し日常生活動作が行いにくい状況になっているため，【歩行の維持・促進】を#2とした．実姉を失った悲嘆を十分に表現できていない状況があるため【悲嘆】を#3とした．

長期目標

膝関節痛と腰部痛，死別等による喪失感が軽減され，新たな役割を見出して意欲的な在宅生活を送る．

根拠　娘家族と同居し良好な家族関係で生活しているため，生活の安定は図れている．しかし介護していた実姉との死別により，大切な人を失う喪失体験とともに，生活時間のほとんどを費やしていた介護役割がなくなり，また膝部と腰部の痛みが増強したこともあり意欲低下をきたす状況に至った．痛みの軽減を図りながら，悲嘆の気持ちを表出し，新たな社会的役割を見出すことができれば，健康的な生活を送ることができる．

〈長期目標を共有するケアチーム〉
フォーマルサービス：訪問看護師，主治医，ケアマネジャー，必要に応じてホームヘルパー，理学療法士，作業療法士，デイケア
インフォーマルなサポート：娘，娘の夫，孫，状況に応じて地域住民の支援サービス，患者会

| STEP❶ アセスメント | STEP❷ 看護課題の明確化 | STEP❸ 計画 | STEP❹ 実施 | STEP❺ 評価 |

1 看護課題

#1 【意欲低下】
社会的役割の喪失，姉との死別により，生活意欲が低下している

看護目標（目標達成の目安）

1) 自らの思いを素直に表出できる（3か月）
2) 食欲増進のため好きなものを食べる機会をつくる（2か月）
3) 楽しみや新たな役割をもてる（3か月）

援助の内容

OP 観察・測定項目
- 表情，しぐさ，コミュニケーションの内容
- 疲労感，孤独感，無力感
- 整容，更衣などの生活行動
- 食事量，回数，体重の増減
- 睡眠状況

TP 直接的看護ケア項目
- 生活リハビリテーション
- 部屋の採光調整や換気などの環境整備

EP 教育・調整項目
- 栄養状態の維持・脱水予防

- 気持ちを表出できる関係性の構築

- 意欲向上のための楽しみや新たな役割をつくる提案

- 社会サービス，地域住民の支援サービスの利用の提案

援助のポイントと根拠

➡ どんな時，何をしている時，何を話している時に楽しそうか，またはつらそうかなどを把握する
➡ 生活に支障があり，2週間以上続く場合はうつの可能性がある．記憶力の低下，時節がわからないなど，認識や判断力の低下がある場合には，認知症の症状である可能性がある．そのため医師の診断を受けられるようにする **根拠** 意欲低下の程度や症状が，疾患や睡眠不足などの身体的要因から生じている可能性があるため注意する

➡ 気持ちに張りがもてるよう規則正しい生活を送るため，整容，更衣を促す
➡ 日中独居であると，室内が暗い，換気が行われていない，温度調整が不適切であるなどの状況もあるため，療養者へ声をかけ意識づけを行い，承諾を得て環境整備を行う **根拠** 高齢者は視力の低下，温度感覚の鈍麻で意識できないことがあるため，注意が必要である

➡ 食欲の減退の状況を把握し，好みの食べ物や食べやすい物など，工夫できないかを検討する
➡ 食事の準備は，家族の負担を考慮して相談する
➡ 水分摂取量の確認を行い，不足している場合には，水分摂取の習慣づけを働きかける **根拠** 意欲低下が栄養不足や脱水によることもあるため，注意が必要である
➡ 自然な会話の中で，これまでの生活で大切にしてきたこと，今何がつらいと感じているのかを，少しずつ聞き取る．療養者にとって話せる相手になるには，療養者から信頼を得ることが大切である
➡ **強み** 姉宅の庭の手入れ，介護家族会への参加，家庭内での家事の分担など，無理なく日々の生活の中で楽しみや新たな役割をつくれるかを探る．嗜好品，関心をもちそうな趣味などに取り組めるように促す
➡ **連携** これまで介護という社会的役割を担ってきた立場であったことから，フォーマルサービス・インフォーマルなサポートを取り入れ，他者とのかかわりをもつ機会をつくり，新たな社会的役割を見出せるようにする

31 意欲低下

2 看護課題	看護目標（目標達成の目安）
#2【歩行の維持・促進】 日常生活動作の自立度が高いことを活かし，歩行を維持・促進する	1) 膝関節痛と腰部痛が軽減する（1か月） 2) 関節可動域を維持・拡大する（3か月） 3) 歩行機能を維持している（2か月） 4) 運動や散歩を定期的に行える（3か月）

援助の内容	援助のポイントと根拠
OP 観察・測定項目 ● 痛みの部位，関節可動域，腫脹，皮膚症状	➡ 痛みの増強や関節可動域制限によって日常生活へ影響が生じるため，療養者の生活，特にセルフケアについて，どんなところで，何に困っているのかに視点をおく　**根拠** 軟骨の摩耗が進むと痛みの増強や，関節可動域が制限される
● 歩行や起居動作の安定性，所要時間，歩行可能な時間 ● 安定性，ふらつき	➡ 歩行や起居動作で安定性がなくなると，転倒・転落のリスクが高まる
● 受診状況	➡ 家族の援助で通院しているため，主治医の診察を受けているか，通院に困難な状況がないか確認する
● 内服薬，外用薬，注射の鎮痛効果	➡ 受診時，内服薬，外用薬，注射による薬物療法を受けているため，効果維持時間を確認する
TP 直接的看護ケア項目 ● 運動機能の維持・向上	➡ **連携** 必要時，医師に相談し，理学療法士，作業療法士と連携して，効果的な運動方法を取り入れた援助を行う
● 散歩の支援	➡ 散歩，室内での短時間の運動など，身体を動かすよう支援する．無理なくできることから始める
● 内服薬や外用薬の使用への援助	➡ 内服薬を処方通り服用できているか確認し，服用を促し，管理方法や服用のタイミングの工夫を行う．また軟膏塗布についても確認，必要時に介助を行う
● 転倒防止	➡ 意欲低下は行動しようとする意欲だけでなく，周囲の環境への注意力にも影響している可能性があるため，転倒のリスクを軽減するように環境整備を行う
EP 教育・調整項目 ● 運動の意識づけと習慣化	➡ **強み** 運動時間が楽しい時間になるよう，関心のある話題を提供する，好みの音楽をかける，また効果を実感できるように目標を決める，日課表や記録つけるなど工夫する
● 日常生活動作時の対処方法の説明	➡ 動き出す前に関節を動かし，筋肉を和らげるよう，起居動作，移動などの際，痛みが最小限になるよう意識づける
● 姉宅の鉢植えの世話，ガーデニングの提案	➡ **強み** 姉宅の鉢植えの世話をしていたことから，姉宅の鉢植えの世話に通いたいと思うか確認する．姉宅に行くという目的ができ，歩行するため運動の機会となる

3 看護課題	看護目標（目標達成の目安）
#3【悲嘆】 姉と死別し，悲しみと喪失感が強いことにより悲嘆が大きい	1) 悲嘆を素直に表現できる（3か月） 2) 姉の介護体験について話すことができる（3か月）

援助の内容	援助のポイントと根拠
OP 観察・測定項目 ●食欲不振，睡眠障害，体重減少 ●仏壇や位牌の状況 ●室内の写真，装飾品 ●自室の整頓，清掃状況（以前との状況の差） ●家族の生活状況（就労状況，経済状況など） ●家族間の関係	⇨悲嘆は死別の際の一般的な心的反応であるが，悲嘆の感情を閉じ込めてしまう状態が続くと，身体的な反応として現れることがある ⇨仏壇，実姉や夫の位牌や写真，飾り花などの状況は，故人への思いや意欲の程度を知る手がかりになる ⇨自室は私物を整理する場所でもあるため，整頓や清掃の状況から療養者の感情の揺れを推察しやすい．家族から情報を得て，以前とのギャップを知ることが重要である ⇨家族のライフサイクルにおいて，どの発達段階にあるか，どのような発達課題があるかを意識し，家族それぞれの生活状況を把握する ⇨家族間の親密性やコミュニケーション，経済事情などから，家族が療養者にどの程度関心を寄せ，配慮しているかを知ることが大切である
TP 直接的看護ケア項目 ●ホームヘルパーの導入	⇨意向を確認しながら，ホームヘルパーを利用し，姉宅で植木の手入れや大切にしていた物の管理など整理整頓を始める
EP 教育・調整項目 ●悲嘆の表出の勧めと傾聴 ●悲嘆の表出への対応について，家族への説明 ●フォーマルなグリーフケアの導入 ●介護体験の傾聴 ●介護家族会への参加の提案	⇨悲嘆の感情を閉じ込めず，話したいことを話せるよう信頼関係を築く．療養者への関心がある姿勢を示し，療養者のペースに合わせ会話をする．視線を適度に合わせるなどかかわり方に留意する ⇨仏壇や故人の写真等が置かれている場合は，宗教上の作法に留意し，承諾を得てから手を合わせるなど拝礼する．ケア中に可能な限り仏壇を背にしないように配慮する ⇨多忙な生活を送っている家族への遠慮から，悲嘆の感情を表出しないようにしている可能性がある．感情を表出することは正常なことで，表出することが受容の過程になることを療養者・家族に理解を促す　**根拠** 悲嘆に対しては長期的なケアが必要であるが，適切な援助によって受容の段階に到達できる ⇨家族の良好な支援体制を活かし，早急な意欲向上を期待して療養者を励ましたり元気づけたりせず，家族に悲嘆の気持ちを表出してもらうよう促す ⇨必要に応じて，カウンセラーや宗教家が提供するグリーフケア，同様の死別体験をした遺族によるピア・カウンセリングの情報を提供し，導入を勧める ⇨ **強み** 5年間姉宅で通い介護をしていたことは，苦労やつらさとともに，姉と過ごした大切な時間であったと考えられる．介護体験の語りは，姉への思慕について話すきっかけにもなる可能性がある ⇨ **強み** 介護経験を他の人と共有することによって，他の人の有用な情報になったり，励ましになったりすることがあるため，新たな社会的役割の1つとなり得る ⇨ **強み** 療養者の介護時の様子を知っている人と会うことができれば，懐古することができ，家族や援助者以外の人とかかわる中で，思慕や悲嘆の感情表出につながる可能性がある

> STEP ① アセスメント　STEP ② 看護課題の明確化　STEP ③ 計画　**STEP ④ 実施**　STEP ⑤ 評価

強みと弱みに着目した援助のポイント

強みに着目した援助
- 療養者は自力歩行が可能であるため、訪問時の散歩や運動の習慣づけによって運動機能の維持・向上を進める.
- 膝関節痛と腰部痛は服薬や注射の薬物療法で緩和できるため、効果的な使用を行う.
- 介護経験、ガーデニングの経験などを活かし、他者との交流や楽しみを見つけることで、生活意欲の向上を図る.
- 療養者はコミュニケーションに問題がなく、意思疎通が図れるため、意思・意向を尊重して援助方法を決定する.

弱みに着目した援助
- 死別体験、役割の喪失感による意欲低下であり、回復・改善には期間を要することを、援助者、家族らが理解してかかわる.
- 意欲低下は本人が意識しにくいため、援助が必要だと感じていない状況で援助者に介入されることに抵抗感をもつ可能性がある. 援助者は療養者の話を聞き、信頼関係を築けるようにかかわる.

> STEP ① アセスメント　STEP ② 看護課題の明確化　STEP ③ 計画　STEP ④ 実施　**STEP ⑤ 評価**

評価のポイント
- 悲嘆、思いを素直に表出できているか
- 食欲増進のため好きなものを食べる機会をつくっているか
- 楽しみや新たな役割をもてているか
- 膝関節痛と腰部痛は軽減しているか
- 関節可動域が維持・拡大しているか
- 歩行機能を維持しているか
- 運動や散歩を定期的に行えているか
- 悲嘆を素直に表出できているか
- 姉の介護体験について話すことができているか

関連項目

第3章「32 自己放任」

32 自己放任

自己放任の理解

自己放任とは

1）自己放任の定義
- 健康の管理，飲食など，生活上するべき身の回りのことをしない，または認知症などで療養者自身の能力が低下したが，医療や他者の介護など必要なサービスや支援を拒み，安全や健康を脅かされる状態である．
- 認知症や精神疾患の悪化などから適切な判断力が欠けている，あるいは様々な事情で生活意欲が低下して自己放任のような状態になっている場合（非意図的）と，本人の意思によって自己放任になっている場合（意図的）がある．

2）自己放任が起こる背景
- 療養者の独居や日中独居の増加に伴い，健康管理や生活上必要なことをする能力が低下しても，そばに支援する家族がいない．または，家族が支援の手を引いてしまう．
- 社会サービスを使用することが「依存」と受け取られることに対する気兼ねや世間体のため，自己決定や主張ができない．
- 経済的に追い詰められた生活をしているので，社会サービスを受けようと思っても余裕がない．
- 社会から孤立し，助けを求めることができない．

3）健康への影響
- 健康管理や生活上の安全のニーズが満たされず，助けを求められないまま，生活の質の低下や社会的孤立，健康状態の悪化，事故の他，自殺，命を落とす等，深刻な事態に陥ることがある．

自己放任とケア

- 自己放任の場合，必要な社会サービスを勧めても拒絶するので，支援困難事例となりやすい．療養者との契約のうえ利用している医療機関（主治医）や訪問看護ステーションのほか，公的機関である地域包括支援センターや行政等と連携してかかわることもある．
- 自己放任にいたった要因には，個人の要因，社会的な要因，サービス提供側の不適切な対応の要因があり，それらが重複して起こっていることがあるので，多角的にアセスメントし在宅ケア支援体制をつくる（図32-1）．

療養者・家族の特徴からみた援助・対策

1）独居療養者の場合
これまで自立して生活してきた独居者は，自分のことを自分ですることが「よい状態」であり，社会サービス等や別居の家族の支援を受けることを「よくない状態」と認識し，社会における自分の価値が低下すると考えることがある．社会サービスを利用しても尊厳は保たれることを，在宅ケア提供者等は常に伝えていく必要がある．虚弱高齢者同士で生活している場合も同様の状況発生が考えられる．

2）療養者と子ども等の同居・別居家族がいる場合
療養者の日常生活動作能力が低下しているが，同居あるいは別居家族が，自分の生活を守るためにこれまで以上の世話や手助けをしないことがある．あるいは療養者の年金等をあてにしている家族が，世話や手助けをする必要性を感じていない．前者の場合，家族が負担を感じないように社会サービス等を導入して，療養者の低下した日常生活動作を支援していく．後者の場合，地域包括支援センター（高齢）や行政と連携して，療養者の人権を守っていく．

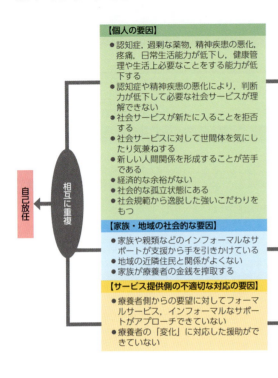

■図32-1 自己放任の要因と援助・対策

> **3) 認知症高齢者，精神疾患が悪化している療養者の場合**
> 療養者本人の認識と在宅ケア提供者等のそれとが大きくことなることから，社会サービスを導入しようとしても聞きいれることができず，劣悪な状況の悪循環になる．生活そのものが破綻する可能性があるので，精神保健福祉センターや保健所等の介入により，治療を始めるケースもある．

自己放任に関連する社会資源・制度

1) 見守りによる支援
- 地域包括支援センター担当者，民生委員による見守り訪問を続けることによる信頼関係の構築
- 市区町村により実施状況に違いがあるが，行政と民間が連携した高齢者見守りネットワークの使用
- 周辺住民に対する公的機関(保健センター，保健所，地域包括支援センター等)の啓発活動
- 緊急時，警察，消防による介入

2) 住環境の改善
- 地域包括支援センターによるごみの一掃，ハウスクリーニング等，家の修理，ライフラインの整備の支援

3) 日常生活支援
- 訪問介護，配食サービス，デイケアサービス，ショートステイ，送迎などの移動補助

4) 各種社会サービスの申請手続き
- 介護保険，介護施設等の入所，障害者総合支援法によるサービス受給，成年後見人制度等の利用支援

5） 経済的支援
- 生活保護，障害年金，手当等に関する行政との連携

自己放任をめぐる訪問看護

訪問看護の視点

1） 療養者をみる視点
- 療養者自身が問題としてとらえておらず，自ら支援を求めないばかりか，外部からの支援を拒否する．
- 原因が意図的あるいは非意図的なことがあるので，自己放任が起きている背景を把握する必要がある．
- 療養者個人の要因，家族や地域の要因，サービス提供側の不適切な対応の要因に起因するので，療養者個人だけでなく，家族や周囲の住民，かかわっているサービスやサービスを提供している者も含めて原因をアセスメントする．
- 支援困難事例になりがちなので，早い時期から公的機関（保健センター，保健所，地域包括支援センター等）と連携して対応する．

2） 支援のポイント
- 健康状態の悪化，事故，自殺，命を落とす等，深刻な事態に陥らない対策，早期発見，対処の体制をつくる．
- 療養者の価値観や意思を認め，できる限り尊重する．
- 療養者と家族が必要時に助けを求められる体制や信頼関係をつくる．
- サービス提供側に問題がある場合は，チームで共通認識をしたうえで対応する．

●看護課題別：療養者をみる視点と支援のポイント

看護課題	療養者をみる視点	支援のポイント
問題解決型看護課題： **自己放任**	自己放任が既に発生している場合は深刻な健康問題や安全面の問題につながるリスクを抱えている．また，療養者側からの要望を満たさないサービス提供の経験により，他の支援を求めない，訪問看護以外のサービスを求めない，または導入した訪問看護も拒否する場合が多く，療養者や家族との信頼関係の構築が重要である．	●訪問看護師と信頼関係をもてるようにかかわる． ●健康な頃と比べ，療養者が変化していくつらさを理解し，現実を受け入れられるようにかかわる． ●療養者がサービスによる支援を受けることに対し，劣等感を抱かないようにかかわる．
強み着眼型看護課題： **生活の自己管理行動の維持・促進**	多くの療養者が心身の機能低下により自己放任に至る可能性があるので，健康状態をできるだけ安定させる必要がある．デイサービス等により体動と対人交流を促す．また，療養者が自尊心を保てるように，存在意義を伝えるような態度をとる．	●日常生活の中で，身体を動かす機会を促す． ●人と交流する機会を提案し，参加を促す． ●療養者の存在意義を高めるようにかかわる．

STEP ❶ アセスメント　STEP ❷ 看護課題の明確化　STEP ❸ 計画　STEP ❹ 実施　STEP ❺ 評価

情報収集

情報収集項目	情報収集のポイント
疾患・病態・症状 □疾患	⊃認知症や精神疾患などにより，日常生活動作を低下させる，または他者の支援の必要性を判断できない症状はないか
□疾患の症状	⊃日常生活動作，または症状が他者の支援の必要性の判断へ影響していないか
□疾患の経過，予後	⊃日常生活動作，または判断の改善に対する治療が見込めるか
医療ケア・治療 □服薬 □治療	⊃原因と考えられる疾患に関する服薬状況はどうか ⊃受診状況はどうか，必要な受診をしているか ⊃指導されている疾患の自己管理をどの程度実施しているか
□訪問看護	⊃訪問看護の受け入れはどうか
全身状態 □成長・発達段階 □呼吸・循環状態 □摂食・嚥下・消化状態	⊃加齢や疾患に伴う脆弱性，変化に伴う適応力があるか ⊃日常生活動作，理解力を低下させる要因はないか ⊃日常生活動作，理解力を低下させる要因はないか
□栄養・代謝・内分泌状態	⊃日常生活動作，理解力を低下させる要因はないか
□筋骨格系の状態 □感覚器の状態 □皮膚の状態 □認知機能	⊃日常生活動作，理解力を低下させる要因はないか ⊃理解力を低下させる要因（視力低下，難聴，痛覚等の低下）はないか ⊃日常生活動作を低下させる要因はないか ⊃認知機能の低下やそれに伴う不安や恐怖による支援の受け入れの拒否が生じていないか
□意識	⊃せん妄，錯乱，興奮，不安，緊張，気分障害，攻撃，暴力などはないか
□精神状態	⊃精神症状の悪化に伴う幻覚，幻聴，理解力の低下，不安，不眠，焦燥感，引きこもり，気分障害等の増悪はないか
□免疫機能	⊃日常生活動作，理解力を低下させる要因はないか
移動 □屋内移動	⊃日常生活動作を満たせる程度の屋内移動ができるか．またそのために必要な介護や補助具を使用しているか
□屋外移動	⊃日常生活動作を満たせる程度の屋外移動ができるか．またそのために必要な介護や補助具を使用しているか
生活動作 □基本的日常生活動作	⊃食事，排泄，清潔，更衣整容などを実施しているか．またそれは健康の保持に十分か
□手段的日常生活動作	⊃調理，買い物，洗濯，掃除，金銭管理，服薬管理などを実施しているか．またそれは健康の保持に十分か
生活活動 □食事摂取 □水分摂取 □活動・休息	⊃適切な食事摂取を阻害する行動や価値観がないか ⊃適切な水分摂取を阻害する行動や価値観がないか ⊃適切な活動・休息を阻害する行動や価値観はないか

左側区分: 疾患・医療ケア / 活動

	情報収集項目	情報収集のポイント
活動	□生活歴 □嗜好品	⇨以前，健康を保持するために日常生活動作はどうであったか，支援者がいたか ⇨健康の保持を逸脱する嗜好品はあるか
	コミュニケーション □意思疎通 □意思伝達力 □ツールの使用	⇨周囲や支援者の状況を理解し，意思疎通ができるか ⇨意思疎通できる聴力，視力，言語力があるか，補聴器などを活用しているか ⇨電話，携帯電話，スマートフォン，メールなどのコミュニケーションツールを使用しているか
	活動への参加・役割 □家族との交流 □近隣者・知人・友人との交流 □外出 □社会での役割 □余暇活動	⇨同居者はいるか ⇨家族とのかかわりはどのようなものか（内容，頻度，方法など） ⇨家族の中で役割があるか，役割が変化したきっかけはあるか ⇨近隣者・知人・友人とのかかわりはどのようなものか（内容，頻度，方法など） ⇨外出先，頻度はどうか ⇨社会的な役割はあるか，必要な役割を避けているなどの行動はないか ⇨楽しみや交流のための活動状況はどうか
環境	**療養環境** □住環境 □地域環境 □地域性	⇨日常生活動作を実施できるような部屋の状況（手すりや段差の有無も含む）になっているか．ごみの散乱や冷暖房の状況はどうか ⇨買い物や通院，外出先へのアクセスはどうか．移動手段のアクセシビリティや治安はどうか ⇨自治会の見守り状況などの助け合いはあるか，民生委員の訪問はあるか，周辺住民の偏見などはあるか
	家族環境 □家族構成 □家族機能 □家族の介護・協力体制	⇨家族構成はどのようなものか ⇨家族関係は良好か，互いに関心をもち交流があるか，家族の健康状態はどうか，家族同士で何を支援したらよいか認識しているか，家族の健康状態はどうか ⇨依頼すれば療養者の日常生活動作を支援できる家族がいるか
	社会資源 □保険・制度の利用 □保健医療福祉サービスの利用 □インフォーマルなサポート	⇨衣食住や治療にかかわる日常生活動作，経済状況に関する保険，制度を使用しているか ⇨衣食住や治療にかかわる日常生活動作，経済状況に関する保健医療福祉サービスの利用状況はどうか，サービスを利用して不適切な対応をされたと思う経験はないか ⇨日常生活動作を支援する家族，知人，近隣住民はいるか，安否や日常の異変に気づいてもらえる見守りがあるか
	経済 □世帯の収入 □生活困窮度	⇨収入源は何か ⇨日常生活動作を妨げるような，経済的に困っている状況はないか

情報収集項目	情報収集のポイント
志向性(本人) □生活の志向性 □性格・人柄 □人づきあいの姿勢	○人に迷惑をかけることを「よくない」と強く考える心情はないか．心身の変化に応じた日常生活動作の現実を受け入れられているか ○考え方の柔軟性があるか，偏った価値観や信念はないか，社交的か ○新しい人間関係をつくるのは苦手か，訪問看護師や他のサービス提供者に対する信頼はどうか
自己管理力(本人) □自己管理力 □情報収集力 □自己決定力	○日常生活動作の変化に応じた生活の仕方や他者への依頼等，管理能力があるか ○日常生活動作の変化に対応するための社会資源の情報をどこから得ているか ○サービス利用を決定する判断力があるか
理解・意向(本人) □意向・希望 □感情 □疾患への理解 □療養生活への理解	○他者の支援を拒否する理由は何か，どのような生活をしていきたいのか，他者に頼ることに対してどのように考えているか ○他者に頼ることやサービス提供者に対する嫌悪感はないか，今の生活にさびしさはないか ○現在かかえている疾患をどのように理解しているか ○疾患に対して指示されている自己管理をどのように受けとめているか
理解・意向(家族) □意向・希望 □療養生活への理解	○家族は療養者にどうなってほしいと思っているか ○療養生活を支援する方法を理解しているか，療養者の病状を理解しているか ○療養者に対して「なまけている」「努力が足りない」などと考えていないか

（上記の表の左端に「理解・意向」のラベル）

事例紹介

疾病管理のために必要なサービスを受け入れられない療養者の例

Keywords 糖尿病，統合失調症，独居，自己放任，壮年男性

〔基本的属性〕男性，63歳
〔家族構成〕一人暮らし．近隣に弟夫婦が在住
〔主疾患等〕糖尿病，統合失調症
〔状況〕統合失調症のため，退院後は訪問看護を利用してきた．60歳の時，糖尿病と診断される．食事療法と運動療法をすれば服薬をしなくてよいといわれているので，訪問看護師が調理のために訪問介護の導入などを勧めているが，新しい人との接触を嫌い受け入れない．また，糖尿病専門外来の受診を拒否している．極端に外出を嫌い，ウォーキングなどの運動も受け入れない．食事は調理ができないので，高カロリーの食品(市販の弁当やレトルト食品など)を食べている．

情報整理シート

疾患・医療ケア

【疾患・病態・症状】

主疾患等：統合失調症(20歳～)
病歴：糖尿病(60歳～)
経過：
- 20歳 大学進学後,「教室でくさいといわれる」「考えていることがテレビから流れてくる」といい始め,両親が精神科病院を受診させ統合失調症と診断,自宅療養となった.両親の支援を得て外来やデイサービスへ通っていた.
- 35歳 両親が相次いで他界して,弟は仕事のために遠方に引っ越し単身生活となった.すぐに通院しなくなり,幻聴や不眠,確認行為が出現し精神科病院へ初めて入院.
- 36歳 症状は改善するも服薬に不安があり,精神科医が訪問看護を週1回導入することを説得.本人はしぶしぶ受け入れた.
- 40歳 弟が結婚し,療養者の住む隣の妻の家の養子に入る.弟は仕事がない日に訪ねてくるようになった.
- 60歳 定期受診で糖尿病を指摘される.栄養管理のため,再三,訪問介護等の利用を勧めるが,訪問看護以外のかかわりを担かで受け入れない.精神科診療所は受診しているが,糖尿病専門医を嫌って糖尿病外来を受診せず,治療が滞っている.

【医療ケア・治療】

- 服薬：抗精神病薬,睡眠薬を就寝前に内服.運動療法と食事療法をすれば,糖尿病治療薬はまだ必要ないといわれている.
- 治療状況：精神科診療所を月2回受診.糖尿病外来は月1回受診することになっているが,1回行っただけで3か月行っていない.
- 医療処置：精神症状のコントロール
- 訪問看護内容：精神症状の観察,療養者と一緒に服薬カレンダー管理,食生活や調理方法の指導,必要な社会資源の紹介

【全身状態・主な医療処置】

- 血圧：126/80 mmHg
- 脈拍：75回/分
- 呼吸数：15回/分
- HbA1c：6.5%（NGSP値）(3か月前)
- 身長：165 cm
- 体重：90 kg
- BMI：33.1
- 排便：1回/1～3日, 時々便秘
- 排尿：5回/日
- 食事：2回/日

外傷などはない

服薬カレンダーを使用すれば,内服薬は残さず飲めている

食事指導を受けたことはあるが,簡単に食べられる丼物や,カロリー過多な食事を摂取している

外出したがらず,ウォーキング等の運動はしない

基本情報
年齢：63歳　性別：男性
精神障害者手帳1級

32 自己放任

活動

【移動】

介助は必要ない.

【活動への参加・役割】

- 家族との交流：独居.退職した弟が時々療養者を訪ねて世話をしている.弟の妻とも関係はよい.
- 近隣者・知人・友人との交流：自宅に引きこもり,弟家族や訪問看護師以外の交流はない.
- 外出：通院や食料を買いに行く時と近くのATMで障害年金を引き出すときに外出する.週1～2回,必要最小限しか外出しない.
- 社会での役割：ない.町内会の係も担当していない.
- 余暇活動：テレビを鑑賞する.コミック雑誌を読む.

【生活活動】

- 食事摂取：調理ができないので,外出時にまとめて買ってきた弁当や惣菜を摂取する.大盛りの牛丼,天丼,レトルトのカレーとご飯,麺類,惣菜パン,菓子パン等高カロリーの食事を摂取し,卵,肉,魚,豆などの蛋白質,サラダや煮物などの野菜をめったに食べない.
- 水分摂取：緑茶,麦茶,牛乳が冷蔵庫にあれば飲むが,なくなると自宅横の自動販売機に行き,フルーツジュースや炭酸飲料,缶コーヒーなどを飲む.
- 活動・休息：週1～2回の外出以外は自室で過ごす.睡眠薬をのみ,21時に就寝し8時に起きる.途中トイレに2回起きるがすぐに寝付くことができる.
- 生活歴：大学を中退後,両親の経済的支援を得ており,就職したことはない.母親が生きていた頃は,蛋白質の主菜,野菜のおひたしやサラダ等を好んで食べていた.両親との死別後も実家で暮らし,障害年金と遺産で生活しているが,遺産を使いすぎて老後に経済的困窮が生じることを極端に心配しており,買い物は必要最低限である.
- 嗜好品：タバコは吸わない.飲酒はしない.たまに買うアイスクリームが楽しみである.

【生活動作】

基本的日常生活動作

食動作	自分で食べられる
排泄	自宅のトイレで自分で排泄できる.時々3日以上便が出ない時があるが,牛乳を飲むと排便がある
清潔	2日に1回自宅の風呂を自分で沸かして入浴する
更衣整容	2日に1回着替える.ひげは時々剃るが,散髪にはめったに行かないので長髪である
移乗	自立している
歩行	自立している
階段昇降	自立している

手段的日常生活動作

調理	電子レンジでレトルトのカレーやご飯,弁当は温められる.外出時で買った弁当や惣菜は,冷凍保存している.朝食は欠食し1日2食
買い物	自分でスーパーマーケットやコンビニエンスストアに行って買ってくる.弟夫婦にお金を渡して買い物を頼むことがある
洗濯	週1～2回,自宅の洗濯機で洗う.縁側に干せる
掃除	気が向くとホウキで室内を掃く.ごみ捨ては決められた場所,日時に出せる
金銭管理	借金,散財はない
交通機関	バスを使用できる

【コミュニケーション】

- 意思疎通：可能
- 意思伝達力：自立している.
- ツールの使用：自宅の固定電話を使用できる.携帯電話,スマートフォン,パソコンは使用できない.

環　境

【療養環境】

住環境：平屋の一軒家の持ち家に独居．和室で布団を敷いて寝起きし，4畳半の洋室でテレビを見たり，食事をする．看護師は6畳の洋室までしか入れない．手を洗うために台所まで入ったことがあるが，調理できる程度に片付いている．自室でエアコンを使用している．

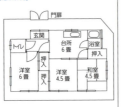

地域環境：閑静な住宅街であるが，町全体が高齢化しており，往来は少ない．最寄り駅まではバスに乗って50分かかる．在宅サービスの利用や通院は，バス移動になる．歩いて20分程度の場所に弟の家がある．
地域性：両親が近隣住民と良好な関係を築いていたことから，療養者がごみ出しの際に声をかけたりしている．民生委員が月1回訪問しているが，「困ったことはない」と返事している．

【ジェノグラム】

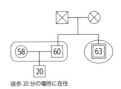

徒歩20分の場所に在住

【家族の介護・協力体制】

別居の弟が歩いて20分程度の場所に住んでいる．弟は時々療養者宅を訪ねる．弟，弟の妻に療養者が買い物を頼むこともある．弟は，どこまで療養者の支援をしたらいいのか，わからない．このことで療養者と相談したことがない．

【エコマップ】

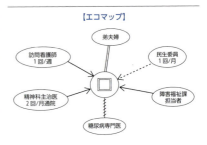

【社会資源】

サービス利用：

	月	火	水	木	金	土	日
AM							
PM				訪問看護			

保険・制度の利用：精神障害者手帳1級，自立支援医療（精神科診療所，訪問看護，薬局）

【経済】

世帯の収入：障害年金約8万円／月
生活困窮度：両親の残した遺産があるが，老後に残したいと使用したがらない．

理解・意向

兄が生活に困っていないか，自分が世話をしていきたいと思っている．でも，具体的に何を世話したらいいのかよくわからない

弟
キーパーソン

定年になり，以前より頻繁に療養者の様子を見に行っている．時々，買い物を頼まれる．時々，妻にも兄の様子を見に行ってもらっている．

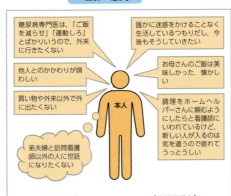

【志向性】

生活の志向性：自立心が強く，他人に迷惑をかけることは「よくない」と信じている．弟夫婦や訪問看護師の支援だけは，ありがたいと受け入れている
性格・人柄：融通が利かないところがある
人づきあいの姿勢：新しい人間関係をつくるのは苦手である

【自己管理力】

自己管理力：認知障害に対して服薬カレンダーを使用し，服薬の必要性も理解し自己管理もできている
情報収集力：弟や訪問看護師の提案か，テレビの情報が主である
自己決定力：自分で決めているが，弟に相談することもある

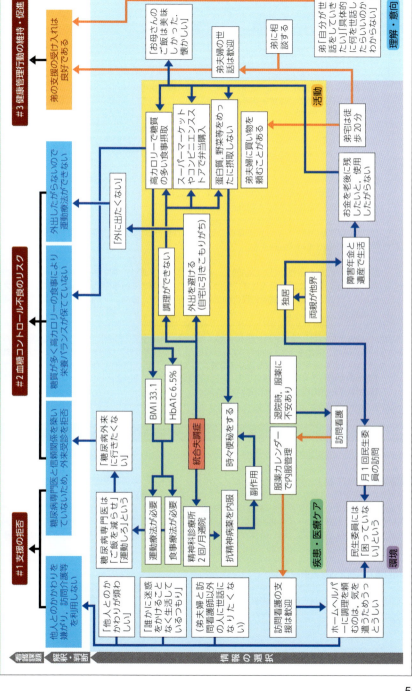

第 3 章　心理・社会的課題別看護過程　　2. 理解・意向

STEP❶ アセスメント　STEP❷ 看護課題の明確化　STEP❸ 計画　STEP❹ 実施　STEP❺ 評価

看護課題リスト

No.	看護課題　【コード型】文章型	パターン
#1	【支援の拒否】他人とのかかわりを嫌がり，糖尿病外来受診や訪問介護を拒否している	問題着眼型
	根拠 糖尿病管理のために，糖尿病外来，訪問介護利用等を検討すべきであるが，他人とのかかわりを拒む，あるいは糖尿病専門医と信頼関係を築いていないため，訪問看護サービス以外の支援を導入できない．	
#2	【血糖コントロール不良のリスク】高カロリーの食事摂取と運動をしないことにより，現在より血糖コントロールが不良になるリスクがある	リスク着眼型
	根拠 現在，HbA1c 6.5％のため，これ以上悪化しないようにする必要がある．しかし，調理ができないために，糖質の多いコンビニエンスストアやスーパーマーケットの弁当を摂取し，適切なカロリーや栄養バランスが保てず，血糖コントロールが不良になるリスクがある．	
#3	【健康管理行動の維持・促進】療養者の受け入れが良好な弟の支援を活かし，健康管理行動を維持・促進する	強み着眼型
	根拠 近隣に住む弟がたびたび訪問し，療養者はお金を渡して弟に買い物を頼んでいる．療養者も弟やその妻の支援は拒否せずに受け入れることができているので，栄養バランスを考えた差し入れや助言により，健康管理行動が維持・促進され，血糖コントロールが良好になる可能性がある．	

【看護課題の優先度の指針】糖尿病専門医の受診，食習慣，運動習慣の改善により，精神症状のみならず身体合併症の発症・悪化を予防しなければならないが，訪問看護以外のサービス利用を受け入れない．糖尿病は HbA1c 6.5％ で早急な治療を要する状態ではないが，現状の支援状態では悪化の可能性があるため，【支援の拒否】を #1，【血糖コントロール不良のリスク】を #2 とした．#1，#2 を改善するために，【健康管理行動の維持・促進】を #3 とした．

長期目標

糖尿病の自己管理が支援を得て可能となり，心身ともに安定した在宅療養生活を送る．

根拠 療養者は新しい人と関係をもつことに抵抗があり，なおかつ糖尿病専門医から次々と生活の変化を求める指示を受け，外来に通うことを拒否している．このまま糖尿病が悪化すれば，新たな治療の検討や全身状態の悪化にもつながりかねず，在宅療養生活の継続に影響を与える可能性がある．療養者の意向や心情を考えれば，サービス利用を拒否する原因は容易に推測できるので改善が可能である．弟夫婦の協力も得られそうなので，新しいサービスの導入のみならず，家族の協力も活用してよりよい療養生活を送ることができる．

〈長期目標を共有するケアチーム〉
フォーマルサービス：訪問看護師，精神科主治医，糖尿病専門医，障害者福祉課担当者
インフォーマルなサポート：弟，弟の妻，民生委員

| STEP❶ アセスメント | STEP❷ 看護課題の明確化 | **STEP❸ 計画** | STEP❹ 実施 | STEP❺ 評価 |

1 看護課題

#1【支援の拒否】
他人とのかかわりを嫌がり，糖尿病外来受診や訪問介護を拒否している

看護目標（目標達成の目安）
1) 糖尿病専門医との信頼関係を構築できる（6か月）
2) 訪問看護師が交代で訪問し，療養者がいろいろな人とかかわることに慣れる（6か月）
3) 訪問看護師や弟夫婦を介して，訪問介護などの新規サービスを受け入れる（6か月）

援助の内容

OP 観察・測定項目
- 糖尿病専門医や訪問看護師への信頼の程度

TP 直接的看護ケア項目
- 訪問介護等のサービスの導入

EP 教育・調整項目
- 糖尿病専門医との調整

援助のポイントと根拠

➡ 糖尿病専門医，訪問看護師に関する印象の変化を知り，信頼関係の確立状況を把握する　**根拠** サービス提供者との信頼関係を構築するには，現状を把握しつつ，TP，EPを実施する必要がある

➡ 担当する看護師を少しずつ増やしていき，他者とかかわることに慣れる
➡ **連携** 信頼関係のある訪問看護師や弟夫婦が，ホームヘルパーと同行して，療養者が新しい人間関係に慣れるようにする

➡ 療養者に必要性を説明して，糖尿病専門医にその状況を伝え，理解を得ることを提案する　**根拠** 療養者の同意を得ることは倫理的に重要である
➡ **連携** 療養者の了解を得て，日常生活動作に制限がある状況を糖尿病専門医に伝え，具体的な受け入れ態勢を整えるまで食事療法や運動療法について指摘しないように調整する

2 看護課題

#2【血糖コントロール不良のリスク】
高カロリーの食事摂取と運動をしないことにより，現在より血糖コントロールが不良になるリスクがある

看護目標（目標達成の目安）
1) 療養者自身が望ましい療養行動をとれるようになる（3か月）
2) 体重が増加しない（3か月）
3) 食事内容が改善する（6か月）

援助の内容

OP 観察・測定項目
- バイタルサイン，体重
- 食事の内容

- 運動の実施状況

- 血糖

TP 直接的看護ケア項目
- 訪問時の散歩の支援

援助のポイントと根拠

➡ 訪問時，血圧，脈拍，体温，体重を測定する
➡ ふだんの食事内容や食事療法の必要性の理解を，療養者との話から把握する
➡ 運動の実施状況を，療養者との話から把握する。また，運動の必要性をどの程度理解しているかを把握する　**根拠** 運動療法を実施することで血糖値が改善する
➡ 外来受診時の血糖の検査値を把握する

➡ 療養者の受け入れをみながら，訪問看護の際に短時間でも散歩に誘う　**根拠** 療養者はBMIが33.1と高い。散歩の習

32 自己放任

EP 教育・調整項目 ●療養者ができたことの肯定的評価 ●体重と BMI 値の説明	慣を身につけることで，ウォーキングなどの運動を始める契機となるような機会を増やす ⇒ 強み 療養者が自主的に疾患管理を試みた時は，その考えや行動をほめて自信を高める 根拠 ポジティブ・フィードバックにより，療養者が日常生活動作に自信をもち，さらにモチベーションを高めることができる ⇒療養者が理解できるように，測定値の意味と経過を伝えていく 根拠 統合失調症に抽象化の認知機能の低下があるので，具体的な数値で病状を伝えていく必要がある

3 看護課題	看護目標（目標達成の目安）
#3 【健康管理行動の維持・促進】療養者の受け入れが良好な弟の支援を活かし，健康管理行動を維持・促進する	1) 血糖値や HbA1c が低下する（3 か月） 2) 弟夫婦が療養環境の改善支援に参画する（3 か月） 3) 療養者が弟夫婦の支援を積極的に活用する（6 か月）

援助の内容	援助のポイントと根拠
OP 観察・測定項目 ●弟夫婦の療養者に対する思い，支援の状況	⇒ 連携 弟夫婦が療養者の世話を過度な負担に思っていないか，必要時は面接や電話で把握する 根拠 弟夫婦に過度な依頼をすることで，支援の継続が難しくなるので確認が重要である
TP 直接的看護ケア項目 ●他者への依頼の促進やサービスの導入	⇒弟夫婦や訪問看護師に依頼したいことを療養者と一緒に考え，依頼する経験を重ねることで，他のサービスの活用へとつなげていく
EP 教育・調整項目 ●弟夫婦に食事療法の説明 ●弟夫婦に病状に即した買い物や食事の差し入れを依頼 ●弟夫婦の支援のねぎらい	⇒ 連携 糖尿病専門医や管理栄養士と連携・相談し，弟夫婦に食事療法の説明を受けてもらう ⇒ 連携 弟夫婦に買い物の役割を積極的に担ってもらい，バランスのよい食事を選んでもらう．また，母親の食事を懐かしんでいるので，必要時調理して差し入れを依頼する ⇒ 強み 弟夫婦が自信をもって支援ができるようにポジティブ・フィードバックを心がける ⇒ 強み 療養者の強みをさらに支持するようにポジティブ・フィードバックを心がける

STEP❶ アセスメント ▶ STEP❷ 看護課題の明確化 ▶ STEP❸ 計画 ▶ **STEP❹ 実施** ▶ STEP❺ 評価

強みと弱みに着目した援助のポイント

強みに着目した援助
- 弟夫婦が療養者の世話へ積極的に関与したいと考えていることから，まず，療養者が弟夫婦と訪問看護師から支援を受けることに慣れていく．
- 療養者は，母親のつくった食事を懐かしんでいることから，現在の食生活に必ずしも満足しているといえない．バランスのよい食事を用意することができれば，体重が減り血糖値も落ち着くと思われるので，食事の用意を最初は弟夫婦に依頼していく．ただし，弟夫婦の負担も考慮しながら依頼する．

弱みに着目した援助
- 療養者は新しい人間関係を構築することは苦手であるため，訪問看護師が複数名交代でかかわりその構築に自信をもてるようにする．その後，訪問介護や他のサービスにつなげる．
- 運動が生活に定着するには長時間かかると思われるが，一度にすべての療養行動を改善させようとせず，長期間あきらめずにかかわる．
- 糖尿病専門医との信頼関係を再構築し，治療を受けるために外来に通えるようにする必要がある．

STEP ① アセスメント ▶ **STEP ② 看護課題の明確化** ▶ **STEP ③ 計画** ▶ **STEP ④ 実施** ▶ **STEP ⑤ 評価**

評価のポイント
- 糖尿病専門医と療養者の信頼関係が構築できているか
- 訪問看護師が交代で訪問し，療養者がいろいろな人とかかわることに慣れているか
- 訪問看護師や弟夫婦を介して，訪問介護などの新規サービスを受け入れているか
- 療養者が望ましい療養行動をとっているか
- 体重が増加していないか
- 食事の内容が改善しているか
- 血糖値，HbA1cの改善が認められるか
- 弟夫婦が負担を伴わず療養環境の改善に関与しているか
- 療養者が弟夫婦の支援を積極的に活用しているか

関連項目
第2章「5 糖尿病」「8 統合失調症」
第3章「29 社会的孤立」

32 自己放任

33 意思決定不全

意思決定不全の理解

意思決定不全とは

1）意思決定不全の定義
- 意思決定(decision making)は，目標達成のために，複数の代替手段の中から1つを選択することによって行動(治療)方針を決定することである．その方針を決定するために必要な情報収集能力や選択するための判断能力，思考能力が十分でない状態を，意思決定不全という．

2）意思決定不全が起こる背景
- 急激な状態悪化により，治療選択の必要性が生じたが本人の意思確認をしていなかった場合．
- 認知機能低下が進行して意思決定や判断力が曖昧になってきた場合．
- 本人・家族，関係者間で治療方針やケアへの意思の齟齬が生じていて意見がまとまらず，医療従事者や関係者との話し合いの中でも妥当な最善の方針についての合意が得られない場合．

3）健康への影響
- 望む医療を受けることに対して必要な意思能力の4つの要素である，①選択の表明(治療を選択し，それを表明する)，②情報の理解(疾患や予後の説明を理解する)，③状況の認識(自分にとってのその治療を選択した結果を認識する)，④論理的思考(その治療内容が，自分の価値観と一致しているかどうかの思考)が不十分な状況で，自分の意思や希望に沿った治療やケアを受けることが難しくなる可能性がある．

意思決定不全とケア

1）在宅療養の方針決定への支援
在宅療養においては，介護サービスの利用や療養方針，さらに延命治療の方針などについての意思決定を療養者や家族が適時しなければならない．

意思決定不全の状況で在宅療養の方針を決定しなければならない場合は，「この先どのように生きたいか」ということについて，病状経過の予測に関する理解を得ながら，本人・家族とともに考えていけるよう支援する．

2）本人と家族の意思統一への支援
意思決定不全の状況では，本人と家族間に思いの齟齬が生じている場合が少なくない．本人・家族の在宅療養を支える支援者として，本人・家族の真の思いを引き出し，推定意思も考慮しながらよりよい意思決定へと導く．

療養者・家族の特徴からみた援助・対策

1）独居で介護者不在の場合
独居者が意思決定不全にある場合は，本人の推定意思を確認することが可能な「重要他者」を把握することが必要である．別居している家族や親戚，友人などから本人がどのように生きたいと思っているか，どのような治療やケアを望んでいたかを推測しつつ，本人の意思をできるだけ確認する必要がある．独居で介護者不在の療養者の場合は，かかわる早期から「どのように生きたいと考えているか」について事前に確認する．

2）家族介護者のいる場合
本人と家族介護者が意思決定不全に陥っている場合は，本人の判断・意思決定力が低下して療養方針の決定に家族が迷っているという状況や本人と家族介護者の療養方針の意向に齟齬があるといった状況がある．それぞれの状況において，本人の意思や推定意思を明確に示しつつ，家族介護者の思いに寄り

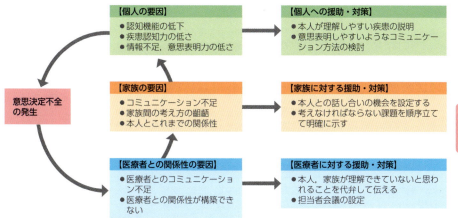

■図33-1 意思決定不全の要因と援助・対策

添い本人・家族にとって最善の意思決定ができるよう支援する.

3) 家族介護者が複数いる場合

本人以外に介護に関係する家族が複数いる場合,意見の齟齬が生じることがあり,意思決定不全に陥りやすい.本人の意思と判断力に問題がない場合では,家族の様々な思いがあったとしても,本人の意思決定を第一に尊重することになるが,本人の意思と判断力が著明に低下している場合は,代弁者となる家族が本人の推定意思をくみ取って意思決定する必要がある.しかし,家族介護者が複数人介在する場合には,それぞれの考え方に齟齬がある場合があり,意思決定不全の状態が続くことが多いため,それぞれの家族の思いや意思を全員で話し合って最終決定できるよう支援する.

意思決定不全に関連する社会資源・制度

1) 専門職者による支援
- 主治医,専門医による投薬,症状コントロールと予後の見立て
- 保健師による社会資源制度の活用や経済的負担の軽減へのアドバイス
- 訪問介護による介護負担の軽減
- ケアマネジャーによる介護支援計画の作成と調整・相談

2) 地域住民等による支援
- 民生委員からの助言と情報収集
- つきあいの深い友人や隣人へのライフヒストリーの聴取,精神的サポート

3) 社会資源制度の活用
- 高額療養費の還付,特定疾患医療費助成,身体障害者手帳による障害者医療助成の申請・活用
- 地域包括支援センターへの相談支援

意思決定不全をめぐる訪問看護

訪問看護の視点

1) 療養者をみる視点
- 今後の療養方針等に関する意思決定が必要な場合は,本人の判断力や意思表示能力が低下してきてい

ることもあるので，本人の意思を探り，まずは意思表示を促す．
- 早急に治療・ケア方針について意思決定が求められる場合もあるため，これまでの本人・家族関係を丁寧に聞き取り，意思決定に向けて，様々な葛藤が軽減するよう支援する．
- 意思決定不全にある場合，家族の葛藤や精神的苦痛は大きいことを念頭におく．
- 本人・家族が意思決定後に後悔をしないように，十分な検討の場を設ける．

2）支援のポイント
- 本人の意思表示が難しい場合には，できるだけ本人の推定意思を家族等から話を聞き，把握する．
- 家族の中で誰が最も本人の代理意思決定者になりうる重要他者なのかを確認・判断する．
- 本人と家族が悔いを残さないように，納得いく意思決定ができるように調整・支援する．

●看護課題別：療養者をみる視点と支援のポイント

看護課題	療養者をみる視点	支援のポイント
問題着眼型看護課題： **意思決定不全**	本人の意思決定力が低下する中で，急激に病態が進行した場合など，早急に療養方針の意思決定を促す必要が出てくることがある．その場合は本人がどのような希望をもっていたかなどの「推定意思」に関する情報をできるだけ想定できるように心がけることが重要である．	● 本人がこれまでの生活の中で発してきた言葉を振り返る． ● 本人が何を大切に生きてきたか，価値観について考える． ● 代理意思決定者（本人の意思を推定する者）となる家族の葛藤や不安に寄り添う．
強み着眼型看護課題： **意思決定の維持・推進**	本人の意思決定力が残されている場合は，家族の意向や考えと齟齬がある場合であっても，まずは本人の意向を尊重するという立場をとることが大前提である．そのうえで，介護を続けてきた家族の思いや願いに寄り添い，家族関係を破綻させないよう本人・家族が納得のいく最善の意思決定ができるように心がけることが重要である．	● 本人と家族の話し合いの場をつくり，合意形成へと導く支援を行う． ● 本人の思いが家族に伝えられるよう支援する． ● 家族の思いや悩み，葛藤を本人に伝えられるよう支援する．

STEP❶ アセスメント ▶ STEP❷ 看護課題の明確化 ▶ STEP❸ 計画 ▶ STEP❹ 実施 ▶ STEP❺ 評価

情報収集

情報収集項目		情報収集のポイント
疾患・医療ケア	**疾患・病態・症状** □疾患 □病態 □疾患の症状 □疾患の経過，予後	➡ 疾患がどのように心身の状態に影響しているか ➡ 疾患の進行がどの程度か，急変や緊急性はどの程度か ➡ 疾患による苦痛や不快はどのような状況か ➡ 疾患の進行について数日，週単位，月単位での予後
	医療ケア・治療 □服薬 □治療 □訪問看護	➡ 意思決定，判断力を低下させるような薬の投与がないか，意識を保ったままで心身の安定化を図ることができる投薬や投薬時間の調整は可能か ➡ 疾患の進行を抑えるために疲労や意識低下が進むような治療が行われていないか．今後の療養方針決定にかかわるような治療が既に始まっていないか ➡ 本人の意思決定が必要な医療処置やケアが既に行われていないか

情報収集項目	情報収集のポイント
疾患・医療ケア	
全身状態	
□呼吸・循環状態	○呼吸困難感，酸素飽和度の変化はどうか
□摂食・嚥下・消化状態	○嚥下機能の低下はないか，誤嚥をしていないか．咳嗽反射の程度はどうか．食事介助や食事内容，食事準備はどうか
□栄養・代謝・内分泌状態	○栄養状態の評価，水分摂取量（脱水の有無）はどうか
□排泄状態	○排泄コントロールの状況，排泄介助の必要の程度，介護者の介在状況はどうか
□感覚器の状態	○視覚・聴覚障害の有無，疼痛や瘙痒感の訴えの状況はどうか
□皮膚の状態	○皮膚トラブル，褥瘡はないか
□認知機能	○意思決定，判断ができる認知能力が保たれているか
□意識	○意識レベルの変化はないか
□精神状態	○精神的苦痛や不安を抱えていないか，うつ傾向はないか
活動	
移動	
□ベッド上の動き	○ベッド上で座位もしくはギャッチアップにして会話が継続できる状態か，文字を書いたり本を読んだり，自分の楽しみのための行動ができるか
□起居動作	○自己で起居動作ができるか，ギャッチアップが必要か，自己で体位変換ができるか
□屋内移動	○ベッドから降りて部屋移動が可能か（車椅子か，つたい歩きか，杖歩行か）
□屋外移動	○屋外へ出かけることはあるか，その介助方法は何か
生活動作	
□基本的日常生活動作	○食事摂取や排泄，更衣や整容といった日常生活動作に関するセルフケア能力はどの程度か
□手段的日常生活動作	○調理や買い物，掃除，洗濯などの遂行能力はあるか
生活活動	
□食事摂取	○経口摂取が可能か，誤嚥していないか，自己摂取できるか，介助が必要か
□水分摂取	○水分摂取は経口摂取が可能か，誤嚥していないか，どのような形態の水分が摂取できるか，日々の水分摂取量はどれくらいか
□活動・休息	○睡眠状態はどうか．昼夜逆転はないか．生活リズムの乱れはないか．日中の離床や座位で過ごす時間はどれくらいあるか
□生活歴	○これまでどのような生活をしてきたのか，社会活動，地域活動はしていたか，毎日必ず行ってきたことはあるか
□嗜好品	○どのような食べ物や飲み物が好みなのか，趣味や興味など関心が高いものは何か
コミュニケーション	
□意思疎通	○意識はあるか，外部の情報を受け取る能力があるか，理解力はどうか
□意思伝達力	○人と意思伝達するために必要な発声，聴力，視力の状態はどうか
□ツールの使用	○文字盤やトーキングエイド，補聴器などの使用は必要か，使用できるか
活動への参加・役割	
□家族との交流	○同居している家族との関係（それぞれの家族メンバーとの会話や主介護者とのコミュニケーション等），別居家族との関係性と訪問，連絡

33 意思決定不全

情報収集項目		情報収集のポイント
活動	□近隣者・知人・友人との交流 □外出 □社会での役割 □余暇活動	の頻度はどうか．本人の家族の中での役割，立場はどうか ● 近隣の人や知人，友人の訪問の程度，友人との電話や手紙などでの連絡の頻度，民生委員や自治会活動や関係性はどうか ● 日常的に外出の機会はあるか，受診や通所介護施設の利用はあるか ● 就労状況，ボランティア活動といった役割があるか，現在はなくても過去に社会での役割はどんなものだったか ● 楽しめる時間，趣味の時間をもてているか，笑顔など表情の変化はどうか
環境	**療養環境** □住環境 □地域環境 □地域性	● 日常に生活している部屋の採光や広さはどうか，窓があるか．外出できる環境か ● 通常受診する病院や緊急時の入院可能な病院，買い物や外出しやすい交通機関等が整っているか ● 新興住宅地か昔ながらの地域か，地域住民との関係性，民生委員活動の状況，近隣の付き合いの程度はどうか，介護や施設入所に対する世間体はどのようなものか
	家族環境 □家族構成 □家族機能 □家族の介護・協力体制	● 家族構成，キーパーソンは誰か ● 本人と家族の関係，役割分担，家族員同士の関係性，家族全員の心身の健康状態はどうか ● 主介護者，副介護者はいるか，役割分担はどのようにされているか
	社会資源 □保険・制度の利用 □保健医療福祉サービスの利用 □インフォーマルなサポート	● 介護保険，医療保険利用に関する高額療養費の還付，特定疾患医療費助成，身体障害者手帳による障害者医療助成の申請・活用状況はどうか ● 介護保険サービス利用状況，在宅訪問診療，福祉用具活用の状況はどうか ● 民生委員，本人と家族をサポートする近所の人，ボランティアの存在の有無，ハウスキーパー等の活用はあるか
	経済 □世帯の収入 □生活困窮度	● 医療介護支援を受けるにあたっての世帯収入・年金額はどうか ● 介護サービス等の支払状況はどうか，滞りはないか
理解・意向	**志向性（本人）** □生活の志向性 □性格・人柄 □人づきあいの姿勢	● 健康観，死生観，宗教，信念はどのようなものか ● どのような仕事をしてきたのか，前向きな精神性をもった人か後ろ向きな人か ● 人との付き合いを好む外向性の高い人か否か，他者への興味・関心の程度はどうか
	自己管理力（本人） □自己管理力 □情報収集力 □自己決定力	● 自分のことは自分で決めるような自立心のある性格か ● 疾患や予後に関して自分でどの程度調べているか，疾患への知識はどの程度か ● 自分の意思で日々の生活上の選択や指示ができているか，自己判断力

	情報収集項目	情報収集のポイント
理解・意向		はどの程度あるか
	理解・意向(本人) □意向・希望 □感情 □終末期への意向 □疾患への理解 □療養生活への理解 □受けとめ	● これまでの生活で大切にしてきたことは何か ● 自分の現在の身体状況への受容と悲嘆の状況はどうか ● 最期の時をどこで迎えたいと考えているか ● 自分の身体状況と今後の経過と予後についてどの程度理解しているか ● これから援助を受ける必要のある日常生活支援と健康管理について理解しているか ● 疾患に対してどのように受けとめているのか
	理解・意向(家族) □意向・希望 □感情 □疾患への理解 □療養生活への理解	● 本人にどのような生活を送ってもらいたいと考えているのか,家族自身の希望や意向はどのようなものか ● 本人の介護に対する思い,本人の今後の療養方針に対する葛藤はないか ● 疾患の経過と予後をどの程度理解しているか,適切に介護が続けられるか ● これから続く療養生活にどのような心構えをもっているか,介護負担の見積もりなどをしているか

事例紹介

筋萎縮性側索硬化症の急激な進行により,療養方針が決定できない療養者と家族の例

Keywords 筋萎縮性側索硬化症(ALS),呼吸機能悪化,意思決定不全,人工呼吸器,家族介護,高齢女性

〔基本的属性〕女性,77歳
〔家族構成〕夫,長女との三人暮らし
〔主疾患等〕筋萎縮性側索硬化症(ALS)
〔状況〕ALSの急激な進行によって呼吸機能が悪化しつつあり,気管切開と人工呼吸器装着の可否を決める必要がある.過去に本人は「機械につながれて生きたくない」という意思表示をしていたものの,現在は本人の意思決定力や判断力が低下しており適切な意思決定・判断ができるかどうか難しい状況である.加えて,今後の療養方針についての意向に家族間で迷いと齟齬があり,今後の方針が最終決定できない状況が続いている.日々,本人の呼吸状態は悪化しており,本人・家族の今後の療養方針についての意思決定を早急に進める必要がある.

情報整理シート

疾患・医療ケア

【疾患・病態・症状】

主疾患等：筋萎縮性側索硬化症（ALS）（75歳〜）
病歴：子宮がん，大腿骨頸部骨折，前頭側頭型認知症（75歳〜）
経過：
- 60歳　子宮がん．子宮全摘出術
- 74歳　自宅玄関で転倒し大腿骨頸部骨折．人工関節置換術
- 75歳　転倒，つまずきが多くなり精密検査の結果，ALS確定診断．認知機能の低下がみられはじめ，前頭側頭型認知症と診断
- 76歳　全身の筋力が低下しベッドから起き上がりが困難となる．誤嚥が多くなり，経口摂取が進まず低栄養となり胃瘻造設して栄養管理開始．胃瘻管理，全身管理と便コントロール，リハビリテーションを目的に訪問看護導入となった．
- 77歳　2週間前から痰が多くなり，咳嗽・排痰困難となってきた．昨日から呼吸機能が低下しつつあり，酸素飽和度が低下してきている．

【医療ケア・治療】

服薬：ALS治療薬（リルテック），抗うつ薬（SSRI），緩下剤（ミルマグ）
治療状況：2週間ごとの在宅訪問診療
医療処置：理学療法士による呼吸リハビリテーション
訪問看護内容：痰の吸引，体位変換，口腔ケア，清拭，更衣介助，胃瘻管理，排便コントロール

【全身状態・主な医療処置】

- 血圧：150/70〜80 mmHg
- 脈拍：90〜100回/分
- 呼吸数：20〜30
- SpO₂：92〜93%（急に低下）
- 痰：白色多量
- 身長：155 cm
- 体重：40 kg
- BMI：17
- 排便：1回/3日摘便
- 排尿：尿道カテーテル管理（1,000 mL/日）
- 食事：胃瘻による栄養管理＋楽しみ程度の経口摂取

基本情報
- 年齢：77歳　性別：女性
- 要介護度：要介護5
- 障害高齢者自立度：C2
- 認知症高齢者自立度：Ⅰ

- 小さい声であるが発語は単語であれば可能．痰が多く喀出が難しくなってきている．呼吸苦の強い時はコミュニケーションが難しくなってきた．会話につじつまの合わない点も多くなっている．
- 胃瘻注入管理は家族で可能．口腔内吸引を頻繁に実施（看護師による吸引の家族指導）
- 自己排便はできず，緩下剤を使用し訪問看護にて摘便
- 理学療法士による呼吸リハビリ 2回/週
- 訪問診療による症状の進行度評価と投薬

活動

【移動】

ベッド上の動き：体位変換援助時，かろうじて柵を持つことができるが，自力での体位変換はできない．ギャッチアップにて起き上がる．
起居動作：ベッドから出て移乗することはない．

【活動への参加・役割】

家族との交流：本人は夫を最も頼りにしている．長女との関係はつかず離れずの状況だが，長女は会社から帰宅後の介護を担う．長男は介護に積極的であるが，治療方針になると夫と言い合いになることがある．長男と長女の関係は悪くはないが，あまり会話はない．
近隣者・知人・友人との交流：新興住宅地のため近隣との付き合いはあまりないが，民生委員の仲間とは交流あり．昔の教員仲間はときおり見舞いに来ることがある．
外出：入院以外の外出はしていない．
社会での役割：小学校の教員を定年後，発症までは民生委員として活躍し，委員長の役もしていたが，現在はやめている．
余暇活動：なし

【生活活動】

食事摂取：嚥下機能の低下により胃瘻を造設し，栄養管理．
水分摂取：とろみを強めにつけたカルピスはむせることがほぼなく1日のうち100 mL程度は楽しみとして摂取する．
活動・休息：1日中ベッド上で過ごし，ラジオを聴いている．夫と娘が夜中も含め3時間ごとに体位変換，痰が多くなってきて吸引を必要とするので，疲労がたまってきているのか閉眼していることが多い．熟睡できていない．
生活歴：小学校の教員を夫とともに共稼ぎで35年勤め上げ，退職後は民生委員として夫婦ともに，独居高齢者を支援するなど地域で活動してきた．面倒見がよい．同居の長女とは，昔から意見をぶつけあうことが多かったが，大切に思っている．長男は幼少時から体が弱く溺愛してきた．
嗜好品：カルピス，甘いもの，ケーキが好き．今は誤嚥してしまうため，ケーキは食べられない．

【生活動作】

基本的日常生活動作

食動作	楽しみ程度のとろみつきカルピスを家族やホームヘルパーの全介助で摂取
排泄	おむつ
清潔	訪問入浴，清拭
更衣整容	全介助
移乗	実施しない
歩行	実施しない
階段昇降	実施しない

手段的日常生活動作

調理	家族が実施
買い物	家族が実施
洗濯	家族が実施
掃除	家族が実施
金銭管理	家族が実施
交通機関	利用しない

【コミュニケーション】

意思疎通：質問を理解して返答することもあるが，つじつまの合わない返答，反応が多くなっている．
意思伝達力：発声が難しくなってきているが，小さい声でゆっくりと思いを表出することは可能．呼吸苦が強い時はそれも難しくなってきている．複雑な会話のやりとりは難しい．
ツールの使用：文字盤を使うことがあるが，面倒なのか途中でやめてしまう．

環境

【療養環境】

住環境：2階建て 発症時にバリアフリーに改修済み

1階の居間に設置したベッド上で終日生活

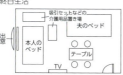

地域環境：30年前に開発された新興住宅地で戸建てが立ち並ぶ。高齢化や独居世帯が増えてきている。

地域性：共稼ぎ世帯が多かったので、地域の行事やつながりはあまり強くないが、民生委員の活動は活発

【社会資源】

サービス利用：

	月	火	水	木	金	土	日
AM	訪問介護	訪問介護 訪問リハ	訪問介護	訪問介護	訪問介護 訪問看護	訪問介護 訪問看護	訪問介護
PM	訪問入浴	訪問看護	訪問看護	訪問入浴	訪問リハ	訪問看護	訪問介護

保険・制度の利用：介護保険、重度訪問介護、特殊寝台、褥瘡防止用具貸与

【経済】

世帯の収入：共済年金
生活困窮度：経済的余裕あり.

【ジェノグラム】

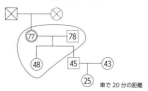

車で20分の距離

【家族の介護・協力体制】

夫が主介護者で、同居の長女は終日勤務で日中不在であるが、夜間の排泄介助は行う。近所に住んでいる長男が夜間と週末の介護は積極的に支援する。家族は全員健康で介護力あり。

【エコマップ】

33 意思決定不全

理解・意向

母は自分のことを大事に育ててくれた。どんな状態でも生きていてほしい

大手企業勤務で海外出張も多かったが、母の介護のため部署変更を願い出た。週末に限らず仕事後も介護を支援する

息苦しい

自分で何もできなくなってきて生きるのがつらい

機械につながれるのは嫌だし私は自然に近かせてほしいけれど…

私が何でこんな体に？

家族でもめることなく仲よくしていてほしい

甘いカルピスが好き、ケーキが食べたい

（家族に対して）ごめんなさい…

【志向性】

生活の志向性：勤勉家。家庭も仕事も完璧にこなしてきた。人の世話をすることが生きがい。ALS発症後も自らいろいろ勉強し、機械につながれるのは嫌だと夫に伝えていた

性格・人柄：社交的、自分の意思を通す気丈な面がある

人づきあいの姿勢：民生委員でもリーダー的存在

【自己管理力】

自己管理力：全て介助
情報収集力：全て介助
自己決定力：意思を伝える能力はあるが、現状を適切に認識できているか不明

これまで、仕事も家事も育児も頑張ってこなしてきてくれた。言い出したら聞かない頑固なところがあるので本人の「自然に」の意向に沿いたいが…。自分としては生きていてほしいし、なかなか方針が決められない

妻が病気になってから家事と介護を一手に担っている。健康状態は良好。民生委員の役割は休止している

キーパーソン 主介護者

母には厳しく育てられた。一度自分の意見を言い出したら聞かない人だったから、母の思うようにしたらいいと思う

外資系保険会社勤務で週末出勤も多く、介護に積極的ではない。排泄介助はするが家事はほとんど手伝わない。母との折り合いは昔からあまりよくないが、感謝はしている

第3章 心理・社会的課題別看護過程　2. 理解・意向

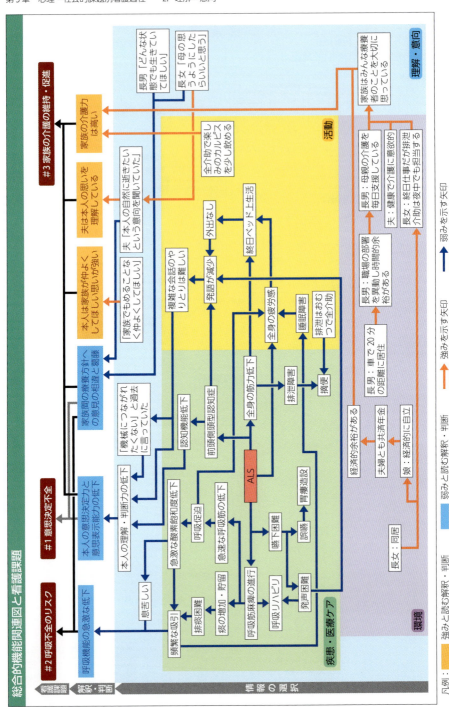

STEP❶ アセスメント　STEP❷ 看護課題の明確化　STEP❸ 計画　STEP❹ 実施　STEP❺ 評価

看護課題リスト

No.	看護課題　【コード型】文章型	パターン
#1	【意思決定不全】急激に呼吸機能が低下しているが，療養方針（気管切開，TPPV装着）に関する意思が決定されていない	問題着眼型
	根拠　急激に呼吸機能が低下しており，痰の吸引回数も増えているため，本人・家族が気管切開，TPPV装着か否かの方針決定を促す必要があるが，まだ本人と家族全員の思いが一致していない状況にある．	
#2	【呼吸不全のリスク】急激な呼吸機能の低下と排痰困難の進行により，呼吸不全に陥るリスクが高い	リスク着眼型
	根拠　急激に呼吸機能が低下しており，酸素飽和度が低下している状況で排痰も困難になっており，生命の危機にかかわる呼吸不全に陥る可能性がある．	
#3	【家族の介護の維持・促進】家族間で療養方針の意思統一が図れれば高い介護力を活かし，家族の介護を維持・促進する	強み着眼型
	根拠　介護力は高い家族であるが，今後の療養方針に関する家族間の葛藤を緩和し，家族の介護の安定・維持を促進する必要がある．	

【看護課題の優先度の指針】呼吸筋力の低下が予想以上に速く，痰の貯留も多くなっており呼吸機能が急速に悪化する可能性が高くなってきている．看護ケアや理学療法の呼吸リハビリテーションにより症状マネジメントを行い，小康状態を保つことができているが，いつ急変してもおかしくない状況にあることから，早急に気管切開，TPPV装着の有無について意思決定する優先度が最も高い．よって第一の優先課題として#1【意思決定不全】とした．次いで呼吸機能悪化のリスクは依然高いため，#2【呼吸不全のリスク】とした．さらに，どのような療養方針を決定したとしても，家族の介護負担は増大することが予測されるため，#3【家族の介護の維持・促進】という課題を挙げた．

33 意思決定不全

長期目標

本人・家族にとって療養方針に関する最善の意思決定を行い，呼吸機能を可能なかぎり維持しながら，在宅療養生活を送ることができる．

根拠　呼吸機能低下が進行しており，早急に本人・家族と検討し，気管切開とTPPV装着か否かについての判断が必要な状況であり，本人・家族の意思決定支援を進めて方針を早急に決定する必要がある．本人の過去の意思と家族の思い，家族員間の思いに齟齬があり，意思決定ができない状況にあるが，介護力は比較的高い家族なので，家族間で冷静に話し合う支援を行い，今後の介護について家族間調整を行うことにより，在宅介護生活を安定させることができる可能性がある．

〈長期目標を共有するケアチーム〉
フォーマルサービス：主治医，訪問看護師，ホームヘルパー，ケアマネジャー，理学療法士，訪問入浴担当者
インフォーマルなサポート：夫，長女，長男

第3章 心理・社会的課題別看護過程　2. 理解・意向

| STEP❶ アセスメント | STEP❷ 看護課題の明確化 | **STEP❸ 計画** | STEP❹ 実施 | STEP❺ 評価 |

1 看護課題

#1 【意思決定不全】
急激に呼吸機能が低下しているが、療養方針（気管切開、TPPV装着）に関する意思が決定されていない

看護目標（目標達成の目安）

1) 本人の今後の療養への意思や推定意思が共有できる（1週間）
2) 家族間で今後の療養方針について話し合える（1週間）
3) 本人と家族にとって最善の意思決定ができる（2週間）

援助の内容 / 援助のポイントと根拠

OP 観察・測定項目

- **意識状態の変化**
  - ➡問いかけに対する本人の反応（返答の内容）を確認 【根拠】前頭側頭型認知症の進行による認知機能低下と呼吸状態の悪化による、意識レベルの変化が考えられる

- **呼吸状態の変化**
  - ➡安静時、体位変換時の呼吸回数や呼吸促迫の状態変化の確認 【根拠】呼吸状態の悪化に伴い正常な判断がより一層難しくなる

- **発語・表情の変化**
  - ➡本人の発語の内容と質問への返答内容、問いかけに対する表情変化の確認 【根拠】本人の思考力や発語の確認により判断や意思決定の妥当性を判断する必要がある

- **家族の言動・表情の変化**
  - ➡家族それぞれの考え方や発言内容の確認、表情の変化 【根拠】本人の呼吸状態悪化によって療養方針を早急に決定する必要があるが、家族それぞれの思いや考えに変化が生じる可能性がある

- **本人と家族の会話・関係性**
  - ➡本人と家族の会話の状況、普段の関係とその変化 【根拠】本人の呼吸状態が悪化しており、これまでの療養方針への考え方が本人、家族それぞれで変わっている可能性がある

- **判断力・意思決定力**
  - ➡本人の判断力、意思決定力を判断するためにMMSE（ミニメンタルステート検査）、HDS-R（長谷川式認知症スケール）による評価を行う。問いかけに対する返答内容を確認し、訪問看護師・ホームヘルパー間で共有する

- **本人・家族の疾患に対する理解と意向**
  - ➡本人・家族が現状の介護や生活にどのような思いを抱いているのか、どのような支援をさらに求めているのか、どのようになったら介護は限界と考えているのか、どのような生活を今後望み、考えているのかについて確認し、家族と訪問看護師・ホームヘルパー間で共有する

TP 直接的看護ケア項目

- **TPPVの機械の持参**
  - ➡本人・家族の関心を確認した上で、TPPVのデモ機を持参して実際に見てもらうことで、判断材料にできるようにする 【根拠】医療機器については説明を受けても想像ができない事が多いため、実際に自分が使用する可能性のあるTPPVの大きさなどを目にすることで意思決定への道筋を作ることになる

- **実際に在宅でTPPVを使用している療養者の情報や写真などの持参**
  - ➡実際に在宅でTPPVなどを使用している療養者がいること、その様子などを具体的に紹介することで、自分が在宅でTPPVを使うイメージをもてるようにする 【根拠】実際に使用して在宅で生活している療養者がいること、その生活状況などを知ることで、自分がTPPVを使った場合の生活がイメージできるようになる

EP 教育・調整項目

- **家族間で話し合える場の設定**
  - ➡家族間で介護の合間にこれまでの家族関係や介護を振り返り、今後の療養方針の希望について話し合う時間をもてるよ

	うに場をセッティングする　根拠 本人の呼吸状態が悪化しているため不安が強くなっているので，家族で様々な場面を予測しながら話し合いができる場面をつくることが必要である
●本人の推定意思を家族と検討	⮕本人のこれまでの言動や価値観，性格を考えながら，今の本人ならばどのような意思決定，判断をすると思うか推定意思を家族とともに探る
●誤った認識がないかの確認	⮕本人・家族それぞれが気管切開とTPPVに関する知識や認識をどのようにとらえているか確認する
●本人の潜在的な意思の表出のための声かけ	⮕呼吸困難に対する本人の訴え，どのようなケアを望むかの問いかけを常に行う　根拠 呼吸機能の低下により本人の意識や認識に変化が生じている可能性がある
●現在の病態と今後の予測の説明	⮕本人・家族が病態や今後の症状進行と予後について理解しやすいように丁寧に説明する
●療養方針の意思決定の緊急性についての説明	⮕呼吸機能は急激に悪化しており，今後の療養方針について早急に決定する必要があることを，具体的な症状や様々な場面を想定しながら説明し，最善の意思決定をする必要があることを説明していく
●主治医からの説明の場の設定	⮕ 連携 医師からの丁寧な症状説明，予後説明を受ける場を設定し，本人の推定意思も考えながら，医療・介護・生活の様々な面から本人・家族にとっての最善の意思決定をできるよう支援する

33 意思決定不全

2 看護課題	看護目標（目標達成の目安）
#2 【呼吸不全のリスク】 急激な呼吸機能の低下と排痰困難の進行により，呼吸不全に陥るリスクが高い	1) 排痰ができて呼吸困難が軽減する（1週間） 2) 呼吸が安定し睡眠がとれるようになる（2週間）

援助の内容	援助のポイントと根拠
OP 観察・測定項目	
●安静時の呼吸状態の変化（回数とリズム等）	⮕安静時の呼吸状態の変化に留意する
●経皮的酸素飽和度の変化，頻脈，チアノーゼの有無	⮕呼吸，循環動態の継時的変化に留意する　根拠 安静時の呼吸状態変化は，呼吸機能の低下を意味する
●肺音の聴取	⮕痰の貯留や呼吸時の肺野の状態を常に確認する
●痰の量と性状	⮕痰が多くなり喀出困難な場合には早急に対処する必要がある，また粘性などの性状を常に確認し，感染症発症の可能性についても評価する　根拠 肺炎はさらなる呼吸機能の悪化をきたす
●呼吸困難の訴え，表情，意識レベルの変化	⮕呼吸機能の悪化による本人の苦痛を早期に察知する 根拠 いつ呼吸状態が悪化してもおかしくない状況である
●睡眠障害の有無	⮕呼吸困難感の増大に伴う睡眠障害について確認する
TP 直接的看護ケア項目	
●呼吸リハビリテーション	⮕ 連携 理学療法士と連携しながら，効果的な呼吸リハビリテーションを継続して実施していく　根拠 胸郭の可動域を維持する
●排痰ケア	⮕スクイージング，体位ドレナージ，口腔内吸引と口腔ケア

援助の内容	援助のポイントと根拠
●リラクセーション（腹式呼吸）	を定期的に実施する　根拠　必要な換気量を無駄なく最大限に保つことができるように，気道の清浄を保つ支援を行う ⇒意識して腹式呼吸をするよう声かけをし，呼吸を整える　根拠　肩や胸部に余計な力が入らないのでリラックスして呼吸ができる ⇒精神的ストレスや不安によって心拍数や呼吸数が上がるので，呼吸を整えられるよう声かけを行う
●安楽な体位の工夫	⇒本人と考えながら体位変換を適宜行う　根拠　呼吸が楽になりリラックスできる
EP 教育・調整項目 ●呼吸困難時，我慢しないことの説明	⇒呼吸状態の変化，呼吸困難等が増大すれば伝えるように声かけを続ける　根拠　体力の消耗を防ぐ
●家族への体位ドレナージなどの教育	⇒連携　理学療法士から，介護者へ本人の状態に合わせた体位ドレナージの方法について教育をしてもらう
●環境の調整	⇒室温と湿度の調整により，清浄な空気を保ち感染を予防する

3 看護課題	看護目標（目標達成の目安）
#3 【家族の介護の維持・促進】 家族間で療養方針の意思統一が図れれば高い介護力を活かし，家族の介護を維持・促進する	1）介護に対する家族間の思いが表出できる（2週間） 2）在宅介護に関する家族間の役割が明確になる（3週間） 3）介護と自分自身の生活への自信がもてる（3週間）

援助の内容	援助のポイントと根拠
OP 観察・測定項目 ●家族の疾患，予後の捉え方	⇒今後の予後や経過をどのように認識しているか　根拠　現在の認識状況を判断し，正しい知識提供を行い，これからの介護に対する不安などを軽減する
●何を大切に考えて介護をしているか	⇒根拠　本人・家族と現在の介護に対する思いや考え方を確認することで，家族の強みをフィードバックする
●家族へのサポート体制と家族力，役割分担の状況 ●療養者との関係	⇒家族への介護サポートはどの程度か，家族間の介護の役割分担はどのようにされているのか ⇒各家族のこれまでの療養者との関係，現在のかかわりの状況　根拠　それぞれの家族がどのように療養者のことを考えているのか，どのような思いでいるのか確認し，家族間の話し合いの際に活かす
TP 直接的看護ケア項目 ●同じ疾患の患者・家族を紹介・情報交換の機会の提供	⇒強み　夫婦ともに民生委員をしていたことがあり，社交性はあるので，他の同様の疾患の家族会などへの参加を促し，自身の介護を振り返る機会を得る　根拠　主介護者である夫は元教員ということもあり，社交性・会話力が高いので，ピアカウンセリングの場などでも，自身の介護について他者に語ることで自尊心が高まる可能性がある
EP 教育・調整項目 ●家族への心理的サポート	⇒常に何でも相談に乗れることや緊急時の連絡体制も明確に伝えておく ⇒主治医，訪問看護師，ケアマネジャーなどを含めた方針検討の場を設ける．様々なサポート体制があり，常にチームで

●レスパイトケアの情報提供	連携して支援していることを理解して安心感をもつことで，精神的負担を軽減する
	⮕介護者の心身の負担が大きい時，体調不良の時などはレスパイト入院も可能であることを伝え，準備を進める
●介護者のリラクセーション方法の提案	⮕家族がリラックスできる方法をともに考える
	⮕アロマセラピーやストレッチなどの情報を提供する
●介護へのねぎらい	⮕各家族それぞれの役割と介護状況について確認し，家族全員が常に療養者のために介護を続けられていることを評価し，日々の介護をねぎらう　**強み** 家族の介護力の高さ，本人に対するケアの質の高さについて伝えることで，介護への自信を維持できるよう支援する
●家族への本人のよい反応に関する意図的な声かけ	⮕ **強み** カルピスを QOL 維持の大切な機会と家族が捉えられるよう，本人の意思や楽しみについて，家族が実感できるように支援する　**根拠** カルピスの経口摂取時は笑顔が見られ，家族との和やかな交流する時間であるので，意図的に声をかけて本人・家族の満足感を高める
	⮕介護だけでなく，日々の生活上の不安や悩みについて気軽に相談に乗る　**根拠** 特に主介護者である夫の精神的負担（特に男性介護者は抱え込んでしまうことが多いため）への配慮が重要である
	⮕ **強み** 家族それぞれの個々の介護力は高いので，互いに主となる介護役割を明確に分担し，精神的負担を軽減する　**根拠** 介護役割を分担し，介護以外の自分の時間を自由にもてるように調整することで，長期介護への負担を軽減する

STEP❹ 実施

強みと弱みに着目した援助のポイント

強みに着目した援助
- 家族に現在の介護力の高さ，本人に対するケアの質の高さについて伝えることで，介護への自信を維持できるよう支援する．
- 本人の嗜好品であるカルピス摂取を QOL 維持の大切な機会と家族が捉えられるよう，本人の意思や楽しみについて，家族が実感できるようにサポートする．
- 夫婦ともに民生委員をしていたことがあり社交性はあると考えられるため，同様の疾患の家族会などへの参加を促し，自身の介護を振り返ることで介護意欲と自尊心を維持できるようにサポートする．
- 家族それぞれの個々の介護力は高いので，互いに主となる介護役割を明確に分担し，それ以外の介護に関してはサポート程度に考える気持ちの余裕をもってもらい，精神的負担を軽減する．

弱みに着目した援助
- 本人の判断力が低下して意思決定が難しい状況にあるため，本人の推定意思を家族とともに探る．
- 呼吸機能は急激に低下しており，今後の療養方針について早急に決定する必要があることを具体的な症状や様々な場面を想定しながら説明する．

STEP❺ 評価

評価のポイント

- 本人の今後の療養への意思や推定意思を共有できているか
- 家族間で今後の療養方針について話し合えているか
- 本人と家族にとって最善の意思決定がなされているか
- 排痰ができて呼吸困難が軽減しているか

- 呼吸が安定し,睡眠がとれているか
- 介護に対する家族間の思いが表出されているか
- 在宅介護に関する家族間の役割が明確になっているか
- 介護と自分自身の生活への自信がもてているか

関連項目

第2章「11 筋萎縮性側索硬化症」「17 認知症」

34 服薬管理不全

服薬管理不全の理解

服薬管理不全とは

1) 服薬管理不全の定義
- 服薬管理不全の定義は「様々な要因によって適切な服薬管理が行われていない状態」である.
- 良好な服薬管理には服薬アドヒアランスが重要であり, 療養者自身が自分の病態, 薬効, 副作用, 費用などについて十分に説明を受けて理解したうえで, 納得して服薬するという主体的な行動が必要である.

2) 服薬管理不全が起こる背景
- 在宅療養者は, 加齢に伴う身体機能の低下や生活習慣病などによる複数の慢性疾患を有していることが多く, 多剤併用 (polypharmacy：ポリファーマシー) 状態であることが多い.

3) 健康への影響
- 疾患・生命にかかわる薬, 苦痛を緩和する薬, 身体機能低下を防ぐ薬などが適切に服薬できないことによって, 病状の悪化や苦痛の増大, 身体機能の低下を引き起こす.
- 加齢変化に基づく薬物感受性の増大と服用薬剤数の増加によって, 薬効の増強や副作用の出現など薬物有害事象のリスクが高くなる.

服薬管理不全とケア

- 服薬管理不全によって生じた症状や副作用をアセスメントし, 主治医と連携して服薬の量や頻度の調整を行う.
- 多剤併用状態は誤薬の原因になるため, 薬局と連携して薬の一包化などを検討する.
- 在宅療養者の服薬管理不全は, 様々な要因によって引き起こされているため, 多職種で情報を共有し, 家族を含めた支援体制をつくる.

療養者・家族の特徴からみた援助・対策

1) 独居者の場合
　独居者は, 療養生活における服薬管理の支援を別居している家族, 親戚, 友人から受けることが難しい. また, 症状の悪化や副作用の出現など身体的な変化が生じた時も, 発見が遅れがちとなる. そのため, 日常的に服薬管理状況の確認を行うとともに, 身体症状についても多職種で情報を共有することで, 早期に身体的な変化を発見し, 適切な介入を行う.

2) 認知症の場合
　在宅療養者は高齢者が多いため, 認知症を患うことが多い. 認知症によって, 短期記憶障害や判断力の低下, 見当識障害が生じた場合は, 療養者自身で適切な服薬管理を行うことが難しくなる. まず, 療養者の認知症の症状の程度を把握するとともに, 服薬管理状況を確認する. そのうえで, 剤形の調整, 服薬カレンダーの導入などの服薬支援を行う.

3) インスリン自己注射や中心静脈栄養など複雑な手技が必要な場合
　インスリン自己注射や中心静脈栄養の管理などが必要な場合, 療養者とその家族の状況によって, 行うことができる手技の範囲をアセスメントし支援する. 訪問看護師が手技の大部分を担う場合は, 療養者の生活状況 (食事の時間, 活動・就寝時間など) に合わせた支援を行う. なお, 療養者の状況 (要介護度) と経済状況を踏まえて, 訪問看護師の訪問回数やサービス内容を調整する.

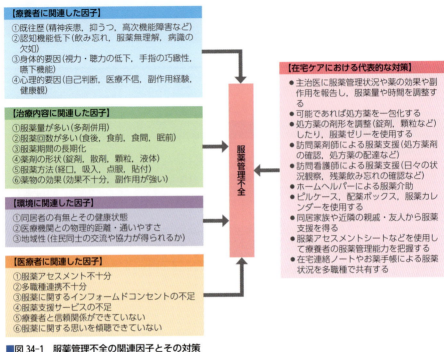

■図 34-1　服薬管理不全の関連因子とその対策

服薬管理不全に関連する社会資源・制度

1) 内服薬の調整
- 主治医による減薬
- 薬局による内服薬の一包化など，状態に応じた調剤

2) 服薬管理支援
- 訪問薬剤師サービス
- ホームヘルパーによる服薬確認
- 通所系サービスによる服薬介助
- 病院やクリニックにおける外来での医師・看護師の相談体制
- 心療内科などにおける公認心理師や臨床心理士の服薬カウンセリング
- 地域の NPO 法人などにおける生活・服薬相談

3) 緊急連絡体制
- 市区町村や民間企業による緊急通報システムの導入

服薬管理不全をめぐる訪問看護

訪問看護の視点

1) 療養者をみる視点
- 在宅療養者は多剤併用状態であることが多く，飲み忘れや誤薬，自己判断による服薬の調整など，適切な服薬管理が行われていないことがある．
- 療養者とその家族が，服薬管理の必要性を理解し納得して服薬するという主体的な行動が行われるようにすることが重要である．
- 服薬管理不全によって引き起こされる症状，副作用などをアセスメントする視点をもつ．
- 服薬管理状況や身体的アセスメントの内容を多職種で共有・連携することが重要である．

2) 支援のポイント
- 服薬管理状況の確認と服薬管理不全の要因や原因を明確化する．
- 服薬調整による服薬量や頻度，薬剤の形態を工夫する．
- 療養者とその家族の服薬アドヒアランスを確認する．
- ホームヘルパー，訪問薬剤師による服薬支援を提案する．

●看護課題別：療養者をみる視点と支援のポイント

看護課題	療養者をみる視点	支援のポイント
問題着眼型看護課題： **服薬管理不全**	適切な服薬管理が行われていなかった場合は，症状の悪化や副作用の出現など身体的な問題が生じるリスクが高い．適切な服薬管理を妨げている要因は何かを明確化してアセスメントし，療養者とその家族，多職種で支援することが重要である．	●過剰摂取や飲み忘れなどによって，症状の悪化や副作用の出現がないか観察する． ●服薬管理を妨げている要因を明確にする． ●服薬管理は看護師だけでなく，ホームヘルパー，ケアマネジャー，薬剤師，主治医など多職種でかかわる．
強み着眼型看護課題： **良好な服薬管理状況の維持・促進**	適切な服薬管理のために，薬剤の形態（一包化），服薬数や頻度を減らす，服薬カレンダーや配薬ボックスの導入を検討する．療養者自身が服薬の必要性を理解し，納得して服薬するという主体的な行動が必要である．	●療養者とその家族が服薬管理に対して主体的に取り組めるように促す．

STEP ① アセスメント ▸ STEP ② 看護課題の明確化 ▸ STEP ③ 計画 ▸ STEP ④ 実施 ▸ STEP ⑤ 評価

情報収集

情報収集項目	情報収集のポイント
疾患・医療ケア 疾患・病態・症状 □疾患 □疾患の症状 □疾患の経過，予後	➡服薬を必要とする疾患は何か ➡疾患による症状が服薬管理にどう影響しているか ➡服薬を必要とする疾患の診断時期，治療期間，進行状況はどうか
医療ケア・治療 □服薬	➡服薬内容（降圧薬，血糖降下薬，鎮痛薬など），服薬方法（内服，坐薬，貼付薬，注射薬など），服薬回数（食前，食後，食間，食後2時間，眠

情報収集項目		情報収集のポイント
疾患・医療ケア	□治療 □訪問看護	前)，服薬のタイミング(頓服：疼痛時・便秘時・悪心時)，薬効と副作用(低血圧，低血糖，眠気など)はどうか ⊃服薬介助は必要か(服薬確認，配薬，シートからの取り出し) ⊃服薬確認は必要か(配薬ボックス，服薬カレンダー) ⊃受診頻度と処方頻度はどうか ⊃処方内容の変更はないか ⊃服薬は適切に行われているか
	全身状態 □成長・発達段階 □摂食・嚥下・消化状態 □栄養・代謝・内分泌状態 □排泄状態 □筋骨格系の状態 □感覚器の状態 □認知機能 □意識 □精神状態 □免疫機能	⊃加齢に伴う薬物動態の変化に基づく，薬物感受性の増大はないか(薬効・副作用が出現しやすくなる，薬効・副作用が長期化する)，子どもの場合は，身長・体重に応じた服薬量が処方されているか ⊃誤嚥せずに服薬できる嚥下機能はあるか ⊃服用時間に合わせた食事をとっているか ⊃内服している薬の禁止食材は摂取していないか(グレープフルーツや納豆など) ⊃適切な排尿量はあるか(腎機能障害があると薬効に影響する) ⊃下痢(抗生物質の副作用)，便秘はないか ⊃薬を口に運ぶなどの動作に影響する関節拘縮，筋萎縮はないか ⊃服薬確認するための視力はあるか ⊃服薬の必要性を理解できる理解力はあるか ⊃服薬に必要な記憶力，判断力はあるか ⊃意識レベルは清明か ⊃服薬管理を阻害するうつ症状，せん妄，錯乱はないか ⊃抗がん剤や免疫抑制薬の服薬はないか
活動	**移動** □ベッド上の動き	⊃服薬の際に起き上がり，座位の保持ができるか ⊃坐薬，浣腸の際に側臥位への体位変換ができるか
	生活動作 □手段的日常生活動作	⊃服薬管理に関する動作を実施しているか ⊃服薬シートから取り出す，ハサミを使用する巧緻性はあるか
	生活活動 □食事摂取 □水分摂取 □活動・休息 □生活歴 □嗜好品	⊃服薬頻度に適した食事回数であるか ⊃ 1日の水分摂取量は適切か(脱水は薬効に影響する) ⊃服薬回数に適した生活リズムであるか(睡眠状況，昼夜逆転) ⊃薬物依存・乱用の過去はないか ⊃過度の飲酒・喫煙はないか
	コミュニケーション □意思疎通 □意思伝達力	⊃服薬に関する意思疎通が行えるか ⊃服薬に関する意思を表出できるか
	活動への参加・役割 □家族との交流 □近隣者・知人・友人との交流	⊃服薬管理に家族の支援は必要か ⊃服薬管理に近隣者・知人・友人の支援があるか

34 服薬管理不全

	情報収集項目	情報収集のポイント
活動	□外出	○病院や薬局への外出状況はどうか
環境	療養環境 □住環境 □地域環境 □地域性	○配薬ボックスや服薬カレンダーを設置する適当な場所はあるか ○坐薬やインスリンを保存する冷所(冷蔵庫)はあるか ○点滴薬をミキシングする清潔な場所はあるか ○受診する病院，薬局へのアクセスはどうか ○中小規模の病院(主治医)や大型の病院があるか
	家族環境 □家族構成 □家族機能 □家族の介護・協力体制	○同居家族はいるか ○服薬管理の必要性は理解できるか ○服薬管理に関する支援は得られるか
	社会資源 □保険・制度の利用 □保健医療福祉サービスの利用 □インフォーマルなサポート	○医療保険，介護保険，障害者自立支援制度の利用状況はどうか ○訪問看護師による服薬管理は必要か ○訪問薬剤師サービスは必要か ○ホームヘルパーによる服薬確認は必要か ○服薬管理を支援するインフォーマルなサポートはあるか
	経済 □生活困窮度	○病院受診，処方薬を受け取るための経済的余裕はあるか
理解・意向	志向性(本人) □生活の志向性 □性格・人柄 □人づきあいの姿勢	○服薬管理における目標や楽しみ(たとえば，血糖値の安定による嗜好品の摂取など)があるか ○服薬に関する疑問などを質問する社交性はあるか ○服薬に関する医療者からの説明を信頼して聞くことができるか
	自己管理力(本人) □自己管理力 □情報収集力 □自己決定力	○自己または家族・医療者の支援を受けながら適切な服薬管理を行うことができるか ○自己の身体症状を家族・医療者に説明できるか ○薬に関する疑問を医療者に質問できるか ○頓服薬を適切なタイミングで使用することができるか(疼痛時，熱発時など)
	理解・意向(本人) □意向・希望 □感情 □終末期への意向 □疾患への理解	○自己の望む生活に合わせて，服薬調整するための意思を表出できるか 　(副作用があっても痛みをとってほしい，ぐっすり眠りたい，薬の量を減らしてほしい) ○服薬に対する感情はどうか(医療用でも麻薬は欲しくない，薬に頼りたくないなど) ○抗がん剤治療の使用時期，鎮痛薬の使用，鎮静薬の使用に対してどのような意向があるか ○服薬を必要とする疾患に対して，予後・進行状況，薬物治療の方針(積極的な治療・現状維持・予防)をどう理解しているか

2. 理解・意向

情報収集項目		情報収集のポイント
理解・意向	□療養生活への理解 □受けとめ	⮕服薬に関する生活上の困難さをどう理解しているか ⮕服薬の必要性をどう受けとめているか
	理解・意向（家族） □意向・希望 □感情 □疾患への理解 □療養生活への理解	⮕療養者の望む生活に合わせて，服薬調整するための意思を表出・代弁できるか（副作用があっても痛みをとってほしい，ぐっすり眠らせてあげたい，薬の量を減らしてほしい，または増やしてほしい） ⮕療養者が薬を飲むことに対してどう思っているか（医療用でも麻薬は使ってほしくない，薬に頼ってほしくないなど） ⮕療養者の服薬を必要とする疾患に対して，予後・進行状況，薬物治療の方針（積極的な治療・現状維持・予防）をどう理解しているか ⮕療養者の服薬に関する生活上の困難さをどう理解しているか

事例紹介

認知機能低下により，適切な服薬管理を行えない多剤併用状態の高齢者の例

Keywords 服薬管理，多剤併用（ポリファーマシー），認知症，高血圧，独居，降圧薬，高齢男性

〔基本的属性〕男性，85歳
〔家族構成〕独居，長男夫婦との交流は少ない
〔主疾患等〕一過性脳虚血発作（transient ischemic attack；TIA），高血圧，糖尿病，脂質異常症，認知症
〔状況〕約20年前に妻と死別後，独居で生活していたが，下肢の虚脱感にて転倒し歩行困難．緊急搬送され，一過性脳虚血発作と診断を受ける．退院後より，独居・多剤併用状態であることから，状態観察・服薬管理目的にて訪問看護導入となる．もともとまじめで勤勉，自立心が強く，健康管理に関するこだわりがあった．物忘れ・短期記憶障害が出現し，主治医より認知症と診断される．現在，自己判断によって，降圧薬を過剰内服し低血圧を起こしていることがある．

情報整理シート

疾患・医療ケア

【疾患・病態・症状】

主疾患等：TIA（85歳）
病歴：高血圧（45歳～），糖尿病（45歳～），脂質異常症，認知症
経過：
- 45歳　会社の健康診断にて高血圧と糖尿病の指摘を受け，内服開始となる．
- 60歳　糖尿病が進行したためインスリン導入となる．妻の協力のもと運動・食事療法に取り組む．
- 64歳　HbA1c 6.4まで改善したためインスリン終了．妻と死別し独居となる．
- 84歳　下肢の虚脱感にて転倒し歩行困難．緊急搬送され，TIAと診断を受ける．薬物療法にて1週間入院となる．退院後，独居，多剤併用状態で要介護2であることから，状態観察・服薬管理目的にて訪問看護導入となる．
- 85歳　物忘れ・短期記憶障害が出現し，主治医より認知症と診断される．

【医療ケア・治療】

服薬：【内服】降圧薬（アムロジン）
　　　　　　　　抗凝固薬（ワーファリン）
　　　　　　　　抗血小板薬（アスピリン）
　　　　　　　　血糖降下薬（アマリール，ベイスン）
　　　　　　　　コレステロール降下薬（スタチン）
　　　　　　　　中枢神経系用薬（アリセプト）
治療状況：主治医に1回/月受診し，経過観察
医療処置：特になし
訪問看護内容：服薬確認，TIAの症状確認

【全身状態・主な医療処置】

- TIAにて入院　短期記憶障害があるこだわりが強くなっている
- TIA再発に恐怖感があり，降圧薬を過剰摂取することあり
- 訪問薬剤師が服薬カレンダーをセットし，本人が自己で内服している
- 「入院生活してから足が弱くなった」と話す

身長：173 cm
体重：68 kg
BMI：22.7
排便：1回/日
排尿：7回/日
食事：3回/日

血圧：100～110/60～70mmHg
脈拍：70～80（不整なし）
呼吸回数：18～20回/分
空腹時血糖値：100 g/dL
HbA1c 6.4

基本情報
年齢：84歳　性別：男性
要介護度：要介護2
障害高齢者自立度：A2
認知症高齢者自立度：Ⅱa

34　服薬管理不全

活　動

【移動】
屋内移動：自宅内の移動はゆっくりだが自立
屋外移動：長距離は車椅子を使用．近距離の移動は自立歩行

【活動への参加・役割】
家族との交流：妻と死別後，20年間独居であり，親戚との交流は少ない．長男は月1回の主治医受診を付き添う．
近隣者・友人との交流：近隣の人とは挨拶をする程度であるが，仲が悪いわけではない．昔からの友人知人とは疎遠
外出：ほぼ外出はしない．月1回の主治医への受診は長男が付き添う．
社会での役割：なし
余暇活動：テレビ鑑賞（特に健康番組を好む）

【生活活動】
食事摂取：スーパーの惣菜かホームヘルパーの調理したものを食べ，毎日3食摂取する．なるべく塩分の少ない食事をとるように注意しており，ホームヘルパーにも伝えている．
水分摂取：1,800 mL/日程度摂取．TIA後より，脱水に対して過敏であり，意識して飲水量を増やしている．
活動・休息：早寝早起きの生活習慣であり，昼夜逆転はおきていない．日中は健康に関するテレビを好んで見ている．夜間は排尿のため2回ほど覚醒する．
生活歴：努力家で勤勉な性格であり，60歳の定年退職まで会社員として勤め上げる．同年よりインスリン導入となったため，妻の協力のもと食事・運動療法に取り組む．自己の健康管理行動によってHbA1cが改善し，インスリン終了となったことが自慢である．妻との死別後は現在まで独居で生活している．

【生活動作】

基本的日常生活動作

食動作	自立
排泄	自立．夜間は2回程度覚醒して排尿する
清潔	週2回（火・金）ホームヘルパーによる一部介助で自宅浴室でシャワー浴
更衣整容	着替えは一部介助，洗顔髭剃りは見守り
移乗	室内の椅子へは自立
歩行	室内の移動はゆっくりだが自立
階段昇降	付き添いで数段なら行える

手段的日常生活動作

調理	スーパーのお惣菜とホームヘルパーが調理した食事を摂取
買い物	自宅の目の前のスーパーに週2回（月・木），ホームヘルパーが買い物に行っている
洗濯	自宅内の洗濯機を使用して自立
掃除	自立
金銭管理	自立
交通機関	利用しない

【コミュニケーション】
意思疎通：認知症による短期記憶障害があり，こだわりのある事柄（服薬管理，飲水などの健康管理）に対してときおりつじつまの合わないことがある．
意思伝達力：問題なし
ツールの使用：携帯電話所持

環境

【療養環境】

住環境:
独居
1階建ての一軒家で持ち家
浴室には手すりがある.
居間には緊急コールシステムを設置する予定である.

地域環境: 閑静な住宅街. 自宅の目の前にスーパーがあり, 近隣に信頼している診療所(主治医)がある.
地域性: 都市部から少し離れたベッドタウン. 新興住宅地と昔ながらの家屋が混在している.

【社会資源】

サービス利用:

	月	火	水	木	金	土	日
AM	訪問介護	訪問介護	訪問介護	訪問介護	訪問介護		
PM	訪問薬剤師			訪問看護			

保険・制度の利用: 介護保険, 後期高齢者医療, 手すり設置

【経済】

世帯の収入: 年金
生活困窮度: 退職金があり, 経済的に余裕がある.

【ジェノグラム】・【家族の介護・協力体制】

独居であり長男夫婦とは疎遠のため, 日常的な家族の介護協力は少ない. 月1回の主治医への受診は長男が付き添う.

【エコマップ】

理解・意向

【志向性】
生活の志向性: 健康管理に関心が強く, 健康番組を見るのが好き
性格・人柄: 勤勉でまじめ. 認知症の進行に伴い, こだわりが強くなった
人づきあいの姿勢: 消極的

【自己管理力】
自己管理力: 金銭管理は自己で行う. 服薬管理は服薬カレンダーを使用しているが, 自己調整している
情報収集力: テレビが中心. 生活に関することは訪問看護師やホームヘルパーから聞く
自己決定力: 自己決定するが, 変化は好まない

総合的機能関連図と看護課題

34 服薬管理不全

#1 服薬管理不全
- 内服管理について医療職種への不信感がある
- 自己判断にて服薬量を決めている
- [TIA再発に恐怖感がある]
- [血圧が高いなって思ったら多めに薬を飲んでる]
- 降圧薬を過剰摂取することあり
- 降圧剤内服
- [薬の説明がみんな言うことが違うから困る]
- 短期記憶障害あり
- [自分のことは自分が一番わかってる]

#2 転倒のリスク
- 低血圧によるめまい・ふらつきがある
- TIAによる下肢脱感の既往あり
- 入院により下肢筋力の低下があるが改善の意欲がある
- [たまにふらーっとなるけどこけたりはしてない]
- [脳梗塞で足に力が入らなくなったことがある]
- しばしば低血圧を起こす
- TIA出現時に下肢の虚脱あり
- 1週間の入院歴あり
- 発作時に転倒歴あり
- [入院して足が弱くなった]
- 室内移動はゆっくりだが自立

#3 認知機能障害
- 認知症が進行している
- [スーパーまで歩いてみるようかな]
- シャワー浴は一部介助で行う
- つじつまの合わないことがある
- 多併用状態
- 訪問薬剤師による服薬カレンダーセット
- 糖尿病 高血圧、認知症 一過性脳虚血発作(TIA)
- 血圧 100〜110/60〜70 mmHg
- 認知症高齢者自立度：Ⅱa
- 要介護 2
- 訪問看護師1回/週、ホームヘルパー5回/週

疾患・医療ケア
環境

#4 意欲の維持・促進
- 自立心が高い
- 健康管理行動に対する意欲が高い
- [糖尿病は自分の力で治すことができた]
- 健康番組を見るのが好き
- こだわりが強くなっている
- [なるべく自分のことは自分でしたい]
- 長男[父は頑固になったと思います]
- 血圧には注意して食事は減塩
- 健康管理に関心がある
- 買い物はホームヘルパー、食事は自立
- 室内での生活動作は見守りでほぼ自立している
- 自宅前にスーパーあり
- 1階建ての一軒家で持ち家
- 長男夫婦は車で30分の距離に在住
- 年金、退職金あり
- 長男夫婦と交流は少ないが、長男が受診に付き添ってくれる
- 独居

理解・意向
活動

凡例:
- 強みと読む解釈・判断
- 弱みと読む解釈・判断
- → 強みを示す矢印
- → 弱みを示す矢印

看護課題 ← 解釈・判断 ← 情報の選択

第3章 心理・社会的課題別看護過程　2. 理解・意向

STEP❶ アセスメント　STEP❷ 看護課題の明確化　STEP❸ 計画　STEP❹ 実施　STEP❺ 評価

看護課題リスト

No.	看護課題　【コード型】文章型	パターン
#1	【服薬管理不全】自己判断により内服量を決めており，適切な服薬管理を行えていない	問題着眼型
	根拠 複数の慢性疾患をもちながら生活しており，多剤併用状態である．また，認知症の進行と自己判断により降圧薬を過剰摂取していることがあり，しばしば低血圧を起こしている．	
#2	【転倒のリスク】低血圧によるめまい・ふらつきによって転倒のリスクが高い	リスク着眼型
	根拠 独居であり，降圧薬の過剰摂取によってしばしば低血圧を起こしており，めまい・ふらつきによる転倒のリスクがある．	
#3	【認知機能障害】認知症による短期記憶障害が出現している	問題着眼型
	根拠 認知症の進行に伴い短期記憶障害が出現しており，訪問看護師，主治医，訪問薬剤師の服薬に関する説明を正しく理解できない．	
#4	【意欲の維持・促進】自立心が高いことを活かし，健康管理に関する意欲を維持・促進する	強み着眼型
	根拠 糖尿病を自己管理（内服・インスリン自己注射）で改善したという強い自負と，妻と死別後20年間独居で生活してきた自立心を活かし，健康管理に対する意欲を維持・促進できる．	

【看護課題の優先度の指針】適切な服薬管理を行えておらず，副作用によって低血圧をしばしば起こしていることから，日常生活への影響は大きいと判断し【服薬管理不全】を#1とした．次に，低血圧によってめまい・ふらつきを起こしており，転倒のリスクがあることから【転倒のリスク】を#2とした．服薬管理行動に認知症の進行に伴う短期記憶障害が影響していることから【認知機能障害】を#3とした．健康管理に対する意欲と自立心が高いことから，【意欲の維持・促進】を#4とした．

長期目標

適切な服薬管理行動によって，安全に在宅療養生活を送る．

根拠 自立心が強く健康意識が高いため，自己で服薬管理をしたいという意欲がある．しかし，自己判断による降圧薬の過剰内服によって，低血圧が出現し，めまい・ふらつきによる転倒のリスクが増大している．適切な服薬管理を行うことで，転倒のリスクを軽減し，より安全な療養生活を送ることができる．

〈長期目標を共有するケアチーム〉
フォーマルサービス：訪問看護師，ケアマネジャー，主治医，訪問薬剤師，ホームヘルパー
インフォーマルなサポート：息子，息子の妻，孫，孫の妻

| STEP❶ アセスメント | STEP❷ 看護課題の明確化 | STEP❸ 計画 | STEP❹ 実施 | STEP❺ 評価 |

1 看護課題

#1 【服薬管理不全】
自己判断により内服量を決めており，適切な服薬管理を行えていない

看護目標（目標達成の目安）

1) 自己判断による内服量の調整を行わず，低血圧を起こさない（1か月）
2) 服薬管理に関する疑問があれば訪問看護師，訪問薬剤師に質問できる（1週間）
3) 服薬カレンダーを利用して，適切に服薬管理ができる（1か月）

援助の内容 / 援助のポイントと根拠

OP 観察・測定項目

- 循環状態
  - ➲低血圧症状（頭痛，めまい，立ちくらみ，動悸，息切れ，不整脈，全身倦怠感）を観察する　根拠 脳への血行不良によって頭痛やめまいをおこし，心肺の血行不良のため動悸や息切れ，不整脈をおこし，全身の筋肉や肝臓の血行不良のため全身倦怠感をおこす
  - ➲血圧，脈圧，脈拍を測定する
- 服薬管理状況の確認
  - ➲自己判断による内服量の調整の有無など服薬カレンダーを確認して服薬管理状況を把握する
- 血圧に関する不安
  - ➲血圧に関する不安はないか確認する　根拠 本人はTIA再発に対する不安によって降圧薬を過剰摂取しているため，血圧に関する思いを傾聴する
- 服薬に関する意欲
  - ➲服薬管理に関する意欲があるので，その思いを確認する　根拠 服薬など健康管理行動に関して間違った思い込みがあることがある

TP 直接的看護ケア項目

- 調剤上の工夫
  - ➲ 連携 内服薬は管理しやすいように一包化するよう薬剤師と調整する
- 療養者の服薬管理への参加
  - ➲ 強み 服薬カレンダーのセットは必ず本人とともに行う　根拠 本人は服薬の必要性を理解し，服薬管理の意欲もあるため，自分で管理しているという思いをもてるようにする
  - ➲ 連携 服薬内容が変更になる時は，本人が納得しているか確認する．必要時は，医師または薬剤師より説明を行うように提案する
- 血圧測定値の記録と共有
  - ➲ 連携 血圧測定時は必ず本人に測定値を口頭で伝え，連絡ノートに記載する　根拠 血圧をその場で本人に伝えることで，不安を軽減する．また，連絡ノートに記載しておくことで本人が忘れた時やホームヘルパーの状況把握に役立つ

EP 教育・調整項目

- 服薬に関する考えの傾聴
  - ➲ 連携 看護師，ホームヘルパーの訪問時に服薬確認を行い，できていることを認め，ねぎらい，疑問や不安がないか確認する　強み 本人は訪問看護師，ホームヘルパーを信頼している
- TIAの初期症状に関する説明
  - ➲手足のしびれ，脱力感，めまいや歩行困難，言葉が出てくるのにうまく話せない（舌が回らない），飲み込めないといった症状が出現した時は訪問看護ステーションに連絡するように説明する
- TIA再発に関する不安の傾聴
  - ➲本人はTIA再発に恐怖感があり，降圧薬を過剰摂取しているので，その不安や思いを傾聴する

34 服薬管理不全

2 看護課題 / 看護目標（目標達成の目安）

#2【転倒のリスク】
低血圧によるめまい・ふらつきによって転倒のリスクが高い

1) スーパーにホームヘルパー同行で買い物に行く（1か月）
2) 歩行機能を維持する（2か月）
3) 転倒を起こさない（2か月）

援助の内容 / 援助のポイントと根拠

OP 観察・測定項目

- 転倒のリスク
  - ➡ 低血圧症状（頭痛，めまい，立ちくらみ，動悸，息切れ，不整脈，全身倦怠感）を観察する
  - ➡ 血圧，脈圧，脈拍を測定する
- 歩行機能
  - ➡ 下肢筋力の低下，下肢の虚脱感，つまずき，分回し歩行の有無を観察する　**根拠** TIA は再発または重症化（脳梗塞）するリスクがある
- 活動状況
  - ➡ 自宅内での活動状況や活動範囲が低下していないか確認する　**根拠** 外出頻度が少なくこもりがちである

TP 直接的看護ケア項目

- 通所系サービス（デイサービス）の導入
  - ➡ **連携** ケアマネジャーと相談し，下肢筋力低下予防などのプログラムがあるサービスを提案する
- ホームヘルプサービス内容の変更
  - ➡ **連携** ホームヘルパーによる買い物代行から，買い物同行に変更することを提案する　**根拠** 自宅の目の前にスーパーがある立地を活かし，下肢筋力低下予防の運動にする
- 散歩の提案
  - ➡ 状態観察とともに，足腰を鍛えるための散歩など，健康管理に結びつけた提案を行う

EP 教育・調整項目

- 転倒予防行動の説明
  - ➡ 下肢の虚脱感やつまずき・めまいなど，安全な歩行が困難な症状が出現した時は，その場でしゃがみ込み，訪問看護ステーションに連絡するように説明する
- 外出が楽しみになる提案
  - ➡ **強み** 健康意識が高く，退院後に足が弱くなったという自覚があることから，目的をもった外出を提案する

3 看護課題 / 看護目標（目標達成の目安）

#3【認知機能障害】
認知症による短期記憶障害が出現している

1) 混乱せずに服薬管理を行うことができる（1か月）
2) 自宅を訪問する職種（看護師，ホームヘルパー，薬剤師）と穏やかに話をすることができる（1か月）
3) 興味・関心のあることをもてる（2か月）

援助の内容 / 援助のポイントと根拠

OP 観察・測定項目

- 服薬管理状況
  - ➡ 服薬カレンダーに配置されている内服薬を適切に服薬しているか確認する
- 自宅内の環境
  - ➡ 食べ残しや日常的なごみがたまっていないか，衣類の清潔が保たれているか確認する
- 精神的状態
  - ➡ 感情の起伏が激しい，普段と態度が変わっている，表情（暗い顔，沈んだ表情，冴えない表情）の変化はないか観察する
- 認知症状
  - ➡ 言語の理解力，構音障害（言葉が話しづらい），記憶障害（短期記憶，経験記憶はあるか），見当識障害（場所，時間，日付，季節など），判断力の有無に変化はないか観察する

TP 直接的看護ケア項目	
●地域交流の場の参加	⊃地域交流の場に参加するなどインフォーマルな社会資源を導入する **根拠** 他者との交流を促進することによって刺激になり精神的な安定になる
EP 教育・調整項目	
●処方薬変更時の説明	⊃ **連携** 処方薬変更時は，口頭だけでなくメモを残し，連絡ノートで訪問看護師，訪問薬剤師も情報を共有する
●興味や関心のあることに挑戦できるように提案する	⊃ **強み** 気分転換や興味・関心のあることは何かを確認して，楽しみや目標をつくる

4 看護課題	看護目標（目標達成の目安）
#4 【意欲の維持・促進】 自立心が高いことを活かし，健康管理に関する意欲を維持・促進する	1) 健康管理に対する意欲のある発言がみられる (1 か月) 2) 外出の機会に対して意欲的な発言がみられる (1 か月) 3) 日常生活における目的や楽しみがある (1 か月)
援助の内容	**援助のポイントと根拠**
OP 観察・測定項目	
●服薬管理を含む健康管理に関する言動・考え	⊃服薬支援を受けながら服薬管理を行っていることや健康管理への本人の考えを把握する
●外出の機会に関する言動・考え	⊃スーパーへの買い物やデイサービスなどの提案に対しての本人の思いを把握する
●日常生活に関する言動・考え	⊃現在の生活に対する不安や疑問はないか本人の思いを把握する
TP 直接的看護ケア項目	
●サービス内容の確認と調整の提案	⊃ **連携** 下肢筋力強化の意向を確認し，リハビリ特化型のデイサービスや訪問リハビリテーションなど，ケアプランの修正やサービス調整を提案する **強み** 認知症は進行しているが，自己の意思決定を行うことはできる
EP 教育・調整項目	
●療養者の考えや気持ちの傾聴	⊃訪問時に服薬管理や日常生活における考えや気持ちを表出できるように声をかけ，傾聴する **根拠** 自立心が高く意欲があるが，日常生活で負担になっていることがないか確認する必要がある

STEP❶ アセスメント　STEP❷ 看護課題の明確化　STEP❸ 計画　**STEP❹ 実施**　STEP❺ 評価

強みと弱みに着目した援助のポイント

強みに着目した援助
- 自立心が強く自己での服薬管理に対する意欲があるため，その意欲を維持・促進させる．
- 認知症の進行はあるが，服薬カレンダーの使用によって自分でできる服薬管理行動を維持する．
- 下肢筋力改善の意欲があるため，スーパーへの買い物など外出の機会を増やす．

弱みに着目した援助
- 自己判断による降圧薬の過剰摂取によってしばしば低血圧を起こしているため，適切な服薬管理が行われるように支援する．
- 認知症の進行に伴う短期記憶障害と生来の性格によって，こだわりが強いため，本人が納得できる介入方法で支援する．
- 独居であり，TIA 再発のリスクがあることから，症状出現時にすぐに連絡がとれない可能性がある．

STEP ① アセスメント　STEP ② 看護課題の明確化　STEP ③ 計画　STEP ④ 実施　STEP ⑤ 評価

評価のポイント

- 自己判断による内服量の調整を行わず，低血圧を起こしていないか
- 服薬管理に関する疑問があれば訪問看護師，訪問薬剤師に質問できているか
- 服薬カレンダーを利用して，適切に服薬管理ができているか
- スーパーにホームヘルパー同行で買い物に行けているか
- 歩行機能を維持できているか
- 転倒を起こしていないか
- 混乱せずに服薬管理を行うことができているか
- 自宅を訪問する職種（看護師，ホームヘルパー，薬剤師）と穏やかに話をすることができているか
- 興味・関心のあることをもてているか
- 健康管理に対する意欲のある発言がみられているか
- 外出の機会に対して意欲的な発言がみられているか
- 日常生活における目的や楽しみがあるか

関連項目

第2章「6 脳梗塞」「17 認知症」
第3章「29 社会的孤立」

薬剤一覧

□本書の処方例，事例の中で使用されている薬剤の商品名から，一般名を検索できる．
□療養者によっては，本書記載内容と有効成分(一般名)が同一でも商品名の異なる薬剤を使用していることもある．また，ジェネリック医薬品では「一般名＋剤形＋含量＋会社名」からなる名称が用いられていることが多いため，この一覧の一般名を参照されたい．

	商品名	一般名	頁
欧文	MSコンチン	モルヒネ硫酸塩水和物	44, 418
あ	アーチスト	カルベジロール	95
	アカルディ	ピモベンダン	95
	アクトネル	リセドロン酸ナトリウム水和物	278
	アジャストA	センナエキス	133
	アズノール	ジメチルイソプロピルアズレン	295
	アスピリン	アスピリン	261, 295, 565
	アセトアミノフェン	アセトアミノフェン	45, 418
	アダラート	ニフェジピン	509
	アドエア	サルメテロールキシナホ酸塩／フルチカゾンプロピオン酸エステル	68
	アボネックス	インターフェロンベータ-1a	223
	アボルブ	デュタステリド	322
	アマリール	グリメピリド	111, 117, 565
	アムロジン	アムロジピンベシル酸塩	261, 295, 312, 565
	アモバン	ゾピクロン	214
	アリセプト	ドネペジル塩酸塩	191, 312, 509, 565
	アルダクトンA	スピロノラクトン	95, 102
い	イーケプラ	レベチラセタム	174
	イグザレルト	リバーロキサバン	126
	イムセラ	フィンゴリモド塩酸塩	223
う	ウブレチド	ジスチグミン臭化物	480
	ウルティブロ	インダカテロールマレイン酸塩／グリコピロニウム臭化物	61
え	エクア	ビルダグリプチン	509
	エディロール	エルデカルシトール	328
	エパデール	イコサペント酸エチル	102
	エビリファイ	アリピプラゾール	160
	エリキュース	アピキサバン	126
お	オキシコンチン	オキシコドン塩酸塩水和物	44, 45, 403
	オノン	プランルカスト水和物	449
	オメプラゾン	オメプラゾール	524
	オンブレス	インダカテロールマレイン酸塩	61
か	ガバペン	ガバペンチン	78
	カロナール	アセトアミノフェン	78, 278, 328, 373
き	ギャバロン	バクロフェン	144, 174
く	クラビット	レボフロキサシン水和物	61
	グラマリール	チアプリド塩酸塩	360
	クリアナール	フドステイン	68
	グリコラン	メトホルミン塩酸塩	111
	クロザリル	クロザピン	160
け	ケシンプタ	オファツムマブ	223
こ	コデインリン酸塩	コデインリン酸塩水和物	78

	商品名	一般名	頁
	コパキソン	グラチラマー酢酸塩	223
	コムタン	エンタカポン	190
さ	ザイザル	レボセチリジン塩酸塩	449
	サムスカ	トルバプタン	95
	サルタノール	サルブタモール硫酸塩	61
	ザルティア	タダラフィル	322
	酸化マグネシウム	酸化マグネシウム	45, 68, 102, 197, 278, 295, 523
	サンドスタチン	オクトレオチド酢酸塩	45
し	シグマート	ニコランジル	95
	シクレスト	アセナピンマレイン酸塩	166, 169
	ジプレキサ	オランザピン	160
	ジャヌビア	シタグリプチンリン酸塩水和物	312
	ジレニア	フィンゴリモド塩酸塩	223, 229
	新レシカルボン	炭酸水素ナトリウム／無水リン酸二水素ナトリウム	144
す	スタレボ	レボドパ／カルビドパ水和物／エンタカポン	190
	スピリーバ	チオトロピウム臭化物水和物	61, 494
	スピロペント	クレンブテロール塩酸塩	321
せ	セララ	エプレレノン	95
	セルシン	ジアゼパム	174, 328
	セレジスト	タルチレリン水和物	480
	セロクエル	クエチアピンフマル酸	45, 160, 166
そ	ゾメタ	ゾレドロン酸水和物	45
	ソラナックス	アルプラゾラム	45
た	ダーブロック	ダプロデュスタット	78
	ダイアート	アゾセミド	95
	タイサブリ	ナタリズマブ	223
	タナトリル	イミダプリル塩酸塩	312
	ダントリウム	ダントロレンナトリウム水和物	150, 174
て	ディオバン	バルサルタン	464
	デカドロン	デキサメタゾン	52, 78, 403
	テクフィデラ	フマル酸ジメチル	223
	テグレトール	カルバマゼピン	174
	テノーミン	アテノロール	523
	デパケン	バルプロ酸ナトリウム	174, 181
	デパス	エチゾラム	133
	デュロテップ	フェンタニル	44
	テリルジー	フルチカゾンフランカルボン酸エステル／ウメクリジニウム臭化物／ビランテロールトリフェニル酢酸塩	61
	テルネリン	チザニジン塩酸塩	144, 150, 174
と	ドパゾール	レボドパ	197
	ドプス	ドロキシドパ	480
	トラベルミン	ジフェンヒドラミン／ジプロフィリン	78
	ドルミカム	ミダゾラム	46
	トルリシティ	デュラグルチド	509
な	ナウゼリン	ドンペリドン	52, 78
に	ニコチネルTTS	ニコチン	68
	ニトロール	硝酸イソソルビド	95

薬剤一覧

	商品名	一般名	頁
	ニバジール	ニルバジピン	52, 360
	ニュープロ	ロチゴチン	190
の	ノバミン	プロクロルペラジンマレイン酸塩	45
	ノルバスク	アムロジピンベシル酸塩	278
は	バイアスピリン	アスピリン	126
	ハルナール	タムスロシン塩酸塩	322
	パルミコート	ブデソニド	449
	ハルロピ	ロピニロール塩酸塩	190
	パロキセチン	パロキセチン塩酸塩水和物	191
ひ	ビ・シフロール	プラミペキソール塩酸塩水和物	191
	ビソルボン	ブロムヘキシン塩酸塩	494
	ビプレッソ	クエチアピンフマル酸	160
	ビムパット	ラコサミド	174
ふ	フェノバール	フェノバルビタール	174
	フェントス	フェンタニルクエン酸塩	44
	プラザキサ	ダビガトランエテキシラートメタンスルホン酸塩	126
	プラビックス	クロピドグレル硫酸塩	126
	フルイトラン	トリクロルメチアジド	95
	プルゼニド	センノシド	150, 191, 328, 480
	プレドニン	プレドニゾロン	61, 244
	ブロプレス	カンデサルタン シレキセチル	78, 95
	プロレナール	リマプロスト アルファデクス	261
へ	ベイスン	ボグリボース	566
	ベシケア	コハク酸ソリフェナシン	191, 322
	ベタニス	ミラベグロン	322
	ベタフェロン	インターフェロンベータ-1b	223
ほ	ボトックス	A型ボツリヌス毒素	174
	ポリスチレンスルホン酸カルシウム	ポリスチレンスルホン酸カルシウム	78
ま	マイスタン	クロバザム	174
	マイスリー	ゾルピデム酒石酸塩	229
	マグミット	酸化マグネシウム	191, 214, 509
み	ミカルディス	テルミサルタン	328
	ミリステープ	ニトログリセリン	95
	ミルマグ	水酸化マグネシウム	133, 360, 373, 550
む	ムコスタ	レバミピド	278
	ムコソルバン	アンブロキソール塩酸塩	360, 449
	ムコダイン	L-カルボシステイン	150, 449
め	メインテート	ビソプロロールフマル酸塩	95, 102
	メーゼント	シポニモド フマル酸	223
	メチコバール	メコバラミン	229, 328
	メトグルコ	メトホルミン塩酸塩	111
	メネシット	レボドパ／カルビドパ水和物	190
	メバロチン	プラバスタチンナトリウム	295
	メプチン	プロカテロール塩酸塩水和物	61, 449
も	モルヒネ塩酸塩	モルヒネ塩酸塩水和物	45, 78, 95
ゆ	ユニフィル	テオフィリン	68, 494
	ユベラN	トコフェロールニコチン酸エステル	509

	商品名	一般名	頁
ら	ラキソベロン	ピコスルファートナトリウム水和物	150, 197, 360, 418
	ラジカット	エダラボン	206
	ラシックス	フロセミド	95, 102
	ラミクタール	ラモトリギン	174
	ランタス	インスリン グラルギン	117
	ランドセン	クロナゼパム	191
り	リーゼ	クロチアゼパム	78
	リクシアナ	エドキサバントシル酸塩水和物	126
	リスパダール	リスペリドン	45, 78
	リスパダールコンスタ	リスペリドン	160
	リボトリール	クロナゼパム	229
	リリカ	プレガバリン	78, 229
	リルテック	リルゾール	206, 550
	リンデロン	ベタメタゾン	45
れ	レキップ	ロピニロール塩酸塩	190
	レニベース	エナラプリルマレイン酸塩	95, 102, 133
	レンドルミン	ブロチゾラム	191
ろ	ロキソニン	ロキソプロフェンナトリウム水和物	52, 78, 278
わ	ワーファリン	ワルファリンカリウム	126, 133, 464, 565
	ワイパックス	ロラゼパム	160

看護課題索引

□本書で挙げられている看護課題(コード型)から,該当する事例と頁を検索できる.
□性別,年代を( )で併記した.事例を検索する際の参考にされたい.
□看護課題として挙がっていないが,検索に有用と思われる語句を*付きで配置し,参考になる看護課題をひけるようにした.

例:行動・心理症状* ⇒「BPSDのリスク」認知症(男性,78歳) 311
              ↑   ↑
          参考になる看護課題   該当項目と事例

欧文

BPSDのリスク　認知症(男性,78歳)　311

あ

愛着形成の維持・促進　療育困難(男児,11か月)　448
意思決定
　── の維持・促進　がん慢性期(男性,68歳)　51／神経難病(男性,64歳)　387／社会的孤立(男性,80歳)　493
　── 不全　筋ジストロフィー(女児,3歳)　243／意思決定不全(女性,77歳)　549
移動・起居動作の維持・促進　頸髄損傷(男性,20歳)　149
意欲
　── 低下　摂食・嚥下障害(男性,76歳)　344／意欲低下(女性,70歳)　522
　── の維持・促進　関節拘縮(男性,82歳)　294／社会的孤立(男性,80歳)　492／服薬管理不全(男性,85歳)　564
うつ傾向　フレイル(女性,78歳)　260
運動発達遅滞　療育困難(男児,11か月)　448
嚥下機能* ⇒「摂食・嚥下機能の維持・促進」摂食・嚥下障害(男性,76歳)　344

か

介護の維持・促進　大腿骨頸部/転子部骨折(近位部骨折)(女性,82歳)　277
介護破綻* ⇒「生活困窮による介護破綻」生活困窮(女性,62歳)　478
家族による高齢者虐待　家族による高齢者虐待(女性,82歳)　463

家族の介護
　── 疲れ　関節拘縮(男性,82歳)　294／家族の介護疲れ(女性,98歳)　434／家族による高齢者虐待(女性,82歳)　463
　── 疲れのリスク　認知症(男性,78歳)　311
　── の維持・促進　慢性腎不全(男性,74歳)　84／脳梗塞(女性,56歳)　132／意思決定不全(女性,77歳)　549
関節拘縮　関節拘縮(男性,82歳)　294／家族の介護疲れ(女性,98歳)　434
記憶力の維持・促進　フレイル(女性,78歳)　260
起居動作* ⇒「移動・起居動作の維持・促進」頸髄損傷(男性,20歳)　149
苦痛の表出困難　神経難病(男性,64歳)　387
経口摂取の維持・促進　家族の介護疲れ(女性,98歳)　434
血糖コントロール不良　糖尿病(男性,45歳)　116
　── のリスク　自己放任(男性,63歳)　536／不衛生な住環境(ごみ屋敷)(女性,70歳)　508
健康管理行動
　── の維持・促進　慢性閉塞性肺疾患(男性,68歳)　67／慢性心不全(女性,72歳)　101／多発性硬化症(女性,43歳)　228／自己放任(男性,63歳)　536
　── 不足　糖尿病(男性,45歳)　116
行動・心理症状* ⇒「BPSDのリスク」認知症(男性,78歳)　311
高齢者虐待* ⇒「家族による高齢者虐待」(女性,82歳)　463
誤嚥性肺炎のリスク　パーキンソン病(女性,68歳)　196／摂食・嚥下障害(男性,76歳)　344／生活困窮(女性,62歳)　479

誤嚥のリスク　重症心身障害児(男児, 10歳)　180

呼吸器感染のリスク　慢性閉塞性肺疾患(男性, 68歳)　67／筋萎縮性側索硬化症(男性, 55歳)　212／不衛生な住環境(ごみ屋敷)(女性, 70歳)　508

呼吸困難　慢性閉塞性肺疾患(男性, 68歳)　67／がん(男性, 52歳)　402／小児がん(女児, 5歳)　417

────のリスク　重症心身障害児(男児, 10歳)　180／療育困難(男児, 11か月)　448／社会的孤立(男性, 80歳)　493

呼吸停止のリスク　神経難病(男性, 64歳)　387

呼吸不全のリスク　意思決定不全(女性, 77歳)　549

ごみ屋敷*　⇒「不衛生な住環境(ごみ屋敷)による呼吸器感染のリスク」　不衛生な住環境(ごみ屋敷)(女性, 70歳)　508

コミュニケーションの維持・促進　筋ジストロフィー(女児, 3歳)　243

さ

再梗塞のリスク　脳梗塞(女性, 56歳)　132

在宅看取りの維持・促進　老衰(女性, 95歳)　372／神経難病(男性, 64歳)　387／がん(男性, 52歳)　402／小児がん(女児, 5歳)　417

座位の維持・促進　脳梗塞(女性, 56歳)　132／生活不活発病(廃用症候群)(男性, 89歳)　359

支援の拒否　自己放任(男性, 63歳)　536

自己コントロールできない不安　統合失調症(女性, 36歳)　165

自己注射管理の維持・促進　糖尿病(男性, 45歳)　116

自尊心

────の維持・促進　筋萎縮性側索硬化症(男性, 55歳)　212／老衰(女性, 95歳)　372

────の低下　頸髄損傷(男性, 20歳)　149／尿失禁(女性, 92歳)　327

社会的交流の維持・促進　パーキンソン病(女性, 68歳)　196／認知症(男性, 78歳)　311／尿失禁(女性, 92歳)　327／家族による高齢者虐待(女性, 82歳)　463／社会的孤立(男性, 80歳)　493

住環境*　⇒「不衛生な住環境(ごみ屋敷)による呼吸器感染のリスク」　不衛生な住環境(ごみ屋敷)(女性, 70歳)　508

褥瘡　関節拘縮(男性, 82歳)　294／生活不活発病(廃用症候群)(男性, 89歳)　359

────のリスク　老衰(女性, 95歳)　372

神経症状再発のリスク　多発性硬化症(女性, 43歳)　228

身体可動性の低下　慢性閉塞性肺疾患(男性, 68歳)　67

心拍出量減少のリスク　慢性心不全(女性, 72歳)　101

睡眠障害　生活困窮(女性, 62歳)　479

生活行動範囲の維持・拡大　筋萎縮性側索硬化症(男性, 55歳)　212

生活困窮による介護破綻　生活困窮(女性, 62歳)　479

摂食・嚥下機能の維持・促進　摂食・嚥下障害(男性, 76歳)　344

セルフケア活動の低下　統合失調症(女性, 36歳)　165

せん妄のリスク　生活不活発病(廃用症候群)(男性, 89歳)　359

足病変のリスク　糖尿病(男性, 45歳)　116

た

体液量過剰　慢性腎不全(男性, 74歳)　84

対人関係の維持・促進　統合失調症(女性, 36歳)　165

脱水　がん慢性期(男性, 68歳)　51

低栄養　家族による高齢者虐待(女性, 82歳)　463

────のリスク　慢性腎不全(男性, 74歳)　84／筋ジストロフィー(女児, 3歳)　243／フレイル(女性, 78歳)　260／摂食・嚥下障害(男性, 76歳)　344／がん(男性, 52歳)　402

てんかん発作のリスク　重症心身障害児（男児，10歳）　180
転倒のリスク　パーキンソン病（女性，68歳）196／尿失禁（女性，92歳）　327／服薬管理不全（男性，85歳）　564
疼痛　大腿骨頸部/転子部骨折（大腿骨近位部骨折）（女性，82歳）　277／老衰（女性，95歳）372／がん（男性，52歳）　402／小児がん（女児，5歳）　417

な

日常生活動作の維持・促進　多発性硬化症（女性，43歳）　228
尿失禁　尿失禁（女性，92歳）　327
尿路感染のリスク　筋萎縮性側索硬化症（男性，55歳）　212
認知機能
　── 障害　服薬管理不全（男性，85歳）　564
　── の維持・促進　不衛生な住環境（ごみ屋敷）（女性，70歳）　508
認知症に伴う行動・心理症状*　⇒「BPSDのリスク」認知症（男性，78歳）　311

は

排便障害　頸髄損傷（男性，20歳）　149
発達
　── 遅滞*　⇒「運動発達遅滞」療育困難（男児，11か月）　448
　── 不全　筋ジストロフィー（女児，3歳）　243
半側の認識困難　脳梗塞（女性，56歳）　132
悲嘆　意欲低下（女性，70歳）　522
皮膚損傷のリスク　がん慢性期（男性，68歳）51
疲労感　がん慢性期（男性，68歳）　51

不安　慢性心不全（女性，72歳）　101／多発性硬化症（女性，43歳）　228／小児がん（女児，5歳）　417
不衛生な住環境（ごみ屋敷）による呼吸器感染のリスク　不衛生な住環境（ごみ屋敷）（女性，70歳）　508
服薬管理
　── の維持・促進　慢性腎不全（男性，74歳）84／パーキンソン病（女性，68歳）　196
　── 不全　認知症（男性，78歳）　311／服薬管理不全（男性，85歳）　564
便秘　慢性心不全（女性，72歳）　101／生活不活発病（廃用症候群）（男性，89歳）　359
歩行の維持・促進　フレイル（女性，78歳）260／大腿骨頸部/転子部骨折（大腿骨近位部骨折）（女性，82歳）　277／生活困窮（女性，62歳）　479／社会的孤立（男性，80歳）493／意欲低下（女性，70歳）　522

ま

看取り*　⇒「在宅看取りの維持・促進」老衰（女性，95歳）　372／神経難病（男性，64歳）387／がん（男性，52歳）　402／小児がん（女児，5歳）　417

や

役割遂行の維持・促進　大腿骨頸部/転子部骨折（大腿骨近位部骨折）（女性，82歳）　277

ら

療育
　── 困難　療育困難（男児，11か月）　448
　── の維持・促進　重症心身障害児（男児，10歳）　180

事例キーワード索引

□本書事例で挙げられている Keywords から，該当する事例と頁を検索できる．
□性別，年代を( )で併記した．事例を検索する際の参考にされたい．

欧文

ALS　筋萎縮性側索硬化症(男性，55歳)　212／意思決定不全(女性，77歳)　549
BPSD(行動・心理症状)　認知症(男性，78歳)　311
wearing-off現象　パーキンソン病(女性，68歳)　196

あ

愛着形成　療育困難(男児，11か月)　448
アドバンスケアプランニング　慢性心不全(女性，72歳)　101
アルツハイマー型認知症　認知症(男性，78歳)　311
意思決定　筋ジストロフィー(女児，3歳)　243
意思決定支援　神経難病(男性，64歳)　387
意思決定不全　意思決定不全(女性，77歳)　549
意欲低下　摂食・嚥下障害(男性，76歳)　344／意欲低下(女性，70歳)　522
医療費助成制度　生活困窮(女性，62歳)　479
医療扶助　糖尿病(男性，45歳)　116
飲水制限　慢性腎不全(男性，74歳)　84
インスリン自己注射　糖尿病(男性，45歳)　116
ウートフ現象　多発性硬化症(女性，43歳)　228
うっ血性心不全　慢性腎不全(男性，74歳)　84
運動発達遅滞　療育困難(男児，11か月)　448
エンドオブライフケア　老衰(女性，95歳)　372／神経難病(男性，64歳)　387／がん(男性，52歳)　402／小児がん(女児，5歳)　417
悪心・嘔吐　がん慢性期(男性，68歳)　51

か

介護経験　意欲低下(女性，70歳)　522

介護保険料未払い　生活困窮(女性，62歳)　479
化学療法　がん慢性期(男性，68歳)　51
家族介護　慢性腎不全(男性，74歳)　84／大腿骨頸部／転子部骨折(大腿骨近位部骨折)(女性，82歳)　277／神経難病(男性，64歳)　387／意思決定不全(女性，77歳)　549
家族支援　筋ジストロフィー(女児，3歳)　243／関節拘縮(男性，82歳)　294／老衰(女性，95歳)　372／がん(男性，52歳)　402／小児がん(女児，5歳)　417
家族の介護疲れ　関節拘縮(男性，82歳)　294／認知症(男性，78歳)　311／家族の介護疲れ(女性，98歳)　434
学童(男児)　重症心身障害児(男児，10歳)　180
関節拘縮　関節拘縮(男性，82歳)　294／老衰(女性，95歳)　372
緩和ケア　慢性心不全(女性，72歳)　101
がん慢性期　がん慢性期(男性，68歳)　51
急性骨髄性白血病　小児がん(女児，5歳)　417
虚弱　社会的孤立(男性，80歳)　493
筋萎縮性側索硬化症(ALS)　筋萎縮性側索硬化症(男性，55歳)　212／意思決定不全(女性，77歳)　549
禁煙　慢性閉塞性肺疾患(男性，68歳)　67
筋ジストロフィー　筋ジストロフィー(女児，3歳)　243
グループホーム　統合失調症(女性，36歳)　165
経済的虐待　家族による高齢者虐待(女性，82歳)　463
頸髄損傷　頸髄損傷(男性，20歳)　149
軽度認知障害　フレイル(女性，78歳)　260
血液透析　慢性腎不全(男性，74歳)　84
血糖コントロール　糖尿病(男性，45歳)　116
健康管理行動　慢性心不全(女性，72歳)　101
降圧薬　服薬管理不全(男性，85歳)　564
高血圧　脳梗塞(女性，56歳)　132／認知症(男性，78歳)　311／服薬管理不全(男性，85歳)　564

581

事例キーワード索引

行動・心理症状　認知症（男性，78歳）　311
高齢者虐待　家族による高齢者虐待（女性，82歳）　463
高齢者世帯　劣悪な住環境（女性，75歳）　497
高齢女性　慢性心不全（女性，72歳）　101／パーキンソン病（女性，68歳）　196／フレイル（女性，78歳）　260／大腿骨頸部／転子部骨折（大腿骨近位部骨折）（女性，82歳）　277／尿失禁（女性，92歳）　327／老衰（女性，95歳）　372／家族による高齢者虐待（女性，82歳）　463／不衛生な住環境（女性，70歳）　508／意欲低下（女性，70歳）　522／意思決定不全（女性，77歳）　549
高齢男性　がん慢性期（男性，68歳）　51／慢性閉塞性肺疾患（男性，68歳）　67／慢性腎不全（男性，74歳）　84／関節拘縮（男性，82歳）　294／認知症（男性，78歳）　311／摂食・嚥下障害（男性，76歳）　344／生活不活発病（廃用症候群）（男性，89歳）　359／社会的孤立（男性，80歳）　493／服薬管理不全（男性，85歳）　564
誤嚥性肺炎　摂食・嚥下障害（男性，76歳）　344
呼吸器感染　筋萎縮性側索硬化症（男性，55歳）　212／不衛生な住環境（女性，70歳）　508
呼吸機能悪化　意思決定不全（女性，77歳）　549
呼吸リハビリテーション　慢性閉塞性肺疾患（男性，68歳）　67
骨転移　がん（男性，52歳）　402
ごみ屋敷　不衛生な住環境（女性，70歳）　508

さ

サービス付き高齢者向け住宅　摂食・嚥下障害（男性，76歳）　344
在宅酸素療法　慢性閉塞性肺疾患（男性，68歳）　67／小児がん（女児，5歳）　417／療育困難（男児，11か月）　448
残存機能　頸髄損傷（男性，20歳）　149／筋萎縮性側索硬化症（男性，55歳）　212
自己放任　自己放任（男性，63歳）　536

自尊心　頸髄損傷（男性，20歳）　149／筋萎縮性側索硬化症（男性，55歳）　212
死別　意欲低下（女性，70歳）　522
社会的孤立　社会的孤立（男性，80歳）　493
社会的役割　意欲低下（女性，70歳）　522
重症心身障害児　重症心身障害児（男児，10歳）　180
出生前診断　筋ジストロフィー（女児，3歳）　243
症状コントロール　がん（男性，52歳）　402
小児緩和ケア　小児がん（女児，5歳）　417
食事量減少　老衰（女性，95歳）　372
褥瘡　関節拘縮（男性，82歳）　294／生活不活発病（廃用症候群）（男性，89歳）　359／老衰（女性，95歳）　372
神経因性膀胱　生活困窮（女性，62歳）　479
神経難病　神経難病（男性，64歳）　387
人工呼吸器　意思決定不全（女性，77歳）　549
人工呼吸器管理　筋萎縮性側索硬化症（男性，55歳）　212
人工骨頭置換術後　大腿骨頸部／転子部骨折（大腿骨近位部骨折）（女性，82歳）　277
心拍出量減少　慢性心不全（女性，72歳）　101
ストーマ管理　がん慢性期（男性，68歳）　51
スピリチュアルペイン　がん（男性，52歳）　402
生活困窮　生活困窮（女性，62歳）　479
生活不活発病（廃用症候群）　生活不活発病（廃用症候群）（男性，89歳）　359／家族の介護疲れ（女性，98歳）　434
生活保護　糖尿病（男性，45歳）　116
精神症状　統合失調症（女性，36歳）　165
成年後見制度　家族による高齢者虐待（女性，82歳）　463
青年男性　頸髄損傷（男性，20歳）　149
摂食・嚥下障害　摂食・嚥下障害（男性，76歳）　344
せん妄　生活不活発病（廃用症候群）（男性，89歳）　359
壮年女性　脳梗塞（女性，56歳）　132／統合失調症（女性，36歳）　165／多発性硬化症（女性，43歳）　228／生活困窮（女性，62歳）　479

事例キーワード索引

壮年男性　糖尿病(男性，45歳)　116／筋萎縮性側索硬化症(男性，55歳)　212／神経難病(男性，64歳)　387／がん(男性，52歳)　402／自己放任(男性，63歳)　536

た

対人交流　統合失調症(女性，36歳)　165
大腿骨転子部骨折後　家族の介護疲れ(女性，98歳)　434
大腿骨頸部骨折　大腿骨頸部／転子部骨折(大腿骨近位部骨折)(女性，82歳)　277
大腸がん　がん慢性期(男性，68歳)　51
多系統萎縮症　神経難病(男性，64歳)　387／生活困窮(女性，62歳)　479
多剤併用(ポリファーマシー)　服薬管理不全(男性，85歳)　564
脱水　がん慢性期(男性，68歳)　51
多発性硬化症　多発性硬化症(女性，43歳)　228
ため込み症疑い　不衛生な住環境(女性，70歳)　508
男性介護者　家族による高齢者虐待(女性，82歳)　463
超高齢女性　家族の介護疲れ(女性，98歳)　434
低栄養　慢性腎不全(男性，74歳)　84／筋ジストロフィー(女児，3歳)　243／フレイル(女性，78歳)　260／摂食・嚥下障害(男性，76歳)　344
てんかん　重症心身障害児(男児，10歳)　180
転居　社会的孤立(男性，80歳)　493
疼痛　老衰(女性，95歳)　372
疼痛コントロール　小児がん(女児，5歳)　417
糖尿病　糖尿病(男性，45歳)　116／認知症(女性，78歳)　311／不衛生な住環境(女性，70歳)　508／自己放任(男性，63歳)　536
統合失調症　統合失調症(女性，36歳)　165／自己放任(男性，63歳)　536
特別支援学校　重症心身障害児(男児，10歳)　180

独居　糖尿病(男性，45歳)　116／フレイル(女性，78歳)　260／尿失禁(女性，92歳)　327／自己放任(男性，63歳)　536／服薬管理不全(男性，85歳)　564

な

難病法(難病の患者に対する医療等に関する法律)　生活困窮(女性，62歳)　479
日中独居　社会的孤立(男性，80歳)　493／意欲低下(女性，70歳)　522
乳児(男児)　療育困難(男児，11か月)　448
尿意切迫感　尿失禁(女性，92歳)　327
尿失禁　尿失禁(女性，92歳)　327
尿路感染　筋萎縮性側索硬化症(男性，55歳)　212
認知機能障害　統合失調症(女性，36歳)　165
認知症　生活不活発病(廃用症候群)(男性，89歳)　359／家族の介護疲れ(女性，98歳)　434／家族による高齢者虐待(女性，82歳)　463／不衛生な住環境(女性，70歳)　508／服薬管理不全(男性，85歳)　564
ネグレクト　療育困難(男児，11か月)　448／家族による高齢者虐待(女性，82歳)　463
寝たきり　生活不活発病(廃用症候群)(男性，89歳)　359
年金　家族による高齢者虐待(女性，82歳)　463
脳梗塞　脳梗塞(女性，56歳)　132
脳梗塞後遺症　関節拘縮(男性，82歳)　294
脳性麻痺　重症心身障害児(男児，10歳)　180

は

パーキンソン病　パーキンソン病(女性，68歳)　196
肺がん　がん(男性，52歳)　402
廃用症候群　生活不活発病(廃用症候群)(男性，89歳)　359／家族の介護疲れ(女性，98歳)　434
発達支援　筋ジストロフィー(女児，3歳)　243

引きこもり　家族による高齢者虐待(女性, 82
　歳)　463
ひとり親家庭　重症心身障害児(男児, 10歳)
　180
一人介護　家族の介護疲れ(女性, 98歳)　434
頻尿　尿失禁(女性, 92歳)　327
不衛生　不衛生な住環境(女性, 70歳)　508
福祉用具の活用　脳梗塞(女性, 56歳)　132
服薬管理　統合失調症(女性, 36歳)　165／
　パーキンソン病(女性, 68歳)　196／服薬管
　理不全(男性, 85歳)　564
フレイル　フレイル(女性, 78歳)　260
変形性膝関節症　意欲低下(女性, 70歳)　522
便秘　生活不活発病(廃用症候群)(男性, 89歳)
　359
ホーン－ヤールの分類Ⅳ　パーキンソン病(女
　性, 68歳)　196
歩行機能低下　フレイル(女性, 78歳)　260
ポリファーマシー　服薬管理不全(男性, 85歳)
　564

ま

末期がん　がん(男性, 52歳)　402
慢性心不全　慢性心不全(女性, 72歳)　101
慢性腎不全　慢性腎不全(男性, 74歳)　84
慢性閉塞性肺疾患　慢性閉塞性肺疾患(男性,
　68歳)　67／社会的孤立(男性, 80歳)　493
未婚の子ども　家族による高齢者虐待(女性,
　82歳)　463
免疫抑制薬　多発性硬化症(女性, 43歳)　228

や

幼児(女児)　筋ジストロフィー(女児, 3歳)
　243／小児がん(女児, 5歳)　417
腰痛症　意欲低下(女性, 70歳)　522
腰部脊柱管狭窄症　フレイル(女性, 78歳)
　260

ら

リハビリテーション　脳梗塞(女性, 56歳)
　132／大腿骨頸部/転子部骨折(大腿骨近位部
　骨折)(女性, 82歳)　277
療育困難　療育困難(男児, 11か月)　448
リロケーションダメージ　認知症(男性, 78歳)
　311
老衰　老衰(女性, 95歳)　372
老年期うつ　フレイル(女性, 78歳)　260

索引

数字

1型糖尿病　110
2型糖尿病　110

欧文

ACO　60
ACP　206
ALS　205, 212, 549
──，総合的機能関連図と看護課題　216
──をめぐる訪問看護　208
BPSD　304, 311
CHS基準　253
CKD　77
COPD　60
──，総合的機能関連図と看護課題　70
──の統合ケア　62
──をめぐる訪問看護　63
CVポート　411
──刺入部　408
DMD　237
EP　24, 26
FT　337
FTD　205
high EE家族　161
HMV　213
HOT　73
──の注意点　73
ICIQ-SF　321
I-PSS　320
IQ　173
J-CHS基準　253
MS　222
MWST　337
NPPV　174, 206, 213
OABSS　321
off症状　190
on症状　190
OP　24
PCAポンプ　45
QOL　4
──の低下　320
QOLスコア　320
RSST　337
SST　161
TLS　205
TP　24
TPPV　206, 213
wearing-off現象　196

和文

あ

アイスマッサージ　349
愛着形成　448
アクションプラン　61, 62
アセスメント　6, 7
アテローム血栓性脳梗塞　125
アドバンスケアプランニング　97, 101, 108, 206, 218
アドボカシー　5
アルツハイマー型認知症　304, 311

い

意思決定　243, 544
意思決定支援　387, 396
意思決定不全　544, 546, 549
──，総合的機能関連図と看護課題　552
──をめぐる訪問看護　545
胃食道逆流　174
溢流性尿失禁　320, 322, 324
意欲　294
意欲減退　517
意欲低下　344, 517, 519, 522
──，総合的機能関連図と看護課題　525
──をめぐる訪問看護　519
医療的ケア児支援法　175
医療的入院　207
医療費助成制度　479
医療扶助　116
胃瘻　212, 339
飲水制限　84, 89, 92
インスリン　110
──自己注射　116, 123, 559
──投与　111

陰性症状　159, 162
インフルエンザワクチン　60

う

ウートフ現象　222, 228
うっ血性心不全　84
運動障害　128
運動症状，パーキンソン病　189
運動発達遅滞　448

え

エクソンスキッピング療法　238
嚥下障害　129, 337
嚥下リハビリテーション　339
援助内容の計画　24
エンドオブライフケア　372, 387, 402, 417
──，がん　396
──，小児がん　412
──，神経難病　382
──，老衰　368
エンパワメント　6

お

大島分類　173
悪心・嘔吐　51
オピオイド　44
オピオイドスイッチング　45
オレンジプラン　306

か

介護経験　522
介護支援専門員　4
介護疲れ　428, 458
外固定法　271
介護負担　428
介護放棄　458
介護保険制度　4
介護保険料未払い　479
改訂日本版フレイル基準　253
改訂水飲みテスト　337
化学療法　51
過活動膀胱症状質問票　321
家族　5
──をみる視点　5
家族介護　84, 387, 549

585

索引

家族介護支援　277
家族支援　243, 294, 372, 402, 417
家族による高齢者虐待　458, 460
　——，総合的機能関連図と看護課題　466
　——をめぐる訪問看護　460
家族の介護疲れ　294, 308, 311, 428, 434
　——，総合的機能関連図と看護課題　437
　——をめぐる訪問看護　430
活動　5, 8, 15
活動領域の情報　17
カテーテル関連血流感染症　411
加齢性筋肉減少症　253
がん　396
　——，総合的機能関連図と看護課題　405
　——におけるエンドオブライフケア　396
　——をめぐる訪問看護　397
簡易版フレイル・インデックス　254
環境　5, 8, 16
環境領域の情報　17
間欠的自己導尿　155
間欠的導尿　322
看護課題　4, 17
　——の明確化　6, 19
　——の明確化の具体例　19
　——の明確化の例：強み着眼型　20
　——の明確化の例：問題着眼型　22
　——の明確化の例：リスク着眼型　21
　——の優先度の指針　23
看護過程　4
　——の意義　5
　——の概要　6
　——の基本　4
　——のステップ　7
　——の特徴　5
　——の目的　4
看護計画　4, 24
　——の実施　6
　——の立案　6
看護行為の意味づけ　5
看護の質の保証　5
看護目標　24
　——の例　24
観察　7

観察・測定計画　24
間質性肺炎　73
感情の障害　159
感情表出レベルの高い家族　161
がん性疼痛　44
関節可動域訓練　288, 299, 377
間接訓練　349
間接訓練法　339
関節拘縮　287, 294, 354, 372
　——，総合的機能関連図と看護課題　297
　——をめぐる訪問看護　290
完全閉じ込め状態　205, 384
がん慢性期　44, 51
　——，総合的機能関連図と看護課題　54
　——をめぐる訪問看護　47
緩和ケア　101

き

気管切開下陽圧換気　206
期待される成果　24
機能肢位　288
機能性尿失禁　320, 324
急性骨髄性白血病　417
吸入気管支拡張薬　61
教育・調整計画　24, 26
経静脈栄養　339
強直　287
虚弱　493
居宅サービス計画書　7, 35, 36
記録物　7
筋萎縮性側索硬化症　205, 212, 549
　——，総合的機能関連図と看護課題　216
　——をめぐる訪問看護　208
禁煙　60, 63, 67
筋緊張亢進　174
筋ジストロフィー　237, 243
　——，総合的機能関連図と看護課題　246
　——をめぐる訪問看護　239
筋性拘縮　287
緊張病症候群　159
筋力低下　354

く

クーイング　250
空腹時血糖値　110
薬の一包化　559
屈曲拘縮　287

グリーフケア　175, 412, 425
グループホーム　165

け

ケア　3
ケアプラン　4
ケアマネジメント　3, 4
ケアマネジャー　4
計画の見直し・修正　30
経済的虐待　458, 463
痙縮　289
頸髄損傷　142, 149
　——，総合的機能関連図と看護課題　152
　——をめぐる訪問看護　145
頸髄損傷高位別の運動レベルと日常生活動作　142
痙性拘縮　287
軽度認知障害　260
経鼻胃管　339
経鼻経管栄養　249
血液透析　80, 84
血液透析療法　81
結合組織性拘縮　287
血栓溶解療法　125
血糖コントロール　112, 116, 120
血糖値　110
健康管理行動　101
言語障害　128
権利擁護　5

こ

降圧薬　564
高血圧　132, 311, 564
高次脳機能障害　128
拘縮　287
抗精神病薬　160
行動・心理症状　304, 311
行動手順の組み立て　26
行動予定表　26
抗パーキンソン病薬　190
高齢者虐待　428, 458, 463, 468
高齢者虐待対応会議　468
高齢者虐待防止法　458
誤嚥　174
誤嚥性肺炎　191, 344
　——の予防　339
コード型の看護課題　19
呼吸器感染　212, 508
呼吸機能悪化　549
呼吸不全　213

索引

呼吸リハビリテーション
　　　　　　　61, 67, 213, 555
国際前立腺症状スコア　320
国際尿失禁会議質問票ショート
　フォーム　321
個人情報の保護　8
骨性強直　287
骨転移　402
骨盤底筋体操　321, 322, 333
孤独感　488
個別性の高い看護の提供　5
ごみ屋敷　502, 508
　──，総合的機能関連図と看護
　　課題　511
　──をめぐる訪問看護　504
コミュニケーション　7
コミュニケーション障害　207
孤立感　488

さ

サービス付き高齢者向け住宅
　　　　　　　　　　　　344
サービス提供票　7, 38
サービス提供票別表　7, 39
在宅エンドオブライフケア　368
在宅看護　2
　──の考え方　2
在宅看護実践　2, 4
在宅酸素療法
　　　　45, 63, 67, 73, 417, 448
在宅人工呼吸法　213
在宅看取り　368
在宅療養者　2
　──と家族に対するケア　3
　──に対する看護課題　23
サルコペニア　253
　──対策　254
酸素吸入器具　73
酸素供給装置　73
残存機能　149, 212

し

肢位　289
支援困難事例　531, 533
弛緩性拘縮　287
自己効力感　62
自己導尿　155
自己放任　459, 502, 531, 533, 536
　──，総合的機能関連図と看護
　　課題　539
　──をめぐる訪問看護　533
ジスキネジア　190

事前ケア計画　206
持続性GLP-1受容体作動薬の皮
　下注射　514
持続性抑うつ障害　502
持続痛　44
持続的導尿　322
自尊心　149, 212
　──の低下　146
疾患・医療ケア　5, 8, 15
　──領域の情報　17
実施の段階　26
自閉スペクトラム症　502
死別　522
脂肪塞栓症候群　270
社会生活技能訓練　161
社会的孤立　488, 490, 493
　──，総合的機能関連図と看護
　　課題　496
　──をめぐる訪問看護　490
社会的フレイル　257
社会的役割　522
週間サービス計画書　7
週間サービス計画表　37
重症児　173, 176
重症心身障害　176
重症心身障害児　173, 176, 180
　──，総合的機能関連図と看護
　　課題　183
　──をめぐる訪問看護　176
周辺症状　304
住民税非課税世帯　473
就労支援　474
出生前診断　243
シュナイダー一級症状　160
障害者総合支援法　474
状況の認識　544
症状コントロール　402
小児がん　412
　──，総合的機能関連図と看護
　　課題　420
　──におけるエンドオブライフ
　　ケア　412
　──をめぐる訪問看護　413
小児緩和ケア　412, 417
情報源と情報の手段　7
情報収集の項目　8
　──とポイント　9
情報収集の方法　7
情報整理シート　6, 14, 15
　──の活用　14
情報の理解　544
ショートステイ　439

食事量減少　372
褥瘡　143, 288, 294, 359, 372
　──の局所ケア　302, 364
腎移植　77, 80
新オレンジプラン　306
神経因性膀胱　479
神経性拘縮　287
神経難病　382, 387
　──，総合的機能関連図と看護
　　課題　390
　──におけるエンドオブライフ
　　　　　　　　　　　　382
　──をめぐる訪問看護　383
神経発達症群　502
心原性脳塞栓症　125
人工栄養　339
進行期パーキンソン病　190
人工呼吸器　213, 549
人工呼吸器管理　212
人工呼吸器装着　384
人工骨頭置換術後　277
侵襲的人工呼吸法　213
腎代替療法　77, 80
身体的虐待　458
身体的フレイル　256
伸展拘縮　287
心拍出量減少　101
心拍出量低下　94
心不全　94, 96
腎不全　77
心理的虐待　458

す

推定意思　544, 555
睡眠障害　190
スカルパ三角　270
ストーマ管理　51
スピリチュアルペイン
　　　　　　　397, 402, 409

せ

正確な記録　28
生活困窮　473, 479
　──，総合的機能関連図と看護
　　課題　482
　──による介護破綻　475
　──をめぐる訪問看護　475
生活困窮者　473
生活困窮者自立支援制度
　　　　　　　　　471, 474
生活困窮者自立支援法　473

587

生活の質 4
　――の低下 320
生活不活発病 288, 353, 359, 434
　――，総合的機能関連図と看護
　　課題 362
　――をめぐる訪問看護 355
生活不活発病チェックリスト
　　354
生活保護 116
生活保護制度 474
精神科リハビリテーション 160
精神症状 162, 165
精神・心理的フレイル 256
精神病後抑うつ 159
成年後見制度 463, 470
脊髄損傷 142
摂食嚥下訓練 440
摂食・嚥下障害 337, 344
　――，総合的機能関連図と看護
　　課題 347
　――の臨床的重症度分類 338
　――をめぐる訪問看護 340
切迫性尿失禁 320, 322, 323
セルフエフィカシー 62
セルフネグレクト 459
セルフマネジメント 62
線維性強直 287
前言語的コミュニケーション
　　239, 251
全人的苦痛 396, 399, 409
喘息とCOPDのオーバーラップ
　　60
選択の表明 544
前頭側頭型認知症 205, 304
せん妄 359

そ

総合的機能 5, 8
　――を構成する4領域と要素
　　8
　――をみる視点 5, 19
総合的機能関連図 6, 18
　――の活用 17
　――の点検ポイント 19
　――をみる視点 18
相互的セルフマネジメント 61
阻血性拘縮 287

た

体圧分散 302, 364
体圧分散寝具 378
体位変換 302, 364

第三者に対する説明 5
対人交流 165
大腿骨近位部骨折 270
　――，総合的機能関連図と看護
　　課題 280
　――をめぐる訪問看護 273
大腿骨頸部骨折/転子部骨折 270
　――，総合的機能関連図と看護
　　課題 280
　――をめぐる訪問看護 273
大腿骨転子部骨折 270
大腿骨転子部骨折後 434
大腸がん 51
唾液腺マッサージ 349
多系統萎縮症 387, 479
多剤併用 559, 564
多職種連携ノート 26
脱水 51
多発性硬化症 222, 228
　――，総合的機能関連図と看護
　　課題 231
　――をめぐる訪問看護 224
ため込み症 502
　――疑い 508
短期目標 24
男性介護者 463

ち

地域・在宅看護 2
　――の考え方 2
　――と訪問看護 2
地域・在宅看護実践 2, 4
知能指数 173
注意欠如多動症 502
中核症状 304
中心静脈栄養の管理 559
中心静脈カテーテル 411
中部尿道ストリング手術 321
長期目標 23
　――の明確化 23
直接訓練法 339
直接的看護ケア計画 24, 25

つ

強み 6
　――と読む解釈・判断 17
　――と弱みをみる視点 6, 19
　――を活かす援助 6
強み着眼型看護課題 17, 20
強みマーク 25

て

低栄養 84, 243, 260, 344
　――の予防 339
ディオゲネス症候群 502
デイサービス 439
的確な援助の提供 27
手さし 250
デュシェンヌ型筋ジストロフィー
　　237, 243
デュピュイトラン拘縮 289
てんかん 174, 180
　――発作時の対応 186
転居 493

と

統合失調症 159, 165, 536
　――，総合的機能関連図と看護
　　課題 168
　――をめぐる訪問看護 162
統合失調症スペクトラム障害
　　502
透析療法 77, 80
疼痛 372
疼痛コントロール 417
導尿 155
糖尿病 110, 116, 311, 508, 536
　――，総合的機能関連図と看護
　　課題 119
　――をめぐる訪問看護 112
トータルペイン 399
特別支援学校 180
閉じこもり 488
独居 116, 260, 327, 536, 564
突発痛 44
ドパミン補充 190

な

内固定法 271
難病の患者に対する医療等に関す
　る法律 479
難病法 479

に

日常生活自立度(障害高齢者)の基
　準 40
日常生活自立度(認知機能)の基準
　　41
日常生活動作の低下 145
日中独居 493, 522
日本版フレイル基準，改訂 253
尿意切迫感 327

索引

尿失禁　320, 327
　──，総合的機能関連図と看護
　　課題　330
　──をめぐる訪問看護　323
尿道カテーテル　322
尿路感染　212
認知機能障害
　　159, 162, 165, 190, 308
認知症
　　304, 359, 434, 463, 502, 508, 559,
　　564
　──，総合的機能関連図と看護
　　課題　314
　──をめぐる訪問看護　307
認知症施策推進総合戦略　306

ね

ネグレクト　448, 459, 463
寝たきり　359
年金　463

の

脳血管性認知症　304
脳梗塞　125, 128, 132
　──，総合的機能関連図と看護
　　課題　135
　──をめぐる訪問看護　128
脳梗塞後遺症　294
脳性麻痺　180

は

パーキンソン病　189, 196
　──，総合的機能関連図と看護
　　課題　199
　──の四大症候　189
　──をめぐる訪問看護　192
パーソン・センタード・ケア
　　305, 307
バイオフィードバック法　321
肺がん　402
肺線維症　73
肺塞栓症　270
排尿障害　190
排尿日誌　321, 332
排便コントロール
　　90, 137, 333, 366
排便障害　190
廃用症候群　287, 288, 353, 434
　──，総合的機能関連図と看護
　　課題　362
　──をめぐる訪問看護　355
発達支援　243

パニックコントロール　72
反射性拘縮　287
反復唾液嚥下テスト　337

ひ

非運動症状，パーキンソン病
　　　　189
引きこもり　463
非侵襲的換気療法　174
非侵襲的人工呼吸法　213
非侵襲的陽圧換気　206
悲嘆　396
　──の表出　397, 529
　──への支援　396
ひとり親家庭　180
一人介護　434
皮膚性拘縮　287
評価　6, 28
　──の指針　29
　──の側面　28
　──の方法　28
貧困　473
頻尿　327

ふ

フィジカルアセスメント　7
フードテスト　337
不衛生　508
　──な住環境　502
　──な住環境（ごみ屋敷），総合
　　的機能関連図と看護課題　511
　──な住環境（ごみ屋敷）をめぐ
　　る訪問看護　504
フォルクマン拘縮　287
不活動による悪循環　353
腹圧性尿失禁　320, 321, 323
福祉用具の活用　132
腹膜透析　80
腹膜透析療法　81
服薬アドヒアランス　559
服薬カレンダー　559
服薬管理　165, 196, 559, 564
服薬管理不全　559, 561
　──，総合的機能関連図と看護
　　課題　563
　──をめぐる訪問看護　561
不随意運動　190
不良肢位　288
フレイル　253, 260
　──，総合的機能関連図と看護
　　課題　263
　──のスクリーニング　253

　──をめぐる訪問看護　256
フレイル・インデックス，簡易版
　　　　254
フレイルティ　253
プレフレイル　253
文章型の看護課題　19

へ

ベッカー型筋ジストロフィー
　　　　237
便宜肢位　288
変形性膝関節症　522
便秘　359

ほ

包括的呼吸リハビリテーション
　　62, 63, 392, 500
膀胱訓練　322
膀胱訓練法　333
膀胱留置カテーテル法　322
訪問看護　2, 4, 17
　──とケアの関係　3
　──における援助内容の具体例
　　　　25
　──における看護過程　4
　──の記録の例　29
　──の行動予定表の例　27
訪問看護業務において活用される
　　書式　7
訪問看護計画書　7, 32
訪問看護師　4
訪問看護指示書　7, 31
訪問看護導入時の情報収集　8
訪問看護報告書　7, 34
ホーン-ヤール分類　189
ホーン-ヤール分類Ⅳ　196
歩行機能低下　260
ポジショニング　289
保存期腎不全　81
ボツリヌス療法　289
ポリファーマシー　559, 564

ま

末期がん　396, 402
末期がん療養者　396
慢性呼吸不全　213
慢性腎臓病　77
慢性心不全　94, 97, 101
　──，総合的機能関連図と看護
　　課題　104
　──をめぐる訪問看護　97

索引

慢性腎不全　77, 81, 84
　──，総合的機能関連図と看護課題　87
　──をめぐる訪問看護　80
慢性閉塞性肺疾患　60, 67, 493
　──，総合的機能関連図と看護課題　70
　──をめぐる訪問看護　63

み

未婚の子ども　463
見守りによる支援　532

む

無気力症候群　517

め

免疫抑制薬　228

も

問題着眼型看護課題　17, 22

や

病みの軌跡　96

ゆ

有痛性強直性痙攣　222
指さし　250

よ

要介護度の目安　40

幼児（女児）　243
陽性症状　159, 162
腰痛症　522
腰部脊柱管狭窄症　260
予期悲嘆　396
抑うつ症状　191
弱み　6
　──と読む解釈・判断　17
　──を補う援助　6

ら

ラクナ梗塞　125

り

リアリティ・オリエンテーション　317
理解・意向　5, 8, 16
　──領域の情報　17
　──をみる視点　5
リスク着眼型看護課題　17, 21
リハビリテーション　132, 277
　──，筋ジストロフィー　238
　──，頸髄損傷　144
　──，脳梗塞　126
療育　443
療育困難　443, 448
　──，総合的機能関連図と看護課題　451
　──をめぐる訪問看護　445
良肢位　288
療養者　5

リロケーションダメージ　311, 315

れ

レスキュー　44
レスキュードーズ　45
レスパイト　175
レスパイトケア　301, 318, 439
レスパイト入院　207, 239, 557
レビー小体型認知症　304
レルミット徴候　222
連携マーク　25, 26

ろ

老後破産　473
老衰　368, 372
　──，総合的機能関連図と看護課題　375
　──におけるエンドオブライフケア　368
　──をめぐる訪問看護　369
老年期隠遁症候群　502
老年期うつ　260
ロコモティブシンドローム　254
論理的思考　544

わ

ワーキングプア　473

総論	地域・在宅看護の特徴　看護過程の基本　看護過程のステップ
健康障害	がん慢性期　慢性閉塞性肺疾患（COPD）　慢性腎不全　慢性心不全　糖尿病　脳梗塞　頸髄損傷 統合失調症　重症心身障害児　パーキンソン病　筋萎縮性側索硬化症　多発性硬化症 筋ジストロフィー　フレイル　大腿骨頸部/転子部骨折（大腿骨近位部骨折）　関節拘縮　認知症 尿失禁　摂食・嚥下障害　生活不活発病（廃用症候群）　老衰　神経難病　がん　小児がん
心理・社会	家族の介護疲れ　療育困難　家族による高齢者虐待　生活困窮　社会的孤立 不衛生な住環境（ごみ屋敷）　意欲低下　自己放任　意思決定不全　服薬管理不全